口腔組織・発生学

第3版

Oral Histology and Embryology

編集

前田健康

網塚憲生

中村浩彰

執筆（五十音順）

明海大学歯学部教授
天野　修

北海道大学大学院教授
網塚憲生

北海道大学大学院教授
飯村忠浩

鶴見大学歯学部講師
石川美佐緒

新潟大学大学院教授
泉　健次

元新潟大学大学院准教授
井上佳世子

東北大学大学院教授
江草　宏

新潟大学大学院教授
大峡　淳

東京科学大学大学院教授
興地隆史

日本歯科大学生命歯学部教授
菊池憲一郎

北海道大学名誉教授
北川善政

新潟大学名誉教授
小林正治

東北大学名誉教授
笹野泰之

新潟大学大学院助教
佐藤友里恵

鶴見大学名誉教授
下田信治

九州歯科大学教授
瀬田祐司

朝日大学歯学部教授
滝川俊也

日本歯科大学新潟生命歯学部教授
辻村麻衣子

松本歯科大学教授
中村浩彰

北海道大学大学院准教授
長谷川智香

明海大学歯学部准教授
坂東康彦

九州大学大学院教授
福本　敏

北海道医療大学歯学部教授
細矢明宏

新潟大学大学院准教授
前川知樹

関西女子短期大学教授/大阪大学名誉教授
新潟大学大学院教授
前田健康

神奈川歯科大学特任教授
松尾雅斗

昭和大学歯学部教授
美島健二

関西女子短期大学教授/大阪大学名誉教授
村上伸也

北海道医療大学名誉教授
矢嶋俊彦

九州大学大学院教授
山座孝義

大阪大学大学院教授
山城　隆

元北海道大学大学院教授
山本恒之

東京歯科大学教授
山本　仁

北海道大学大学院教授
八若保孝

関西女子短期大学教授/大阪大学名誉教授
脇坂　聡

北海道大学名誉教授
脇田　稔

医歯薬出版株式会社

This book is originally published in Japanese
under the title of :

KOUKŪ SOSHIKI HASSEI GAKU
(Oral Histology and Embryology)

Editor :
MAEDA, Takeyasu et al.

MAEDA, Takeyasu
Professor
Center for Advanced Oral Science, Niigata University

ISHIYAKU PUBLISHERS, INC.
7-10, Honkomagome 1 chome, Bunkyo-ku,
Tokyo 113-8612, Japan

第３版発刊にあたり

本書は2006年に初版が，2015年に第２版が刊行され，このたび第３版を上梓することとなった．当初，本書の出版は『歯の組織学（藤田恒太郎著，医歯薬出版）』および『歯の発生学 ―形態編―（大江規玄著，医歯薬出版）』の改訂版として企画されたと聞いている．これらの出版から，本書初版刊行まで約50年が経過しているが，この間，さまざまな研究手法が開発，応用され，新たな研究成果が蓄積されてきた．しかしながら，この２冊の書籍は口腔組織・発生学の基本事項の正確さおよび歴史的事実の記載の点で，長く親しまれてきたため，この歴史的名著の改訂という大事業に誰もなかなか踏み出せず，残念ながら，長い間，改訂は行われることはなかった．

本書の発刊が企画された当時，歯学教育モデル・コア・カリキュラムの導入，共用試験の本格実施，歯科医師国家試験の難易度の上昇，国立大学歯学部の大学院重点化・部局化など歯科医学教育を取り巻く状況は大きく変化しつつあった．このような中，本書は口腔組織・発生学の標準的教科書を目指して企画・編集され，初版では「基本事項の精選および基本的事項の抽出と分離記載」を編集の基本方針とし，歯学生から口腔組織・発生学を研究対象とする研究者に役立つように配慮して刊行された．定年退職に伴う何名かの編者・執筆者の交代とA4版化を行った第２版では，普遍的な基本事項の修正は必要最小限にとどめたが，発展的内容，臨床との関連部分は時代に即した内容に大幅に書き改めるとともに，進歩の著しい発生生物学，再生医療などの最近の知見などにもページを割いた．

初版刊行から約15年，第２版刊行から８年を経過すると，執筆者の多くが定年退職となり，教育・研究の第一線を退くこととなった．また2022年には令和５年版歯科医師国家試験出題基準および歯学教育モデル・コア・カリキュラム 令和４年度改訂版が公表され，さらに歯科医師法改正による共用試験の公的化および共用試験合格を歯科医師国家試験の受験資格の要件とすることが決定され，歯科医学教育を取り巻く環境もまた大きく変わりつつある．歯学教育モデル・コア・カリキュラム 令和４年度改訂版では，アウトカム基盤型カリキュラムへの深化がうたわれ，「歯科医師として求められる基本的な資質・能力」が第１章として独立し，歯学生が卒業時に具備すべきコンピテンシーが明確化された．特に，「LL：生涯にわたってともに学ぶ姿勢（Lifelong Learning)」，「PS：専門知識に基づいた問題解決能力（Problem Solving)」にうたわれる生涯学修や問題解決型学修がより重要視され，学生が自ら学ぶ態度の醸成が求められている．

このような中，この第３版の改訂にあたり，執筆者の入れ換えを行うとともに，

① 学問の進歩，歯科医療の発展に傾注し，アドバンス的内容をアップデートし，読者の知的好奇心を喚起すること
② 読者の理解を助けるために，写真は基本的にフルカラーとすること
③ 現行の教育時間を考え，古典的な内容は成書を参考とすることとし，総量を減らすこと
④ 近年の硬組織研究の発展に鑑み，顎骨など骨組織の内容を充実させること
⑤ 歯科医師国家試験の出題基準に従い，人名を含む語の標記は原文標記とすること

を編集の基本方針とした．

わが国の教育・研究の第一線で活躍している優れた執筆者のご尽力により，『口腔組織・発生学　第３版』は基礎的事項および発展的事項ともに，これまで以上の充実した内容となったと自負している．第３版を送り出すにあたり，本書が口腔組織・発生学の標準的な教科書として，我が国の歯学教育および研究に，さらなる貢献を果たすことを期待する．また本書により，歯学生，研究を開始した大学院生，他分野

の研究者などに形態学研究のおもしろさを感じてもらい，積極的にこの分野の教育・研究に参画し，学問の発展に貢献してもらうとともに，次回の第４版改訂の際には編者，執筆者として活躍していただきたいと，切に念じる次第である．

第３版の改訂にあたり，今回も多くの方々から図版の提供あるいは転載の許可をいただいた．この場を借りてここに厚くお礼を申し上げる．また短期間での大幅な改訂作業に励まし，提案と種々の助言，特に著作権に関する助言・援助をいただいた医歯薬出版編集部の方々にお礼を申し上げる．

2023 年 10 月

前田健康（新潟）
網塚憲生（札幌）
中村浩彰（塩尻）

第２版発刊にあたり

本書は2006年に初版が刊行され，以来，約８年が経過した．幸い発刊当初より好感を持って迎えられ，予期した以上の評価を得ることが出来た．

当初の目標であった，口腔組織学・発生学における標準的教科書への途を歩み始めることができたとの手応えを，本書を世に送り出したものとして喜びを感じている．

この理由の一つとして，本書が我が国の口腔組織学・発生学を担う歯科大学・歯学部教員による，優れた記載内容に溢れていることがあげられるが，さらに十分な時間をかけてその内容・構成が検討されていることによると考えている．すなわち，基本事項の精選，基礎的事項の抽出と分離記載による初学者から研究者までの対応など，今までの教科書にみられなかった特徴を明確に示したことが広く受け入れられたと考える．さらには，歯科教育カリキュラムの大転換期に対応していることがもう一つの理由であろう．

初版が出版されて以来，口腔組織学・発生学の分野においても学問の進歩は驚くべきものがあったが，他方，初版から８年あまり経過した今でも，基本事項として抽出，分離記載した事項にはほとんど修正の必要がないことに，編者らは当初の編集方針が間違っていなかったと自信を深めている．

一方，発展的内容の部分ならびに臨床との関連部分は，さすがに大幅な書き換えを余儀なくされたので，この部分は今回全面的に書き改めている．

本書は今回の改訂にあたり，今までの多くの教科書等では添え物的と言っては語弊があるが，歯と歯周組織に対して副次的に取り扱われて，記載内容の乏しかった事項，すなわち，歯の支持組織，神経・血管，口腔軟組織，顎関節，骨，さらには近年めざましい進歩を遂げている発生生物学や再生医療の最近の知見などにも十分紙数を配分した．幸い，優れた執筆者を得られたことで，基礎的事項，発展的事項共に他に類をみない充実した内容となった．これが，今回の改訂の大きな特徴である．

ここに，第２版を送り出すにあたり，本書が口腔組織学・発生学の標準的教科書として，今後も我が国の歯学教育および研究に，今まで以上に貢献して行くことを，編者としては大いに期待したい．同時に，本書が歯学を専門としない読者にとって，形態学という窓を通して歯学・歯科医療を俯瞰するための資料として役立てば，編者にとって望外の喜びである．

第２版への改訂にあたり，今回も多くの方々から図版の提供あるいは転載の許可を頂いた．ここにお礼を申し上げる．また，短期間での全面改訂作業に励ましと種々の助言，提案を頂いた医歯薬出版株式会社編集部の方々にお礼を申し上げる．

2014年12月

編者一同

初版の序

「口腔組織学・発生学」は歯科医学における顕微解剖学の中心となる学問である．歯あるいは口腔の組織学ならびに発生学の授業に教科書として広く使われている出版物は，世界的にみてもあまり種類は多くない．わが国でもおそらく，ほとんどの大学では，『歯の組織学』（藤田恒太郎著）のほか，数種の外国語書籍の和訳本が使われていると思われる．

学問の進歩によって基本的知識が年々増加するのは当然としても，これに，続々と発表される現在の最先端の知見などのすべてを盛り込もうとすると，教科書としては不適当な大部なものとなってしまう．同時に，情報化社会のなかでは，知見の置き換わりと追加の頻度が高くなり，教科書も比較的短時間での改訂が必要となる．一方で，代表的な教科書とされる『歯の組織学』が初版以来半世紀にわたり，歯牙の組織学に関する標準記載として引用されている事実は，基本的記載の点でこれを超える内容をもつ教科書が現れなかったことを示している．電子顕微鏡や組織化学等その後に急速に発達した方法論によって得られた研究成果の記載がほとんどないなど，いくつかの欠点が指摘されつつも，歴史的名著といわれるゆえんであろう．

教科書としてどのようなものが必要かと考えると，これには二つの方向があると考えられる．一つは，外国の多くの教科書にみられるように，まだ定説として認識されていなくても，最近の知見をできる限り盛り込もうとする考え方である．研究者が対象の場合はこれでもよいのであるが，初学者が対象の場合，基本的・古典的と考えられる基礎知識を十分に示す必要があり，適当とはいえない．また，教科書にのった“最新知見”の多くは，出版された段階ですでに最新ではなくなっている場合も多いという欠点もある．

ほかの一つは，改訂を加えるごとに，新知見を逐次追加する方法である．この方法では，多くの新旧の事項が併記混在されていることが多いため，初学者にとって何が基礎的に重要なのかを読み取ることが困難となる欠点がある．この点を補うためには，授業中に教員が指摘をすれば解決するのであるが，すべてにわたって十分な指摘が可能かという点で疑問が残る．結果として，この魅力に富んだ学問が，学生にとって無味乾燥な「暗記もの」に堕してしまう危険性が増加する．さらに，講義や実習で学んだことをすべて理解すれば，おのずから全体像がみえてくるはずであるとする従来型の古典的な教育は，学生の気質と資質の変化ならびに学ぶべき事項の急激な増加と授業時間の減少により，もはやすべての分野にわたり通用しなくなっている．

したがって，学問を学ぶうえで基本事項は何かを明確に記載し，さらにその先を自主的に学びたいという学生には，現在どのような点で進歩しつつあるのか，どのような考えが提出されつつあるのかを，明瞭に区分して記載提示するという方法をとることが，教科書としてよりよい形態と考えられる．

現在，歯学教育は大きな変換期にあたっており，カリキュラムの見直し，共用試験の導入など，いままさに，基本的事項の精選が求められている．この意味でも，本書の編集方針として掲げた“基本的事項の抽出と分離記載”は，時宜を得たものと考える．

これらの点を踏まえて本書では次のような工夫を施した．まず，歯学部学生ならびに歯の研究を始めようとする初学者のために，基本的事項を大きな文字で記載した．そしてひと通り歯学を修得した研究者ならびに歯を研究対象とする多くの研究者にとって役立つように専門的な項目を分けて小さな文字として記載した．さらに，項目ごとに記載の理解のための重要な箇所を太字で表した．付録として，現在行われている歯の研究方法の基本的な点について第 11 章に述べてある．詳細は専門書を読み，ベテランの研究者から指導を受けてほしい．

われわれがもっとも苦心した点は「用語の統一」である．歴史的理由，個人の好みによる短縮，あるいは元が外国語の場合における表現の違いなどで，一つの事項について似たような用語がそれぞれの場で使われていることが少なくない．本書では，もっとも普通に使われていると考えられる用語を選択し，別に広く使われている用語がある場合は括弧で示した．欧文用語も英語を基準とし，表記の異なる場合は同様に併記した．

本書は決して『歯の組織学』の改訂版ではないが，同書は編集にあたってもっとも参考にした書籍である．したがって，全体の構成をはじめ記載内容に同書との類似や付図の引用が少なくないのはこのためである．本書を編集することができたのは，ひとえに一方で『歯の組織学』という優れた先達の存在があり，他方で優秀な組織学教員ならびに研究者に恵まれた現在という幸運があったからである．分担執筆の通例としての欠点も散見されるが，本書が『歯の組織学』と同様に息の長い，わが国における「口腔組織学・発生学」の標準的教科書に育っていけば，編者にとって望外の喜びである．

本書の刊行にあたり，多くの方々から図版の提供あるいは転載の許可をいただいた．この場を借りてここに厚くお礼を申し上げる．また，本書の完成までに終始励ましと助言をいただいた医歯薬出版株式会社編集部の方々に心からお礼を申し上げる．

2006 年 7 月

編者一同

口腔組織・発生学 第3版 目次

口腔組織・発生学

総 論

第1章 口腔と歯の概説

chapter 1

I 口腔とはなにか

1. 口腔の機能

口腔 oral cavity は消化管の前端にある空洞の器官である．前方は口裂 oral fissure (oral opening) で体外に，後方は口峡 fauces で咽頭腔に通じている．口腔の天井は口蓋 palate，側壁は頬 cheek と口唇 lip，床は舌と口腔底（口底）で，口腔の壁には骨，筋や神経などのさまざまな構造物，歯および歯周組織 periodontal tissue, periodontium，舌，口腔腺が備えられ，各種の口腔の機能を実現している．器官としてはこの空洞を囲む壁を含めた総称である．口腔の機能の第一は，食物を取り込み，細かくし，唾液と混ぜ合わせて，飲み込みやすい形の食塊をつくること，すなわち**咀嚼** mastication である．これは食物を咽頭に送り（食塊移送），嚥下させる機能につながっている（初期消化）．第二に，口腔は気道として機能する．通常は鼻腔による呼吸の補助経路であるが，急速な呼吸の際は主気道となる．空気の通り道は同時に言葉をつくる器官（構音器）として機能する（発話，コミュニケーション能力）．第三に，口腔は鋭敏な感覚受容機能を備えている．口腔の壁には痛覚，触覚，圧覚，温冷覚を感受する豊富な感覚装置が分布している．また，特に舌 tongue を中心とした粘膜 mucosa には味覚受容器が豊富である．口腔に露出している歯もまた，鋭敏な機械感覚の受容器官である．

口腔は元来，前腸の先端に発生した鰓弓によって囲まれた部分である．原始的な動物では呼吸器としての役割が大きく，また口腔腺の発達は悪かった．そのため，口腔は消化機能がほとんどなくエサの通路でしかなかった．進化とともに，口腔腺が発達し初期消化器官としての役割を果たすようになった．魚類を中心とする水棲動物が，水を口から取り込み鰓で呼吸し，口を使って捕食するということを思い出せば，口腔が消化器と呼吸器の両方の機能をもっていることは納得できるであろう．

2. 口腔の構造

口腔は上下の口唇の隙間である口裂によって外部と通じ，口峡を介して咽頭に通じている．口腔はさらに歯槽突起 alveolar process（下顎では歯槽部 alveolar part）と歯列によって，外側の**口腔前庭** oral vestibule と内側の**固有口腔** oral cavity proper に分けられる（**図 1-Ⅰ-1，2**）．口腔前庭は外側が口唇と頬，内側が歯槽突起（歯槽部）と歯によってはさまれた空間で，固有口腔は歯列弓の内側の空間で，底面には筋性の器官である舌がある．安静時の固有口腔は舌でほぼ占められている．口腔前庭と固有口腔は歯間のわずかな隙間と両側最後位歯の後方で交通する．歯の欠損があるときあるいは不正咬合で歯隙がある場合は，その部位でも交通する．

口腔は体の前端の外胚葉のへこみ，口窩 stomodeum として最初に形成される．このへこみは深くなりやがて 1 枚の膜（口咽頭膜 oropharyngeal membrane）を隔てて，内胚葉由来の前腸（腸管の前方）と向かい合うようになる．このように口咽頭膜は外胚葉と内胚葉の 2 層の細胞層からなる膜である．ヒトでは胎生 4 週に口咽頭膜が破れて口と腸がつながる．この口咽頭膜の管壁への付着部位が口峡となる．

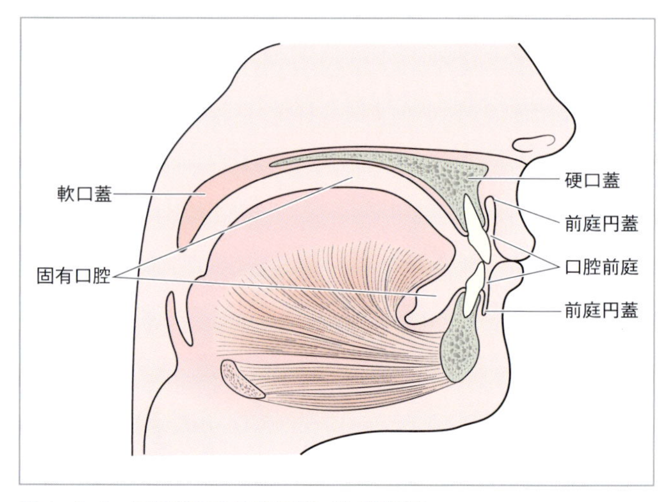

図 1-Ⅰ-1 口腔前庭と固有口腔（矢状断面）

口腔の内面は歯を除いて粘膜によって覆われている．この粘膜を口腔粘膜 mucous membrane of mouth とよび，他の粘膜と同様，粘膜上皮 mucous epithelium，粘膜固有層 propria mucosae，粘膜下組織 submucosa からなる．粘膜は口腔の各部位で少しずつ異なる構造を示すが，共通して粘膜筋板 muscularis mucosae を欠く．口腔粘膜は特にその粘膜上皮の構造と機能により，**被覆粘膜**，**咀嚼粘膜**，**特殊粘膜**の３種に分けられる．口腔の粘膜上皮は**重層扁平上皮**で，その多くを占める被覆粘膜は基本的には角化しておらず，また部位と機能により角化の程度や厚さが異なっている．口腔粘膜は後方で咽頭粘膜に境界なく移行している．前方では口腔粘膜は**口唇**を介して顔面の皮膚に移行するが，その間で**赤唇縁** vermillion border が介在する．上下唇のこの部位は，角化しない皮膚で，ヒトに特有の構造である．

口蓋は固有口腔の天井と鼻腔の床をつくり，口腔と鼻腔が分離している哺乳類に特有の構造である．口蓋は骨の支持をもつ**硬口蓋** hard palate とこれを欠く**軟口蓋** soft palate に分けられる（**図 1-Ⅰ-1**）．硬口蓋の粘膜は骨に固着していて非可動性である．軟口蓋の粘膜は可動性がある．軟口蓋後部は自由縁になっており，**口蓋帆** palatine velum とよぶ．その正中部は後下方に口蓋垂 uvula として突出している．口蓋帆からは咽頭の側壁を舌に向かって２本のヒダが走り，前方を口蓋舌弓 palatoglossal arch (anterior pillar of fauces)，後方を口蓋咽頭弓 palatopharyngeal arch (posterior pillar of fauces）という（**図 1-Ⅰ-2**）．ヒダの内部にはそれぞれ同名の筋がある．この２つの粘膜ヒダの間のくぼみを扁桃窩 tonsillar fossa（bed，sinus）といい，中に口蓋扁桃 palatine tonsil が存在する．口蓋筋の口蓋帆挙筋 levator veli palatini muscle と口蓋帆張筋 tensor veli palatini muscle が収縮すると，軟口蓋が後上方に挙上し，口腔と咽頭鼻部の交通が遮断され，食塊は口腔から鼻腔に入ることなく，咽頭に向かって送り出される．また発声の際にもこの２筋により軟口蓋が挙上し，音声が鼻腔に抜けないようにしている．

欧米の教科書では軟口蓋と口蓋帆を区別しておらず，両者を soft palate としているものが多い．また日本の解剖学用語集でも軟口蓋と口蓋帆を区別していない．

口腔の側壁は**頬**である．その壁の外側は皮膚，内側は粘膜で覆われ，その間を頬筋 buccinator muscle を中心とする多くの顔面筋（表情筋；顔面神経支配）と脂肪

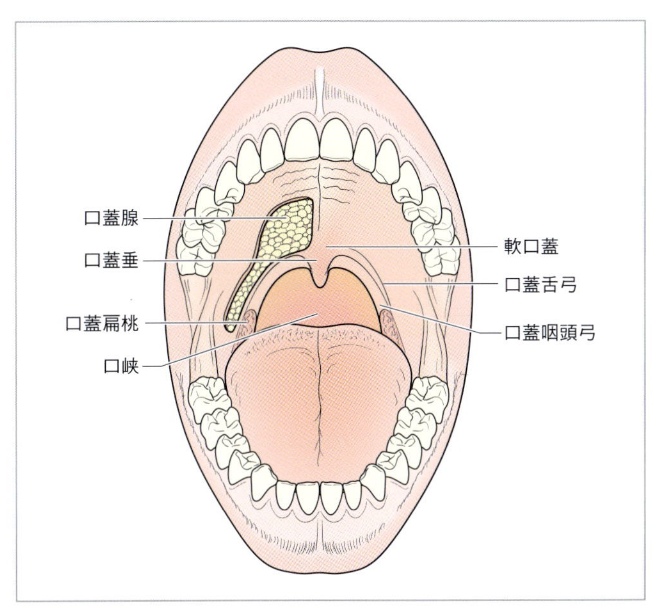

図 1-Ⅰ-2　口腔と口峡

が満たしている．頬は咀嚼時に舌と協調して食物を上下の歯の間に運ぶ機能のほか，口腔内の圧力を変化させて，たとえば頬を膨らませるなど，表情をつくる機能も担っている．

頭部の浅層にある筋を顔面筋 facial muscles といい，深層の筋を咀嚼筋 masticatory muscles という．顔面筋は顔貌を変化させて表情をつくるので，表情筋 muscles of expression ともよばれる．

舌は口底の後部から前方に突出した器官で，大部分が横紋筋によって占められている．舌尖，舌体，舌根に分けられ，舌体の表面を特に舌背とよぶ．舌体部と舌根部はＶ字型をした**分界溝** terminal sulcus of tongue により区別される．分界溝の頂部には舌盲孔 foramen caecum of tongue がある．これは発生過程にみられる甲状舌管の名残である．舌の表面は特殊に分化した粘膜，**舌乳頭** lingual papilla によって覆われる．舌背には糸状乳頭 filiform papilla，茸状乳頭 fungiform papilla，葉状乳頭 foliate papilla，有郭乳頭 circumvallate papilla の４種類の舌乳頭がみられる（☞ p. 201 **図 9-Ⅳ-1** 参照）．舌根には舌扁桃 lingual tonsil が存在し，口蓋扁桃，咽頭扁桃 pharyngeal tonsil，耳管扁桃 tubal tonsil とともに口峡を取り囲み，**Waldeyer（ワルダイエル）の咽頭輪** Waldeyer's (tonsillar) ring を構成する（☞ p. 208 **図 9-Ⅴ-2** 参照）．舌は豊富な感覚神経支配をもち，食物など口腔内に取り込まれた物の性状を認識することができる．また舌は食物と唾液の練和，口腔内移送，食塊の口腔から咽頭への

移送にかかわる．動物には，摂食の道具として運動能力の発達した舌をもつものも多く，草食動物で多くみられる．ヒトで特に発達しているのが，舌を微妙に変形させることによって言葉をつくる（構音）機能である．

口蓋舌弓，口蓋咽頭弓および舌根で囲まれる部位を**口峡**といい，口腔と咽頭の境，すなわち口腔の後端となっている（**図 1-Ⅰ-2**）．

口峡は口窩に由来する外胚葉性の口腔粘膜と，原腸由来の内胚葉性の咽頭粘膜の移行するところであるが，その境界はみられない．

Ⅱ 歯とはなにか

歯は鳥類やカメなど爬虫類の一部を除いたすべての脊椎動物に存在する．哺乳類の中にも，カモノハシやオオアリクイなど歯のないものもあるが，これらは進化の途中で二次的に歯を失ったとされている．歯の形，数，分布，構造などは，動物種により著しく異なっているので，脊椎動物全体を通して，歯を定義するのはむずかしいが，次の特徴をもった器官を歯とすることができる．

歯は脊椎動物になって初めて出現する器官で，硬組織を主成分とすることが特徴である．この中で象牙質を有することが歯の定義であり，特に**真歯** true tooth という．

脊椎動物以外にも歯をもつものがあり，カタツムリでは歯舌器（鉄分が多く，鉄歯）といい，ウニの類歯器は Aristotle の提灯 Aristotle's lantern ともいい，これらは炭酸カルシウムが主成分となっており，リン酸カルシウムでできたアパタイトを主体としない別の構造物である．円口類のヤツメウナギの歯は主成分がケラチン（角質）で，角質歯 horny tooth とよばれる．

歯は口腔だけでなく咽頭（咽頭歯）などに広く分布していたが，進化に伴う食性の変化などで，存在する場所が限られるようになり，哺乳類では上顎骨 maxilla と下顎骨 mandible だけに存在する．

脊椎動物の歯はサメやエイの体表を覆っている楯鱗 placoid scale に由来する．楯鱗の 1 つ 1 つは小さいながらも，歯と同様にエナメル質と象牙質を備えていて，皮歯 dermal denticle（tooth）とよばれる．その後，進化の過程で，全身に分布していた皮歯は退化し，口窩を含む皮膚の領域にのみ残ったものが歯の原型であるとされている．

魚類でも哺乳類でも，歯は口腔粘膜から大変よく似た過程（上皮・間葉相互作用 epithelial-mesenchymal interaction）を経てつくられる．このことから，歯をつくる能力は顎の由来と無関係に上皮に存在すると思われる．したがってその後に生じる多様な植立様式など，さまざまな歯と顎骨との関係は，歯の形態の多様性とともに二次的に獲得されたものと考えられる．詳しくは，比較解剖学などの専門書で学んでほしい．

歯の主な機能は食物の摂取である．爬虫類以下の歯は獲物を捕らえる捕食器としての機能しかもたなかったが，哺乳類になると，咀嚼器に進化してきた．すなわち，哺乳類以外の脊椎動物では，歯は単にエサをとらえるだけであるが，ヒトを含めて哺乳類の歯は，捕らえる，かみ切る，かみ砕く，磨りつぶす働きがある．また，ヒトでは t，d，th，f，v など歯音をつくり，発音にも関与するとともに，明眸皓歯という言葉からもわかるように顔貌の構成要素として審美性に大きく関与している．

爬虫類以下の動物の歯は餌を捕食した後は丸呑みするのみで，咀嚼することがない．せいぜい飲み込みやすい大きさに食いちぎる程度である．歯の形は単純な円錐形が多く（単錐歯 haplodont），また口腔内のいろいろな部位に生えており，たとえば歯列を構成している歯が前後で大きさこそ違え，すべて同じ形をしていることが多い．これを同形歯性 homodont(y) という．これに対し，ヒトを含めた哺乳類では顎骨上の生える位置により，歯の形態が異なっており，これを異形歯性 heterodont(y) という．ヒトのような雑食性では肉食性および草食性の食物摂取に適した形となっている．

歯が生えることを生歯といい，生歯の回数は動物によって異なる．生涯を通じて何度も歯が生えることを**多生歯性** polyphyodont という．しかし哺乳類では生歯の回数は 2 ないし 1 回に減少し，**二生歯性** diphyodont あるいは**一生歯性**（単生歯性）monophyodont である．ヒトでは一部の歯（大臼歯）は一生歯性であるが，ほとんどの歯は二生歯性である．二生歯性では，はじめに生える歯を**乳歯**，乳歯に代わって生える歯を**代生歯**という．また乳歯は代生歯に生え代わる際，脱落するので，**脱落歯** deciduous teeth ともいう．さらに，乳歯の後方に大臼歯が生える．これらの歯を**加生歯**という．加生歯は脱落しないので，本来，第一生歯の歯であり，代生歯と加

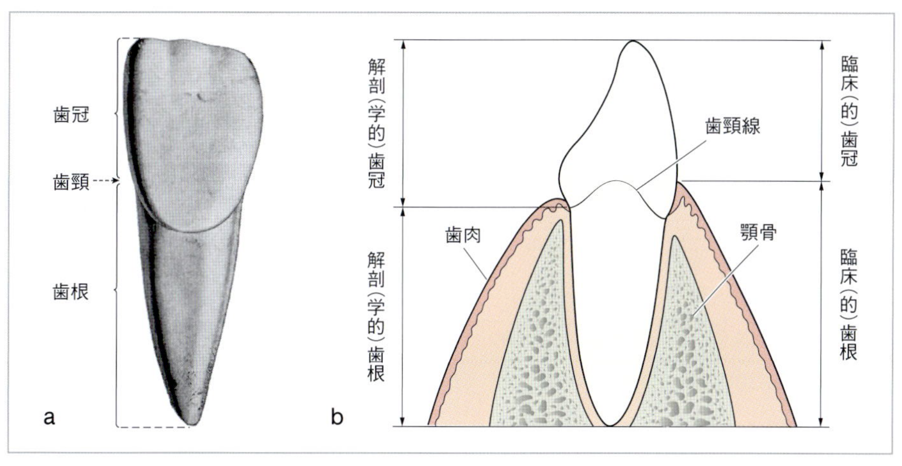

図 1-Ⅲ-1　歯の外形（a）と歯冠・歯根（b）
a：上顎右側中切歯を前からみたところ（藤田恒太郎：歯の組織学．医歯薬出版，東京，1957.）．
b：臨床（解剖）歯冠と臨床（解剖）歯根．

生歯をあわせて**永久歯** permanent teeth という．

Ⅲ 歯の外形と内景

同形歯性から異形歯性に進化した哺乳類の歯には**歯根** root of tooth が形成される．歯根が形成されることで，歯は**歯冠** crow of tooth と歯根に区分される（**図 1-Ⅲ-1a**）．ヒトの場合，歯冠の表面は**エナメル質**に覆われ，口腔に露出し，歯根表面は**セメント質**に覆われる．また内部には歯の主体となる**象牙質**があり，その中央には歯の外形とほぼ一致する**歯髄** dental pulp がある（**図 1-Ⅲ-2**）．エナメル質，象牙質，セメント質は石灰化している硬組織で，歯髄は血管，神経に富む結合組織で軟組織である．なおエナメル質に覆われる象牙質を歯冠象牙質 coronal dentin，セメント質に覆われる象牙質を歯根象牙質 root（radicular）dentin とよぶが，構造上の差はない．

エナメル質で覆われる歯冠を**解剖歯冠** anatomical crown，セメント質で覆われる歯根を**解剖歯根** anatomical root という．歯は口腔の状態により口腔内に露出している部分は変化するので，これを**臨床歯冠** clinical crown とよぶ．一方，歯肉に埋まってみえない部分を**臨床歯根** clinical root という（**図 1-Ⅲ-1b**）．すなわち，臨床歯冠と臨床歯根の範囲は歯肉の状態によって変化する．歯冠と歯根の移行部はくびれており，ここを**歯頸（部）** neck（cervix）of tooth という．歯冠と歯根の境，すなわちエナメル質とセメント質の境界線を**歯頸線** cervical line といい，一定の緩い彎曲を描く．

歯根は基本的には円錐形で，先端部を**根尖** apex といい，ここには歯髄への入口である小さな穴である**根尖孔** apical foramen がある．なお，根尖孔は必ずしも1つではなく，複数存在することもあり，これを副根尖孔 accessory foramen という．

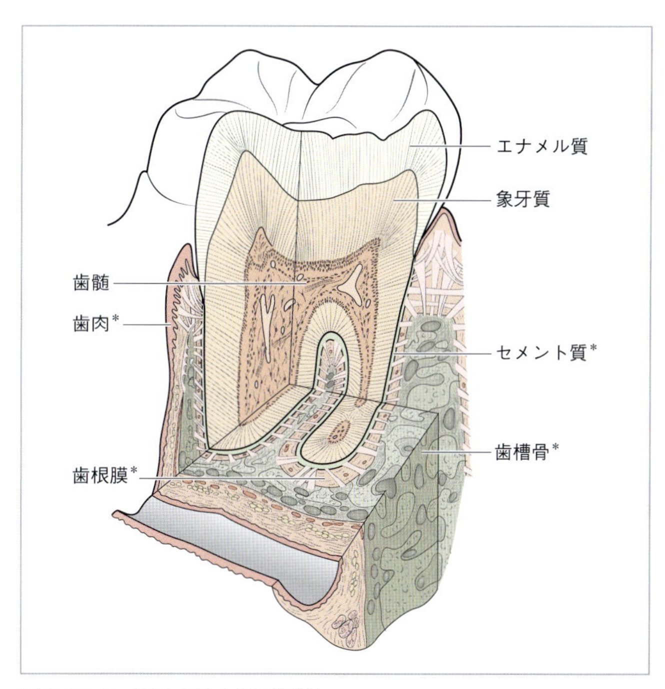

図 1-Ⅲ-2　歯の内景と歯周組織
*：歯周組織

歯の断面をみると，中央部に歯髄を入れる**歯髄腔**または**髄腔** pulp cavity という空洞がみられる．歯髄腔の形態は歯の外形にほぼ一致し，歯冠部にあるものを**髄室** pulp cavity of crown（pulp chamber），歯根にあるものを**根管** root canal（pulp canal）という．髄室の天井を**天蓋** roof of pulp chamber（髄室蓋），底を**髄床底** floor of pulp chamber（髄室床）といい，髄室の側壁はそれぞれ存在する面の名称，たとえば近心壁や舌側壁といった名称をつける．また咬頭頂などに一致して突出する部分を**髄室角** horn of pulp chamber といい，そこに入っている歯髄は**髄角** pulp horn という．

歯の固定と支持組織

歯は上顎骨では歯槽突起，下顎骨では歯槽部にある歯槽骨 alveolar bone のくぼみ，すなわち**歯槽** dental alveolus（alveolar socket）にはまり込んでいる．このような歯の植立方式を**釘植**（ていしょく）gomphosis という．歯槽は歯根より大きいので，歯根表面と歯槽の内壁には隙間があり，これを**歯根膜腔** periodontal space という．歯根膜腔は**歯根膜（歯周靱帯）** periodontal ligament, periodontal membrane, periodontium（periodontium は歯根膜という意味のほか，歯周組織全体をさす場合もある）という密な線維性結合組織で満たされている．歯根膜の線維成分は膠原線維（コラーゲン線維）で，その一端は歯根表面のセメント質内に，また他端は歯槽をつくる歯槽骨内に埋め込まれ，これを **Sharpey**（シャーピー）**線維** Sharpey's fiber という．歯根膜，歯槽骨，セメント質，それに歯肉を歯周組織とよび，歯の固定・支持にあたることから歯の支持組織ともいう．

釘植は哺乳類と爬虫類のワニがもつ歯と顎骨の結合様式である．歯と顎骨の結合様式は動物種によって異なっており，進化の過程で結合様式は，線維性結合，蝶番性結合，骨性結合に変化し，哺乳類になって釘植という結合様式になった．骨性結合から釘植に進化する際，骨性結合で歯と顎骨をつないでいた骨（歯足骨）が歯根表面につき，これがセメント質になり，セメント質と歯槽骨の間に歯根膜が介在するようになった．その結果，セメント質は性質，構造の点で骨によく似ている．

歯頸部と歯槽縁を包む部位を**歯肉** gingiva といい，そこから前庭円蓋に続く可動性に富む部分を**歯槽粘膜** alveolar mucosa という．歯肉と歯槽粘膜の境を**粘膜歯肉境（粘膜歯肉境界溝）** muco-gingival border という．歯肉は可動性に富む**遊離歯肉（自由歯肉）** free gingiva，可動性に乏しい**付着歯肉** attached gingiva，ならびに隣接歯間を埋める**歯間乳頭** interdental papilla に分けられる．健康な歯肉においては付着歯肉表面に**スティップリング** stippling とよばれる小さな浅いへこみが多数みられる．遊離歯肉と付着歯肉の間にある溝を**遊離歯肉溝** free marginal gingiva といい，また遊離歯肉と歯の間にできる溝を**歯肉溝** gingival sulcus という．

歯肉上皮は歯との位置関係から**内縁上皮** inner marginal epithelium と**外縁上皮** outer marginal epithelium に分けられる．さらに内縁上皮は歯面に付着している**付着（接合）上皮** junctional epithelium と歯肉溝をつくる**歯肉溝上皮**に分けられる．

内縁上皮，外縁上皮という分け方は，単に歯肉縁を境界として歯と歯肉の位置関係による便宜的な分け方であり，発生学的由来，構造に応じた分け方ではない．

硬組織

歯や骨は外力が加わってもほとんど変化しない．これは歯や骨がカルシウム塩を多量に含んでいるために硬く，変形しにくいからである．このため，歯を構成するエナメル質，象牙質，セメント質ならびに骨を**硬組織** hard tissue といい，これに対してこの他の変形する組織を**軟組織** soft tissue とよぶ．

硬組織が生きているかどうかを，藤田（1957）[1] は生活力という言葉を用いて論じている．生活力は英語の vitality，ドイツ語の Vitarität の意味で，よい訳語が見当たらないため，生活力という語句を用いたと述べている．また，生活力は組織が外部からの影響に対応して変化する速度とも表現できる．

結合組織はさまざまな種類の細胞と**細胞外マトリックス** extracellular matrix からできている．細胞外マトリックスはタンパク質性の線維 fiber と基質 ground substance で，基質は親水性のプロテオグリカン，グリコサミノグリカンと接着性の糖タンパク質からなる複合体である．

軟組織の結合組織には血管，リンパ管が侵入し，活発な代謝が行われており，生活力を有していることは容易に想像できる．硬組織の代表的な骨は骨細胞 osteocyte，骨芽細胞 osteoblast，破骨細胞 osteoclast という3種の細胞と骨基質 bone matrix という石灰化した細胞外マトリックスから構成される特殊な結合組織である（☞第10章参照）．骨内には **Havers**（ハバース）**管** Haversian canal や **Volkmann**（フォルクマン）**管** Volkmann canal があり，この中には血管が走っている．代謝産物は石灰化した骨基質中を拡散することができないので，骨細胞と毛細血管間の物質交換は骨細胞の細胞質突起を入れる骨細管を通して行われる．また，骨は全身のカルシウム調節の中心となって

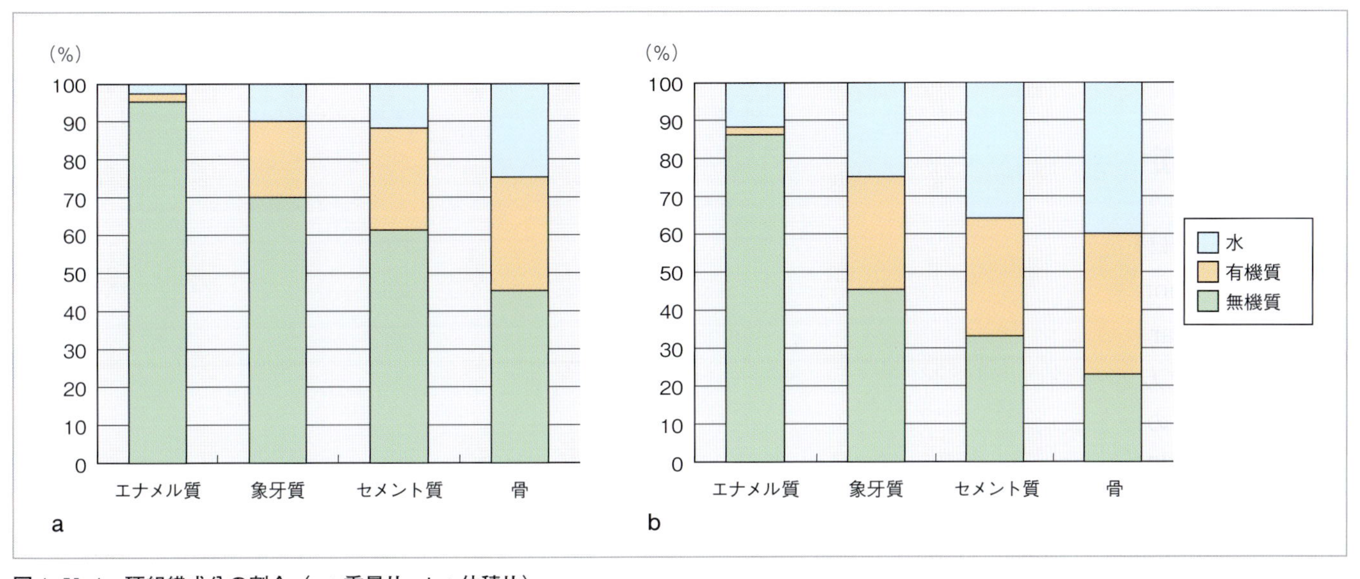

図 1-V-1 硬組織成分の割合（a：重量比，b：体積比）
（Schroeder HE：Orale Strukturbiologie：Entwicklungsgeschichte, Struktur und Funktion normaler Hart und Weichgewebe der Munthöehle. Georg Thieme Verlag, Stuttgart, 1984. を参考に作成）

おり，骨は血管に非常に富む代謝が活発な組織であることが想像できる．歯の3つの硬組織，すなわちエナメル質，象牙質，セメント質の間には，存在部位はもとより，発生，構成，物性，組成などにかなりの違いがあり，特にエナメル質と，象牙質ならびにセメント質との間には大きな違いがある．エナメル質は細胞成分をまったく欠いており，完成されたエナメル質ではほとんどが無機質で，有機質が極端に少ない（**図 1-V-1**）．一方，象牙質やセメント質は構造や物理化学的性状も骨に類似している点が多い．

熱や電気に対しては3つの硬組織はともに不良導体である．また，比重は**図 1-V-1** で示される各成分の，無機質の量あるいは割合に比例している（**表 1-V-1**）．

1. エナメル質

歯冠表面を覆うエナメル質 enamel は生体で最も硬い石灰化組織である．骨，象牙質やセメント質は石灰化した結合組織であるのに対し，エナメル質は上皮組織由来の石灰化組織である．ヒトの成熟したエナメル質は細胞成分をまったく含まず，その主体はエナメル象牙境からエナメル質表面まで走るエナメル小柱 enamel rods, enamel prisms である．エナメル小柱の横断面は鍵穴型 key hole shape やオタマジャクシ形 tadpole shape（日本ではしばしばシャモジ形が用いられる）をしている．エナメル質は硬いが，エナメル小柱の走向により，もろいという側面ももっている．上皮細胞由来のエナメル芽細胞 ameloblast はアメロゲニン amelogenin やエナメリン enamelin などのエナメルタンパク質を分泌し

表 1-V-1 硬組織の比重

エナメル質	象牙質		セメント質	
	乳歯	永久歯	乳歯	永久歯
2.9	2.0	2.3	2.0	2.1

（藤田恒太郎：歯の組織学．医歯薬出版，東京，1957，13 より改変）

て，石灰化度の低い幼若エナメル質を形成し，その後，エナメル基質と水分は除去（脱却という）され，変わって無機質が増加し，結果として高度に石灰化したエナメル質が完成される．エナメル質を形成したエナメル芽細胞は退縮（縮合）エナメル上皮 reduced enamel epithelium となり，歯の萌出までエナメル質表面を覆っている．その一部は付着（接合）上皮となるが，大部分は歯の萌出後，歯の表面から脱落する．

エナメル質の乳歯では青白色，永久歯では黄白色を示すが，加齢とともに色調は濃くなる．エナメル質は切縁部や咬頭部で 2〜3 mm と最も厚く，歯頸部に向かうにつれ薄くなる．また乳歯のエナメル質の厚さは永久歯の約 1/2 である．

エナメル質の硬さは Mohs（モース）硬度 Mohs hardness で 6〜7 で石英（水晶）の硬さに相当し，比重は 2.9 である．永久歯では重量比で 96〜97%が無機質で，残り 3〜4%は有機質と水分である（**表 1-V-2**）．無機質のほとんどが**ハイドロキシアパタイト** hydroxyapatite $Ca_{10}(PO_4)_6(OH)_2$ で，有機質の主体は形成期エナメル質ではアメロゲニン，エナメリン，アメロブラスチン ameloblastin（シースリン sheathlin）で，成熟エナメル質ではエナメリンである．

表 1-V-2　歯の硬組織（永久歯）の比較

		エナメル質	象牙質	セメント質
由来		上皮（エナメル器）	間葉（歯乳頭）	間葉（歯小嚢）
形成細胞		エナメル芽細胞	象牙芽細胞	セメント芽細胞
形成後の運命		大部分が脱落	歯髄表層に位置	セメント質表層に位置
比重*	乳歯	2.9	2	2.0
	永久歯		2.3	2.1
硬度（Mohs 硬度）		6～7	5～6	4～5
組成	無機質	ハイドロキシアパタイト　95% （形成期では 30%以下）	ハイドロキシアパタイト　69%	ハイドロキシアパタイト　65%
	有機質	エナメルタンパク質　1%	I 型コラーゲン 象牙質リンタンパク質 象牙質シアロタンパク質 } 20%	I 型コラーゲン オステオポンチン } 23%
	水分	4%	11%	12%

（髙橋信博ほか編：口腔生化学第 6 版．医歯薬出版，東京，2018．を参考に作成）

Mohs 硬度の段階はドイツの鉱物学者 Mohs F が鉱物の硬度を決めるために考案した．10 個の基準となる鉱物を組み合わせて，硬さを決める．すなわち，硬さのわからない鉱物（試料物質）と基準の鉱物（標準鉱物）をこすり，ひっかき傷の有無で硬さを決める．標準鉱物は軟らかい順に，#1 滑石，#2 石膏，#3 方解石，#4 蛍石，#5 リン灰石，#6 正長石，#7 石英，#8 黄玉（トパーズ），#9 鋼玉（ルビー，サファイア），#10 金剛石（ダイヤモンド）である．また，より複雑な派生型も考案されている．

2. 象牙質

象牙質 dentin はすべての脊椎動物の歯に存在する硬組織で，通常，歯冠象牙質はエナメル質により，歯根象牙質はセメント質により覆われ，外界に露出することはほとんどない．象牙質は外胚葉性間葉に由来する歯乳頭 dental papilla（将来，歯髄となる）の細胞からつくられる．歯乳頭が内エナメル上皮細胞に面する細胞が象牙芽細胞 odontoblast に分化し，象牙質基質（コラーゲンと非コラーゲン性タンパク質）をエナメル質側に分泌しながら，歯乳頭中央に移動し，最終的に歯髄最表層に位置する．象牙芽細胞は細胞質突起（Tomes（トームス）線維 Tomes' fiber または象牙線維 dentinal fiber）をもち，この突起は象牙細管というトンネルの中に位置する．象牙質は骨に類似した組成をもっているが，骨とは異なり象牙質は細胞と血管を基質内には含まず，また骨のような改造現象は起こらない．象牙質形成後も，象牙芽細胞が歯髄表層に位置するので，象牙質は修復能力をもつ．

象牙質はエナメル質よりも軟らかく，Mohs 硬度 5～6 であり，これは無機質量が約 70%で，エナメル質よりも有機質，水分の割合が高いことによる（**表 1-V-2**）．無機質はエナメル質同様，ハイドロキシアパタイトであるが，その結晶の大きさはエナメル質のものよりも小さい．有機質の 90%が I 型コラーゲンであるが，非コラーゲン性のタンパク質として象牙質リンタンパク質（ホスホホリン）と象牙質シアロタンパク質がある．コラーゲン線維を主体とする有機質にハイドロキシアパタイトの結晶が沈着している．

3. セメント質

セメント質 cementum は歯根象牙質を覆う硬組織で，象牙質や骨と同様にコラーゲン線維を主体とする有機質にハイドロキシアパタイトの結晶が沈着したものである．セメント質は外胚葉性間葉（歯小嚢 dental follicle）に由来する．歯冠の外形が完成した歯頸部では内エナメル上皮と外エナメル上皮が密着している．エナメル質形成が終了すると，これらの上皮の膜はさらに伸び出して，**Hertwig（ヘルトウィッヒ）上皮鞘** Hertwig's epithelial (root) sheath となる．この上皮鞘に触れた歯乳頭の間葉系細胞は象牙芽細胞に分化し，これらの象牙芽細胞は歯根象牙質をつくる．歯根象牙質の形成が始まると，Hertwig 上皮鞘は次第に断裂し最終的には網状になる．この断裂した隙間を通って上皮鞘の外側の細胞が歯根象牙質の表面に到達し，セメント芽細胞に分化する．セメント芽細胞はセメント質の基質を歯根象牙質に向かって分泌しながら外側に向かって移動する．この最初につくられるセメント質を**無細胞セメント質**（原生セメント質）という．その後，細胞は基質をつくりながら一部のセメント芽細胞はセメント基質内に埋め込まれセメント細胞となる．

細胞が封入されたセメント質を**有細胞セメント質**という．その他のセメント芽細胞はセメント基質内に埋め込まれず，有細胞セメント質表面に並ぶ．セメント質の線維はコラーゲン線維であるが，セメント芽細胞によってつくられる固有線維と歯根膜のコラーゲン線維がセメント質の基質内に埋め込まれる外来線維の2種類がある．外来線維は**Sharpey 線維**で，この線維束が歯根膜の**主線維** principal fiber に連続し，歯を歯槽に連結する．

セメント質は有細胞セメント質内にセメント細胞を含む点で，骨に類似しているが，血管や神経は基質内に存在しない点は骨とは異なる．

無細胞セメント質と有細胞セメント質では色調が異なる．無細胞セメント質は硝子状の半透明であるが，有細胞セメント質は不透明な淡黄色で，象牙質よりやや明るい．硬さはMohs 硬度4～5で，象牙質より軟らかく，骨とほぼ同じ硬さである．厚さは，歯種，部位，年齢などにより異なり，根尖部や多根歯の根分岐部では150～200 μm と厚く，歯頸部では薄い．また加齢により厚くなる．無機質を占めるハイドロキシアパタイトは65%，I 型コラーゲンやオステオポンチンなどの有機質は23%，水分が12%である（**表1-Ⅴ-2**）．

4．歯の硬組織の光学的性質

歯の硬組織はいずれも複屈折性 birefringence を示す．複屈折性を生じる理由はエナメル質と象牙質やセメント質では異なる．エナメルの複屈折性はハイドロキシアパタイトの結晶の軸方向により生じているのに対して，象牙質やセメント質のものはエナメル質同様の一定の方向に整列する結晶に加え，基質内のコラーゲン線維の配列によって生じる．またセメント質では固有線維とSharpey 線維の2種類のコラーゲン線維が複屈折性を生じさせる要因となっている．エナメル質とセメント質の複屈折性は，エナメル質にみられるものに比べてかなり小さい．

複屈折性を検査するには偏光顕微鏡による観察が用いられる．偏光顕微鏡像を解析して結晶軸の方向を決定し，試料内部の構造を知ることができる．より微細な結晶配列は回折法，さらには電子顕微鏡により観察ができる．

5．ハイドロキシアパタイト

硬組織の“硬い”という特徴は，組織中のカルシウムを多量に含むことから生じている．カルシウムは結晶リン酸カルシウムの形で組織中に存在する．結晶学的にはリン灰石と基本的に同じだが，歯科の世界ではハイドロキシアパタイトとよんでいる．しかし，本来のアパタイトとは異なり，Ca^{2+}，PO_4^{3-}，OH^-は他の元素や分子が周囲に存在すると，それと容易に交換するので，歯の硬組織にみられる結晶は，純粋に鉱物としてのハイドロキシアパタイトの塊ではない．

エナメル質では重量比で95%以上がアパタイトの結晶であるので，酸性の溶液中に入れて無機質を溶解（脱灰 decalcification，demineralization）すると有形の物質としての有機質がほとんど残らない．したがって，成熟エナメル質の構造を研究するには砥石やグラインダーなどで薄くしてから顕微鏡観察をすることになる．一方，象牙質やセメント質ではエナメル質に比べ有機質が多いので，これらは脱灰しても有機質の外形がほとんど保たれるので，脱灰切片として，通常の組織学的手法によって顕微鏡で観察することができる．

（前田健康，脇田　稔）

Ⅵ 顎骨の肉眼解剖

下顎骨と**上顎骨**は，顎骨の歯槽部（歯槽突起）に歯を植立し，さまざまな筋の作用により咬合・咀嚼・嚥下などを可能としている．

1．下顎骨

1）下顎骨の肉眼像

下顎骨は，下顎骨体，下顎枝，下顎角の領域に分けられる（**図1-Ⅵ-1**）．馬蹄形を示す下顎体の上部には，歯槽部が発達しておりU字状のアーチを示すため，歯槽弓 alveolar arch ともよばれる．一方，下顎体の下部を下顎底という．

下顎枝は下顎体の後端で上方に向かう部分であり関節突起と筋突起に分かれる（**図1-Ⅵ-1**）．下顎枝の関節突起の上端には楕円形状の下顎頭があり，側頭骨の下顎窩との間に顎関節をつくる．筋突起と関節突起の間のくぼみを下顎切痕という．下顎角の外側面を咬筋粗面，内側面を翼突筋粗面という．

下顎枝の内面中央部には下顎孔が開口し，下顎体外面（下顎第二小臼歯根尖部付近）にはオトガイ孔がある．

2）下顎骨の骨構造

下顎体は，厚い皮質骨と内部の海綿骨で構成されており，下顎骨体の唇側・頬側の皮質骨は舌側より厚く，さらに，下顎底部の皮質骨は最も厚い．海綿骨では，太い

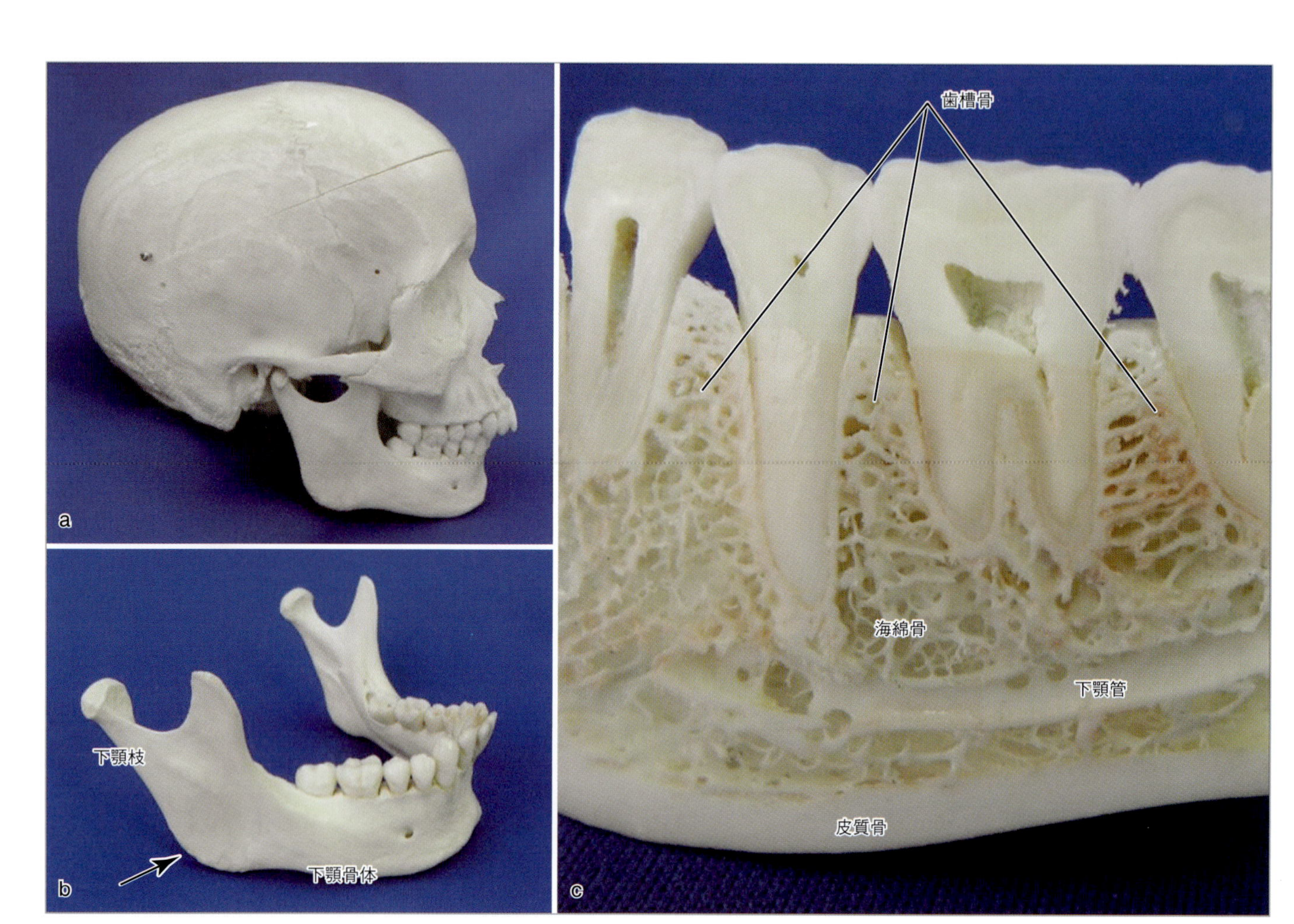

図 1-Ⅵ-1　下顎骨
a：頭蓋骨の側面像．b：下顎骨の全体像（矢印は下顎角を示す）．c：下顎骨内部の構造．
（標本は北海道医療大学歯学部解剖学分野坂倉康則先生のご厚意による）

骨梁を発達させる（図 1-Ⅵ-1）．下顎体では，歯槽部から伝えられる咀嚼・咬合，および顎運動による筋からの力学負荷などに対応した形状・配列性を示す骨梁が発達し，力学負荷が強く伝わる部位では太い骨梁がみられる．

下顎骨体の内部には骨性の**下顎管**が走行している（図 1-Ⅵ-1）．下顎管は，下顎枝の内側中央付近にある下顎孔から下顎体外側の**オトガイ孔**にまで及ぶ管であり，下歯槽神経，下歯槽動脈・静脈が走行している．

2．上顎骨

1）上顎骨の肉眼像

上顎骨はほぼ三角柱の形をしており，前面，上面，外側面，内側面，底面が区別される．

上顎骨体から前頭突起，頬骨突起，口蓋突起および歯槽突起の 4 つの突起が突出している（図 1-Ⅵ-2）．上顎骨は，左右二対からなり，骨体の左右には，上顎洞が存在する．

上顎骨前面の内側には鼻切痕があり梨状口(鼻腔前面)をつくる（図 1-Ⅵ-2）．また，前面の上縁近くには眼窩下孔が，外側面（側頭下面）には歯槽孔が開口している．さらに，鼻腔の内側壁（鼻腔面）をみると，中央には上顎洞裂孔が開いており，副鼻腔である上顎洞につながる．

上顎骨と口蓋骨は横口蓋縫合で結合し，骨口蓋の正中部は正中口蓋縫合により結合している（図 1-Ⅵ-2）．骨口蓋の前方部には切歯孔があり，骨口蓋の後外側には，大口蓋孔と小口蓋孔が開口している．

2）上顎骨の骨構造

上顎骨の歯槽骨も下顎骨と同様であり，咬合・咀嚼などの力学負荷に対応した骨の高次構造を有すると考えられる．しかし，下顎骨と異なる点として，皮質骨の厚さがあげられる．頭頂骨や側頭骨のような皮質骨と異なり，上顎骨の歯槽部唇側や口蓋側では，皮質骨が薄く多数の小さな孔が開くことが多い（図 1-Ⅵ-2）．したがって，歯槽骨の皮質骨が一部，吸収されてしまうことで開窓（フェネストレーション）してしまい，歯根部が歯槽骨の周囲の軟組織に露出する場合がある．さらに，上顎洞底は大臼歯部で最も下がっており，特に第一大臼歯部で

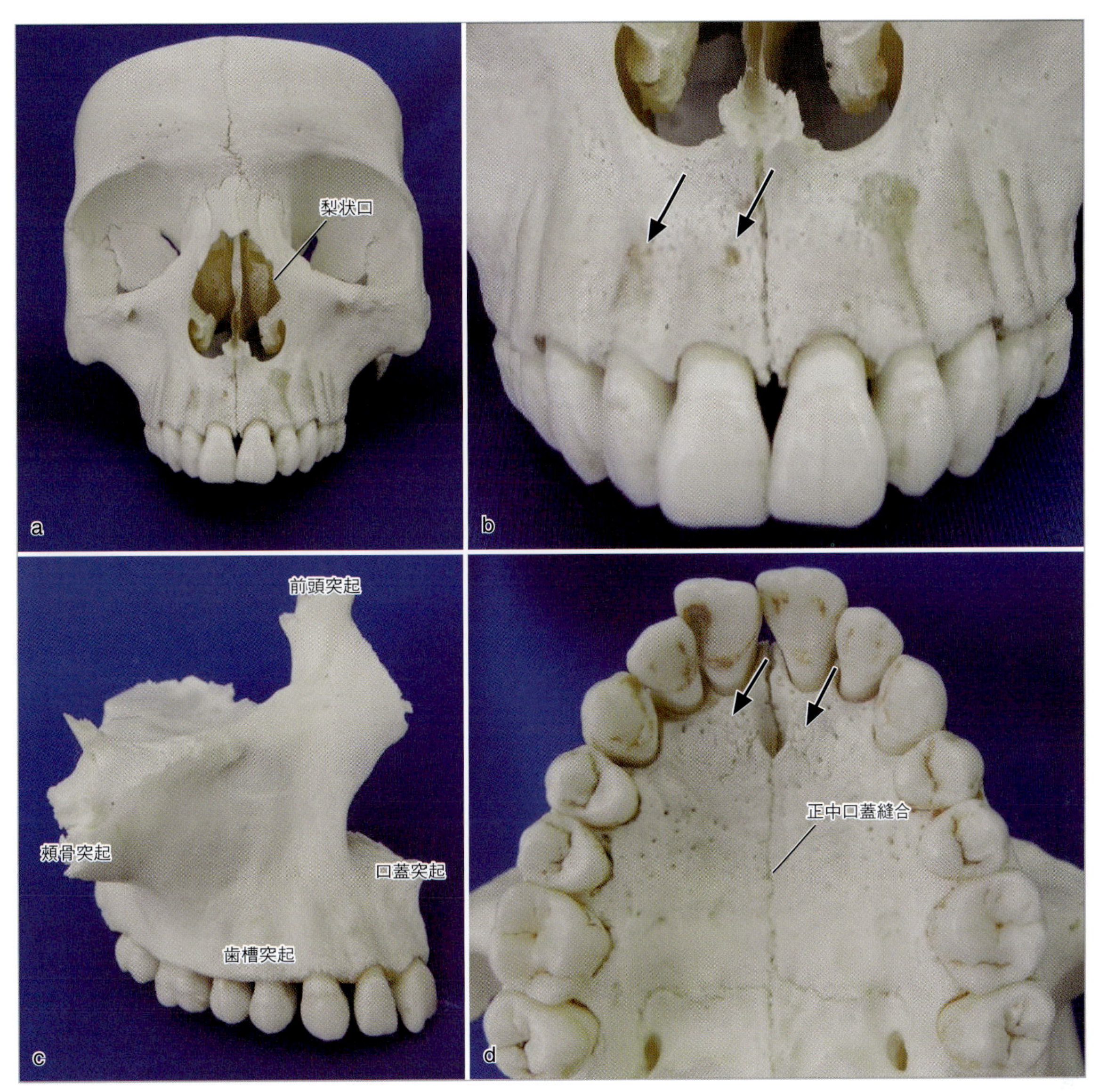

図 1-Ⅳ-2　上顎骨
a：上顎・眼窩部の正面像．b：上顎骨の前面．皮質骨は多孔性を示す（矢印）．c：上顎骨の正面像．d：上顎骨を口蓋側から観察している．皮質骨は多孔性を示す（矢印）．
（標本は北海道医療大学歯学部解剖学分野坂倉康則先生のご厚意による）

は根尖が上顎洞底の粘膜まで接していることがある．また，歯を喪失すると，歯槽突起の部分が吸収して高さがなくなる．上顎の場合，唇側（頬側）からも骨吸収を受けやすく，皮質骨は薄くなり骨梁も細くなる．

（網塚憲生）

参考図書，参考文献

Ⅰ　口腔とはなにか〜Ⅴ　硬組織

●参考図書
1．藤田恒太郎：歯の解剖学．第 22 版．金原出版，東京，1995．
2．酒井琢郎：歯の解剖．口腔解剖（酒井琢郎，高橋和人編）．医歯薬出版，東京，1984．
3．酒井英一：基礎から学ぶ歯の解剖（前田健康編）．医歯薬出版，東京，2015．
4．Nanci A：Ten Cate's Oral Histology. Development, Structure, and Function. 9 th eds. Elsevier, St. Louis, 2018．
5．Schroeder HE：Handbook of Microscopic Anatomy Volume V/5: The Periodontium (Oksche A, Vollrath L eds.). Springer -Verlag, Berlin, Heidelberg, New York, Tokyo, 1986．
6．Berkovitz BKB et al.：Handbook of Microscopic Anatomy Volume V/6: Teeth (Oksche A, Vollrath L eds.). Springer -Verlag, Berlin, Heidelberg, New York, London, Paris, Tokyo, 1989．
●参考文献
1）藤田恒太郎：歯の組織学．医歯薬出版，東京，1957．

第2章 歯と口腔の発生

chapter 2

I 顔面と口腔の発生

1. 概　説

発生は進化の再現といわれ，発生過程で認められる各形態は進化の間に獲得もしくは喪失したものと考えられている．顎顔面は構造が複雑で，その形成過程もまた複雑である．疾患とのつながりも強く，発生過程の正確な把握が疾患本態の理解に必要なことは多い．

本章では，つながりを理解するために，時間軸が多少前後する部分がある．

2. 二層性胚盤から三層性胚盤の形成

胎生3週に胚子が胚盤から急速に発生する．**二層性胚盤** bilaminar embryonic disc が**三層性胚盤** trilaminar embryonic disc に変わる過程（原腸形成）では胚子に3つの胚葉が形成され，これは原始線条 primitive streak の形成（図2-Ⅰ-1a，b）で開始される．原始線条は胚盤背側正中面の尾側に出現し，その頭端を原始結節 primitive node（knot）（Hensen(ヘンゼン)結節 Hensen's node），原始線条の中の溝を原始溝 primitive groove，原始結節の陥凹部を原始窩 primitive pit という．二層性胚盤の胚盤葉上層の細胞は原始線条に向かって遊走し，原始線条付近に達すると，これらの細胞は胚盤葉上層から離れ，下方にもぐり込む（陥入；図2-Ⅰ-1c）．陥入したこれらの細胞の一部は胚盤葉下層を押しのけて内胚葉をつくる．またあるものは胚盤葉上層と新たにつくられた内胚葉の間に位置するようになり，中胚葉を形成する（図2-Ⅰ-1d）．胚盤葉上層に残る細胞が外胚葉となる．

胚盤葉上層と下層との間に，さらに多くの細胞が移動し，胚の頭側の正中部に，胚盤葉上層と胚盤葉下層が強固に付着する部位ができ，これを**脊索前板** prochordal plate という（図2-Ⅰ-1b）．脊索前板は外胚葉と内胚葉のみで構成される．胚子はその後，内胚葉側へと折りたたまれ，内胚葉が管状構造をとるようになり，将来の消化管（原腸）の上皮となっていく（図2-Ⅰ-2）．原腸の前方は，外胚葉で囲まれた原始口腔となる．脊索前板であった部位は，**口咽頭膜** oropharyngeal membrane と

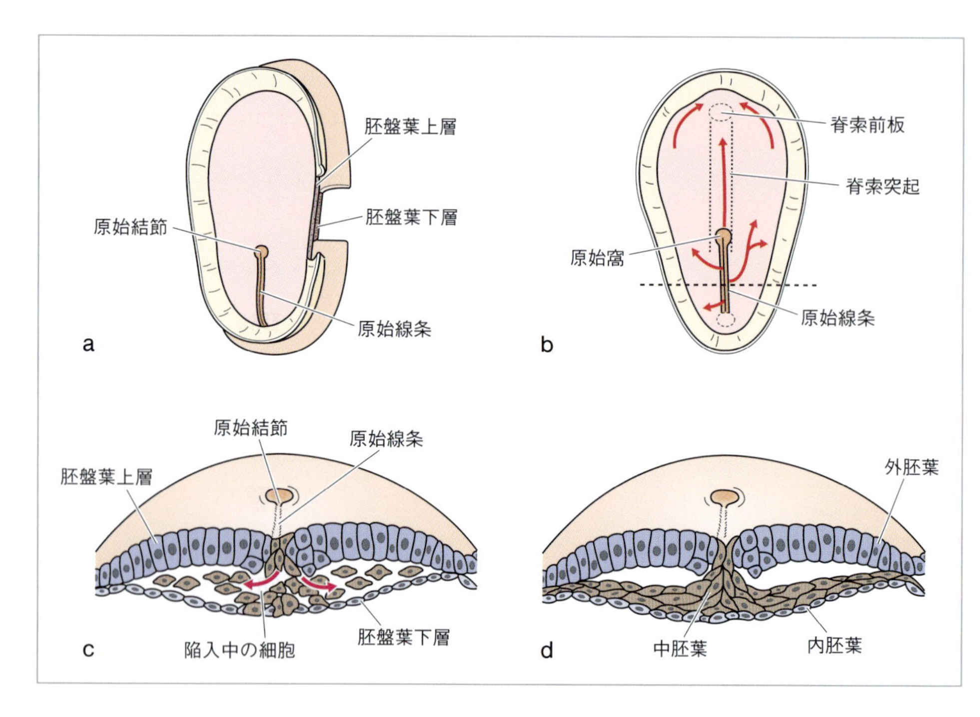

図2-Ⅰ-1　三層性胚盤形成（胎生約16日）
a，b：三層性胚盤形成時の背側面観の胚子の模式図（羊膜の一部を除去した状態）．
c，d：胚子の原始線条部における断面（bの破線部）．c：胚盤葉上層細胞の侵入．侵入した細胞は，胚盤葉下層細胞と入れ替わる．d：三層性胚盤となる．

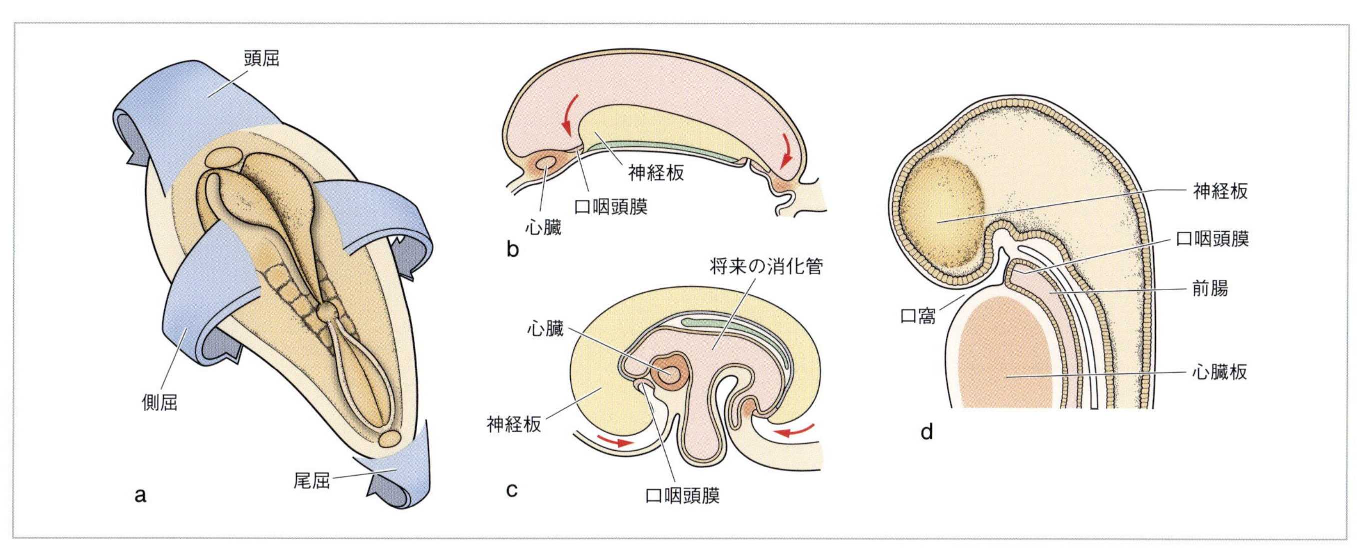

図 2- I -2　胚子の屈曲
a：屈曲前の胚子の背側面観と屈曲方向（矢印）（羊膜は省略）．胎生 23 日．
b：屈曲前の胚子の矢状断面と屈曲方向（矢印）．胎生 22 日．
c：屈曲中の胚子の矢状断面と屈曲方向（矢印）．胎生 28 日．
d：屈曲後の胚子の矢状断面．脊索前板は口咽頭膜となる．胎生 25 日．
（Nanci A：Ten Cate's Oral Histology．Mosby Elsevier，St. Louis，2013．を参考に作成）

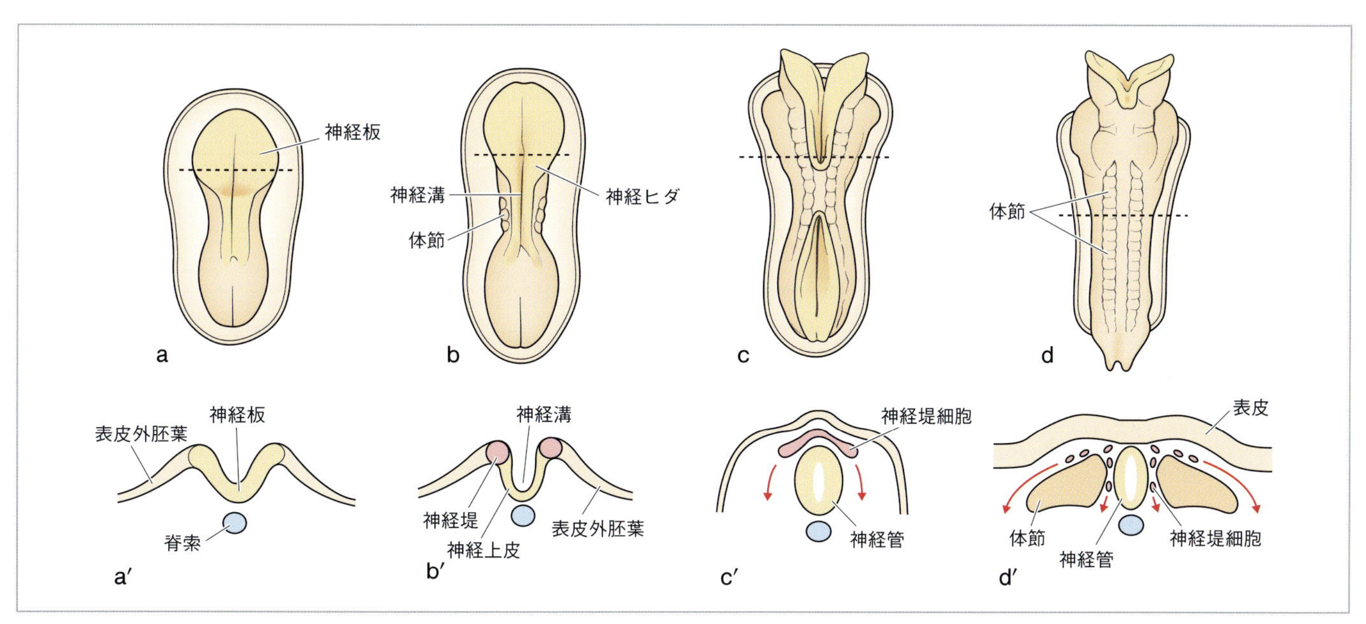

図 2- I -3　神経管形成時における胚子と神経堤
胚子背側の模式図（羊膜は省略）．
a：神経板の形成．胎生 18 日．
b：神経ヒダ．神経溝が認められるようになる．胎生 20 日．
c：左右の神経ヒダが閉鎖を開始している．胎生 22 日．
d：神経ヒダは閉じ，神経管が形成された．胎生 23 日．
a'，b'，c'，d'：a，b，c，d の断面図（破線部）．c'：神経堤細胞の脱上皮化と遊走．d'：神経堤由来細胞の遊走．遊走経路は各部位で異なる．

なる．はじめ，口咽頭膜は前腸と原始口腔を仕切っている状態となっているが（**図 2- I -2d**），後に破れ，前腸と原始口腔がつながることになる．口腔付近には，このように外胚葉由来と内胚葉由来の２種類の上皮が存在する．

脊索前板は脊索の先端と口咽頭膜の間につくられるもので，脊索前板で口咽頭膜に変化しないという考え方もある．

3．神経堤の形成と神経堤細胞の移動

三層性胚盤となった胚子の正中付近の外胚葉は肥厚し，**神経板** neural plate となる（**図 2- I -3a，a'**）．その後，この神経板の外縁は隆起し，頭尾方向に左右一対の**神経ヒダ** neural fold を形成する（**図 2- I -3b，b'**）．

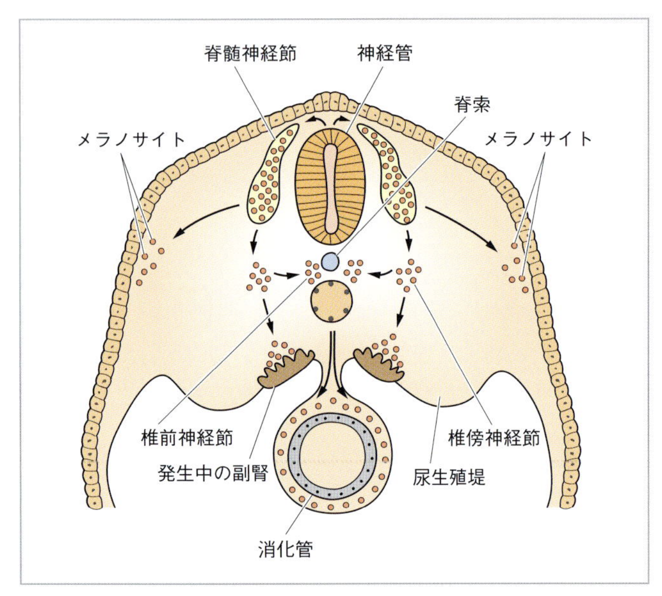

図 2-Ⅰ-4　神経堤細胞の分化
神経堤細胞は感覚神経細胞，自律神経細胞に加え，メラノサイトや副腎髄質の細胞に分化する．

この神経ヒダの頂縁で，表皮外胚葉と神経上皮の間にあたる部分を**神経堤** neural crest とよぶ（図 2-Ⅰ-3b, b'）．神経ヒダは，やがて正中で癒合し，管状となりながら体内に埋入して，**神経管** neural tube となる（図 2-Ⅰ-3c，c'）．癒合の際，上皮性であった神経堤の細胞は中胚葉層に侵入し，間葉系細胞へと変換する〔**上皮間葉転換** epithelial-mesenchymal transition(EMT)〕．この神経堤細胞は，間葉のさまざまな部位へと移動する（図 2-Ⅰ-3d'）．これにより間葉には，本来の中胚葉由来細胞の他に，外胚葉である神経堤由来の間葉系細胞も存在することとなる．このため，神経堤由来細胞は**外胚葉性間葉** ectodermal mesenchyme ともよばれる．広範囲に遊走した神経堤細胞は，多彩な細胞に分化する（図 2-Ⅰ-4）ため，"第四の胚葉" ともよばれる．神経堤細胞の遊走と分化は，頭部から尾部まですべての神経管周辺で生じるが，頭部の神経堤細胞は，体幹部の神経堤細胞とまったく異なった分化を示すため，**頭部神経堤** cranial neural crest とよんで区別される．体幹神経堤細胞と異なり，頭部神経堤細胞は骨，軟骨，歯といった硬組織や結合組織に分化するのが，大きな特徴の 1 つである（表 2-Ⅰ-1）．

神経堤や神経管の形成時期には，中胚葉にも大きな変化が生じる．中胚葉細胞は，**沿軸中胚葉** paraxial mesoderm，**側板中胚葉** lateral plate mesoderm，**中間中胚葉** intermediate mesoderm に分かれ（図 2-Ⅰ-5），その中で沿軸中胚葉は分節化して神経管の両側に連続して並ぶようになる．これを**体節** somite という（図 2-Ⅰ-3d，5，6a，b）．体節は頭部では認められない．分節

表 2-Ⅰ-1　頭部神経堤に由来する主な器官・細胞

神経系	感覚神経系	三叉神経節（V） 膝神経節（Ⅶ） 舌咽神経節（上神経節）（Ⅸ） 迷走神経節（上神経節）（Ⅹ）
	自律神経系	副交感神経節 毛様体神経節 翼口蓋神経節 顎下神経節
	神経膠細胞	神経節の衛星細胞 Schwann 細胞
内分泌系	甲状腺	傍濾胞細胞（C 細胞）
骨格系		顔面中央と鰓弓の骨格構造物（☞ p. 235 図 10-Ⅱ-7 参照） 軟骨
結合組織		皮膚の真皮と脂肪組織 腱 象牙質（象牙芽細胞）
その他		メラノサイト 角膜 毛様体筋

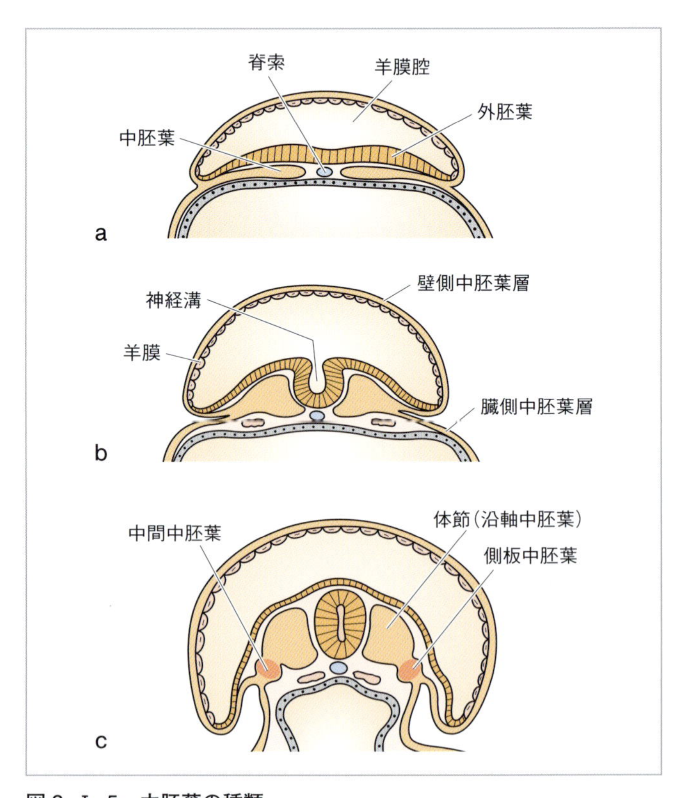

図 2-Ⅰ-5　中胚葉の種類
胚子の断面図．沿軸中胚葉，側板中胚葉，中間中胚葉の形成．
a：胎生 17 日．b：胎生 20 日．c：胎生 21 日．

度が弱い頭部の中胚葉（頭部中胚葉）は**体節分節**（ソミトメア）somitomere とよばれ，体節とは区別される（図 2-Ⅰ-6a，b）．

体節分節部には，分節を示すような限局した遺伝子（Pa-

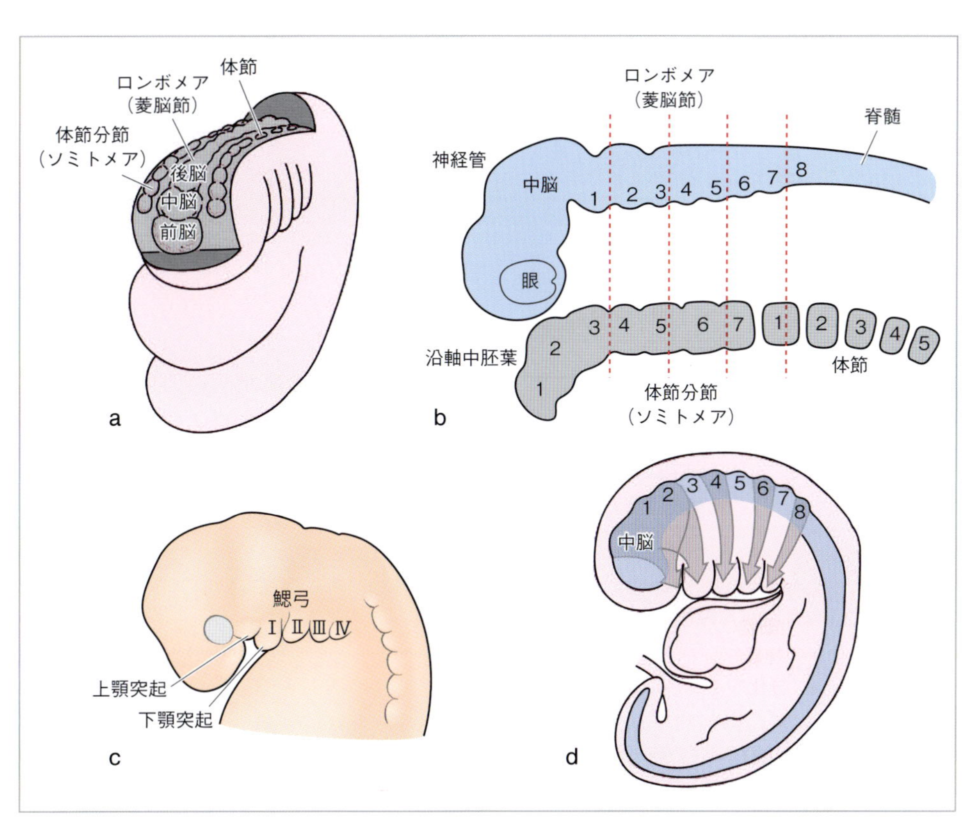

図2-Ⅰ-6　分節構造と鰓弓
a：体節，体節分節，ロンボメアの位置関係.
b：胎生30日の胚子の矢状面．神経管と沿軸中胚葉を分解した模式図.
c：胎生5週の胚子の矢状面観の模式図．Ⅰ：第一鰓弓，Ⅱ：第二鰓弓，Ⅲ：第三鰓弓，Ⅳ：第四鰓弓.
d：胚子の側方面観．ロンボメア領域の神経堤由来細胞の鰓弓への遊走経路．神経堤由来細胞の遊走であることに注意.
（Nanci A：Ten Cate's Oral Histology. Mosby Elsevier, St. Louis, 2013. および Carlson BM：Human Embryology and Developmental Biology. Mosby. St. Louis, 1994. を参考に作成）

raxia, Tbx 1, Hoxb-1）の発現が認められるものの，形態的な分節度は非常に弱いため，体節分節の存在そのものを疑問視する意見もある.

体節に加え，頭部の神経板にも，くびれによる分節状の構造が認められるようになり，頭部の神経板は3つの大きなくびれによって前脳，中脳，菱脳（後脳）に分けられる．菱脳内にはさらに8つのくびれが認められ，ロンボメア（菱脳節）rhombomere とよばれ，番号で区別される（**図2-Ⅰ-6a，b**).

各鰓弓（後述）の形成と各ロンボメア領域の神経堤との間には大まかであるが関連性がある．つまり，最頭側のロンボメア（ロンボメア1およびロンボメア2）領域の神経堤細胞は，中脳尾側部領域の神経堤細胞とともに第一鰓弓へと遊走する．ロンボメア4領域の神経堤細胞は第二鰓弓へ，ロンボメア6領域の神経堤細胞は第三鰓弓へ，ロンボメア8領域の神経堤細胞は第四鰓弓へと遊走する（**図2-Ⅰ-6d**)．ロンボメア3，ロンボメア5，ロンボメア7領域の神経堤細胞の鰓弓内への遊走は認められない．これらは，ロンボメア領域の神経堤細胞の移動であり，ロンボメアの細胞そのものの移動ではない.

神経堤細胞は，上皮から間葉への転換という脱上皮化を1つの大きな特徴とする．上皮は通常，細胞同士が接着装置でつなぎとめられ，容易に動き回ることはできない．表皮外胚葉には細胞接着分子であるE-カドヘリンが，神経上皮にはN-カドヘリンが発現するものの，移動した神経堤細胞にそれらは認められず，それら細胞接着タンパク質の減少や喪失が，脱上皮化の要因の1つとされている．また，Wnt 1も神経堤細胞を制御する分子として発現し，そのプロモーターは神経堤由来細胞における遺伝子改変などに利用されている.

4. 鰓弓（咽頭弓）の形成

胚子の折りたたみに伴って，頭部下の腹側に左右6対の弓状の隆起が生じる．これらを**鰓弓** branchial arch（咽頭弓ともいう）とよぶ（**図2-Ⅰ-6c**)．鰓弓の出現した時期の胚子を咽頭胚とよぶことがある．第一鰓弓は出現後すぐに，付け根部分が隆起して**上顎突起** maxillary process と**下顎突起** mandibular process に分かれる．ヒトでは第五鰓弓は退化傾向が非常に強く，ほぼ痕跡的である．第四鰓弓は第六鰓弓と癒合し，1つの鰓弓となる（本章では第四鰓弓とよぶ).

鰓弓から頭頸部の多くの器官が生じる（**表2-Ⅰ-2**)．各鰓弓には固有の動脈・神経・軟骨が認められるが，器官形成にはかかわらずに消失するものが存在する.

各鰓弓内に形成される軟骨は，鰓弓の分化とともに変化していく（**図2-Ⅰ-7，表2-Ⅰ-2**)．下顎突起内には，左右1つずつの軟骨が，耳胞からオトガイ部にかけて認められ，**Meckel（メッケル）軟骨** Meckel's cartilage とよばれる．Meckel 軟骨の外側で下顎骨の石灰化が始まるが（下歯槽神経の切歯枝とオトガイ枝の分岐付近が開始点),

表 2-Ⅰ-2　鰓弓由来の構造とその神経支配

鰓弓	神経	筋	骨格	動脈
第一鰓弓 顎骨弓（上顎突起および下顎突起）	Ⅴ．三叉神経：上顎および下顎神経	咀嚼筋（側頭筋，咬筋，内・外側翼突筋），顎舌骨筋，顎二腹筋前腹，口蓋帆張筋と鼓膜張筋	上顎骨，頬骨，側頭骨の一部，下顎骨，キヌタ骨，ツチ骨	顎動脈
第二鰓弓 舌骨弓	Ⅶ．顔面神経	顔面筋（表情筋；頬筋，耳介筋，前頭筋，広頸筋，口輪筋および眼輪筋など），顎二腹筋後腹，茎突舌骨筋，アブミ骨筋	アブミ骨，茎状突起，舌骨小角と舌骨体の上部	アブミ骨動脈（一過性）など
第三鰓弓	Ⅸ．舌咽神経	茎突咽頭筋	舌骨大角と舌骨体の下部	総頸動脈　内頸動脈起始部
第四～六鰓弓	Ⅹ．迷走神経 ・上喉頭神経（第四鰓弓支配神経） ・反回（下喉頭）神経（第六鰓弓支配神経）	輪状甲状筋，口蓋帆挙筋，咽頭収縮筋 喉頭内の筋	喉頭軟骨（甲状軟骨，輪状軟骨，披裂軟骨，小角軟骨，および楔状軟骨）	大動脈弓* 右鎖骨下動脈（近位部） 肺動脈と動脈管

（Sadler TW：Langman's Medical Embryology. Wolters Kluwer, Philadelphia, 2015. を参考に作成）
*左総頸動脈分岐部から左鎖骨下動脈分岐部まで

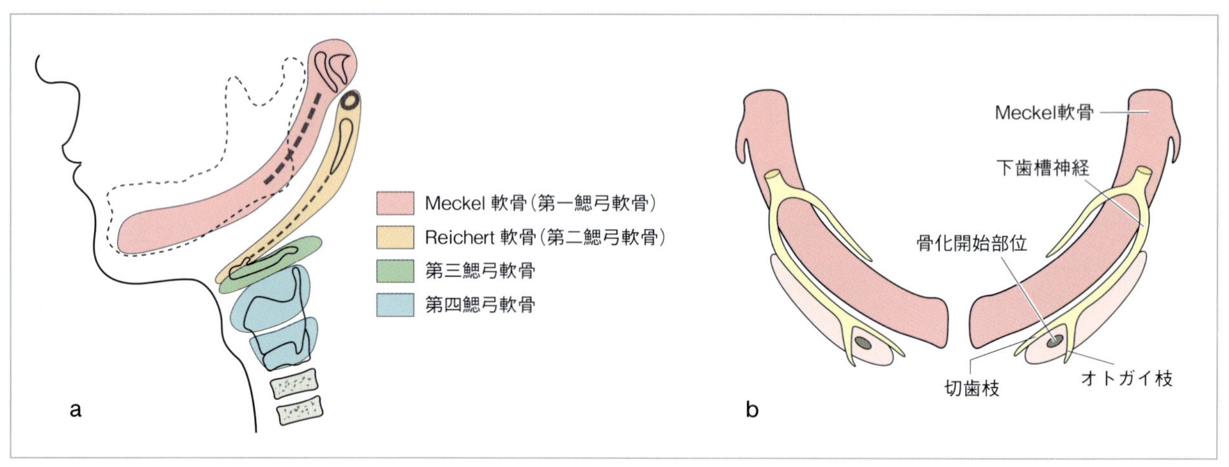

図 2-Ⅰ-7　鰓弓軟骨と骨格形成
a：鰓弓軟骨と生後の構造物との関係を示す模式図．点線は将来の下顎骨．
b：Meckel 軟骨と他組織との位置関係を示す模式図．
（Nanci A：Ten Cate's Oral Histology. Mosby Elsevier, St. Louis, 2013. を参考に作成）

Meckel 軟骨自身は下顎骨にはならない（図 2-Ⅰ-7）．Meckel 軟骨のほとんどは消失するが，一部は蝶下顎靱帯となり，後方部はツチ骨，キヌタ骨となる．第二鰓弓内に形成される軟骨は **Reichert 軟骨**（ライヘルト）Reichert's cartilage とよばれ，アブミ骨，側頭骨の茎状突起，茎突舌骨靱帯，舌骨の小角，舌骨体上縁となる．第三鰓弓軟骨は舌骨の大角，舌骨体下縁となる．第四鰓弓軟骨からは，甲状軟骨や輪状軟骨などが形成される．

頭頸部の筋肉のいくつかは，各鰓弓と対応関係がある（図 2-Ⅰ-8，表 2-Ⅰ-2）．頭頸部のほとんどの筋は頭部中胚葉に由来し，毛様体筋や血管平滑筋などを除いて神経堤由来細胞から形成される筋はほとんどないという．

各鰓弓は，脳神経とも対応関係がある．すなわち第一，第二，第三，第四鰓弓は，それぞれ三叉神経（Ⅴ），顔面神経（Ⅶ），舌咽神経（Ⅸ），迷走神経（Ⅹ）に対応し

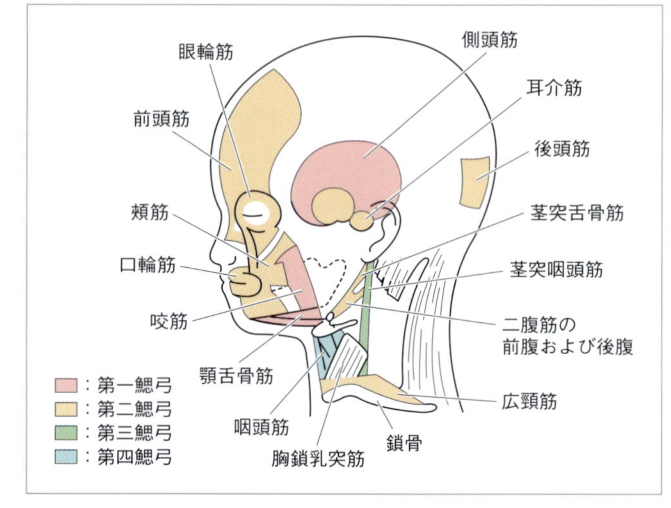

図 2-Ⅰ-8　鰓弓と筋肉形成
成体における鰓弓に対応する筋肉．
（Moore KL et al.：The Developing Human. Elsevier Saunders, Philadelphia, 2013, 166.）

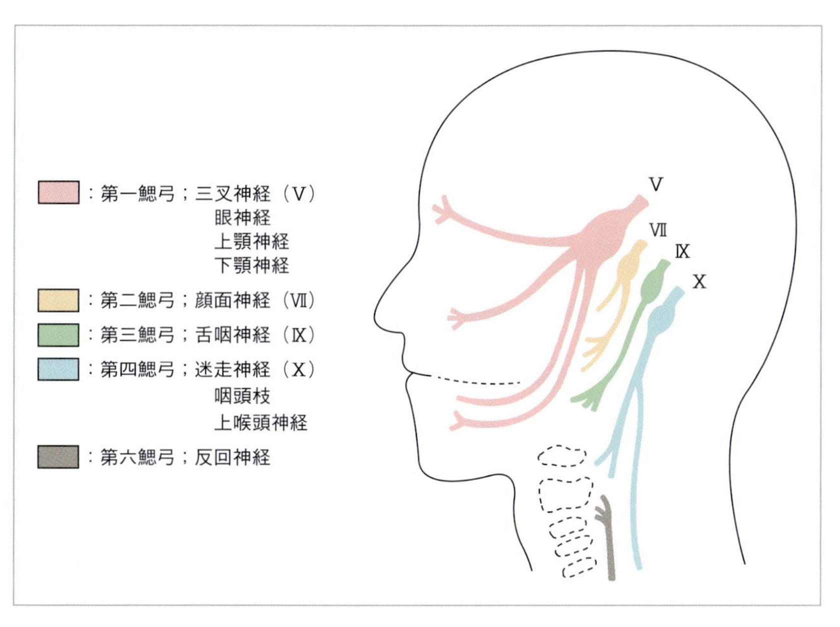

図 2-Ⅰ-9　**鰓弓と神経支配**
成体における鰓弓に対応する脳神経.

表 2-Ⅰ-3　**鰓嚢由来の構造**

	由来する構造
第一鰓嚢	鼓室（中耳腔） 耳管
第二鰓嚢	口蓋扁桃 扁桃窩
第三鰓嚢	下上皮小体 胸腺
第四鰓嚢	上上皮小体 鰓後体［甲状腺傍濾胞細胞（C 細胞）］

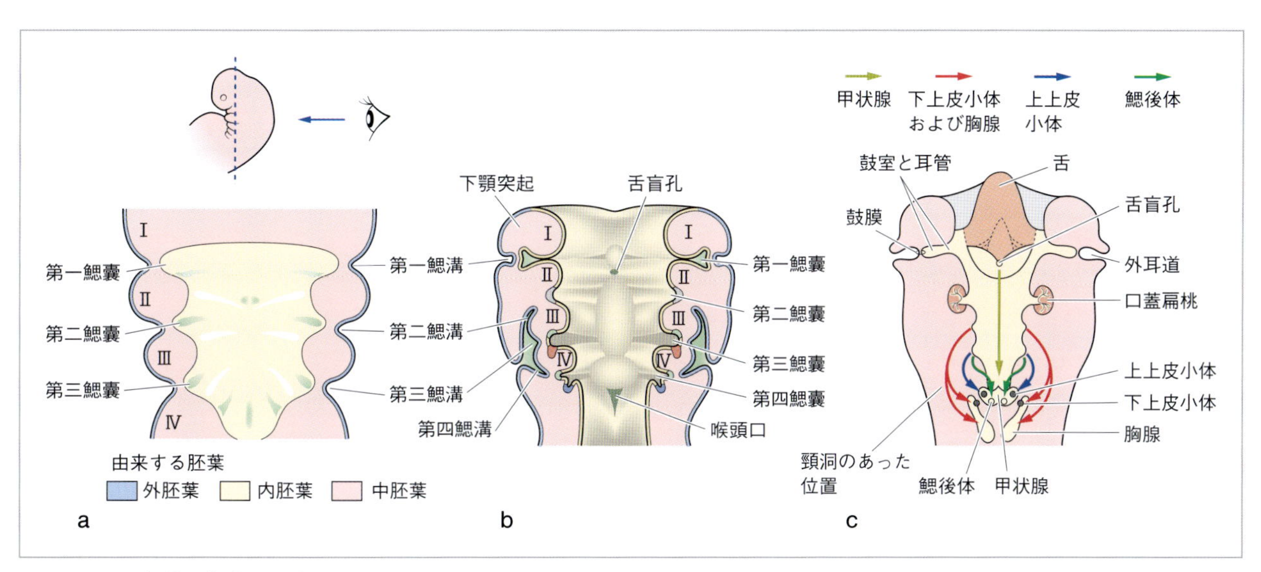

図 2-Ⅰ-10　**鰓溝と鰓嚢の発生**
鰓弓の横断面の模式図.
a：鰓嚢，鰓溝と胚葉由来.
b：第二鰓弓が第三，第四鰓弓を覆うように成長する.
c：胸腺，上皮小体，鰓後体，甲状腺の形成.
Ⅰ：第一鰓弓，Ⅱ：第二鰓弓，Ⅲ：第三鰓弓，Ⅳ：第四鰓弓.
（Sadler TW：Langman's Medical Embryology. Wolters Kluwer, Philadelphia, 2015. および Moore KL et al.：The Developing Human. Elsevier Saunders, Philadelphia, 2013. を参考に作成）

ている（**図 2-Ⅰ-9，表 2-Ⅰ-2**）.

各鰓弓に動脈が認められ，鰓弓の分化とともに変化するが，そのほとんどは発生過程で消滅し，一部のみが顎動脈や頸動脈などへと派生する（**表 2-Ⅰ-2**）.

鰓弓と鰓弓の間には溝がみられ，外側の溝を**鰓溝**（咽頭溝）pharyngeal groove，内側の溝を**鰓嚢**（咽頭嚢）pharyngeal node とよぶ（**図 2-Ⅰ-10a**）．鰓溝側では，第一鰓溝以外の鰓溝は，後に第二鰓弓によって覆われて，すべて消失する（**図 2-Ⅰ-10b，c**）．第二鰓弓による被覆の際，第二，第三，第四鰓弓間に一時的に**頸洞** cervical sinus とよばれる空洞が形成されるが，これも後に消失する．第一鰓溝は外耳道となるが，それ以外の鰓溝は目立った器官形成への関与はない．一方，4 対ある鰓嚢は，次第に間葉側に侵入して，それぞれの鰓嚢からさまざまな器官が形成される（**表 2-Ⅰ-3**）.

第二鰓弓が第三，第四鰓弓を超えて尾側へ伸長し損なうと，第二，第三，第四鰓溝が残存し，細い管で体表と連絡したままになることがあり，外鰓瘻とよばれる（**図 2-Ⅰ-11a**）．また，鰓洞がなんらかの原因で残存すると，側頸

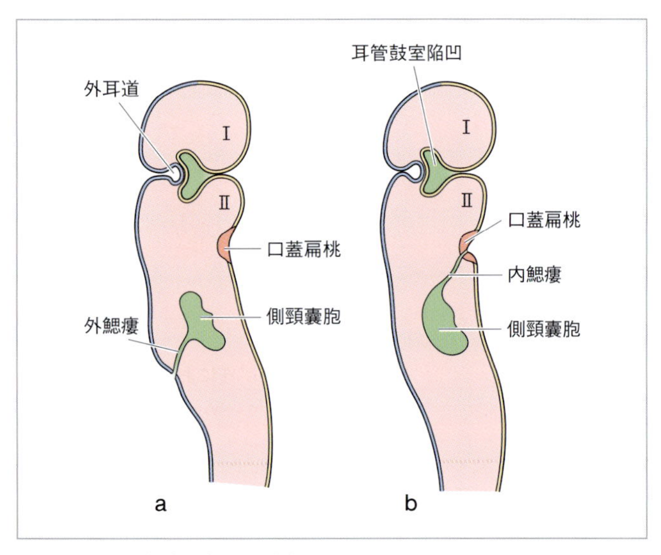

図 2-Ⅰ-11 鰓溝や鰓洞の残存
a：外鰓瘻．b：内鰓瘻．
（Sadler TW：Langman's Medical Embryology. Wolters Kluwer, Philadelphia, 2015. を参考に作成）

嚢胞や頸瘻などが生じる．残存した鰓洞が咽頭腔と連絡した状態になると，内鰓瘻となる（図 2-Ⅰ-11b）．

受精卵から咽頭胚に至るまでの過程と，咽頭胚以降の過程は，各脊椎動物間で胚子の形態が大きく異なる．それとは違い，咽頭胚の形態はすべての脊椎動物できわめて類似する．そのため形態の変異が最も小さいという意味で，砂時計の中央のくびれた部分になぞらえて，咽頭胚をボトルネックともよぶことがある．太古の時代，鰓弓はエラの原基であり，胎生期に鰓弓を有することは，かつてエラ呼吸をしていた名残と考えられている．進化に伴って陸上へ上がり肺呼吸となったため，鰓弓内の器官は消失するか，他の器官の形成に流用されたと考えられている．

発生過程の脊椎動物では，ロンボメア，体節，体節分節など頭尾軸に沿った分節構造が認められる．それら分節の形成により位置決定がなされた後，それぞれの分節から独自の器官形成が引き起こる．Hox ファミリーに属するおのおのの遺伝子の発現は，分節の境界と一致し，染色体上の 3' 側の Hox 遺伝子ほど，より頭側の分節に発現する．これは，ハエからヒトまで多くの生物で共通しており，進化のきわめて初期に獲得したものと考えられている．各 Hox 遺伝子の欠損は発現領域の器官の位置や形態に異常を引き起こすことが多く，Hox 遺伝子の種類により，位置とその後の器官の形成が制御されていることを示している．しかし，この Hox 遺伝子は，第一鰓弓と頭部には発現しない．第一鰓弓より頭側の形成には，Hox 遺伝子に代わる他の遺伝子による制御システムが存在すると考えられている．Msx, Dlx, Barx 1, Lhx, Otx 2 など，Hox と同じようにホメオドメインを有する遺伝子が，頭部で部位特異的な発現を示すことに加え，それぞれの遺伝子の欠損が頭蓋顔面に形態異常を引き起こすことから，それらが Hox の代わりにそれぞれの発現領域の発生をつかさどると考えられている．

5. 顔　面

顔面の発生は，種々の突起の形成と癒合を特徴とする（図 2-Ⅰ-12）．始めに，**前頭鼻突起** frontnasal process, **上顎突起**，**下顎突起**が出現し，これらに囲まれた**口窩** stomodeum が形成される（図 2-Ⅰ-12b）．発生の進行に伴い，口窩の上縁を形成する前頭鼻突起の両側に鼻板が認められるようになり，その周囲組織が徐々に隆起し，正中側の隆起を**内側鼻突起** medial nasal process，外側の隆起を**外側鼻突起** lateral nasal process とよぶようになる（図 2-Ⅰ-12b）．鼻板はその後陥入し，**鼻窩** nasal pit となる．上顎突起はその後，前方へと増大し，内側鼻突起および外側鼻突起と癒合する．その際，外側鼻突起は上方に押し上げられ口窩から離れるため，上口唇は最終的に内側鼻突起と上顎突起から形成されることになる．左右 1 つずつの突起として認められていた下顎は，正中部で癒合して 1 つの下顎突起となる．このような顔面形成中に認められる突起の癒合に不具合が生じた場合，口唇裂や顔面裂となる（図 2-Ⅰ-13）．突起

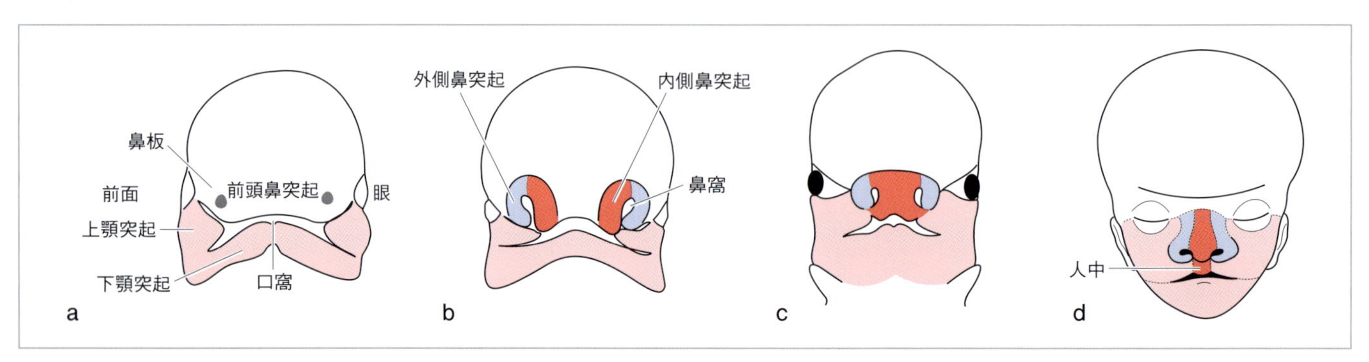

図 2-Ⅰ-12 顔面発生過程
a：胎生 27 日．b：胎生 6 週初期．c：胎生 7 週後期．d：胎生 10 週．
「突起」は「隆起 prominence」ということもある（例：前頭隆起，外側鼻隆起など）．

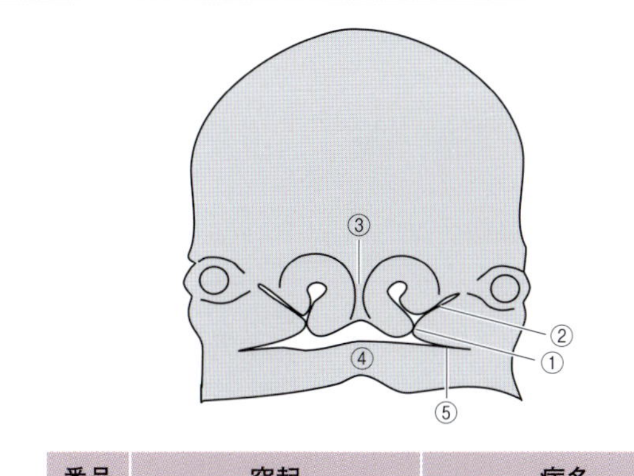

番号	突起	病名
①	上顎突起と内側鼻突起	片側口唇裂
②	上顎突起と外側鼻突起	斜顔裂
③	左右の内側鼻突起	正中上顎口唇裂
④	左右の下顎突起	正中下顎裂
⑤	上顎突起と下顎突起	横顔裂

図 2-Ⅰ-13　顔面裂の発生部位
上：胎生５週における各突起の癒合部位
下：癒合部位と顔面裂発生部位との関係

同士が接触した後，接触した突起の接触面にある上皮はやがて消失し，癒合は完了する．その上皮が残存した場合には，顔裂性嚢胞を引き起こすことがある．

顔面の先天異常の１つに，顔面の幅の異常である隔離症 Hypertelorism や全前脳欠損症 Holoprosencephaly がある．これらは，正中部の発生異常と考えられている．顔面形成の中でも，正中は顔面の他の部位とは異なる独自の分子制御でコントロールされ，Shh，Wnt，Bmp などのシグナルが関与する．

6. 口　蓋

口蓋は２つの部分から発生する．両側の内側鼻突起が癒合した顎間部の内側から口腔側へ伸展した正中口蓋突起が，**一次口蓋** primary palate を形成する．上顎切歯は，この内側鼻突起由来の部位に形成されるため，鰓弓由来である上顎臼歯や下顎の歯とは，由来を異にする（**図 2-Ⅰ-14**）．一次口蓋から**切歯骨** incisive bone（前顎骨 premaxilla）（**顎間骨** intermaxillary bone）が形成される．上顎突起の内側から進展した**口蓋突起** palatal plate（外側口蓋突起）が，**二次口蓋** secondary palate を形成する．この口蓋突起は，形成中の舌の横を下方に増殖した後，舌背上に挙上し水平位となる．その後，左右の口蓋突起は水平方向へ伸展し正中で癒合するとともに，一次口蓋とも癒合することで，口蓋は閉鎖される

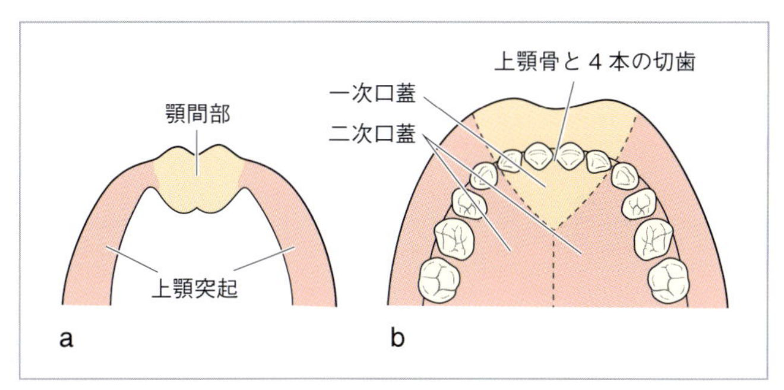

図 2-Ⅰ-14　一次口蓋と二次口蓋
a：顎間部と上顎突起．b：一次口蓋と二次口蓋における歯．
（Sadler TW：Langman's Medical Embryology. Wolters Kluwer, Philadelphia, 2015, 297.）

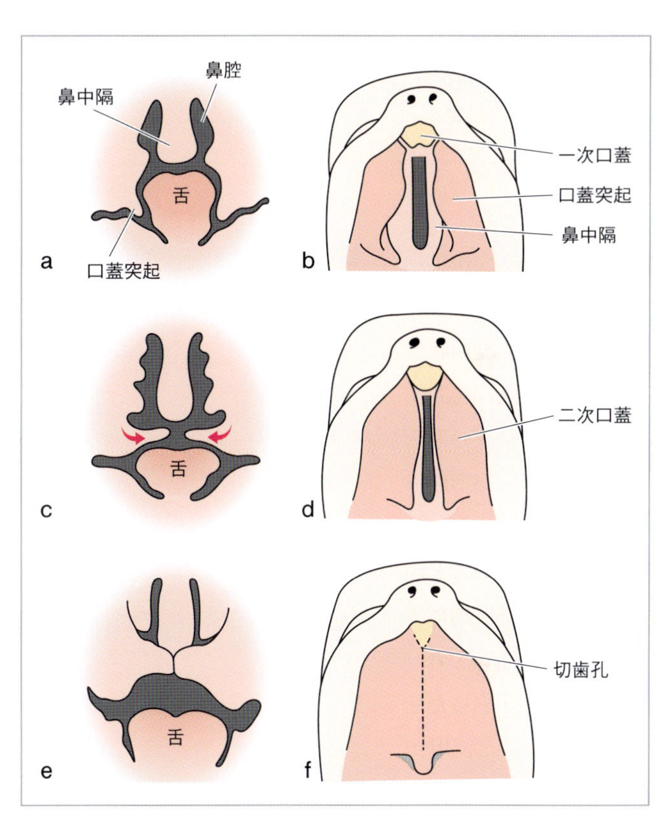

図 2-Ⅰ-15　口蓋形成過程
a，c，e：前頭面観．b，d，f：咬合面観．
a，b：口蓋突起の下方への伸展．c，d：口蓋突起の舌背への挙上．
e，f：口蓋突起の癒合．

（**図 2-Ⅰ-15**）．一次口蓋と二次口蓋の境界の一部は，**切歯孔** incisive foramen として生後も認められる．一次口蓋と二次口蓋の多くには骨が形成され**硬口蓋** hard palate となる一方，二次口蓋の後方では骨は形成されず**軟口蓋** soft palate となる．口蓋形成に伴って，鼻腔天井部から鼻中隔の中央部が下方に成長し，一次口蓋，二次口蓋の上面と正中部に沿って癒合する．

口蓋突起が，癒合までに至らなかった結果が，口蓋裂である．口唇裂と相まってさまざまな**口唇裂・口蓋裂**が存在する（**図 2-Ⅰ-16**）．その原因としては，口蓋形成過程の各ステップの不調，つまり口蓋突起の形成不全，

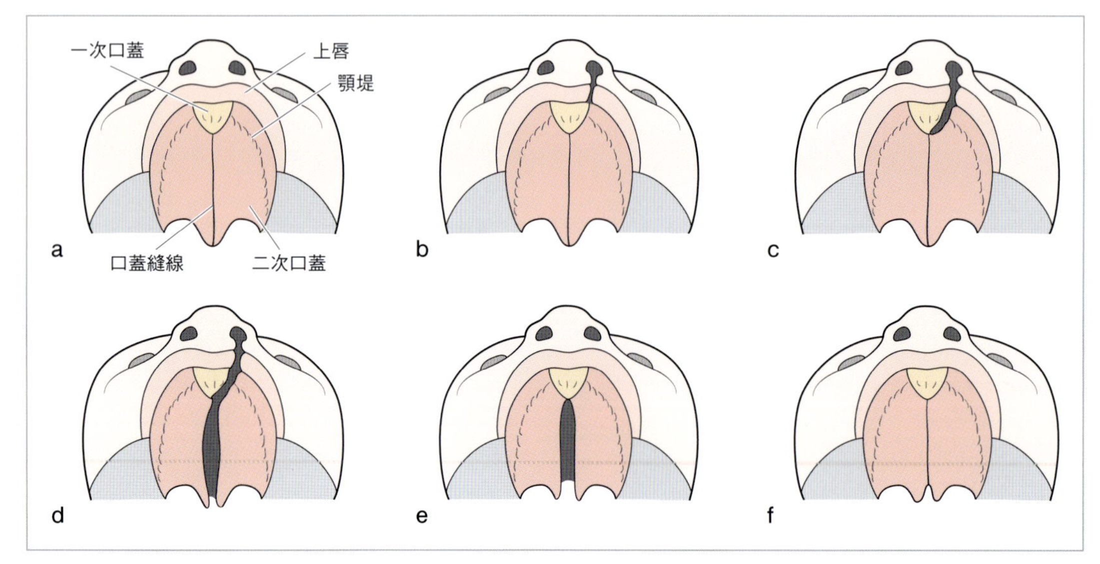

図 2-Ⅰ-16　口唇裂・口蓋裂の分類
口唇，口蓋の咬合面観．
a：正常．b：口唇裂．
c：唇顎裂．d：唇顎口蓋裂．
e：口蓋裂．f：軟口蓋裂．
（Sadler TW：Langman's Medical Embryology. Wolters Kluwer, Philadelphia, 2015, 299.）

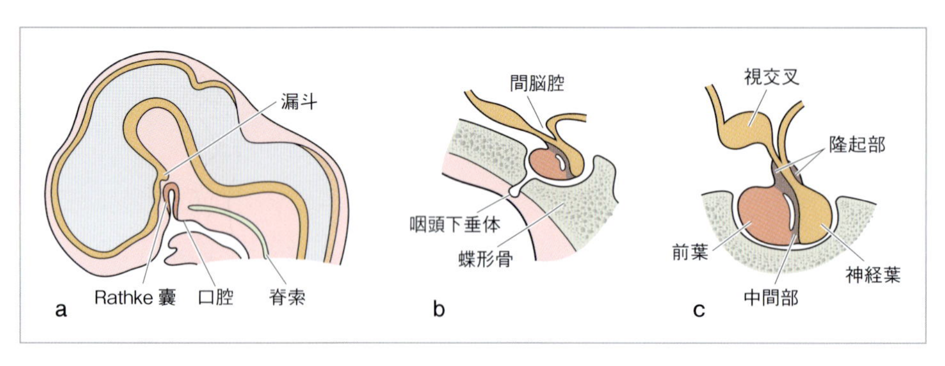

図 2-Ⅰ-17　下垂体の発生過程
a：胎生 6 週胚子の頭部矢状面断の模式図．
b：胎生 11 週．c：胎生 16 週．発生中の下垂体の矢状面断の模式図．
（Sadler TW：Langman's Medical Embryology. Wolters Kluwer, Philadelphia, 2015, 324.）

口蓋突起の舌背上への挙上不全，口蓋突起の水平方向への増殖不全，口蓋突起の癒合不全などがあげられる．

口蓋突起が形成される以前の口窩の天井の上皮が陥入し，**Rathke 嚢**（ラトケ）pouch of Rathke となる．Rathke 嚢は，間脳から伸長してきた漏斗とともに，下垂体となる（**図 2-Ⅰ-17**）．

口蓋突起の近心部と遠心部では，その発生メカニズムが大きく異なる．近心部では口蓋突起の先端から挙上していくのに対し，遠心部では口蓋突起の中間部から挙上を開始し，先端部は最後に移動する．口蓋突起全体に発現する遺伝子に加え，Shox 2 のように近心部のみで発現する分子，Meox 2 のように遠心部のみで発現する分子などが存在する．これら前後軸での違いに加え，口蓋突起の頬舌軸での発現分子の違いも認められる．

口蓋突起先端の上皮は medial edge epithelium（MEE）とよばれ，左右の口蓋突起が正中で接触すると，接触しあった左右の MEE は midline epithelial seam（MES）として，1 つの名称でよばれる．この MES がアポトーシス apoptosis により消滅することで，左右の口蓋突起の間葉組織が交通し，癒合が完了する．一方で，アポトーシスに加え，MES の上皮細胞が積極的に口腔粘膜上皮方向へ増殖することも MES の消失にかかわることが報告されている．

顔面頭蓋の形成をつかさどる遺伝子の解析のほとんどは，遺伝子改変の容易なマウスを用いて行われている．MSX 1，IRF 6，FGF など，ヒトにおいて，その変異が口蓋裂との関連を指摘されている遺伝子の欠損マウスでも口蓋裂が認められ，マウスとヒト間での共通の分子メカニズムがうかがえる．一方で，ヒトではよく認められる口唇裂を，遺伝子改変マウスで認めることはきわめてまれである．ヒトの口唇は，マウスのものと形態的にも大きく異なり，ヒトの口唇形成の特殊性を示している．

7. 舌

咀嚼筋などの頭部のほとんどの筋肉は頭部中胚葉から派生するのに対し，舌の筋肉は後頭部の体節の中胚葉から発生する．

舌の発生は，胎生 4 週頃に，第一鰓弓腹側の正中付近に認められる無対の**正中隆起** medial swelling〔無対舌結節（正中舌結節）tuberculum impar〕と，その前方に左右 1 つずつある**外側舌隆起** lateral lingual swelling の形成から始まる．外側舌隆起が増殖しながら正中隆起を癒合し前方へと増殖していく．この部分が舌の前方 2/3（舌体）となる．胎生 6 週頃，後方では，第二鰓

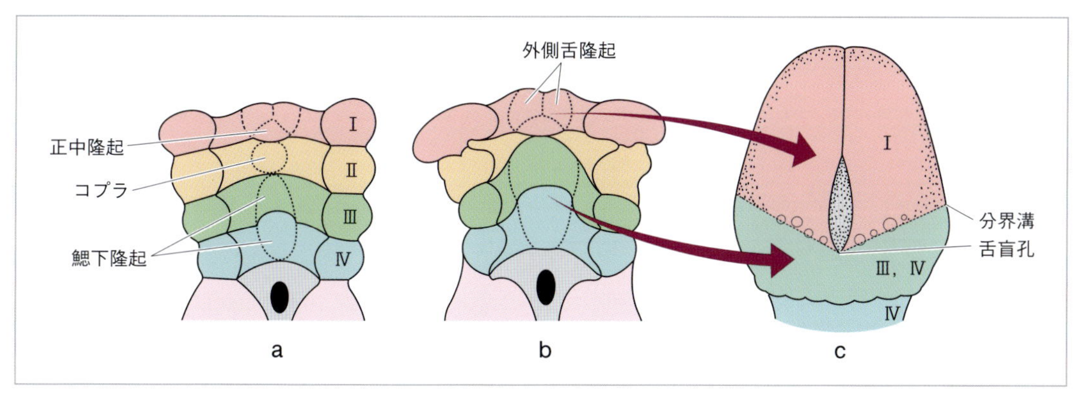

図 2-Ⅰ-18　舌の形成過程
a：各隆起の形成（図中の数字は鰓弓の番号）．
b：隆起の増殖．
c：形成後の舌（図中の数字は由来する鰓弓の番号）．

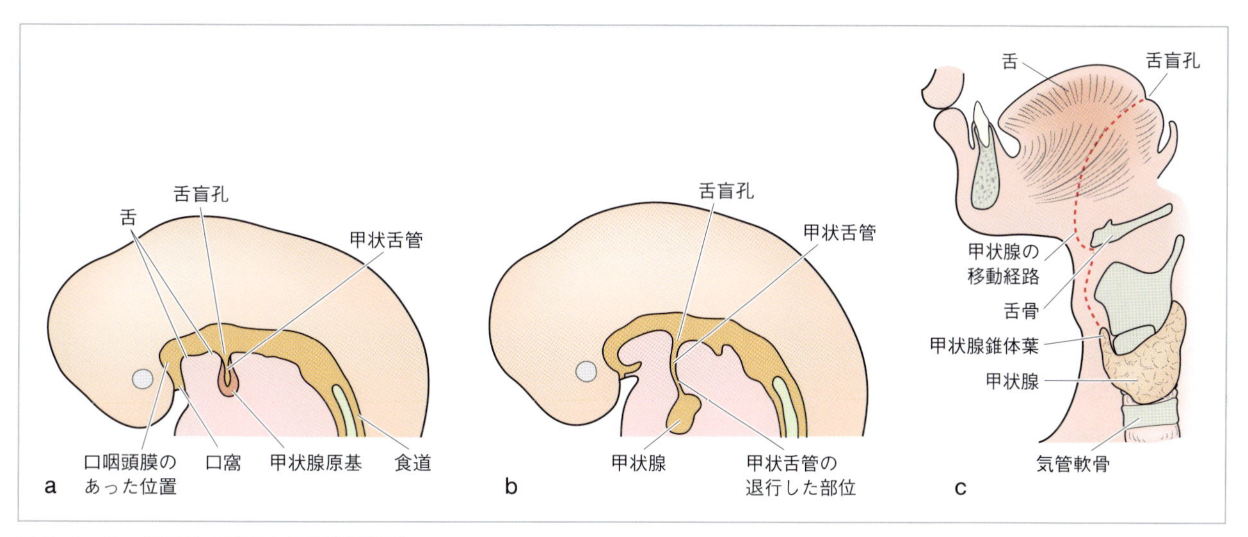

図 2-Ⅰ-19　甲状腺の発生と甲状舌管嚢胞
a：胎生５週．b：胎生６週．c：原基の移動経路（破線）を成人の矢状面観で示す．
（Moore KL et al.：The Developing Human. Elsevier Saunders, Philadelphia, 2013. および Sadler TW：Langman's Medical Embryology. Wolters Kluwer, Philadelphia, 2015. を参考に作成）

弓腹側正中部に**コプラ** copula（結合節）が，第三鰓弓と第四鰓弓にまたがった隆起として**鰓下隆起** hypobranchial eminence が生じる．コプラ由来の部分は，その後，消滅する．一方，鰓下隆起は第二鰓弓を乗り越えるように前方へと隆起し，舌の後方 1/3（舌根）となる．その大半は第三鰓弓由来であるが，舌根の基部の一部は第四鰓弓由来となる（**図 2-Ⅰ-18**）．正中隆起と鰓下隆起の境界は，**分界溝** terminal sulcus として生後も確認できる．

発生中の舌根の一部の上皮は肥厚して甲状腺の原基となり，頸部を下降していく．下降する際に，その通り道に**甲状舌管** thyroglossal duct が形成されるため，原基は下降した後も甲状舌管を介して舌とつながっている．その後，甲状舌管は消失し，舌と甲状腺原基のつながりは絶たれる．舌根部の甲状腺原基が発生した部位は，**舌盲孔** foramen cecum として生後も認められる（**図 2-Ⅰ-18，19**）．

甲状舌管は通常，萎縮し消失するが，残存した場合には甲状舌管嚢胞や甲状舌管洞などを引き起こす．それらは，甲状腺原基の通った経路上に認められる（**図 2-Ⅰ-19**）．甲状腺原基の不完全な下降は，異所性甲状腺となる．

8. 唾液腺

唾液腺には，耳下腺，顎下腺，舌下腺の大唾液腺と，口腔内に散在する多くの小唾液腺がある．大唾液腺の上皮は，耳下腺が外胚葉由来で，顎下腺と舌下腺が内胚葉由来とされている．いずれの唾液腺の発生も，上皮の間葉組織への陥入から始まる．陥入した上皮は伸展し，その先端が分岐を開始する．上皮は伸長と分岐を続け，最終的に分枝の先端に分泌細胞が分化して，腺房が形成される（**図 2-Ⅰ-20**）．最初に上皮が陥入した部位は，そのまま将来の唾液腺の開口部となる．一方，伸展した上皮は，後にその中心部が消失することで中空化し，将来の唾液腺の導管となる．

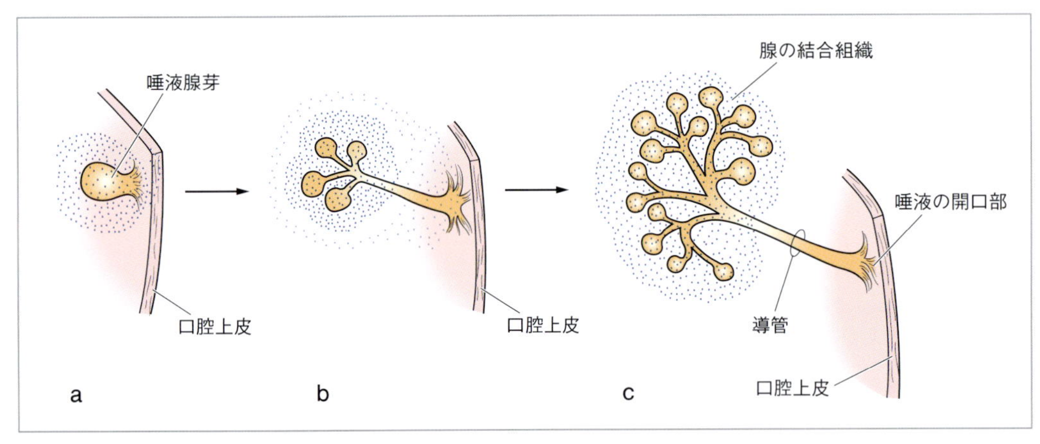

図 2-Ⅰ-20　唾液腺の発生過程
a：上皮の陥入と間葉組織の凝集.
b：陥入上皮の伸展と分岐.
c：導管形成.
（太田義邦ほか訳：図説解剖学概説—ヒトの発生過程から解明する. 医歯薬出版, 東京, 1985.）

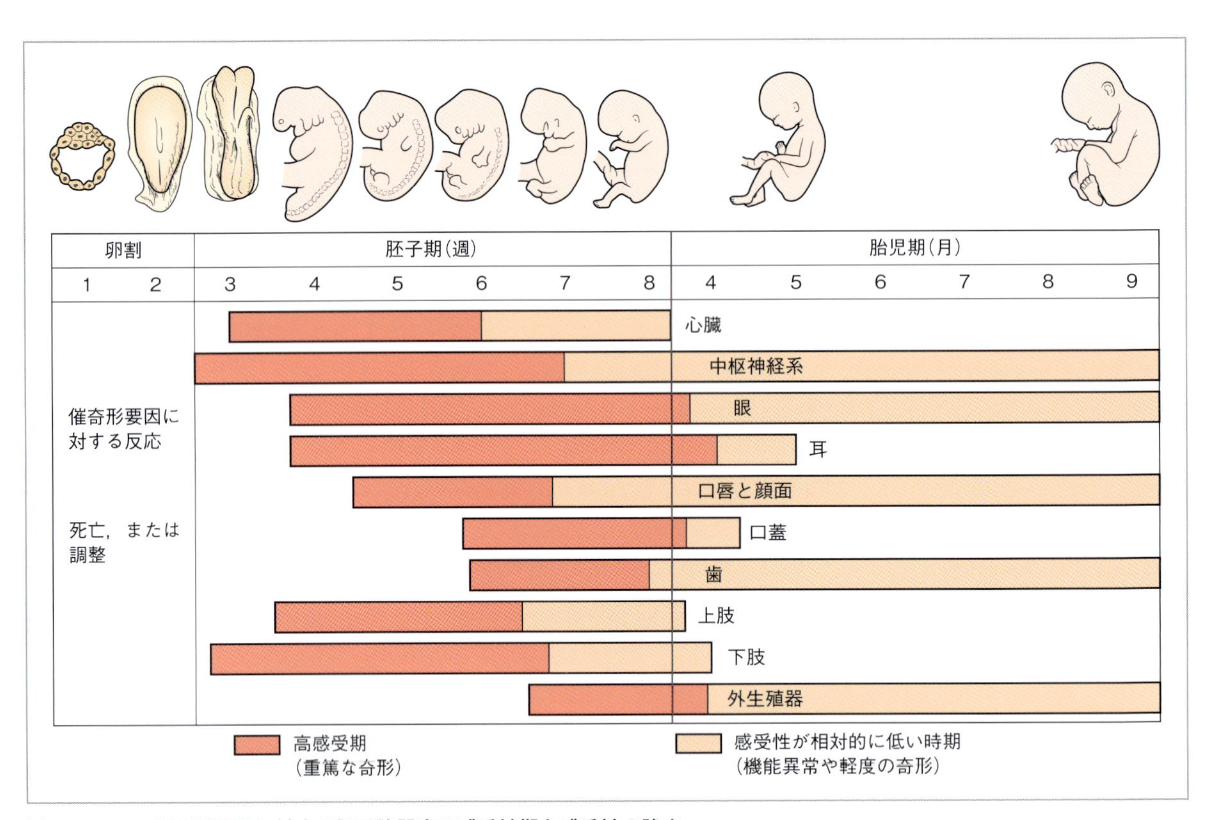

図 2-Ⅰ-21　催奇形要因に対する胚子諸器官の感受性期と感受性の強さ
（Carlson BM：Human Embryology and Developmental Biology. Mosby. St. Louis, 1994, 122.）

大唾液腺の上皮は，すべて外胚葉由来とする意見もある．

Fgf シグナルの異常や，Pitx 2，Shh の欠損では，唾液腺の形成が開始されず，それらの分子が唾液腺発生の開始に必要不可欠な分子であることを示している．一方で，外胚葉異形成症の原因遺伝子である Eda や Edar の欠損では，導管のみが欠如する．

発生過程における外的・内的要因による不具合は，先天異常を引き起こすことがある．各器官で，異常を誘発する要因に対する感受性の高い時期は異なる（図 2-Ⅰ-21）．

Ⅱ　歯胚の発生

1. 概　説

歯は，古生物の外表皮を起源とし，同じ外表皮から派生した毛髪，乳腺，爪などとともに，皮膚の付属器官 skin appendage に分類される．1 つの遺伝子変異が，すべての皮膚の付属器官に異常を生じさせる例などから，各付属器官の発生には分子レベルでの共通性が存在する．このように，歯の発生には，進化の過程が反映される．

歯は，内側鼻突起（上顎切歯），上顎突起（切歯以外の上顎の歯），下顎突起（下顎すべての歯）に形成される．それぞれの突起内の外胚葉上皮と神経堤由来間葉（外胚

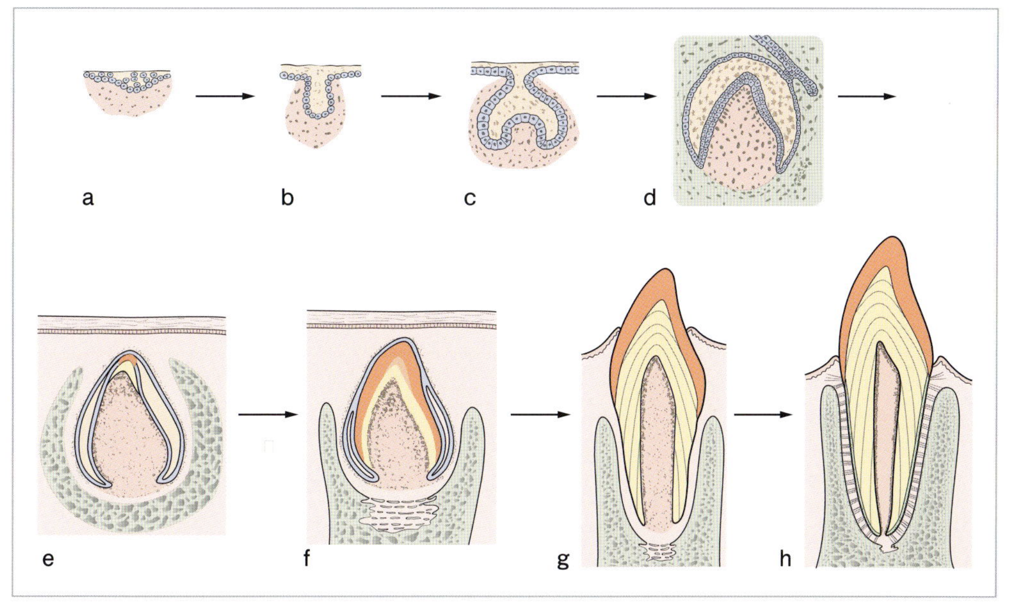

図 2-Ⅱ-1　歯の発生の概要
a：上皮の肥厚．b：蕾状期．c：帽状期．d：鐘状期前期．e：鐘状期後期．f：歯冠完成期．g：歯根形成期．
h：歯根完成後．

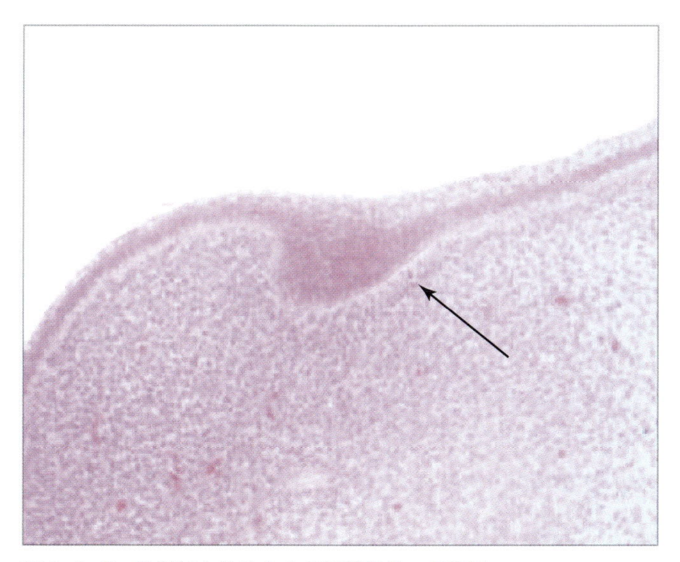

図 2-Ⅱ-2　胎児における上皮の間葉組織への肥厚
肥厚上皮（矢印）

葉性間葉）の２つの組織から発生する．そのため，歯は外胚葉性器官である．各発生段階において，上皮と間葉組織が形態変化を繰り返しながら，歯は形成されていく（図 2-Ⅱ-1）．上皮と間葉からなる歯の原基を，**歯胚** tooth germ とよぶ．

歯の発生は，先に歯冠が形成され，その後に歯根の形成が続く．本章では歯冠の形成について述べる．

2. 歯堤の形成・歯胚上皮の肥厚

歯の発生における最初の形態的変化は，胎生６週頃に起こる上皮の肥厚と（図 2-Ⅱ-1，2），その肥厚上皮の間葉組織への陥入である．一部で始まった上皮の肥厚と陥入は，顎の近遠心方向へ広がっていき，ついには，上顎突起，下顎突起それぞれ全体にまたがる馬蹄形の薄い上皮板となる．これを**歯堤** dental lamina とよぶ（図 2-Ⅱ-3a）．次に，歯堤の中で，乳歯予定領域の上皮が肥厚を開始する（図 2-Ⅱ-3b）．

3. 蕾状期

歯堤から肥厚した乳歯歯胚上皮は，間葉組織への陥入を続け，植物の蕾に似た形態を示すようになる（図 2-Ⅱ-1，4）．その形態から，この時期を**蕾状期** bud stage とよぶ．蕾状上皮直下の間葉組織では，間葉系細胞が凝集を開始する．乳歯歯胚の形成が開始されると，歯堤の先端はさらに伸長し，永久歯の歯胚予定部位である**代生歯堤**（先行乳歯のある永久歯を代生歯とよぶ）となり，形成の開始時期を待つ（図 2-Ⅱ-3c）．乳歯歯胚と代生歯堤を口腔粘膜上皮へとつなぐ上皮を，本来の歯堤と対比するために**総歯堤** general lamina とよび，総歯堤と乳歯歯胚をつなぐ上皮を**外側歯堤** lateral enamel strand とよぶ（図 2-Ⅱ-3）．歯堤は，顎の成長に伴い，後方へも伸長を続ける．先行乳歯のない大臼歯は，代生歯堤からではなく，後方へ伸びた歯堤から直接発生する（図 2-Ⅱ-3b，c）．後方へ伸びた大臼歯予定領域の歯堤を加生歯堤とよぶ．乳歯，永久歯における歯の発生は，おおむね類似する．

上皮のみ，間葉のみで，歯の発生が進行することはなく，上皮と間葉との間での分子のやりとり（上皮-間葉相互作

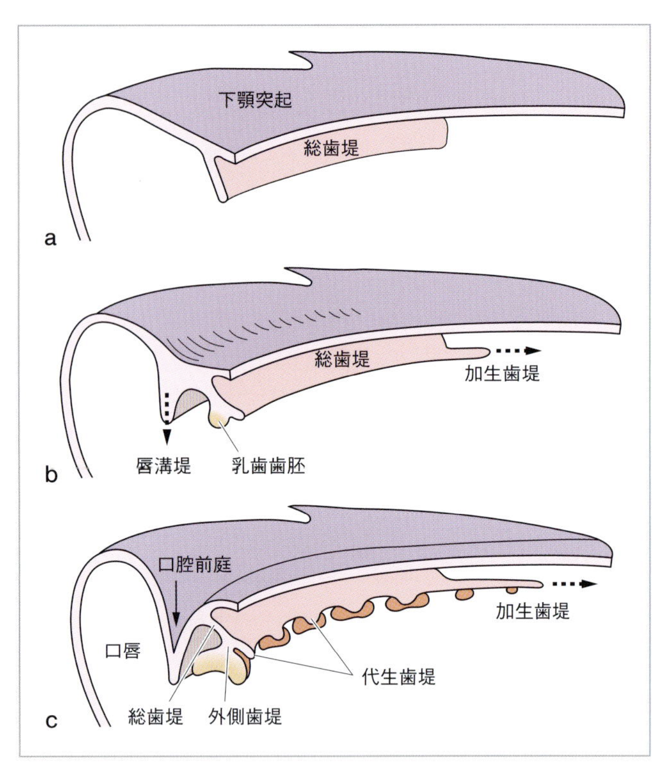

図 2-Ⅱ-3　下顎突起における歯堤，唇溝堤の発生過程の模式図
下顎突起の前頭断における上皮の変化を示す．
a：上皮が陥入し，薄い衝立て状の上皮板（歯堤）となる．
b：歯堤の乳歯歯胚領域の上皮が肥厚し，間葉組織へ陥入する．同時期，唇側に別の薄い衝立て状の上皮板（唇溝堤）が形成される．歯堤は，先行乳歯のない大臼歯の形成領域へと伸びていき，加生歯堤となる．
c：その後，唇溝堤の中央の上皮細胞は，アポトーシスにより消失し深い溝が生じ，これが口腔前庭になっていく．乳歯歯胚の舌側には，永久歯の形成のための代生歯堤が形成される．

用）が，歯の発生には必須となる．この上皮と間葉の間の相互作用の方向性（上皮から間葉へ，間葉から上皮へ）は，各発生段階で変化する．

哺乳類には，複数の歯種が存在するが，その歯の種類は，前歯部，臼歯部それぞれの間葉に発現する遺伝子（主に位置決定にかかわるホメオボックスを有する遺伝子群）の違いで決定される．しかし，これら間葉における発現分子の違いは，上皮からの分子の違いに依存する．マウスの前歯部領域の上皮に発現する Bmp4，臼歯部領域の上皮に発現する Fgf8 は，間葉に別々の遺伝子の発現を誘導することで，前歯部と臼歯部の領域は決定される．また，前歯や臼歯という区別とは別の制御機構も同時期に存在する．Dlx1 と Dlx2 の 2 つの分子を同時に欠損させると，上顎の臼歯のみが欠損する．反対に activinβA の欠損では，上顎の臼歯以外の歯が欠損する．つまり，上顎の臼歯とそれ以外の歯という枠組みが存在することを示している．一方，Msx1 や Pax9 などの欠損ではすべての歯が形成されず，すべての歯に共通する分子制御も存在する．ヒトでは第三大臼歯がしばしば先天的に欠如するが，Bmp シグナルの欠損した

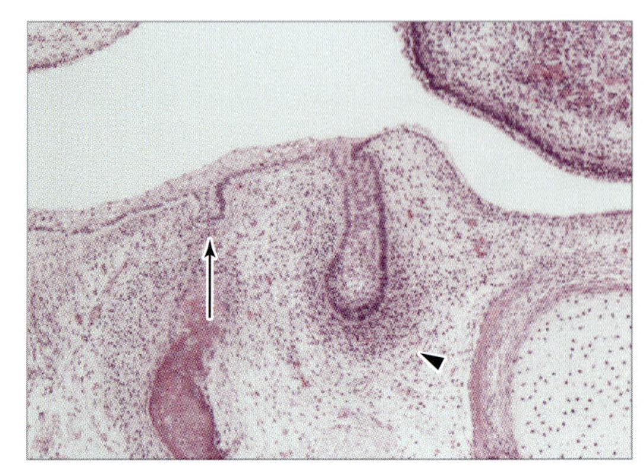

図 2-Ⅱ-4　蕾状期歯胚
唇溝堤（矢印），歯乳頭（矢尻）．

マウスでも第三大臼歯の欠損が報告されている．Shh シグナルの欠損は，癒合歯の形成を引き起こす．歯胚上皮における過剰な Wnt シグナルは過剰歯の形成を誘導するものの，歯胚間葉での過度な Wnt シグナルは歯の発生を抑制する．このように，さまざまな器官の形成に重要である Wnt，Shh，Bmp，Fgf などのシグナル経路は，歯の発生にも大きく関与する．それらのシグナル経路は，それぞれが単独で特定の機能にかかわるのではなく，それぞれのシグナルが相互に関連しながら，さまざまな階層で複雑に組み合わさることで，歯が形成されると考えられている．

4. 帽状期

蕾状の上皮は，帽子に似た形状へと変化し，この時期を**帽状期** cap stage とよぶ（**図 2-Ⅱ-1, 5a**）．歯胚上皮は，のちにエナメルを形成する細胞へと分化するため，**エナメル器** enamel organ ともよばれる．帽状期の歯胚上皮は，帽子状の凹面を裏打ちする 1 層の上皮細胞である**内エナメル上皮** inner enamel epithelium，凸面の外表層の 1 層の上皮細胞である**外エナメル上皮** outer enamel epithelium，内エナメル上皮と外エナメル上皮の間を埋める上皮である**星状網** stellate reticulum（**図 2-Ⅱ-5b**）に分かれる．星状網の細胞は，上皮細胞でありながら，結合組織の細胞のように，長い細胞突起で連絡しあい，細胞間隙が広く網目状の細胞配置を示す．内エナメル上皮と外エナメル上皮の折り返しの部分を**歯頸ループ**（歯頸彎曲部，**サービカルループ** cervical loop）とよぶ（**図 2-Ⅱ-6**）．内エナメル上皮の中央付近に，上皮細胞の密集した小塊が認められることがあり，**エナメル結節** enamel knot とよばれる（**図 2-Ⅱ-5a**）．エナメル結節は，鐘状期（後述）までにはアポトーシスにより消失するが，鐘状期後期に再度現れるため，帽状期のエナメル結節を**一次エナメル結節** primary enamel knot と

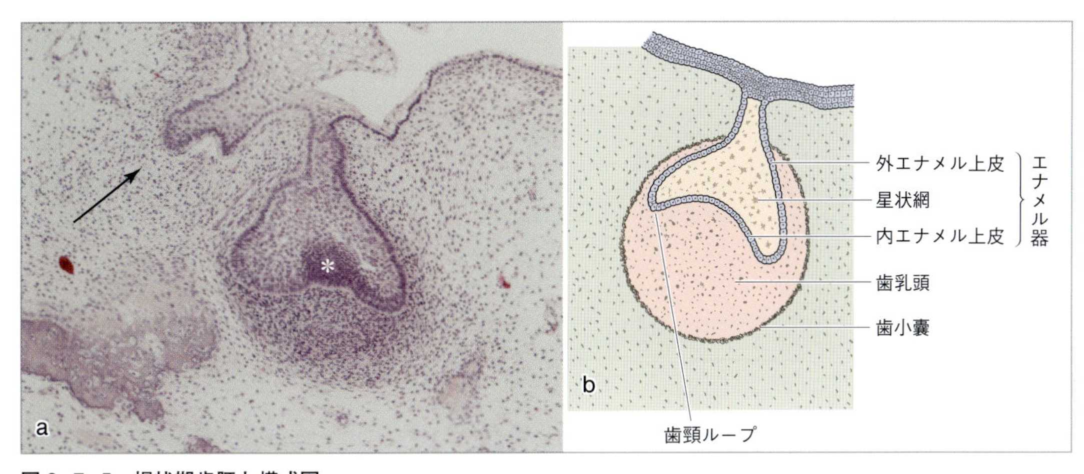

図 2-Ⅱ-5　帽状期歯胚と模式図
a：唇溝堤（矢印），エナメル結節（＊）．b：帽状期歯胚の模式図と各部位の名称．

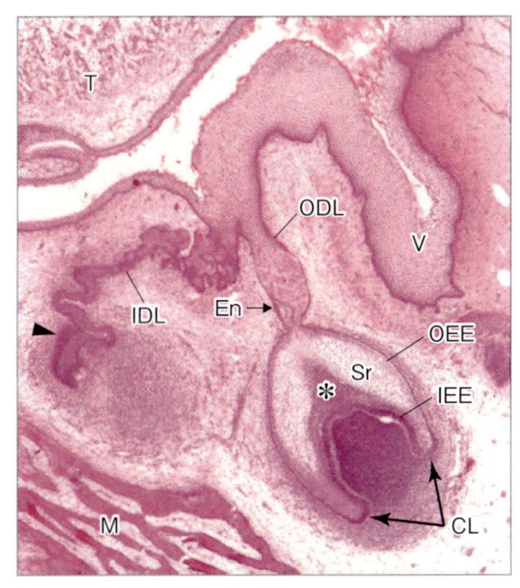

図 2-Ⅱ-6　乳歯胚と代生歯胚（新潟大学前田健康先生のご厚意による）
CL：歯頸ループ，En：エナメル陥凹，IDL：内側歯堤，IEE：内エナメル上皮，M：発生中の下顎骨，ODL：外側歯堤，OEE：外エナメル上皮，Sr：エナメル髄，T：舌，V：口腔前庭，矢尻：代生歯胚，矢印：乳歯胚，＊：エナメル索

もよぶ．エナメル結節付近から星状網にかけて伸び出した円錐状の上皮がみられることがあり，**エナメル索** enamel cord とよばれる（**図 2-Ⅱ-6**）．間葉系細胞の凝集は維持され，内エナメル上皮下の凝集した間葉組織を**歯乳頭** dental papilla とよぶ．歯乳頭細胞は，将来，歯髄や象牙質の形成にかかわっていく（詳細な歯髄・象牙質の発生については，☞第 2 章Ⅳ参照）．上皮と歯乳頭を取り囲むように緩やかな線維性組織が認められ，**歯小嚢** dental follicle とよばれる（**図 2-Ⅱ-5**）．歯小嚢は後に，歯根膜やセメント質などの歯周組織の形成にかかわっていく（詳細な歯周組織の発生については，☞第 2 章Ⅴ参照）．エナメル器，歯乳頭，歯小嚢が歯胚の構成要素となる．

帽状期まで，外側歯堤は乳歯歯胚の上部に位置する（**図 2-Ⅱ-6**）．

エナメル結節には，Shh などの限局した遺伝子発現が認められ，他の歯胚上皮細胞とは発現遺伝子でも区別できる．エナメル結節に発現する遺伝子の多くは蕾状期の歯胚上皮の先端にも認められ，蕾状期の歯胚先端が帽状期にエナメル結節へと変化すると考えられている．蕾状期から帽状期にかけて，他の歯胚上皮細胞には旺盛な細胞増殖活性が認められるのに対し，このエナメル結節には細胞増殖活性は認められない．EDAR（Ectodysplasin A receptor）はエナメル結節に発現し，その欠損は咬頭の劣形成を，発現上昇は過剰咬頭形成を引き起こす．このように，エナメル結節は咬頭形成に関与すると考えられている．

円錐状のエナメル索の上部が外エナメル上皮に接している場合，その接点をエナメル臍とよぶ．エナメル索やエナメル臍が，エナメル結節の一部であるのか，その役割が何であるかはわかっていない．

5. 鐘状期

帽子状であった歯胚上皮は，内エナメル上皮が内側に大きく陥没することで，鐘のような形態へと変化し，この時期を**鐘状期** bell stage とよぶ（**図 2-Ⅱ-1，7**）．鐘状期において，歯胚はサイズを大きく増す．一般的に，鐘状期は，石灰化を開始する前の鐘状期前期（初期）と，石灰化を開始した鐘状期後期に分けられる．

1）鐘状期前期

内エナメル上皮は，背が若干高くなり，大きな形態変化を開始する．星状網が歯胚上皮の多くを占めるようになり，星状網の細胞間隙はさらに大きくなる．星状網の

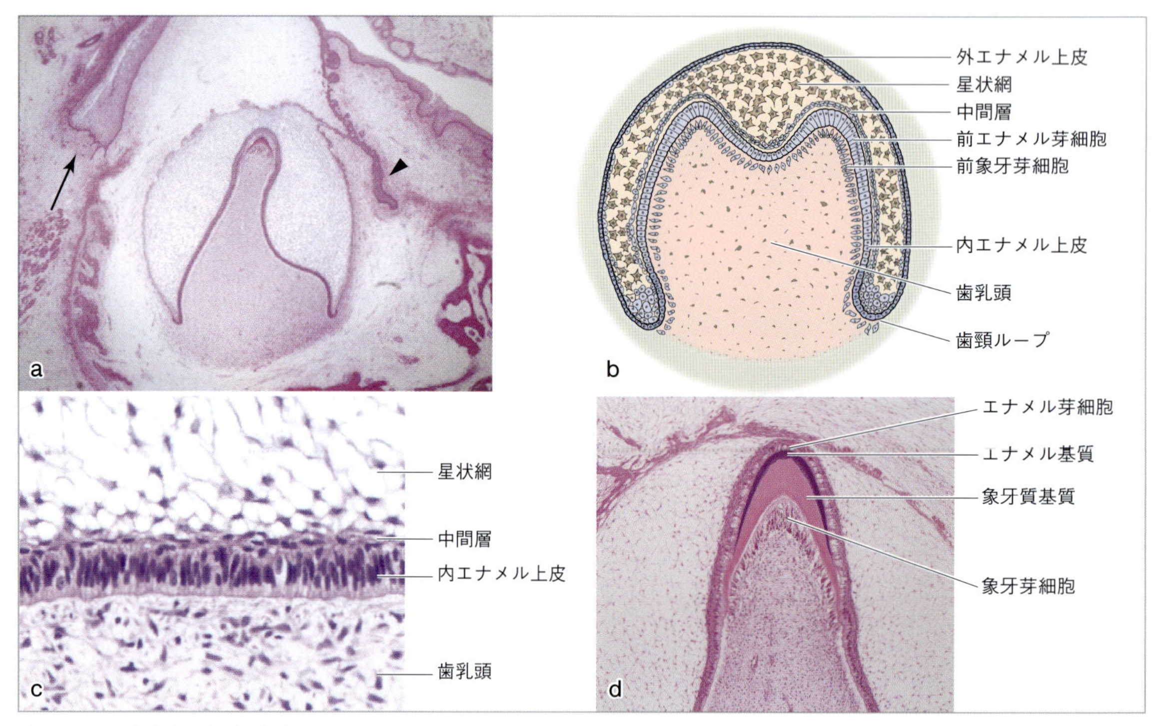

図 2-Ⅱ-7　鐘状期歯胚と模式図
a：代生歯堤（矢尻），中央の細胞が欠落し始めた唇溝堤（矢印）．b：鐘状期歯胚の模式図と各部位の名称．
c：鐘状期歯胚内エナメル上皮部付近の強拡大．d：咬頭頂付近の強拡大．

役割はよくわかっていないが，歯胚を機械的刺激から守るためと考えられている．内エナメル上皮の星状網側に1，2層のやや扁平な上皮細胞の集積が認められるようになり，**中間層** stratum intermedium とよばれる（**図 2-Ⅱ-7**）．中間層の細胞はエナメル質を形成はしないが，内エナメル上皮の**エナメル芽細胞** ameloblast への分化やエナメル芽細胞の機能維持にかかわるため，中間層の細胞の機能異常はエナメル形成異常を引き起こす．

2）鐘状期後期

エナメル結節が再び咬頭予定領域に現れるようになり，これらを**二次エナメル結節** secondary enamel knot とよぶ（**図 2-Ⅱ-8**）．二次エナメル結節も咬頭形成に関与するが，二次エナメル結節での発現遺伝子は，

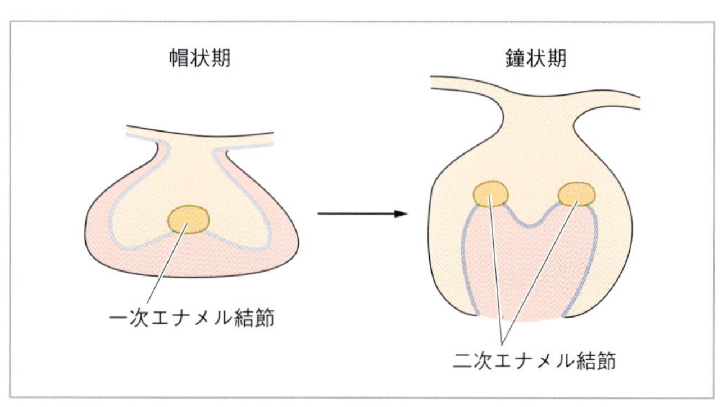

図 2-Ⅱ-8　エナメル結節の模式図

一次エナメル結節のものとは大きく異なる．内エナメル上皮を結んだ形が，将来の歯の外形と同一のものとなっていく．内エナメル上皮は，エナメル質を形成する**エナメル芽細胞**への分化を開始する（詳細なエナメル芽細胞の変化とエナメル質の形成については，☞第2章Ⅲ参照）．歯乳頭では，内エナメル上皮に面している1層の細胞が，**象牙芽細胞** odontoblast への分化を開始する．はじめ接触していた**前エナメル芽細胞** preameloblast と**前象牙芽細胞** preodontblast は，互いの間にエナメル質基質と象牙質基質を分泌（上皮層側にエナメル質基質，歯乳頭側に象牙質基質）することで離れ（**図 2-Ⅱ-7**），両細胞とも後退しながら基質を分泌することになる．基質合成は象牙質のほうが若干先に開始される．エナメル質，象牙質ともに咬頭頂に相当する部位が最も先に形成を開始する．その後，徐々に歯頸側が象牙質形成とエナメル質形成を開始し，歯冠ではセメント-エナメル境が最後に開始する．

鐘状期後期になると，乳歯歯胚は総歯堤の頬側に位置するようになり，乳歯歯胚の上部に位置していた外側歯堤も，側方へ位置を変え，結合橋とよばれるようになる（**図 2-Ⅱ-9**）．乳歯歯胚の硬組織形成が開始する頃，歯堤は変成し断裂し始める．最終的には，乳歯歯胚と代生歯胚は，口腔粘膜上皮との連絡が断たれる（**図 2-Ⅱ-9, 10**）．歯堤の一部が残存し，生後に**上皮真珠** epithelial

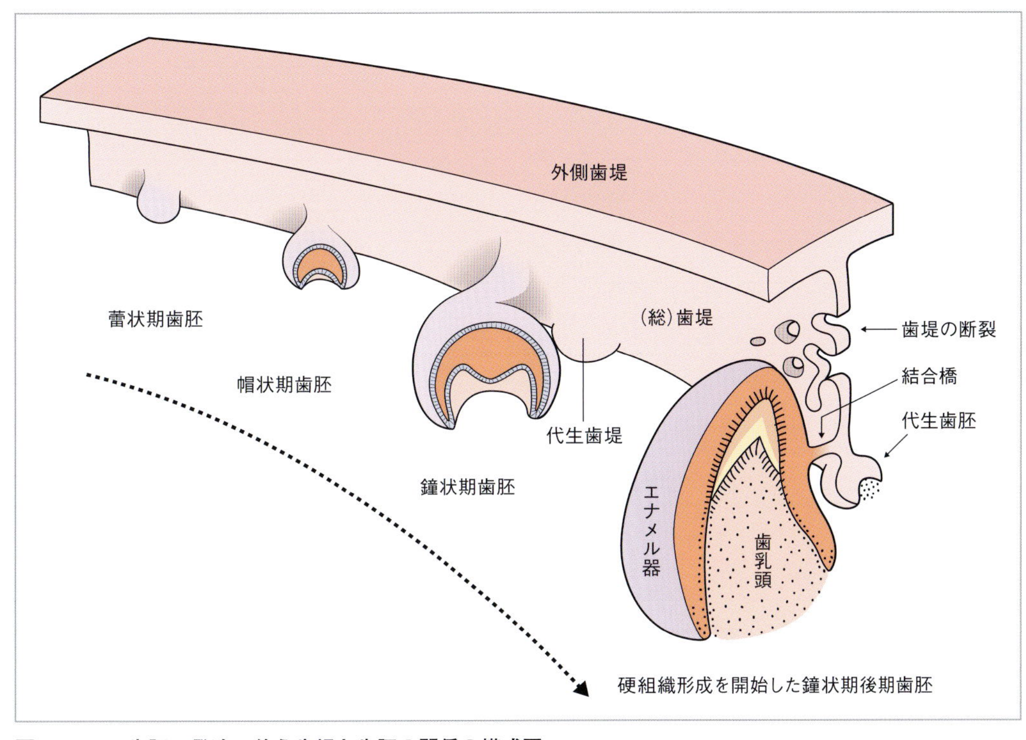

図 2-Ⅱ-9　歯胚の発達に伴う歯堤と歯胚の関係の模式図

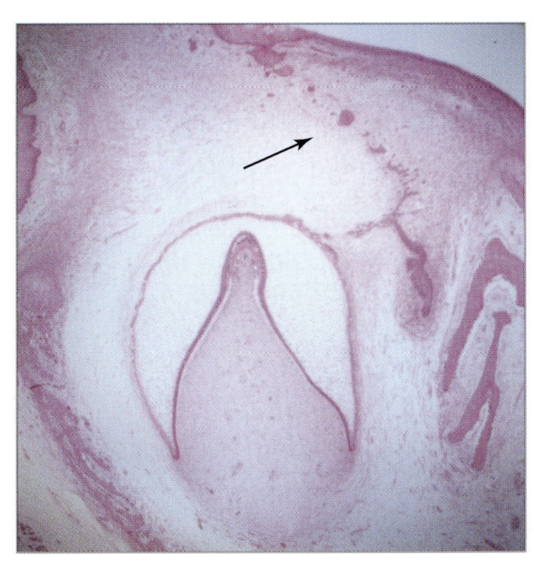

図 2-Ⅱ-10　鐘状期歯胚における歯堤の断裂
断裂した歯堤（矢印）.

pearl として認められることがある.

歯冠の形成（エナメル質と歯冠象牙質の形成）が完了すると，歯頸ループのうち内エナメル上皮と外エナメル上皮が伸展し，2層の細胞層からなる **Hertwig上皮鞘**（ヘルトウィッヒ）Hertwig's epithelial（root）sheath が形成され，歯根と歯周組織の形成に関与していく（詳細な歯根と歯周組織の発生については，☞第2章Ⅴ，第7章Ⅲ参照）.

蕾状期，帽状期，鐘状期に，明確な境界は存在せず，連続した変化である.

各歯種の形成開始時期，石灰化開始時期，歯冠形成完了時期を**表 2-Ⅱ-1** に示す．すべての乳歯は，胎生の初期にその形成を開始し，永久歯の約半分も胎生期に形成を開始することがわかる.

歯導管（歯胚から歯槽頂部までの骨内を貫通する線維性結合組織）は，歯胚の一部に由来すると考えられている.

歯の進化は，歯の数の減少と咬頭の増加を特徴としている．マウスは切歯と大臼歯の間に歯を有せず，その歯のない部位を diastema（間隙の意味．日本語名なし）とよぶ．胎生期に，この diastema には蕾状期歯胚に似た構造体が複数認められ，歯胚関連遺伝子も発現するが，形成途中でアポトーシスにより消失する．進化の過程で退化した歯の名残と考えられている．事実，Wise などの欠損マウスでは，この diastema の歯胚様構造体が消失せず，そのまま歯が形成される．このことは，diastema にあった歯は，進化の過程で，形成能を完全に消失したことで退化したのではなく，形成能が抑制状態になることで退化したと考えられる．その抑制状態を解除すれば，現存の動物でも退化した歯の形成は可能であることを，遺伝子改変マウスの結果は示している．一生歯性であるマウスに代生歯堤は存在しないが，Osr2 などの欠損マウスでは，大臼歯の舌側に歯胚が形成される．多くの動物は多生歯性から進化したと考えられており，マウスにおける一生歯性も，代生歯胚形成が抑制状態になった結果である可能性がある.

表 2-Ⅱ-1　歯の発生時期

	歯種（萌出順）	歯胚形成	石灰化開始	歯冠完成
乳歯	中切歯	胎生 7 週	胎生 4～4.5 月	1.5～2.5 月
	側切歯	胎生 7 週	胎生 4.5 月	2.5～3 月
	犬歯	胎生 7.5 週	胎生 5 月	9 月
	第一乳臼歯	胎生 8 週	胎生 5 月	5.5～6 月
	第二乳臼歯	胎生 10 週	胎生 6 月	10～11 月
永久歯	第一大臼歯	胎生 3.5～4 月	出生時	2.5～3 年
	中切歯	胎生 5～5.25 月	3～4 月	4～5 月
	側切歯	胎生 5～5.5 月	10～12 月 3～4 月	4～5 月
	犬歯	胎生 5.5～6 月	4～5 月	6～7 月
	第一小臼歯	出生時	1.5～2 月	5～6 年
	第二小臼歯	7.5～8 月	2～2.5 年	6～7 年
	第二大臼歯	8.5～9 月	2.5～3 年	7～8 年
	第三大臼歯	3.5～4 月	7～10 年	12～16 年

（Schour I，Massler M：Studies in the tooth development：the growth pattern of human teeth，part Ⅱ，J Am Dent Assoc，27：1920，1940．より抜粋）

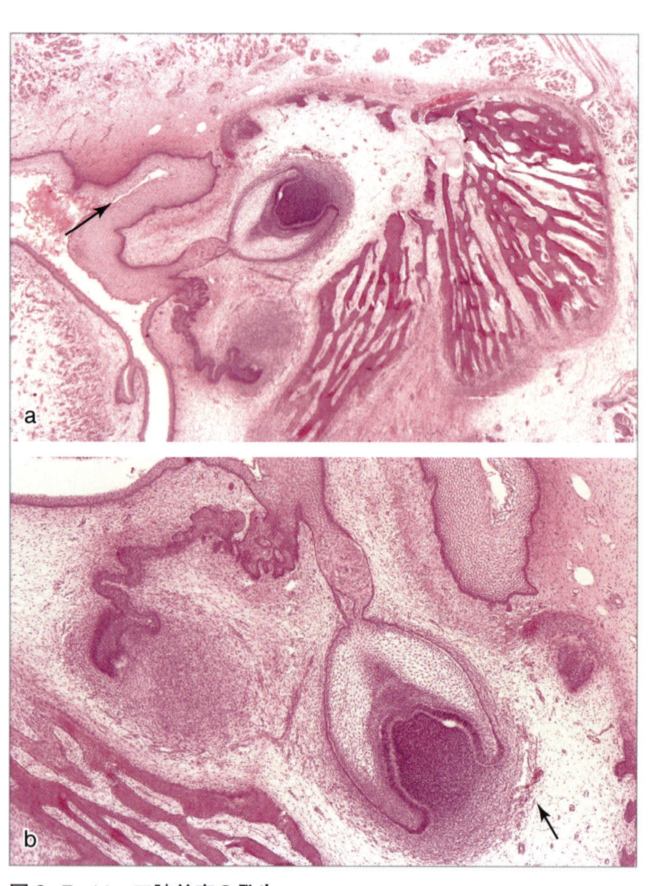

図 2-Ⅱ-11　口腔前庭の発生
a：唇溝堤．V 字溝（矢印）．
b：帽状期歯胚．歯小嚢（矢印）．
（標本で学ぶ口腔の発生と組織．医歯薬出版，東京，2003，39．をカラー化）

6．口腔前庭の発生

話を歯堤形成開始時期に戻す．乳歯上皮が陥入し歯堤が形成される頃，歯堤の頰側に，別の上皮の肥厚と陥入が認められ，**唇溝堤** vestibular lamina とよばれる（**図 2-Ⅱ-3～5**）．唇溝堤の中央部の上皮内に V 字の大きな溝が現れ，将来の口腔前庭となる（**図 2-Ⅱ-11**）．

（大峡　淳）

Ⅲ エナメル質の形成

1．歯胚の発達とエナメル器の形成

エナメル質形成は大きく 2 つの相に分けて考えることができる．1 つは，**エナメル芽細胞**が有機成分に富む幼若エナメル基質を産生することで，将来のエナメル質の厚みや外形を形づくる**形成期** secretory stage であり，もう 1 つは，形成された幼若エナメル質から有機性成分を分解・脱却し，アパタイト結晶が成長して高度な石灰化組織へと変えていく**成熟期** maturation stage である．また，形成期と成熟期の間のわずかな期間を**移行期** transitional stage とよぶ．移行期ではエナメル芽細胞が有機物質を分泌する分泌型細胞からイオンや水分を輸送する電解質輸送型細胞へと変化する．

歯胚の発達とエナメル質形成に注目すると，帽状期ではエナメル器の増大と細胞分化が進み，**エナメル器**には**内エナメル上皮，外エナメル上皮，星状網**（エナメル髄

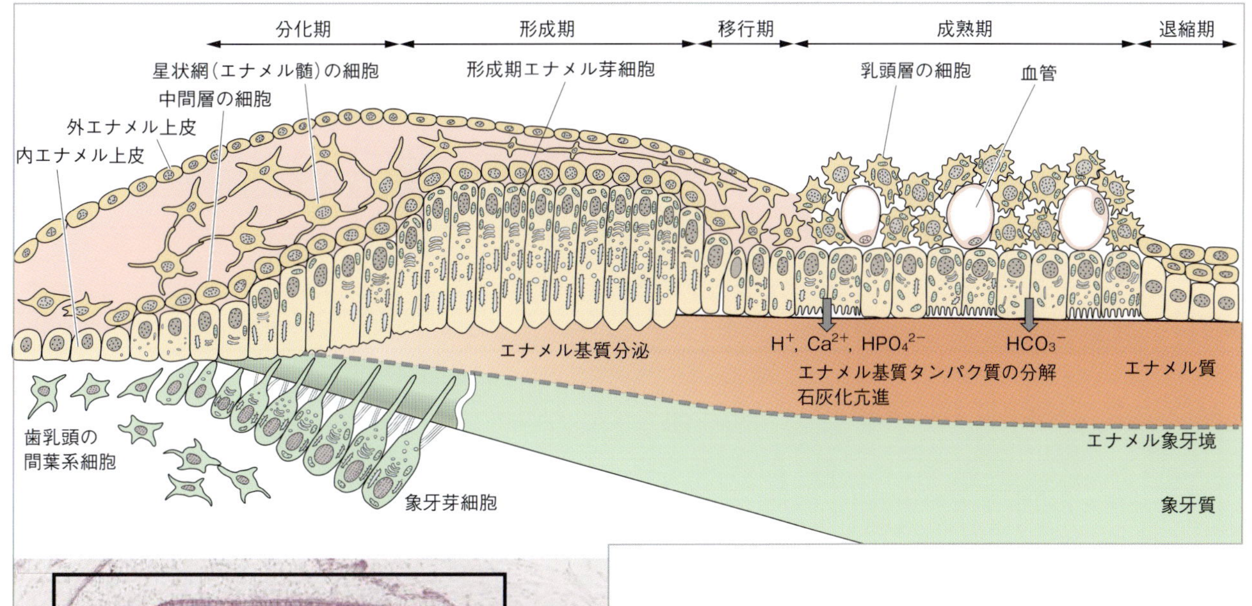

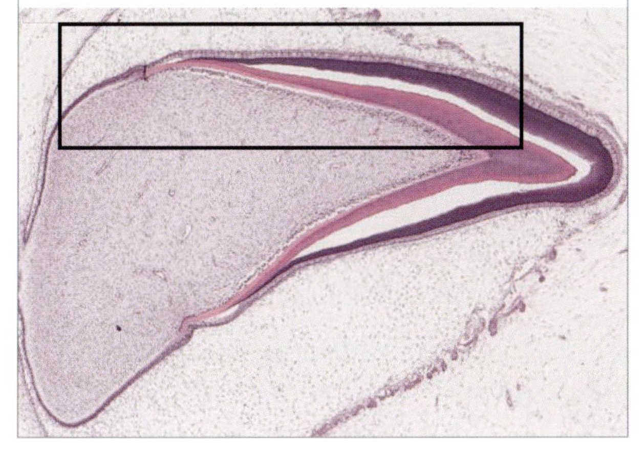

図 2-Ⅲ-1　エナメル質形成の概要の模式図
鐘状期の歯胚のエナメル器およびエナメル基質（左写真の黒枠内）の模式図．内エナメル上皮がエナメル芽細胞へと分化すると背の高い形成期エナメル芽細胞へとなり，有機成分（エナメルタンパク質）の豊富なエナメル基質を分泌する．そのため，形成期では，最終的なエナメル質の厚さ（量）が決定されるが，石灰化が低い状態のまま保たれる．エナメル芽細胞は形成期を終えると，移行期，そして，成熟期の細胞へと形と機能を変化させる．成熟期のエナメル芽細胞は，タンパク質の分解・脱却を行う一方，カルシウムイオン（Ca^{2+}）などを基質内部へと輸送するため，エナメル質の石灰化が上昇する．
（写真は北海道大学歯学部実習標本）

ともいう）が区別されるようになる．内エナメル上皮は歯乳頭に沿って配列するエナメル器の内面を構成する1層の細胞層であり，外エナメル上皮はエナメル器の外面を覆う細胞層である．歯胚が発達して鐘状期になると，内エナメル上皮は，**前エナメル芽細胞**（または分化期エナメル芽細胞）を経て，背の高い円柱状の**形成期エナメル芽細胞**へと分化する（**図 2-Ⅲ-1**）．

エナメル器の内エナメル上皮と外エナメル上皮に囲まれた星状網では，星形の細胞が複数の長い細胞突起を伸ばすことで緩やかな網目状構造をつくっており，広い細胞間隙は**プロテオグリカン** proteoglycan をはじめとする細胞間質で満たされている．星状網は，鐘状期早期の歯胚で特に発達し，エナメル質形成が進行中のエナメル器では，エナメル芽細胞と星状網の間に強い**アルカリホスファターゼ活性**を示す1〜2層の**中間層**が区別されるようになる．

形成期エナメル芽細胞は**幼若エナメル質**を分泌していくが，それが一定の厚さに達するとエナメル芽細胞は基質形成を終え，移行期を経て成熟期に入る．成熟期のエナメル器では，エナメル芽細胞以外の細胞が同じような形態を示し，外エナメル上皮，星状網，中間層の区別はなくなる（**図 2-Ⅲ-1**）．一方で，周囲の結合組織の毛細血管がエナメル器に向かって深く陥入することで，成熟期のエナメル器は乳頭様の外観を呈するようになる．そのため，エナメル芽細胞層以外の細胞層をまとめて**乳頭層** papillary layer とよぶ．このように，エナメル器は，形成期にはエナメル芽細胞層，中間層，星状網，外エナメル上皮の4層構造であったものが，成熟期にはエナメル芽細胞層と乳頭層の2層構造となる．

乳頭層の細胞は，ミトコンドリアが豊富で細胞全周に発達した小突起を有する細胞で，互いにギャップ結合で密に結ばれている．乳頭層の細胞と成熟期エナメル芽細胞の間にもギャップ結合が発達しており，エナメル器の全細胞が緊密な各種のイオン産生・輸送に関する機能的ユニットをつくりあげている．

エナメル質の成熟期が終わると，それまでエナメル器に深く陥入していた毛細血管が結合組織側へ後退し，成熟期エナメル芽細胞は特有な形態を失って立方状となり，乳頭層の細胞とともに口腔粘膜上皮に似た重層上皮様の配列をとるようになる．この頃のエナメル芽細胞は

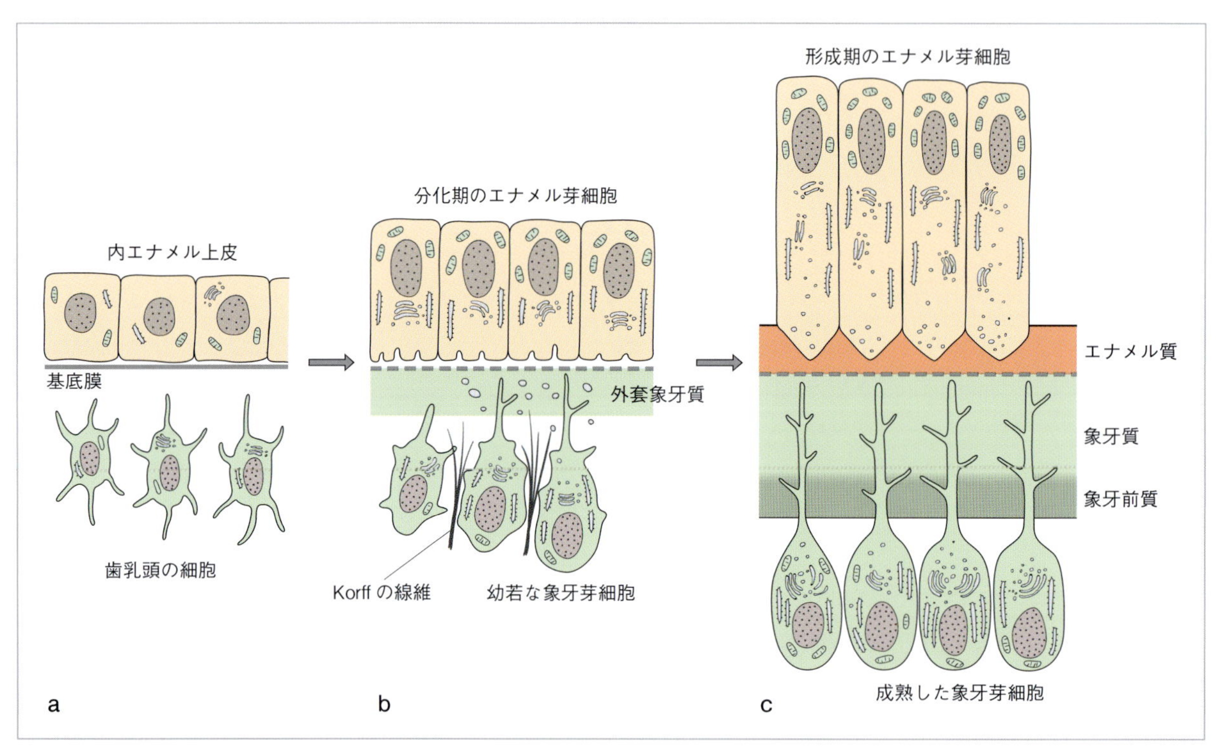

図 2-Ⅲ-2 エナメル芽細胞・象牙芽細胞の分化および基質形成
a：エナメル芽細胞と象牙芽細胞は，それぞれ，内エナメル上皮と歯乳頭の細胞から分化する．分化初期において，内エナメル上皮は1層の列を形成し，基底膜を介して，歯乳頭に接している．
b：内エナメル芽細胞は，エナメル芽細胞へと分化し始めると，ミトコンドリアが近位（血管側）に，また，Golgi 装置が核の遠位（分泌側）に局在するようになり，細胞極性が明らかになる．この段階で，基底膜は断裂し，エナメル芽細胞の遠位端細胞膜も不規則な陥凹構造を示すようになる．エナメル芽細胞の分化誘導の後に，歯乳頭の細胞は象牙芽細胞へと分化する．しかし，基質合成については，象牙芽細胞による象牙質（外套象牙質）の形成のほうが，エナメル基質合成よりも早く行われる．
c：エナメル芽細胞は，はじめは典型的な Tomes 突起を形成せずに無小柱エナメル質をつくるが，じきに Tomes 突起が形成され，小柱構造の明瞭なエナメル質をつくる．

エナメル質形成にかかわる機能を終えた細胞という意味で，**退縮エナメル芽細胞** reduced ameloblast とよばれる．

2. エナメル芽細胞の分化と機能

1）内エナメル上皮から前エナメル芽細胞への分化

内エナメル上皮はエナメル器の内面を裏打ちする1層の細胞で活発な増殖能を有しており，歯乳頭とは基底膜を介して境界を形成している．内エナメル上皮の細胞は，細胞小器官に乏しく細胞極性も不明瞭であるが，分化が進むにつれて，Golgi（ゴルジ）装置 Golgi apparatus が核の基底膜側に位置し，また，ミトコンドリアが血管側に分布することで，次第に細胞極性が明確化してくる（図 2-Ⅲ-2）．内エナメル上皮の細胞の形が立方状から円柱状になる頃には粗面小胞体が急速に発達し，タンパク質合成・分泌型細胞の特徴が備わってくるとともに，細胞の基底膜側と血管側付近に**タイト結合** tight junction（**密着帯**）や**接着結合** adherens junction などの**細胞間接着装置**を発達させ細胞同士の密着性をはかるようになる．この段階の細胞を**前エナメル芽細胞**または**分化期エナメル芽細胞** differentiating ameloblast という．この頃になると，それまで平坦であった基底膜側の細胞膜に不規則な凹凸が生じ，やがてエナメル器と歯乳頭の界面を仕切っていた基底膜は次第に断裂し，エナメル質形成が始まる頃にはほぼ消失する．前エナメル芽細胞はエナメルタンパク質の合成能を有すること，また，エナメルタンパク質の主成分である**アメロゲニン** amelogenin，エナメリン enamelin，アメロブラスチン ameloblastin（シースリン sheathlin）などを分泌することが確認されている．

2）形成期エナメル芽細胞

前エナメル芽細胞は内エナメル上皮から分化し，また，象牙芽細胞は内エナメル上皮と向かい合う歯乳頭最外層の細胞から分化する．一方，基質合成については，象牙芽細胞による象牙質形成が先行し，その後に幼若なエナメル質が形成される．初期の形成期エナメル芽細胞は，後述する **Tomes（トームス）突起** Tomes' process を有さなくともアメロゲニン，エナメリン，アメロブラスチンといったエナメルタンパク質を分泌するが，その時点でのエナメル質は小柱構造を示さない．これを**無小柱エナメル質**

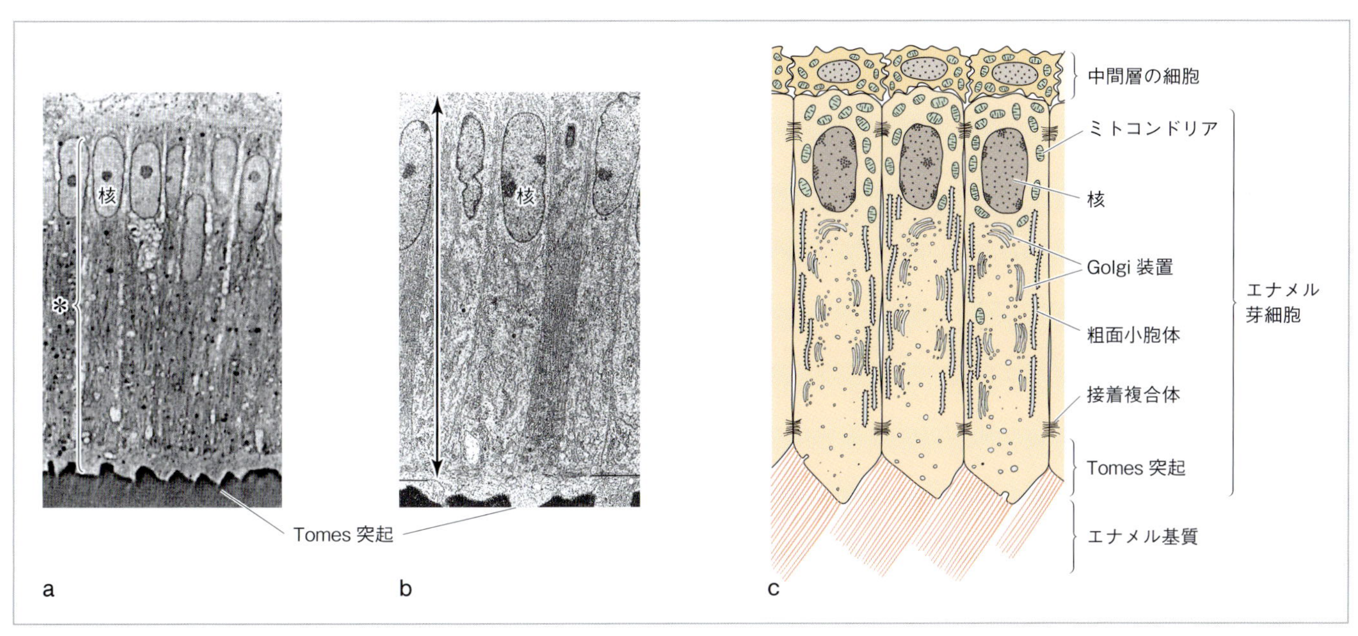

図 2-Ⅲ-3 形成期エナメル芽細胞の組織像

a，b：形成期エナメル芽細胞の光学顕微鏡像（a＊）と透過型電子顕微鏡像（b 矢印）を示す．エナメル芽細胞の背は高く，遠位端には Tomes 突起が形成されている．

c：電子顕微鏡像の微細構造をもとに形成期エナメル芽細胞を描いた模式図．核およびミトコンドリアは近位側（中間層の細胞近く）に偏在し，核の遠位には Golgi 装置が，また，それより遠位側に Golgi 装置と粗面小胞体が細胞の長軸方向に沿って配列する．細胞の遠位端（分泌側）に形成された Tomes 突起に細胞小器官は少なく，いくつかの輸送小胞が認められる．なお，Tomes 突起の構造は動物種によって異なる．

（a は Nanci A，McKee MD，Smith CE：Immunolocalization of enamel proteins during amelogenesis in the cat. Anat Rec，233：335～349，1992，fig1．b は Matthiessen ME，Römert P：Fine structure of the human secretory ameloblast. Scand J Dent Res，86：67～71，1978，fig1．）

prismless enamel とよび，エナメル質の大部分を構成する小柱構造を有するエナメル質（**小柱エナメル質** prismatic enamel）と区別される．

象牙質の薄い層が形成され始めると，高い円柱状の前エナメル芽細胞はいっそう背が高くなり，形成期エナメル芽細胞となって象牙質上に多量のエナメルタンパク質を分泌する（**図 2-Ⅲ-3**）．形成期エナメル芽細胞の遠位端（分泌側）には，**Tomes 突起**とよばれる細胞突起が形成され，この Tomes 突起からエナメル小柱 enamel rods，enamel prisms を構成するようにエナメルタンパク質が分泌される．この時期におけるエナメル芽細胞の細胞核は近位端側（血管側）に偏在し，広い細胞内には Golgi 装置と粗面小胞体が著しく発達する．粗面小胞体で合成されたエナメルタンパク質は Golgi 装置に輸送され，さまざまな修飾を受けた後に，分泌顆粒に包まれて Tomes 突起へ送られて，突起の特定部位から開口分泌される．

3）幼若エナメル質の石灰化制御

形成期のエナメル質は有機成分に富んでいるが，わずかに**リン酸カルシウム結晶**（アパタイト結晶）を含む．しかし，幼若エナメル質のリン酸カルシウム結晶はこの時期に大きく成長しない．その理由として，エナメルタンパク質の主成分であるアメロゲニンのアパタイト結晶の成長抑制作用があげられる．ただし，アメロゲニンは結晶の長軸（C 軸）方向への成長は抑制しないため，形成期の幼若エナメル質にみられるアパタイト結晶は薄くて長いリボン状（針状）を呈している（**図 2-Ⅲ-4**）．

形成期エナメル芽細胞は，細胞の遠位端（分泌側）と近位端（血管側）にタイト結合および接着結合からなる**接着帯** zonula adherens で構成される接着複合体が発達し，隣接する細胞同士が堅く結合されている．エナメル芽細胞の接着複合体は細胞遠位端で特に発達しており，細胞間におけるカルシウムイオン（Ca^{2+}）などの多くの物質の通過を阻止すると考えられている（**図 2-Ⅲ-3**）．

エナメル芽細胞の細胞膜には Ca^{2+} 輸送ポンプである Ca^{2+}-ATPase が存在し，Ca^{2+} をエナメル質へ向けて輸送している．しかし，Ca^{2+} は Tomes 突起からだけでなく，隣接する細胞間隙にも汲みだされるが，遠位端のタイト結合を通過できずエナメル質には到達できない．したがって，エナメル質の石灰化に必要な Ca^{2+} はエナメル芽細胞の細胞内を経由して遠位端（分泌極）の Tomes 突起から汲み

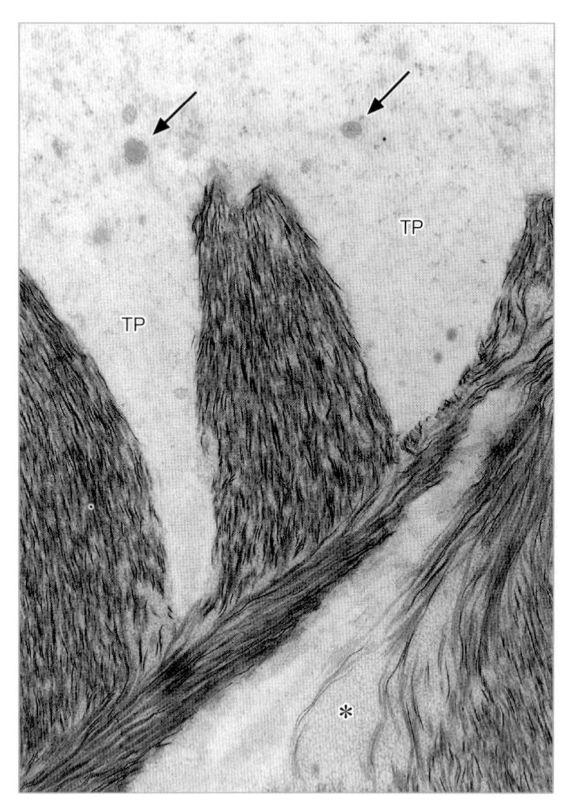

図 2-Ⅲ-4　形成期エナメル芽細胞の Tomes 突起
形成期エナメル芽細胞の Tomes 突起を透過型電子顕微鏡で観察した写真．Tomes 突起（TP）からエナメル基質が形成されており，その中には，互いに平行に並んだ無数のリボン状のリン酸カルシウム結晶塊を認める．形成期において，エナメル基質には無数の石灰化結晶を含有しているが，成熟期ではさらに石灰化度が上昇し，水晶と同じ硬さになる．
＊：エナメル基質の有機成分の多い部位，矢印：輸送小胞
（髙野吉郎：口腔組織・発生学．第 2 版．医歯薬出版，東京，2017，43.）

出されたものだけになる．この状況はエナメル質の石灰化に不利に働くようにもみえるが，形成期には大量の Ca^{2+} は不要であり，エナメル芽細胞は Ca^{2+} の過度の流入を阻止しつつ，リボン状結晶の伸長に必要かつ十分量の Ca^{2+} を供給していると考えられる．

形成期エナメル芽細胞は，エナメルタンパク質のみを分泌しているのではなく，それとともにそれらの分解酵素である**エナメリシン**（MMP-20）も同時に合成・分泌している．しかし，合成・分泌されたタンパク質分解酵素のほとんどが潜在型（非活性型）の状態でエナメル質内に存在する．そのため，タンパク質分解酵素は幼若エナメル質のアメロゲニン，エナメリン，アメロブラスチンといったエナメルタンパク質を急速に分解することができず，この時期は，有機性に富む幼若なエナメル質が将来の厚みと外形を形成していく時期と考えることができる（**図 2-Ⅲ-1，3**）．

4）Tomes 突起とエナメル小柱

形成期エナメル芽細胞は，基質形成を開始するとまもなく遠位端（分泌側）に **Tomes 突起**とよばれる細胞突起を発達させ，それを幼若エナメル質に挿入した状態で基質形成を続ける．Tomes 突起はやや細めの円柱を斜めに切り取った角のような形をしており，円柱の斜めの切断面を Tomes 突起の S 面（分泌面 secretory face），円柱の側面に相当する部位を N 面（非分泌面 nonsecretory face）とよぶ．小柱形成においては，S 面は唯一の形成面であり，N 面は隣接する小柱に対する滑走面で，いずれの小柱の形成にも関与しない．完成したエナメル質は直径 4〜5 μm ほどの**エナメル小柱**とよばれる構造単位と，それらの間隙を埋める**小柱間質** interprismatic substance（小柱間エナメル質 interprismatic enamel ともいう）で構成されるが，Tomes 突起の形成面のほとんどがエナメル小柱の形成にかかわり，突起基部が小柱間質の形成にかかわる（**図 2-Ⅲ-3**，☞ p. 52 **図 3-Ⅱ-5** 参照）．そのため，エナメル小柱の周りに存在する小柱間質はエナメル小柱と同じ構成成分であるが，結晶の方向が異なるので組織学的に区別される．

エナメル小柱は動物によって形が大きく異なる．後述するように，ヒトではエナメル小柱は鍵穴形 key hole shape をしており，円形状の頭部と基部の尾部に分けて考えることができるが，頭部と頭部の間を尾部が占めており，小柱間質，つまり，小柱間エナメル質に相当することになる（☞ p. 52 **図 3-Ⅱ-3，4** 参照）．

幼若エナメル質のリボン状のハイドロキシアパタイト結晶は，エナメル芽細胞の Tomes 突起の形成面にほぼ直角に配向する傾向がある．このため，ハイドロキシアパタイト結晶の集合体であるエナメル小柱の走行は，Tomes 突起の形や形成面の向き・角度に左右される．Tomes 突起の S 面の向き・角度は個々のエナメル芽細胞で少しずつ異なるため，エナメル小柱の走行は必ずしも直線的ではなく，ある程度，波打った走行を示すようになる．

ヒトの歯で典型的といわれる鍵穴形を示すエナメル小柱を例にとると，小柱の頭の部分は 1 つのエナメル芽細胞の Tomes 突起の遠位部により，また，尾の部分に相当する小柱間質は Tomes 突起の近位部により形成される．このように，エナメル小柱（頭部）と小柱間質（尾部）の形態は，エナメル芽細胞の配列と Tomes 突起の形態によって決まる．また，エナメル小柱内のハイドロキシアパタイト結晶の走行は決まっており，ヒトの鍵穴形の小柱では，ハイドロキシアパタイト結晶の C 軸は小柱の頭の部分は小柱の長

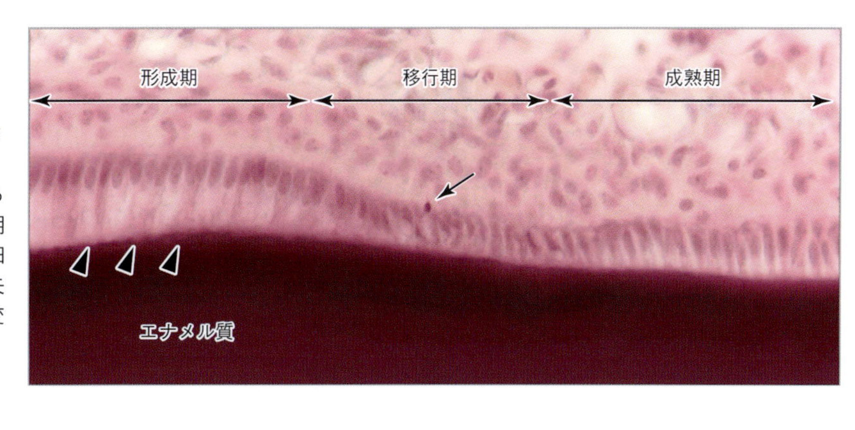

図 2-Ⅲ-5　形成期から成熟期への移行に伴うエナメル芽細胞の変化
背の高い形成期エナメル芽細胞が基質合成を終えると，Tomes 突起（矢尻）が消失し，背の低い移行期のエナメル芽細胞に変化する．移行期のエナメル芽細胞のいくつかはアポトーシスにより，核濃縮を示す（矢印）．やがて，エナメル芽細胞は成熟期の細胞へと変化していく．
（北海道大学歯学部実習標本）

軸とほぼ平行であるが，小柱の尾に行くに従って傾斜し，尾の部分では小柱の長軸とほぼ直行する配列を示している．

形成期エナメル芽細胞は，エナメル質がほぼ最終的な厚さに達すると基質合成能が低下し，Tomes 突起も縮小して平坦化する．エナメル芽細胞は Tomes 突起を失った後もしばらくの間は基質の合成・分泌能を維持しており，エナメル質の最表層に小柱構造を欠いたエナメル質の薄層を形成する．このように，エナメル質形成期の最初と最後に形成されるエナメル質の薄層は，いずれもエナメル小柱を欠く構造を示す．

5）移行期エナメル芽細胞

エナメル質の形成期から成熟期のわずかな時期を移行期とよぶ（**図 2-Ⅲ-5**）．移行期は，形成期と成熟期をつなぐほんの短い期間にすぎないが，エナメル芽細胞は，背が低くなり，また，核上部の細胞質のほとんどを占めていた粗面小胞体や Golgi 装置の発達も悪くなる．一方で，大型のリソソーム*とミトコンドリアが増加し，また，巨大な**自己食胞**（オートファゴゾーム autophagosome）が出現する．これは，基質形成を終えたエナメル芽細胞が不要となったタンパク質合成・分泌系の細胞小器官を整理し，エナメル質の成熟化に必要なさまざまな構造と機能を獲得するためと考えられる．

移行期では，多数のエナメル芽細胞が細胞死，つまり，**アポトーシス**に陥っている．移行期におけるエナメル芽細胞には，核の染色質の凝集と断片化といったアポトーシスに特有の形態的変化やカスパーゼ 3 caspase3 の発現を認めることができる．アポトーシスで生じた細胞断片は，主にエナメル器に侵入したマクロファージによって貪食され処理される．

* 水解小体，ライソゾームともいうが，本書ではリソソームを用いる．

6）成熟期エナメル芽細胞

エナメル芽細胞は移行期を経て成熟期へとかわる（**図 2-Ⅲ-5**）．成熟期に入るとエナメル芽細胞は，細胞の遠位端に発達した膜の嵌入構造である**波状縁**（**刷子縁**）ruffled border をもつ **ruffle-ended ameloblast**（**RA**）と，波状縁をもたない **smooth-ended ameloblast**（**SA**）のいずれかに分化する（**図 2-Ⅲ-6**）．エナメル芽細胞は，いくつかのグループになって形態と機能が異なる RA と SA を周期的に繰り返す（**図 2-Ⅲ-7，8**）．

RA の波状縁の近くではミトコンドリアが発達し，大小さまざまなリソソームが観察されることから，エネルギーを使って物質輸送を行うこと，また，エナメルタンパク質の分解産物を代謝する可能性が考えられる（**図 2-Ⅲ-7**）．RA の波状縁には液胞型プロトンポンプ vacuolar type H^+-ATPase など多くの膜輸送体が存在し，酸（H^+）がエナメル質に輸送されることが理解できる．また，そのほか，エナメル質の結晶が成長する際にも H^+が放出されることが知られている．すなわち，RA 直下のエナメル質は酸性環境にあると推察される．また，H^+は，形成期エナメル芽細胞が分泌した潜在型エナメリシン（MMP-20）やカリクレイン 4（KLK4）を活性型にすると考えられており，エナメルタンパク質がこれら活性化された酵素により急速に分解されていく（**図 2-Ⅲ-9**）．

アメロゲニン・エナメリン・アメロブラスチンの分解と脱却は，エナメル質内に微細なスペースを提供しアパタイト結晶の成長を助長する．その一方で，リン酸カルシウムの結晶構造も高度になると考えられている．RA の領域では細胞間隙がかたく閉じられているのに対し，SA の領域では細胞間隙がエナメル質に開放している（**図 2-Ⅲ-8**）．このため RA の下で酸性に傾いていた微小環境が SA では中性になっている．このような酸性環境から中性への変化は，ハイドロキシアパタイト結晶の成長に適した環境と推察されている．RA/SA の形態変

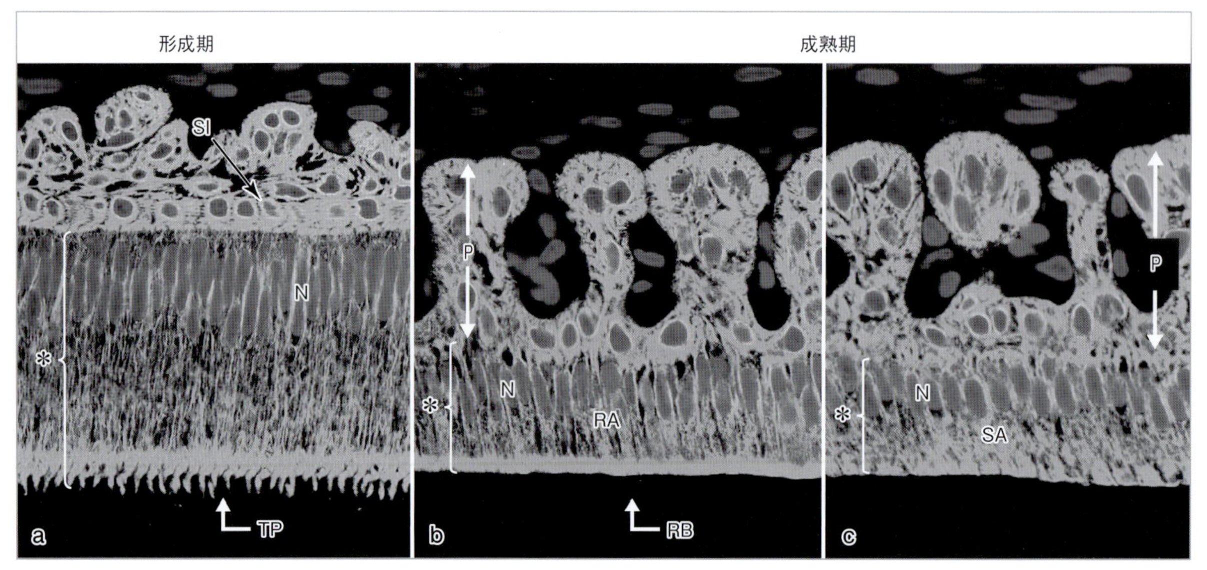

図 2-Ⅲ-6　形成期と成熟期におけるエナメル芽細胞の組織像の違い
エナメル芽細胞は，形成期と成熟期とで，その細胞形態と機能を大きく変える．写真は cytokeratin14 を染色した組織像を示す．
a：形成期エナメル芽細胞（*）は，細胞の遠位端に Tomes 突起を発達させた背の高い細胞として観察され，その近位側には中間層の細胞（SI）が局在する．
b，c：成熟期エナメル芽細胞（*）は形成期ほど背が高くなく，その近位側に乳頭層（P）を発達させる．b は成熟期エナメル芽細胞でも ruffled-ended ameloblast（RA）を示しており，RA は波状縁（RB）を有する．また，c に示した smooth-ended ameloblast（SA）の時期には波状縁を発達させない．成熟期において，エナメル芽細胞は RA と SA の時期を繰り返しながら，エナメル基質の石灰化度を上昇させていく．
TP：Tomes 突起，N：核
（髙野吉郎：口腔組織・発生学第 2 版．医歯薬出版，東京，2017，46.）

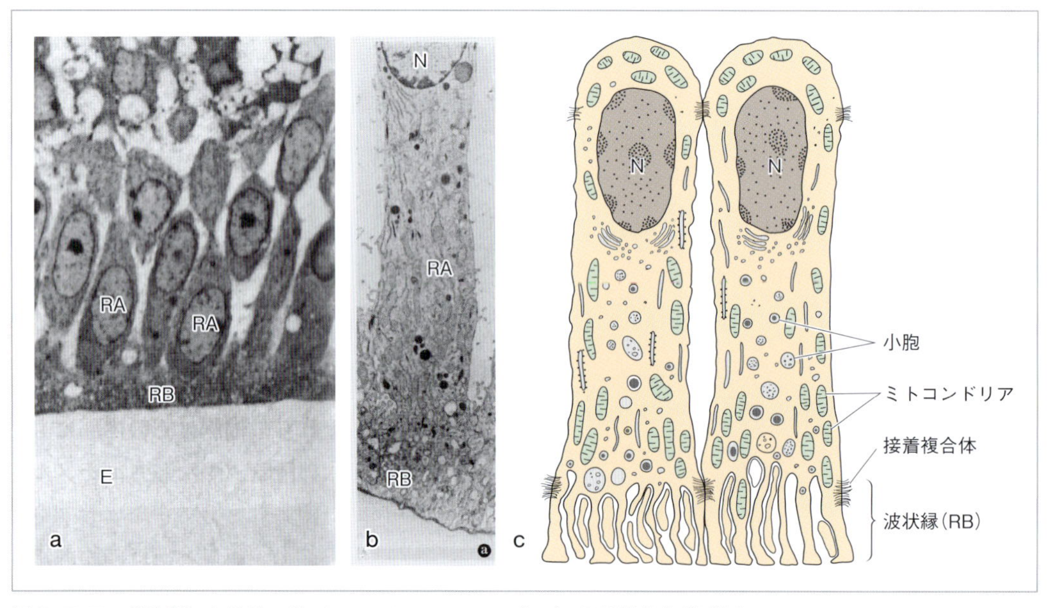

図 2-Ⅲ-7　成熟期における ruffled-ended ameloblast（RA）の組織像と模式図
a，b：成熟期エナメル芽細胞の RA における光学顕微鏡像（a）と透過型電子顕微鏡像（b）を示す．RA はエナメル質側に波状縁（RB）を形成し，そこから，酸（H^+）をエナメル質（E）へと分泌する．RA の接着複合体は血管側でよく発達している．N：核
c：透過型電子顕微鏡を基に描いた模式図．
（a，b は Nanci A et al.：Immunolocalization of enamel proteins during amelogenesis in the cat. *Anat Rec*, 233：335〜349，1992.）．

化が引き起こすダイナミックな周期現象は，エナメル芽細胞がエナメル質の微小環境を変えることで，高度な石灰化を可能にする巧妙な仕掛けと思われる（図 2-Ⅲ-9）．

7）退縮エナメル芽細胞

エナメル質が完成するとエナメル芽細胞の周期的形態変化はもはやみられなくなり，エナメル芽細胞は次第に

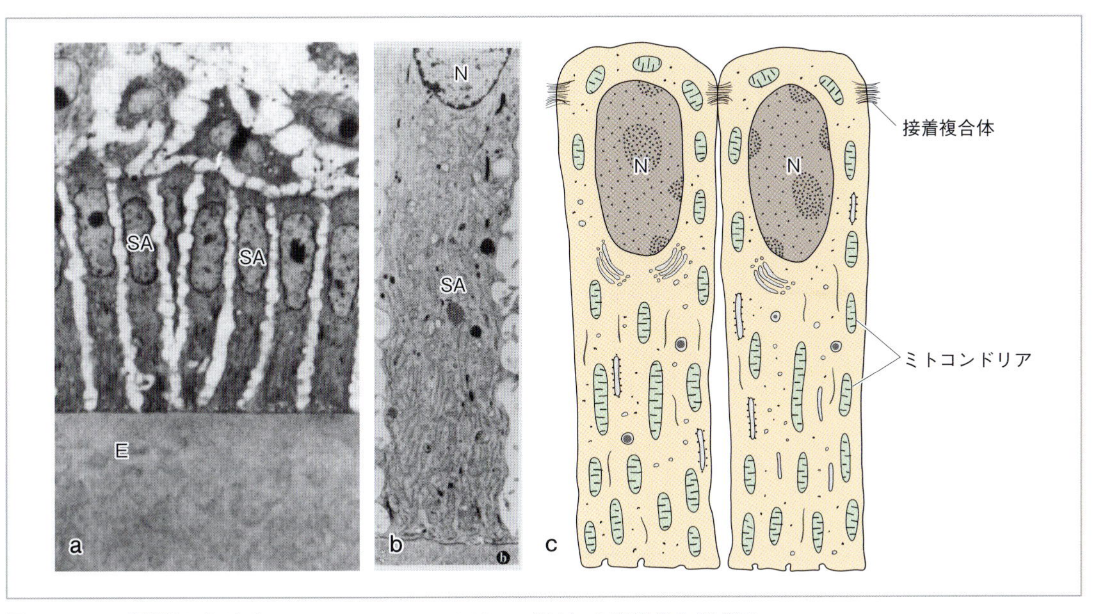

図 2-Ⅲ-8　成熟期における smooth-ended ameloblast（SA）の組織像と模式図

a, b：成熟期エナメル芽細胞の SA における光学顕微鏡像（a）と透過型電子顕微鏡像（b）．E：エナメル質，N：核

c：透過型電子顕微鏡を基に描いた模式図．SA のエナメル質側の細胞膜は平坦になっており，接着複合体は血管側でよく発達している．

（a, b は Nanci A et al.：Immunolocalization of enamel proteins during amelogenesis in the cat. *Anat Rec*, **233**：335〜349, 1992.）

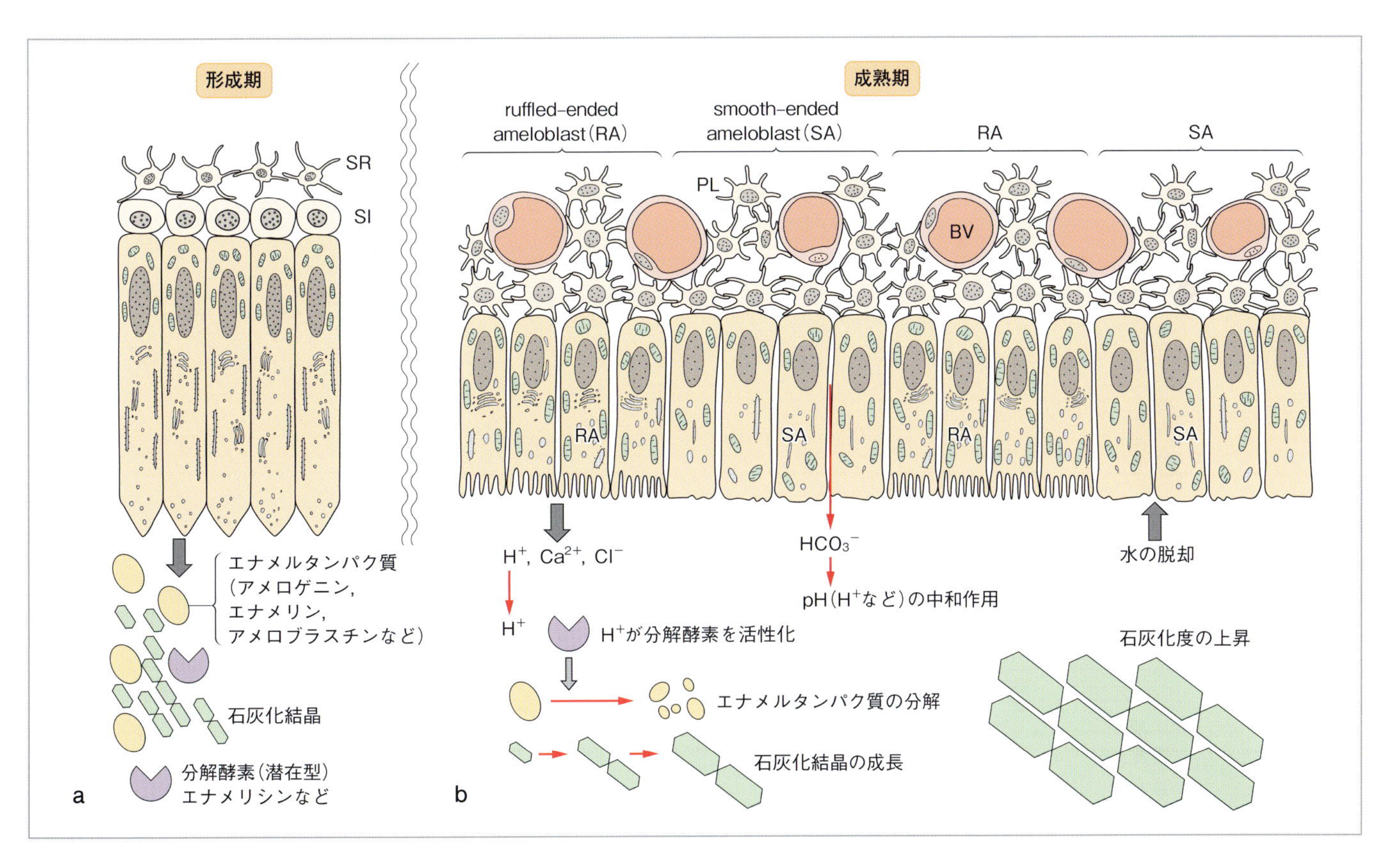

図 2-Ⅲ-9　エナメル芽細胞のエナメル基質の合成と成熟化における仮想図

a：形成期エナメル芽細胞は，リボン状の石灰化結晶およびアメロゲニン，エナメリン，アメロブラスチンなどのエナメルタンパク質を含む幼若エナメル基質を産生していく，また一方で，潜在型の基質分解酵素（エナメリシンなど）も分泌する．

b：成熟期エナメル芽細胞は，RA と SA の時期を交互に繰り返してエナメル質の石灰化を上昇させる．RA からの酸（H^+）分泌により基質分解酵素が活性化されて，エナメルタンパク質が分解されるとともに，カルシウムイオン（Ca^{2+}）の供給により，エナメル質の石灰化結晶が成長すると考えられている．一方，重炭酸イオン（HCO_3^-）がエナメル質における pH の中和作用に貢献していると考えられる．SA は水の脱却などを行うと推測される．

SR：星状網，SI：中間層，PL：乳頭層，BV：血管

背を減じていく．細胞質はミトコンドリアが減少し，ケラチンフィラメントが増加する．こうした変化に呼応するように乳頭層の細胞も単純な立方状の細胞へと姿を変え，結果としてエナメル器の細胞層は，通常の口腔粘膜上皮とほとんど変わらない重層上皮の様相を呈するようになる．この時期のエナメル芽細胞は，エナメル質形成のための長い道のりを終えた退行期にあることから，退縮エナメル芽細胞とよばれる．

（網塚憲生，長谷川智香）

IV 象牙質の形成

1．象牙芽細胞の分化

帽状期までは歯乳頭の細胞は小型で，N/C 比（細胞質に対する核の大きさの割合）が大きく，細胞小器官が乏しい未分化間葉系細胞の特徴を示す．また，核は細胞体の中央に位置し，いくつかの細胞突起もみられる．内エナメル上皮とは基底膜と細胞外マトリックスを介しており，細胞外マトリックスはプロテオグリカンと細いコラーゲン線維で構成されている．また，歯乳頭の細胞同士の細胞間隙は広く，豊富な細胞外マトリックスが認められる（図 2-Ⅲ-2 参照，図 2-Ⅳ-1）．

鐘状期になると，エナメル器の内エナメル上皮が立方形から円柱形になり，基底膜に近接する歯乳頭の細胞は**象牙芽細胞**へ分化し始める．核は近位（歯乳頭の中心側）に移動し，核の遠位部（内エナメル上皮側）で粗面小胞体，Golgi 装置，分泌顆粒などの細胞小器官が発達し始める．細胞小器官の発達に伴い細胞の背が増し，細胞間隙も狭くなる（図 2-Ⅲ-3 参照，図 2-Ⅳ-2）．歯乳頭を構成する細胞には中胚葉由来の間葉系細胞も存在するが，象牙芽細胞に分化するのは頭部神経堤由来の外胚葉性間葉（神経堤由来間葉）である．象牙芽細胞の分化は，将来の切縁や咬頭頂のエナメル象牙境に相当する部位で開始し，順次歯頸側の歯乳頭の細胞が象牙芽細胞に分化していく．象牙芽細胞はⅠ型コラーゲンを主体とする有機成分を合成・分泌し，エナメル質形成に先行して象牙質形成が始まる（図 2-Ⅳ-3）．

マウスでは，歯乳頭の細胞は象牙芽細胞へ分化する直前の有糸分裂で2つの娘細胞が基底膜に対して垂直に配列し，基底膜側の娘細胞のみが象牙芽細胞に分化する．もう一方の細胞は象牙芽細胞の下層で最終分化直前の段階でとどまっている．

内エナメル上皮の基底膜およびその近傍の細胞外マトリックスには，ラミニン laminin やフィブロネクチン fibronectin などの細胞接着タンパク質が含まれているとともに，パールカン perlecan などのヘパラン硫酸プロテオグリカンも含まれている．ヘパラン硫酸鎖は内エナメル上皮が分泌する BMP や FGF などの成長因子を保持できることから，象牙芽細胞の分化に重要な役割を担っていると推測される．しかし，内エナメル上皮は BMP や FGF 以外にもサイトカインを産生することが明らかにされており，象牙芽細胞の分化を制御する上皮間葉相互作用の分子メカニズムについては不明な点も残されている．

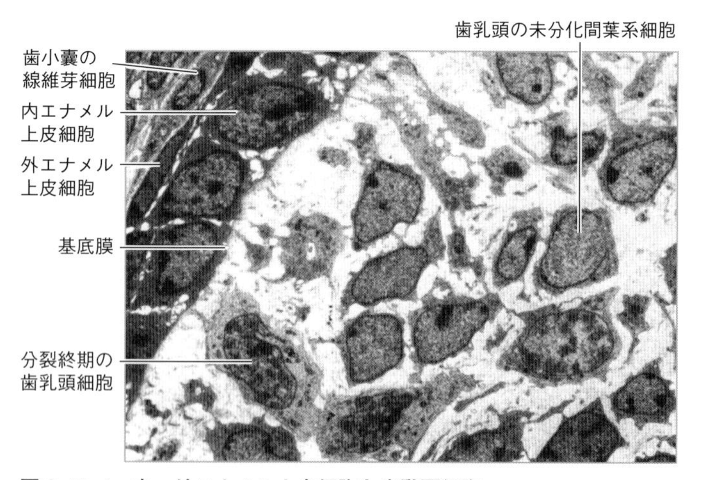

図 2-Ⅳ-1　内・外エナメル上皮細胞と歯乳頭細胞
（大江規玄：歯の発生学第 2 版．医歯薬出版，東京，1984，63.）

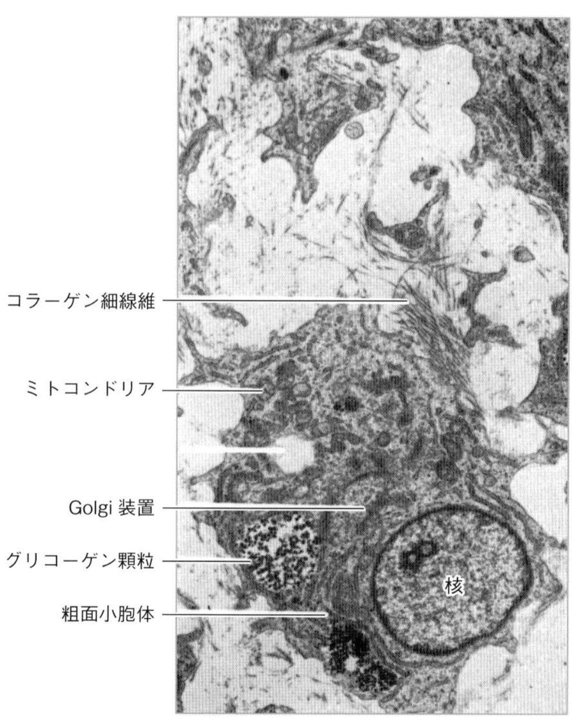

図 2-Ⅳ-2　象牙芽細胞への分化を開始した歯乳頭細胞
（大江規玄：歯の発生学第 2 版．医歯薬出版，東京，1984，63.）

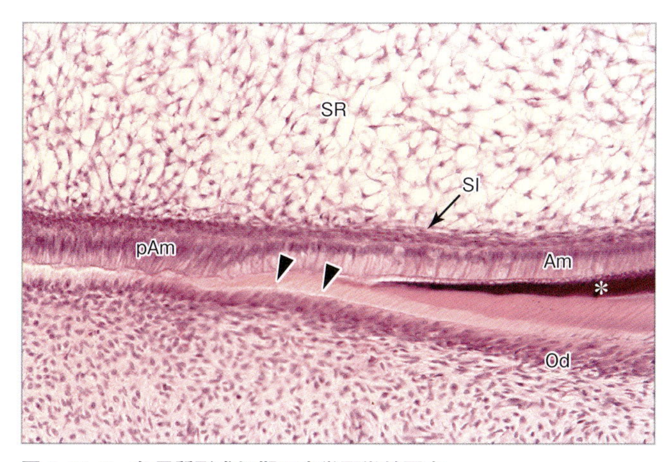

図 2-Ⅳ-3　象牙質形成初期の光学顕微鏡写真
象牙質形成はエナメル質形成に先行して開始する（矢尻）.
pAm：前エナメル芽細胞（分化期エナメル芽細胞），Am：エナメル芽細胞，SI：中間層，SR：星状網，Od：象牙芽細胞，＊：幼若エナメル質
（標本で学ぶ口腔の発生と組織．医歯薬出版，東京，2003，69．をカラー化）

エナメル紡錘は，象牙芽細胞突起がエナメル象牙境を超えてエナメル質内に侵入した構造であり，切縁や咬頭頂のエナメル象牙境付近で観察できる．エナメル紡錘が象牙質形成，エナメル質形成の開始部領域でみられる理由についてはわかっていない．

象牙質形成が活発な象牙芽細胞では，細胞間隙はほとんどみられなくなり，隣接する象牙芽細胞同士はタイト結合，接着帯，ギャップ結合からなる接着複合体で連結し，上皮細胞様の配列になる．楕円形の核が近位端に位置し，多数のミトコンドリア，よく発達した粗面小胞体とGolgi装置をもち，タンパク質合成がさかんな細胞の特徴を示す（**図 2-Ⅳ-4**）．また，象牙質の基質形成，石灰化には血管から酸素，アミノ酸，カルシウムイオン，リン酸イオンの供給が必要である．そのため，歯乳頭に血管が侵入してきて，象牙芽細胞の近傍で血管網を形成する．

象牙芽細胞はその細胞突起の先端をエナメル象牙境に維持したまま歯髄側に移動するため，象牙芽細胞の突起は象牙質形成の進行に伴い伸長する．先端では終枝とよばれる数本の枝に分かれ，途中の突起からも多数の側枝がみられる．

歯冠部の象牙質形成は内エナメル上皮と歯乳頭の境界部から歯乳頭内側に向かって進行する．すなわち，将来のエナメル象牙境から歯髄側に向かって，象牙質は厚みを増していく．象牙芽細胞が産生するコラーゲン線維はエナメル象牙境に対して平行に配列し，象牙質は1日約4 μmの厚さで形成される．象牙質の成長線である

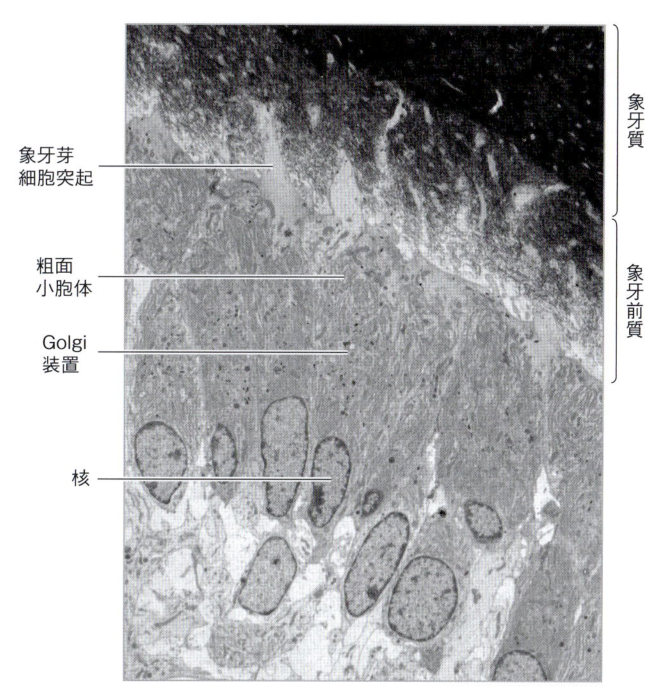

図 2-Ⅳ-4　成熟象牙芽細胞の電子顕微鏡写真（ラット）

Ebner線（エブネル） incremental line of von Ebner（von Ebner（フォン エブネル）の成長線，象牙層板）や**Andresen線**（アンドレーゼン） Andresen's lineは同じ時期に形成された部位を示している．

歯冠部に引き続き，歯根部の象牙質形成が開始する．歯根部では，**Hertwig上皮鞘**が歯頸部から根尖方向への伸長し，Hertwig上皮鞘と歯乳頭の上皮間葉相互作用により象牙芽細胞の分化が開始し，歯根象牙質はセメント象牙境から歯根部歯髄方向へと厚みを増す．

nuclear factor Ic（NFIc）を欠損したマウスでは歯冠象牙質の形成は正常であるが，歯根象牙質は形成されない．このことは，歯冠部と歯根部の象牙質形成は異なる分子メカニズムで制御されていることを示唆している．

2. 外套象牙質と髄周象牙質

象牙芽細胞が最初に形成する厚さ約10〜30 μmの象牙質は**外套象牙質**とよばれ，その後に歯髄側に形成される**髄周象牙質**と区別される．外套象牙質のコラーゲン線維は髄周象牙質に比べて太く，外套象牙質の形成期には，象牙芽細胞間を通って象牙前質に扇状に侵入する太いコラーゲン線維がみられる．この線維は**Korffの線維**（コルフ） Korff's fiberとよばれ，鍍銀染色によって染色され，Ⅲ型コラーゲンやフィブロネクチンを含んでいる（**図 2-Ⅳ-5**）．

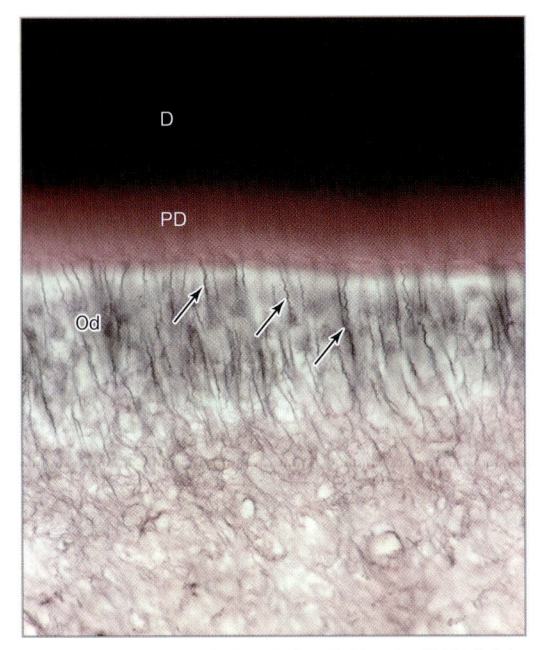

図 2-Ⅳ-5 Korff の線維の光学顕微鏡写真（鍍銀染色）
象牙芽細胞間に鍍銀染色で染まる Korff の線維がみられる（矢印）.
D：象牙質，PD：象牙前質，Od：象牙芽細胞
（標本で学ぶ口腔の発生と組織．医歯薬出版，東京，2003，91．をカラー化）

3. 象牙質の石灰化

象牙質の石灰化は外套象牙質が石灰化するときにみられる**初期石灰化**と，その後に起こる**添加的石灰化** appositional calcification に区別できる.

初期石灰化とは，細胞外マトリックス中に象牙芽細胞から分泌された**基質小胞** matrix vesicle が出現し，その内部にハイドロキシアパタイトが形成されて石灰化が始まるもので，**基質小胞性石灰化** matrix vesicle (mediated) calcification ともよばれる（**図 2-Ⅳ-6**）（☞第10章Ⅰ-2-6）参照）.

骨基質，セメント質および軟骨内骨化過程でみられる軟骨基質の初期石灰化でも基質小胞が出現し，象牙質と同様の機構で石灰化が開始する．しかし，エナメル質の石灰化過程では基質小胞は出現せず，他の硬組織と石灰化機構は異なる.

基質小胞のハイドロキシアパタイトを核にして次々とハイドロキシアパタイトが沈着し，球状の石灰化塊となったものを**石灰化球** mineralized nodule という．石灰化球が成長し，コラーゲン線維に接すると，ハイドロキシアパタイトの沈着はコラーゲン線維に波及し，線維に沿って石灰化が進行するようになる．この時期になると，石灰化象牙質に接したコラーゲン線維にハイドロキシアパタイトが沈着して，石灰化は進行する．すなわち，象牙芽細胞により分泌されたコラーゲン線維は順次石灰化して，象牙質の厚みが増していくことになる．初期石灰化に続くこのような石灰化を**添加的石灰化**とよぶ.

象牙質の添加的石灰化過程は板状石灰化と球状石灰化により進行する．歯冠部における髄周象牙質形成の初期には，象牙質形成と石灰化は急速に進行して石灰化球が急激に大きくなるために，石灰化球に囲まれた領域は未石灰化のままで残ることがある．これが**球間象牙質**（**球間区**）であり，その周囲は円弧で切り取られたような形態を示す．一方，象牙質形成と石灰化が緩やかな領域では，近接する石化化球同士が癒合し，その境界部は石灰化度が高くなり，**球間網**として観察される.

象牙芽細胞はその細胞突起の先端をエナメル象牙境やセメント象牙境に残したまま歯髄側に移動するので，象牙芽細胞は象牙質を貫く長い細胞突起を有し，象牙質の石灰化に伴い，この細胞突起を容れる象牙細管が形成さ

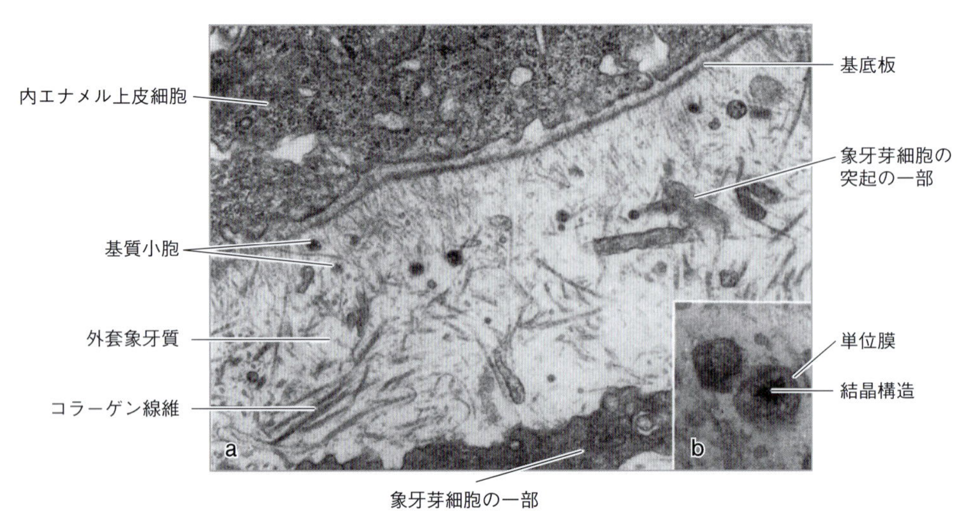

図 2-Ⅳ-6 象牙質石灰化開始部位に出現する基質小胞（a）と基質小胞の拡大像（b）
（大江規玄：歯の発生学第２版．医歯薬出版，東京，1984，74.）

れる．象牙細管の内側に二次的にハイドロキシアパタイトが沈着した領域が管周象牙質である．そのため，初期に形成されたエナメル象牙境やセメント象牙境付近では，歯髄付近に比べて，管周象牙質は厚く，象牙細管は細い．

象牙質の石灰化には象牙芽細胞が分泌する非コラーゲン性タンパク質も重要であることがわかっている．象牙質シアロリンタンパク質 dentin sialophosphoprotein (DSPP) は分泌後に切断されて，象牙質シアロタンパク質 dentin sialoprotein (DSP) と象牙質リンタンパク質 dentin phosphoprotein (DPP，ホスホホリン phosphophoryn) になる．*Dspp* 欠損マウスでは象牙質の石灰化不全を伴う形成不全が生じ，ヒト *DSPP* 遺伝子は象牙質形成不全症の責任遺伝子であることが明らかにされている[1]．DSP や DPP を欠如すると，象牙前質の幅が広がり，石灰化前線が不規則な形態を示すことから，象牙質の石灰化の核形成，石灰化の成熟を制御していると考えられている．さらに，象牙質マトリックスタンパク質 1 dentin matrix protein (DMP)-1 は管周象牙質に局在することから，管周象牙質の石灰化にかかわっていると考えられている．

（中村浩彰）

V 歯周組織の形成

1. 歯胚と歯周組織の発生の概要

歯周組織は，**セメント質**，**歯根膜**，**歯槽骨**，**歯肉**からなるが，そのうちセメント質，歯根膜，歯槽骨は頭部神経堤由来の**歯小嚢**の間葉系細胞から形成される．歯根の外形をつくりあげるにはエナメル器の内・外エナメル上皮由来の **Hertwig 上皮鞘**が重要な役割を果たし，また，歯根部における象牙質形成には**歯乳頭**が，さらに，象牙質を覆うセメント質やその周りに存在する歯根膜や歯槽骨の形成には歯小嚢の細胞が関与する（**図 2-V-1**）．

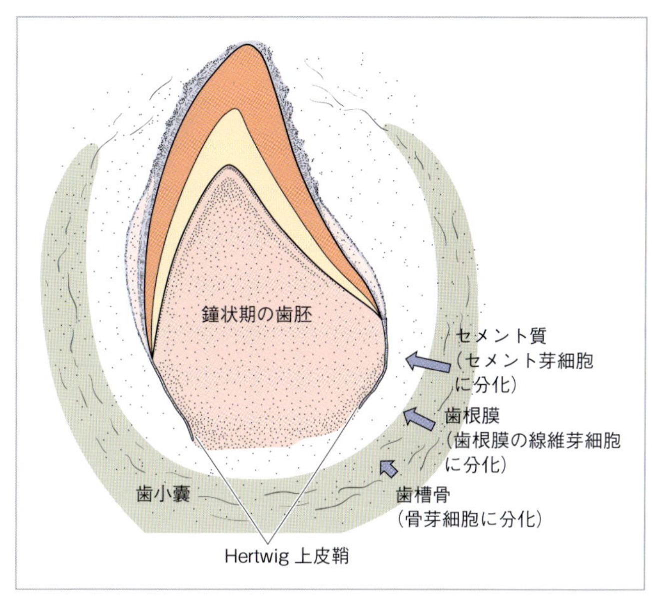

図 2-V-1 歯胚と歯周組織の概要を示した模式図
鐘状期の歯胚の根尖側には内エナメル上皮と外エナメル上皮が接合した Hertwig 上皮鞘が形成されている．その周囲を囲む歯小嚢の間葉系細胞がセメント芽細胞（セメント質形成），歯根膜の線維芽細胞，骨芽細胞（固有歯槽骨を形成）に分化する．

鐘状期の歯胚は，エナメル器の辺縁部が将来の歯根部，すなわち，下方に伸びることで歯胚全体として鐘状の形を呈する．この時期には，歯胚の周辺部に存在する歯小嚢が明瞭化してくるが，歯小嚢には多量のコラーゲン線維が存在し歯乳頭とは区別することができる．なお，歯乳頭とエナメル器，歯小嚢とエナメル器との間には基底膜が介在する．

歯胚が鐘状期後期になると，歯冠の頂部，つまり，将来の咬頭頂から象牙質とエナメル質が形成されていく．その一方で，エナメル器の辺縁端にある**歯頸ループ**では星状網と中間層がなくなり，内エナメル上皮と外エナメル上皮細胞の 2 層からなる **Hertwig 上皮鞘**が形成されるようになる（**図 2-V-2，3**）．Hertwig 上皮鞘の内エナメル上皮にはエナメル質を形成する能力はもはやなく，Hertwig 上皮鞘が細胞増殖を行いながら，将来の根尖部へと伸長していき，歯根部の外形を形成していく．そのため，Hertwig 上皮鞘は歯乳頭を囲んでおり，その外側に歯小嚢が取り巻くことになる．

歯小嚢の間葉系細胞から**セメント芽細胞** cementoblast，**線維芽細胞** fibroblast，**骨芽細胞** osteoblast が分化して，歯肉を除くセメント質，歯根膜，歯槽骨からなる歯周組織を形成する（**図 2-V-2**）．歯周組織中の破骨細胞（破歯細胞）やマクロファージ（大食細胞）などは造血幹細胞に由来し，血管系を通して供給される．また，エナメル器に由来する退縮エナメル上皮は，歯肉の付着（接合）上皮を形成する．歯肉の内縁上皮は，歯の萌出に伴って口腔上皮と退縮エナメル上皮により形成される．

2. Hertwig 上皮鞘と歯根形成

鐘状期の歯胚では，歯冠頂（将来の咬頭頂）に近い方から，内エナメル上皮の細胞の背が高くなりエナメル芽細胞へと分化していく．また，それに面する歯乳頭（将来の歯髄）の細胞も象牙芽細胞へと分化し，歯冠頂から歯頸部に向かって象牙質とエナメル質を形成していく．

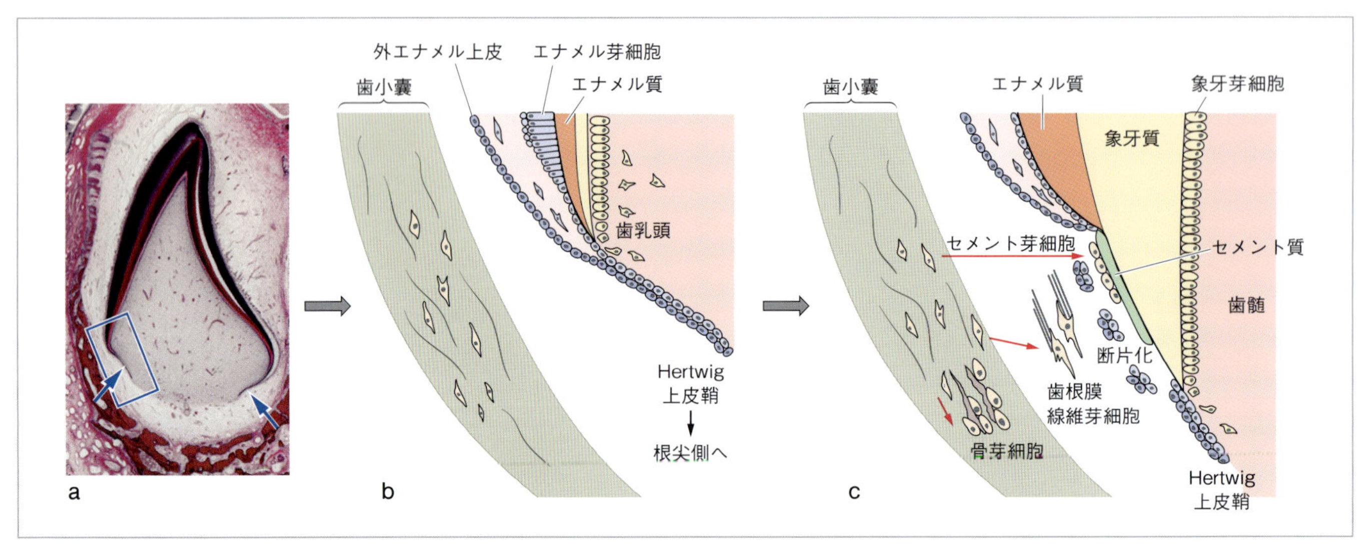

図 2-V-2　歯小嚢からセメント芽細胞，歯根膜の線維芽細胞，骨芽細胞の分化における模式図

a：鐘状期後期の歯胚を示す．歯胚の根尖側には Hertwig 上皮鞘（矢印）が形成されている．

b：a の枠内の模式図．Hertwig 上皮鞘は根尖側にさらに伸びていくが，上皮鞘を形成する内エナメル上皮に接する歯乳頭の細胞は象牙芽細胞へと分化し，象牙質（歯根象牙質）を形成していく．

c：このような Hertwig 上皮鞘が断片化すると，形成された象牙質（歯根象牙質）が歯小嚢側に露出することになる．歯小嚢の間葉系細胞は露出した象牙質に向かって遊走・定着することにより，セメント芽細胞へと分化し，象牙質上にセメント質を分泌していく．また，歯小嚢のいくつかの細胞は遊走するが象牙質表面まで達せず，歯根膜の線維芽細胞に分化するもの，あるいは，歯槽骨（固有歯槽骨）を形成する骨芽細胞に分化するものがある．

（a は北海道大学歯学部実習標本）

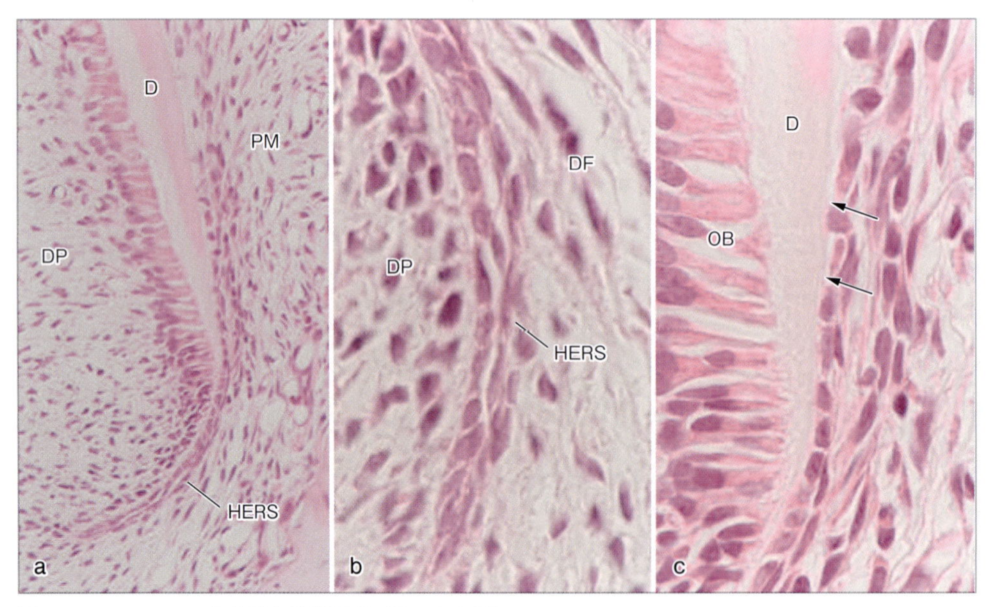

図 2-V-3　Hertwig 上皮鞘と歯根形成（ラット臼歯）

a：根未完成歯の根尖部．D：歯根象牙質，DP：歯髄，HERS：Hertwig 上皮鞘，PM：歯根膜

b：2 層の上皮細胞からなる上皮鞘（HERS）．DF：歯小嚢，DP：歯乳頭

c：歯根象牙質（D）の形成とともに上皮鞘は断裂する（矢印）．OB：象牙芽細胞

Hertwig 上皮鞘の内エナメル上皮細胞は，それらと接する歯乳頭の細胞を象牙芽細胞へと分化・誘導する（**図 2-V-2，3**）．分化した象牙芽細胞は **I 型コラーゲン**や象牙質タンパク質を分泌するとともに，**基質小胞**を介した石灰化を誘導することにより歯根象牙質を形成する．一方，象牙芽細胞に分化しなかった歯乳頭の細胞は，歯根部の歯髄の細胞となる．歯根象牙質の形成過程は，ほぼ歯冠象牙質形成と類似する．

このように，Hertwig 上皮鞘は将来の歯根の外郭を形づくるように伸びていくとともに，それに面する歯乳頭の細胞は象牙芽細胞へ分化して Hertwig 上皮鞘の内側に歯根象牙質を形成していく（**図 2-V-2，3**）．さらに，

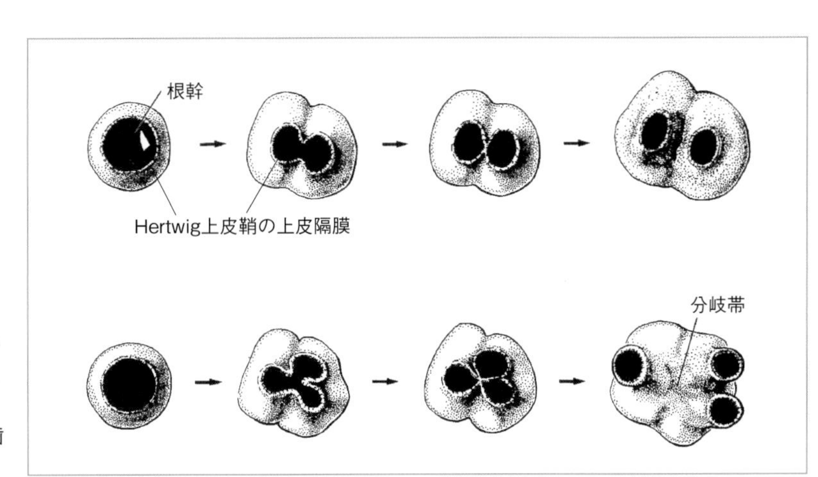

図 2-V-4　多根歯の発生
Hertwig 上皮鞘の上皮隔膜がくびれて分岐し，離れるように移動することで複数の根幹が形成される（上図は２根，下図は３根の根幹形成を示している）.
（James K Avery：Avery 口腔組織・発生学第２版．医歯薬出版，東京，1999，84．を一部改変）

Hertwig 上皮鞘の外側はセメント質に覆われることになるが，セメント質を形成するセメント芽細胞は，その周囲に存在する歯小嚢の間葉系細胞が Hertwig 上皮鞘に遊走・分化することで誘導される（後述）.

歯乳頭細胞の象牙芽細胞への分化には Hertwig 上皮鞘を囲む基底膜が深く関与する．基底膜の成分のうちでも laminin-V が歯乳頭細胞の接着，成長，移動，分化に重要な誘導因子であるとされている．また，Hertwig 上皮鞘が産生する TGF-β も象牙芽細胞分化に関与するという報告もある．逆に，Hertwig 上皮鞘の増殖・分化にどのように歯乳頭細胞が関与するかはよくわかっていない．

歯根象牙質の形成時には歯胚は顎骨の内部（歯小窩 bony crypt）にあるので，Hertwig 上皮鞘の伸びは歯胚を押し上げて歯を萌出させていく．しかし，歯が萌出し咬合を開始した時点でも根尖孔 apical foramen を有する完全な根尖ができていない．歯根の発生において，将来の根尖孔に相当する Hertwig 上皮鞘の先端部では，象牙質形成を伴わない上皮隔膜（上皮環）epithelial diaphragm が根尖を環状に覆っている．したがって，後述する有細胞セメント質 cellular cementum が根尖孔を形成する歯根の完成にはかなりの時間を必要とする．上皮隔膜は根尖方向に移動して歯根象牙質を誘導し，根尖孔の形成とともに消失する．さらに，Hertwig 上皮鞘の上皮隔膜がくびれて分岐し互いに離れるように移動すると，根幹が複数の歯（多根歯）が形成されていく（**図 2-V-4**）.

歯根形態の決定には Hertwig 上皮鞘に発現する Msx-2, Bmp-2, Bmp-4, Igt-1 などの遺伝子が関与することが示唆されている．歯根象牙質形成には Nfic 遺伝子がかかわる．この遺伝子が欠損したマウスでは歯冠象牙質は形成されるが歯根象牙質は形成されない．

正常な歯根形成には，Hertwig 上皮鞘の連続性と上皮鞘の増殖と断裂の時期が重要である．上皮鞘の連続性が形成途中で中断あるいは欠損すると，その部位での象牙芽細胞の分化が起こらず象牙質形成がみられない．その結果，側枝や根尖分岐が形成されることになる．また，歯根象牙質形成後の適切な時期に上皮鞘の断裂が生じないと，歯小嚢細胞のセメント芽細胞への分化が起きずセメント質形成がみられない．そのためセメント質を欠いた露出象牙質 exposed dentin となる．これらは歯頸部に多くみられ，歯肉退縮時の過敏症を起こす原因となることもある．上皮鞘が根分岐部の象牙質に付着して残ると，上皮鞘内の内エナメル上皮がエナメル芽細胞に分化し，エナメル真珠 enamel pearl を形成することになる．

3. セメント質の形成

セメント芽細胞は歯小嚢の間葉系細胞に由来し，歯根象牙質上にセメント質を形成していく．その過程において，はじめに，Hertwig 上皮鞘が基底膜と細胞間接着装置，特に，**接着斑**（デスモゾーム desmosome）の破壊により断裂・分断して，全体的に網目状になり歯根象牙質から剝がれるように離れる．すると，Hertwig 上皮鞘の外側に位置する歯小嚢の間葉系細胞が歯根象牙質に向かって遊走するが，分断化した Hertwig 上皮鞘を通り抜けてセメント芽細胞へ分化する．分化したセメント芽細胞は歯根象牙質上に定着し，歯根部のセメント基質を分泌していく（**図 2-V-2**）．この最初につくられるセメント質を**原生セメント質** primary cementum という．このように，セメント質形成は，Hertwig 上皮鞘の分断化，および，歯小嚢の間葉系細胞の遊走とセメント芽細胞への分化によって誘導される．

一方，歯根形成の進行とともに，Hertwig 上皮鞘が分断化した後の上皮細胞はさらに歯根表面から離れ，歯根膜へと移動する．このような段階の上皮の網目断面を切片でみると，上皮細胞の小塊が連なってみえる．これが **Malassez の上皮遺残** epithelial rests of Malassez である．上皮遺残は周囲に基底膜を形成し歯根膜内に長く残存する．ただし，経年的に数が減少することからアポトーシスにより次第に死滅していくものと思われる．

歯根の発生・形成期において，Hertwig 上皮鞘が分断化する際，アポトーシスを起こす細胞はごくわずかである．したがって，アポトーシスにより上皮鞘が断裂するわけではない．上皮鞘の断裂メカニズムについては，歯小嚢細胞もしくはセメント芽細胞が Hertwig 上皮鞘の基底膜および細胞間接着装置を破壊する，あるいは上皮鞘細胞自身がタンパク質やプロテオグリカン分解酵素を分泌して自壊する，との説がある．ヒトでは，上皮鞘細胞はセメント質形成前に歯根表面から離れて歯根膜へと移動するため，セメント質に埋め込まれることはない．一方，ヒトと異なり，ラットやマウスの上皮鞘細胞は歯根表面から大きく移動することはなく，無細胞セメント質では，上皮遺残は歯根表面にほぼ接するように存在し，急速に沈着する有細胞セメント質では多くの上皮鞘細胞はセメント象牙境近くに埋め込まれてしまう．

1）無細胞セメント質の形成

セメント質は，セメント細胞の有無により**無細胞セメント質**と**有細胞セメント質**に大別される．セメント芽細胞は**セメント基質**（コラーゲン線維と線維間基質）を分泌するが，歯根象牙質はまだ石灰化されておらず，セメント基質の線維の一端は象牙質の基質線維と絡み合い固着する．セメント芽細胞は隣接するセメント細胞と協働し，歯根表面の線維を主線維 principal fiber へとまとめていく．

歯根膜中央部の線維は，咬合を開始するまで歯根表面に平行に配列したままでセメント質上の線維束とは連続しない．歯根形成が進むにつれて，歯根膜中央部の歯根と平行な線維が減少し，咬合が開始する頃では（小臼歯ではセメント質の厚さが約 15 μm に達した頃），両側からの線維束はつながり歯根膜を横走する主線維が確立する（図 2-V-5）．

無細胞セメント質は生涯にわたりゆっくりと成長するため（小臼歯では厚さ 1.5〜3.0 μm／年程度），成長の早い有細胞セメント質より石灰化度は高くなる．また成長は間歇的に進むため，休止期には高度に石灰化し好塩基性を示す成長線あるいは休止線 resting line が形成される（図 2-V-6）．

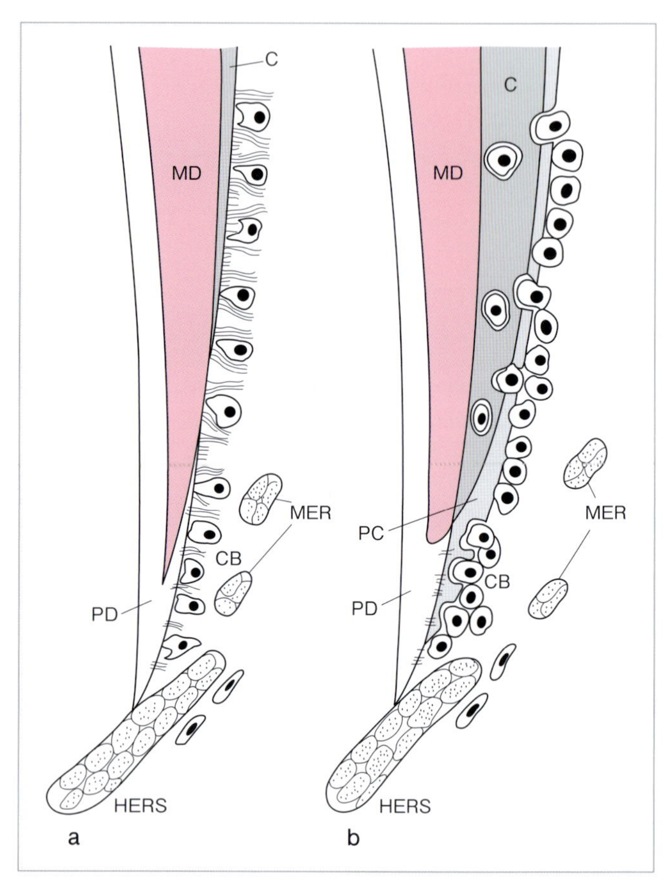

図 2-V-5 無細胞セメント質（a）と有細胞セメント質（b）の初期形成を示す模式図
a：主線維はまだ石灰化していない象牙質表層に付着し，短い線維束として歯根表面に並ぶ．象牙質の石灰化が主線維に及ぶとセメント質を認識できるようになる．セメント前質は明瞭に認められない．
b：固有線維はまだ石灰化していない象牙質表層に付着する．象牙質の石灰化が固有線維に波及しセメント質の石灰化が開始する．Sharpey 線維は描かれていない．
a，b ともに Hertwig 上皮鞘（HERS）はセメント質形成前に歯根表面から剥がれる．
MER：Malassez の上皮遺残，CB：セメント芽細胞，PD：象牙前質，MD：石灰化象牙質，C：セメント質，PC：セメント前質
（Schroeder HE：Biological problems of regenerative cementogenesis：synthesis and attachment of collagenous matrices on growing and established root surfaces. *Int Rev Cytol*, 142：1〜59, 1992. より改変）

2）有細胞セメント質の形成

歯根が約 1/2〜2/3 ほどできあがると有細胞セメント質の形成が開始する．開始の誘因についてはまだよくわかっていない．ラットでは常に有細胞セメント質が出現するが，ヒトでは無細胞セメント質が最初に出現する場合もある．歯根象牙質の石灰化開始前に Hertwig 上皮鞘の断裂口から歯小嚢細胞が歯根象牙質表へと侵入する．これらの歯小嚢細胞が数層のセメント芽細胞へと分

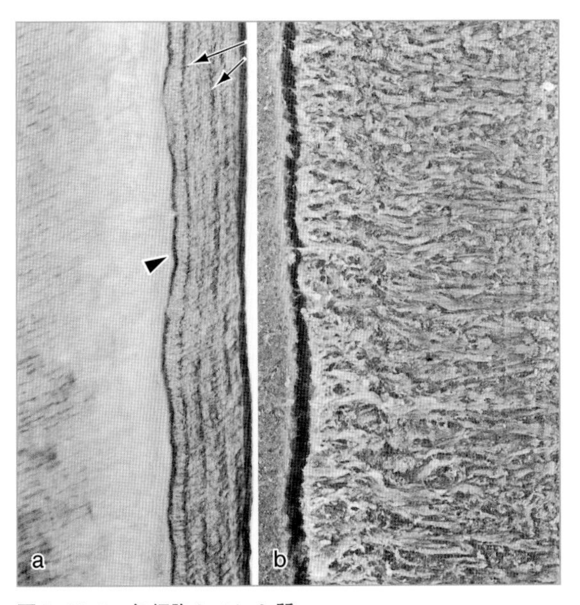

図 2-V-6　無細胞セメント質
a：H-E 染色．Sharpey 線維は白いすじとしてみえる．矢尻：セメント象牙境，矢印：成長線
b：走査型電子顕微鏡写真．Sharpey 線維は枝分かれしており，特にセメント象牙境近くでは顕著である．強アルカリ性水溶液で処理したためセメント象牙境は剝がれている．

化して急速にセメント基質を分泌する．その後，セメント芽細胞は埋め込まれ，セメント細胞になる（**図 2-V-5**）．

初期の**固有線維**は方向が一定しておらず，あるものは象牙前質の基質線維と絡み合い固着する．歯根象牙質の石灰化は象牙質表面から 15 μm ほど深部から始まり，象牙質表面で固有線維に達するとセメント質の石灰化が始まる．石灰化は無細胞セメント質よりも速く進行する．セメント質形成が進むにつれ固有線維はセメント質表面に平行に配列するようになり，**Sharpey（シャーピー）線維** Sharpey's fiber が共存すればそれらを輪状に取り巻いていく．

有細胞セメント質は一生間歇的に成長し，**成長線**（休止線）は**層板間層**となる．セメント基質は，歯根全周にわたり一様に添加するわけではなく，さらに Sharpey 線維と固有線維の割合も一定していない．添加部位と線維の割合は周囲の状況と密接に関係する．歯の固定，支持が要求される部位には Sharpey 線維の多いセメント質が添加する．他方，歯根の位置が移動や萌出によって変わり，咬合圧負担が変化した場合，固有線維を主体としたセメント層板が添加し負担を調整する．

4. 歯根膜の形成

歯根膜の発生（形成）は歯根形成と連動して起こる．Hertwig 上皮鞘に接していた歯小嚢の間葉系細胞の一部は**線維芽細胞**に分化し，粗面小胞体や Golgi 装置などの細胞小器官が急速に発達し，さかんにコラーゲン線維を産生する．線維芽細胞は細胞突起により区画をつくり，それらによりコラーゲン線維を一定方向に配列させた**主線維**を形成していく．線維芽細胞はコラーゲン線維の分泌だけでなく分解も行いながら主線維を効率よく合成していく．

主線維の形成は，先行歯のない歯（乳歯と大臼歯）と先行歯のある歯（永久切歯，犬歯，小臼歯）とで様相が異なる．前者では萌出前に主線維が形成され，咬合接触する前におおよそ完了するが，後者では咬合開始以降に主線維が確立する．セメント質から歯槽骨まで 1 本の主線維が構造的に連続しているのではなく，線維束として機能的に連続している．主線維は発達するにつれ，特に咬合開始後，走行と存在部位による機能分化によって 5 群に分けられるようになる．

5. 歯槽骨の形成

歯槽骨は，その組織発生学的な観点から，**固有歯槽骨** alveolar bone proper と**支持歯槽骨** supporting alveolar bone に分けられる．固有歯槽骨は，主に歯槽窩を内張りする内壁として，また，支持歯槽骨は固有歯槽骨を支える骨としてとらえることができる．

固有歯槽骨を形成する細胞は，歯胚を取り囲む**未分化間葉系組織**である**歯小嚢**に由来すると考えられている（**図 2-V-2**）．歯小嚢に存在する未分化間葉系細胞は，歯の発生過程において遊走・定着し，セメント芽細胞，歯根膜の線維芽細胞，そして歯槽骨を形成する骨芽細胞へと分化する．近年の研究では，これら未分化間葉系細胞は，歯が完成した後も歯根膜などの組織中に存在し，組織幹細胞として機能する可能性が推測されている．

固有歯槽骨および支持歯槽骨は，**膜内骨化** intramembranous ossification のメカニズムで形成される（☞第 10 章参照）．上述の未分化間葉系細胞が，**骨原性細胞** osteogenic cell へ分化し，さらに，**骨芽細胞**へと分化すると，コラーゲン線維や各種のプロテオグリカンを分泌しながら，石灰化の開始点となる**基質小胞**を分泌することで石灰化骨基質を形成していく．

発生初期に形成された歯槽骨では，骨芽細胞が分泌するコラーゲン線維はさまざまな方向を向いており，また，**オステオカルシン** osteocalcin や**オステオポンチン** osteopontin といった多量の非コラーゲン性タンパク質，ならびに**デコリン** decorin や**バイグリカン** biglycan などのプロテオグリカンを含有する．したがって，この時期における骨基質は，成熟した**緻密骨** compact bone

に比べると石灰化度が低く，また，基質線維であるコラーゲン線維は不規則な走行を示し，顕微鏡では骨基質が羽毛状に毛羽立ってみえることから，**線維性骨** woven bone とよばれる**幼若骨** immature bone を形成する．しかし，個体成長に伴い，**骨リモデリング** bone remodeling により骨基質の置換が行われることで，幼若な骨基質からより成熟した緻密骨へと置き換えられていく．緻密骨では，コラーゲン線維が密に存在し，石灰化度も高い．また，最終的につくられる歯槽骨の高次構築は，歯槽窩の内壁を構成する領域は Sharpey 線維が挿入した**束状骨** bundle bone を形成し，一方，束状骨の周囲では**層板骨** lamella bone である**皮質骨** cortical bone，および**骨梁** trabecule からなる**海綿骨** spongy bone（cancellous bone）を形成するようになる．

（長谷川智香，網塚憲生，山本恒之）

Ⅵ 歯の発生学の最近のトピックス

歯の発生は，歯に特異的な遺伝子のスクリーニングや遺伝子改変マウス，さらには歯の形成異常をもたらすヒト疾患の原因遺伝子の同定により，その分子機構が明らかとなってきた．歯の発生は，口腔上皮の一部が肥厚し，間葉組織に向け陥入することで始まる．陥入した上皮組織は，その周囲に移動してきた頭部神経堤由来の歯原性間葉組織との相互作用により，歯胚の形成が進む．なんらかの理由でこのような形成過程が損われると，正常な歯が発生しなかったり，異常な歯が現れたりする．すなわち上皮の陥入が阻害されると，歯の先天欠如を生じ，過剰陥入や歯胚の分岐が生じれば，過剰歯を生じる．また，上皮-間葉相互作用が阻害されれば，歯胚の成長が阻害され，歯胚形成後の石灰化過程に異常を生じれば，エナメル質や象牙質の形成異常を生じる[1, 2]．

1．歯の先天欠如

歯の先天欠如は外胚葉異形成症の一症状で，その原因は腫瘍壊死因子ファミリーの 1 つである Ectodysplasin A（EDA）の異常であることが明らかとなった．EDA の受容体である EDA receptor（EDAR）の遺伝子変異も，外胚葉異形成症を発症する[3, 4]．また，マウスモデルを用いた解析では，Eda に遺伝子変異を有する Tabby マウスが第三臼歯の欠損を示し，Eda を過剰発現させたトランスジェニックマウスは，第一臼歯の近心側（前方部）に過剰歯を生じる．さらに，EDAR の下流分子である Ikkα を欠損したマウスでは，歯胚上皮の陥入が阻害されることが明らかとなった[5]．このことから，EDA-EDAR のシグナルが，歯の初期発生，特に歯数決定にきわめて重要な分子シグナルである（**図 2-Ⅵ-1**）．

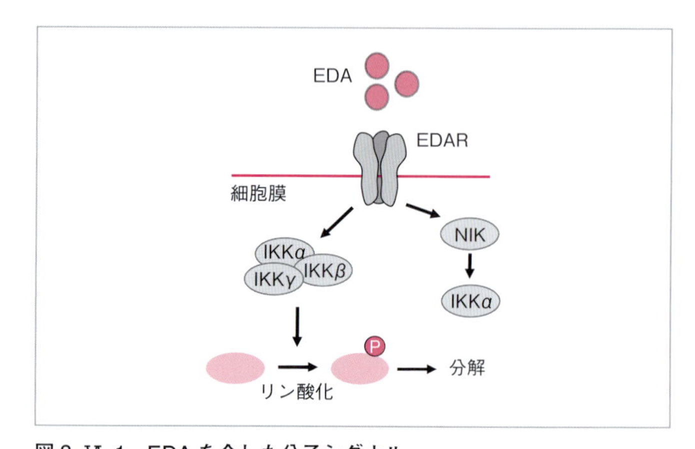

図 2-Ⅵ-1 EDA を介した分子シグナル
EDA および EDAR の遺伝子異常は，外胚葉異形成症を示す．また下流の Ikkα の遺伝子変異も歯胚の形成異常を生じる．

Axenfeld-Rieger（アクセンフェルト リーガー）症候群は，眼科的異常，顎顔面骨と歯の異常を伴う遺伝性疾患であり，歯においては乳歯および永久歯の先天欠如や矮小歯が認められる．原因遺伝子としては，Pitx2，Foxc1，Rieg2 などが知られている．Pitx2 は，陥入上皮に特異的に発現している分子で，その欠損マウスでは歯原性上皮の陥入の初期段階が抑制されることが知られている．

ヒトにおいては，MSX1，PAX9 や Wnt10 a の遺伝子異常により，歯の先天欠如が生じることが明らかになってきた．MSX1，PAX9 や Wnt10 a ともに，上皮-間葉相互作用にかかわる分子である．

歯の先天欠如は，歯胚上皮の陥入そのものに障害が生じる場合と，上皮陥入は生じるがその後の上皮-間葉相互作用にかかわる分子の異常により生じるという 2 つの場合が考えられる．遺伝子欠損マウスを用いた解析では，遺伝子そのものの機能が完全に消失してしまう．歯の形成に異常を示す遺伝子欠損マウスは多数報告されているが，歯に異常を示す遺伝子欠損が，必ずしもヒトの歯の形成に関与していないケースもある．これは，ヒトの場合，遺伝子を完全に欠損するケースは少なく，遺伝子の部分的な欠損や，塩基配列の変異による遺伝子異常であるため，遺伝子欠損マウスよりも表現型がマイルドなためと考えられる．また，遺伝子変異の種類によっては，機能を阻害するケースもあれば，機能を活性化する遺伝子変異もあるため，分子機能を踏まえた表現型の理解が大切となる．

2. 過剰歯

ヒトにおいて過剰歯を生じる遺伝性疾患として，鎖骨頭蓋骨異形成症 Cleidocranial dysplasia がある．本疾患は，鎖骨の欠損や頭蓋の形態異常を示す疾患であり，その原因遺伝子として RUNX 2 の遺伝子変異であることが明らかとなった[6]．

マウスモデルにおいては，歯に特異的な転写因子として同定された Epiprofin の欠損マウスにおいて，切歯および臼歯ともにサメのように多数の歯を生じる[7]．また，β-catenin の機能を活性化した変異 β-catenin を過剰発現させたマウスにおいても，過剰歯を生じる[8]．この過剰歯の生じた原因として，Wnt シグナルが持続的に活性化されたことに起因する．Epiprofin 欠損マウスも，変異 β-catenin 過剰発現マウスも，いずれも多数の歯を生じるが，歯胚形成過程において，Epiprofin 欠損マウスでは歯堤が，野生型マウスと変わらないのに対し，変異 β-catenin 過剰発現マウスでは，歯堤の幅が広くなっている．このことから，Epiprofin 欠損マウスにおける歯は，上皮陥入した後，歯胚が分岐したことにより多数の歯が生じるのに対し，変異 β-catenin 過剰発現マウスでは上皮の陥入領域が広がったことにより，歯が過剰に生じたと考えられる（**図 2-Ⅵ-2**）．さらに，Wnt シグナルの下流分子である Apc は，β-catenin の機能を阻害するが，Apc を欠損させることで β-catenin が活性化する．Apc を歯胚上皮で欠損させたマウスにおいても，過剰歯が多数生じる[9]．このことから，Wnt-β-catenin シグナルは，歯数の決定に重要な因子であるといえる．また BMP/Wnt のアンタゴニストである USAG-1 の欠損マウスが過剰歯を生じることが明らかになった[10]．このことから USGA-1 は歯の形成を阻害している分子と考えられる．また先天性無歯症のモデルマウスである EDA や MSX1 欠損マウスと，USAG-1 欠損マウスを交配することで欠損歯が回復することが確認された．さらに USAG-1 の機能を中和する抗体を用いた研究では，中和抗体の投与により過剰歯を生じることを明らかにしている．このことは BMP や Wnt シグナルが歯の形成に重要であり，無歯症などの歯の欠損に対する治療ターゲットとして用いることが可能なことを示唆している．

鎖骨頭蓋異形成症のモデルマウスである Runx 2 の欠損マウスにおいては，過剰歯が生じたとの報告はない．ヒトの鎖骨頭蓋異形成症では，小臼歯部に過剰歯を生じるが，マウスにおいては小臼歯に相当する歯が存在しないために，過剰歯を生じないのかもしれない．このように，マウスの表現型と，ヒトの表現型が異なる場合もしばしば見受けられる．臼歯においては，ヒトとマウスの歯の発生は比較的類似しているが，切歯においては大きく異なる．マウスも含めた齧歯類の切歯は，ヒトの切歯と異なり生え続ける歯であるからである．その一方で，マウスの切歯には常に歯を形成する細胞が存在するため，歯の発生の研究には有用なモデルといえる．

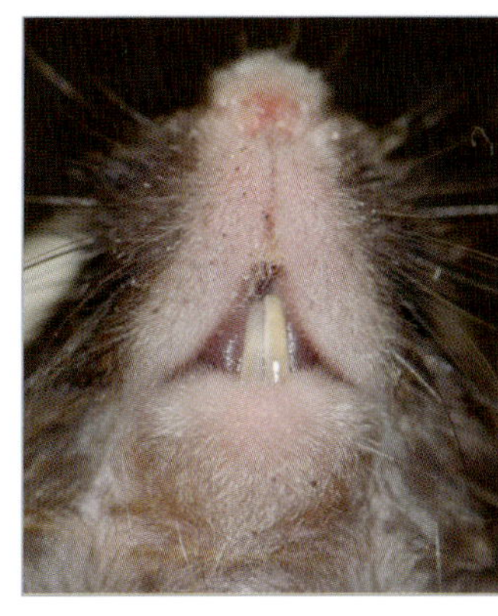
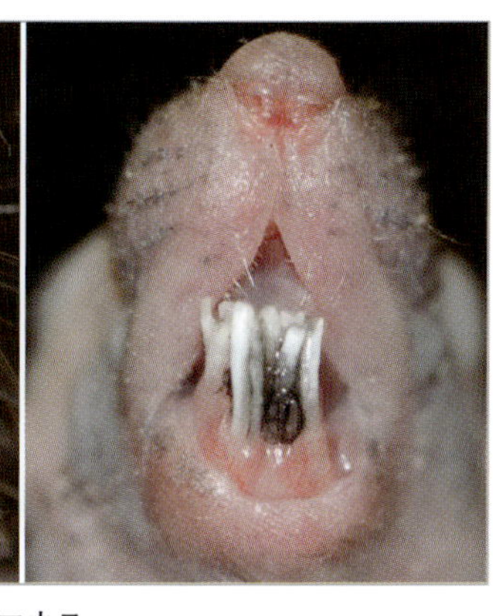

図 2-Ⅵ-2　多数の切歯を生じたマウス
通常マウスの切歯は下顎に２本（左図）存在するが，Epiprofin 遺伝子を欠損したマウスでは，多数の切歯が萌出する．同様の現象は臼歯部においても認められる．
（Nakamura T et al.: Transcription factor epiprofin is essential for tooth morphogenesis by regulating epithelial cell fate and tooth number. *J Biol Chem*, **283** : 4825〜4833, 2008.）

3. エナメル質および象牙質形成異常

歯胚は，その概形が決定した後，内エナメル上皮に基底膜を介して接している歯原性間葉系細胞は象牙芽細胞に分化し，象牙基質を分泌する．その後，石灰化が生じると，内エナメル上皮はエナメル芽細胞に分化し，エナメル基質を分泌する．このようにしてエナメル質，象牙質が形成されることになる．硬組織の形成異常に関しては，エナメル質形成不全症，象牙質形成不全症などがある．

永久歯におけるエナメル質形成不全は，先行乳歯の根尖病巣や外傷などにより生じるものもあり，またフッ素の過剰摂取による斑状歯もエナメル質形成不全の１つである．エナメル質表面の白濁を生じるものから茶褐色を呈するもの，さらには粗造な表面を有するものまでさまざまである．いずれも歯の形成期におけるエナメル芽細胞の障害に起因する．全顎にわたって形成不全を生じる場合には，遺伝性のエナメル質形成不全症が考えられる．発症頻度は１万人に１人程度であり，その原因遺伝子としてアメロゲニン，エナメリン，カリクレイン 4，MMP-20，DLX 3 などがあげられる．このようにエナメル質の形成不全はいずれもエナメル基質そのものの異常によるものか，その分解酵素，さらにはこれら分子の発現制御にかかわる遺伝子の異常などが原因となる[11]．

象牙質形成不全症は，エナメル質の形成に異常を伴わず，象牙質のみに形成異常を示す疾患である．歯の色調異常（オパール様の歯）を示すが，歯の表面は滑沢である．脆弱な象牙質によりエナメル象牙境からエナメル質の剝離が生じることがある．原因遺伝子としては象牙質シアロリンタンパク質（DSPP）遺伝子の異常によるもの[12]，あるいはI型コラーゲンなどの骨形成にかかわる分子群の異常により生じるものもある．後者に関しては，易骨折性，進行性の骨変形などの症状を示す骨形成不全症の病状の1つとして象牙質形成不全症を示す．

遺伝子改変マウスを用いた解析では，アメロゲニンやエナメリン以外のエナメル基質の異常においてもエナメル質形成不全症を呈することが明らかとなっている．アメロブラスチンの遺伝子欠損においては，重度のエナメル質形成不全症を呈し，歯原性石灰化上皮腫を生じることが明らかとなった[13, 14]（図2-Ⅵ-3）．さらに最近，ヒトでのアメロブラスチン遺伝子異常がエナメル質形成不全症の患者において同定された．歯の形成異常は，OMIM（Online Mendelian Inheritance in Man; http://www.ncbi.nlm.nih.gov/imim）に登録されている遺伝性疾患の約20〜25%に認められることが報告されており，その中でもエナメル質形成不全症の報告は多い．

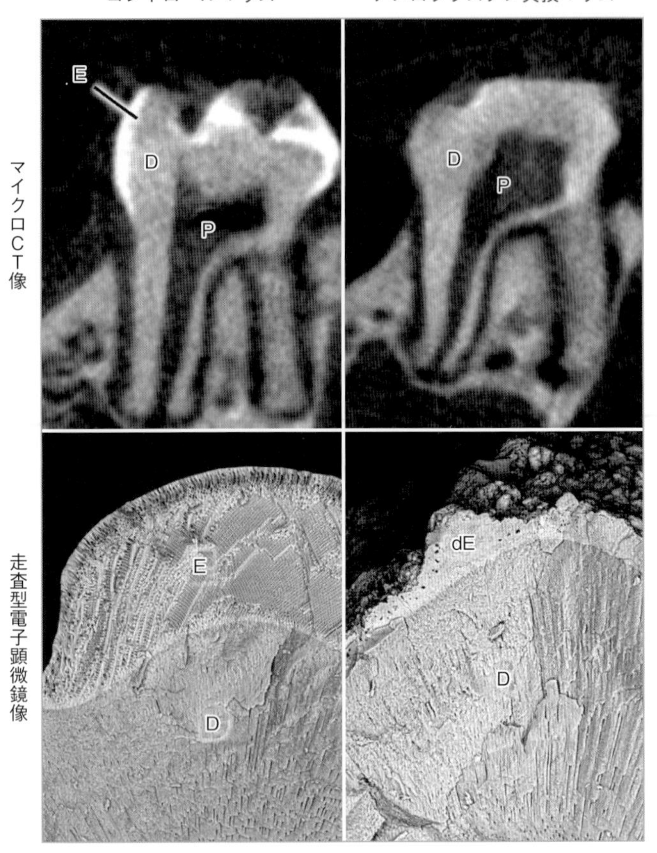

図2-Ⅵ-3　エナメル質形成不全症を呈するマウス
通常のマウスにおいては，マイクロCTおよび走査型電子顕微鏡にてエナメル質が確認できる（左図）．アメロブラスチン欠損マウスにおいては，マイクロCTにおいて白色を示すエナメル質はほとんど確認できず，走査型電子顕微鏡観察において象牙質の表層に不形成なエナメル質（dE）が観察できる．
E：エナメル質，D：象牙質，P：歯髄
（Fukumoto S et al.: Ameloblastin is a cell adhesion molecule required for maintaining the differentiation state of ameloblasts. *J Cell Biol*, 167 : 973〜983, 2004.）

4. 歯根形成異常

歯根は，Hertwig上皮鞘の誘導により形成されることが知られているが，歯根形成に関する分子機能については，他の歯胚形成メカニズムと比較して情報が少ない．転写因子の1つであるNfi-cの遺伝子変異マウスにおいて，歯根を有しない歯の形成が認められたことから，本分子が歯根の形成に重要な因子であると考えられている[15]．

組織特異的に遺伝子を欠損させる手法を用いて，Hertwig上皮鞘におけるSmad 4（TGF-β1やBMPの下流分子）の発現を抑制したマウスにおいて，Nfi-c欠損マウスと同様に歯根の形成異常を示すことが明らかとなった[16]．Smad 4を介したシグナルは，Hertwig上皮鞘におけるShhと，それに接する歯原性間葉組織におけるNfi-cの発現に関与することから，歯根形成においても上皮-間葉組織の相互作用が重要な役割を演じていると考えられる．

5. 歯特異的遺伝子の同定と再生医学への展望

歯の形成過程において特異的に発現している遺伝子の同定により，歯の形成異常の理解が深まってきた．特に最近では歯胚を構成する1つ1つの細胞に発現する遺伝子群の網羅的な解析法としてシングルセルRNAシークエンス（scRNAseq）が開発され，歯を構成するさまざまな細胞群のマーカー遺伝子の同定も急速に進展してきた[17]．このような解析は歯のみならず，全身の組織においてもデータが集積されつつあり，全身のすべての細胞における遺伝子発現データベースが，ポストゲノムプロジェクトの成果として期待されている．

また，再生医学研究の進展により，さまざまな組織再生が可能となってきている．歯においても，これまで歯胚細胞とキャリア（足場）を移植することで，部分的な歯の再生が可能となりつつある．さらに器官原基法という新しい手法は，歯胚上皮と間葉系細胞をコラーゲンゲル内で再構成することで，マウスモデルでは機能的な歯の再生を実現化している[18]．しかしながら，いずれの手法も胎仔の歯胚由来細胞を用いた方法であり，ヒトに応用するためには，倫理的な問題も含めいくつか課題が残る．特に歯の再生を行うための細胞ソースをどのように得るかが大きな課題となる．

従来，再生医療に利用できる口腔内の細胞供給源として，口腔粘膜あるいは歯肉や歯髄などが利用されてきた．口腔粘膜から得られた細胞からは，皮膚移植用の培養シートや白内障を対象とした角膜シートの作製が行われ，ヒトにも応用されている．また歯肉由来の線維芽細胞からは，iPS 細胞 induced pluripotent stem cell の作製が可能となっている[19]．歯髄細胞においては，その中に歯髄幹細胞が存在し，この組織幹細胞は，さまざまな細胞に分化することから，再生医療に応用可能な細胞として注目されている．特に乳歯から得られる歯髄は，乳歯が永久歯と交換して自然脱落することから，倫理的問題に触れず，非侵襲的に採取できる細胞として注目されている．

iPS 細胞は，全身のどこの細胞からも作製可能であり，受精卵を用いる ES 細胞 embryonic stem cell における倫理的な問題を回避できる細胞として着目されている．iPS 細胞は，当初皮膚の線維芽細胞から作製されたが，歯肉線維芽細胞や歯髄細胞を用いると，その iPS 細胞誘導効率が高いことから，口腔組織を利用した iPS 細胞の作製研究も精力的に進められている．また，マウス由来 iPS 細胞を用いて，歯の形成に必要なエナメル芽細胞，象牙芽細胞の作製も可能となってきており，マウス由来 iPS 細胞から歯の形成にも成功したとの報告もある[20, 21]．しかしながらヒト iPS 細胞から歯を形成させたとの報告はなく，今後の研究が期待される．

（福本　敏）

●参考図書，参考文献

Ⅰ 顔面と口腔の発生

●参考図書

1. Bush JO and Jiang R：Palatogenesis: morphogenetic and molecular mechanisms of secondary palate development. *Development*, **139**：231〜243, 2012.
2. Chai Y and Maxson REJ：Recent advances in craniofacial morphogenesis. *Dev Dyn*, **235**：2353〜2375, 2006.
3. Reynolds K et al.：Genetics and signaling mechanisms of orofacial clefts. *Birth Defects Res*, **112**：1588〜1634, 2020.
4. Suzuki A et al.：Molecular mechanisms of midfacial developmental defects. *Dev Dyn*, **245**：276〜293, 2016.
5. Martik ML, Bronner ME：Riding the crest to get a head: neural crest evolution in vertebrates. *Nat Rev Neurosci*, **22**：616〜626, 2021.
6. Minoux M, Rijli FM：Molecular mechanisms of cranial neural crest cell migration and patterning in craniofacial development. *Development*, **137**：2605〜2621, 2010.
7. Moore KL et al.：The developing human. Saunders, St. Louis, 2018.
8. Nanci A：Ten Cate's Oral Histology. 9 th ed, Elsevier, St. Louis, 2017.
9. Ziermann JM et al.：Neural crest and the patterning of vertebrate craniofacial muscles. *Genesis*, **56**：e23097, 2018.
10. Parada C et al.：Molecular and cellular regulatory mechanisms of tongue myogenesis. *J Dent Res*, **91**：528〜535, 2012.
11. Carlson BM：Human Embryology and Developmental Biology, Elsevier, Amsterdam, 2019.
12. Sadler TW：Langman's Medical Embryology. Lippincott Williams & Wilkins, Philadelphia, 2019.
13. Schoenwolf G et al.：Larsen's Human Embryology. Elsevier, Amsterdam, 2020.
14. Gilbert SF 著，阿形清和，高橋淑子訳：ギルバート発生生物学．メディカル・サイエンス・インターナショナル，東京，2015.
15. Wolpart L ほか著，武田洋幸，田村宏治訳：ウォルパート発生生物学．メディカル・サイエンス・インターナショナル，東京，2012.
16. Li J et al.：Regulatory Mechanisms of Soft Palate Development and Malformations. *J Dent Res*, **98**：959〜967, 2019.

Ⅱ 歯胚の発生

●参考図書

1. Nanci A：Ten Cate's Oral Histology. 9 th ed, Elsevier, St. Louis, 2017.
2. Jheon AH et al.：From molecules to mastication: the development and evolution of teeth. *Wiley Interdiscip Rev Dev Biol*, **2**：165〜182, 2013.
3. Klein OD et al.：Developmental disorders of the dentition: an update. *Am J Med Genet C Semin Med Genet*, **163C**：318〜332, 2013.
4. Lan Y et al.：Molecular patterning of the mammalian dentition. *Semin Cell Dev Biol*, **25**, 26：61〜70, 2014.
5. Yu T and Klein OD：Molecular and cellular mechanisms of tooth development,homeostasis and repair. *Development*, **147**：dev184754, 2020.
6. Cobourne MT and Sharpe PT：Diseases of the tooth: the genetic and molecular basis of inherited anomalies affecting the dentition. *Wiley Interdiscip Rev Dev Biol*, **2**：183〜212, 2013.
7. Catón J and Tucker AS：Current knowledge of tooth development: patterning and mineralization of the murine dentition. *J Anat*, **214**：502〜515, 2009.
8. Yuan Y and Chai Y：Regulatory mechanisms of jaw bone and

tooth development. *Curr Top Dev Biol*, **133**：91〜118, 2019.

Ⅲ エナメル質の形成

●参考図書

1. Wakita M et al.：Three-dimensional structure of Tomes' processes and enamel prism formation in the kitten. *Arch Histol Jpn*, **44**：285〜297, 1981.
2. Ten Cate AR 編著：Ten Cate 口腔組織学. 第5版. 医歯薬出版, 東京, 2001.
3. Matthiessen ME and Römert P：Fine structure of the human secretory ameloblast. Scand. J Dent Res, 86：67〜71, 1978. doi: 10.1111/j.1600-0722.1978.tb00609.x.
4. Nanci A et al.: Immunolocalization of enamel proteins during amelogenesis in the cat. *Anat Rec*, **233**：335〜349, 1992.

Ⅳ 象牙質の形成

●参考図書

1. 大江規玄編：改定新版　歯の発生学. 医歯薬出版, 東京, 1984, 62〜77.
2. Nanci A：Ten Cate's Oral Histology, 9 th ed., ELSEVIER, St. Luis, 2018, 161〜165.
3. 脇田　稔ほか編：標本で学ぶ口腔の発生と組織. 医歯薬出版, 東京, 2003, 62〜69.

●参考文献

1) de La Dure-Molla M et al.: Isolated dentinogenesis imperfecta and dentin dysplasia: revision of the classification. *Eur J Hum Genet*, **23**：445〜451, 2015.

Ⅴ 歯周組織の形成

●参考図書

1. James K. Avery 著, 寺木良巳ほか訳：Avery 口腔組織・発生学. 第2版. 医歯薬出版, 東京, 1999.
2. Schroeder HE：Biological Problems of Regenerative Cementogenesis：Synthesis and Attachment of Collagenous Matrices on Growing and Established Root Surfaces. *Int Rev Cytol*, **142**：1〜59, 1992.

Ⅵ 歯の発生学の最近のトピックス

●参考文献

1) 日本障害者歯科学会編, 池田正一ほか監：口から診える症候群・病気. 日本障害者歯科学会, 東京, 2012.
2) Thesleff I：Epithelial-mesenchymal signaling regulating tooth morphogenesis. *J Cell Sci*, **116**：1647〜1648, 2003.
3) Kere J et al.：X-linked anhidrotic（hypohidrotic）ectodermal dysplasia is caused by mutation in a novel transmembrane protein. *Nat Genet*, **13**：409〜419, 1996.
4) Tucker AS et al.：The activation level of the TNF family receptor, Edra, determines cusp number and tooth number during tooth development. *Dev Biol*, **268**：185〜194, 2004.
5) Ohazama A et al.：A dual role for Ikk alpha in tooth development. *Dev Cell*, **6**：219〜227, 2004.
6) Komori T et al.：Targeted disruption of Cbfa1 results in a complete lack of bone formation owing to maturational arrest of osteoblasts. *Cell*, **89**：755〜764, 1997.
7) Nakamura T et al.：Transcription factor epiprofin is essential for tooth morphogenesis by regulating epithelial cell fate and tooth number. *J Biol Chem*, **283**：4825〜4833, 2008.
8) Jarvinen E et al.：Continuous tooth generation in mouse is induced by activated epithelial Wnt/beta-catenin signaling. *Proc Natl Acad Sci USA*, **103**：18627〜18632, 2006.
9) Wang XP et al.：Apc inhibition of Wnt signaling regulates supernumerary tooth formation during embryogenesis and throught adulthood. *Development*, **136**：1939〜1949, 2009.
10) Murashima-Suginami A et al.：Anti-USAG-1 therapy for tooth regeneration through enhanced BMP signaling. *Science Adv*, **7**：eabf1798, 2021.
11) Bartlett JD：Dental Enamel Development：Proteinases and Their Enamel Matrix Substrates. *ISRN Dent*, 2013：684607. eCollection, 2013.
12) Maciejewska I et al.：Hereditary dentin diseases resulting from mutations in DSPP gene. *J Dent*, **40**：542〜548, 2012.
13) Fukumoto S et al.: Ameloblastin is a cell adhesion molecule required for maintaining the differentiation state of ameloblasts. *J Cell Biol*, **167**：973〜983, 2004.
14) Poulter JA et al.：Deletion of ameloblastin exon6 is associated with amelogenesis imperfecta. *Hum Mol Genet*, pii: ddu247, 2014. [Epub ahead of print]
15) Steele-Perkins G et al.: Essential role for NFI-C/CTF transcription-replication factor in tooth development. *Mol Cell Biol*, **23**：1075〜1084, 2003.
16) Huang X et al.：Smad-Shh-Nfic signaling cascade-mediated epithelial-mesenchymal interaction is crucial in regulating tooth root development. *J Bone Miner Res*, **25**：1167〜1178, 2010.
17) Chiba Y et al.：Integration of Single-Cell-RNA- and CAGE-seq reveals tooth enriched genes. *J Dent Res*, **101**：542〜550, 2021.
18) Nakao K et al.：The development of a bioengineered organ germ method. *Nat Methods*, **4**：227〜230, 2007.
19) Egusa H et al.：Gingival fibroblasts as a promising source of induced pluripotent stem cells. *PloS One*, **5**：e12743, 2010.
20) Arakaki M et al.：Role of epithelial-stem cell interactions during dental cell differentiation. *J Biol Chem*, **287**：10590〜10601, 2012.
21) Otsu K et al.：Differentiation of induced pluripotent stem cells into dental mesenchymal cells. *Stem Cells Dev*, **21**：1156〜1164, 2012.

第II編

口腔組織・発生学

各論

第3章 エナメル質

chapter 3

 I 概　説

エナメル質 enamel は歯を構成する硬組織の1つで，歯冠象牙質を覆っており，咬頭頂で厚く，歯頸部で薄くなっている．人体で最も硬い組織であり，Mohs（モース）硬度 Mohs hardness 6〜7 を示すが，これは水晶の硬さに相当する．エナメル質が硬い組織である理由は，エナメル質の96〜97%が無機質で組成されているからである．この硬さのため，歯科治療の際にエナメル質を削る必要がある場合には，エナメル質よりも硬いダイヤモンド（Mohs 硬度 10）粒子を表面にまぶした切削器具（ダイヤモンドバーあるいはダイヤモンドディスク）を用いるのが一般的である．

また歯を酸に浸すと，そのほとんどが無機質から構成されるエナメル質は溶解し，消失する．齲蝕の原因菌の1つと考えられている *Streptococcas mutans*，いわゆるミュータンス菌はショ糖を原料として酸を産生するので，この産生された酸によりエナメル質は溶解され，齲窩とよばれる穴ができあがる．この現象がエナメル質の齲蝕である．

エナメル質を構成する無機質はリン酸カルシウムが結晶化したものであり，その結晶を**ハイドロキシアパタイト** hydroxyapatite, $Ca_{10}(PO_4)_6(OH)_2$ とよぶ．エナメル質以外の硬組織である象牙質，セメント質や骨の無機質をつくる結晶もハイドロキシアパタイトであるが，エナメル質のハイドロキシアパタイトは他の硬組織のものよりも圧倒的に大きいのが特徴である（**表3-Ⅰ-1**）．エナメル質は硬いがもろい組織であり，象牙質の裏打ちがないエナメル質（遊離エナメル質 free enamel）は容易に破折・剥離するので，齲蝕治療でエナメル質を削る際には注意が必要である．

エナメル質は無機質以外に有機質と水からできており，組成の約1%が有機質である．歯の発生過程で形成中のエナメル質は20〜30%の有機質を含むが，成熟過程でそのほとんどが**エナメル芽細胞**によって吸収，分解される（☞第2章Ⅲ-2参照）．有機質のうち代表的なエナメル質のタンパク質として**アメロゲニン** amelogenin や**エナメリン** enamelin があげられる．しかしアメロゲニンはエナメル質の形成初期に多く含まれるが，石灰化の進行とともに減少し，成熟したエナメル質にはほとんど存在しない．一方，エナメリンは分泌される量は少ないが（アメロゲニンの分泌量のおよそ1/20），石灰化の際のハイドロキシアパタイト結晶の沈着に関与すると考えられており，成熟したエナメル質においても残存する．したがって成熟したエナメル質に含まれるタンパク質はアメロゲニンよりもエナメリンが多い．またエナメル質には象牙質やセメント質の有機質の大部分を占めるコラーゲンは存在しない．歯が口腔に萌出すると，歯冠表面を覆うエナメル質は常に唾液に触れるので，唾液中の無機質がエナメル質表面に沈着するという現象が起こる（エナメル質の萌出後成熟）．これによりエナメル質はさらに硬くなるので，若年者よりも高齢者のエナメル質のほうが硬い．

エナメル質は内部に神経や血管をもたない．このためエナメル質のみを削ったり，あるいはエナメル質が欠けたり溶けたりといった刺激が加わっても痛みがなく，出血もしない．刺激が象牙質に加わって初めて歯の痛みを感じることになる．このため歯を削る処置やその後の処置を含めた歯の治療をエナメル質のみに限定して行う場合には麻酔を行わないのが基本となる．

自己組織の修復や再生のためには，その組織をつくる

表3-Ⅰ-1　各硬組織を構成するハイドロキシアパタイトの大きさ

	ハイドロキシアパタイト結晶の大きさ（nm）	
	長さ	幅
エナメル質	300〜500	50〜120
象牙質	20〜30	4〜7.5
骨	5	10〜30

（大塚吉兵衛，安孫子宜光：医歯薬系学生のためのビジュアル生化学・分子生物学 改訂第3版．日本医事新報社，東京，2008．198.）

細胞が存在することが必須である．エナメル質をつくるエナメル芽細胞はエナメル質形成後に退縮（縮合）エナメル上皮となり，口腔に萌出する際に口腔粘膜と癒合してエナメル質表面から剥離するので，口腔に萌出した歯のエナメル質表面にはエナメル芽細胞は存在しない．したがって，一度形成されたエナメル質は経時的に厚くなることはなく，欠損が生じても自己修復や再生は起こらない．これに対して象牙質やセメント質では，象牙質を形成する細胞である象牙芽細胞が歯髄内に，セメント質を形成する細胞であるセメント芽細胞が歯根膜内にそれぞれ存在するので，両硬組織は一生つくられ続け，加齢とともに厚くなる．

エナメル質の加齢変化として厚みの減少があげられる．これは歯ブラシによるエナメル質のすり減り（摩耗）や上下顎の歯の接触によるすり減り（咬耗）が起こっても，前述の通りエナメル質の再生が起こらないことによる．また摂取した食べ物や飲み物の色素（コーヒーや緑茶など）がエナメル質に沈着したり，エナメル質が薄くなることによってエナメル質の直下に存在する象牙質の濃い色が透けてくるので，エナメル質は暗調を示すとともに透明性が減少する．さらにエナメル質を構成するハイドロキシアパタイト結晶間には間隙が存在するが，加齢によりこの間隙に石灰化が生じ，狭窄あるいは閉鎖されることによってエナメル質の物質浸透性は低下する．

Ⅱ エナメル質の構造

1．エナメル小柱

エナメル質の基本構造物は**エナメル小柱** enamel rods, enamel prisms であり，直径 3〜6 μm の柱状を呈している．エナメル質はこのエナメル小柱の集合体である．エナメル小柱の分布密度は 1 mm^2 あたり約 40,000 本といわれている．エナメル小柱はエナメル象牙境の**無小柱エナメル質** prismless (rodless) enamel（後述）の直上からエナメル質表面の無小柱エナメル質直下まで途切れることなく走行するが，その走行は直線的ではない．数十本の単位で束をなしたエナメル小柱束は束ごとに走行が異なり，エナメル質の深層 3/5〜4/5 では数回彎曲して走行するのに対して，表層 1/5 では直線状に走行するなど，エナメル質の部位により走行の状況は異なっている（**図 3-Ⅱ-1**）．また歯頸部ではエナメル小柱は直線的に走行しているが，エナメル質と象牙質の境目であるエナメル象牙境に対するエナメル小柱束の角度は，永久歯と乳歯で異なっている（**図 3-Ⅱ-2**）．

図 3-Ⅱ-1　彎曲して走行するエナメル小柱（横断研磨標本）
すじ状に観察されるエナメル小柱が彎曲して走行している．

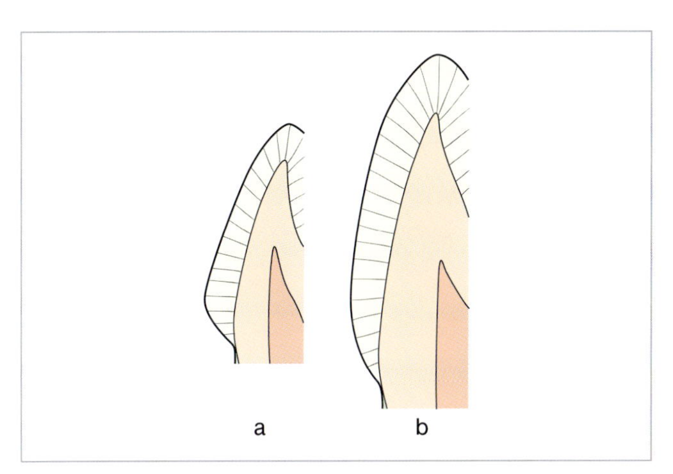

図 3-Ⅱ-2　永久歯と乳歯の歯頸部におけるエナメル小柱の走行の違い（模式図）
a：乳歯．b：永久歯．
歯頸部のエナメル小柱は，永久歯では歯頸側（図では下方）に向かって走行するが，乳歯では切縁（咬合面）側あるいは水平に走行する．この違いは永久歯と乳歯における歯頸部に生じた齲蝕の治療の際に，エナメル質を削る形のデザインの違いにかかわってくる．

エナメル小柱の横断面は鍵穴形 key hole shape あるいはオタマジャクシ形 tadpole shape をしている．エナメル小柱横断面の弧門形をしている径の大きい部分はオタマジャクシになぞらえて「頭部」，その他の細長い部分を「尾部」とよぶ（**図 3-Ⅱ-3**）．エナメル小柱の外周約 0.1〜0.2 μm は無機質が約 97％を占めるエナメル質の中でも有機質が多い部分であり，石灰化度が低い．この部分を**小柱鞘** prism sheath という．小柱鞘は研磨標本の染色切片では濃く染色されることから容易に観察することができ（**図 3-Ⅱ-4**），小柱の間で色素に染まりにくい部分は小柱間質 interprismatic substance とよばれ，ここは小柱の尾部に相当する．エナメル小柱頭部は 1 個のエナメル芽細胞から，尾部は 3 個のエナメル芽細胞から形成されるので，1 つのエナメル小柱の形成には 4 個のエナメル芽細胞が関与している（**図 3-Ⅱ-5**）．

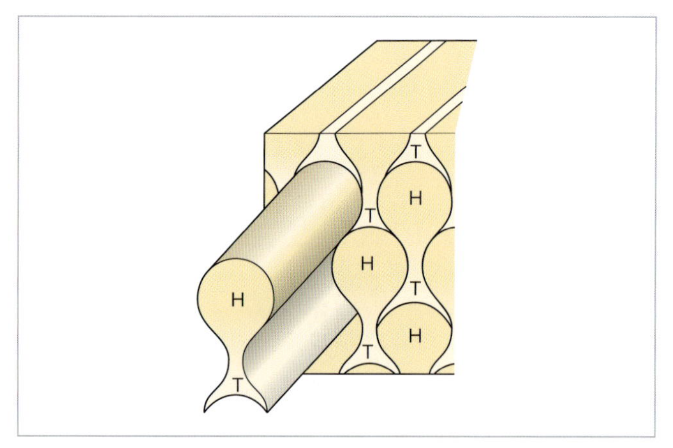

図 3-Ⅱ-3　エナメル小柱の配列を示す模式図
エナメル小柱は頭部（H）と尾部（T）からできており，小柱の外形は小柱鞘とよばれる．
（Simmelink JW：Histology of Enamel. In：Oral Development and Histology. Avery JK ed. Williams & Wilkins, Baltimore, 1987. を参考に作成）

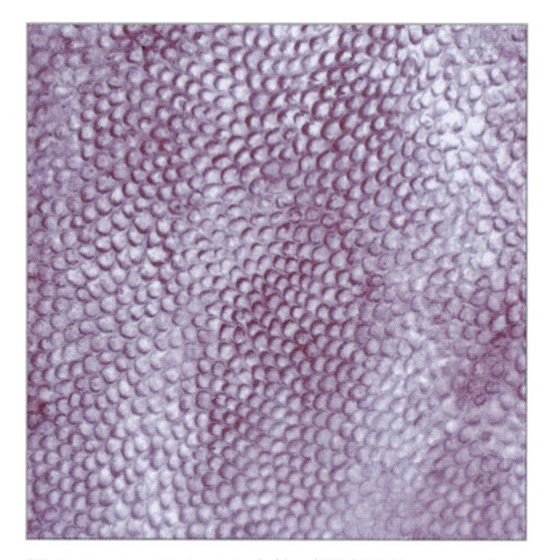

図 3-Ⅱ-4　エナメル小柱（研磨切片，ヘマトキシリン染色）
エナメル小柱の頭部の外形は有機質が多いので，色素に濃染する．ここを小柱鞘とよぶ．
（新潟大学前田健康先生のご厚意による）

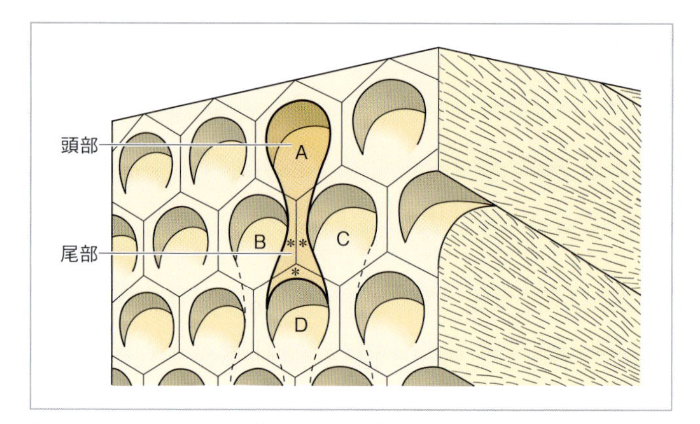

図 3-Ⅱ-5　エナメル小柱と Tomes 突起の関係を示す模式図
1 本のエナメル小柱の形成には 4 個のエナメル芽細胞（A～D）が関与する．Tomes 突起は弓状の凹みで示されており，小柱尾部は Tomes 突起のないエナメル芽細胞表面（*）でつくられる．
（Simmelink JW：Histology of Enamel. In：Oral Development and Histology. Avery JK ed. Williams & Wilkins, Baltimore, 1987. を参考に作成）

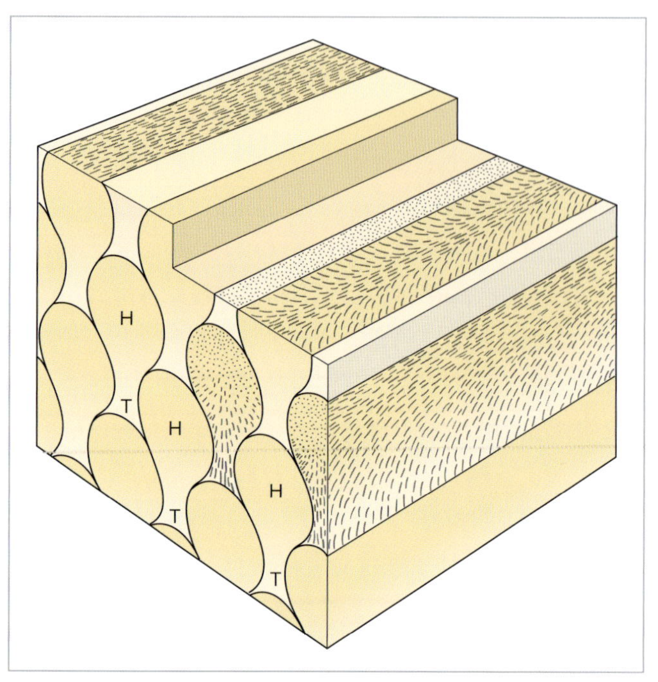

図 3-Ⅱ-6　エナメル小柱の結晶方向を示す模式図
エナメル小柱内の結晶の走向方向は部位によって異なり，頭部（H）では小柱の長軸と平行に，尾部（T）では長軸と垂直に配列する．
（Nanci A et al.：Enamel: Composition, formatiuon, and Structure, In：Ten Cate Oral Histology. 6th ed. Nanci A ed. Mosby, St. Louis, 2003. を参考に作成）

エナメル小柱はハイドロキシアパタイト結晶の集合である．結晶は断面が扁平な六角形をした細長い柱状を呈している．エナメル小柱内のハイドロキシアパタイト結晶の走行は部位により異なり，頭部では結晶の長軸が小柱の長軸と平行に配列するが，頭部から尾部に向けて移行的に変化し，尾部では結晶の長軸は小柱の長軸に対して垂直に配列するようになる（**図 3-Ⅱ-6**）．

エナメル小柱の縦断面には小柱の長軸と直交する約 4 μm 間隔の周期的な線条が観察される（**図 3-Ⅱ-7, 8**）．この線条は**横紋** cross straition とよばれ，エナメル芽細胞の活性の日周期性に基づいて形成される線条である．つまり横紋の間隔の 4 μm はエナメル芽細胞の 1 日分のエナメル質形成量を示している．したがって，横紋はエナメル質の**成長線**の 1 つである．

隣接するエナメル小柱に観察される横紋を連続的につなげたものを **Retzius**（レッチウス）**条** striae of Retzius という（**図 3-Ⅱ-9**）．Retzius 条はエナメル小柱に対して約 45° の角度で走行する．縦断研磨標本で観察すると切縁あるいは咬頭頂部では，エナメル象牙境を起点に切縁あるいは咬頭頂を越えて反対側のエナメル象牙境に終わり，それ以外の部分ではエナメル象牙境を起点としてエナメル質表面で終わる場合が多い．Retzius 条には厳密な規則性はないが，およそ 7～14 日間隔で出現する．

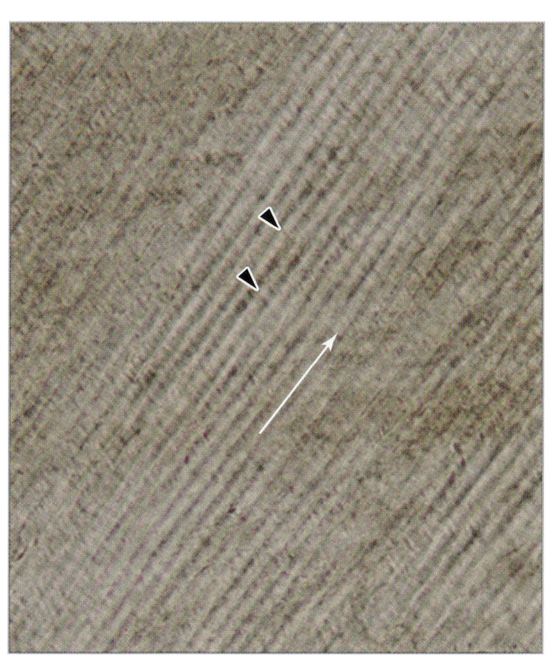

図 3-Ⅱ-7　エナメル小柱と横紋（縦断研磨標本）
白矢印で示す方向に並んだエナメル小柱（縦断面）に直交して梯子状に横紋（矢尻）が観察される．

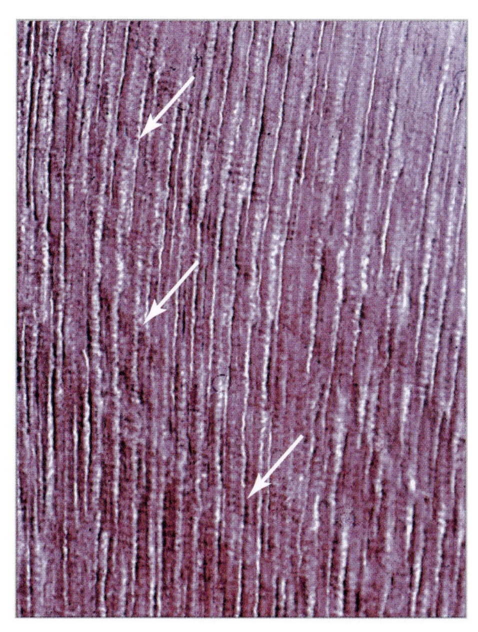

図 3-Ⅱ-8　縦断されたエナメル小柱の拡大像（研磨切片，ヘマトキシリン染色）
縦断されたエナメル小柱内に横紋がみえる．矢印は Retzius 条を示す．
（新潟大学前田健康先生のご厚意による）

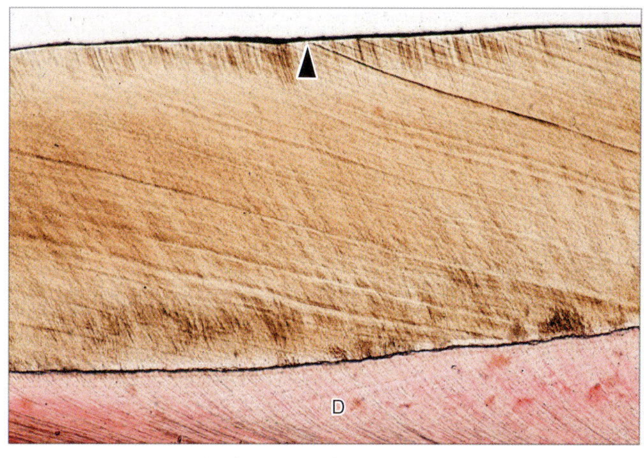

図 3-Ⅱ-9　Retzius 条（切歯の縦断研磨切片，カルボール-フクシン染色）
Retzius 条はエナメル象牙境からエナメル質全層を斜走し，一部のものはエナメル質表面まで達する（矢尻）．D：象牙質
（新潟大学前田健康先生のご厚意による）

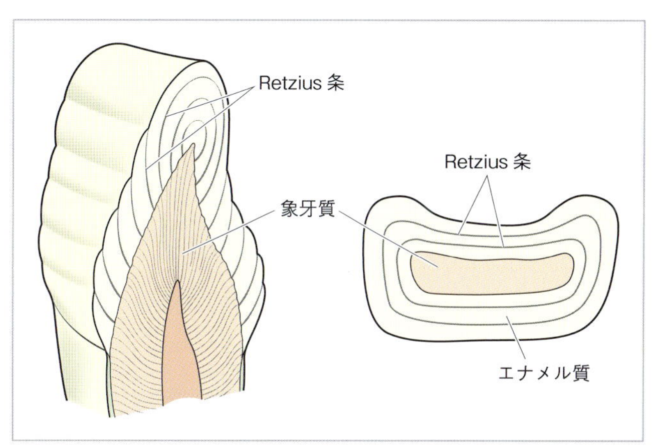

図 3-Ⅱ-10　Retzius 条と周波条の関係（模式図）
（明坂年隆：歯の発生・組織・病変．医歯薬出版，東京，1995，54.）

Retzius 条の中にはエナメル質表面まで到達しないものもあるが，エナメル質表面に到達したものでは，エナメル質表面との交点がわずかにくぼんでおり，立体的には歯冠を水平に取り巻く溝として観察される．これを**周波条** perikymata という．周波条もエナメル質の成長線の 1 つと考えられている（**図 3-Ⅱ-10**）．

出生前後では胎児あるいは新生児を取り巻く環境が著しく変化するので，この時期に形成されたエナメル質には石灰化不良による線条が発現する．この線条を**新産線** neonatal line といい，すべての乳歯と第一大臼歯に出現する．新産線は Retzius 条の 1 つと考えられており，両者はエナメル質の成長線にあげられる．また Retzius 条や新産線を 1 個体でみると，左右の同じ歯種の歯では左右対象に出現することが知られており，個人識別に利用される場合がある．

エナメル質形成の初期には**Tomes 突起**（トームス） Tomes' process が完成していないエナメル芽細胞（分化期エナメル芽細胞）が基質を分泌し始める（☞第 2 章Ⅲ-2 参照）．Tomes 突起が完成する前に形成されたエナメル質は小柱構造を示さない（**図 3-Ⅱ-5**）．このような小柱構造を示さないエナメル質を無小柱エナメル質という（**図 3-Ⅱ-11**）．エナメル質形成後期，すなわち Tomes 突起が退縮したエナメル芽細胞（移行期エナメル芽細胞）によ

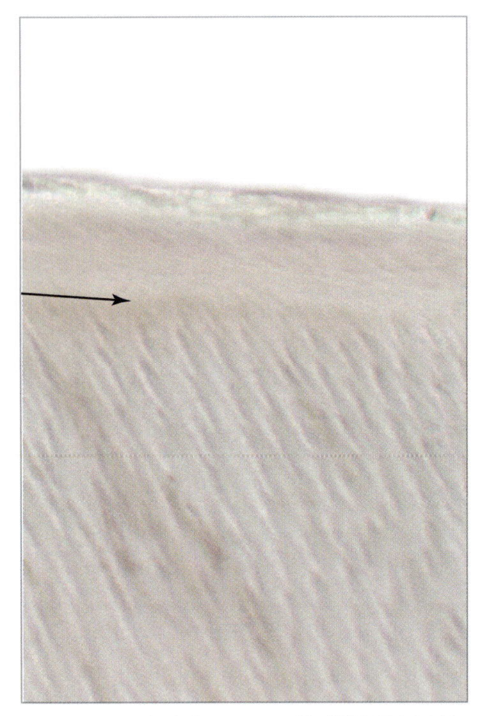

図 3-Ⅱ-11　無小柱エナメル質（縦断研磨標本）
矢印より下の部分にはエナメル小柱が観察されるが，矢印から上の部分（エナメル質表層）ではエナメル小柱が観察されず，無小柱エナメル質が分布している．

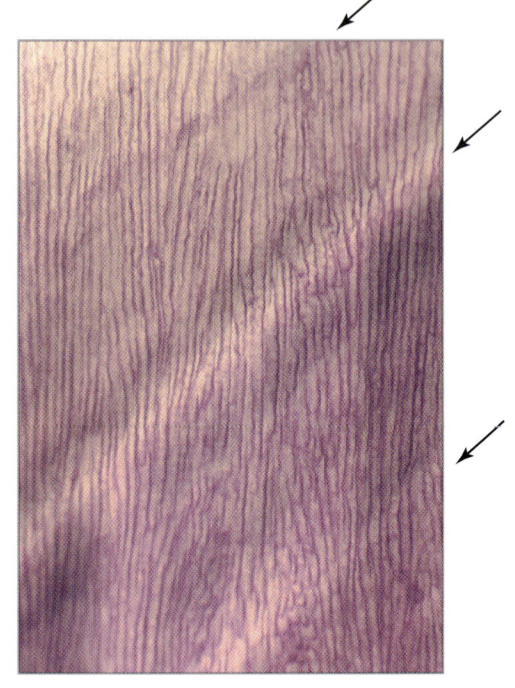

図 3-Ⅱ-12　Retzius 条と小柱構造
Retzius 条を横切るときに，小柱の形態や方向が変化する．
（標本で学ぶ口腔の発生と組織. 医歯薬出版, 東京, 2003, 101. をカラー化）

りつくられたエナメル質も小柱構造を示さない．無小柱エナメル質はこのような理由により，エナメル質最内層と表層に出現する．エナメル質最内層の無小柱エナメル質はきわめて薄いが，表層のものは厚いことが多く，永久歯と比較して乳歯で厚い．無小柱エナメル質のハイドロキシアパタイト結晶は，エナメル質最内層のものではエナメル象牙境に垂直に，エナメル質表層のものではエナメル質表面に垂直に配列する．

Retzius 条と交差するエナメル小柱には結晶配列や小柱自体の形態が不規則なものも観察されるほか，エナメル小柱が Retzius 条をまたいで走行方向が変化することも報告されている（**図 3-Ⅱ-12**）．これら事象はエナメル芽細胞のエナメル形成過程でどのように動いているのか，1 本のエナメル小柱がどのようにエナメル質内を走行しているかについて明らかにすることによって解明されることが期待される．

2. Schreger 条

歯の無染色縦断研磨標本を弱拡大で透過光により観察（通常の観察方法）すると，エナメル象牙境からエナメル質表層に向かってほぼ垂直に配列する明暗の縞模様が観察される．この明暗を示す縞模様を **Schreger 条**（シュレーゲル）あるいは Hunter-Schreger 条（ハンター シュレーゲル） bands of Hunter-Schreger という（**図 3-Ⅱ-13**）．この明暗を示す縞模様の明るい部分では縦断されたエナメル小柱束により，暗い部分では横断されたエナメル小柱束により構成されている．このため前者を**縦断帯** parazone，後者を**横断帯** diazone とよぶ．ただし，落下光で観察するとこの明暗は逆転してみえる．Hematoxylin（ヘマトキシリン）染色縦断研磨標本では縦断帯は明るく（明帯），横断帯は濃く染色され暗くみえる（暗帯）が，これはタンパク質を多く含む領域である小柱鞘が濃く染色されるからである．

Schreger 条はエナメル象牙境からエナメル質の厚さの 2/3～3/4 程度まで観察され，エナメル質表面まで達することはない．

Schreger 条の機能はエナメル質に機械的な強度を与えることと考えられている．エナメル質は硬い組織であるが，その反面もろいという欠点を有している．この欠点を補うためにエナメル小柱束が異なる方向に走行してエナメル質に強度を与え，咀嚼や咬合時に加わる力からエナメル質を保護していると考えられている．

エナメル小柱の走行は複雑である．エナメル象牙境に対してほぼ垂直に走行し始め，エナメル質表面に対してもほぼ垂直に走行して終わるが，その間の部分では蛇行を繰り

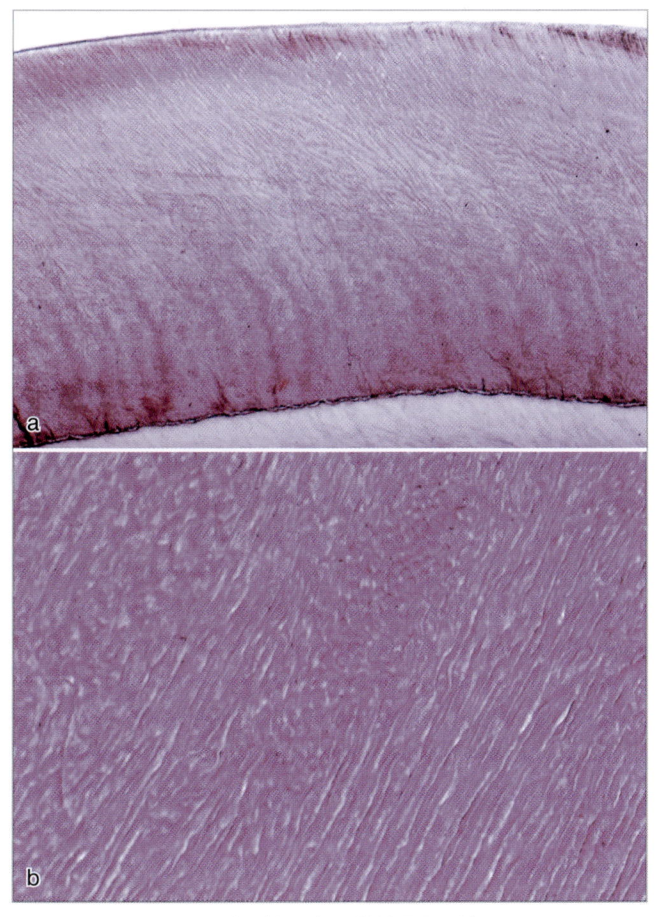

図3-Ⅱ-13　Schreger条（小臼歯の縦断研磨切片，ヘマトキシリン染色）
a：エナメル象牙境からエナメル質表層に向かって縞模様を示すSchreger条がみえるが，この紋様はエナメル質表層ではみられない．エナメル質内を斜走するRetzius条もみえる．
b：Schreger条の拡大像．エナメル小柱が横断された部分を暗帯，縦断された部分を明帯という．
（新潟大学前田健康先生のご厚意による）

返している．ヒトではエナメル小柱がおよそ50本程度の束をつくり，1つの束を単位として蛇行して走行している．エナメル小柱の走行についてHanaizumiら（1996）[1]のイヌを用いた三次元的な解析があるが，エナメル質全体の小柱の走行と分布を解明するには至っていない．またエナメル小柱が蛇行して走行していることは，エナメル小柱形成細胞，すなわちエナメル芽細胞も50個ほどを単位としてエナメル器内で動いていることになる．エナメル器という閉鎖された空間の中で細胞群がどのように動くのか，そのメカニズムはいまだ不明である．

3. エナメル叢とエナメル葉

歯の横断研磨標本を観察すると，エナメル象牙境からエナメル質表面までの内層1/10〜1/5までの範囲に叢状をした構造が観察される．この構造を**エナメル叢**enamel tuftsという（**図3-Ⅱ-14**）．この構造をつくるエナメル小柱群はエナメル質形成における成熟期エナメル芽細胞のエナメルタンパク質の脱却が不完全であり，エナメルタンパク質を多量に含んでいると考えられている．そのためカルボール-フクシン染色などの染色標本ではこの構造は染色性の高い構造として観察される．後述のエナメル葉とは異なり，エナメル叢がエナメル質表層まで達することはない．エナメル叢を立体的にみると，石灰化不良なエナメル小柱が子午線方向に板状をなしてらせん状に配列しているので，研磨標本の厚みでは叢状に観察されるのである．

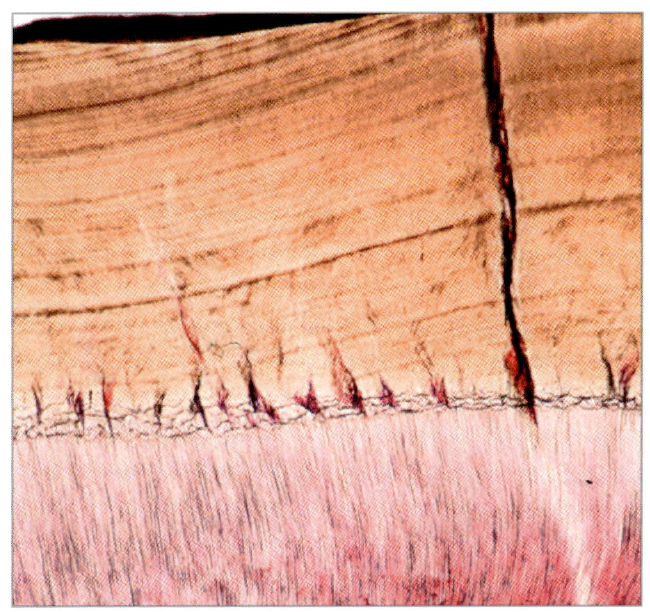

図3-Ⅱ-14　エナメル叢とエナメル葉（小臼歯の横断研磨切片，カルボール-フクシン染色）
エナメル叢はエナメル象牙境から炎状にみえる構造であり，エナメル葉はエナメル質表層まで達する．
（新潟大学前田健康先生のご厚意による）

一方，歯の横断研磨標本ではエナメル象牙境からエナメル質表面までに達する亀裂状の構造も観察される．この構造を**エナメル葉**enamel lamellaeといい（**図3-Ⅱ-14**），エナメル質の萌出前あるいは萌出後に生じたエナメル質の亀裂に有機質が入り込んだものと考えられている．エナメル叢とは異なり，エナメル葉はエナメル小柱を含まない構造である．

エナメル叢とエナメル葉が縦断研磨標本よりも横断研磨標本で観察されやすいのは，この2つの構造がともに子午線方向に生じる構造のためである．

Amizukaら（1992）[2]はエナメル叢の構造について石灰化不良の小柱群の小柱鞘にエナメリンが存在すると報告している．ジグザグ状の無数のエナメル叢が歯冠の縦軸方向に走行しているという（**図3-Ⅱ-15**）．

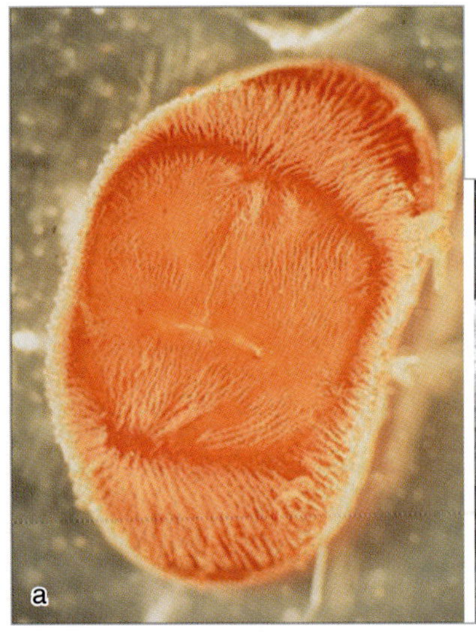

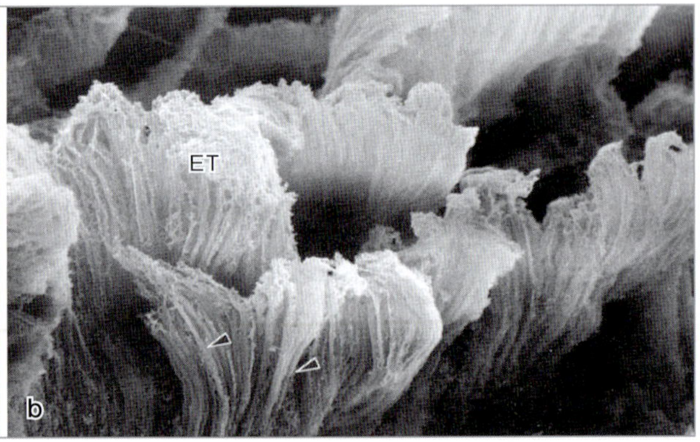

図 3-Ⅱ-15　エナメル叢
a：実体顕微像．象牙質がタンニンに染まってオレンジ色にみえる．エナメル叢は象牙質の上で蛇行しながら長軸方向に走行する多数の板状構造としてみられる．
b：走査型電子顕微鏡像．エナメル叢（ET）は線状の有機質に富むエナメル小柱鞘（矢尻）が集まってできていることがわかる．
（北海道大学大学院網塚憲生先生のご厚意による．参考文献：Amizuka N et al.：Ultrastructural and immunocytochemical studies of enamel tufts in human permanent teeth. *Arch Histol Cytol*, 55：179〜190, 1992.）

図 3-Ⅱ-16　エナメル紡錘と単純突起（縦断研磨標本）
エナメル象牙境から先端が棍棒状に膨らんだエナメル紡錘（黒矢尻）が観察される．この構造は象牙細管と連続している．また先端が糸状をしたものは単純突起（白矢尻）とよばれる．
E：エナメル質，D：象牙質

4. エナメル紡錘と単純突起

切縁や咬頭頂直下のエナメル質最深層にはエナメル象牙境からエナメル質中に伸びる棍棒状の構造が多数観察される．これを**エナメル紡錘** enamel spindle とよぶ(**図 3-Ⅱ-16**)．歯の形成時，エナメル器の歯乳頭に面した部分に配列する内エナメル上皮間に歯乳頭細胞から分化した象牙芽細胞の細胞突起が入り込み，それがエナメル質形成によってエナメル質中に取り残され，埋め込まれてしまうことにより生じる構造である．エナメル紡錘の長さは平均 50 μm，太さは 4〜7 μm である．エナメル紡錘はエナメル小柱とは角度をなして傾斜しており，また象牙細管と連続して観察されるのが特徴である．なお棍棒状の形態をせず糸状に細いものも観察されることがあり，このような場合は単純突起と分けてよぶことがある．

エナメル紡錘はその形成に象牙芽細胞が関与していることや象牙細管と連続した構造であることから，感覚受容に関連するとの考えがある．

5. 歯小皮

歯の脱灰標本をみるとエナメル質は溶解しているが，存在していたと考えられるエナメル質の表面に相当する部位に薄膜状の構造が観察される．この構造は**歯小皮** dental cuticle（エナメル小皮 enamel cuticle，Nasmyth（ナスミス）膜 Nasmyth membrane）とよばれる（**図 3-Ⅱ-17**)．歯小皮は付着歯肉下では付着上皮とエナメル質あるいは歯頸部のセメント質の間に存在し，歯肉溝から溶解前のエナメル質表面を沿うように切縁あるいは咬合面側に向かって観察される．しかし切縁や咬合面にはほとんど認められることはなく，一般に歯頸部から歯冠の最大豊隆部付近にかけて存在している．また歯小皮は歯頸部付近で厚いことが多い．

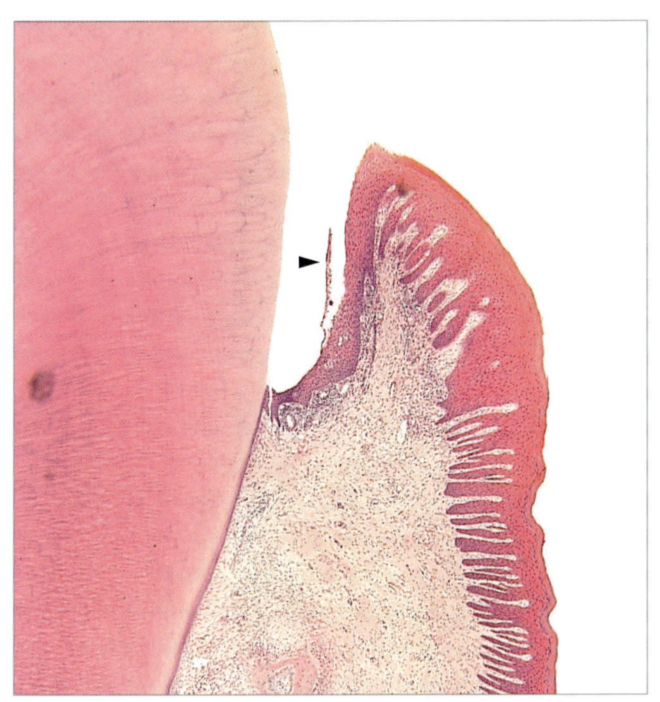

図 3-Ⅱ-17　歯小皮
脱灰前に存在したエナメル質の表面に H-E 染色で染色されるひも状の構造が観察される（矢尻）．この構造の基部を境に上の部分が歯肉溝上皮，下の部分が付着上皮（接合上皮）である．

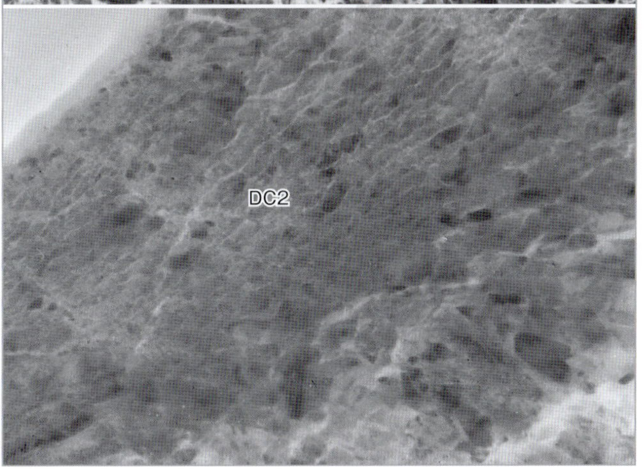

図 3-Ⅱ-18　機能歯表面にみられる歯小皮
機能歯の歯冠部に認められる歯小皮第一膜（DC 1）と第二膜（DC 2）の結晶を透過型電子顕微鏡で観察した像．
（山下靖雄：口腔組織・発生学．医歯薬出版，東京，83.）

歯小皮は酸に対する抵抗性と存在部位の違いにより 2 層に区分される．内層（歯小皮第一膜）はエナメル芽細胞により形成された約 1 μm の無小柱エナメル質からなる部分で，前述のエナメル質表層の無小柱エナメル質の一部となっている．この部分は通常のエナメル質と比較すると酸に対する抵抗性がわずかに高い．これに対して外層（歯小皮第二膜）は内層と比較して酸抵抗性が高く，有機質を主成分とした構造であり，退縮エナメル上皮が角化したものと考えられている．しかし外層は通常のエナメル質や内層の無小柱エナメル質とは異なる，微細で不規則な形をした結晶を含んでいる（**図 3-Ⅱ-18**）．外層は 1〜数 μm の被膜状の構造物であり，通常脱灰標本で観察される歯小皮はこの外層の部分に相当する．

付着上皮に覆われている部分の歯小皮外層の成分について，山下ら[3, 4]は免疫組織化学的検索や電子顕微鏡観察により，付着上皮の基底板に接している上皮細胞の細胞膜と上皮付着に関与している構造（ヘミデスモゾームと基底板）に由来する可能性が高いことを報告している．

歯冠表面を被覆する歯小皮外膜は機械的に剥離しやすい．しかし経時的に再生することが報告されている．しかし内膜はエナメル質形成時にエナメル芽細胞により形成される構造なので，エナメル質の形成後にエナメル芽細胞は退縮エナメル上皮となり萌出時に口腔粘膜上皮と癒合して消失することから，いったん剥離すると再生されることはない．

6. 歯頸部エナメル質と歯頸線

歯頸部のエナメル質では横断像が正常な形態とは異なるエナメル小柱が観察されるほか，エナメル象牙境からエナメル質表面までが無小柱エナメル質で構成されているものも観察される．歯頸部のエナメル質を形成するエナメル芽細胞はエナメル質形成の最終段階でエナメル芽細胞に分化する細胞であることから，エナメル小柱形成にかかわる Tomes 突起の形態に変化が生じることが原因と考えられるが，このような変化が生じる原因については不明である．

歯冠表面をエナメル質が，歯根表面をセメント質が覆うことから，歯頸部ではエナメル質とセメント質が直接接触しているように思える．しかし実際にはセメント質の一部がエナメル質を覆っているものがいちばん多く（60%，☞ p. 92 **図 5-Ⅱ-11b** 参照），次いでエナメル質

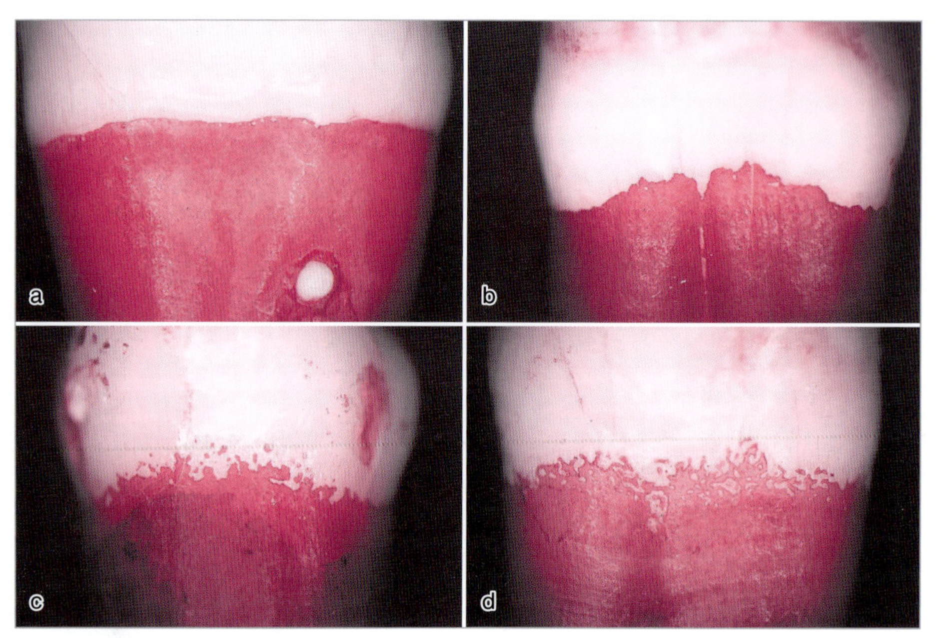

図 3-Ⅱ-19　さまざまな歯頸線
歯を水酸化ナトリウム溶液で処理し歯根膜を除去した後，カルボール-フクシンで有機質を染色し拡大鏡で観察した標本．歯頸線が複雑な形態を呈することに注意．
a：⌊8 近心面．b：⌊4 近心面．c：⌊C 近心面．d：⌊5 近心面．
（土門卓文：口腔組織・発生学．医歯薬出版，東京，2006，85．）

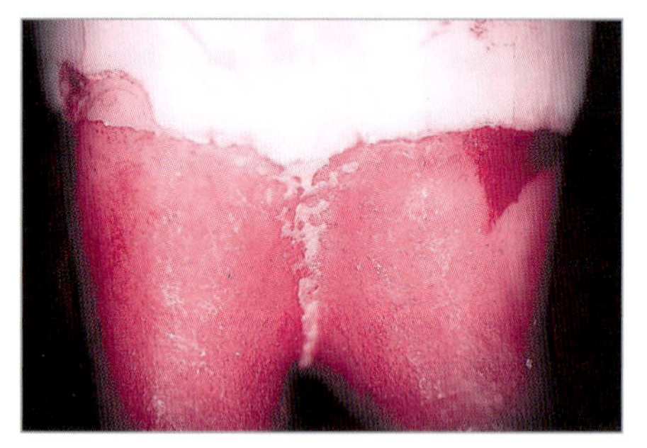

図 3-Ⅱ-20　エナメル突起
根未完成下顎第三大臼歯を頬側からみた標本．歯頸線に連続するエナメル突起の外形は複雑である．根分岐部中央まで飛び石状に連続するエナメル質小塊に注意．カルボール-フクシン染色．
（北海道大学歯学部実習標本．土門卓文：口腔組織・発生学．医歯薬出版，東京，2006，86．）

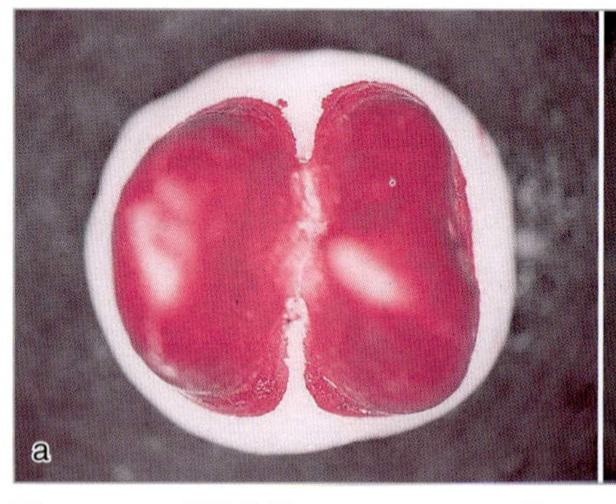

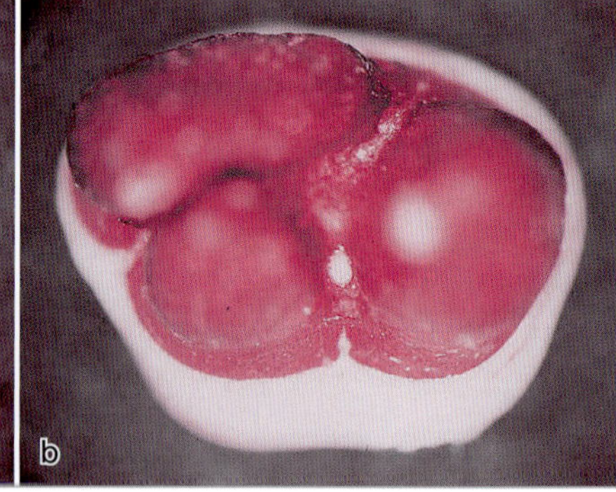

図 3-Ⅱ-21　根分岐部におけるエナメル質
a：頬側面と舌側面からエナメル突起が根分岐部へ進入している．下顎第三大臼歯を根尖からみた標本．
b：根分岐部に点在するエナメル質の小塊．上顎第三大臼歯遠心面を根尖方向からみた標本．
（土門卓文：口腔組織・発生学．医歯薬出版，東京，2006，86．）

とセメント質が接触している状態である（30%，☞ p. 92 **図 5-Ⅱ-11a** 参照）．さらにエナメル質とセメント質が接触せず，象牙質が露出している場合（10%，☞ p. 92 **図 5-Ⅱ-11c** 参照）も観察される．

歯頸部でエナメル質とセメント質はこのような状態で存在しているが，エナメル質とセメント質が接触している場合でも，接触している状態は単純な直線状ではない．カルボール-フクシンで染色した歯の歯頸部を観察すると，滑沢な曲線を示すもの，鋸歯状を示すもの，波濤状を示すものなど，さまざまな形態を呈しているのがわかる（**図 3-Ⅱ-19**）．

このような複雑な歯頸線の形態は，機械的な刺激や病的な変化のように後天的に形づくられたのではなく，歯の発生の段階で先天的につくられた形状である．

7．歯根分岐部のエナメル質の形態

多根歯の根分岐部ではエナメル質がV字形を呈して歯根の間に伸び出しているものが観察される（**図 3-Ⅱ-20**）．このV字状に歯根の間に伸び出したエナメル質を**エナメル突起** enamel projection という．エナメル突起は頬側面で発達がよく，中には根分岐部深部にまで伸長しているものもみられる（**図 3-Ⅱ-21a**）．エナメル突

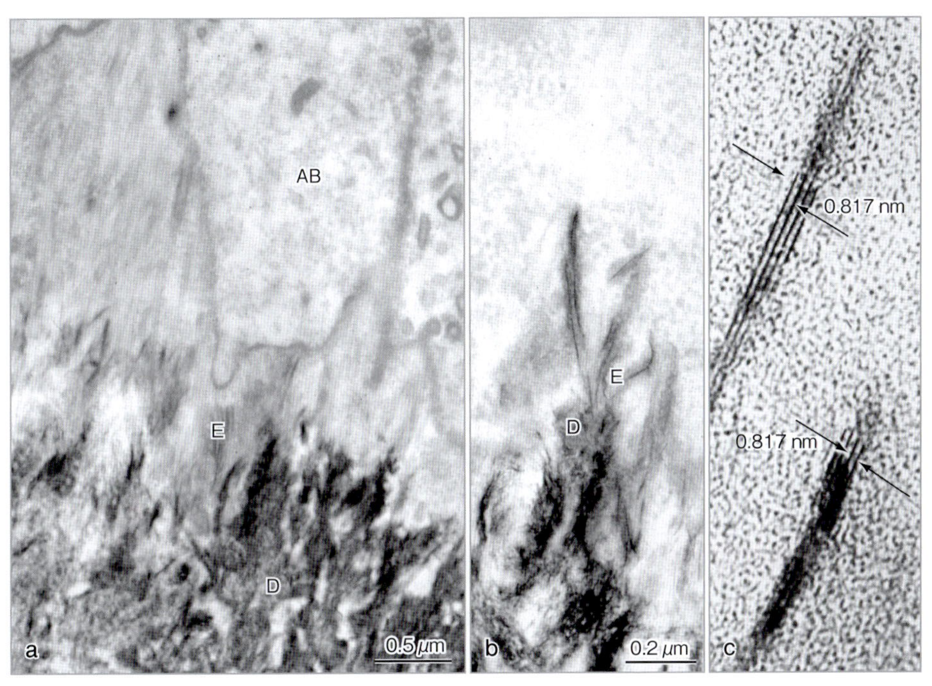

図 3-Ⅱ-22　エナメル質結晶の出現
a：エナメル質の結晶（E）が1層形成された薄い外套象牙質の結晶（D）の付近に出現している．
AB：分化期エナメル芽細胞
b：エナメル質の結晶（E）が外套象牙質の結晶（D）に連続して出現している．
c：最初に出現したエナメル質のハイドロキシアパタイト結晶．
（柳澤孝彰：口腔組織・発生学．医歯薬出版，東京，2006，87.）

起は滑沢な曲線状に伸び出すものばかりでなく，歯頸線と同様に鋸歯状を示すものや波濤状を示すものなど，さまざまな形態を呈するものがある（**図 3-Ⅱ-21**）．

8. エナメル質結晶の構造

エナメル質に限らず象牙質やセメント質といった歯の硬組織や骨の無機質は結晶化したリン酸カルシウムであり，そのほとんどはハイドロキシアパタイトである．

エナメル質における最初の結晶は，すでに形成されている外套象牙質の結晶と連続して，あるいは少し離れたところに出現する（**図 3-Ⅱ-22**）．その際，最初からハイドロキシアパタイトとして出現する場合と，まず前駆結晶が出現し，それがハイドロキシアパタイトに転換していく場合がある．最初に形成されたハイドロキシアパタイト結晶は薄いリボン状を呈し，結晶の横断面は針状であるが，その後厚さを増し，扁平な六角形を呈するようになる．また太さの成長とともに長さの成長も起こるため，最終的にハイドロキシアパタイトは扁平六角柱状となる（**図 3-Ⅱ-23**）．結晶の中央部にはハイドロキシアパタイト結晶の特徴である**中心線条** central dark line とよばれる黒色の線状が観察される．またハイドロキシアパタイト結晶の横断面を観察すると，Ca，PO_4，OH の各イオンが整然と規則正しく繰り返されて配列する構造となっている（**図 3-Ⅱ-24**）．

歯は歯根の 1/2〜2/3 が形成されると萌出を開始するが，萌出間もない時期のエナメル質ではハイドロキシアパタイト結晶は密に存在するのではなく，結晶間に間隙が存在する．しかし口腔内で唾液や飲料水中のフッ素をカルシウムやフッ素をはじめとしたイオンが浸透することによりハイドロキシアパタイト結晶の成長が起こり，広かった結晶間の間隙が狭くなり，結晶が密接あるいは融合する．さらに小柱鞘にも新たな結晶が出現するようになる．このような萌出後にみられるエナメル質の変化を**萌出後成熟** post-eruptive maturation という．萌出後成熟により，アパタイト結晶の横断像は扁平六角形から不定形へと変化する（**図 3-Ⅱ-25**）．

ハイドロキシアパタイト結晶では Ca^{2+} が Na^{+} や Mg^{2+} などに，PO_4^{3-} が CO_3^{2-} などに，OH^{-} が F^{-} や Cl^{-} などに置換されやすい．このうち F^{-} がエナメル質に取り込まれるとフルオロアパタイト $Ca_5(PO_4)_3F$ となるが，フルオロアパタイトはハイドロキシアパタイトと比較して耐酸性が高いため，フッ化物の応用はエナメル質の齲蝕に対する抵抗性を増し，齲蝕予防につながる．一方，Mg^{2+} や CO_3^{2-} の置換が起こると耐酸性は低くなる．

エナメル質齲蝕による結晶の溶解は辺縁部からと中心部

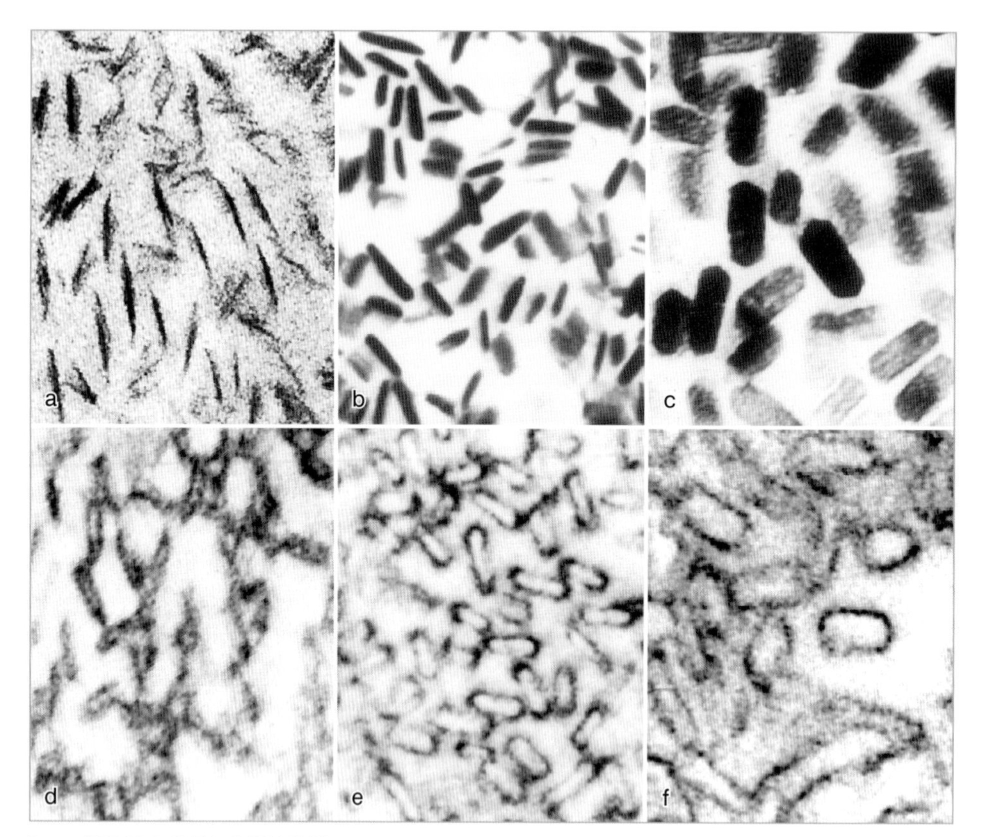

図 3-Ⅱ-23　エナメル質結晶の成長と有機性基質

エナメル質の結晶は，その横断像（結晶 C 軸面*）で針状（a）から楕円形（b）を経て，扁平六角形（c）へと成長していく．d〜f は，それぞれ a〜c の結晶に対応する時期におけるエナメル質の有機性基質を示したもので，結晶成長過程の全期間を通じて，常に結晶を取り囲んで存在している．なお, d〜f は非脱灰超薄切片に脱灰・染色を施したもので, 中央の空虚な部分が結晶の存在部位に一致する．（柳澤孝彰：口腔組織・発生学．医歯薬出版，東京，2006，88.）

*結晶構造を示すものとして，結晶の外形，異方性，原子配列などを表す結晶軸（座標軸）があり，ベクトル A，B，C で表す．ハイドロキシアパタイトは六角柱状の六方晶を示し，その垂直な結晶軸を C 軸とよび, 六角形の端面（上面や底面）の結晶面を C 軸面（C 面）という．

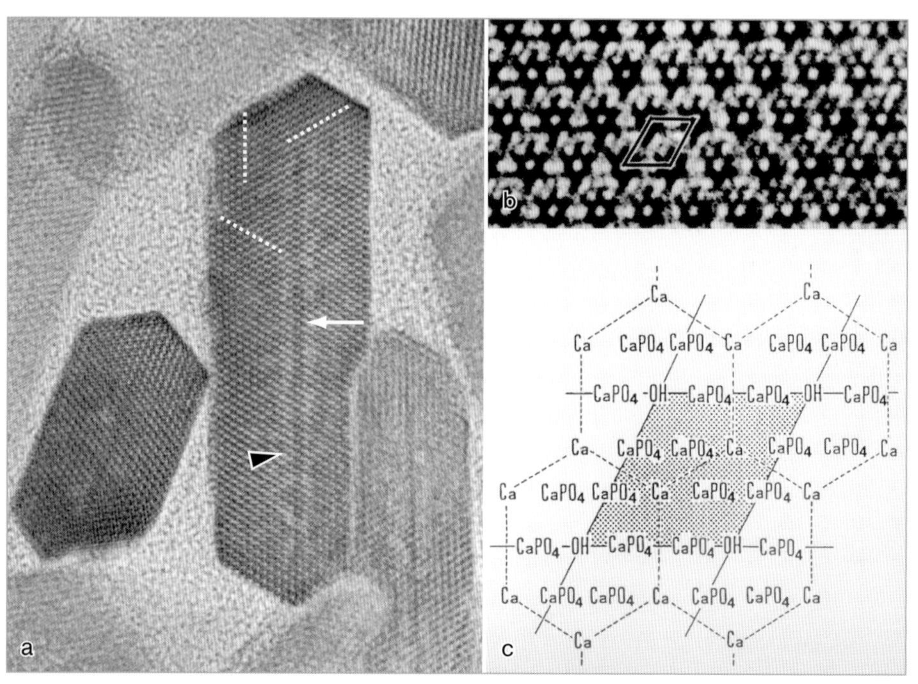

図 3-Ⅱ-24　エナメル質結晶の構造

a：扁平六角柱状となった結晶を C 軸面からみた像で，破線は異なる方向に配列する結晶格子を示す．矢印：中心線条　矢尻：白斑
b：強拡大像で，各スポットはイオンの位置を示している．菱形の枠は結晶の C 軸面における単位胞を示す．
c：実線で囲まれた部分が単位胞で，イオン名を示したもの．
（柳澤孝彰：口腔組織・発生学．医歯薬出版，東京，2006，89.）

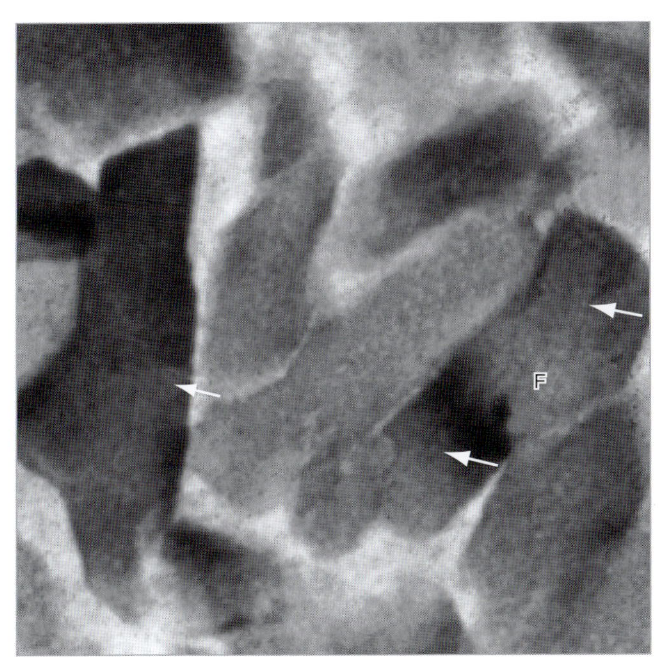

図 3-Ⅱ-25　萌出後のエナメル質結晶の成熟
萌出後十数年を経過したエナメル質の結晶をC軸面からみた像．結晶が密接し，間隙がほとんど認められない．結晶は不規則な外形を示しているが，中心線条（矢印）が認められるので，これらがエナメル芽細胞の関与のもとに形成された結晶であることを示している．
F：融合した結晶
（柳澤孝彰：口腔組織・発生学．医歯薬出版，東京，2006，90.）

から起こることが知られている．特に中央部からの溶解は中心穿孔 central perforation とよばれ，エナメル質齲蝕での結晶溶解の特徴となっている．中央穿孔の初発部位として当初中心線条が考えられていたが，研究により中心線条は結晶溶解に抵抗性を示すことが報告された．中心線条付近には白斑とよばれる結晶の構造的な欠損を伴う構造がしばしば観察され，この構造が結晶溶解の初発部位と考えられている[5]．

（山本　仁）

参考図書，参考文献

Ⅰ 概説

参考図書

1. 藤田恒太郎：エナメル質，歯の組織学．医歯薬出版，東京，1957，79～132.
2. Suga S ed.：Mechanisms of Tooth Enamel Formation. Quintessence, Tokyo, Berlin, Chicago, Rio de Janeiro，1983.
3. Bhaskar SN：Enamel. In：Orban's Oral Histology and Embryology. 10 th ed. Mosby, St. Louis, Tronto, Princeton，1986，45～100.
4. 須賀昭一編：エナメル質・その形成，構造，組成と進化．クインテッセンス出版，東京，1987.
5. Ten Cate AR：Enamel Structure. In：Oral Histology, Developments, Structure and Function. 5 th ed. Mosby，St. Louis，1998，218～235.
6. 大塚吉兵衛，安孫子宣光：医歯薬系学生のためのビジュアル生化学・分子生物学．改訂第3版．日本医事新報社，東京，2008，193～204.
7. 安部仁晴ほか：組織学・口腔組織学．第5版．わかば出版，東京，2024，265～266.

Ⅱ エナメル質の構造

参考図書

1. Gottlieb B：Der Epithelansatz am Zahn. *Dtsh Mschr Zahnheil*，**39**：142～147，1921.
2. Gottlieb B：Atiologie und Prophylase der Zahnkaries. *Z Stomatol*，**19**：129～152，1921b.
3. Orban B：Schmerz-und Zahnoberhautchen. Schmelzlamellen und Buschel. *Z Stomatol*，**24**：136～167，1926.
4. 藤田恒太郎，中山愛一：歯頸部二於ケル琺瑯質境界線ノ形態學的研究．口病誌，**18**：355～363，1940.
5. 桐野忠大ほか：ヒトエナメル質の構造に関する走査電子顕微鏡的研究．Ⅰ．エナメル小柱の形態ならびに小柱鞘と小柱間質について．口病誌，**39**：247～296，1972.
6. Daculci G and Kerebel B：High-resolution electron microscope study of human enamel crystallites: Sizes, shape, and growth. *J Ultrastr Res*，**65**：163～172，1978.
7. Wakita M et al.：Three-dimensional structure of Tome's processes and enamel prism formation in the kitten. *Acta histol jap*，**44**：285～297，1981.
8. Ichijo T and Yamashita Y：Observations on the ultrastructural features of human enamel crystals. In: Mechanisms of Tooth Enamel Formation (Suga S ed.). Quintessence，Tokyo，1982，205～218.
9. Wakita M and Shioi T：Three-dimensional correlation between enamel crystallite arrangement and Tomes' processes: Computerized representation. In: Tooth Enamel Ⅳ (Fearnhead RW and Suga S eds.). Elsevier Science Publishers, Amsterdam, New York, Oxford，478～482，1984.
10. Ichijo T and Yamashita Y：Structure of the enamel crystals. In: Tooth Enamel, its formation, structure, composition and evolution (Suga S ed.). Quintessence，Tokyo，1987，14～35.
11. 山本　仁：琺象境界部象牙質表面の微細構造に関する電顕的研究．歯科学報，**92**：1019～1040，1992.
12. Shibahara H et al.：High resolution electron microscopic observation of hydroxyapatite in tooth crystals. *J Electron Microscopy*，**43**：89～94，1994.
13. Tohda H et al.：High-resolution electron microscopical observations of initial enamel crystals. *J Electron Microscopy*，**46**：97～101，1997.
14. 柳澤孝彰ほか：歯の発生・組織・病変．医歯薬出版，東京，2013，47～68.
15. 安部仁晴ほか：組織学・口腔組織学．第5版．わかば出版，東京，2024，266～275.

参考文献

1) Hanaizumi Y et al.：Three-dimensional arrangement of enamel prisms and their relation to the formation of Hunter-Schreger bands in dog tooth. *Cell Tiss Res*，**286**：103～114，1996.
2) Amizuka N et al.：Ultrastructural and immunocytochemical studies of enamel tufts in human permanent teeth. *Arch Histol Cytol*，**55**：179～190，1992.
3) 山下靖雄ほか：歯小皮に関する観察，1．ヒトの機能歯における歯小皮の基本構造について．口病誌，**18**：152～167，1981.
4) 山下靖雄，一条　尚：歯小皮の構造について．口病誌，**51**：588～603，1984.
5) Yanagisawa T and Miake Y：High-resolution electron microscopy of enamel-crystal demineralization and remineralization in carious lesions. *J Electron Microscopy*，**52**：605～613，2003.

第4章 象牙質・歯髄複合体

chapter 4

I 概 説

象牙質 dentin は歯の主体をなす硬組織で，歯冠部はエナメル質 enamel に，歯根部はセメント質 cementum に覆われている．象牙質の内側には**歯髄腔** pulp cavity があり，その中に**歯髄** dental pulp が入っている．象牙質は硬組織，歯髄は軟組織であるが，①組織学的に象牙質を形成した**象牙芽細胞** odontoblast が歯髄の最表層に存在し，その細胞突起が象牙質を貫いていること，②発生学的に象牙質と歯髄はともに歯乳頭 dental papilla に由来すること，さらに機能のうえから，③象牙質と歯髄が一体となって感覚受容が行われること，④象牙質の栄養を歯髄が担っていること，などの点から象牙質と歯髄は 1 つの複合体としてとらえられている．

象牙質の無機質はリン酸カルシウムの結晶からなるハイドロキシアパタイトで，重量比で象牙質の約 70％を占める．有機質は約 20％であり，その大部分は I 型コラーゲンであるが，象牙質シアロタンパク質 dentin sialoprotein（DSP）や象牙質リンタンパク質 dentin phosphoprotein（DPP）という象牙質に特有なタンパク質も含まれる．硬度は，エナメル質より低いが，セメント質や骨より高い．象牙質は弾性が高いことが特徴の 1 つで，硬いがもろいエナメル質のクッションとして働き，エナメル質を破折から守っている．

象牙質には，象牙質表層付近から歯髄まで続く**象牙細管** dentinal tubule が無数に空いている．この象牙細管には歯髄表層に存在する象牙芽細胞の突起や組織液が入っており，象牙質の感覚と栄養などに関与している．象牙細管は**管周象牙質** peritubular dentin で囲まれている．管周象牙質は，象牙細管の間を埋める**管間象牙質** intertubular dentin と比べ石灰化度が高い．

象牙質は，形成された時期および原因により 3 種類に分類される．**原生（第一，一次）象牙質** primary dentin は，象牙質形成の開始から歯根が完成するまでの間につくられた部分をいう．この原生象牙質は基質小胞 matrix vesicle が石灰化に関与した**外套象牙質** mantle dentin と，コラーゲン性石灰化により形成された**髄周象牙質** circumpupal dentin に分けられる．歯根が完成した後に形成される象牙質を**第二（二次）象牙質** secondary dentin という．また，齲蝕，咬耗，摩耗などの外部刺激が象牙質に加わると，**第三（三次）象牙質** tertiary dentin あるいは**修復象牙質** reparative dentin とよばれる象牙質が反応性に形成される（図 4-I-1）．

象牙質の形成過程において，象牙質の形成不全や象牙細管の走行変化などが生じると，それらが線状の構造として象牙質に記録される．この線状構造を**成長線** incremental line とよび，象牙質では **Ebner（エブネル）線** incremental line of von Ebner（von Ebner（フォン エブネル）の成長線，象牙層板），**Andresen（アンドレーゼン）線** Andresen's line，**Owen（オウエン）の外形線** contour line of Owen，**新産線** neonatal line があげられる．

その他にも象牙質には，**象牙前質** predentin，**球間区** interglobular region，**球間網** interglobular network，**Tomes（トームス）の顆粒層** granular layer of Tomes という生理的状態で認められる構造と，**死帯** dead tract や**透明象牙質** transparent dentin などの加齢変化として現れる構造がある．

歯髄は周囲を象牙質に囲まれた疎性結合組織で，コ

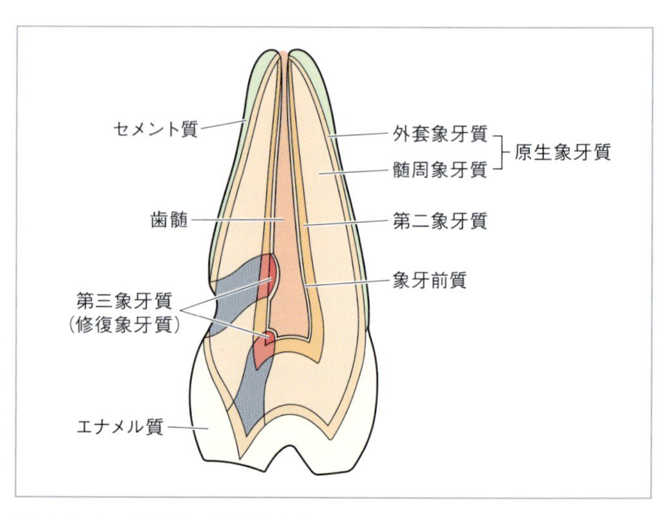

図 4-I-1 象牙質・歯髄複合体

ラーゲン線維，プロテオグリカン，組織液などの細胞外マトリックス extracellular matrix と，細胞成分からなる．象牙芽細胞は歯髄の最表層に位置し，象牙前質へ有機質を分泌することにより象牙質を形成する．**線維芽細胞** fibroblast は歯髄で最も多くみられる細胞で，細胞外マトリックスの産生と維持にあたる．また，歯髄には**未分化間葉系細胞** undifferentiated mesenchymal cell も存在し，象牙芽細胞や歯髄線維芽細胞の供給源となり，象牙質再生ならびに歯髄修復に関与する．さらに，マクロファージ macrophage，樹状細胞 dendritic cell，リンパ球 lymphocyte などの免疫担当細胞 immunocompetent cell もみられ，これらの細胞成分が象牙質・歯髄複合体の恒常性維持と修復，再生に働く．

II 象牙質の構造

象牙質は歯冠部分でエナメル質，歯根部分でセメント質に覆われている硬組織である．また，その内部には**歯髄**という結合組織が入っている．これら組織の中で象牙質は歯の体積の大部分を占めており，歯冠から歯根にかけて歯の外形とほぼ一致した形をしている．

歯とよばれる構造において，エナメル質，セメント質あるいは歯髄を欠くものはあるが，象牙質を欠く歯はない．このように，象牙質を有する構造を歯と定義し，これを**真歯** true tooth とよんでいる．

1．象牙質の基質

象牙質の色調はエナメル質より暗く，セメント質より明るい．一般的には淡黄色とされるが，橙色からクリーム色までその濃度はさまざまである．エナメル質は半透明であるため，象牙質の色調は肉眼的に透けてみえる．象牙質はその内側に血管を含む歯髄があることから，加齢および歯髄病変などが生じると，歯の色調が全体的に濃くみえることがある．

象牙質は重量比で約70％の無機質，約20％の有機質，約10％の水から構成される．無機質の大部分はリン酸カルシウムの結晶からなるハイドロキシアパタイトであるが，結晶の大きさはエナメル質にみられるハイドロキシアパタイトのほぼ1/10である．硬さはMohs（モース）硬度 Mohs hardness で5〜6，Vickers（ビッカース）硬さ vickers hardness で約70であり，生体組織中でエナメル質の次に硬い．一方，弾性率は12.6 GPa（ギガパルス）と高く，弾性の低いエナメル質を破折から防いでいる．

象牙質は鋼鉄より軟らかいため，スチールバーで削ることができる．エックス線透過性は，象牙質はエナメル質に比べて高く，フィルム上で石灰化度の差が明瞭に表される．齲蝕などにより歯髄に炎症が及ぶと，多くの場合，抜髄処置が行われる．そのため，象牙質は歯髄から栄養供給を受けることができなくなり，弾性が低下する．

有機質は歯髄表層に配列する象牙芽細胞により産生，分泌され，その約90％がI型コラーゲンである．コラーゲン以外の有機質のほとんどは，非コラーゲン性タンパク質とプロテオグリカンからなる．これらの大部分は骨およびセメント質に含まれる有機質と類似しているが，象牙質は象牙質シアロタンパク質と象牙質リンタンパク質を含むという点が異なる．

象牙質シアロタンパク質と象牙質リンタンパク質は，ともに象牙質シアロリンタンパク質 dentin sialophosphoprotein（DSPP）として分泌された後，プロセシングを受けてそれぞれのタンパク質として象牙質に分布する．この*DSPP*遺伝子に変異あるいは欠失が生じると，象牙質形成が減弱することが知られている．したがって，*DSPP*遺伝子は象牙質形成不全症の原因遺伝子であると考えられている．また，象牙芽細胞や骨細胞などで発現する象牙質マトリックスタンパク質1 dentin matrix protein 1（DMP1）の遺伝子欠損マウスにおいても象牙質の減形成が認められるが，*DSPP*遺伝子欠損マウスと比べて影響は少ないことが報告されている．

2．象牙細管

象牙質には，象牙質の表層付近から歯髄までを貫く**象牙細管**が密に存在する．この細管は象牙芽細胞が象牙質を形成した際に，象牙芽細胞の突起（**象牙線維** dentinal fiber あるいは **Tomes（トームス）線維** Tomes' fiber ともいう）を象牙細管内に残しながら歯髄側に後退したことに由来する．したがって，象牙細管の走行は象牙芽細胞が後退した道筋と一致し，歯冠部ではS字状に（**図4-II-1**），歯根部ではほぼ直線的に伸びている．象牙細管の密度は，エナメル象牙境 dentinoenamel（dentin-enamel）junction 付近から歯髄へ近づくにつれて大きくなる．

象牙細管の太さは部位によって異なり，象牙質表層付近では直径1 μm，歯髄に近い部分では4 μmほどである．これは，象牙質表層付近の象牙細管内により多くの無機質が沈着し，管周象牙質（後述）が厚く形成されたためであ

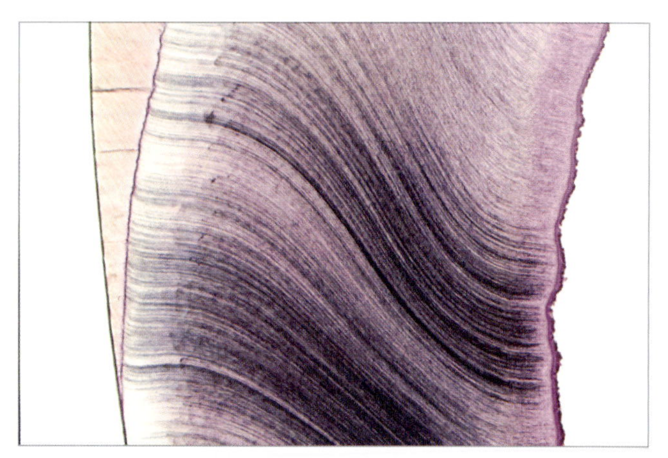

図 4-Ⅱ-1　歯冠における象牙細管の走行
象牙細管が象牙質表層から歯髄へ S 字状に伸びる．カルボール-フクシン染色．
（標本で学ぶ口腔の発生と組織．医歯薬出版，東京，2003，103．をカラー化）

図 4-Ⅱ-2　象牙細管の終枝と側枝
終枝へ向かう象牙細管から多数の側枝が伸びている．
（標本で学ぶ口腔の発生と組織．医歯薬出版，東京，2003，155．をカラー化）

ると考えられる．

象牙細管のほとんどはエナメル象牙境付近の外套象牙質（後述）まで伸びており，これを**終枝** terminal branch とよぶ（**図 4-Ⅱ-2**）．まれにエナメル象牙境を超えてエナメル質へ侵入する象牙細管も存在し，この部分を**エナメル紡錘** enamel spindle という．

歯髄から終枝へ向かう象牙細管は途中で細かく分岐しており，これを**側枝** lateral branch とよぶ．側枝は象牙細管に直角ではなく，象牙質の表層に向かって角度がついているが，その後歯髄側に垂れ下がるように曲線を描いていることが多い（**図 4-Ⅱ-2**）．側枝の先端は他の象牙細管の側枝と交通している．したがって象牙質への侵害刺激に対して，象牙芽細胞は協調して防御反応を行っている可能性がある．

象牙細管内は，象牙芽細胞の突起の他に組織液で満たされている．このことから，象牙細管は歯髄の血管を介して入ってきた栄養が，象牙質全体にいきわたる通路になっていると考えられる．しかし齲蝕が象牙質へ達すると，この象牙細管が齲蝕の防御に対する弱点となり，齲蝕の進行経路となってしまう．

3. 管周象牙質と管間象牙質

象牙細管を基準として，象牙質は**管周象牙質**と**管間象牙質**に分類される．管周象牙質は象牙細管を筒状に取り巻く位置に存在する．これは，象牙細管の内側に添加的に形成された象牙質であることから，管内象牙質 intratublar dentin とよぶべきであるという主張がなされたことがあったが，定着していない．一方，管間象牙質は隣接する象牙細管の間に存在し，管周象牙質以外の象牙質をいう．

これらの象牙質を比較すると，管周象牙質は高度に石灰化しているという特徴がある．管周象牙質はほとんどコラーゲンを含まず，無機質の含有率が高いからである．したがって，脱灰切片を作製すると管周象牙質はほとんど消失し，観察することができない．また，研磨切片をエッチング剤などで軽く脱灰すると，管周象牙質の無機成分は管間象牙質と比べ溶解しやすいため，両者の境界が明瞭に認められるようになる（**図 4-Ⅱ-3**）．

象牙質形成過程においてはじめは管間象牙質が形成され，その後ゆっくりと管周象牙質が象牙細管内に形成される．したがって，象牙細管の太さは加齢に伴い細くなっていく．やがて，象牙細管が完全に石灰化すると，この部分の象牙質を透明象牙質（後述）という．

4. 象牙前質

象牙質の最深層には，未石灰化の象牙質である**象牙前質**が存在する（**図 4-Ⅱ-4**）．象牙前質は歯髄の象牙芽細胞層 odontoblast layer に接しており，ここに配列する象牙芽細胞が分泌した有機質から主として構成される．この象牙前質はやがて石灰化した象牙質になるため，象

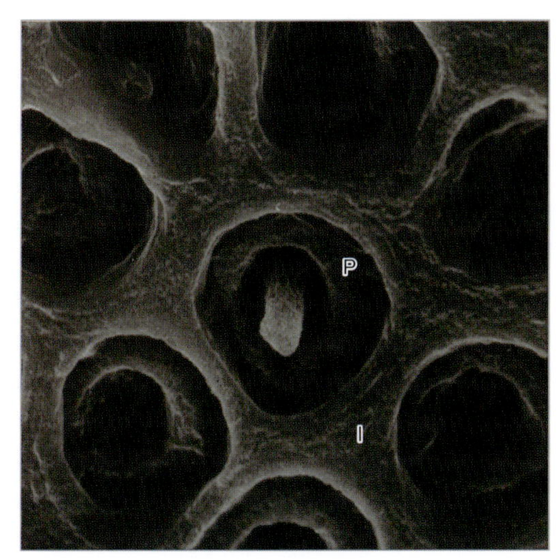

図 4-Ⅱ-3　管周象牙質と管間象牙質
象牙芽細胞の突起（Tomes 線維）が入る象牙細管の周囲に管周象牙質（P），その外側に管間象牙質（I）がみられる．
（新潟大学小林茂夫名誉教授のご厚意による）

牙前質と象牙質の境界は象牙質形成における石灰化前線 calcification front に相当する．このような未石灰化の層は骨とセメント質にもみられ，それぞれ類骨 osteoid および類セメント質 cementoid といわれる．

歯胚形成過程における歯冠部の象牙前質では，しばしば球状に石灰化した石灰化球 mineralized nodule とよばれる構造が石灰化前線から離れて認められる（**図 4-Ⅱ-4** 矢印）．この場合，石灰化前線は直線ではなく，石灰化球の輪郭を表す大小の円弧が連なっているようにみえる．このような石灰化球がみられる場所は，球状石灰化（後述）の様式で象牙質が石灰化していることを示しており，石灰化は速く進行している．また，歯根部の象牙前質においては，ほとんど石灰化球を認めることはないため板状石灰化（後述）の様式で石灰化しており，ゆっくりと石灰化していると考えられる．このように象牙前質を観察すると，その部位の石灰化様式を推察することができる．

象牙前質から石灰化した象牙質になる基質の量と，新たに象牙前質となる基質の量はほぼ一定に保たれているため，象牙前質の厚さは基本的には変わらない．完成歯においては，歯冠部で 20 μm，歯根部で 10 μm 程度である．しかし，歯胚形成過程あるいは第三象牙質形成（後述）などで象牙質形成がさかんなときには 30 μm 以上になるといわれている．一方，加齢により象牙質形成量が減少すると，象牙前質の厚さも減少する．

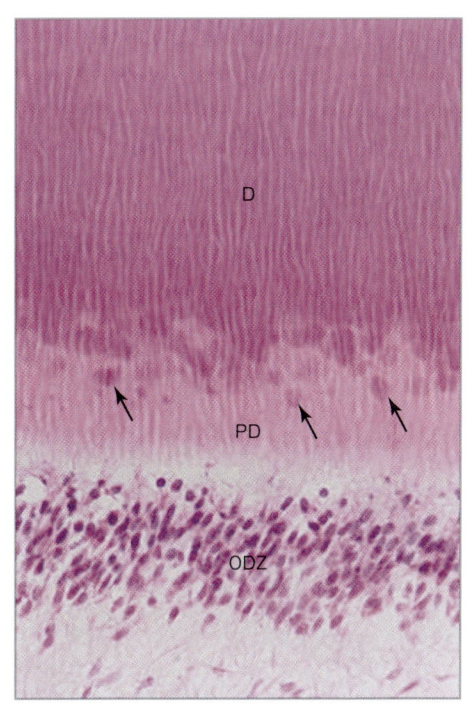

図 4-Ⅱ-4　象牙前質
象牙前質（PD）の中に石灰化球（矢印）が認められる．D：象牙質，ODZ：象牙芽細胞層
（新潟大学吉羽永子先生のご厚意による）

5. 象牙質の成長線

象牙質はエナメル質やセメント質に接する表面から，歯髄へ向かって形成される．この過程において，象牙質の形成不全や象牙細管の走行変化などが生じると，それらが線状の構造として象牙質に記録される．象牙質は骨のようにリモデリングされることがないため，一度生じた構造変化はその後も象牙質に残り続ける．この構造を成長線とよび，**Ebner 線**，**Andresen 線**，**Owen の外形線**，**新産線**の 4 種類があげられる．

1）Ebner 線

生体のサーカディアンリズム（概日リズム，日内変動）により，1 日ごとに形成される成長線を Ebner 線とよぶ．これは，基質線維の配列や象牙質の形成量，石灰化度の周期的な変化により生じると考えられている．象牙質の形成は，1 日に約 4 μm で進行する．そのため，Ebner 線は約 4 μm 間隔で象牙質の外表面から歯髄方向へ向かって，層板状に形成される．

2）Andresen 線

Ebner 線は約 5 日の間隔で強調され，脱灰切片でヘマトキシリンに濃染する線として観察される．これを Andresen 線とよび，約 20 μm の間隔で認められる．Andresen 線は，歯冠の中央部から髄室蓋の端にかけて

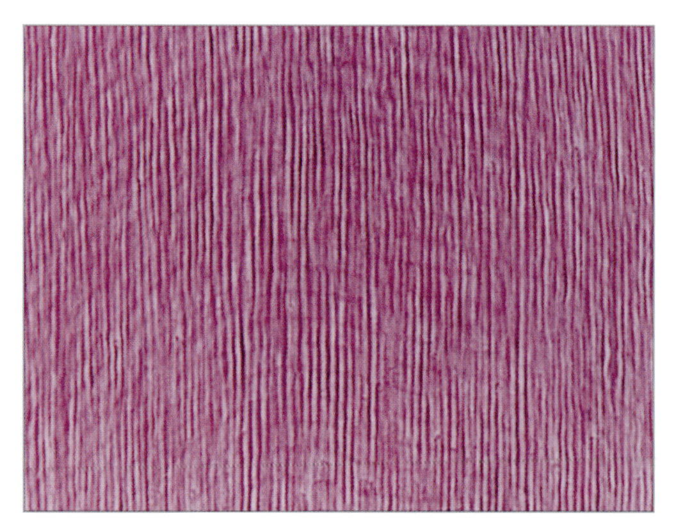

図 4-Ⅱ-5　Andresen 線
ヘマトキシリンに濃染する成長線が横方向に規則的な間隔で認められる．縦方向に伸びる線は象牙細管である．

よく現れる（**図 4-Ⅱ-5**）．一方で，研磨切片で明瞭にみることはほとんど困難である．

欧米の教科書では，Ebner 線と Andresen 線を区別せずに，どちらも Ebner 線と定義する場合がほとんどである．

3）Owen の外形線

Ebner 線と Andresen 線は周期的に形成される成長線である．しかし，Owen の外形線は間隔に規則性がない．そこで，Owen の外形線は成長線ではなく，低石灰化により認められる構造と考えられることもある．

この Owen の外形線が文献的に記されたのは古く，現在ではどのような構造を指しているかは不明確である．球間区（後述）が点線状に配列した構造であるという説は，この構造ができたときに球状石灰化で象牙質の石灰化が進行する環境にあったとすることから成長線に含まれると考えられている．また，不規則に形成される強調された成長線とする説もある．Andresen 線は規則的に認められるが，不規則かつさらに強調された成長線を指すというものである．こちらは，さまざまな原因で低石灰化の状態が生じることにより形成されたとする成長線である．

4）新産線

出生時の環境変化により著しい象牙質の形成不全が生じ，Ebner 線もしくは Andresen 線が非常に太い幅で認められたものである．したがって，出生時に象牙質の石灰化が生じている歯だけに認められるため，すべての乳歯と第一大臼歯だけに新産線がみられる．同様の理由

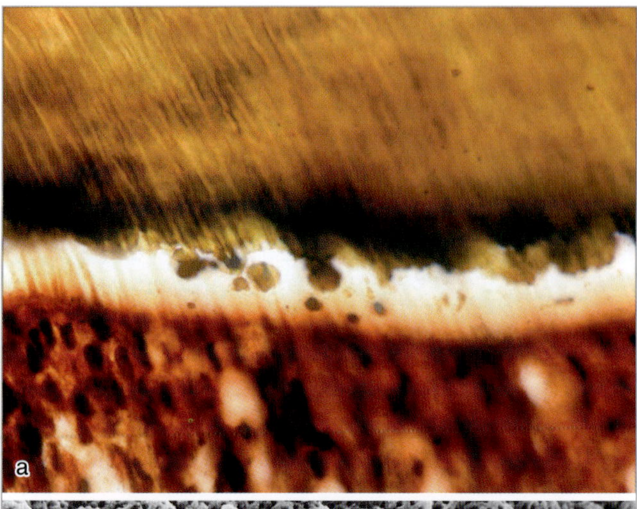

図 4-Ⅱ-6　球状石灰化
a：球状石灰化の石灰化前線を示す象牙前質．鍍銀染色．（新潟大学 前田健康先生のご厚意による）
b：象牙質の有機質成分を除去して歯髄から観察した走査型電子顕微鏡像．多数の石灰化球を認めることができる．（北海道大学大学院網塚憲生先生のご厚意による）

で，新産線はエナメル質においても認められる成長線である．

6．象牙質の石灰化様式

象牙質の石灰化は，象牙前質で生じる．この象牙前質には，大小さまざまな大きさをした**石灰化球**が認められる（**図 4-Ⅱ-6**）．石灰化球は，石灰化が進行していくときに象牙前質内に現れた石灰化の核に，次々とハイドロキシアパタイト結晶が沈着し，球状の石灰化塊となったものである．象牙質の石灰化は，基本的に石灰化球の成長により進行するが，石灰化球の大きさや形成速度により，**球状石灰化**，**板状石灰化**，**鐘状石灰化**という 3 種類の様式に分類される．

1）球状石灰化

球状石灰化とは，石灰化球を核として同心円状に石灰

化が進行する石灰化様式である．象牙前質内の離れた位置にいくつかの石灰化球が現れ，これらにハイドロキシアパタイト結晶の沈着が進むと，大きく成長した石灰化球はやがて他の石灰化球と癒合する．石灰化中心が石灰化前線から近いところにあると，ここで成長する石灰化球は十分に成長しないうちに進んできた石灰化領域に飲み込まれ成長が止まる．逆に石灰化中心が遠くにあれば石灰化球は大きく成長する．このような球状石灰化がみられるときは，石灰化前線が大小の球状構造の連続を示す円弧の輪郭であることが多い（図 4-Ⅱ-6）．球状石灰化は石灰化が速く進む歯冠部の象牙質，特にエナメル象牙境に近い象牙質の表層で顕著にみられ，ここでは少数の石灰化球が大きく成長する．

2）板状石灰化

歯根部の象牙質のように石灰化が緩やかに進むところでは，石灰化球の成長速度が遅いため，小さい石灰化球が多数みられるようになる．この場合，石灰化前線は象牙前質表面とほぼ平行に進行する．このような石灰化を板状石灰化という．

3）鐘状石灰化

鐘状石灰化とは，球状石灰化と板状石灰化の両者で進む石灰化様式である．象牙前質に石灰化球が現れると，これを核として同心円状に石灰化が進行する．これが板状石灰化の石灰化前線に飲み込まれると，球状石灰化は歯髄方向だけに進行し，石灰化鐘を形成する．

7. 球間区

象牙質の石灰化が球状石灰化で進行するとき，同心円状に広がる石灰化球同士の間に位置する領域は未石灰化のまま取り残され，**球間区**とよばれる．また，この球間区を満たしている象牙質を**球間象牙質** interglobular dentin という（図 4-Ⅱ-7）．

球間区は象牙質の有機質成分を含んでいるが石灰化していない．そのため，研磨切片をカルボール-フクシンなどの色素で染色すると，周囲と明瞭に区別することができる（図 4-Ⅱ-7a）．球間区の大きさや形はさまざまである．輪郭は内側に突出した大小の円弧で構成され，いくつかの石灰化球で囲まれていることが容易に理解できる．球間区はエナメル象牙境に近い歯冠部で多く認められ，歯根象牙質ではほとんどみられない．

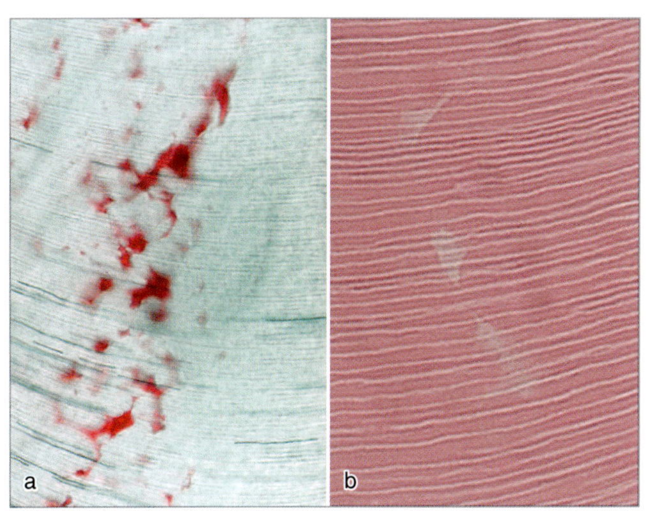

図 4-Ⅱ-7　球間区
石灰化球に囲まれた球間区が明瞭に区別できる．
a：小臼歯研磨切片．カルボール-フクシン染色．（新潟大学前田健康先生のご厚意による）
b：脱灰切片の H-E 染色．（新潟大学吉羽永子先生のご厚意による）

球間区は石灰化していないだけであり，象牙芽細胞による基質形成は石灰化象牙質と変わらない．したがって，象牙芽細胞の突起は，球間区の中も途切れることなくつながっている（図 4-Ⅱ-7b）．

球間区は，しばしば線条に連なった状態で認められる．この連なった状態が，ある程度の間隔をあけて並行にみられる場合は，前述のように，Owen の外形線であるとする説がある．このように多数の球間区が数列にまとまってみられる状態は，ほとんどが歯冠象牙質であり，歯根象牙質に明瞭に現れることは少ない．

また，歯根部の象牙質ではゆっくりと石灰化が進むため石灰化球が小さく，セメント象牙境 cementodentinal (dentinocementum) junction 付近ですぐに板状石灰化に移行する．そのため，この領域では小さい石灰化球で囲まれた小型の球間区が認められることがある．これらがセメント象牙境に沿って並ぶと，Tomes の顆粒層（後述）とよばれることもある．

8. 球間網

球間網は，脱灰切片でヘマトキシリンによく染まる網目構造である（図 4-Ⅱ-8）．この網目構造は連なって観察されるため，三次元的に球間網は海綿状の分布をしていると考えられる．

球間網は，**鐘状石灰化**によって象牙質の石灰化が進行したところにみられる．板状石灰化は球状石灰化と比べゆっくりと石灰化が進むため，石灰化がよい．したがって，石灰化鐘の間の板状石灰化だけで形成された部分が石灰化鐘の部分より石灰化がよいため，ヘマトキシリンにより強く染まり球間網が出現する（図 4-Ⅱ-9）．

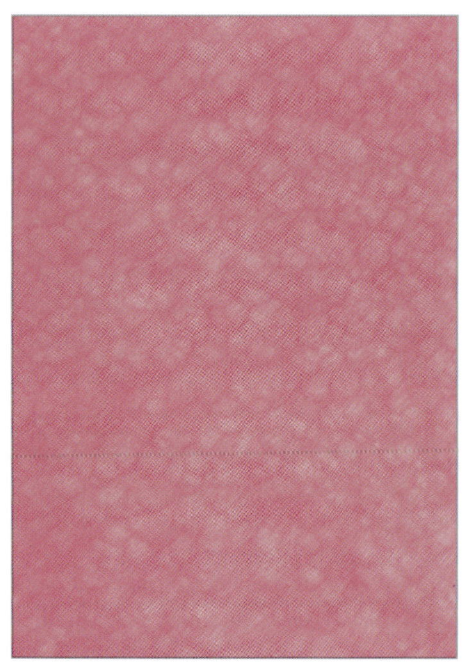

図 4-Ⅱ-8　球間網（H-E 染色）
象牙質表層近くに網目構造が観察される．
（新潟大学前田健康先生のご厚意による）

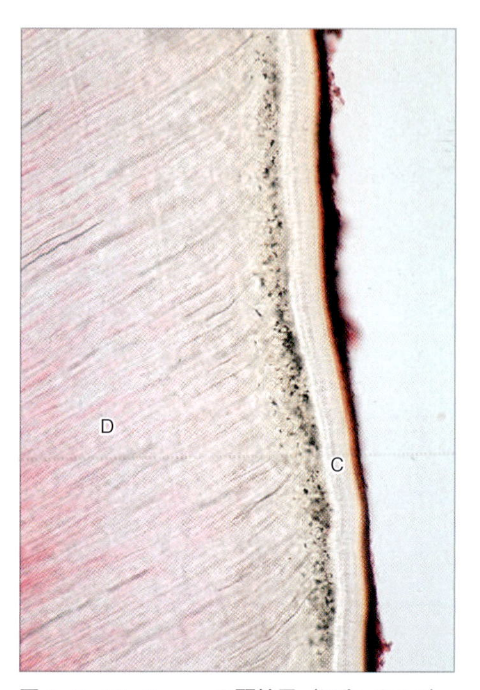

図 4-Ⅱ-10　Tomes の顆粒層（切歯，カルボール-フクシン染色）
セメント質（C）に近い象牙質（D）に，黒い小顆粒の集合として Tomes の顆粒層がみられる．
（新潟大学前田健康先生のご厚意による）

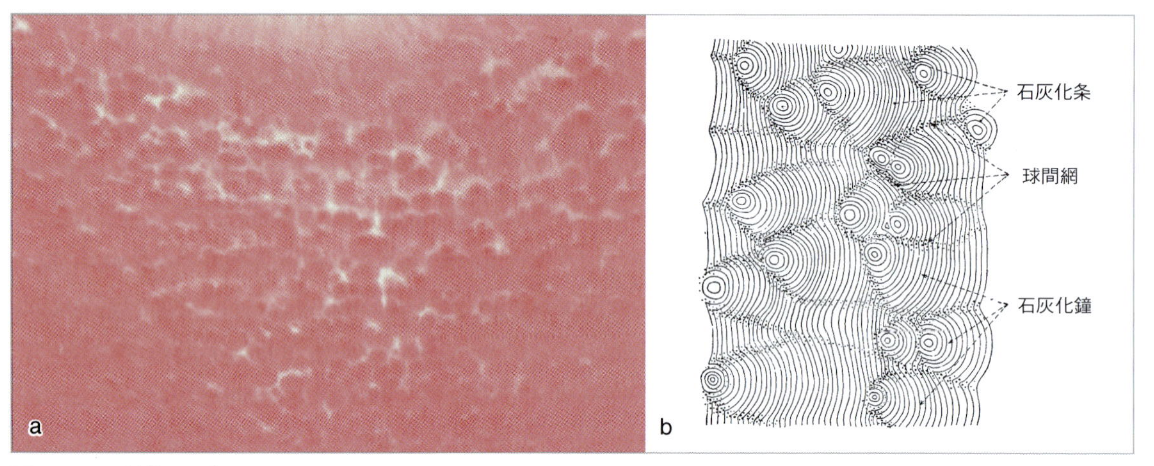

図 4-Ⅱ-9　鐘状石灰化
a：上から下に向かって鐘状石灰化が進行し，球間網が形成される．小臼歯脱灰標本．H-E 染色．（新潟大学前田健康先生のご厚意による）
b：鐘状石灰化の模式図．（藤田恒太郎：歯の解剖学．医歯薬出版，東京，1957，60．）

9. Tomes の顆粒層

研磨切片で歯根象牙質の表層をみると，セメント質の直下に黒い小点が密集した層がみられる．このセメント象牙境に近い象牙質で観察される顆粒層を **Tomes の顆粒層**という（**図 4-Ⅱ-10**）．この構造は研磨切片では明瞭に認められるが，脱灰切片で確認することはむずかしい．顆粒の大きさや形は不規則であるが，ほとんどは非常に小さい．エナメル象牙境付近，いわゆる歯冠部では認められず，歯根部で根尖に近づくほど増加する傾向がある．

Tomes の顆粒層がみられる原因については 2 つの説がある．1 つは，象牙芽細胞の突起がセメント象牙境付近でループを形成するためにみられるとする説である．たしかに，厚い研磨切片で焦点をずらしながら Tomes の顆粒層を観察すると，顆粒が象牙細管と連続してみられることがある．他方の説は，小さい球間区が連なっているというものである．歯根象牙質を形成する際の石灰化球は小さいため，通常の球間区より小さい顆粒状構造としてみえるという説明もある．

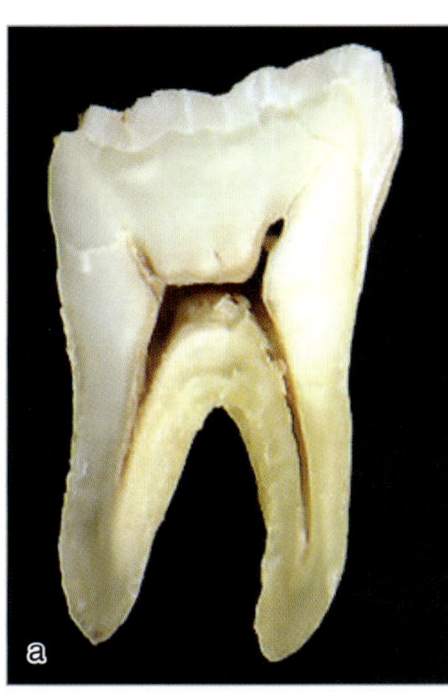

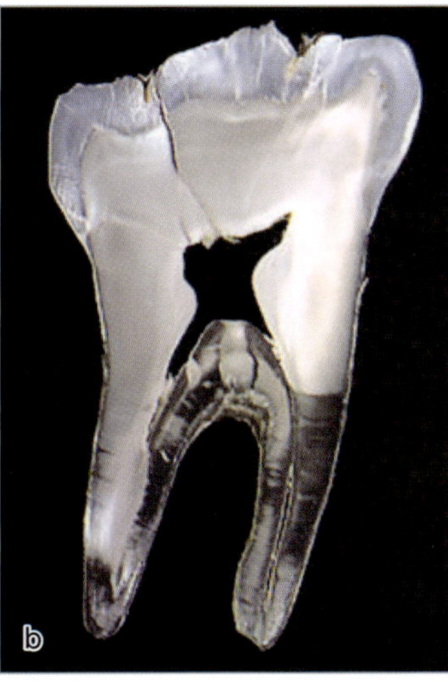

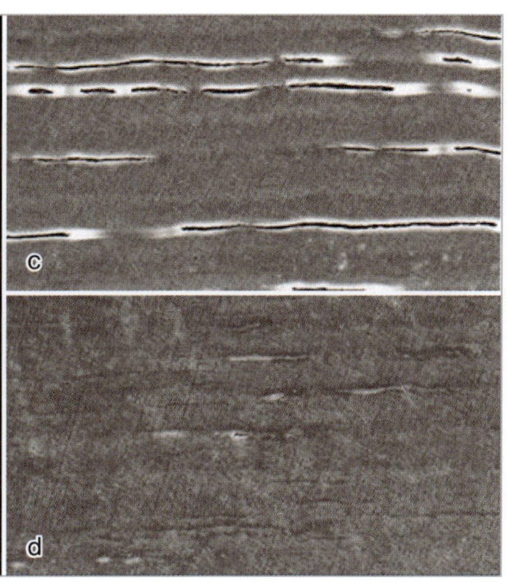

図 4-Ⅱ-11　透明象牙質
a，b：透明象牙質がみられる歯の矢状断面と研磨切片．歯根に透明象牙質が認められる．
c，d：走査型電子顕微鏡観察により，通常の象牙質では象牙細管が空いているが（c），透明象牙質の象牙細管は封鎖している（d）ことが理解できる．
（北海道医療大学建部廣明先生，北海道大学薄片技術室野村秀彦先生，中村晃輔先生のご厚意による）

10. 死　帯

象牙質に齲蝕，咬耗，摩耗などの外部刺激が加わると，その部分の象牙細管内に突起を伸ばしていた象牙芽細胞が傷害を受け，死滅することがある．象牙芽細胞が死ぬと，象牙細管内から象牙芽細胞の突起が消失し，空洞化する．そのため，研磨切片でこの領域の象牙質を観察すると，象牙細管内が空気で満たされているために黒くみえる．このように，顕微鏡観察により象牙細管が黒くみえる象牙質部分を**死帯**という．

象牙芽細胞が死ぬと，新たに分化した象牙芽細胞により，死帯の歯髄側に第三象牙質（修復象牙質）が形成される（後述）．第三象牙質にも象牙細管がみられるが，これと死帯の空洞化した象牙細管は，形成した象牙芽細胞が異なるため交通しない．死帯の象牙細管は構造的に外部刺激が通りやすい場となるが，新たに添加される第三象牙質が空洞化した象牙細管を遮断するため，歯髄保護に役立つと考えられる．

11. 透明象牙質

透明象牙質は，象牙細管内が石灰化物で満たされた象牙質である．透明象牙質が生じた部位では，象牙細管が二次的石灰化によって完全に封鎖されている．そのため，象牙細管を満たしている石灰化物の光の屈折率が，象牙細管の外側にある象牙質と同程度となり，研磨切片で観察すると透明にみえるようになる（図 4-Ⅱ-11）．この透明象牙質は，その物性から**硬化象牙質** sclerotic dentin ということもある．透明象牙質は，歯根部の象牙質で多く認められる．特に，高齢者の歯の根尖側 1/3 では，ほとんどの象牙質が透明象牙質になっている．また，咬耗が著しい歯のエナメル象牙境付近や齲蝕の近くの象牙質においても，透明象牙質がみられることがある．口腔病理学の分野ではこのような構造を齲蝕の透明層とよび，細菌の侵入に抵抗する防御反応とされている．

透明象牙質の象牙細管内に沈着した石灰化物は，有機質の含有量が少ない．そのため，脱灰という無機質を除去する処理を行うと石灰化物のほとんどが溶出するため，脱灰切片で透明象牙質を確認することはむずかしい．

象牙細管の石灰化は外部刺激がなくとも生じるため，透明象牙質の形成は生理的な加齢変化と考えられている．加齢に伴い，象牙細管内に石灰塩類が沈着することから管周象牙質が厚くなり，やがて象牙細管が封鎖される．封鎖された象牙細管の中に象牙芽細胞の突起がみられる場合は，象牙芽細胞の突起内においても石灰化が認められ，これが細管全体の石灰化に関与したと推察される．また，部位によっては象牙芽細胞の突起がみられない透明象牙質も存在する．これは細胞性の石灰化形成ではない石灰化物の沈着と報告されているが，象牙芽細胞が突起を短くしていくことにより，細胞活性を保ちながら石灰化物を形成した可能性も考えられる．

12. エナメル象牙境

エナメル質と象牙質の境界部を**エナメル象牙境**という．エナメル象牙境は象牙質側に凸面を向けた円弧が連

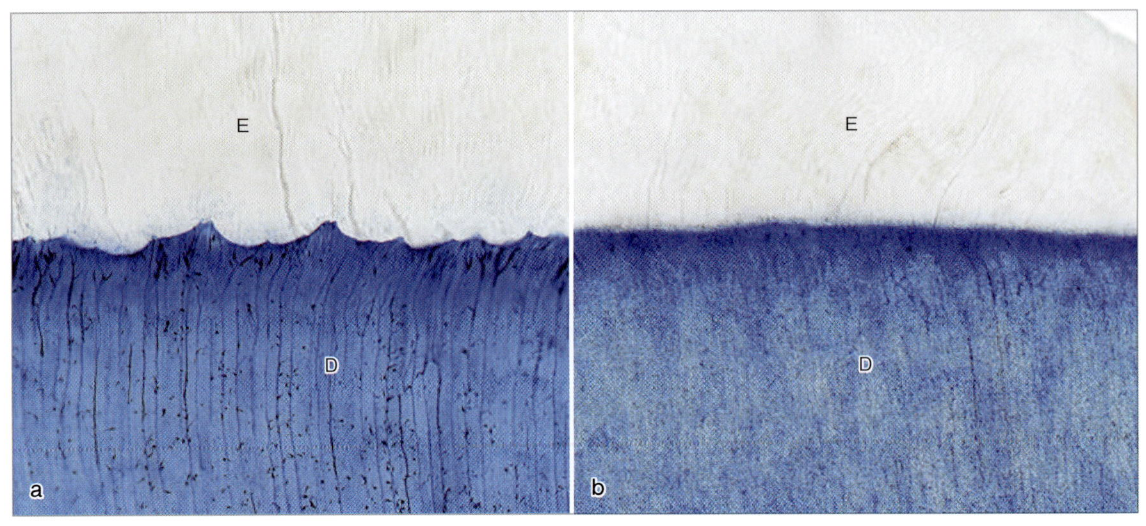

図 4-Ⅱ-12　エナメル象牙境
a：歯頂側のエナメル象牙境は明瞭な波状線として認められる．
b：一方，歯頸部では直線的にみられる．トルイジンブルー染色．
D：象牙質，E：エナメル質

続した波状線を呈している．円弧の大きさや深さは一定でないが，特に切縁や咬頭の下で顕著である（**図 4-Ⅱ-12**）．この構造はエナメル質と象牙質の結合強度を高め，破折しやすいエナメル質を弾性の高い象牙質が支えるためにあると考えられている．咬合圧がかかりやすい部位のエナメル象牙境で顕著にみられる理由も，このためであると思われる．一方，咬合圧の影響をあまり受けない歯頸部付近のエナメル象牙境や，歯根部にみられる**セメント象牙境**は，ほぼ直線的である．

13. 象牙質の分類

象牙質は，形成された時期および原因で，**原生（第一，一次）象牙質**，**第二（二次）象牙質**，**第三（三次）象牙質**の 3 種類に分類される．原生象牙質は，象牙質形成の開始から歯根が完成するまでの間に形成された象牙質で，象牙質の大部分を占める．歯根完成後に形成された象牙質を第二象牙質といい，歯髄が活性を保つ限り形成され続ける．原生象牙質と第二象牙質は生理的な条件下で形成される象牙質であるが，齲蝕などの外部刺激に対して反応性につくられる象牙質を第三象牙質あるいは**修復象牙質**という（**図 4-Ⅰ-1**）．

1）原生象牙質

象牙質の最表層から歯根が完成するまでの間に形成された象牙質を原生象牙質という．また，はじめに形成される象牙質であることから第一象牙質および一次象牙質とよばれることもある．

原生象牙質はさらに**外套象牙質**と**髄周象牙質**に分類される．象牙質形成の最も初期は，象牙芽細胞が形成する**基質小胞**が石灰化の起点となる基質小胞性石灰化がみられる．象牙質の表面から約 10～30 μm が基質小胞性石灰化により形成された象牙質で，この部分を外套象牙質とよぶ．

基質小胞性石灰化の後は，コラーゲン性石灰化により象牙質の形成が進む．この石灰化により形成された象牙質を髄周象牙質とよぶ．外套象牙質は象牙質の表層だけに薄くみられるため，原生象牙質の大部分を髄周象牙質が占めることになる．したがって，象牙質の構造を説明する場合は，髄周象牙質を意味することが一般的である．

2）第二象牙質

歯根が完成した後に形成される象牙質を第二象牙質あるいは二次象牙質という．第二象牙質は，位置，分布ならびにその中にみられる象牙細管の走行，密度，配列などで原生象牙質と区別することができる．特に，原生象牙質と比べ象牙細管の走行は不規則であるが，これは咬合による刺激が加わったためと考えられている．また，一部の象牙芽細胞に細胞死が生じることから，象牙細管の数は原生象牙質と比べて少ない．象牙細管は原生象牙質から第二象牙質へ移行するときに強く曲がり，細かい周期で蛇行していることが多い．しばしば両者を区分するように色素で濃染する線がみえ，これを分画線とよぶことがある．

歯髄が活性を保つ限り，第二象牙質は形成され続ける．しかし，形成速度は原生象牙質と比べて著しく遅い．原生象牙質が 1 日約 4 μm の厚さで形成されるのに対して，第二象牙質では約 1.0〜1.5 μm になる．

第二象牙質は原生象牙質の内側全面にみられるものであるが，形成は均等に進むものではなく，厚さは部位により異なる．一般に歯根部と比べ歯冠部のほうが厚く，臼歯の髄室蓋ならびに髄室床では側壁より厚く形成される．

若年者の歯は歯髄腔が広いため，インレーあるいはクラウン形成時などに髄角部を露髄させないように気をつけなければならない．一方，高齢者の歯においては第二象牙質が厚く形成されているため，歯髄腔が狭い．したがって歯髄疾患に対する治療時において，歯髄腔への処置が困難になることもある．また，第二象牙質は原生象牙質と比べ，象牙細管が石灰化しやすい．そのため，透明象牙質は歯髄に近い第二象牙質で多く認められる．これは外部からの刺激を遮断し，歯髄保護に有利な特性であると考えられる．

3）第三象牙質

齲蝕，咬耗，摩耗などの刺激が象牙質に加わり，象牙質の外側に欠損が生じると，代償性に歯髄側に象牙質が添加される．この象牙質を第三象牙質あるいは修復象牙質という．

第三象牙質の形成速度は速いため，しばしば基質内に象牙芽細胞が埋め込まれ，骨と類似した組織像を示すことがある．このような第三象牙質を骨様象牙質 osteodentin という．この骨様象牙質においても，原生象牙質や第二象牙質と同様に有機成分として象牙質特異タンパク質である象牙質シアロタンパク質や象牙質リンタンパク質を含む．したがって，骨様象牙質の基質性状は，骨ではなく象牙質に類似している．骨様象牙質は，骨芽細胞が形成した石灰化基質ではなく，歯髄内で分化した象牙芽細胞が形成した象牙質であると考えられる．

第三象牙質は，象牙質の欠損により開口した象牙細管の歯髄側に形成される．したがって，第三象牙質は欠損部から最も近い歯髄腔に形成されるのではない．これは，構造的に弱い象牙細管を通じて齲蝕が進行し露髄することを防ぐために，象牙細管の歯髄側で象牙質を厚くするという防御反応の 1 つであると考えられる．

外部刺激が弱い場合は，象牙芽細胞が活性を保ったまま第三象牙質を形成するため，第二象牙質と第三象牙質の象牙細管は交通している．しかし，刺激により象牙芽細胞が死んでしまうと，歯髄内で新たに象牙芽細胞が分化し，第三象牙質を形成する．この場合，象牙細管は連続していない．

新たに分化する象牙芽細胞の由来は 2 つあると考えられている．1 つは，象牙芽細胞層の近傍にある細胞稠密層に存在する前駆細胞である．細胞稠密層の細胞の役割はほとんどわかっていないが，アルカリホスファターゼ活性が高く，前象牙芽細胞の分化マーカーを発現していることから，象牙芽細胞が死滅したときの前駆細胞として待機していると推察されている．歯髄への傷害が軽度で細胞稠密層の細胞が活性を維持している場合は，この細胞が象牙芽細胞へ分化し，すみやかに第三象牙質を形成すると考えられる．もう 1 つは，歯髄中央部の血管周囲に存在する未分化間葉系細胞である．細胞稠密層を含めた広範囲に歯髄傷害が生じると，これらの細胞が象牙芽細胞や歯髄線維芽細胞へ分化することが報告されている[1〜3]．

歯髄の細胞活性が高い乳歯あるいは幼若永久歯が露髄した際，露髄面に水酸化カルシウム製剤などの薬剤を貼付すると，その創面に象牙質が形成される．この象牙質は既存の象牙質同士をつなぐように形成されるため，**デンティンブリッジ** dentin bridge（象牙質橋）とよばれる．デンティンブリッジも反応性に形成されることから，第三象牙質の 1 つであるといえる．

14．象牙質の加齢変化

象牙質の加齢変化は，ほとんどが歯髄の保護と関係するため，生体の防御反応であると考えられる．第二象牙質の形成，第三象牙質の形成，死帯の形成，象牙細管の狭窄，透明象牙質の形成などがあげられる．

1）第二象牙質の形成

象牙質を形成する象牙芽細胞は，歯根の完成後も歯髄で機能し続け，第二象牙質を形成する．形成速度は原生象牙質と比べかなり遅いが，加齢により第二象牙質は徐々に厚くなる．また，第二象牙質の形成により，相対的に歯髄腔の容積は減少する．

2）第三象牙質の形成

齲蝕，咬耗，摩耗などの刺激が象牙質に加わると，象牙細管を介して歯髄がその刺激を感知する．その後，刺激が加わった部位に存在する象牙細管の歯髄側を覆うように第三象牙質が添加される．第三象牙質は歯髄内に均一に形成されるのではないため，歯髄の外形を極端に変えることがある．

3）死帯の形成

象牙質に外部刺激が加わり欠損が生じると，欠損部の象牙細管に入っていた象牙芽細胞の突起が傷害を受ける．その後，象牙芽細胞が死ぬと象牙細管から突起が消失する．この部位の象牙細管は空洞化しているため，研磨切片を観察すると黒くみえ，死帯とよばれるようになる．通常，死帯が形成されると，その歯髄側に第三象牙質が形成され，歯髄が露髄することを防いでいる．

4）象牙細管の狭窄

象牙細管の内面は管周象牙質で囲まれている．この管周象牙質には加齢に伴いリン酸カルシウムが沈着し，非常に緩やかではあるが厚くなっていく．そのため，象牙細管は相対的に狭くなる．また，象牙細管内の組織液などの内容物も少なくなる．

5）透明象牙質の形成

象牙細管内の二次的石灰化が進むと，やがて象牙細管は石灰化物で完全に封鎖される．このように象牙細管が石灰化すると，象牙細管の内外で光の透過性がほぼ均一になり,研磨切片で観察すると透けてみえるようになる．この状態の象牙質を透明象牙質といい，外部刺激の遮断に役立っていると考えられる．

III 歯髄の構造

歯髄は，象牙質に囲まれた**歯髄腔**の中に存在する線維性結合組織である．歯髄腔の外形は象牙質の形と類似しており，**根尖孔** apical foramen や**根管側枝**（副根管 accessory canal）だけで歯根膜と交通している．したがって，歯髄は比較的閉ざされた環境にあり，外部刺激に弱い．

歯髄腔の歯冠部分を**冠部歯髄** coronal pulp，歯根部分を**根部歯髄** root（radicular）pulp という．また，それぞれの歯髄が入る空間を，**髄室** pulp chamber と**根管** root canal といい，髄室から根管への入口を**根管口** orifice of root canal という．血管と神経は根尖孔から進入し，根部歯髄の中央部付近を通り冠部歯髄に到達する．歯髄表層には**象牙芽細胞**が並ぶ**象牙芽細胞層**がある．象牙芽細胞は象牙質の有機質成分を産生，分泌する細胞であり，象牙細管の中に突起を伸ばしている．象牙芽細胞層の内側には，**細胞稀薄層** cell-free zone（**Weil（ワイル）層** zone of Weil）と**細胞稠密層** cell-rich zone があり，ここに **Raschkow（ラシュコフ）の神経叢** nerve plexus of Raschkow が形成される．細胞稀薄層と細胞稠密層を構成する主要な細胞は線維芽細胞である．歯髄に存在する線維芽細胞は一般的な結合組織にみられる線維芽細胞と比べ，コラーゲン合成能が低い．また，歯髄内のコラーゲン線維は比較的少なく，脂肪細胞，肥満細胞，形質細胞などの細胞成分は，生理的な状態ではほとんどみられない．このように，歯髄は疎性結合組織に分類されるが，歯髄腔という閉鎖環境に存在し，構成する細胞成分も一般的な結合組織とは異なることから，特殊な結合組織であると考えられる．

1．歯髄の機能

歯髄は，象牙細管を介して象牙質と交通する．この象牙細管を通じて歯髄は象牙質へ栄養を供給している．また，歯髄の神経は象牙質への刺激を痛覚として中枢に伝える．歯髄の露出による壊死を防ぐため，第二象牙質および第三象牙質を歯髄内へ形成するという機能をもつ．

1）象牙質への栄養供給

根尖孔から歯髄に入った動脈性の血管は，毛細血管となり歯髄の細胞に酸素や栄養素を与える．また，これらの毛細血管は，象牙細管を介して象牙質へ栄養供給を行っている．象牙質には血管が進入しないが，象牙細管は歯髄から象牙質表層まで通じているため，歯髄から象牙質全体へ栄養をいきわたらせることができる．

炎症などで歯髄が壊死すると，歯髄腔から歯髄を取り除く抜髄という処置が行われる．抜髄された歯では，象牙質へ栄養を供給することができなくなるため，象牙質がもろくなり破折しやすくなる．通常，抜髄した歯に対しては，破折を防ぐために築造体や全部被覆冠（クラウン）などを用いた修復処置が行われる．

2）象牙質の感覚

象牙質が欠損あるいは露出した部位に刺激が加わると，歯髄は外部刺激を痛覚として受容する．象牙芽細胞層下には Raschkow の神経叢があり，ここに多くの感覚性の神経線維がみられる．これらの神経線維は自由神経終末 free nerve ending として終わり，その中のいくつかは象牙細管の中へわずかであるが進入する．温度，触覚，圧力などの刺激を感知する神経終末は歯髄にないため，象牙質へ加わった刺激のすべては，自由神経終末が痛みとして脳へ伝える．外部刺激を痛覚として受容する機能は，象牙質への外部侵襲を認識するという歯髄の大切な機能の1つである（☞第6章Ⅱ参照）．

3）象牙質の形成

歯髄の最表層には，象牙前質に接して象牙芽細胞が並んでいる．象牙芽細胞は象牙質の有機質成分を分泌するため，ゆっくりではあるが第二象牙質が形成される．このように第二象牙質が添加的に形成されることにより，象牙質は厚さを増していく．外部刺激から歯髄を保護する反応の1つであると考えられる．

象牙質に齲蝕，咬耗，摩耗などの外部刺激が加わると，その部位の象牙細管に突起を伸ばしていた象牙芽細胞が活性化し，第三象牙質（修復象牙質）を歯髄内に形成する．また，刺激により象牙芽細胞が死んだ場合は，新たに歯髄の未分化間葉系細胞から象牙芽細胞が分化して，第三象牙質を形成する．

歯髄に達する齲蝕の治療に対して，細菌感染した歯髄を除去して露髄面に水酸化カルシウム製剤などの覆髄剤を貼付する治療法がある．この場合，歯髄の未分化間葉系細胞が象牙芽細胞へ分化し，覆髄剤に接して第三象牙質（デンティンブリッジ）を形成する．

第三象牙質は，第二象牙質と比べて非常に早く形成される．外部刺激に対して，歯髄を保護するための防御反応であると考えられる．

2. 歯髄の細胞

歯髄の最表層には象牙質の有機質成分を分泌する**象牙芽細胞**が配列し，突起を象牙細管の中へ伸ばしている．また，その内側の歯髄には，**線維芽細胞**が最も多く認められる．歯髄にみられる線維芽細胞は，一般的な結合組織の線維芽細胞とほぼ同じ形態であるが，コラーゲンの合成能は低い．歯髄にはこの他に，**未分化間葉系細胞**や，**マクロファージ**，**樹状細胞**，**リンパ球**などの免疫担当細胞など多種類の細胞が存在する．

1）象牙芽細胞

象牙芽細胞の細胞体は，歯髄の最表層で象牙前質に接して配列している．完成歯の歯髄では，歯冠部の切縁あるいは咬頭下で3～5層に重なってみえるが，歯根部では1層で認められる．象牙芽細胞の細胞体は，歯冠部では高さ約35 μmの円柱形をしているが，歯根中央部では立方形となり，根尖部では扁平になる．隣接する象牙芽細胞の細胞体は細胞間接着装置で結合している．

細胞体から象牙細管へ伸びる突起を**象牙線維**あるいは**Tomes線維**という．それぞれの象牙芽細胞が1本ずつの突起を1本の象牙細管へ伸ばすため，象牙芽細胞と象牙細管の数はほぼ一致している．象牙細管の直径は，象牙質表層付近で約1 μm，歯髄側で約4 μmである．ここに入る象牙芽細胞の突起も同様に，歯髄側にある突起の起部から先端に向かうにつれて細くなる．

象牙芽細胞は，象牙質に含まれる有機質を産生し，象牙前質側へ分泌する．活発に象牙質を形成している活動期の象牙芽細胞は細胞体の近位側に大型の核をもち，遠心部にはGolgi（ゴルジ）装置Golgi apparatusが存在する．細胞質全体に，豊富な粗面小胞体と多くのミトコンドリアが認められる．一方，休止期の象牙芽細胞は立方～やや扁平な細胞であり，暗い核と少量の細胞質がみられるがGolgi装置は認められない．核は先端部に認められ，核下部は広く濃縮した細胞小器官が存在するが，核上部には細胞小器官があまり認められない．休止期の象牙芽細胞は適度な刺激を受けると，活発な分泌能を回復することが可能である．

発生学的に，象牙芽細胞は**神経堤** neural crestに由来する**歯乳頭**の細胞から分化する．この分化過程において，骨芽細胞分化と共通するRunx2やOsterixなどの遺伝子発現が認められるが，象牙芽細胞分化に必須の転写因子はいまだ不明である[4, 5]．また，歯乳頭あるいは歯髄から採取した細胞は，培養条件下において象牙質の基質タンパク質を分泌することが報告されているが，突起を有する象牙芽細胞の分化誘導は困難である．未分化細胞から象牙芽細胞への分化機構を明らかにすることは，象牙芽細胞分化を促進する治療法の開発につながると考えられる．

2）線維芽細胞

線維芽細胞は，歯髄の中で最も多くみられる細胞である．他の結合組織にみられる線維芽細胞と同様にⅠ型コラーゲンやⅢ型コラーゲンなどの線維成分やプロテオグリカンなどの無形基質の形成を行うが，その合成能は比較的低い．

線維芽細胞の細胞体は星形であり，細胞体から長い突起を伸ばしている．若年者の歯髄では，線維芽細胞はコラーゲン線維と基質成分を活発に合成，分泌する．そのため細胞体の中央に大型で卵円形の核をもち，細胞質にはGolgi装置，粗面小胞体，ミトコンドリアなどの分泌タンパク質の合成にかかわる細胞小器官が豊富に認められる．一方，高齢者の歯髄にみられる線維芽細胞では，これらの細胞小器官は少なくなり，合成能は低下する．細胞体の形態も若年者と比べ扁平化する．

線維芽細胞同士，あるいは線維芽細胞と象牙芽細胞はギャップ結合により接触しているといわれている．また，線維芽細胞はコラーゲン線維などの細胞外マトリックスを合成・分泌するだけでなく，適当な刺激があればこれらを取り込み分解する場合がある．

同じ線維芽細胞でも，歯髄の線維芽細胞と歯根膜の線維芽細胞ではその細胞特性がかなり異なる．たとえば，歯根膜の線維芽細胞は活発な増殖能をもっているが，歯髄の線維芽細胞は増殖能も低くターンオーバー turnover もかなり長いといわれている．これは歯髄の線維芽細胞は象牙質に周囲を覆われた歯髄腔という閉鎖環境下にあるのに対し，歯根膜の線維芽細胞は咬合などにより常に刺激を受けている環境にあることに起因すると考えられている．

3）未分化間葉系細胞

歯髄には象牙芽細胞や線維芽細胞などへ分化する未分化間葉系細胞が存在する．この細胞は生理的な状態ではほとんど細胞分裂をせずに静止状態であるが，歯髄に傷害が加わると活発に増殖し，組織修復に関与する．また，象牙質への外部刺激で象牙芽細胞が死滅すると，未分化間葉系細胞が新たに象牙芽細胞へ分化し，第三象牙質を形成する．

従来から，歯髄および歯根膜に多分化能を有する未分化間葉系細胞が存在し，それぞれの組織の恒常性維持や組織修復に関与することが知られていた．しかし，この細胞の存在は，主として分化能に基づき評価されていたため，分化前の未分化間葉系細胞の局在部位や特性については不明な点が多かった．近年，タモキシフェン誘導性 Cre-loxP システムを用いた細胞系譜解析 lineage tracing analysis により，α-平滑筋アクチン smooth muscle actin や Axin2 を発現する細胞が歯髄修復時に増殖し，象牙芽細胞へ分化することが示された[3, 6]．また，歯根膜ではこれら 2 種の遺伝子に加えて Gli1 およびレプチン受容体を発現する細胞が歯槽骨を再生する未分化間葉系細胞であることが報告された[7, 8]．これらの遺伝子を発現する細胞は同一の細胞群ではないと考えられるが，多くは血管の周囲に存在する．また，培養条件下で自己複製能を有し，本来は歯髄と歯根膜に存在しない軟骨細胞や脂肪細胞へ分化する．これらから，歯の未分化間葉系細胞は，間葉系幹細胞 mesenchymal stem cell（MSC）とよばれる細胞と類似した特性をもつことが示唆される．

4）免疫担当細胞

歯髄内には多くの**免疫担当細胞**が存在する．歯髄に存在する免疫担当細胞には，マクロファージ（大食細胞），樹状細胞，リンパ球がある．

(1) マクロファージ

マクロファージは歯髄中央部に存在する，大きな卵円形あるいは紡錘形の細胞で，濃く染まる核をもつ．歯髄では死滅した細胞，細菌，血球などの除去を行う．

マクロファージは，その機能により M1 マクロファージと M2 マクロファージに大別される．M1 マクロファージは炎症に応答して分化したマクロファージで，高い炎症性サイトカイン産生能と抗菌活性を示す．しかし，M1 マクロファージの活性化が持続すると，二次的な組織傷害を生じさせる．一方，M2 マクロファージはさまざまな組織に常在し，炎症時に抗炎症性サイトカインを産生して，細胞増殖や組織修復を促進することが知られている．ヒト歯髄において，この M2 マクロファージは Schwann（シュワン）細胞 Schwann cell と密接に位置している．また，ヒト歯髄から分離培養した Schwann 細胞は，単球由来マクロファージを M2 マクロファージに誘導することが明らかにされている[9]．これらから，ヒト歯髄の Schwann 細胞は M2 マクロファージへの分化を促進することでも神経線維を保護していると考えられる．

(2) 樹状細胞

樹状細胞は多数の長い細胞突起を有しており，抗原と結合することで抗原を処理し，マクロファージやリンパ球に提示する機能をもつ．このことから樹状細胞は抗原提示細胞 antigen presenting cell ともいわれる．樹状細胞は未萌出歯では象牙芽細胞層の中やその周りにみられるが，萌出歯では象牙芽細胞層の直下に存在し，細胞突起を象牙芽細胞に伸ばしている．

(3) リンパ球

リンパ球は血液中の細胞に由来する円形の細胞で，細胞質は比較的乏しい．正常な歯髄では免疫防御機構に関与する T リンパ球は認められるが，抗体産生細胞である B リンパ球は存在しない．

5）その他の細胞

歯髄は血管および神経に富む組織であり，これらを構成する**内皮細胞** endothelial cell と **Schwann 細胞**が存在する．

(1) 内皮細胞

内皮細胞は扁平であり，歯髄血管の内側を覆っている．血管壁を構成するとともに，IV型コラーゲン線維を産生し血管基底膜形成に関与している．

内皮細胞に接するように毛細血管壁を取り巻く細胞を周皮細胞 pericyte といい，間葉系幹細胞の特性をもつことが知られている．この細胞は上皮系の内皮細胞と異なり，間葉系あるいは中胚葉性である．歯髄の血管周囲にも周皮細胞が存在し，第三象牙質を形成する象牙芽細胞に分化することが明らかになっている．

(2) Schwann 細胞

歯髄には根尖孔から血管とともに太い神経線維が入ってくる．この歯髄内にみられる神経線維の多くは有髄神経であり，Raschkow の神経叢を形成した後，象牙細管内へ進入する．Schwann 細胞は末梢神経系の有髄神経線維に髄鞘を形成する．また，数本の無髄神経線維を Schwann 細胞が束ねている．歯髄にみられる Schwann 細胞も同様の機能をもち，歯髄内の有髄神経線維を Schwann 細胞が取り囲んでいる．

3．細胞外マトリックス

歯髄の細胞外マトリックスは線維芽細胞から産生され，線維と無形基質から構成される．歯髄で認められる線維は主としてI型とIII型コラーゲンである．これらは約 55：45 の割合であり，歯の発生初期から歯髄の成熟までほぼ一定に保たれている．無形基質はプロテオグリカンと組織液などからなる．これらは細胞の維持，血管系から細胞への栄養物の輸送と，細胞からの血管系への代謝産物の輸送を媒体している．

歯髄におけるI型とIII型コラーゲンの比率はほぼ同じであるが，象牙質のコラーゲンのほとんどはI型である．このことから，象牙質のコラーゲン形成は象牙芽細胞だけで行われ，歯髄の線維芽細胞は関与しないと考えられている．

4．歯髄表層の構造

歯髄表層は，象牙芽細胞層，細胞稀薄層（Weil 層），細胞稠密層の3層に区別できる（図 4-III-1）．

象牙芽細胞層は歯髄の最表層に位置し，象牙芽細胞の細胞体が象牙前質に接して並んでいる層である．象牙芽細胞はここから突起を象牙細管へ伸ばしている．また，

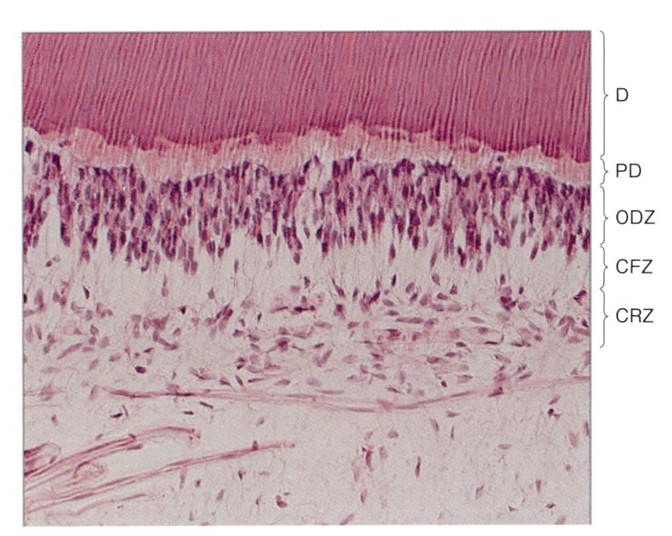

図 4-III-1 歯髄表層の構造
歯髄最表層から象牙芽細胞層（ODZ），細胞稀薄層（CFZ），細胞稠密層（CRZ）の3層がみられる．
D：象牙質，PD：象牙前質
（新潟大学吉羽永子先生のご厚意による）

象牙質に含まれる有機質を象牙前質側へ分泌している．

象牙芽細胞直下には細胞がほとんどみられない層があり，細胞稀薄層あるいは Weil 層とよばれる．この層はヒトやサルの歯髄では認められるが，他の動物種では不明瞭である．

細胞稀薄層の下には，細胞の密度が高い細胞稠密層が存在する．細胞稀薄層と細胞稠密層の細胞のほとんどは線維芽細胞であると考えられる．根尖孔から歯髄へ入った感覚神経線維は，歯冠部の細胞稀薄層と細胞稠密層で Raschkow の神経叢を形成し，象牙芽細胞層へ向かって神経終末を伸ばす．

このような歯髄表層の特徴的な構造は冠部歯髄で著明である．根部歯髄では，根尖側になるほど象牙芽細胞の高さは低くなり，細胞希薄層，細胞稠密層も不明瞭になる．しかし，歯髄表層の3層構造がどのような意味をもつかについては不明である．

細胞稠密層は象牙芽細胞層の近傍に位置するため，象牙芽細胞が死滅した際に新たな象牙芽細胞がここから供給されると考えられてきた．たしかに，細胞稠密層の細胞は高いアルカリホスファターゼ活性を示す．また，培養条件下ですみやかに石灰化硬組織を形成する．これらは細胞稠密層に象牙芽細胞の前駆細胞が存在する可能性を示していると考えられる．しかし，細胞稠密層の細胞が象牙芽細胞へ分化するという直接的な証明はされておらず，特性についても不明な点が多い．

5. 歯髄の加齢変化

加齢により，歯髄には，さまざまな変化が生じる．歯髄内に第二および第三象牙質が形成されると，歯髄腔は狭窄する．また，加齢に伴い歯髄の細胞数は減少し，おのおのの細胞活性も低下する．線維芽細胞の活性が低下するとコラーゲン線維のリモデリングが不十分となり，歯髄は線維化する．血管周囲あるいはコラーゲン線維を起点として，**象牙粒** denticle とよばれる石灰変性が生じる．さらに未分化間葉系細胞の減少などにより，歯髄の修復能は低下する．

1）歯髄腔の狭窄

歯根完成後に形成される象牙質を第二象牙質といい，加齢に伴い厚くなる．また，齲蝕，咬耗，摩耗などの外部刺激が加わると，反応性に第三象牙質（修復象牙質）が形成される．これら象牙質の形成により，相対的に歯髄腔は狭窄する．

2）細胞の減少と活性低下

加齢により象牙芽細胞は背が低くなり，細胞小器官が減少する．また，一部の象牙芽細胞は消失し，補われない．さらに細胞機能を維持している象牙芽細胞は象牙質を形成するが，その形成能は大幅に低下する．線維芽細胞においても細胞数の減少と萎縮が認められ，コラーゲン線維の合成能と吸収能が低下する．

3）歯髄の線維化

加齢により単位体積あたりのコラーゲン線維の密度が増加する．これは，線維芽細胞によるコラーゲン線維のリモデリングが不十分となるために，歯髄内のコラーゲン線維が増加すると考えられる．そのため，歯髄ではコラーゲン線維によるび慢性線維症が起こる場合がある．

4）歯髄の石灰変性

高齢者の歯髄では，象牙粒がみられることがある．象牙粒は**歯髄結石** pulp stone ともよばれ，円形あるいは楕円形の異所性石灰化物である．象牙粒は加齢のみならず血栓，退行あるいは死滅した細胞，コラーゲン線維などを起点としてその周囲に石灰化物が沈着することにより形成される．多くは根部歯髄にみられ，その場所によっては根管治療の妨げとなることがある．

象牙粒を組織学的に観察すると，真性象牙粒 true denticle と偽性象牙粒 false denticle に区別できる．真性象牙粒は，象牙質と同様に象牙細管をもっている．したがってこれらの表面には象牙芽細胞が存在する．それに対して偽性象牙粒は石灰化組織による同心円状の層状構造をしている．また，象牙粒を象牙質との位置関係から分類すると，遊離象牙粒 free denticle，付着象牙粒 attached denticle，包埋象牙粒 embedded denticle に分けられる．遊離象牙粒とは歯髄内に遊離して存在する象牙粒をよび，それらが象牙質に接触すると付着象牙粒とよばれ，さらには象牙質内に埋入すると包埋象牙粒になる．ほとんどの象牙粒は，歯髄内に認められる偽性遊離象牙粒である．

5）歯髄の修復能の低下

歯髄には象牙芽細胞や線維芽細胞などへ分化する未分化間葉系細胞が存在するが，この細胞は加齢とともに少なくなる．また，線維芽細胞などの歯髄にみられる細胞の活性が低下し，歯髄は線維化する．これらから，若年者と比べ，高齢者の歯髄は修復能が低下しており，外部刺激に対して壊死しやすくなる．

（細矢明宏）

 IV 臨床的考察

1. 幹細胞と再生歯科医療

1）幹細胞と再生医療

幹細胞 stem cell とは，細胞分裂によって自身と同じ幹細胞をつくりだす能力（自己複製能）をもち，環境や刺激によって別の種類の細胞に変化する能力（分化能）をもった細胞である．幹細胞は発生の過程で細胞系譜の幹となり，さまざまな組織・器官を形成する．また，幹細胞は成体になった後にも数は少ないが体内に残存し，組織・器官の恒常性を維持するために細胞を供給している．

組織に損傷が生じた際には，幹細胞はこれを修復する役割を果たす．ただし，組織欠損が広範囲の場合には，生体内の限られた数の幹細胞に頼った自然治癒は困難である．再生医療 regenerative medicine とは，人為的に自然治癒力を引き出すことで組織欠損や損傷をもとどおりにしようとする治療の総称である．特に，歯科領域の組織・器官を対象とした再生医療を，再生歯科医療とよぶ．

幹細胞は，その自己複製能によって高い増殖能を示すため，試験管内で大量に増やすことが可能である．増やした幹細胞は，さまざまな組織・器官の細胞に分化する能力だ

けでなく，移植先で免疫を調節することで治癒力を高める能力を秘めているため，その基礎および応用研究は再生医療の推進に大きく貢献してきた．

2）再生医療における幹細胞源

(1) 成体幹細胞

成体幹細胞は，**組織幹細胞**あるいは**体性幹細胞**ともよばれ，出生後のさまざまな組織・器官に存在している．成体幹細胞がつくりだす細胞は，基本的には決められた胚葉に属する細胞系列に限られており，その分化能は多分化能 multipotency とよばれる．

(a) 間葉系幹細胞（MSC）

成体幹細胞の中でも，骨髄，脂肪などのさまざまな間葉組織に含まれる幹細胞集団を，**間葉系幹細胞**（MSC）とよぶ．MSC は，中胚葉に由来する骨，軟骨，脂肪，骨格筋，平滑筋などの細胞に分化する能力を有している．

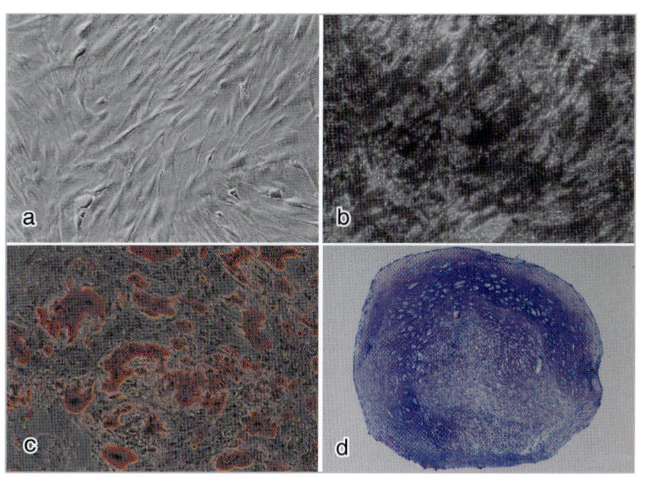

図 4-Ⅳ-1　骨髄由来間葉系幹細胞（BMSC）の多分化能
未分化の BMSC は線維芽細胞様の形態で良好な細胞増殖能を示す（a）．培養条件を変化させると，骨芽細胞（b：von Kossa 染色により石灰化した細胞外マトリックスを黒色に染色），脂肪細胞（c：オイルレッド O 染色により脂肪滴を赤色に染色），軟骨細胞（d：トルイジンブルー染色により軟骨細胞を紫色に染色）へと分化が誘導される．

MSC には，中胚葉を超えて外胚葉由来の神経系の細胞や内胚葉由来の肝臓の細胞などにも分化する能力（可塑性）を示す細胞集団が存在する．また，ごく少数ながら，三胚葉すべてに属する多様な細胞に分化する能力をもつ幹細胞（Muse 細胞 multilineage-differentiating stress enduring cell）が含まれていることが報告され，さまざまな組織の再生医療への応用が期待されている．

骨髄穿刺によって腸骨や顎骨から採取された骨髄液中には，**骨髄由来間葉系幹細胞** bone marrow-derived MSC（BMSC）とよばれる多分化能をもつ幹細胞集団が存在する．BMSC は，不均一な細胞集団であるが良好な自己複製能を示し，さまざまな結合組織性の組織細胞へ分化する（**図 4-Ⅳ-1**）．BMSC は，再生医療の研究において最も解析が進んでいる幹細胞の 1 つであり，その骨芽細胞への優れた分化能および細胞移植における安全性から，顎骨などの再生医療に応用されている．

(b) 口腔領域の幹細胞

口腔領域のさまざまな組織・器官には，それぞれに特徴的な幹細胞が存在する（**図 4-Ⅳ-2**）[1]．

抜去した智歯や脱落した乳歯から採取できる歯髄組織には，**歯髄幹細胞** dental pulp stem cell とよばれる MSC が存在する（**図 4-Ⅳ-3a**）．歯髄幹細胞は，象牙質・歯髄複合体を形成する能力に優れている．

歯髄幹細胞は，象牙芽細胞に分化するだけでなく，血管や神経の再生を促す液性因子を分泌することから，歯髄の再生治療に用いられている．また，歯髄幹細胞は脳梗塞や末梢神経麻痺の症状寛解に有効な液性因子を分泌しており，歯科領域にとどまらない医療分野での応用が期待されている．

歯根膜には**歯根膜幹細胞** periodontal ligament stem cell とよばれる MSC が存在する．この細胞は，セメント質，歯根膜および歯槽骨などの歯周組織を再生する能力をもつ．

歯の発達段階のエナメル器と歯乳頭を取り囲む歯小嚢組織には，**歯小嚢幹細胞** dental follicle stem cell が存在する（**図 4-Ⅳ-3b**）．鐘状期後期の第三大臼歯歯胚も MSC の良好な細胞源である．また，萌出中で根未完成歯の歯根端乳頭からは，**歯乳頭由来幹細胞** stem cell from apical papilla（SCAP）とよばれる MSC が分離される（**図 4-Ⅳ-3c**）．

これらの発育段階の歯から採取された幹細胞は，歯周組織や歯根を再生する能力に優れているため，歯胚の再生やインプラントへの歯根膜の付与を可能にする幹細胞源として注目されている．

口腔粘膜の上皮層には，単分化能をもつ上皮幹細胞が存在し，この細胞から作製した人工口腔粘膜は臨床に応用されている．また，口腔粘膜・歯肉の結合組織層には優れた多分化能をもつ MSC が存在する．骨膜組織および唾液腺にも幹細胞の存在が報告されている．

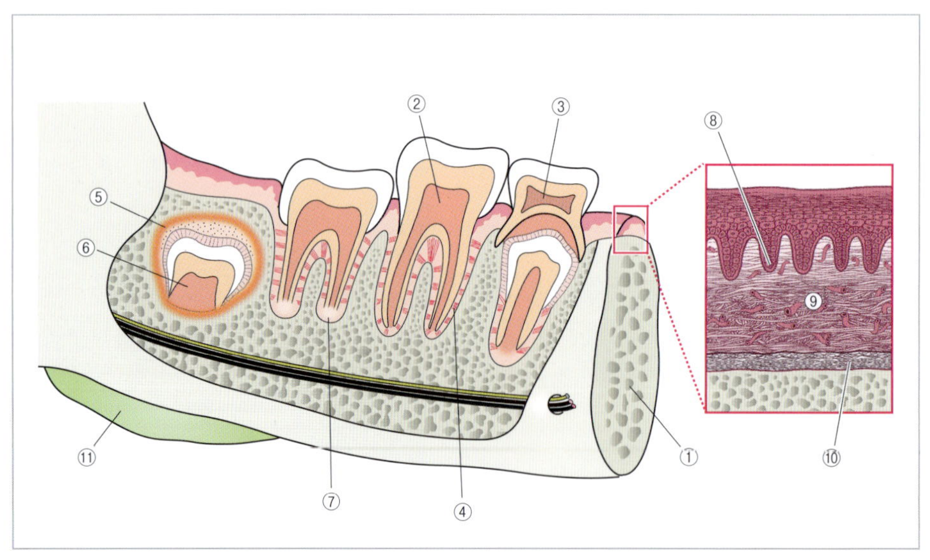

図 4-Ⅳ-2　口腔領域の組織幹細胞
①顎骨骨髄由来間葉系幹細胞，②歯髄幹細胞，③脱落乳歯由来幹細胞，④歯根膜幹細胞，⑤歯小嚢幹細胞，⑥歯胚間葉由来幹細胞，⑦歯乳頭由来幹細胞，⑧口腔上皮幹細胞，⑨歯肉由来間葉系幹細胞，⑩骨膜由来幹細胞，⑪唾液腺由来幹細胞（Egusa H et al.: Stem cells in dentistry-Part I: Stem cell sources. *J Prosthodont Res*, 56 : 151～165, 2012. より改変）

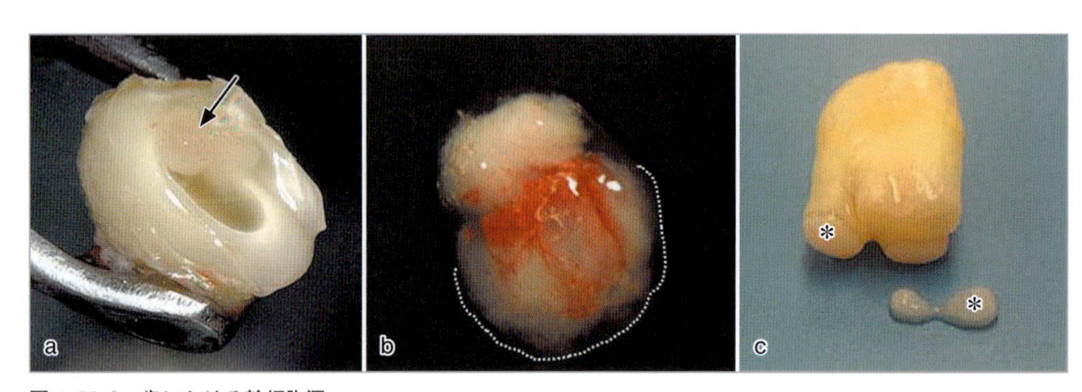

図 4-Ⅳ-3　歯における幹細胞源
a：歯髄腔に存在する歯髄組織（矢印）．歯髄幹細胞源となる．b：10 歳女性から摘出した埋伏智歯に存在する歯小嚢（破線）．歯小嚢幹細胞源となる．c：18 歳男性から摘出した埋伏智歯の歯根端に存在する歯根端乳頭（*）．歯乳頭由来幹細胞源となる．（Egusa H et al.: Stem cells in dentistry-Part I: Stem cell sources. *J Prosthodont Res*, 56 : 151～165, 2012. より改変）

このように，口腔領域は豊富な幹細胞源であり，歯科領域における幹細胞・再生医療研究の独自性を生み出す．口腔組織の多くは内部臓器でないため，その採取における安全性の確保は比較的容易である．また，日常臨床において抜歯や歯肉を切除する機会は多く，抜去した歯に付随する歯髄や歯根膜および切除した歯肉は一般的に廃棄されている．歯科医療従事者は，これらの組織から得られる幹細胞が，将来の医療に役立つ可能性があることを理解しておきたい．

(2) 多能性幹細胞

多能性幹細胞は，個体は形成できないものの，三胚葉（内胚葉，中胚葉，外胚葉）に属するすべての細胞系列に分化できる**多能性** pluripotency をもつ．

(a) ES 細胞

ES 細胞 embryonic stem cell（胚性幹細胞）は，発生過程の胚盤胞の内部細胞塊を取り出して試験管内で作製された培養細胞である（**図 4-Ⅳ-4** 上段）．この細胞は発生初期の細胞に由来するため，優れた多能性をもつ．一方で，ES 細胞は優れた自己複製能により，試験管内できわめて高い増殖能を示す．

ほぼ無限に増えることができ，あらゆる細胞や組織をつくり出してくれる ES 細胞は，「万能細胞」ともよばれる．しかしながら，ES 細胞を得るには，生命の根源となる胚を破壊しなければならず，倫理面で問題がある．また，細胞移植を要する患者とは異なるヒトの胚から作製された ES 細胞は，移植しても**免疫拒絶反応**を引き起こしてしまうという問題もある．

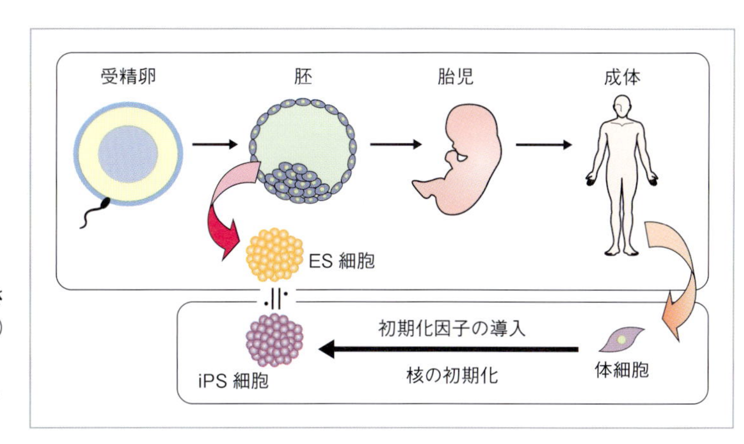

図 4-Ⅳ-4　ES 細胞および iPS 細胞の作製概念
ES 細胞は受精卵が成長した胚の内部細胞塊を取り出して作製される（上段）．iPS 細胞は，成体の細胞に特定の遺伝子（山中因子）を導入して核を初期化した ES 細胞様の細胞である（下段）．
（江草　宏ほか：歯肉を用いた医療応用に安全な iPS 細胞の開発．日歯医学会誌，33：54～58，2014．より改変）

移植医療への応用には問題がつきまとう ES 細胞であるが，この細胞を用いた基礎研究によって，多能性幹細胞が試験管内で自律的に器官（大脳皮質，下垂体，眼杯，腸など）を形成することが証明された．このように人為的に作製された器官はオルガノイド organoid とよばれ，これまで研究対象とすることが困難であったさまざまな生命現象に迫るツールとして活用されている．ES 細胞は今後も発生生物学などの研究の発展に重要な役割を果たすであろう．

(b) iPS 細胞

われわれの体は多種多様な体細胞で構成されるが，各細胞の核にある DNA の塩基配列は基本的にどの細胞も同じである．個々の体細胞は，発生・分化の過程で各組織に固有の時空間的な情報を記憶し，DNA 塩基配列の変化を伴わない遺伝子機能の変化（エピジェネティクス）を獲得する．その結果，個々の体細胞はそれぞれの組織の細胞に固有の遺伝子発現パターンを獲得し，決められた機能を果たす．

この体細胞に，“山中因子”とよばれる 4 つの遺伝子を人為的に発現させることで，核に刻まれたエピジェネティクスの情報を消去（初期化：リプログラミング）し，ES 細胞と同様の多能性をもたせた細胞が **iPS 細胞** induced pluripotent stem cell（人工多能性幹細胞）である（**図 4-Ⅳ-4** 下段）．

2006 年，山中伸弥は，マウスの体細胞に山中因子（Oct3/4，Klf4，Sox2，c-Myc）を遺伝子導入することで，ES 細胞と同様の多能性幹細胞がつくり出せることを発表し，この細胞を iPS 細胞と名づけた．iPS 細胞は，成熟した体細胞の核に刻まれた記憶を初期化する革新的な技術として瞬く間に世に広まった．ただし，「核が初期化する」という現象を初めて実証したのは，1960 年代の John Gardon のカエルの実験である．Gardon はカエルの体細胞から採取した核を，あらかじめ核を除いた受精卵に移植すると体細胞の核が初期化され，発生を経てクローンカエルに成長することを示した．この概念をもとに山中は，受精卵への核移植ではなく，成熟した体細胞を直接初期化できることを示したのである．これらを背景に，「細胞が初期化され多能性をもつ」という基本概念および技術を確立した Gardon と山中に対して，2012 年にノーベル生理学・医学賞が贈られた．

iPS 細胞の作製にあたり，口腔領域の多くの組織には，皮膚と比較して良好な初期化効率を示す細胞が存在する．特に，患者にとって安全・低侵襲で採取可能な口腔粘膜（歯肉）や[2]，抜去予定の智歯や乳歯の歯髄は，好適な iPS 細胞資源となる（**図 4-Ⅳ-5**）．

iPS 細胞は，患者個人の細胞から作製できるため，ES 細胞についてまわる倫理的な問題や，移植に伴う免疫拒絶の問題が回避できる．ただし，患者一人ひとりから iPS 細胞を作製すると膨大な費用と時間がかかる．わが国では，他人に移植しても免疫拒絶の生じにくい特定の免疫型をもつ人々から作製された iPS 細胞がストックされており，眼科疾患，膝の軟骨損傷，Parkinson（パーキンソン）病，心不全などの臨床試験に用いられている．

iPS 細胞は ES 細胞と同様に万能細胞であるため，試験管内でオルガノイドを形成する能力をもつ．歯科領域では顎骨，歯や唾液腺などを対象としたオルガノイド研究が進んでおり，その再生医療への応用が期待されている．

また，患者に由来する iPS 細胞を用いて作製したオルガノイドは，試験管内で患者の病態を再現するモデルとなる．近年，このオルガノイドモデルを疾患研究や創薬スクリーニングに用いることで，新たな治療法に結びつけようとする研究がさかんに行われている．歯科領域では，ヒト iPS 細胞から唾液腺オルガノイドを作製する技術が確立され，

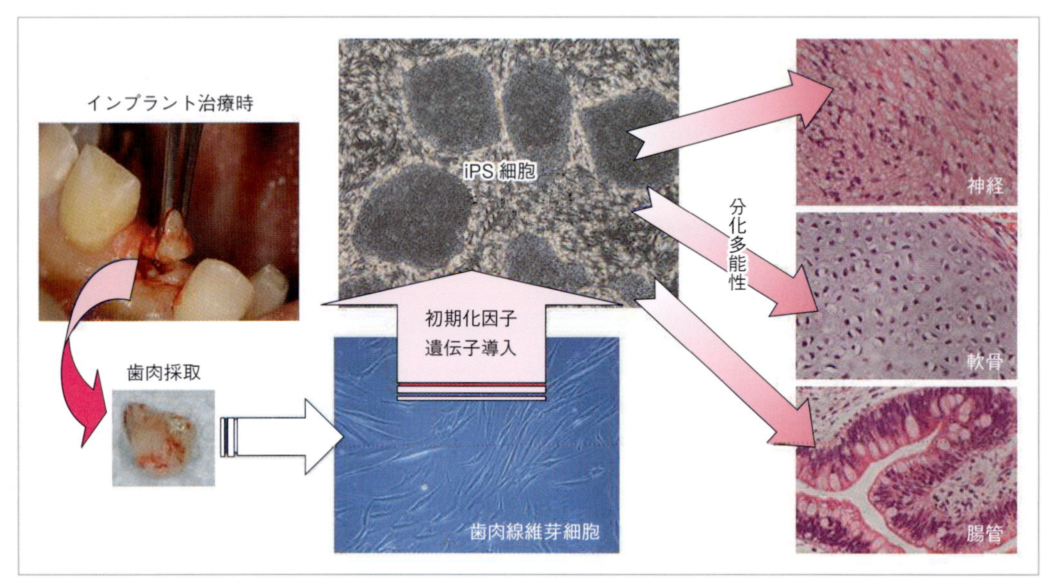

図 4-Ⅳ-5 歯肉を用いた iPS 細胞の作製
インプラント治療の過程で除去された歯肉組織から線維芽細胞を分離培養し，これに初期化因子（山中因子）を遺伝子導入することで iPS 細胞が作製される．iPS 細胞は，神経，軟骨，腸管上皮などに分化する多能性を示す．（Egusa H et al.: Gingival fibroblasts as a promising source of induced pluripotent stem cells. *PLoS One*, 5 : e12743, 2010. より改変）

口腔乾燥症や唾液腺疾患モデルへの応用だけでなく，新型コロナウイルスなどの唾液腺感染モデルとしての活用が期待されている[3]．

3）幹細胞を用いた再生歯科医療

歯科領域で幹細胞は，顎骨，歯周組織や歯髄の再生医療に臨床応用されており，その有用性が示されている．

腫瘍摘出後の顎骨の大規模欠損や，顎堤吸収でインプラントの埋入が困難な症例では，従来，腸骨や顎骨から採取した自家骨を欠損部に移植する再建術が行われてきた．しかしながら，自家骨の採取は患者への侵襲性が高いため，代わりに人工骨や成長因子，患者自身の血液や幹細胞を用いた再生治療が行われるようになった[4]．幹細胞を用いた顎骨の再生医療は，2 つのアプローチに大別される（図 4-Ⅳ-6）．

（1）生体組織工学による再生アプローチ

生体組織工学（**ティッシュエンジニアリング** tissue engineering）は，幹細胞，足場 scaffold，生理活性物質を組み合わせることで組織再生を目指すアプローチである．顎骨の再生治療では，多くの症例で，幹細胞に BMSC を，足場にリン酸カルシウム系骨補填材を，生理活性物質に多血小板血漿を用いている．

生体組織工学によって培養した歯根膜細胞をシート状にした三次元組織（細胞シート）を構築し，これを歯周組織の欠損部に移植する臨床研究が成果を収めている．また，抜髄された後の歯髄腔に，智歯の歯髄から採取した歯髄幹細胞を移植することによって，象牙質・歯髄複合体を再生する治療が実用化されている．

（2）細胞培養を伴わない再生アプローチ

生体組織工学による再生医療を実施するためには，体外に取り出した幹細胞を試験管内で培養しなければならない．これには時間がかかるだけでなく，必要な設備や安全性試験にかかる費用や手間は大変なものとなる．これに対して，診療室のチェアサイドで採取した骨髄液から MSC を含む単核球画分を遠心分離し，これをその場で骨補填材とともに移植する再生治療法が行われている．このアプローチでは，試験管内における細胞培養のステップを経ない．そのため，移植できる幹細胞の数は限られるが，局所的な骨欠損症例では一定の治療効果を示す．

MSC は，多様な液性因子（成長因子やサイトカイン）や核酸やタンパク質を含む小胞（エクソソーム exosome）を分泌し，移植先で抗炎症や免疫調整作用を示す．細胞培養を経ずに移植した MSC は，幹細胞自体が骨に分化して再生を促すというよりは，幹細胞の分泌物が移植先の細胞周辺環境（ニッチ）を組織修復に適した場に整え，骨再生に有効に作用すると推察される．

幹細胞は再生医療にとって有望なツールであるが，その実用化には，安全性の確保に加え費用対効果が重要となる．

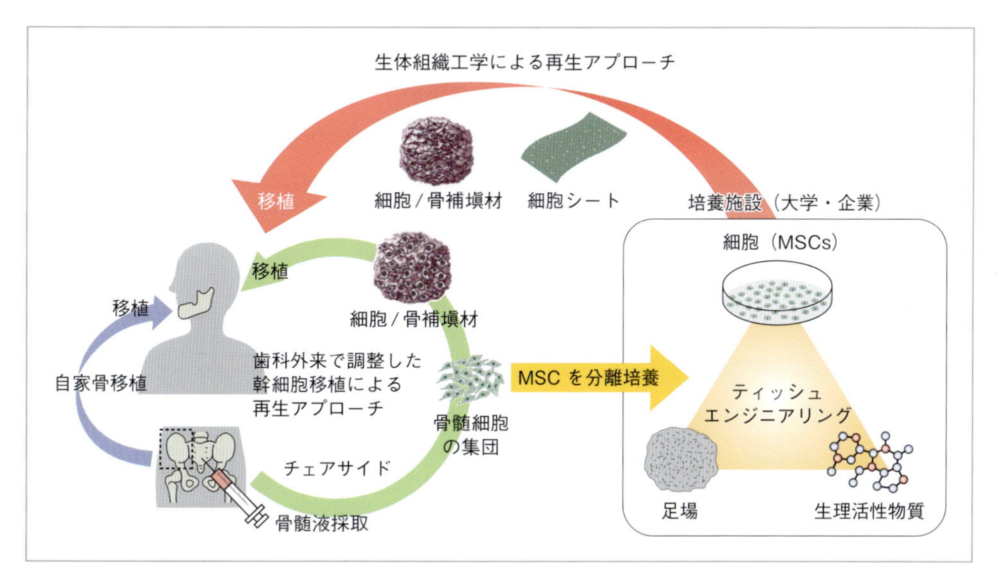

図 4-Ⅳ-6　幹細胞を用いた顎骨再生アプローチ
従来の自家骨移植（青矢印）に代わる治療法として，歯科外来のチェアサイドで骨髄から採取した幹細胞をその場で骨補填材と混ぜて移植に用いるアプローチ（緑矢印）および骨髄液から間葉系幹細胞を分離培養して生体組織工学により試験管内で作製した骨様組織を移植に用いるアプローチ（赤矢印）が行われている．（Egusa H et al.: Stem cells in dentistry-Part II: Clinical applications. *J Prosthodont Res*, 56 : 229〜248, 2012. より改変）

そこで近年，細胞移植を伴わないさまざまな再生治療法の開発が進んでいる．幹細胞の培養上清液やそこから抽出したエクソソームを用いて歯周組織を再生しようとするアプローチもその 1 つである．

また，インプラントのチタン表面をナノ技術でセメント質様に改質し，これをラットの抜歯窩に埋入すると，抜歯窩の幹細胞が賦活化され，インプラント周囲に歯根膜様の組織が再生する[5]．この技術は，幹細胞移植をすることなくインプラントに歯根膜を付与できる可能性を示している．一方，先天性無歯症のモデル動物に対し，歯胚の発生に重要なシグナルを活性化する抗体製剤（抗 USAG-1 抗体）が歯の形成を誘導することが報告された[6]．この技術は細胞移植を伴わない歯胚の再生アプローチであり，次世代技術として期待される．

（江草　宏）

2. 歯髄幹細胞の最近の知見

Friedenstein らは，骨髄細胞の中に，造血系幹細胞とは異なる細胞集団を発見した．この細胞集団は，カルチャーディッシュ上に付着する線維芽細胞に類似した紡錘形の単一細胞で，モノクローナルなコロニー colony-forming unit-fibroblasts（CFU-F）を形成していた[1]．その後，この細胞群が，*in vitro* において骨芽細胞や，軟骨細胞，脂肪細胞などの間葉系細胞に分化することが明らかにされ，**間葉系幹細胞**（MSC）という名称が提唱された[2]．

1）歯髄幹細胞の発見，種類とその起源

Songtao Shi らは，抜去したヒト歯髄組織に，組織幹細胞と考えられる**ヒト永久歯由来歯髄幹細胞** postnatal dental pulp stem cell（DPSC）[3] の存在を報告した．その後，歯の交換期に自然脱落したヒト乳歯に残存する歯髄組織や，ヒト歯根未完成歯の根尖乳頭組織，ヒト過剰歯の歯髄組織から，**ヒト乳歯由来歯髄幹細胞** stem cell from human exfoliated deciduous teeth（SHED）[4]，**歯乳頭由来幹細胞**（SCAP）[5]，**ヒト過剰歯由来幹細胞** human supernumerary tooth-derived stem cells（SNTSC）[6] を報告している．

神経堤細胞は，神経管が形成される際に，神経堤の一部が上皮間葉転換を行った細胞で，胚体内のさまざまな部位に遊走し，臓器発生・形成に関与している．頭部神経堤細胞 clanial neural crest cell（CNCC）は，顔面ならびに咽頭弓に集積し，第Ⅴ，Ⅶ，Ⅸ，Ⅹ脳神経の感覚神経節，胸腺，甲状腺濾胞細胞，副甲状腺（上皮小体），角膜のほか，顔面骨格や象牙芽細胞，歯髄組織，歯根膜，固有歯槽骨など口腔顎顔面領域の間葉系組織の大部分を形成する細胞群である．

Wnt1 遺伝子は，神経堤細胞の発現時期の神経管のみに発現する遺伝子であるが，Yang Chai らは，Wnt1-LacZ 遺伝子改変マウスを用いて，萌出後の歯髄細胞や象牙芽細胞が LacZ に陽性反応を示したことから[7]，歯髄幹細胞は，CNCC に由来する幹細胞と考えられている．

表 4-Ⅳ-1　MSC 同定の基準

1. 付着細胞
標準的な培養条件下で，プラスチック製カルチャーディッシュ上に付着する.
2. 免疫学的表現型
CD105，CD73，CD90 に陽性（≧95%），CD45，CD34，CD14 または CD11b，CD79a または CD19，HLA-DR に陰性（≦2%）を示す.
3. 間葉系細胞分化能
in vitro で脂肪細胞，軟骨細胞，骨芽細胞へ分化する.

（Dominici M et al.：Minimal criteria for defining multipotent mesenchymal stromal cells. The International Society for Cellular Therapy position statement. *Cytotherapy*, 8：315～317，2006. を参考に作成）

2）歯髄幹細胞の特徴

現在では，骨髄のみならず，数多くの成体組織（脂肪組織，臍帯，末梢血，歯髄，歯根膜，歯肉結合組織）から MSC が単離されている．現在，MSC を特定する決定的な細胞表面抗原が発見されていないことも踏まえ，International Society for Cellular Therapy（ISCT）により，MSC が備える必要最小限の基準が提唱されている（表 4-Ⅳ-1）[8]．

一方，歯髄幹細胞の幹細胞学的特徴（図 4-Ⅳ-7）として，以下のものが知られている[9, 10]．

（1）CFU-F 形成能

歯髄幹細胞は，一般的な MSC と同様，紡錘形細胞から構成される付着性コロニー（CFU-F）を形成する．

（2）自己複製能

歯髄幹細胞は，幹細胞が備える基本特性である自己複製能をもつ．

通常，母細胞から 2 つの娘細胞に分裂する際，母細胞から遺伝情報は引き継がれるものの，娘細胞の形態や性状は異なる．自己複製能とは，細胞分裂時に生じる母細胞から細胞分裂時に生じる 2 つの娘細胞のうちそれらのすべてまたはどちらか一方が，もしくはその一部が母細胞とまったく同じ幹細胞にとどまり，分裂できる能力である．この自己複製能により，幹細胞は発生初期から寿命が尽きるまで組織に存在し続け，生涯にわたり恒常性の維持や組織修復に関与することができる．

（3）特異的な細胞表面抗原の発現

歯髄幹細胞は，造血系細胞マーカー（CD34，CD45，CD14, CD11b, CD19）が陰性を示すことが重要である．また，ヒト白血球抗原 human leukocyte antigen（HLA）-DR も陰性マーカーとして用いている．一方，歯髄幹細胞の陽性マーカーとして CD105（別名，endoglin または SH2），CD73（別名，5'-nucleotidase［5'-NT］または SH3/4），CD90 を基本としている．われわれの研究グループは，幼若な MSC ほど細胞分裂能や分化能などの幹細胞としての特性に優れており，また歯髄幹細胞が神経堤細胞に由来することから，幼若な MSC マーカーとして CD146（別名，melanoma cell adhesion molecule）と stage specific embryonic antigen-4 を，神経堤細胞のマーカーとして CD271（別名，p71 neurotrophin receptor または low-affinity nerve growth factor receptor）の 3 つも陽性マーカーとして加えている．

（4）間葉系細胞分化能

培養系にて，歯髄幹細胞は，象牙芽細胞や軟骨細胞，脂肪細胞の間葉系の細胞へ分化することができる．最近では，歯髄幹細胞が，神経細胞，グリア細胞，血管内皮細胞，肝細胞，膵島β細胞などへ分化することも報告されている．

三胚葉（外胚葉，内胚葉，中胚葉）すべての系列に分化できる能力を多能性とよび，胚性幹細胞や iPS 細胞がこの多能性を示す．歯髄幹細胞は，多能性幹細胞に近い分化能を備えていると推測されている．

（5）低造腫瘍性

歯髄幹細胞は，c-Myc などの腫瘍関連遺伝子の発現が抑制され，テロメラーゼ活性も低い．また高い増殖能力は保持しているものの，増殖能には限界がある．骨髄間葉系幹細胞と比べて，歯髄幹細胞において腫瘍抑制因子の 1 つである phosphatase and tensin homolog deleted from chromosome 10（PTEN）が有意に発現し，低造腫瘍性を示すことも明らかとなっている[11]．

（6）低免疫原性

歯髄幹細胞は，HLA-DR とともに免疫原となりうる HLA-E，HLA-DQ の発現も陰性を示す．また T 細胞共因子（CD80，CD86，CD40，CD252，CD274）も発現していない．第三者の末梢血細胞と共培養しても末梢血細胞の増殖が認められず，歯髄幹細胞の低い免疫原性が示されている．

（7）分泌因子（セクレトーム）

歯髄幹細胞は，その培養上清液中に，サイトカインやケモカイン，細胞外小胞に分布・含有されるタンパク質や small RNA など，さまざまなセクレトームを分泌し

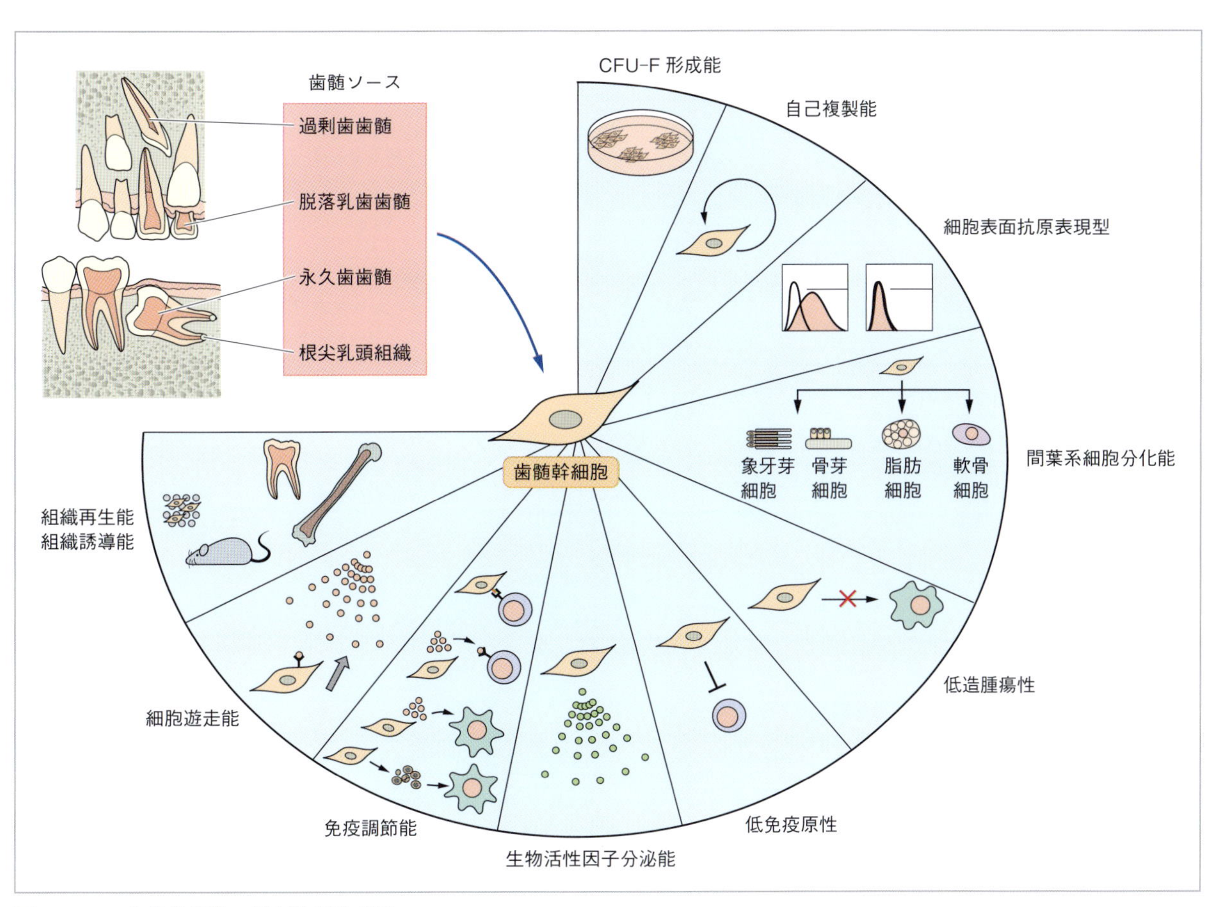

図 4-Ⅳ-7　歯髄幹細胞の幹細胞学的特性

ている．

(8) 免疫調節能

歯髄幹細胞は，樹状細胞，マクロファージ，T リンパ球などの免疫細胞の機能を抑制する．歯髄幹細胞によるこの抑制機構として，Fas リガンド-Fas などを介した直接的な細胞間コミュニケーションや分泌因子やアポトーシス小体を介する間接的細胞間コミュニケーションが考えられている．

(9) 細胞遊走能

歯髄幹細胞は癌細胞の遊走を誘導し，転移などの過程に重要であるとされる CXC モチーフ型ケモカイン受溶体 4（CXCR4）を発現している．

CXCR4 のリガンドである stem cell derived factor 1（SDF1）は歯髄幹細胞の遊走能を高め，炎症巣への集積を促すことが報告されている．

(10) 組織再生力

歯髄幹細胞をキャリア（ハイドロキシアパタイトと β リン酸三カルシウムの混合体）と混合し，免疫不全マウスの皮下に移植すると，各幹細胞が異なる組織を再生することが知られている．

DPSC ならびに SCAP の移植では，硬組織としては，ドナー細胞（DPSC，SCAP）が直接象牙質を形成するとともに，象牙質に囲まれる歯髄様軟組織がレシピエント細胞より誘導される．一方，SHED ならびに SNTSC では，象牙質（ドナー由来），歯髄（レシピエント由来）とともに骨組織（ドナー由来），骨髄（レシピエント由来）の再生も観察される．

歯根膜幹細胞（PDLSC）の組織再生能力もユニークである．PDLSC の皮下移植体では，コラーゲン線維束からなる靭帯様組織とセメント質，さらにセメント質から伸びる Sharpey 線維を形成する[12]．

3）歯髄幹細胞を用いた再生医療（図 4-Ⅳ-8）

現在，歯髄幹細胞を用いて，疾患治療へ向けた数多くの基礎研究・臨床研究が行われている．

(1) 歯髄再生

DPSC をキャリアのポリ D，L-ラクチド-コ-グリコリド poly-D,L-lactide/glycolide と混合し歯髄組織を完全に除去した抜去歯歯根の根管の中に装塡し，免疫不全マウスの皮下に移植すると，既存の象牙質と連続して新たな象牙質が添加されていた．この新生象牙質に沿って

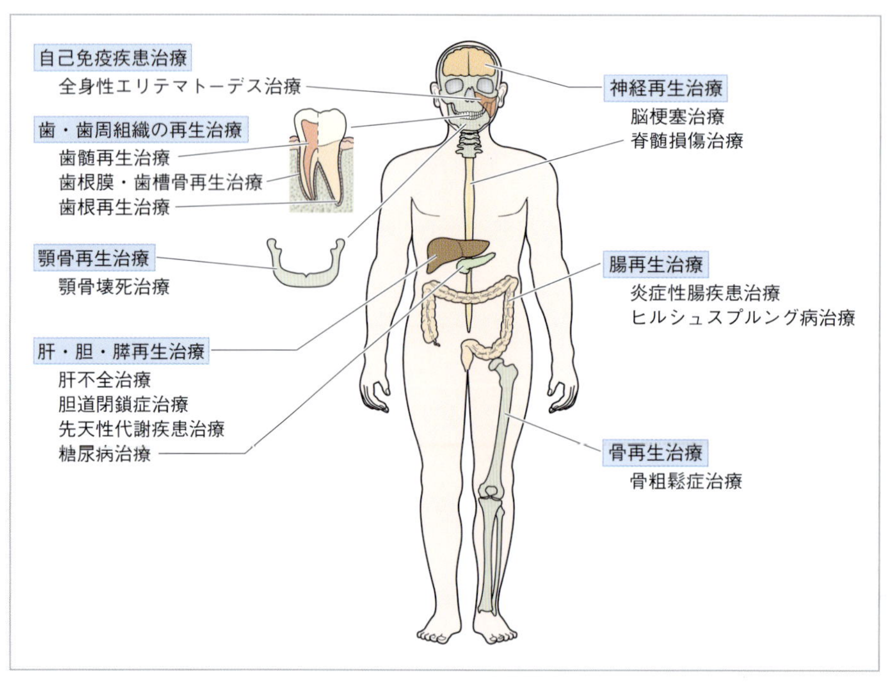

図 4-Ⅳ-8　歯髄幹細胞を用いた再生医療

DPSCに由来する象牙芽細胞が一列に配列していた．一方，根管腔の内部は血管が豊富な線維性結合組織からなる歯髄様結合組織で満たされていたことから，DPSC移植により根管内部に象牙質・歯髄複合体の再生が認められた[13]．

不可逆性歯髄炎と診断された歯髄組織より単離したDPSCは，健常歯髄組織より単離したDPSCと比較すると，歯髄炎組織由来DPSCにおいて*in vitro*での増殖能力や象牙芽細胞分化能が著しく低下していた．この歯髄炎組織由来DPSCをインターフェロンγで前処理すると*in vitro*での増殖能力や象牙芽細胞分化能に改善が認められた．加えて上記の抜去歯歯根の根管を用いたDPSCによる象牙質・歯髄複合体の再生能を検討したところ，歯髄炎組織由来DPSC移植グループでは新生象牙質がほとんど観察されず，血管新生の少ない結合組織が観察された．一方，インターフェロンγで前処理した歯髄炎組織由来DPSCでは，根管内部に健常歯髄組織由来DPSCによる同等の象牙質・歯髄複合体の再生が認められた[14]．現在，このDPSCによる象牙質・歯髄複合体の再生現象を応用し，歯髄再生を図る臨床研究が実施されている[15]．この研究では，あらかじめ脱落歯より単離した患者自身のSHEDを用いて，外傷により歯髄壊死となった歯髄を再生する治療が報告されている．

（2）歯根再生

ハイドロキシアパタイトとβリン酸三カルシウムを成分とした，歯根の形態を備えたキャリアにSCAPを浸漬させた移植材をミニブタの下顎顎骨前歯部に埋入したところ，歯根型キャリア内で象牙質が再生した．歯根型キャリアを顎骨に移植する際，あらかじめ歯根膜幹細胞を浸透したスポンジをこの歯根型キャリアに巻いており，移植後，象牙質が再生した人工歯根の周囲に歯根膜の再生も確認されている．またこの再生歯根にポストクラウンを装着すると，咬合力に耐えうる歯根として機能することが報告されている[5]．

（3）歯周組織再生

自家DPSCを用いた歯周組織再生に対する有効性が動物モデルで報告されている[16]．イヌ絹糸結紮歯周炎モデルにおける歯槽骨欠損部にキャリアとともに自家イヌDPSCを移植することによりセメント質，歯根膜，歯槽骨の再生が認められている．クリニカルケーススタディとして，智歯より単離した自家DPSCをコラーゲンスポンジとともに歯槽骨欠損部に移植すると，歯槽骨欠損の改善とともにアタッチメントレベルの回復が認められ，歯周組織再生への有効な治療であることが示されている[17]．

（4）顎骨再生・骨粗鬆症における骨再生

マウス頭蓋骨やミニブタ下顎骨の骨欠損部へのSHEDの局所移植による顎骨再生への有用性が示されている[18, 19]．また，SCAPの細胞凝集体が顎骨欠損部の再生に有用であることも報告されている[20]．

骨粗鬆症モデルであるエストロゲン欠乏マウスへのSHEDの経静脈的投与による骨密度の改善や[21, 22]，全身性エリテマトーデスや肝疾患における二次的骨粗鬆症に対しても，SHED移植の有効性が報告されている[23, 24]．骨粗鬆症における骨再生の場合，移植したドナーの骨芽細胞分化による影響というよりは歯髄幹細胞が分泌する細胞外小胞に内包されるsmall RNAがレシピエント骨髄MSCの賦活化に関与していることが明らかとなっている[22]．

(5) 全身疾患に対する再生治療

(a) 自己免疫疾患に対する再生治療

全身性エリテマトーデスや炎症性腸疾患などの自己免疫疾患のモデルマウスに対し，SHEDやDPSCを経静脈的に移植すると，過剰な自己免疫反応が抑制され，破壊された組織の修復・再生が促進されることが報告されている[25, 26]．最近，歯髄幹細胞が分泌する細胞外小胞に内包されるsmall RNAが免疫抑制メカニズムに関与していることが明らかにされた[27]．

(b) 肝再生

肝硬変などの慢性肝疾患に対しても基礎研究が進められている．肝硬変モデル動物にSHEDを経門脈投与を行うと，抗炎症作用・抗線維化作用とともに，SHEDが*in situ*で肝細胞へ分化するのみならず，胆管上皮細胞へ分化誘導された[24, 28]．

(c) 神経再生

ラット海馬にSHEDを注入移植実験から，*in situ*で神経細胞に分化することが報告され，神経再生へ有用性を示唆されている[4]．脊髄損傷モデルラットでは，損傷部位へのSHED移植により，運動機能の改善が確認された[29]．また，脳梗塞モデル動物では，SHEDを経静脈的に投与することで，その症状の改善が観察されている[30]．また，腸管神経節を改善する，腸再生も試みられている[31]．

(d) 糖尿病治療

1型糖尿病の治療の1つとして，膵島移植が進められているが，ドナー不足が非常に深刻な問題となっている．SHEDの細胞凝集体を用いて*ex vivo*インスリン産生細胞集団を作製し，この膵島様構造体を1型糖尿病モデルマウスに移植すると，糖尿病の治療に有用であることが報告されている[32]．

(e) その他

乳歯ならびに永久歯歯髄組織やそれらより単離したSHEDやDPSCは，凍結状態で保存可能であるため，細胞バンクが構築されつつある[19, 33, 34]．また，歯髄幹細胞を利用したiPS細胞の構築も成功している[35, 36]．

（山座孝義）

●参考図書，参考文献

Ⅰ 概説～Ⅲ 歯髄の構造

●参考図書

1. 小澤英浩，中村浩彰：新 骨の科学．第2版（須田立雄ほか編著）．医歯薬出版，東京，2016，49～53，134～138．
2. Nanci A：Ten Cate's Oral Histology．9th ed．ELSEVIER，St.Louis，2018，157～192．
3. 下野正基ほか：新口腔病理学．第2版．医歯薬出版，東京，2018，19～66．

●参考文献

1) Hosoya A et al.：Thy-1-positive cells in the subodontoblastic layer possess high potential to differentiate into hard tissue-forming cells. *Histochem Cell Biol*, **137**：733～42, 2012.
2) Zhao L et al.：Odontoblast death drives cell-rich zone-derived dental tissue regeneration. *Bone*, **150**：116010, 2021.
3) Vidovic I et al.：αSMA-expressing perivascular cells represent dental pulp progenitors in vivo. *J Dent Res*, **96**：323～330, 2017.
4) Hosoya A et al.：Two distinct processes of bone-like tissue formation by dental pulp cells after tooth transplantation. *J Histochem Cytochem*, **60**：861～873, 2012.
5) Shibui T et al.：Immunohistochemical localization of CD146 and alpha-smooth muscle actin during dentin formation and regeneration. *Anat Rec*, **306**：2199～2207, 2023.
6) Babb R et al.：Axin2-expressing cells differentiate into reparative odontoblasts via autocrine Wnt/β-catenin signaling in response to tooth damage. *Sci Rep*, **7**：3102, 2017.
7) Shalehin N et al.：Gli1+-PDL cells contribute to alveolar bone homeostasis and regeneration. *J Dent Res*, **101**：1537～1543, 2022.
8) Zhang D et al.：LepR-expressing stem cells are essential for alveolar bone regeneration. *J Dent Res*, **99**：1279～1286, 2020.
9) Yoshiba N et al.：M2 phenotype macrophages colocalize with Schwann cells in human dental pulp. *J Dent Res*, **99**：329～338, 2020.

Ⅳ 臨床的考察

1．幹細胞と再生歯科医療

●参考文献

1) Egusa H et al.：Stem cells in dentistry-Part I: Stem cell sources. *J Prosthodont Res*, **56**：151～165, 2012.
2) Egusa H et al.：Gingival fibroblasts as a promising source of induced pluripotent stem cells. *PLoS One*, **5**：e12743, 2010.
3) Tanaka J et al.：Human induced pluripotent stem cell-derived salivary gland organoids model SARS-CoV-2 infection and replication. *Nat Cell Biol*, **24**：1595～1605, 2022.
4) Egusa H et al.：Stem cells in dentistry-Part II: Clinical applications. *J Prosthodont Res*, **56**：229～248, 2012.
5) Yamada M et al.：Titanium nanosurface with a biomimetic physical microenvironment to induce endogenous regeneration of the periodontium. *ACS Appl Mater Interfaces*, **14**：27703～27719, 2022.
6) Murashima-Suginami A et al.：Anti-USAG-1 therapy for tooth regeneration through enhanced BMP signaling. *Sci Adv*, **7**：eabf1798, 2021.

2. 歯髄幹細胞の最近の知見

●参考文献

1) Friedenstein AJ et al.：Precursors for fibroblasts in different populations of hematopoietic cells as detected by the in vitro colony assay method. *Exp Hematol*, **2**：83〜92, 1974.
2) Caplan AI：Mesenchymal stem cells. *J Orthop Res*, **9**：641〜650, 1991.
3) Gronthos S et al.：Postnatal human dental pulp stem cells (DPSCs) in vitro and in vivo. *Proc Natl Acad Sci USA*, **97**：13625〜13630, 2000.
4) Miura M et al.：SHED: stem cells from human exfoliated deciduous teeth. *Proc Natl Acad Sci USA*, **100**：5807〜5812, 2003.
5) Sonoyama W et al.：Mesenchymal stem cell-mediated functional tooth regeneration in swine. *PLoS One*, **1**：e79, 2006.
6) Makino Y et al.：Immune therapeutic potential of stem cells from human supernumerary teeth. *J Dent Res*, **92**：609〜615, 2013.
7) Chai Y et al.：Fate of the mammalian cranial neural crest during tooth and mandibular morphogenesis. *Development*, **127**：1671〜1679, 2000.
8) Dominici M et al.：Minimal criteria for defining multipotent mesenchymal stromal cells. The International Society for Cellular Therapy position statement. *Cytotherapy*, **8**：315〜317, 2006.
9) Taguchi T et al.：Regenerative medicine using stem cells from human exfoliated deciduous teeth (SHED)：a promising new treatment in pediatric surgery. *Surg Today*, **49**：316〜322, 2019.
10) Sonoda S and Yamaza T：A new target of dental pulp-derived stem cell-based therapy on recipient bone marrow niche in systemic lupus erythematosus. *Int J Mol Sci*, **23**：3479, 2022.
11) Shen WC et al.：Methylation and PTEN activation in dental pulp mesenchymal stem cells promotes osteogenesis and reduces oncogenesis. *Nat Commun*, **10**：2226, 2019.
12) Seo BM et al.：Investigation of multipotent postnatal stem cells from human periodontal ligament. *Lancet*, **364**：149〜155, 2004.
13) Huang GT et al.：Stem/progenitor cell-mediated de novo regeneration of dental pulp with newly deposited continuous layer of dentin in an in vivo model. *Tissue Eng Part A*, **16**：605〜615, 2010.
14) Sonoda S et al.：Interferon-gamma improves impaired dentinogenic and immunosuppressive functions of irreversible pulpitis-derived human dental pulp stem cells. *Sci Rep*, **6**：19286, 2016.
15) Xuan K et al.：Deciduous autologous tooth stem cells regenerate dental pulp after implantation into injured teeth. *Sci Transl Med*, **10**：eaaf3227, 2018.
16) Khorsand A et al.：Autologous dental pulp stem cells in regeneration of defect created in canine periodontal tissue. *J Oral Implantol*, **39**：433〜443, 2013.
17) Ferrarotti F et al.：Human intrabony defect regeneration with micrografts containing dental pulp stem cells：A randomized controlled clinical trial. *J Clin Periodontol*, **45**：841〜850, 2018.
18) Zheng Y et al.：Stem cells from deciduous tooth repair mandibular defect in swine. *J Dent Res*, **88**：249〜254, 2009.
19) Ma L et al.：Cryopreserved dental pulp tissues of exfoliated deciduous teeth is a feasible stem cell resource for regenerative medicine. *PLoS One*, **7**：e51777, 2012.
20) Tanaka Y et al.：Suppression of AKT-mTOR signal pathway enhances osteogenic/dentinogenic capacity of stem cells from apical papilla. *Stem Cell Res Ther*, **9**：334, 2018.
21) Liu Y et al.：Transplantation of SHED prevents bone loss in the early phase of ovariectomy-induced osteoporosis. *J Dent Res*, **93**：1124〜1132, 2014.
22) Sonoda S et al.：Extracellular vesicles from deciduous pulp stem cells recover bone loss by regulating telomerase activity in an osteoporosis mouse model. *Stem Cell Res Ther*, **11**：296, 2020.
23) Ma L et al.：Transplantation of mesenchymal stem cells ameliorates secondary osteoporosis through interleukin-17-impaired functions of recipient bone marrow mesenchymal stem cells in MRL/lpr mice. *Stem Cell Res Ther*, **6**：104, 2015.
24) Yamaza T et al.：In vivo hepatogenic capacity and therapeutic potential of stem cells from human exfoliated deciduous teeth in liver fibrosis in mice. *Stem Cell Res Ther*, **6**：171, 2015.
25) Yamaza T et al.：Immunomodulatory properties of stem cells from human exfoliated deciduous teeth. *Stem Cell Res Ther*, **1**：5, 2010.
26) Zhao Y et al.：Fas ligand regulates the immunomodulatory properties of dental pulp stem cells. *J Dent Res*, **91**：948〜954, 2012.
27) Sonoda S et al.：Targeting of Deciduous Tooth Pulp Stem Cell-Derived Extracellular Vesicles on Telomerase-Mediated Stem Cell Niche and Immune Regulation in Systemic Lupus Erythematosus. *J Immunol*, **206**：3053〜3063, 2021.
28) Sonoda S et al.：Biliary atresia-specific deciduous pulp stem cells feature biliary deficiency. *Stem Cell Res Ther*, **12**：582, 2021.
29) Sakai K et al.：Human dental pulp-derived stem cells promote locomotor recovery after complete transection of the rat spinal cord by multiple neuro-regenerative mechanisms. *J Clin Invest*, **122**：80〜90, 2012.
30) Yamagata M et al.：Human dental pulp-derived stem cells protect against hypoxic-ischemic brain injury in neonatal mice. *Stroke*, **44**：551〜554, 2013.
31) Yoshimaru K et al.：Dental pulp stem cells as a therapy for congenital entero-neuropathy. *Sci Rep*, **12**：6990, 2022.
32) Kanafi MM et al.：Transplantation of islet-like cell clusters derived from human dental pulp stem cells restores normoglycemia in diabetic mice. *Cytotherapy*, **15**：1228〜1236, 2013.
33) Iwanaka T et al.：A model study for the manufacture and validation of clinical-grade deciduous dental pulp stem cells for chronic liver fibrosis treatment. *Stem Cell Res Ther*, **11**：134, 2020.
34) Sonoda S et al.：Protocol to generate xenogeneic-free/serum-free human dental pulp stem cells. *STAR Protoc*, **3**：101386, 2022.
35) Yan X et al.：iPS cells reprogrammed from human mesenchymal-like stem/progenitor cells of dental tissue origin. *Stem Cells Dev*, **19**：469〜480, 2010.
36) Tamaoki N et al.：Dental pulp cells for induced pluripotent stem cell banking. *J Dent Res*, **89**：773〜778, 2010.

第5章 歯の支持組織

chapter 5

 I 概 説

歯を顎骨に固定し，さらにその機能を維持するための組織を歯の支持組織，あるいは**歯周組織** periodontium, periodontal tissue という．歯の支持組織は，**歯槽骨** alveolar bone，**歯根膜** periodontal membrane（歯周靱帯 periodontal ligament），**歯肉** gingiva，**セメント質** cementum からなる（図5-I-1，2）．

ヒトの歯（歯根）は顎骨にある**歯槽** dental alveolus, tooth socket とよばれるくぼみにはまり込んでいる．一般に歯科領域では，上顎骨と下顎骨のうちで歯槽を形成する部分を歯槽骨とよんでいるが，独立した骨ではなく顎骨の一部であるため，歯槽骨という名称は正式な解剖学名ではない．歯槽骨は上顎骨では**歯槽突起** alveolar process，下顎骨では**歯槽部** alveolar part に相当する．歯槽骨はセメント質と歯根膜と協調して歯を植立し支持するためのものであり，歯に加わる咀嚼圧や咬合圧といった，さまざまな圧力に耐えうる構造を備えている．このように歯槽骨は歯との共存を前提としているため，歯が未萌出の顎骨では歯槽骨も未発達であり，また歯が脱落すると歯槽骨もその機能的役割を失い吸収される．無歯顎となった場合には，やがて歯槽骨は消失し顎堤の高さは著しく低くなる．

歯根膜は歯槽骨と歯根との間を埋めている密性結合組織である．その中心的役割を担うものは，歯根膜腔 periodontal space を横切る**主線維** principal fiber である．主線維の両端がそれぞれ歯槽骨とセメント質に埋め込まれることで歯根が歯槽に固定される．さらに歯根膜は咀嚼時に加わる咬合圧を緩衝する役目を果たすとともに，多くの神経が分布していて咬合圧を感知する感覚装置（感覚器）としても働く．

歯肉は口腔内の細菌や異物が組織内に侵入するのを防ぐとともに，歯を固定する役割を担っている．歯肉は外胚葉由来の歯肉上皮 gingival epithelium と外胚葉性間葉由来の歯肉固有層とからなる口腔粘膜で，特にその機能的役割から咀嚼粘膜として位置づけられている．

セメント質はエナメル質や象牙質とともに歯を構成する硬組織の1つであるが，他の2つと異なり基本的に哺乳類においてのみ認められる組織である．セメント質はすべての歯の歯根表面に存在するものの，歯種が異なると，あるいは同一歯であっても歯根の歯頸部と根尖部では厚さや構造にかなりの違いがみられる．セメント質は全体としては歯の支持装置（支持組織）として機能するが，部位によっては異なる役割ももつことを反映している．

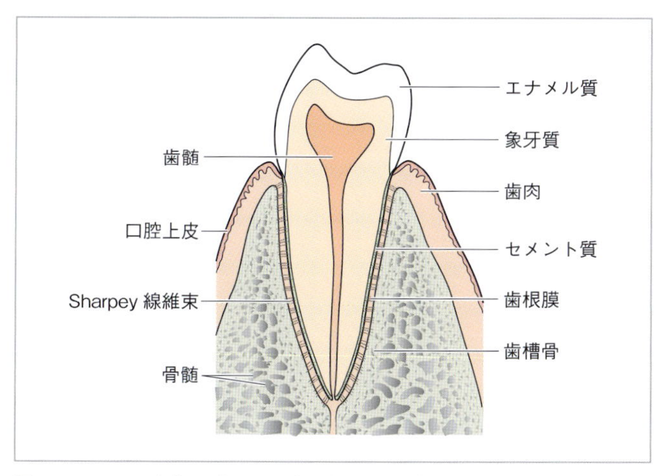

図5-I-1　臼歯部の歯ならびに歯周組織（歯の支持組織）の頬舌断面図

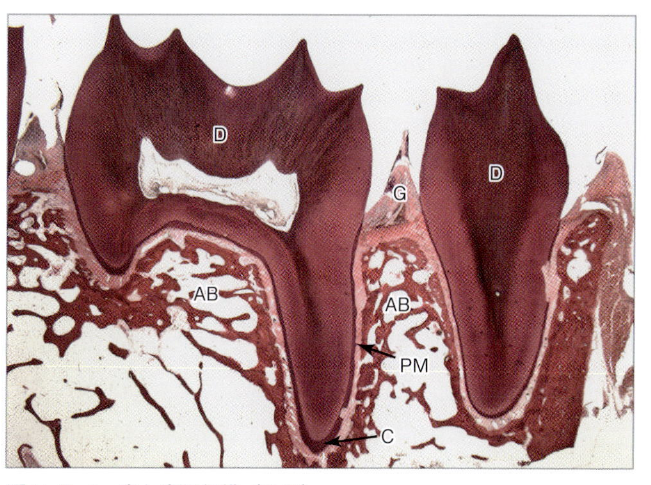

図5-I-2　歯と歯周組織（サル）
PM：歯根膜，C：セメント質，AB：歯槽骨，G：歯肉，D：象牙質

II セメント質

1. 概　説

セメント質は歯根象牙質を被覆する硬組織であり，周囲環境が健全であれば生涯形成され続ける．組織学的に骨に類似するが，血管と神経を含まずリモデリングがみられない点で骨と異なる．歯根膜の主線維の両端はセメント質と固有歯槽骨に**Sharpey線維**（シャーピー）Sharpey's fiberとして埋め込まれており，歯は歯槽内で主線維によって吊り下げられたような状態で存在する（**図5-II-1**）．セメント質の最も重要な働きは，この仕組みにより歯を歯槽内に固定，支持することである．部位によってはSharpey線維をまったく，あるいはほとんど含まないセメント質もある（**図5-II-2，3**）．このタイプのセメント質は，歯根にかかる圧負担の調節や，歯根の吸収や破折の修復のために局所的に形成されるもので，歯の固定に直接寄与するわけではない．こういった多様なセメント質の働きにより，歯は支持，保護されるとともに適切な咬合関係も維持される．

1）セメント質の組成

セメント質は水分，無機質，有機質organic componentsからできている．無機質はハイドロキシアパタイトhydroxyapatiteの結晶からなり，湿重量比はおよそ65％でエナメル質，象牙質に比べて低い．有機質のほぼ90％はコラーゲン線維collagen fiberであり，中でもI型コラーゲンtype I collagenが90％以上を占め，セメント質の構造骨格，無機物結晶の沈着の場となる．他に少量のIII型コラーゲンtype III collagenが存在す

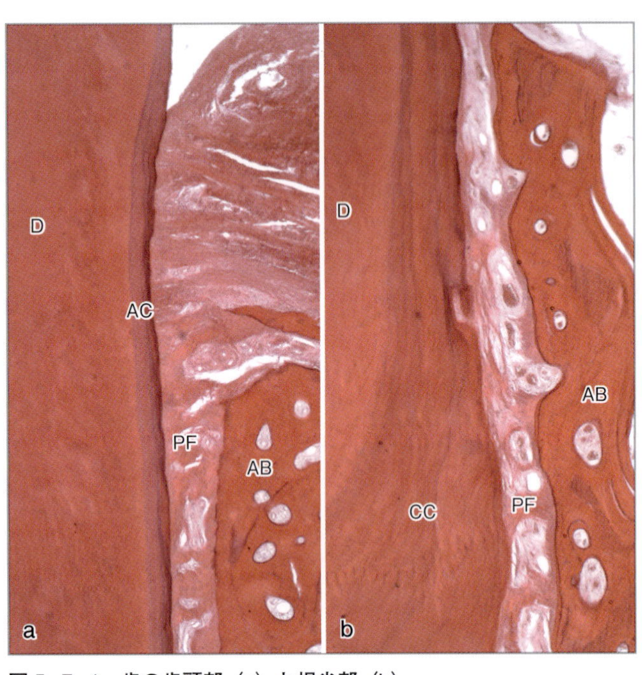

図5-II-1　歯の歯頸部（a）と根尖部（b）
主線維（PF）が歯槽骨（AB）と無細胞セメント質（AC）あるいは有細胞セメント質（CC）をつないでいる．D：象牙質

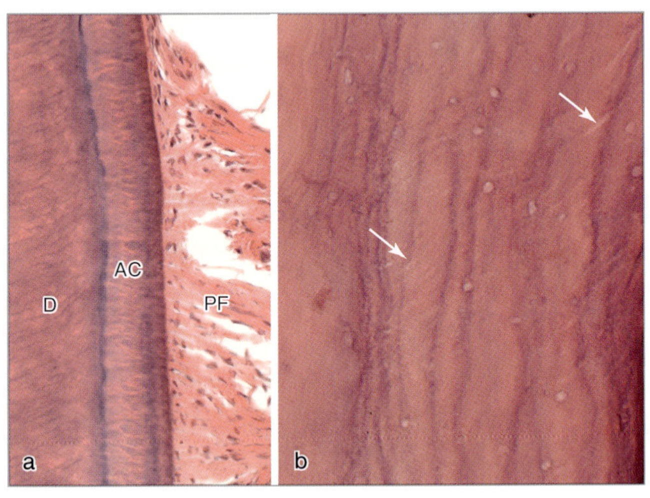

図5-II-2　無細胞セメント質（a）と有細胞セメント質（b）
無細胞セメント質（AC）の線維成分はSharpey線維であり，主線維（PF）と連続する．有細胞セメント質ではSharpey線維（矢印）は少なく，ほぼ固有線維が占める．D：象牙質

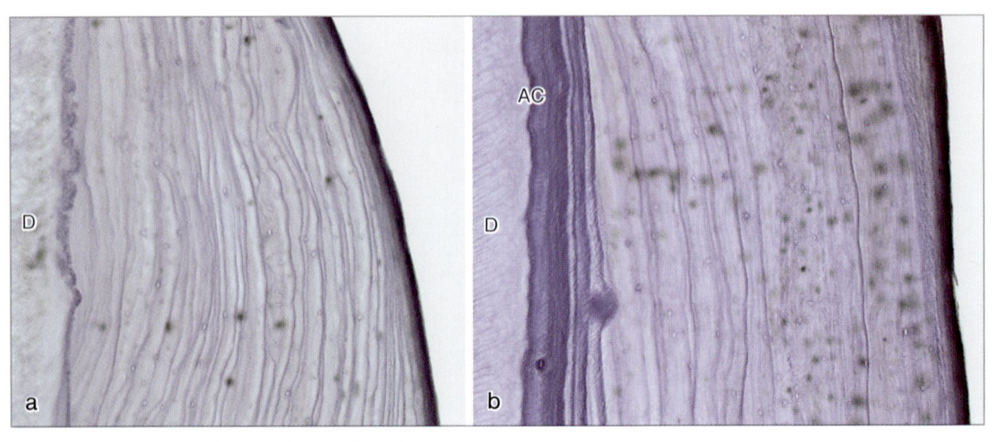

図5-II-3　有細胞セメント質の成長線（研磨切片）
成長線により多くのセメント層板が形成されている．bでは最内層に無細胞セメント質（AC）が認められる．D：象牙質

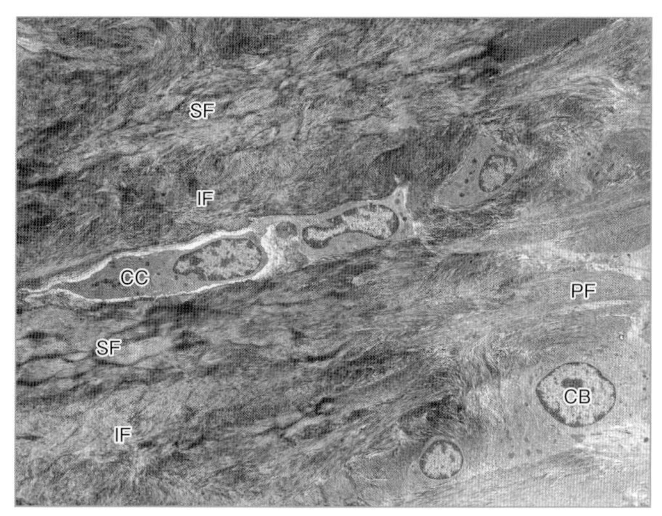

図 5-Ⅱ-4　有細胞セメント質表面の透過型電子顕微鏡像（ラット）
CB：セメント芽細胞，CC：セメント細胞，PF：主線維，SF：Sharpey 線維，IF：固有線維

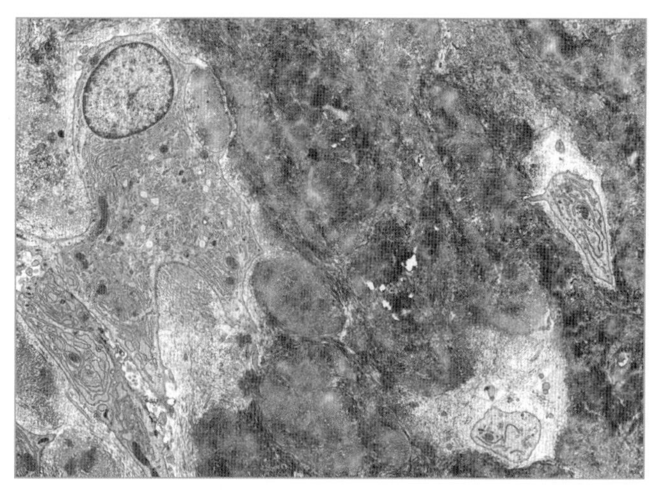

図 5-Ⅱ-5　有細胞セメント質の接線方向の断面の透過型電子顕微鏡像（ラット）
セメント質表面のセメント芽細胞（左）は豊富な細胞小器官を有し活発な分泌活性を示す．一方，埋め込まれたセメント細胞（右）は変性の徴候を示す．

る．主要な線維間基質は酸性糖タンパク質 acid glycoprotein である**骨シアロタンパク質** bone sialoprotein と**オステオポンチン** osteopontin，および**プロテオグリカン** proteoglycan である．骨シアロタンパク質とオステオポンチンはセメント基質の石灰化に関与するとともにコラーゲン線維同士を結合させ構造を強化する．プロテオグリカンも石灰化にかかわる重要な基質である．プロテオグリカンは無機質沈着前の未石灰化状態のセメント質（**セメント前質** precementum あるいは類セメント質 cementoid）には大量に存在するが，石灰化の過程で大部分が分解されてしまう．その他にも増殖因子を含めた数種のタンパク質が確認されている．

増殖因子には骨形成タンパク質（BMP），トランスフォーミング増殖因子-β（TGF-β），線維芽細胞増殖因子 fibroblast growth factor（FGF）などがあり，その他にセメント質付着タンパク質 CAP やセメントタンパク質 1（CEMP1）といったタンパク質が同定されている．これらはセメント芽細胞やその前駆細胞に対して，分化・増殖能や移動能，および基質への接着能を亢進させ，さらに石灰化能も誘導することが確認されている．以上から，これらはセメント質になんらかの侵襲があったときに放出されてその修復にかかわると考える研究者もいる．CAP と CEMP1 はセメント質で発見されたタンパク質であるが，セメント質にしか存在しないタンパク質であるかについてはまだよくわかっていない[1,2]．

2）セメント芽細胞とセメント細胞

セメント基質を分泌する細胞を**セメント芽細胞** cementoblast という．細胞小器官が発達し高度な分泌活性を有している．発生初期のセメント芽細胞は歯小嚢 dental follicle，dental sac に由来し，完成した歯では歯根膜からも分化する．セメント質形成が急速に進行した場合，セメント芽細胞はセメント質に埋め込まれ**セメント細胞** cementocyte になる（図 5-Ⅱ-4，5）．

3）セメント質の線維

セメント質には 2 種類の線維が存在する．1 つは歯根表面にほぼ垂直に配列する **Sharpey 線維**であり，主線維と連続するので外来線維 extrinsic fiber ともよばれる．もう 1 つはセメント質固有の**固有線維** intrinsic fiber で，歯根表面にほぼ平行に配列する（図 5-Ⅱ-2, 4）．固有線維と Sharpey 線維とが共存する部位では，固有線維は Sharpey 線維を取り巻くように配列する（図 5-Ⅱ-6）．Sharpey 線維と固有線維の割合は部位によって異なるが，一般に Sharpey 線維の密度は歯頸部では高く，根尖部では低い．Sharpey 線維はセメント芽細胞と歯根膜線維芽細胞により，固有線維はセメント芽細胞により分泌されると考えられている．

4）セメント質の分類

セメント細胞の有無により**無細胞セメント質** acellular cementum と**有細胞セメント質** cellular cementum に大別される．

（1）無細胞セメント質

歯根の歯頸側 1/2～2/3 の領域にみられ，厚さは約 20～50 μm である（図 5-Ⅱ-2）．エナメル質をわずかに

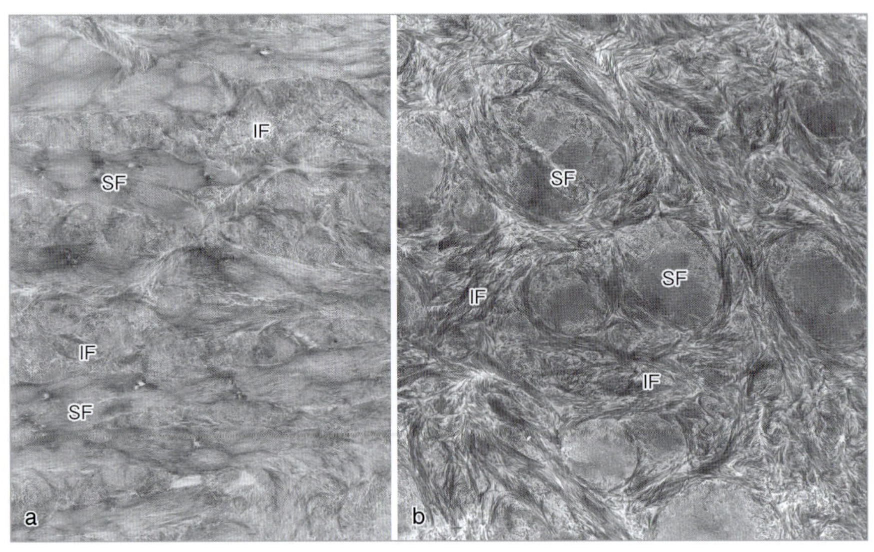

図 5-Ⅱ-6　有細胞セメント質の縦断面（a）と接線方向の断面（b）
Sharpey 線維（SF）とそれらを取り囲む固有線維（IF）.

覆う場合もある．含まれる線維のほぼすべてが Sharpey 線維からなり，歯の固定と支持に最も有効なセメント質である．外国の文献では無細胞外来線維性セメント質 acellular extrinsic fiber cementum と記されている場合が多い．

（2）有細胞セメント質

歯根の根尖側 1/2 から 1/3 の領域にみられ，厚さは数十 μm から場合によっては 1 mm 以上にまで達する．咬合圧の負担が大きい後方歯ほど厚くなる傾向がある．通常，数層から十数層，あるいはそれ以上のセメント質層（セメント層板）が積み重なった構造を示す．そのため外国の文献では有細胞混合性重層セメント質 cellular mixed stratified cementum と記されている場合もある．隣接するセメント層板は 1〜2 μm ほどの幅をもつ好塩基性の成長線（かつては層板間層とよばれた）によって仕切られる（**図 5-Ⅱ-3**）.

各セメント層板における Sharpey 線維と固有線維の割合は多様で，Sharpey 線維をほとんど，あるいはまったく含まないものもめずらしくはない（**図 5-Ⅱ-3**）．このような層板は，歯を固定するというよりも，歯の萌出や移動によって生じる圧負担の変化に応じて局所的に添加され，負担を分散・調節する役割をもつ．また咬耗により薄くなったエナメル質に対して代償的に添加するとも考えられている．有細胞セメント質領域であっても，最深部では無細胞セメント質が歯根象牙質表面に最初に形成されている場合も多い（**図 5-Ⅱ-3**）．したがって無細胞セメント質は原生（一次）セメント質 primary cementum，有細胞セメント質は第二（二次）セメント質 secondary cementum ともよばれてきたが，無細胞セメント質がセメント層板として有細胞セメント質中に介在することもあるので注意を要する．

2. セメント質の構造

1）無細胞セメント質

Sharpey 線維は直径 3〜4 μm，密度はおよそ 3 万本/mm^2 で象牙質に向かって直線的に配列している．隣接した Sharpey 線維間で小線維束の交通が認められる．セメント象牙境 cementodentinal (dentinocementum) junction では放散して象牙質の基質線維と絡み合った状態を示していることが多い．無細胞セメント質はゆっくりと石灰化するため，Sharpey 線維は中心部まで十分に石灰化している．線維間は微細顆粒状を呈した基質で占められる．

2）有細胞セメント質

Sharpey 線維は直径 6 μmほどで，無細胞セメント質のものと比べやや太い．密度は部位によってさまざまである．有細胞セメント質は急速に成長するため，Sharpey 線維の中心まで石灰化が及んでいない場合が多い．線維間基質の密度も無細胞セメント質よりも低くなっている．Sharpey 線維が少ない部位ほど，固有線維は規則正しい層板構造を示す（セメント層板よりもさらに細かい層板構造．**図 5-Ⅱ-7**）．この層板構造は，幅 2〜3 μm の 2 種類の層板，主として縦断された線維からなる層板と主として横断された線維からなる層板とが交互に重なってできている．

骨の Havers（ハバース）層板 Haversian lamellae や基礎層板にもセ

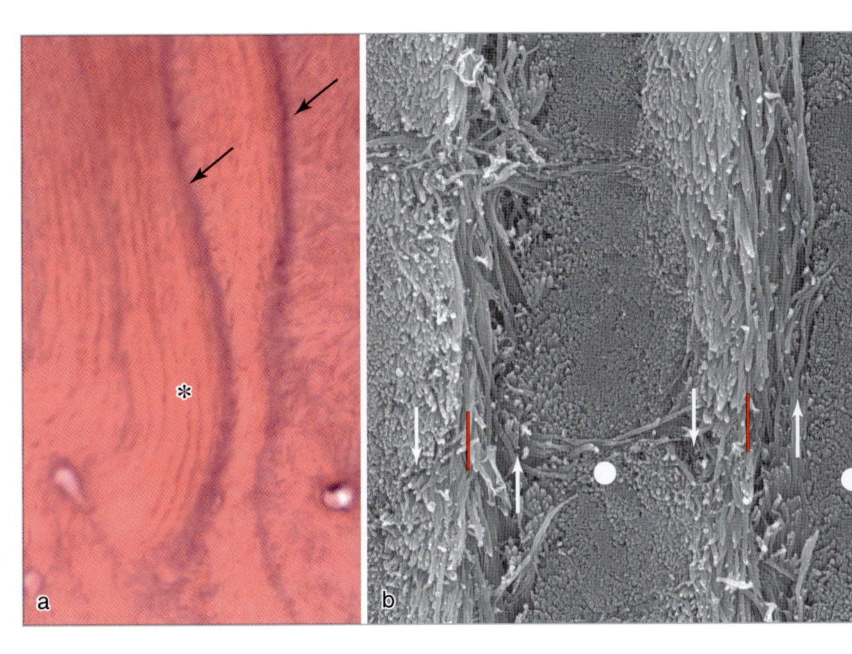

図 5-Ⅱ-7　有細胞セメント質の光学顕微鏡像（a）と走査型電子顕微鏡像（b）
いずれも Sharpey 線維を含まない領域のもの．
a：濃く染まる層板と淡く染まる層板が交互に重なっている（*）．矢印は成長線を示す．
b：左から右へと，断端が下を向く線維群（下向き矢印），ほぼ縦断された線維群（赤縦線），断端が上を向く線維群（上向き矢印），ほぼ横断された線維群（白丸）が繰り返し現れる．すなわち細線維が配列方向を周期的に変えることで a でみられる層板構造をつくる．

メント質と同様な層板構造が認められる．Giraud-Guille は，コラーゲン細線維の配列方向が，回転するように変化することで層板構造ができると説明した（Twisted plywood model）[3]．セメント質の層板構造も Twisted plywood model に従うことが確かめられている[4, 5]．しかしながら骨芽細胞 osteoblast やセメント芽細胞がどのようにして層板構造を形成するかは不明である．

セメント細胞は**セメント小腔** cementum lacunae に収まっており，多数の突起を太さ 1 μm ほどの**セメント細管** cementum canaliculi の中へと伸ばしている．セメント細管の多くはセメント質表面に向かうが，セメント細胞が埋め込まれる際にできるだけ長い間歯根膜と接触しようとしたためと考えられる（**図 5-Ⅱ-8**）．

骨細胞 osteocyte は広範囲にわたる骨細管・骨細胞ネットワークを形成することで，個々の細胞の栄養補給や物質代謝が可能になり長期間生存できる．さらにそのネットワークを利用して骨への機械的圧力を感受するセンサーとしても働く．セメント細胞も同様のネットワークを形成するものの骨細胞のものに比べはるかに貧弱である．また骨細胞と異なりセメント細胞はセメント深部に存在するものほど変性や死滅の徴候を示す（**図 5-Ⅱ-5**）．このようなセメント細胞がどのような機能をもっているのか，すなわちセメント質の成長や維持，そして修復に関与しているのか，などについてはよくわかっていない[6]．

3）セメント象牙境

セメント質と象牙質の基質線維はセメント象牙境で絡み合い石灰化している．このような構造によりセメント質と象牙質は固く結合している．

4）修復セメント質

破歯細胞 odontoclast による限局性で小窩状の歯根吸収はほとんどの歯で起こる．近心面に多く認められ，生理的な歯の移動に関連すると考えられている．また，歯根の破折や脱臼，過度の矯正力，炎症なども歯根吸収を引き起こす．歯根吸収の原因が除去ないしは緩和されると，吸収されたセメント質あるいは象牙質はセメント質で修復される．これを**修復セメント質** reparative cementum といい，多くの場合，有細胞性である（**図 5-Ⅱ-9**）．破歯細胞が吸収部位から離れた後，既存のセメント芽細胞，あるいは歯根膜から新たに分化したセメント芽細胞がその部位に接近しセメント基質を分泌する．

5）セメント粒

歯根膜内に独立して，あるいはセメント質表面に付着して存在する顆粒状の石灰化物を**セメント粒** cementicle という（**図 5-Ⅱ-10**）．直径数十〜数百 μm ほどで，その断面は同心円の層構造を示す．基質の性状は無細胞セメント質のものに類似する．Malassez（マラッセ）の上皮遺残 epithelial rests of Malassez が形成にかかわるとされる．

3. エナメル質とセメント質の境界

セメント-エナメル境 cementoenamel junction でのエナメル質とセメント質の接触様式には，①エナメル質とセメント質が接している，②セメント質がエナメル質を一部覆っている，③エナメル質とセメント質が離れて

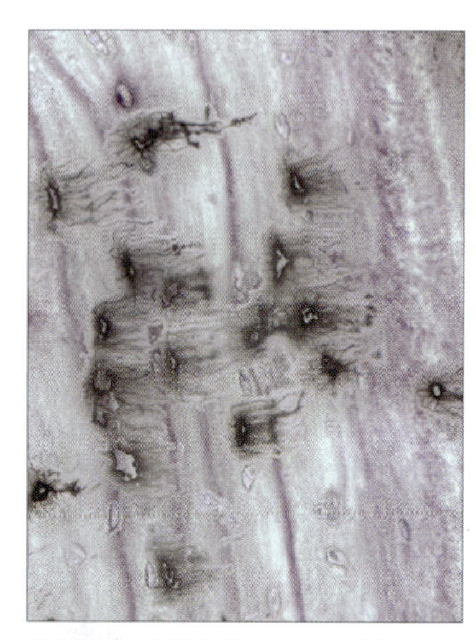

図 5-Ⅱ-8　研磨切片のセメント細胞
セメント小腔からセメント細管が歯根膜（右）に向かって伸びている．

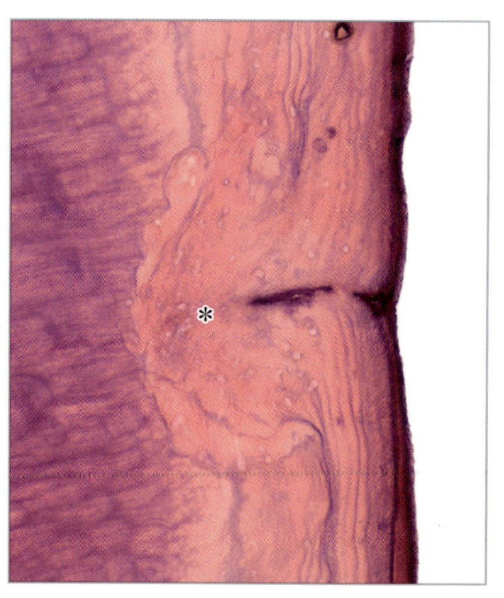

図 5-Ⅱ-9　歯根吸収部位に添加された修復セメント質（＊）
修復セメント質は有細胞セメント質からなる．

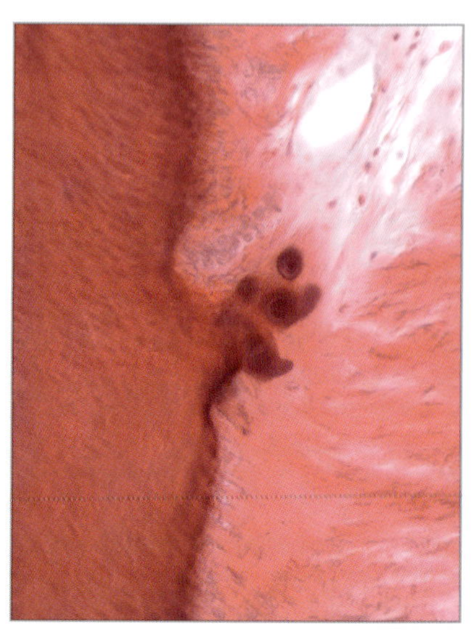

図 5-Ⅱ-10　歯根膜のセメント粒
一部セメント質と癒合している．

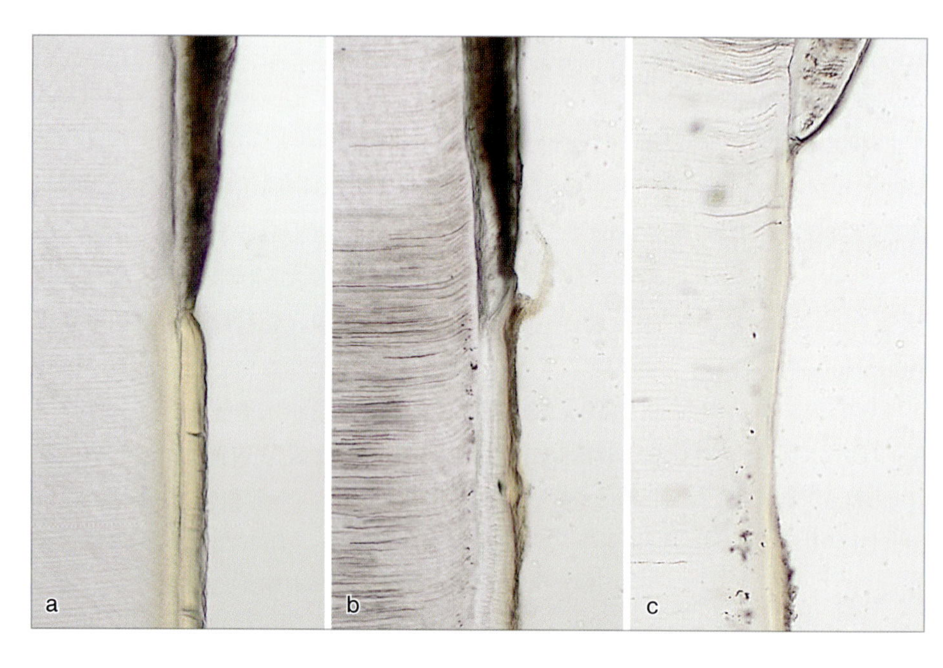

図 5-Ⅱ-11　エナメル質とセメント質の3種類の接触様式
a：エナメル質とセメント質が接触している．
b：セメント質がエナメル質をわずかに覆う．
c：エナメル質とセメント質が離れている．
（スリランカ・ペラデニア大学 Kapila Arambawatta 先生のご厚意による）

いる，の3種類がある（**図 5-Ⅱ-11**）．歯種によって，また同一歯でも歯面によって出現頻度にかなり差がある．エナメル質がセメント質を覆う報告例もあるが，発生学的にありえない．研磨切片は厚いので深層と浅層が重なったのであろう．

4. セメント質の加齢変化

セメント質は生涯にわたり成長し続ける．さまざまな年代の標本を観察した研究により，セメント質の厚さの平均値は加齢に正比例して増加することが示されている．しかしながら，厚さの増加は歯種や部位によりかなり差があり，一般に前歯よりも臼歯，歯頸部よりも根尖部，平滑な面よりも凹凸のある面に大量に沈着しやすい．多根歯の根分岐部はその典型的な部位である．

継続的な咀嚼刺激がセメント質の厚さの増大因子として有力視されてはいるが，機能していない埋伏歯においてもセメント質の増大は認められることから，咀嚼刺激以外のさまざまな因子も関係すると思われる．

セメント質の病的過剰形成を**セメント質増殖症** hypercementosis あるいは**セメント質肥大** cementum hyperplasia というが，実際は正常と病的の区別ははっきりしない．根尖部に発生しやすく大量の有細胞セメント質の沈着をみる．セメント粒の大量沈着を伴うこともある．

（山本恒之）

III 歯根膜（歯周靱帯）

1. 概　説

歯根膜は，セメント質と固有歯槽骨との間隙（歯根膜腔）に存在する幅0.1〜0.4 mmの線維性の**密性結合組織**である．歯根膜は，組織構造と機能から歯周靱帯とよぶのがふさわしいが，慣用的に歯根膜が用いられている．歯根膜は単なる歯根膜腔を埋める結合組織ではなく，セメント質および歯槽骨と一体化して機能を果たしている（図5-Ⅲ-1a）．

歯根膜線維の主体はコラーゲン線維であり，歯根膜内を走行するコラーゲン線維束を**主線維**という（図5-Ⅲ-1b）．主線維の一端はセメント質に，他端は固有歯槽骨に固定されているが，歯槽骨やセメント質に埋め込まれた線維を**Sharpey線維**とよぶ．また，Sharpey線維が入り込んだ歯槽骨の領域を**束状骨** bundle boneという（図5-Ⅲ-1a）．つまり，歯根膜の主線維の両端でセメント質あるいは歯槽骨に埋め込まれている部分のみをSharpey線維といい，歯根膜を走行する主線維はSharpey線維とよばない．このように主線維は歯周靱帯として歯を歯槽中に懸垂し，いろいろな方向からの外力・咬合力に対応するため機能的な配列をとっている．

歯根膜の厚さは歯頸部では約0.3〜0.4 mm，歯根中央部では約0.15 mm，根尖部では約0.2 mmほどである．歯根中央部が最も薄いのは，外力が加わって歯が動くときに，歯根中央部が歯の支点となって働くため運動幅が最小となることによる．ただし歯種，部位，機能状態，年齢などにより歯根膜の厚さは異なってくる．一般に咬合圧が大きい臼歯では咬合圧が小さい前歯よりも厚く，また永久歯は乳歯よりも厚い．近心側より遠心側で厚いが，これは歯の生理的近心移動のためである．機能していない歯や埋伏歯では機能歯よりも薄くなり，主線維も機能的な配置をとっていない．さらに歯根膜は加齢に伴い薄くなる傾向がある．

歯根膜は他の結合組織と同様に，**細胞成分**と**細胞外マトリックス** extracellular matrixとからなる．歯根膜はコラーゲン線維に富む密性結合組織でありながら，多種類の細胞と豊かな脈管系を有している．歯根膜に存在する細胞には，歯根膜の線維芽細胞，セメント芽細胞，骨芽細胞，破骨細胞，Malassezの上皮遺残の細胞，未分化間葉系細胞，神経や血管，マクロファージ（大食細胞，組織球）など多種多様の細胞が存在する．

歯根膜は歯に適度な可動性を与えて荷重の集中を回避するよう，緩衝材のように働く．歯冠は複雑な形態をしており，厳密には上下顎の歯の接触状態は必ずしも均一ではない．よって，歯根膜という緩衝材によってそれぞれの歯の接触状態を調節することで，上下顎における複数の歯を同時に接触させることが可能となる．さらに，歯根膜の主線維は，あるところまで伸張すると，張力を発揮し，歯や歯槽骨の応力集中を回避することができる．また，血液，無定形基質，組織液などは，歯根膜に粘弾性を与えることにより，歯に加わった衝撃を減衰・緩和し歯槽骨を保護している．それだけでなく，歯根膜に存在する多数の感覚受容器は，咀嚼筋の活動を制御することで咬合圧の調節に関与する．

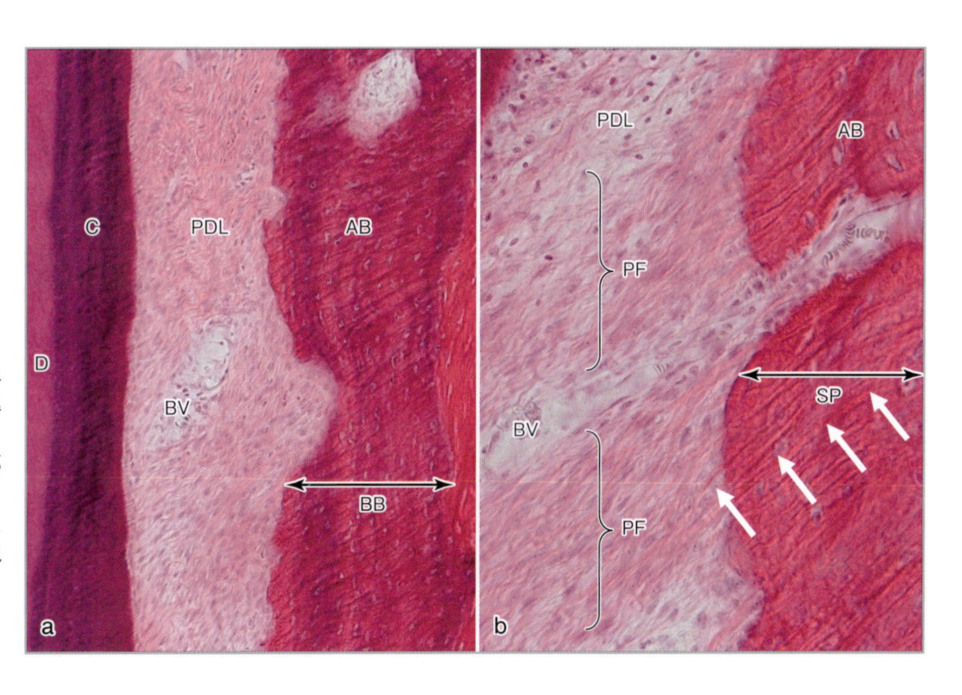

図5-Ⅲ-1　歯根膜のH-E染色像
a：歯根膜（PDL）は歯槽骨（AB）とセメント質（C）をつなぐ線維に富む密性結合組織である．歯根膜の線維が歯槽骨に入り込んだ領域を束状骨（BB：両矢印）という．
b：歯根膜（PDL）と歯槽骨（AB）の一部拡大像．歯根膜の主線維（PF）が歯槽骨（AB）にSharpey線維（SP：両矢印）となって入り込む．主線維から続くSharpey線維を観察することができる（白矢印）．
D：象牙質，BV：血管
（北海道大学歯学部組織実習標本）

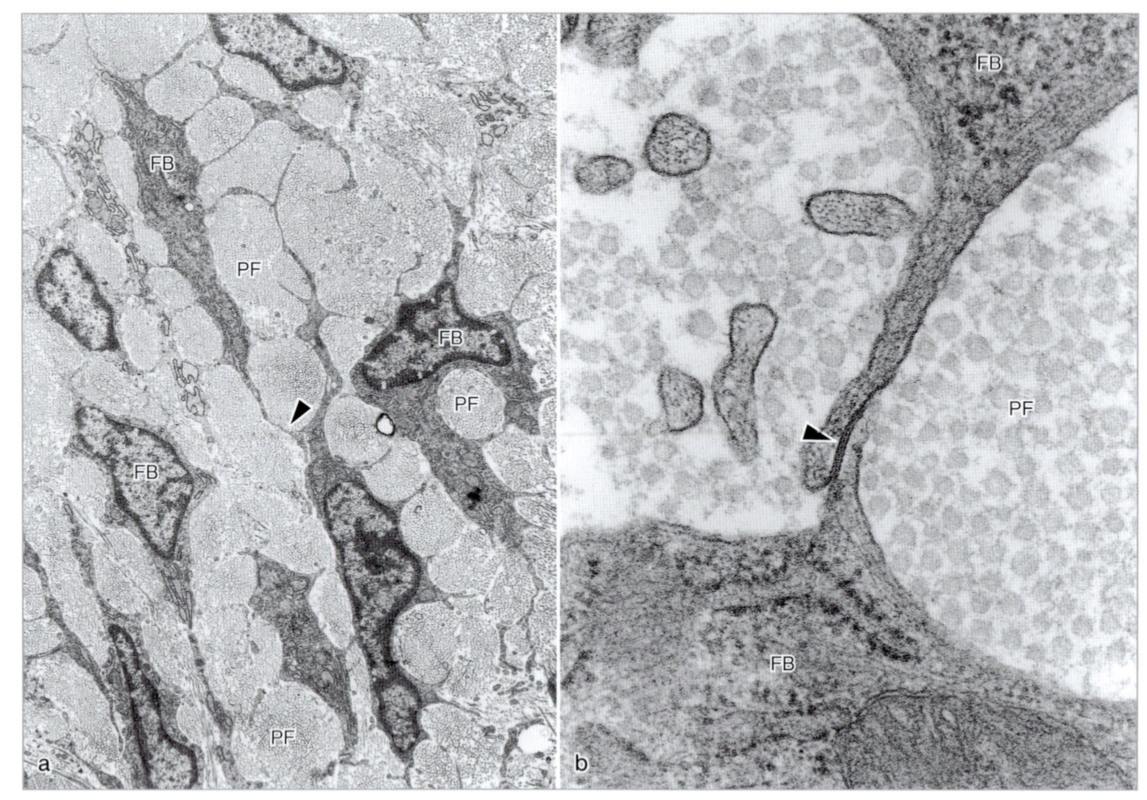

図 5-Ⅲ-2　歯根膜の線維芽細胞の透過型電子顕微鏡像
a：線維芽細胞（FB）は細胞突起を伸ばし，突起はギャップ結合で互いに結合（矢尻）し，網状構造をなしている．また，細胞突起は歯根膜の各主線維束（PF）を形成し取り囲んでいる．
b：a の矢尻部分の拡大．細胞突起のギャップ結合（矢尻）．PF：歯根膜の主線維，FB：線維芽細胞

2. 歯根膜の機能

歯根膜の機能として，以下の 5 つがあげられる．

(1) 支持・結合機能

歯根膜の最も重要な機能は歯根を歯槽骨へと結合させ，歯を支持することである．歯が歯槽骨に埋まっている植立様式を釘植という．

(2) 緩衝機能

歯根膜は歯を歯槽に固定・支持するとともに，可動性を有し強大な咀嚼力（咬合圧）を緩衝する作用をしている．

(3) 栄養能

歯根膜の血管は歯根膜自身を栄養すると同時に，セメント質と歯槽骨に栄養，酸素などを供給する．

(4) 維持・修復作用（恒常性）

歯根膜に存在するセメント芽細胞はセメント質の形成を，また，骨芽細胞と破骨細胞は骨形成・骨吸収を行っている．また，歯の萌出・移動などに伴い，歯根膜や歯槽骨の改造・新生が行われ，歯と歯槽骨の相対的位置関係を維持している．さらに，歯周疾患などによる歯根膜の炎症，修復，再生を行っている．

(5) 感覚能

歯根膜には歯の動きを感受する多数の感覚受容器（触覚，圧覚，痛覚）と神経が分布している．これらは歯の支持装置に対して咬合圧が限度を超えないように咀嚼の圧力の調整・制御にも働いている．たとえば，口腔領域に対する侵害刺激によって急激な開口運動が引き起こされる開口反射が知られている．

3. 歯根膜の細胞

歯根膜の構成成分では，細胞成分が 20～35%，コラーゲン線維などの細胞外マトリックスが 50～55%，脈管成分が約 10%，神経成分が約 1% である．細胞成分としては，歯小嚢に由来する歯根膜の線維芽細胞，骨芽細胞，セメント芽細胞，造血系幹細胞に由来する破骨細胞，Hertwig（ヘルトウィッヒ）上皮鞘 Hertwig's epithelial (root) sheath 由来の Malassez の上皮遺残，血管およびその周囲細胞などがある．加齢に伴い細胞成分比は減少し，相対的に線維成分比が増加する．

1) 線維芽細胞

線維芽細胞は歯根膜の主たる細胞であり，主線維の走向に平行して細胞体を並べている．線維芽細胞はコラーゲン線維の小束を抱えるように細胞突起を伸ばしており，それらの細胞突起は**ギャップ結合** gap junction で互いに結合している（**図 5-Ⅲ-2**）．線維芽細胞はコラー

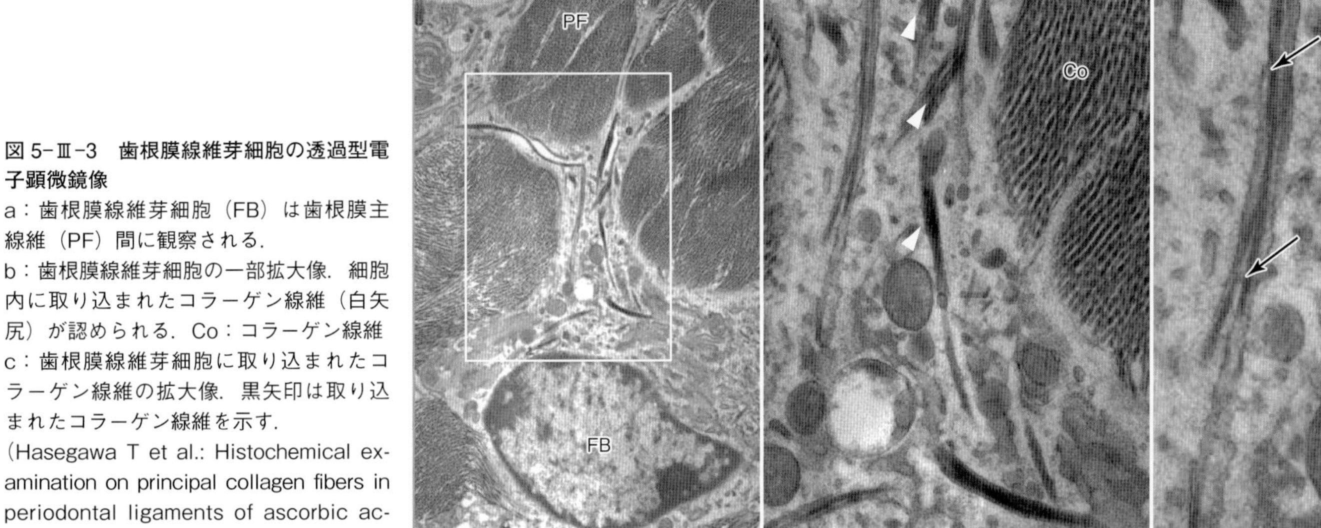

図 5-Ⅲ-3　歯根膜線維芽細胞の透過型電子顕微鏡像
a：歯根膜線維芽細胞（FB）は歯根膜主線維（PF）間に観察される.
b：歯根膜線維芽細胞の一部拡大像．細胞内に取り込まれたコラーゲン線維（白矢尻）が認められる．Co：コラーゲン線維
c：歯根膜線維芽細胞に取り込まれたコラーゲン線維の拡大像．黒矢印は取り込まれたコラーゲン線維を示す．
（Hasegawa T et al.: Histochemical examination on principal collagen fibers in periodontal ligaments of ascorbic acid-deficient ODS-od/od rats. *Microscopy*（*Oxf*）. 68：349〜358, 2019.）

ゲン線維を含む細胞外マトリックスの合成だけでなく，それらの取り込みや分解する機能もあわせもち，歯根膜線維の改造を行っている．歯根膜のコラーゲン線維は，主に**Ⅰ型コラーゲン**であり，少量の**Ⅲ型コラーゲン**も含まれる．歯根膜のコラーゲン代謝は非常に活発であるため，線維芽細胞は発達した粗面小胞体，Golgi（ゴルジ）装置 Golgi apparatus，多数の分泌顆粒をもっており，コラーゲン合成・分泌能は高い．

歯根膜のコラーゲン線維の改造は歯根膜全層で行われる．生理的状態での**コラーゲン線維改造**は，線維芽細胞によるコラーゲン線維の新生・貪食によって行われる（**図 5-Ⅲ-3**）．健常な歯根膜では，コラーゲン線維の形成と分解のバランスが保たれているが，疾病などによる線維芽細胞の機能障害は歯の支持機能の急速な消失となる．対合歯を失うことによる歯の機能低下は，歯根膜の線維芽細胞の機能低下を引き起こし，歯根膜線維の萎縮や分解・消失を生じ支持機能は低下する．逆に適応力を超えた過重負担（咬合性外傷 occlusal trauma）によっても細胞と組織は障害される．

生理的状態での歯根膜のコラーゲン線維改造は，一部の線維芽細胞のコラーゲン細線維の貪食とそれに続く細胞内消化による．コラーゲン線維の細胞内消化においては，リソソームおよびコラーゲン細線維貪食小体に存在するカテプシン B，L cathepsin B，L が消化作用をしている．一方，炎症時はマトリックスメタロプロテアーゼ matrix metalloproteinases（MMPs）が細胞外分泌され，コラーゲン分解・消化が広範囲に非特異的に進行し，歯根膜の機能も損なわれる．加えて線維芽細胞はインターロイキン-1, -6, -8 interleukin-1, -6, -8 やトランスフォーミング増殖因子 β（TGF-β）などのサイトカイン，および MMPs のインヒビターである TIMPS（tissue inhibitor of matrix metalloproteinase）なども産生・分泌することが明らかにされている．炎症時にはこれらの因子が複雑にからみ合って作用し，細胞・組織の障害が増強されると考えられる．

2）セメント芽細胞

セメント芽細胞はセメント前質あるいはセメント質に接して存在し，セメント質の固有線維を合成する．しかし，セメント芽細胞は常にセメント質表面を全面にわたって覆っているわけではない（**図 5-Ⅲ-4**）．この点では，骨芽細胞が骨組織表面を常に覆って骨を周囲組織から分離しているのとは異なる（☞第 5 章Ⅲ参照）．

3）骨芽細胞

骨芽細胞は歯槽骨表面に一層に並んだ細胞として存在する（**図 5-Ⅲ-5**）．活発に骨形成をしている骨芽細胞（**活性型骨芽細胞**）は立方形で細胞小器官が発達しているが，休止期にある骨芽細胞（**休止期骨芽細胞** bone lining cell）は扁平で細胞小器官も少ない．骨芽細胞はみずから形成した骨基質に埋め込まれ，**骨細胞**になる（☞第 10 章参照）．

4）破骨細胞

破骨細胞 osteoclast は造血幹細胞に由来する多核巨細胞で，骨基質の吸収を行う破骨細胞は，骨吸収を行う部位に**波状縁** ruffled border を発達させて骨吸収を行っており，破骨細胞直下の凹面状の**吸収窩**を **Howship（ハウシップ）窩**

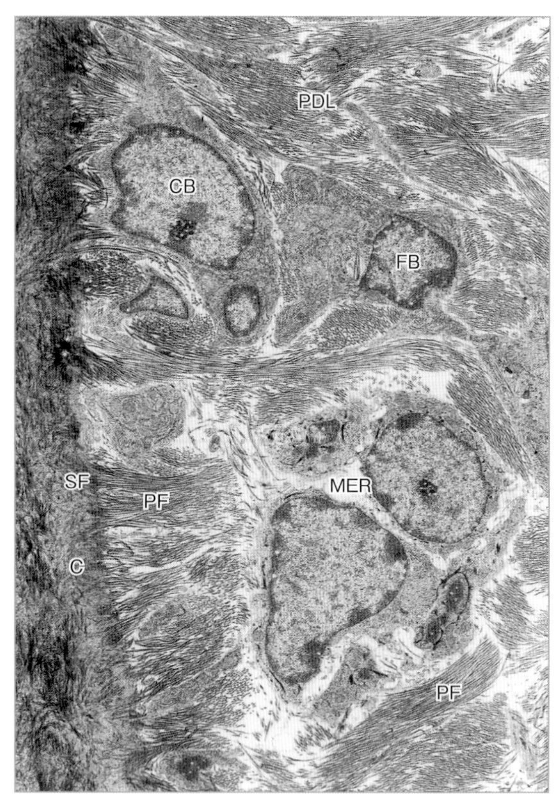

図 5-Ⅲ-4　セメント質表面の透過型電子顕微鏡像
形成期のセメント質（C）表面にはセメント芽細胞（CB）が存在する．歯根膜（PDL）の主線維束（PF）がセメント質内に連続し，Sharpey 線維（SF）として埋め込まれている．セメント質表面近くでは，細胞内にトノフィラメントをもつ Malassez の上皮遺残（MER）がみられる．
FB：線維芽細胞

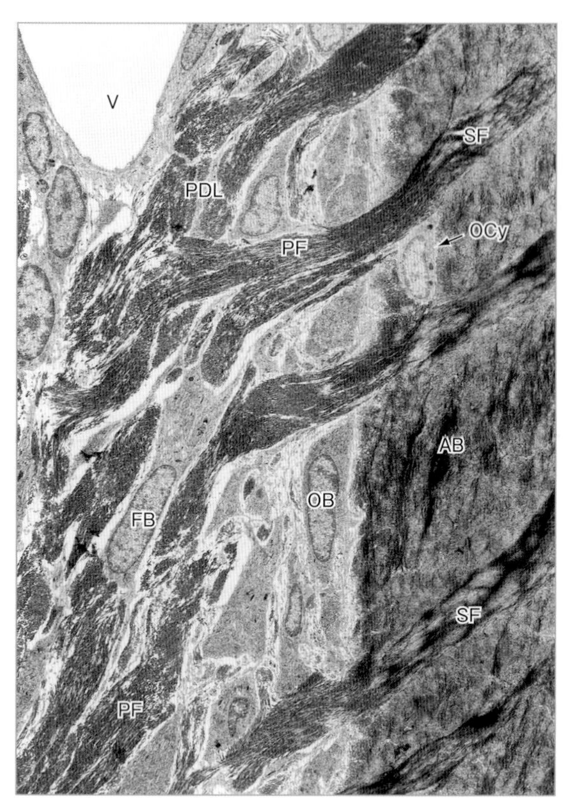

図 5-Ⅲ-5　歯槽骨表面の透過型電子顕微鏡像
歯槽骨（AB）表面には骨芽細胞（OB）が配列している．歯根膜（PDL）の主線維束（PF）が歯槽骨内で Sharpey 線維（SF）として埋め込まれている．主線維束は一般にセメント質側より歯槽骨側で太く，したがって埋め込まれる Sharpey 線維束も太い．
FB：線維芽細胞，OCy：骨細胞，V：静脈性毛細血管

Howship's lacuna という．破骨細胞は歯の矯正的移動・炎症時にも出現するが，生理的な**骨リモデリング** bone remodeling にも関与している．一方，**破歯細胞**は歯のエナメル質，セメント質，象牙質といった歯の硬組織を吸収する破骨細胞に対してつけられた名前である．破歯細胞は生理的には乳歯の歯根吸収時にのみ出現する（☞第 7 章Ⅳ参照）．

5）Malassez の上皮遺残

Malassez の上皮遺残は歯根膜に存在する上皮細胞で，歯根形成後の Hertwig 上皮鞘の遺残物である．しかし，遺残物であっても正常な歯根膜の構成成分であり，加齢に伴い減少するものの生涯を通して存在する．これらの細胞は歯根膜のセメント質側 1/3 に島状に分布する細胞塊としてみられ，細胞周囲に基底膜が認められる（**図 5-Ⅲ-4，6**）．炎症などの病的環境下では Malassez の上皮遺残はその増殖能が上昇し，歯根嚢胞や歯周嚢胞などの嚢胞病変の起源となることもある．また，エナメル上皮腫などの歯原性腫瘍の形成にも関与している．

6）未分化間葉系細胞

歯根膜のもう 1 つの重要な細胞成分として，**未分化間葉系細胞** undifferentiated mesenchymal cell がある．胎生期の間葉系細胞のような潜在的分化能力を有する細胞をいい，**組織幹細胞**，すなわち，**歯根膜幹細胞** periodontal ligament stem cell として存在する．未分化間葉系細胞を分離・培養すると，一定条件下でセメント芽細胞，骨芽細胞，線維芽細胞に分化することが明らかとなっている．

7）その他の細胞成分

マクロファージ macrophage，**肥満細胞** mast cell，**リンパ球** lymphocyte などが分布している（**図 5-Ⅲ-7**）．マクロファージは歯根膜における重要な生体防御細胞である．マクロファージは貪食能と運動能をもち，死んだ細胞，細菌，異物を貪食する．肥満細胞は小血管周囲で観察されることが多い．細胞質には大型の好塩基性顆粒が充満しており，トルイジンブルー染色を行うと，**異調染色性（異染色性）** metachromasia を示すので容易に観察できる．リンパ球は正常な歯根膜ではごく少量

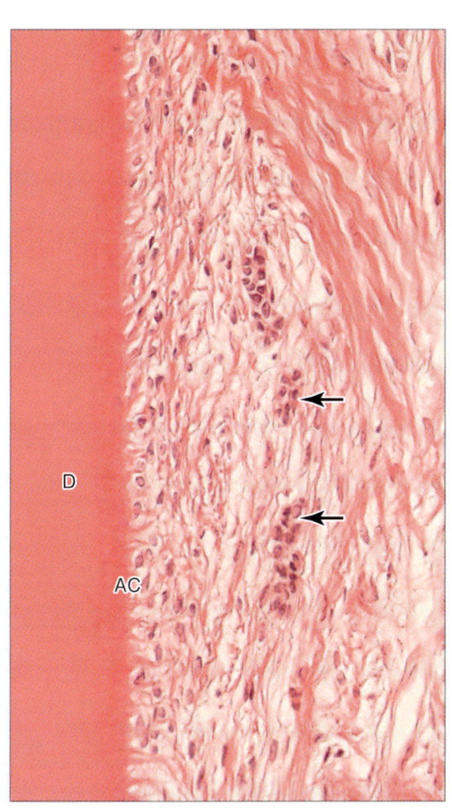

図 5-Ⅲ-6　Malassez の上皮遺残（矢印）
AC：無細胞セメント質，D：歯根象牙質

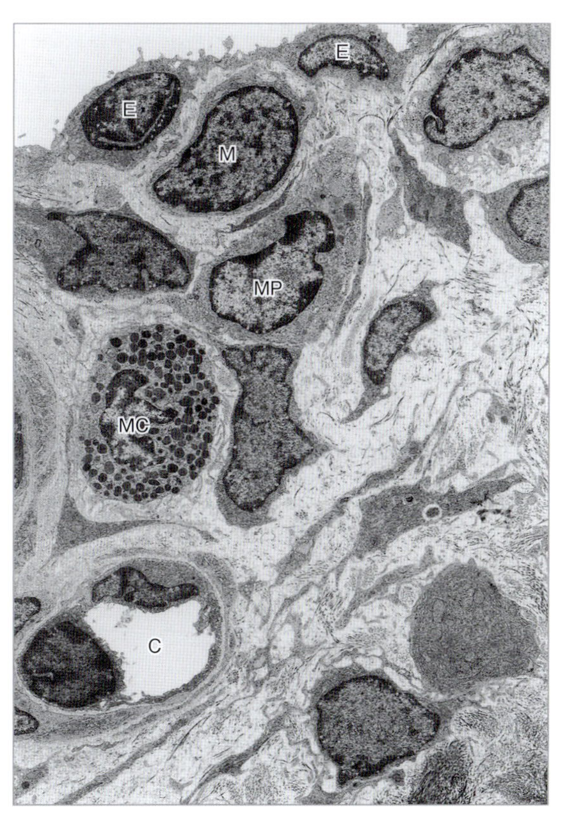

図 5-Ⅲ-7　単球，マクロファージと肥満細胞の透過型電子顕微鏡像
細静脈あるいは毛細血管周囲に浸潤した単球（M），マクロファージ（MP）と肥満細胞（MC）.
C：毛細血管，E：内皮細胞

しか存在しない．しかし，歯周疾患などの慢性炎症を示す歯根膜では，リンパ球は脈管内から遊出してそこに局在するようになる．リンパ球は免疫防御を担う細胞であり，抗体を産生し，各種のサイトカインも産生する．また，マクロファージも貪食作用だけでなく，免疫防衛に関与する．活性化されていないマクロファージをH-E染色のみで区別することは容易ではない．マクロファージを染め分ける方法として，マクロファージに対する抗体を用いた免疫組織化学，貪食能を可視化する方法として墨汁などのコロイド物質を注入して，顆粒を貪食した細胞を観察することができる．マクロファージは単球に由来し，炎症部では血流中の単球が血管内から遊出してマクロファージとなる．さらに，歯根膜には免疫担当細胞として多数の**樹状細胞** dendritic cell が存在することが明らかにされている．

4. 細胞外マトリックス

1）線維成分

(1) コラーゲン線維

歯根膜の主要な線維成分はコラーゲン線維であり，線維束を形成してセメント質と歯槽骨の間に張り渡され両者を結合している．これらのコラーゲン線維は**Ⅰ型コラーゲン**（80%）と**Ⅲ型コラーゲン**（20%）の混合型で，**主線維**とよばれる．コラーゲン線維は張力に対しての抵抗性が強いのが特徴である．しかし，伸張度は数%にすぎないといわれている．歯根膜におけるコラーゲン線維をはじめとする主線維の改造は活発に行われており，それは，歯・歯根膜にかかる力学負荷に対応すると考えられている．

主線維は咬合力などの外力に適応した配列と走行をしており，**歯根膜線維群** periodontal ligament fiber group として以下の5群に分けられる（図 5-Ⅲ-8，9）.

(a) 歯槽頂（歯槽縁）線維群

歯槽頂（歯槽縁）線維群 alveolar crest fiber group は，歯頸部セメント質から下方に走り歯槽頂 alveolar crest を結ぶ線維である．これらの線維は歯への挺出力に抵抗する．

(b) 水平線維群

水平線維群 horizontal fiber group は，歯根中央部セメント質と固有歯槽骨を水平に結ぶ線維である（歯根膜線維群の約20%を占める）．これらの線維は水平力と傾斜力に抵抗する．

(c) 斜走線維群

斜走線維群 oblique fiber group は，根尖側 1/3 のセ

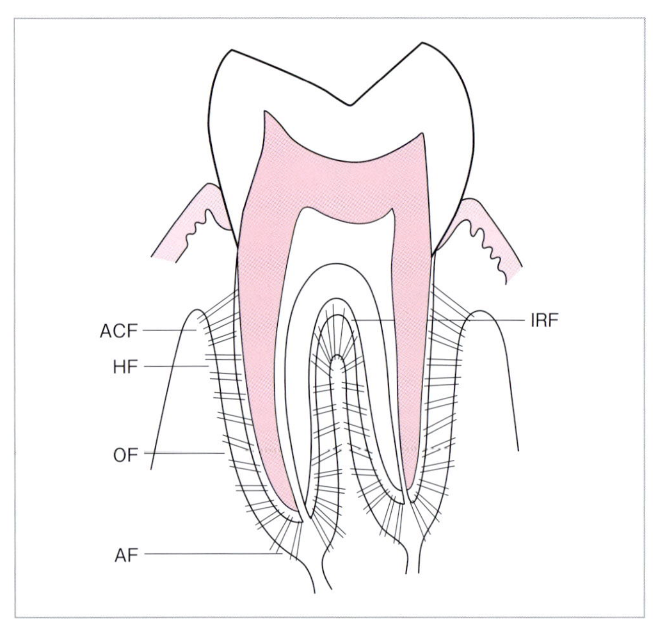

図 5-Ⅲ-8　歯根膜の主線維の配列を示す模式図
ACF：歯槽頂線維群，HF：水平線維群，OF：斜走線維群，AF：根尖線維群，IRF：根間線維群

メント質から固有歯槽骨に向かって斜め上方に走る線維であり，5 群の線維群の中でも最も多い（歯根膜線維群の約 70％を占める）．これらの線維は歯への垂直方向の咬合力と陥入力に抵抗する．

(d) 根尖線維群

根尖線維群 apical fiber group は，根尖セメント質から周囲の固有歯槽骨に放射状に走る線維である．これらの線維は挺出力に抵抗する．

(e) 根間線維群

根間線維群 interradicular fiber group は，多根歯でみられる線維で，根分岐部セメント質と根間中隔の上縁（頂点）固有歯槽骨を結ぶ線維である．これらの線維は側方力，傾斜力あるいは挺出力に抵抗する．

各線維を高倍率でみると，主線維はコラーゲン細線維からなる束（線維束）であることがわかる．また，光学顕微鏡では線維がセメント質から固有歯槽骨まで途切れずに走行しているようにみえるが，1 本の主線維が連続しているのではなく，多数の主線維がからみ合っていると考えられている．

歯根膜線維群は，歯に負荷する力に対応した組織構造とされている．たとえば，機能していない歯や埋伏歯では，歯頸側 1/3 と根尖側 1/3 における歯根膜線維群の配置は不規則となってしまう．生理的な状態においては，歯根膜の主線維をはじめとするコラーゲン線維はその構造と機能を失うことなく改造され，恒常性が保たれている．

(2) オキシタラン線維

歯根膜の主成分はコラーゲン線維であるが，それとともに弾性系線維である**オキシタラン線維** oxytalan fiber が存在する（図 5-Ⅲ-10）．一般的に，弾性系線維には，オキシタラン線維の他に**エラウニン線維** elaunin fiber と**エラスチン線維** elastic fiber が存在する．歯肉には 3

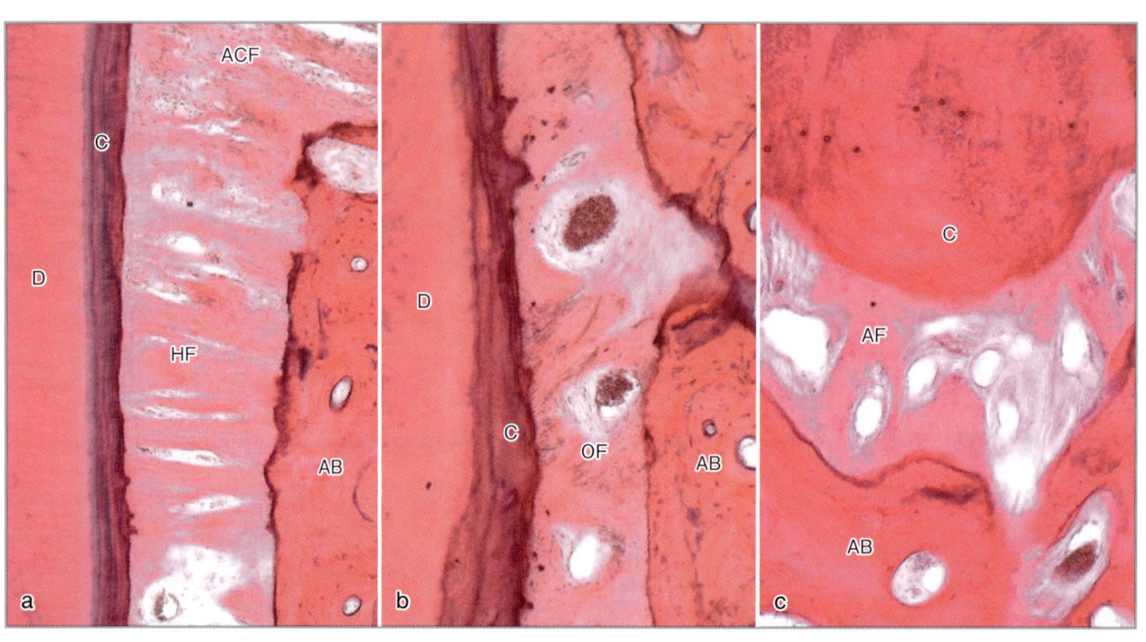

図 5-Ⅲ-9　歯根膜線維群（H-E 染色）
a：歯槽頂線維群（ACF）と水平線維群（HF）．b：斜走線維群（OF）．c：根尖線維群（AF）．
AB：歯槽骨，C：セメント質，D：歯根象牙質

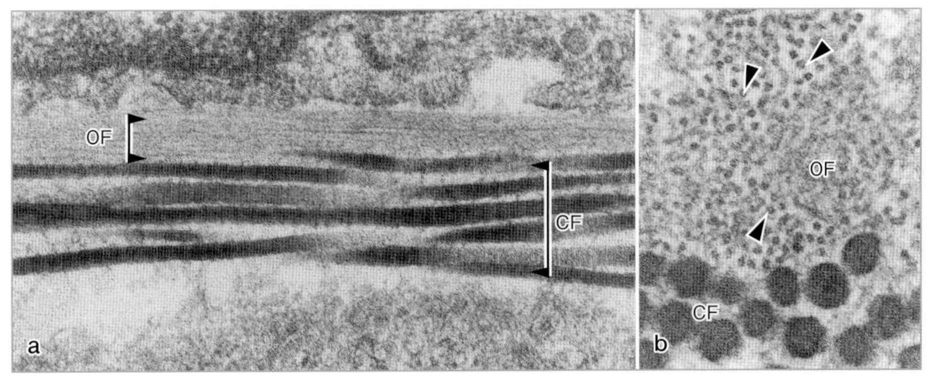

図 5-Ⅲ-10　コラーゲン細線維とオキシタラン線維の透過型電子顕微鏡像
オキシタラン線維（OF）とコラーゲン細線維（CF）を示す．オキシタラン線維は直径 10～12 nm の微細線維からなる束である．微細線維の横断像（矢尻）では管状構造を示す．コラーゲン細線維は直径 60～70 nm で横紋構造を示す．a：縦断像．b：横断像．

種すべての弾性系線維が存在するが，歯根膜にはオキシタラン線維のみが存在する．オキシタラン線維は微細線維 microfibrils が密に集合して束を形成したものであるのに対して，エラウニン線維はオキシタラン線維とエラスチン線維の中間の構造を示す．オキシタラン線維は基本的に歯根膜を歯軸方向に走行している．立体的には，歯根を取り巻き根尖に収束する分岐した網目構造と考えられる．オキシタラン線維には血管周囲で終わるもの，血管を包みさらに走行するもの，あるいは，神経線維周囲に関連するものがある．線維の一端がセメント質に埋入するものもあるが，歯槽骨に埋入するものはない．オキシタラン線維は弾性があり，血管と密接に関連しているため，歯の機能時の血流の調節，血管の構造維持などに関与すると考えられている．しかし，その機能，ならびに，改造や代謝についても十分には明らかにされていない．

弾性系線維はエラスチン elastin と微細線維の構成比率から，エラスチンをまったく含まず微細線維だけからなるオキシタラン線維，多量の微細線維と少量のエラスチンからなるエラウニン線維，少量の微細線維と多量のエラスチンからなるエラスチン線維の3種に分類される．オキシタラン線維は歯根膜の組織切片を過酸化後にアルデヒド-フクシン染色（弾性線維染色）することによって初めて確認された．微細線維は直径 10～12 nm の中空性の微細管で，糖タンパク質 glycoprotein であるフィブリリン fibrillin が主体となり構成されている．弾性系線維形成においては，まず微細線維が出現・形成される．次にエラスチンが微細線維束に沈着し，エラウニン線維，弾性線維が形成されるという．エラスチン付着には微細線維結合糖タンパク質-1 microfibril-associated glycoprotein-1（MAGP-1）とフィブリリン-2 fibrillin-2 とが関与していることが明らかにされている．

2）無定形基質

歯根膜において，無定形基質が粘弾性を発揮して歯根膜の荷重緩衝能に大切な働きをしている．無定形基質は約7割が水であるが，その中にグリコサミノグリカン glycosaminoglycan などの糖鎖がタンパク質と結合した高分子，すなわち複合糖質として存在する．複合糖質はプロテオグリカンと糖タンパク質に分けられる．プロテオグリカンはグリコサミノグリカンとコアタンパク質から構成される分子で，糖含有量が非常に高く細胞外マトリックスと細胞表面に存在する．グリコサミノグリカンはコンドロイチン硫酸，デルマタン硫酸，ヘパラン硫酸，ヘパリン，ケラタン硫酸，ヒアルロン酸に分類される．グリコサミノグリカンは強い親水性を示し，大きな容積を占め，その分子中に多くの水分子を保持する．そのため，大きな保水力があり，水分，イオンの代謝・調節をしている．また，成長因子や重要な機能タンパク質との相互作用があり，これらの機能調節をしている．

線維芽細胞増殖因子（FGF）や肝細胞増殖因子 hepatocyte growth factor（HGF）などの成長因子は，細胞膜上または細胞外マトリックスに存在するヘパラン硫酸プロテオグリカンと結合することにより特定の部位に集積し，非拡散因子として機能することが推察されている．プロテオグリカンの一種であるフィブロモジュリン fibromodulin は，コラーゲン線維形成を抑制する性質がある．歯根膜では，細胞外マトリックス，特にセメント質・歯根膜境界面，歯槽骨・歯根膜境界面に存在し，石灰化を制御している可能性が考えられている．

糖タンパク質は，2〜6 種類の単糖がタンパク質と共有結合している複合タンパク質で，フィブロネクチン fibronectin，テナシン tenascin，ラミニン laminin，ビトロネクチン vitronectin などが知られている．フィブロネクチンは歯根膜に広く分布しており，細胞と細胞外マトリックス成分の両方に結合することで細胞接着や細胞の遊走性を制御している．テナシンはフィブロネクチンと細胞膜プロテオグリカンであるシンデカンに結合するが，テナシンがシンデカンと結合すると細胞の遊走性が高まる．テナシンは主に線維芽細胞と細胞周囲に認められる．

ペリオスチン periostin[1] は，1999 年に歯根膜に存在することが明らかにされた細胞外マトリックスタンパク質であるが，その後，骨膜や心筋などにも存在することが明らかにされている．コラーゲン線維と結合し，歯根膜線維の改変などに関係するという．

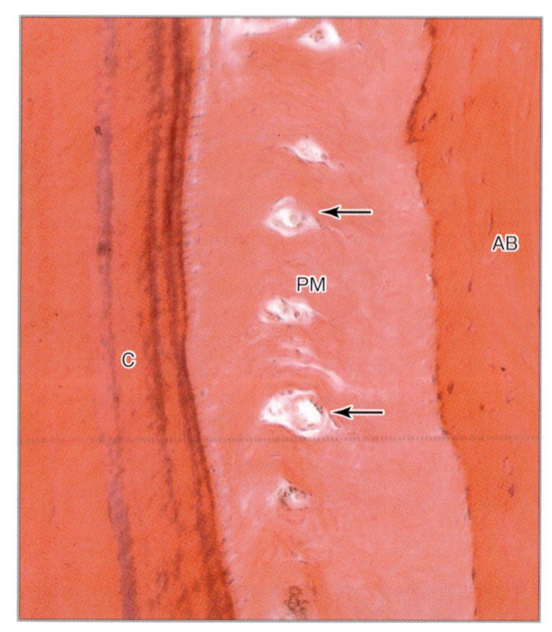

図 5-Ⅲ-11　脈管神経隙（縦断切片）（H-E 染色）
脈管神経隙（矢印）が歯根膜（PM）にほぼ規則的に分布する．
AB：歯槽骨，C：セメント質

5. 血管および神経分布

1）血管分布

歯根膜は細胞と細胞外マトリックスの代謝が活発な組織であり，豊富な血液供給を受けている．歯根膜への主な血液供給は顎動脈から分枝した下歯槽動脈，後上歯槽動脈と眼窩下動脈（前上歯槽動脈）からである．これらの歯槽動脈は顎骨内で歯枝を出し，歯と歯周組織に分布する．歯根膜への血管分布には 3 経路がある．

歯根膜には容積率で約 10％を占める脈管系が存在する．歯根膜中の血管は複雑なネットワークを形成しており，その大部分は静脈性毛細血管と細静脈である．これらの静脈系は歯根膜の圧迫時にはその容積を縮小できるようになっている．根尖側 1/4 では，根尖に近づくにつれて血管含有率は急激に増加する（約 40％）．

2）神経分布

歯根膜の主な神経は，上顎では上顎神経の眼窩下神経と後上歯槽枝が形成する上歯神経叢，下顎では下顎神経の下歯槽神経である．歯根膜への神経分布には 2 経路がある．歯根膜の自律神経の分布は十分に明らかにされていない．しかし，血管壁に多数の神経終末が存在しており，自律神経が血流調節を局所的に行っていると考えられる．

3）脈管神経隙

歯根膜の主線維の間には，線維がまばらで血管・神経を含む領域が存在する．これらを**脈管神経隙** interstitial space といい，歯根膜にほぼ一定間隔で配置している（図 5-Ⅲ-11）．歯根膜の横断像と縦断像の両方で観察できる．規則的な脈管神経隙の分布は代謝機能が高い歯根膜に，十分に豊富な動脈，静脈，リンパ管と神経を供給するためと考えられる．脈管神経隙を取り巻いているコラーゲン線維は咀嚼における間隙の閉鎖あるいは拡大から保護している．さらに，脈管神経隙内に微細線維とこれからなるオキシタラン線維が分布しており，弾性を与えている．

6. 歯周組織の改造

歯根膜は生涯を通して活発に改造が行われており，特にコラーゲンの代謝速度は高い．健康な歯周組織の改造機構では，線維芽細胞が主体をなしている．線維芽細胞はコラーゲンを含む細胞外マトリックスの合成とともに，それらの取り込みと分解・吸収の機能をもっている．コラーゲン線維の改造は歯根膜全体で行われるが，歯槽骨側がセメント質側よりも活性が高いという．これは，セメント質は生涯を通してゆっくり形成されるが，歯槽骨は常に活発な骨リモデリングを受けているためとされている．外因または内因によりコラーゲン線維生成と分解のバランスが崩れると，歯根膜の構造と機能が障害され病的状態となる．

7. 歯根膜の加齢変化

セメント質の形成などにより，歯根膜腔は狭小化し，歯根膜の厚さは減少する．それとともに線維芽細胞，セメント芽細胞，骨芽細胞，Malassez の上皮遺残などの細胞成分と線維成分も減少する．特にコラーゲン線維からなる歯根膜の主線維の機能的配列は不規則になる．

（長谷川智香，山本恒之，網塚憲生，矢嶋俊彦）

 歯槽骨

歯槽骨は，歯根を入れる歯槽をもつ骨であり，肉眼解剖学的には上顎骨では**歯槽突起**，下顎骨では**歯槽部**と表現される．歯槽骨は，上顎骨と下顎骨の一部であるが，顎骨骨体の骨とは異なる組織学的特徴をもつ（一般的な骨組織についての詳説は☞第 10 章参照）．

1. 概　説

歯槽骨は，歯が植立する**歯槽**を取り巻く骨であり，頬側と口腔側の骨壁および歯槽間・歯根間の中隔の骨壁を構成している．歯槽骨の自由縁（頂点）は**歯槽頂**とよばれ，歯の間に存在する歯槽骨を**槽間中隔** interalveolar septum，歯根の間の歯槽骨を**根間中隔** interradicular septum という（**図 5-Ⅳ-1**）．

歯槽骨は，その組織発生学的観点から，**固有歯槽骨** alveolar bone proper と**支持歯槽骨** supporting alveolar bone に分けられる．固有歯槽骨は，主に歯槽窩を内張りする内壁として，また，支持歯槽骨は固有歯槽骨を支える骨としてとらえることができる．

固有歯槽骨は歯根膜に面する歯槽窩の内壁をつくり，そこには歯根膜内の**主線維**（コラーゲン線維を主体とする線維束）が入り込んだ **Sharpey 線維**（貫通線維ともいう）が観察される．この領域は基本的には**緻密骨** compact bone の性状を示すが，Sharpey 線維束が規則的な間隔をもって入り込む組織学的特徴を有することから，特に**束状骨**ともいう（**図 5-Ⅳ-2**）．

また，固有歯槽骨を主体とする歯槽窩の内壁は，臨床的に**歯槽硬線** lamina dura とよばれるエックス線不透過像として観察することができる（**図 5-Ⅳ-3**）．抜歯などで歯が喪失した場合や，歯周疾患などで歯槽骨の破壊が進んだ場合には，歯槽硬線は不明瞭となる．

支持歯槽骨は上顎骨と下顎骨の骨体部から続く領域であり，固有歯槽骨を取り囲む骨で，厚い皮質骨（緻密支持歯槽骨）と海綿骨（海綿支持歯槽骨）から構成される．

支持歯槽骨の皮質骨は，一般的な長管骨の皮質骨と同様の組織学的特徴を有しており，**骨単位**（**オステオン** osteon，または **Havers**（ハバース）**系** Haversian system）とよばれる同心円状の構造や基礎層板を有する**層板骨**を示す．そこでは，一定の走行を示すコラーゲン線維束が織物のように規則正しく層状に並んでおり，同時に，高度に石灰化した緻密骨の性状を示す．支持歯槽骨は抜歯後にも残って**図 5-Ⅳ-1** にみられるような歯槽をつくる．

歯槽骨は，他の骨と同様に**骨リモデリング**（骨改造）を受けるだけでなく，歯槽骨に特徴的な現象である歯の移動を伴った改変を受ける．つまり，歯が完成して正常

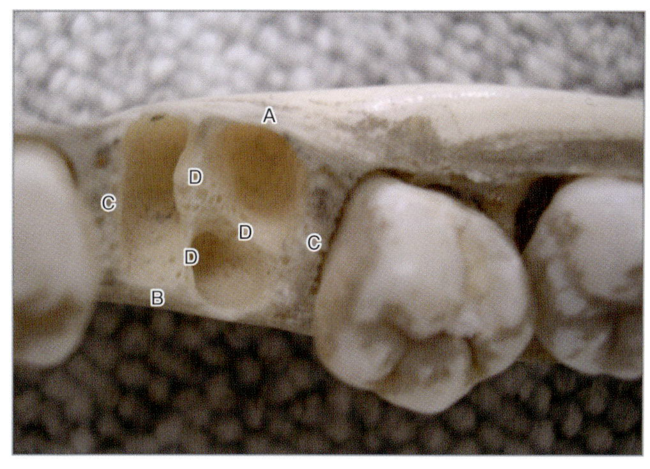

図 5-Ⅳ-1　下顎の歯槽と歯槽骨壁
A：頬側壁，B：口腔側壁，C：歯槽間中隔側壁，D：歯根間中隔側壁

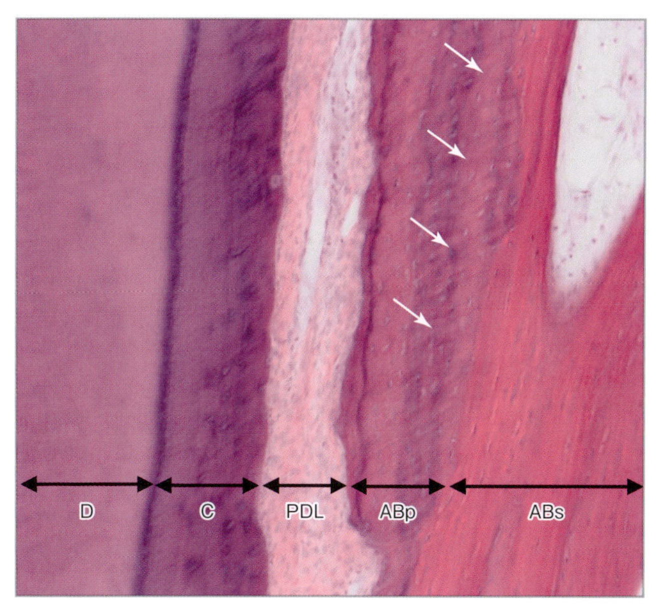

図 5-Ⅳ-2　歯槽骨と歯根膜
固有歯槽骨（ABp）には Sharpey 線維が挿入しており（白矢印），束状骨を示す．一方，支持歯槽骨（ABs）には Sharpey 線維が認められない．
D：象牙質，C：セメント質，PDL：歯根膜
（北海道大学歯学部標本）

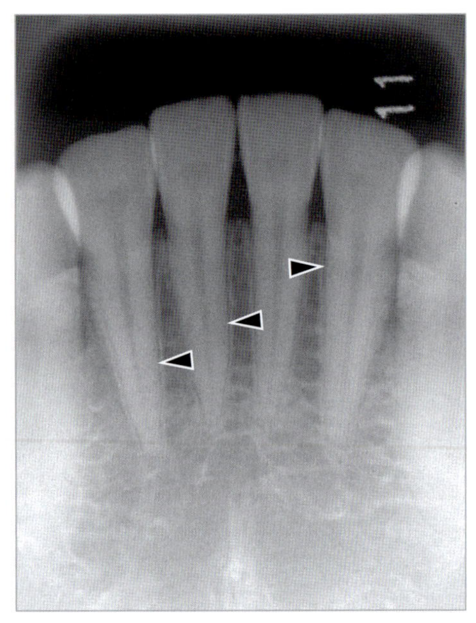

図 5-Ⅳ-3　エックス線写真上の歯槽硬線（矢尻）
（脇坂　聡：最新歯科衛生士教本　歯・口腔の構造と機能 口腔解剖学・口腔組織発生学・口腔生理学（全国歯科衛生士教育協議会監修）．医歯薬出版，2011，245.）

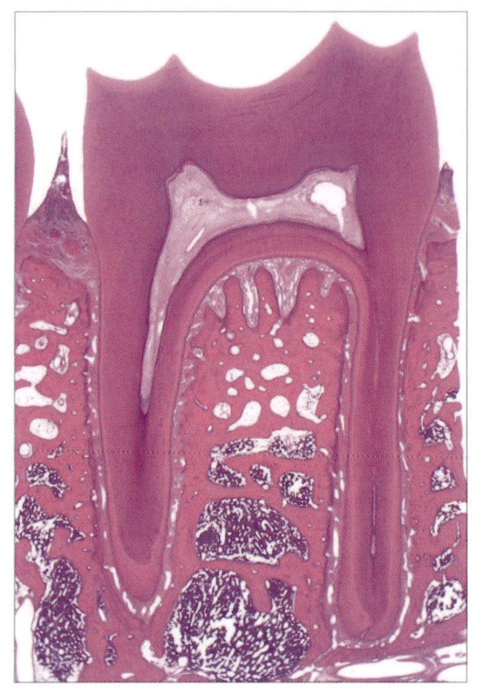

図 5-Ⅳ-4　下顎の歯槽骨
緻密骨が主体で海綿骨が少ない．

な咬合機能がなされるようになると，力学負荷により歯槽骨および歯根膜が改変される．それに伴い，歯が生理的に移動し始める．ヒトの場合，生理的に歯が近心移動することが知られている（後述）．

このように，歯槽骨は成長とともに骨リモデリングや歯の生理的移動に伴う改変を受けるため，固有歯槽骨と支持歯槽骨の境界を明確に示すことはむずかしいが，顕微鏡レベルでは大まかに，固有歯槽骨は主に歯槽窩の内壁の緻密骨を，また，支持歯槽骨はその周囲の厚い皮質骨（緻密骨）と海綿骨をさす．

固有歯槽骨を形成する細胞は，歯胚を取り囲む未分化間葉系組織である**歯小嚢**に由来すると考えられている．歯小嚢に存在する**未分化間葉系細胞**は，歯の発生過程において遊走・定着し，セメント芽細胞，歯根膜の線維芽細胞，そして固有歯槽骨を形成する骨芽細胞へと分化する．発生初期に形成される骨基質は，成熟した緻密骨に比べると石灰化度が低く，また，基質線維であるコラーゲン線維は不規則な走行を示し，**線維性骨** woven bone とよばれる**幼若骨** immature bone を形成する．しかし，個体成長に伴い，骨リモデリングにより骨基質の置換が行われることで，幼若な骨基質からより成熟した緻密骨へと置き換えられていく．緻密骨では，コラーゲン線維が密に存在し，また，そこにおける石灰化度も高い．また，最終的につくられる歯槽骨の高次構築は，前述したように，歯槽窩の内壁を構成する領域は Sharpey 線維が挿入した**束状骨**を形成し，一方，束状骨の周囲では層板構造を有する緻密骨および骨梁 trabecule からなる**海綿骨**を形成する（歯槽骨の形成についての詳説は☞第2章Ⅴ参照）．

2. 歯槽骨の構造

1）組織構造的な特徴

成人の歯槽骨は，固有歯槽骨とその周囲の緻密骨と海綿骨で構成される支持歯槽骨からなる．下顎骨では，歯槽骨の皮質骨（緻密支持歯槽骨）から顎骨体に向けて厚い緻密骨が発達しており，力学的に強い構造を示す．歯槽骨において海綿骨を含む骨髄の割合は，上顎骨や下顎骨の骨体部あるいは大腿骨などの長管骨に比べて小さい．特に下顎の歯槽骨では海綿骨と骨髄の割合が特に小さいことが知られている（**図 5-Ⅳ-4**）．

上顎骨と下顎骨の骨体部から続く支持歯槽骨の外壁は骨外膜で覆われるが，歯槽窩に面する固有歯槽骨の表面には，いわゆる骨外膜はなく，密性結合組織である**歯根膜**で覆われている．

歯根膜の線維芽細胞は，骨芽細胞と同様に**アルカリホスファターゼ** alkaline phosphatase（ALP）陽性を示すことが知られているが，正常な環境では，歯根膜は石灰化を示さない．

これら歯根膜の線維芽細胞が，直接，骨芽細胞に分化す

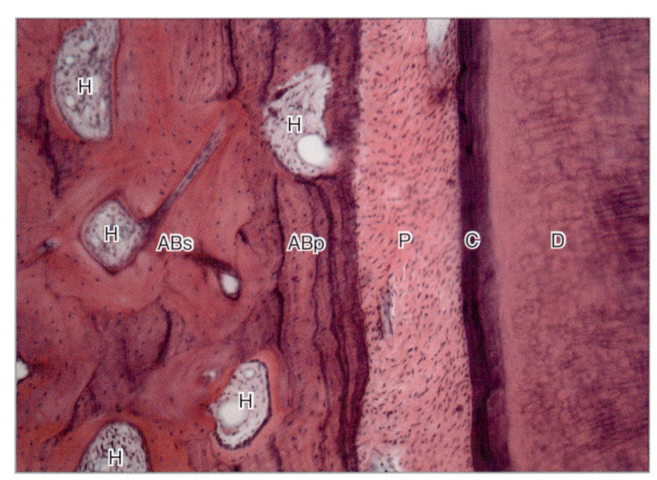

図 5-Ⅳ-5　固有歯槽骨と支持歯槽骨（サル，H-E 染色）
固有歯槽骨（ABp）は薄い層板構造をつくる．また支持歯槽骨（ABs）の緻密質は血管を通す管（Havers 管）（H）を中心に骨単位をつくる．固有歯槽骨表面は厚い線維性結合組織である歯根膜（P）で覆われる．
C：セメント質，D：象牙質

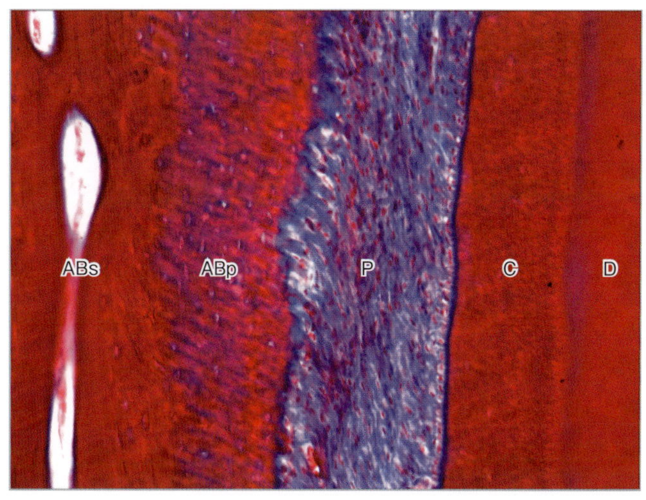

図 5-Ⅳ-6　Sharpey 線維（サル，AZAN 染色）
歯根膜（P）由来の外来の線維束として Sharpey 線維は固有歯槽骨（ABp）に侵入するが，支持歯槽骨（ABs）には侵入しない．
C：セメント質，D：象牙質

るのか，あるいは，骨芽細胞の前駆細胞である前骨芽細胞に一度分化して骨芽細胞になるのか，さらには，歯根膜の組織幹細胞が骨芽細胞系細胞へと分化するのかについては，今後の検討課題となるであろう．

歯槽窩の内壁をつくる**固有歯槽骨**（束状骨）は薄く（ヒトでは 100〜200 μm），層板構造を示す（**図 5-Ⅳ-5**）．これに対して，支持歯槽骨の**緻密骨**は，上顎骨や下顎骨の骨体の緻密骨と同様に，血管を通す管，すなわち**Havers 管**（ハバース）Haversian canal を中心に同心円状の骨単位（オステオン，Havers 系）をつくる（**図 5-Ⅳ-5**）．一方，支持歯槽骨の海綿骨は骨梁から構成されており，骨単位はつくらない．

固有歯槽骨である束状骨には，歯根膜由来のコラーゲン線維束である Sharpey 線維が挿入されており，骨表面に対して垂直または斜めに侵入する（**図 5-Ⅳ-6**）．一方，歯槽骨骨基質内来のコラーゲン線維は Sharpey 線維の間に埋め込まれている．このような Sharpey 線維由来の外来線維束と骨基質の内来コラーゲン線維との混在は固有歯槽骨のほか，長管骨皮質骨の骨外膜側にも認められるが，これは強い力に対抗する構造であると考えられる．Sharpey 線維は歯根膜の主線維に連続しており，歯根膜の線維芽細胞が産生している．主線維は歯根膜中では石灰化せず，骨に侵入する部分（Sharpey 線維）だけが石灰化している．一方，歯槽骨基質内のコラーゲン線維は骨芽細胞に由来する．

ヒトの歯は生理的に近心移動するため，歯根の近心面と歯槽骨の遠心面では圧迫力 compression force が生

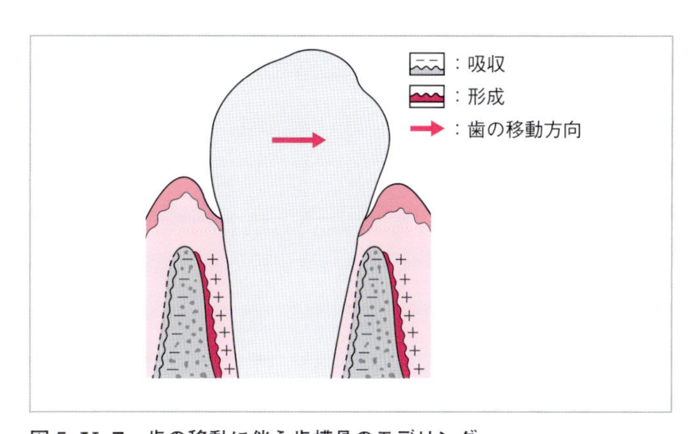

図 5-Ⅳ-7　歯の移動に伴う歯槽骨のモデリング
（溝口　到：歯科矯正学第 5 版．医歯薬出版，東京，2008，112.）

じ，また，歯根の遠心面とそれに向かい合う歯槽骨の近心面では牽引力 tensile force が生じている．圧迫力が生じている歯槽骨では骨吸収が，また，牽引力が生じている歯槽骨では骨形成が，長期にわたって緩やかに起きている（**図 5-Ⅳ-7**）．したがって，歯槽骨の圧迫側では破骨細胞による骨吸収が優位であり，多数の吸収窩が集まり鋸歯状の骨表面がみられる（**図 5-Ⅳ-8**）．一方，歯槽骨の牽引側では間歇的に骨基質が添加的に形成される（**図 5-Ⅳ-9**）．

牽引側の歯槽骨表面では，歯の移動に伴って，骨芽細胞が骨基質を形成したり，休止状態になったりすることで，骨基質を間歇的にゆっくりと形成している．この部位は，破骨細胞と骨芽細胞の**カップリング**（**図 5-Ⅳ-10**）による**骨リモデリング**（骨基質の置き換え）ではなく，形づくりである**モデリング**が行われる部位である．すなわち，破骨細胞の骨吸収に依存しない休止期→骨形

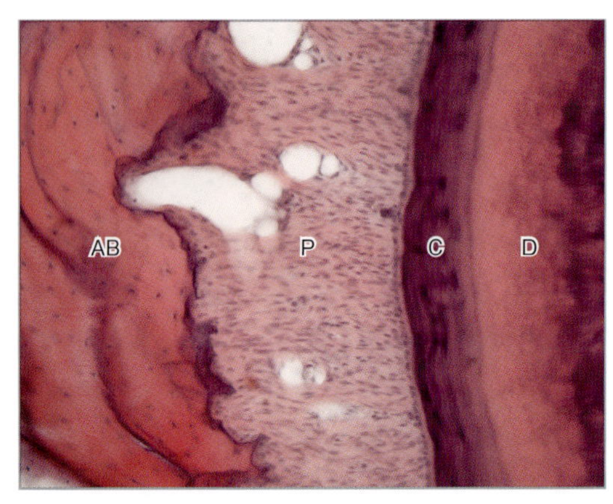

図 5-Ⅳ-8　圧迫側の歯槽骨（AB）（サル，H-E 染色）
破骨細胞による吸収を受け，不規則で多数の吸収窩がみられる．
P：歯根膜，C：セメント質，D：象牙質

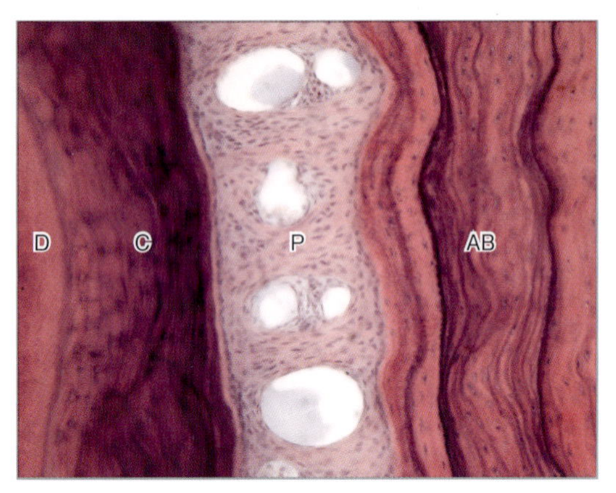

図 5-Ⅳ-9　牽引側の歯槽骨（AB）（サル，H-E 染色）
滑らかな表面を示し，骨基質内部には規則的な線状構造（休止線）がみられる．
P：歯根膜，C：セメント質，D：象牙質

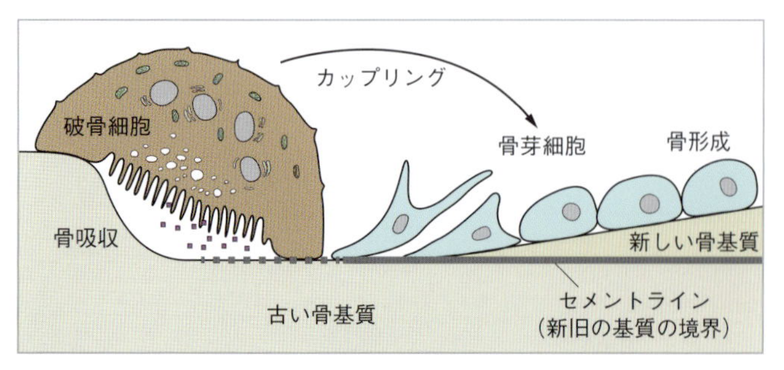

図 5-Ⅳ-10　破骨細胞と骨芽細胞のカップリングの模式図

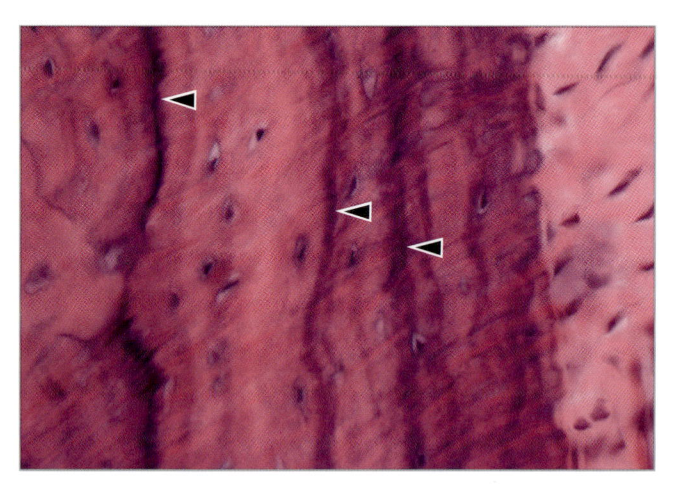

図 5-Ⅳ-11　休止線（矢尻）（サル，H-E 染色）
休止線は平行で規則的な層板構造をつくる．

成といった顕微レベルのモデリングにより，骨基質が添加的に形成されている．したがって，この機序では，破骨細胞と骨芽細胞のカップリングを必要としないことになる．

牽引側の歯槽骨はなめらかな表面を示し，また，その骨基質内部には，**休止線** arrest line，resting line とよばれる境界線が骨表面に平行に形成されている（**図 5-Ⅳ-11**）．休止線は，骨芽細胞の骨形成過程の休止期にできる線状構造であり，骨リモデリングにみられるような破骨細胞が骨吸収を行った後にできる**セメントライン** cement line とは異なる．したがって，休止線は，**酒石酸抵抗性酸ホスファターゼ** tartrate resistant acid phosphatase（TRAP）陽性を示さず，骨表面に平行に形成されたなめらかな境界線として形成される．

歯の生理的移動の要因としては，咬合力や顎骨の成長などが考えられている．歯に外力を加えて歯の移動と歯槽骨の改造を人為的に起こすことも可能で，臨床的には，矯正歯科治療などに応用されている．

2）歯槽骨の細胞群と細胞外マトリックス

歯槽骨は，顎骨骨体部や大腿骨など他の骨と同様に，種々の細胞と細胞外マトリックスから構成される．

（1）歯槽骨の細胞群

歯槽骨の細胞群として，骨芽細胞，骨細胞，破骨細胞などをあげることができる（☞第 10 章参照）．

(a) 骨芽細胞

骨基質は**骨芽細胞**（**図 5-Ⅳ-12**）によって形成される．骨芽細胞は骨表面上に一列に局在し，骨基質合成能を有する細胞をいう．歯槽骨においても，他の骨と同様に，骨芽細胞は基質合成を行う**活性型（成熟型）骨芽細胞**の時期と，骨表面を覆っているのみで基質合成を行わない**休止期骨芽細胞**とよばれる時期を示す．

基質合成を行っている骨芽細胞，すなわち活性型骨芽細胞はふくよかな細胞体を有し，全体的に類円形または立方形を示す（**図 5-Ⅳ-13**）．そのような骨芽細胞には，粗面小胞体や Golgi 装置が発達しており，細胞外マトリックスの合成を活発に行っていることがわかる．

活性期を過ぎると骨芽細胞は扁平化し，休止期骨芽細胞（**図 5-Ⅳ-14**）とよばれる状態になる．しかし，休止

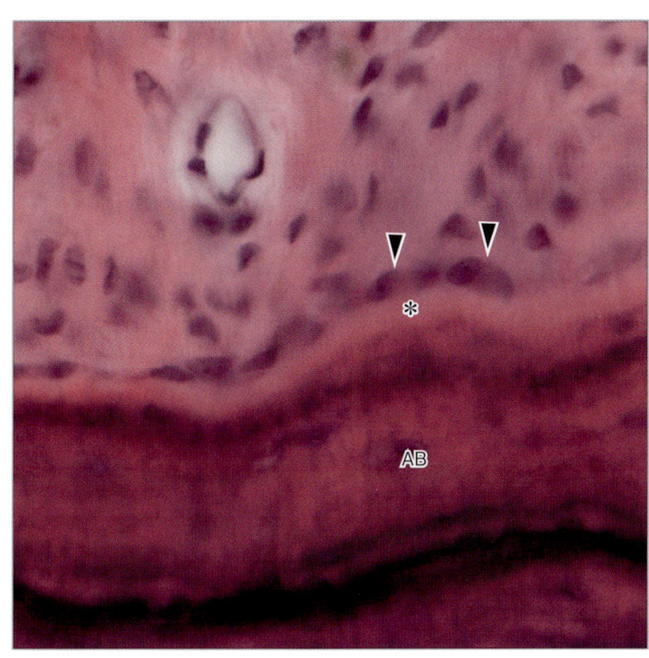

図 5-Ⅳ-12　骨芽細胞（矢尻）（サル，H-E 染色）
歯槽骨（AB）とは類骨層（＊）により隔てられる．

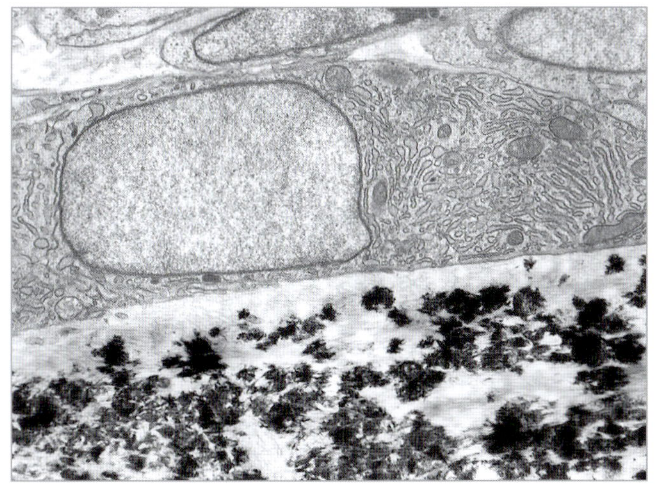

図 5-Ⅳ-13　活性型骨芽細胞の透過型電子顕微鏡像
未脱灰切片にウラン・鉛の電子染色を行った透過型電子顕微鏡像．活性型（成熟型）骨芽細胞は多数の粗面小胞体と Golgi 装置を発達させており，類骨層上に局在する．類骨層の中には多くの石灰化球（黒い球状構造物）を観察できる．

期骨芽細胞は，骨が損傷を受けた場合には，活性型骨芽細胞となって骨基質を合成し始めることが知られている．従来，この細胞は機能的に休止している骨芽細胞と考えられてきたが，最近の研究で，骨表面の類骨層をマトリックスメタロプロテアーゼ（MMPs）などの細胞外マトリックス分解酵素を分泌して分解し，破骨細胞の誘導や接着のために骨表面の微小環境を整える役割を果たすことも示唆されている．

(b) 前骨芽細胞

前骨芽細胞 preosteoblast は，骨芽細胞の前駆細胞であるが，いわゆる**骨原性細胞** osteogenic cell よりも分

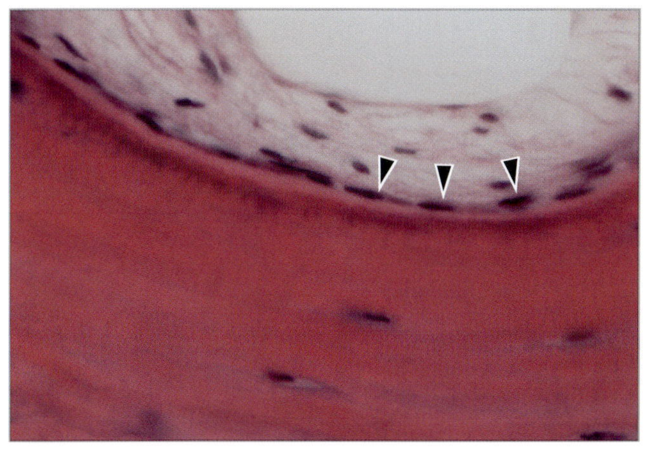

図 5-Ⅳ-14　休止期骨芽細胞（矢尻）（サル，H-E 染色）
骨表面に配列する扁平な細胞である．

化が進んだ段階にあり，骨芽細胞の血管側に局在する．前骨芽細胞はさまざまな方向に細胞突起を伸ばして骨芽細胞を含む周囲の細胞と細胞間接触を行っており，その環境から必要な情報を骨芽細胞などに伝えていると考えられている．歯根膜に面する束状骨においても前骨芽細胞は存在し，歯根膜の線維芽細胞で囲まれている．前骨芽細胞は，一般的な長管骨などでは，破骨細胞形成やその後の骨吸収の調節を行う機能を有することが知られているが，歯槽骨では，咬合力などの力学負荷が及ぼす影響も大きく，前骨芽細胞の破骨細胞形成や骨吸収調節における役割については，今後の研究成果が待たれる．

(c) 骨細胞

骨細胞（図 5-Ⅳ-15）は骨芽細胞がみずから産生した骨基質に埋め込まれた細胞である．骨細胞は**骨小腔** osteocytic lacuna の中に存在し，**骨細管** osteocytic canaliculi という細長い管に細胞突起を伸ばすことで，隣り合う骨細胞や骨芽細胞の細胞突起と連結している．その連結部位には**ギャップ結合**が発達しており，骨細胞間あるいは骨表面の骨芽細胞との情報交換を可能にしている．近年，骨細胞の機能についてさまざまな報告がなされているが，特に外界から加えられた力学負荷などの刺激を受容・感知することが推察される．

(d) 破骨細胞

破骨細胞（図 5-Ⅳ-16）は骨吸収を行う多核巨細胞であり，骨基質に面する細胞膜は深い陥入構造，すなわち，**波状縁**を形成し，その部位で骨吸収を可能にしている．歯槽骨においては，皮質骨（緻密骨）および海綿骨の表面に局在するだけでなく，生理的な歯の移動に伴い，圧迫側の歯槽骨表面にも局在している．

支持歯槽骨の皮質骨（緻密骨）や海綿骨の表面に局在している破骨細胞は，**骨リモデリング**に関与しており，

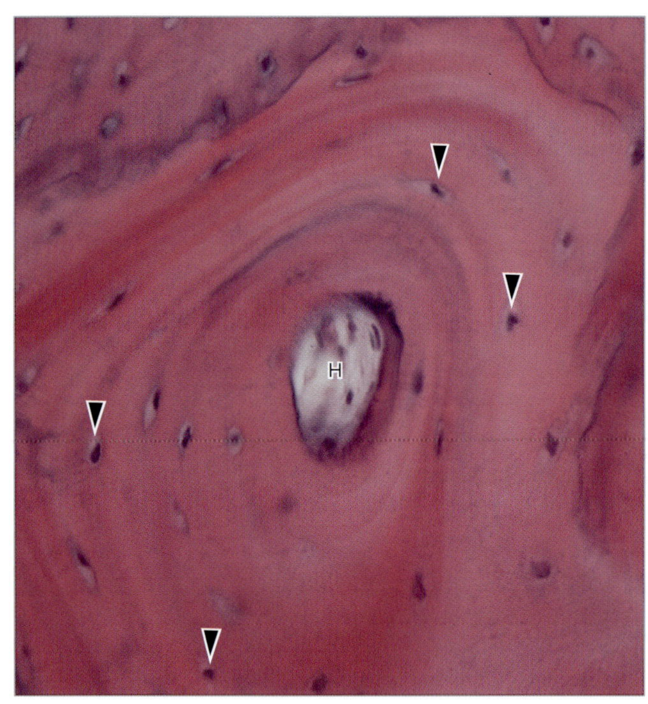

図 5-Ⅳ-15　骨細胞（矢尻）（サル，H-E 染色）
骨の細胞外マトリックスに埋め込まれている．
H：Havers 管

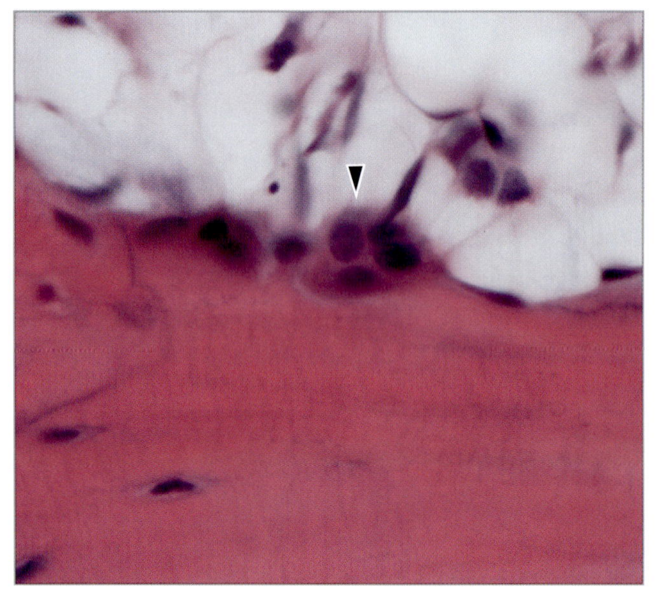

図 5-Ⅳ-16　破骨細胞（矢尻）（サル，H-E 染色）
大きな多核細胞である．

破骨細胞の骨吸収の後に，骨芽細胞が新しい骨基質を分泌・形成することで，骨基質の置換，すなわち，骨リモデリングを行っている．一方，歯の移動に際して，圧迫側の歯槽骨表面では，破骨細胞による骨吸収が優位に行われているため，**吸収窩**（Howship 窩）が連続に連なった鋸歯状の骨表面を呈することが多い（**図 5-Ⅳ-8**）．

（2）細胞外マトリックス成分

細胞外マトリックスは細胞が産生し，組織の「骨組み」を構成する，いわば組織の建築資材である．骨は細胞外マトリックスとして豊富な有機質を含むが，その有機質にカルシウムが主にリン酸カルシウムの形で沈着し石灰化して硬くなることが特徴的である．骨の細胞外マトリックス全体の 50～60％がリン酸カルシウムなどの無機質からなる．

一方，有機質は主に骨芽細胞が産生する各種のタンパク質，プロテオグリカンなどからなる．コラーゲン線維は線維性のタンパク質群で，骨の有機質の主体をなす．**Ⅰ型コラーゲン**は骨の全有機質の約 90％を占め，また骨には少量のⅢ型コラーゲンなども含まれる．骨に特徴的なタンパク質として**オステオカルシン**，**骨シアロタンパク質**，**オステオポンチン**，**オステオネクチン** osteonectin などがある．カルシウムの沈着（石灰化）を調節するなどの機能をもつと考えられている．骨に含まれるプロテオグリカンとしては，**デコリン**，**バイグリカン**，バーシカン versican などがある．これらはコラーゲン線維の太さを調節したり，骨の成長する空間を確保したりすると考えられている．

3）骨リモデリング（骨改造）とモデリング

骨リモデリングとは，成長や修復の過程で，古い骨や物性的に脆弱な骨が吸収され，その後，同じ部位に，新しい骨が添加・形成される現象である．すなわち，新旧の骨基質の置き換えをいう．顎骨骨体部などと同様に，歯槽骨でも，破骨細胞が骨を吸収すると，引き続いて吸収を受けた部位に骨芽細胞が定着し骨形成を行う骨リモデリングを行う．骨リモデリングでは，骨の大きさや外形は変化しないが，骨基質は結果的に新しい骨に置換されることになる．

また，歯槽骨では，生理的な歯の移動や歯科矯正を行った際の歯の移動に伴って，骨吸収と骨形成が別々の部位で誘導される（**図 5-Ⅳ-7**）．ある大きさ以上の力が歯に加わると，力の作用方向に対応する歯根膜は圧迫され，周囲の歯槽骨は破骨細胞によって吸収を受ける．一方，力の作用方向と反対側の歯根膜は牽引され，周囲の骨芽細胞によって骨が添加される．このような骨吸収と骨形成により，歯槽骨は形状が変化する．このように歯槽骨の牽引側では**モデリング**が誘導されると考えられる（☞第 10 章参照）．

骨リモデリングの痕跡は，骨基質中に形成された境界線，すなわち**セメントライン**として認められ，生化学的な組成が骨の他の部位とは異なるため，酒石酸抵抗性酸ホスファターゼ（TRAP）に対する特殊な染色によって可視化することができる．歯槽骨には歯の移動における

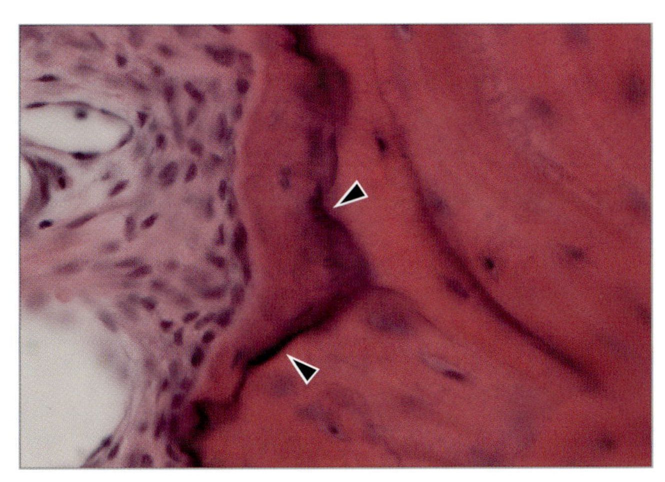

図 5-Ⅳ-17　セメントライン（矢尻）（サル，H-E 染色）
セメントラインは破骨細胞によって形成された吸収窩を反映して，外形が不規則である．

牽引側では，前述したようにモデリングによって骨形成が行われるため，間歇的に骨形成されたなめらかな跡である**休止線**（図 5-Ⅳ-11）が並列しているのに対して，圧迫側では，活発に行われている骨吸収の跡（**骨吸収窩**）（図 5-Ⅳ-8），ならびに骨吸収窩にわずかな骨基質が添加された境界線，すなわち**セメントライン**（図 5-Ⅳ-17）を認める．牽引側の休止線がある程度の間隔をあけて互いに平行に走行するのに対して，圧迫側の骨吸収窩およびセメントラインは破骨細胞による骨吸収を反映しており，その外形が鋸歯状を示す．

3. 歯槽骨の加齢変化

加齢に伴って歯槽骨の骨芽細胞は減少し，Sharpey 線維の配列も不均一になる．高齢者でも骨形成と骨吸収は持続するが，固有歯槽骨表層の凹凸は著しくなる．支持歯槽骨の海綿骨が減少し，骨髄の大部分は脂肪組織に占められる．

（笹野泰之，網塚憲生）

Ⅴ 歯肉

1. 概説

歯肉は，歯の歯頸部と歯槽頂周囲を覆う口腔粘膜であり，その機能と構造から咀嚼粘膜に分類され，発生由来からは歯周組織の 1 つに分類される．

歯は生体で唯一，体表から露出した硬組織で，歯によって体表を覆う上皮の連続性は断たれている．そのため，歯肉は歯の歯頸部に**上皮性付着** epithelial attachment と**線維性付着** fibrous attachment という 2 つの特殊な構造によって付着しており，異物や細菌毒素などが体内へ侵入することを防ぐ機能を担い，また，咀嚼中に切断された食物や粉砕された食塊に対して抵抗する構造的特徴を備えている（図 5-Ⅴ-1，2）．

歯肉を口腔前庭から観察すると，歯の歯頸部を取り囲む幅の狭い**遊離歯肉**（**辺縁歯肉** marginal gingiva，**自由歯肉** free gingiva）と，それに続いて可動性に乏しい**付着歯肉** attached gingiva，ならびに隣接歯間を埋めている**歯間乳頭** interdental papilla が区別される（図 5-Ⅴ-1）．歯間乳頭のうち歯間部で鞍状の部は歯間コル interdental col（**歯肉コル** gingival col）とよばれる（図 5-Ⅴ-2）．また，歯槽粘膜と付着歯肉の境は**歯肉歯槽粘膜境**（**粘膜歯肉境**）muco-gingival junction，付着歯肉と遊離歯肉の境は**遊離歯肉溝** free gingival groove となっている．健康な歯肉においては，付着歯肉の表面にいわゆる**スティップリング** stippling とよばれる小窩が多数みられる（図 5-Ⅴ-1）．スティップリングの発達度は個体，年齢，健康状態によって異なる．

歯肉は腸管粘膜などの一般的な粘膜の組織構造とは異なり，粘膜上皮（歯肉上皮）と粘膜固有層（歯肉固有層）のみからなり，粘膜筋板，粘膜下組織，腺などは観察されない（図 5-Ⅴ-3）．

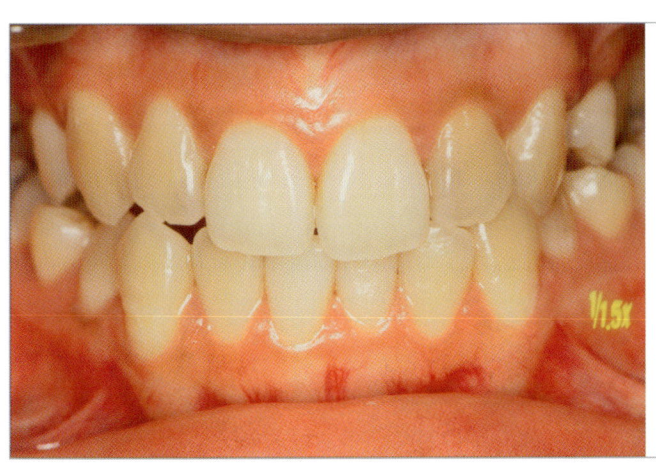

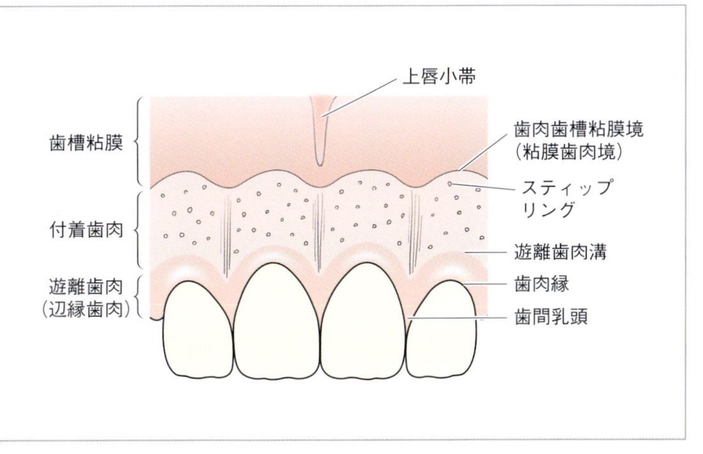

図 5-Ⅴ-1　歯と歯肉の区分および名称

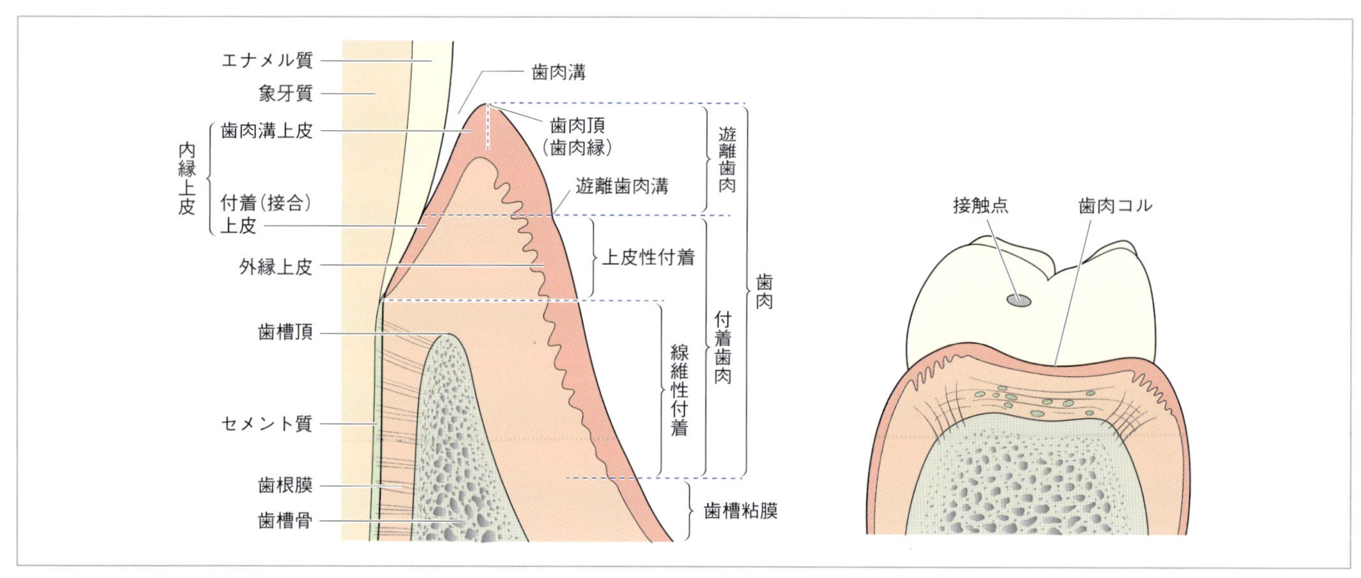

図 5-V-2　歯肉の区分と名称

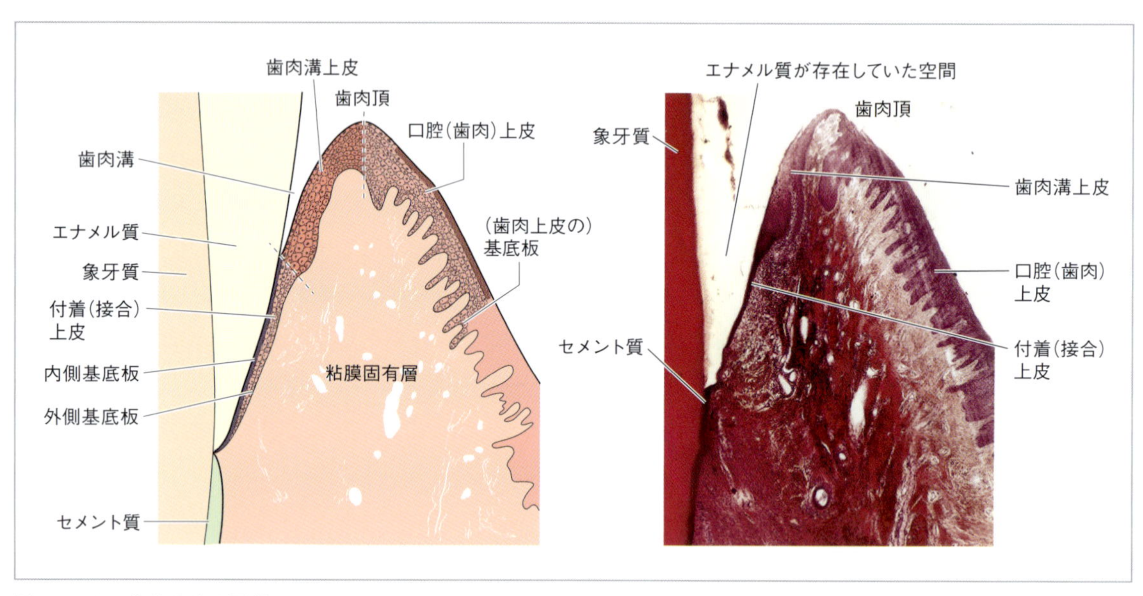

図 5-V-3　歯肉上皮の区分
(右は鶴見大学歯学部実習標本)

歯肉の上皮は外胚葉性であり，歯の萌出直後は退縮エナメル上皮 reduced enamel epithelium と口腔の粘膜上皮が癒合して歯肉上皮が形成される．歯が萌出し，やがて口腔内で機能するようになると，退縮エナメル上皮由来の部分も口腔粘膜上皮に置換される．歯肉固有層は間葉性の密性結合組織を主体とした構造からなり，歯胚を構成する歯小嚢ならびにその付近の結合組織に由来すると考えられている．また，歯肉の血管や神経は周囲の歯根膜，歯槽骨ならびに歯槽粘膜を経由して分布する．

2. 歯肉上皮

歯肉上皮は，他の口腔粘膜と同様に重層扁平上皮からなる．また，歯肉を歯軸に平行な断面で観察すると，歯肉上皮は**歯肉縁（歯肉頂）**を境として，歯に面する側の**内縁上皮** inner marginal epithelium と口腔前庭に面している側の**外縁上皮** outer marginal epithelium に分けられる（**図 5-V-2，3**）．

1）外縁上皮

外縁上皮は硬口蓋の粘膜と同じく上皮層が厚く，軽度に角化しており，細菌や異物の侵入を防ぎ，咀嚼時に歯肉に加わる機械的刺激に対しても抵抗しうる構造となっている．角化の程度はほとんど錯角化（類角化）である．外縁上皮と固有層との境界は著しい凹凸を示し，固有層の乳頭と強く嵌合している（**図 5-V-4a**）．

外縁上皮は基底側から，基底層，有棘層，顆粒層，角

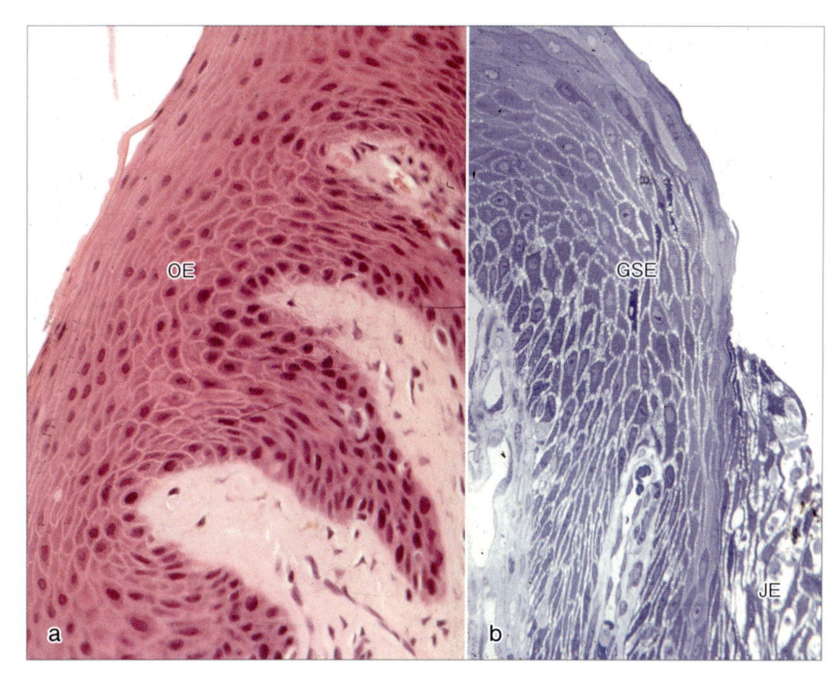

図 5-Ⅴ-4 外縁上皮と内縁上皮
a：外縁上皮（OE）.
b：内縁上皮の頬（唇）舌断切片．GSE：歯肉溝上皮，JE：付着上皮
（山下靖雄：口腔組織・発生学．医歯薬出版，東京，2006，199～200．をカラー化）

質層の4層で構成され，表層部では細胞が互いに密に嵌合して細胞間隙はほとんど認められない．細胞間隙が比較的広い有棘層では**membrane-coating granule**（MCG）とよばれる顆粒状の構造物が細胞間隙に放出され，生理的に物質に対する透過性関門を形成していると考えられている．

membrane-coating granule（MCG）は，その名が示すように膜で囲まれた小さな構造物である．MCGは被膜顆粒ともよばれ，またこの顆粒は層状の内部構造を示すので，層状顆粒（層状小体）ともよばれる．この構造は有棘細胞層内でつくられ，この分泌顆粒中にはGolgi装置から産生される細胞間糖脂質（セラミドceramideなどのスフィンゴ脂質）分解酵素，抗菌ペプチドなどさまざまな物質が含まれている．有棘細胞層の上層に移動するに従い，細胞間に内容物を開口放出する．口腔の角化上皮や表皮では放出された顆粒が，上皮の表層の細胞間隙での物質移動を制限する非透過性の関門（生理学的バリア）を形成する．歯肉溝上皮や付着（接合）上皮などの非角化上皮では，その内容物は異なっており，有効な生理学的透過性関門を形成しないことが知られている．

外縁上皮の細胞は90％の角化細胞keratinocyteと10％の非角化細胞non-keratinocyte（**Langerhans細胞**（ランゲルハンス）Langerhans' cell，**Merkel細胞**（メルケル）Merkel's cell，**メラニン細胞**の3種）からなる．Langerhans細胞は有棘層に観察され抗原物質処理に関与し，Merkel細胞とメラニン細胞は基底層に観察され，それぞれ触覚受容器，メラニン産生細胞として機能する．さらに炎症の際にはリンパ球と好中球が上皮内に出現する．

2）内縁上皮

内縁上皮は基本的に外縁上皮と類似した構造であるが，角質化の程度は外縁上皮に比べて低い．内縁上皮は歯肉溝の壁を形成する**歯肉溝上皮**gingival sulcular epitheliumとエナメル質に接する**付着（接合）上皮**junctional epitheliumに区別され，固有層との境界は比較的平坦である（**図5-Ⅴ-4b**）.

（1）歯肉溝上皮

内縁上皮のうち歯肉溝上皮は，基底部から，基底層，有棘層，扁平細胞層の3層構造をしており，その細胞間隙は外縁上皮に類似しているか，または少し狭い（**図5-Ⅴ-4b**）.

（2）付着（接合）上皮

付着（接合）上皮は，基底層と扁平細胞層の2層からなり，ほぼ全層にわたって細胞間隙が広く開大しているのが特徴である（**図5-Ⅴ-4b**）．これらの細胞同士は**デスモゾーム**desmosomeで接着しているが，外縁上皮や歯肉溝上皮に比べるとその数は少ない．また，細胞層は歯肉溝底部で厚く，根尖側へ向かうにしたがって薄くなる．各細胞は長軸を歯面に平行に配列し，基底細胞層で増殖した細胞は歯肉溝底に向けて移動し，そこから歯肉溝に剝離脱落すると推測されている．そしてこの細胞のターンオーバーの速度は5～10日と他の上皮に比べて著しく速い．

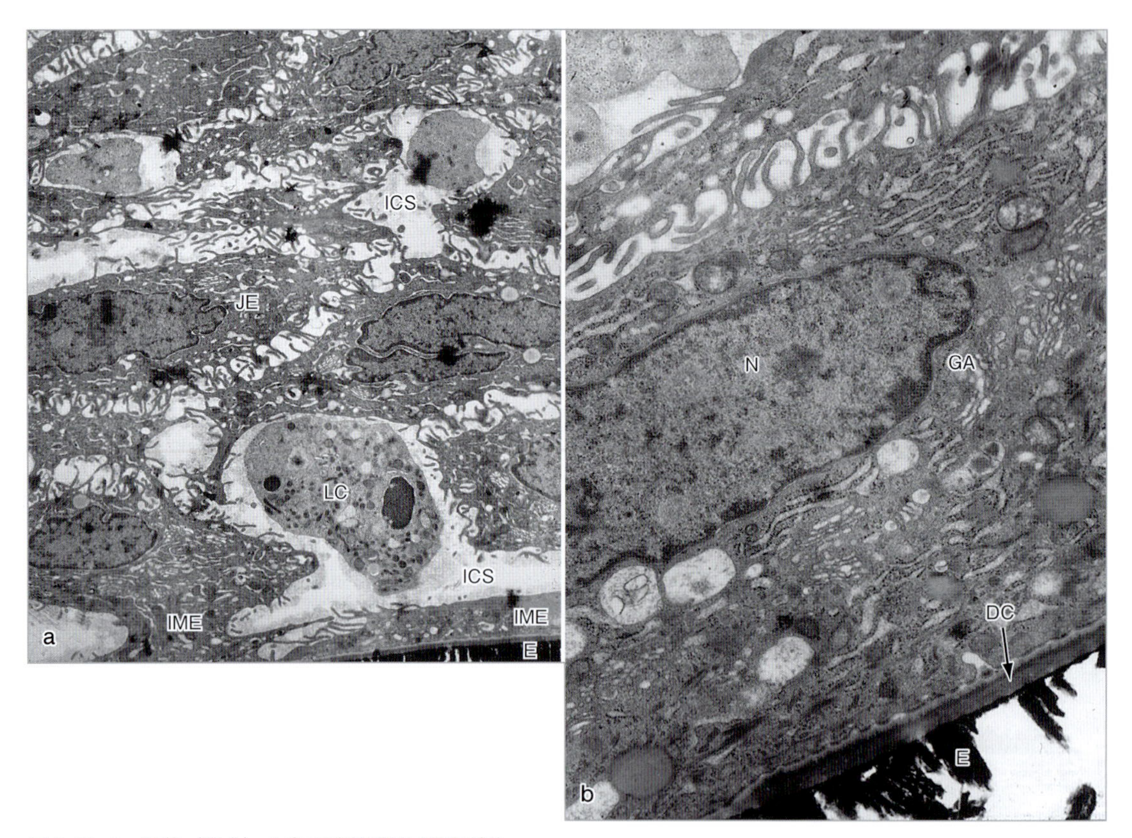

図 5-V-5　付着（接合）上皮の透過型電子顕微鏡像
a：歯面（E）に付着している付着（接合）上皮表層の細胞（IME）.
b：歯小皮（DC）に付着している付着（接合）上皮最表層の細胞.
JE：付着（接合）上皮，ICS：細胞間隙，LC：白血球，N：核，GA：Golgi 装置
（山下靖雄：口腔組織・発生学．医歯薬出版，東京，2006，202.）

付着（接合）上皮相互の細胞間隙は前述したように広く開大しており，電子顕微鏡で観察するとその細胞間隙に多数の**微絨毛** microvilli が突出している（**図 5-V-5**）．細胞はところどころにみられる細胞突起によって互いに結合しており，その結合部にはデスモゾームが観察される．付着（接合）上皮は扁平な細胞で，内部にあるトノフィラメントや微細管は細胞の長軸と平行に配列している．また，比較的 Golgi 装置やその他の細胞小器官の発達もよく，Golgi 装置の近傍には顆粒状構造物なども多く認められる．

付着（接合）上皮には外縁上皮や歯肉溝上皮と異なり MCG は観察されない．しかし，その細胞間隙には常に多くの白血球が遊走しており（**図 5-V-5**），リソソームや空胞様構造物の内容物が白血球のもつ貪食消化システムとともに，細胞間透過物質に対する一種の生体防御機構を構築していると考えられる．

付着（接合）上皮は歯肉固有層との間に基底膜（基底板）を介して接しており，上皮の最表層の細胞は歯面との間にも同様に基底膜，および歯小皮（☞第 3 章 II-5 参照）を介して付着している（**図 5-V-5**）．それぞれの基底膜は，前者を**外側基底板** outer basal lamina，後者を**内側基底板** inner basal lamina とする場合もある．付着（接合）上皮最表層の細胞は，基底膜に面した側の細胞膜に多数の**ヘミデスモゾーム** hemi-desmosome が観察され（**図 5-V-6**），これらは歯と付着（接合）上皮の接着機構としての上皮性付着に寄与している．

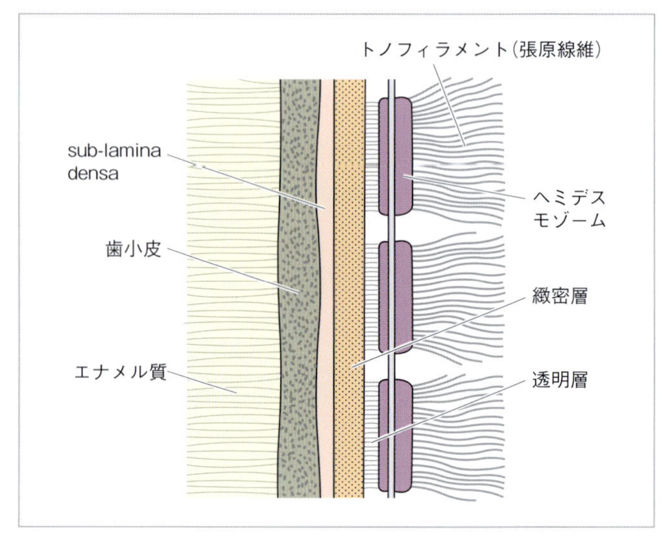

図 5-V-6　ヘミデスモゾーム模式図

付着（接合）上皮と歯面との間に介在する内側基底板は

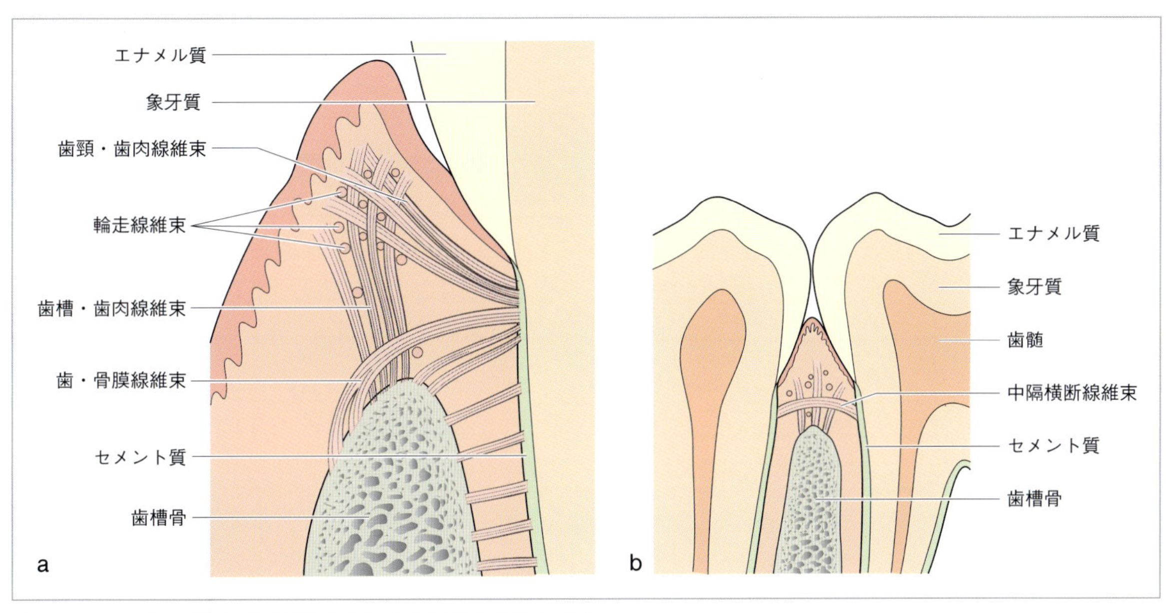

図 5-V-7　歯肉の頬（唇）舌断面（a）と中隔横断線維束（b）

約 50 nm 幅の層からなり，この内側基底板は電子密度の差によってさらに透明層 lamina lucida，緻密層 lamina densa および sub-lamina densa の 3 層が区別される（図 5-V-6）．また，Starn らによる詳細な電子顕微鏡観察から，歯に付着している上皮細胞を付着上皮とよび，この付着上皮が歯面にヘミデスモゾームと基底膜とで接着しているという考えから，このヘミデスモゾームと基底膜そのものが上皮付着とよばれることもある．

3. 歯肉固有層

歯肉固有層は密性結合組織からなり，歯肉と歯，ならびに歯槽骨を結合する線維成分と細胞成分からなっている．細胞成分で最も多くみられるのは線維芽細胞で，他にリンパ球，形質細胞も少数認められる．線維成分のほとんどがコラーゲン線維で，少量のオキシタラン線維も認められる．

歯肉固有層の線維（束）はその走行と存在部位によって，**歯頸・歯肉線維束** dentogingival group，**歯槽・歯肉線維束** alveologingival group，**歯・骨膜線維束** dentoperiosteal group，**輪走線維束** circular group，**中隔横断線維束** transseptal group の 5 群に分けられる（図 5-V-7）．これらの線維は歯肉の線維性付着として歯のセメント質と結合するとともに，歯肉の歯面からの動揺や剝離を防ぎ，炎症などによる歯肉の退縮を阻止する役割も担っている．

歯肉の線維成分と細胞成分の数および分布状態は，歯肉の生理的ならびに病理的状態によって変動し，特に炎症歯肉ではリンパ球や白血球，形質細胞などが増加する反面，線維芽細胞や線維成分が減少するために，歯肉の支持機能が低下し，炎症の波及を助長する結果となる．

4. 歯肉の血管と神経

歯肉固有層に分布する動脈は顎動脈の枝で，上顎では後上歯槽動脈，前上歯槽動脈，大口蓋動脈ならびに中隔後鼻枝など，下顎では下歯槽動脈の枝，舌動脈ならびに顔面動脈などの枝が，歯槽頂と歯根膜を経由して分布する．これらの血管の分布様式は，固有層で細動・静脈が血管叢を形成し，ここから発した毛細血管ループ（毛細血管係蹄）が乳頭内へ進入している．しかし，付着（接合）上皮下には乳頭が存在しないため毛細血管ループもない．

上顎歯肉に分布する神経は上顎神経の枝で，そのうち臼歯部には後上歯槽神経の枝が，また前歯部には眼窩下神経の枝が分布する．口蓋側には大口蓋神経と鼻口蓋神経が分布する．下顎歯肉に分布する神経は下顎神経の枝で，そのうち臼歯部の前庭側には下歯槽神経と頬神経の枝が，前歯部の前庭側にはオトガイ神経が分布している．舌側には舌神経の枝も分布している．これらの神経の末端は歯肉固有層で 2 種類の神経叢（☞第 6 章参照）を形成した後，固有層の乳頭内で Meissner（マイスナー）小体 Meissner's corpuscle，Pacini（パチニ）小体 Pacinian corpuscle，Golgi-Mazzoni（ゴルジ-マッツォーニ）小体 Golgi-Mazzoni corpuscle あるいは自由神経終末として分布する．また，一部の自由神経終末は上皮層内にも侵入している．

（下田信治，石川美佐緒）

VI 臨床的考察

1. 歯周病と免疫

1）歯周病免疫とは

（1）歯周病とT細胞

歯周組織には，免疫関連細胞である好中球，リンパ球，および付随する破骨細胞や骨芽細胞などの歯周組織独自の免疫システムが存在する．これまでにこれら口腔粘膜に特殊な免疫機構をつかさどる細胞がヘテロな集団であることや，組成および特性が理解されていないことが問題としてあげられていた．ところが，近年では臨床サンプルを使用したシングルセル解析により，腸炎や肺炎などの粘膜疾患との違いや歯周炎における免疫細胞の組成や機能が明らかになってきた．

一般的に免疫とは，自己と非自己を識別し，非自己を排除することが基本的な原理とされている．その中心的役割を果たしているものが胸腺で，分化・成熟するT細胞であり，歯周病免疫においても重要な役割をもつ．T細胞は，それぞれがT細胞受容体（TCR）を発現しており，生体内のペプチドを認識する．T細胞には大きく分けて機能の異なる3種類のT細胞が存在する．1つは，ペプチド抗原を認識しない$\gamma\delta$型受容体を発現するT細胞であり，残り2つは，歯周炎に重要な$\alpha\beta$型受容体を発現するT細胞である．$\alpha\beta$型T細胞は，MHCに対する特異性によって，CD4あるいはCD8陽性T細胞へと分化する．これらT細胞は，二次リンパ組織において，樹状細胞もしくはマクロファージにより提示を受けた非自己の特異的抗原に遭遇すると活性化され，機能的なT細胞に分化する．特にCD8陽性T細胞は，ほとんどの細胞に発現するMHCクラスⅠを介し，非自己を認識して活性化する．そして，感染細胞を直接的に排除することから，細胞傷害性T細胞とよばれる．CD4陽性T細胞への抗原提示に必要なMHCクラスⅡは，樹状細胞，マクロファージなどの抗原提示細胞にのみに発現する．活性化したCD4陽性T細胞は，炎症性サイトカインを産生し，生体免疫を担うB細胞や好中球，マクロファージを活性化し，病原体を排除する．CD4陽性T細胞は，発現するサイトカインによって，Th1，Th2，Th17および制御性T（Treg）細胞に分類される．Th1細胞は，主にウイルスの排除に働き，インターフェロンガンマ（IFN-γ）を産生する．Th2細胞は，寄生虫排除に重要な役割を果たし，主にIL-4を産生する．Th17細胞はIL-17を産生し，歯肉や腸管などの粘膜組織において感染防御に働く．ヒトおよびマウスの歯周炎組織には，炎症に伴いTh17細胞の数が大幅に増加することが明らかになってきている[1]．一方，Treg細胞は，Foxp3を発現し，抗原特異的に免疫応答を抑制する機能をもつ．本来は，炎症の抑制に機能しているが，歯周炎組織ではその一部がTh17細胞に変化（exFoxp3Th17細胞）しており，骨破壊能力が元々のTh17細胞より強いことがわかってきた（**図5-Ⅵ-1a**）．

（2）歯周病と骨破壊

歯周炎は，歯周組織の破壊と骨の吸収を主症状とする疾患である．脊椎動物の骨は，骨芽細胞と破骨細胞による骨形成と再生のバランスによって恒常性が維持されている．歯周組織を支持する歯槽骨も同様なバランスを維持しているが，歯周組織に特異的な免疫系の過剰な活性化により，骨恒常性が破綻し，炎症性の骨破壊を引き起こす（**図5-Ⅵ-1b**）．従来，歯周炎による骨破壊にはグラム陰性菌由来のリポ多糖（LPS）が直接的な原因と考えられてきた．しかしながらTh17細胞を欠損したマウスではLPSによる骨破壊が生じないことから，LPSの下流にTh17細胞が存在していることが明らかとなってきている．さらに，Th17細胞が産生するIL-17は，歯周組織にRANKL（骨を溶かす因子）を強力に誘導することで，歯槽骨吸収を促す．つまりT細胞の中で唯一，Th17細胞のみが破骨細胞分化を促進し，骨破壊を誘導する．先天的にTh17細胞を欠損する患者では，歯周炎および骨破壊が生じにくいことも報告されている．すなわち歯周組織における免疫と骨破壊には，CD4陽性T細胞のTh17細胞が重要な役割を果たす．では，歯周組織においてTh17細胞はどのように誘導されるのであろうか．それは歯周組織の免疫と細菌との特徴的な相互作用の結果であると考えられる．

2）歯周病と細菌

（1）歯周病と細菌

消化管の最前線に位置する口腔は，食餌由来の豊富な栄養，35～36℃の湿潤環境，pH 6.75～7.25の中性環境と，微生物が生息するのに理想的な構造と環境を有している．口腔内には同定されているだけで約700種類の細菌が生息しており，複雑な生態系を形成している．細菌と免疫との相互作用によって恒常性を維持しているが，共生関係の破綻により歯周病が生じる．歯周炎はこれまで，最も病態との関連が強い細菌として歯周炎患者の口腔内から培養法によって同定された *Porphyromonas gingivalis*（以下*P. g*）*Treponema denticola*，*Tannerella forsythia* の3種類の菌（レッドコンプレッ

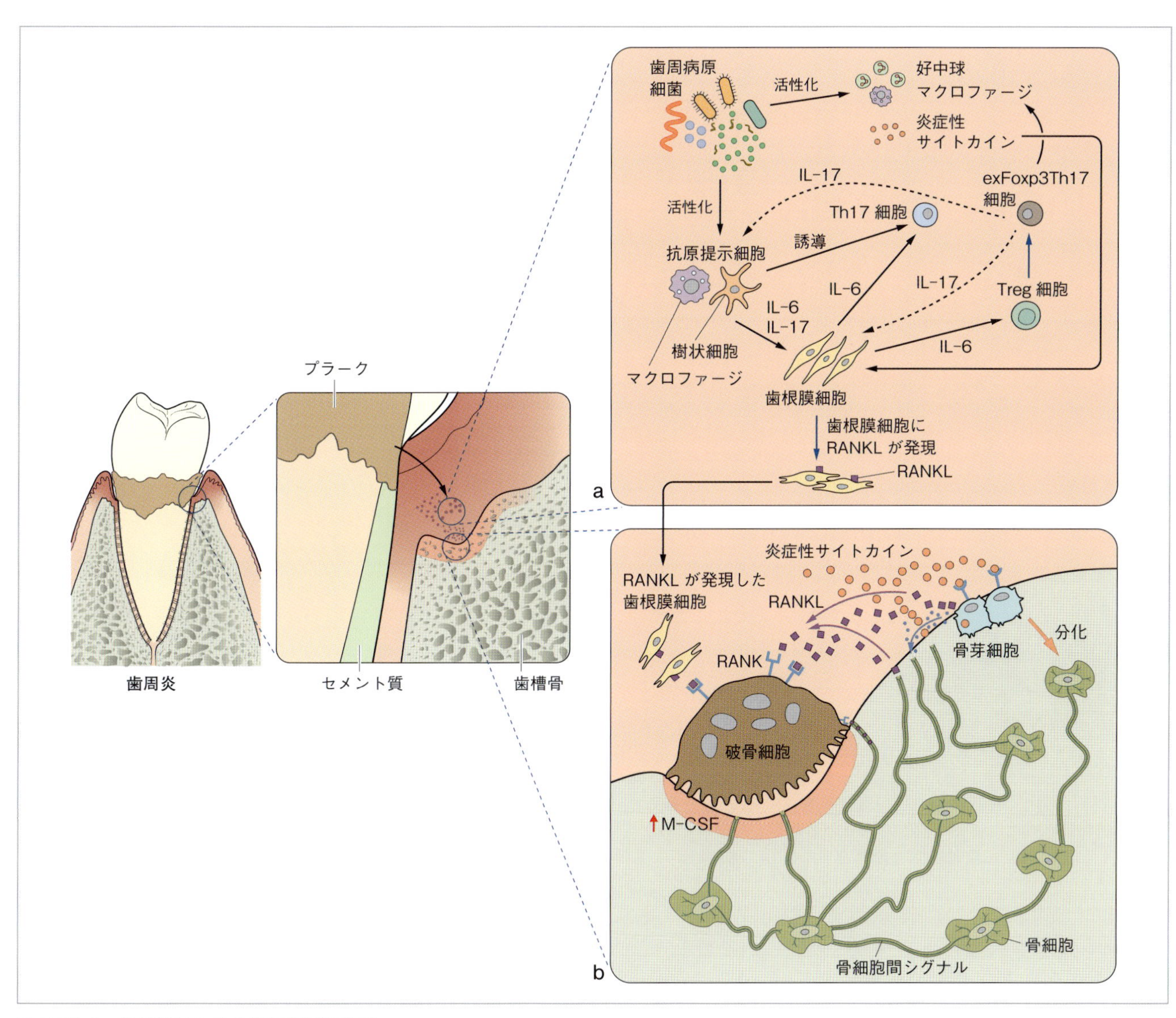

図 5-Ⅵ-1　歯周炎における細胞間相互作用

a：歯周炎に対する細胞間相互作用．歯周病原細菌は，歯周組織内の抗原提示細胞（マクロファージおよび樹状細胞）を活性化する．活性化した細胞から放出された炎症性サイトカイン（IL-6 および IL-17）が歯根膜細胞を刺激し，破骨細胞活性化因子である RANKL を発現させるとともに，炎症作用の強い Th17 細胞を誘導する．さらに，抑制的に機能する制御性 T 細胞（Treg）を骨吸収作用の強い exFoxp3Th17 細胞へ転換させる．また，歯周病原細菌は好中球およびマクロファージを活性化させ，さらに多くの炎症性サイトカインの産生を誘導する．
b：RANKL が発現した歯根膜細胞，炎症性サイトカインによって刺激された骨芽細胞から放出される RANKL が，破骨細胞表面上の RANK（RANKL 受容体）に結合し破骨細胞を活性化する．さらに，炎症性サイトカインによる骨細胞間シグナルを介したマクロファージ刺激因子（M-CSF）の放出もさらに破骨細胞を活性化することで，歯槽骨吸収を誘導する．

クスとよばれる）によって引き起こされると考えられてきた．しかしながら，メタゲノム解析により，これまでの単一もしくは数種の菌によって歯周炎が発症するという概念ではなく，細菌叢の環境の悪化によるバランスの不均衡（**dysbiosis**）が歯周炎の原因とする病因論が提唱された（**図 5-Ⅵ-2a**）．すなわち *P. g* は，常在菌を保有する specific pathogen free（SPF）マウスでは歯周炎を誘導するものの，無菌マウスでは歯周炎を誘導しない（**図 5-Ⅵ-2b**）．歯周炎患者や歯周炎モデル動物の口腔細菌叢のうち，*P. g* の存在比率は 0.01％以下であり，量的にはごく少量の菌が常在菌叢の恒常性を破綻させることで，宿主に影響を及ぼすと考えられる．このような常在菌に dysbiosis を引き起こし間接的に宿主に影響を及ぼす菌を keystone 細菌とする新しい概念が確立された[2]（**図 5-Ⅵ-2c**）．keystone 細菌の概念は，口腔内にとどまらず，腸管や土壌の細菌叢，植物の根の細菌叢にまで広く応用されている．

これら歯周組織に定着する口腔細菌は，どのように Th17 細胞と関連しているのか．近年，抗菌薬を投与し，口腔細菌を除去したマウスでは Th17 細胞が増加せず，骨吸収が抑制されることが示された．さらに Th17 細胞を欠損したマウスでは，骨吸収が抑制されるものの，歯周炎組織に存在する口腔細菌量が増加していることも示された．つまり，歯周組織における口腔細菌と Th17 細

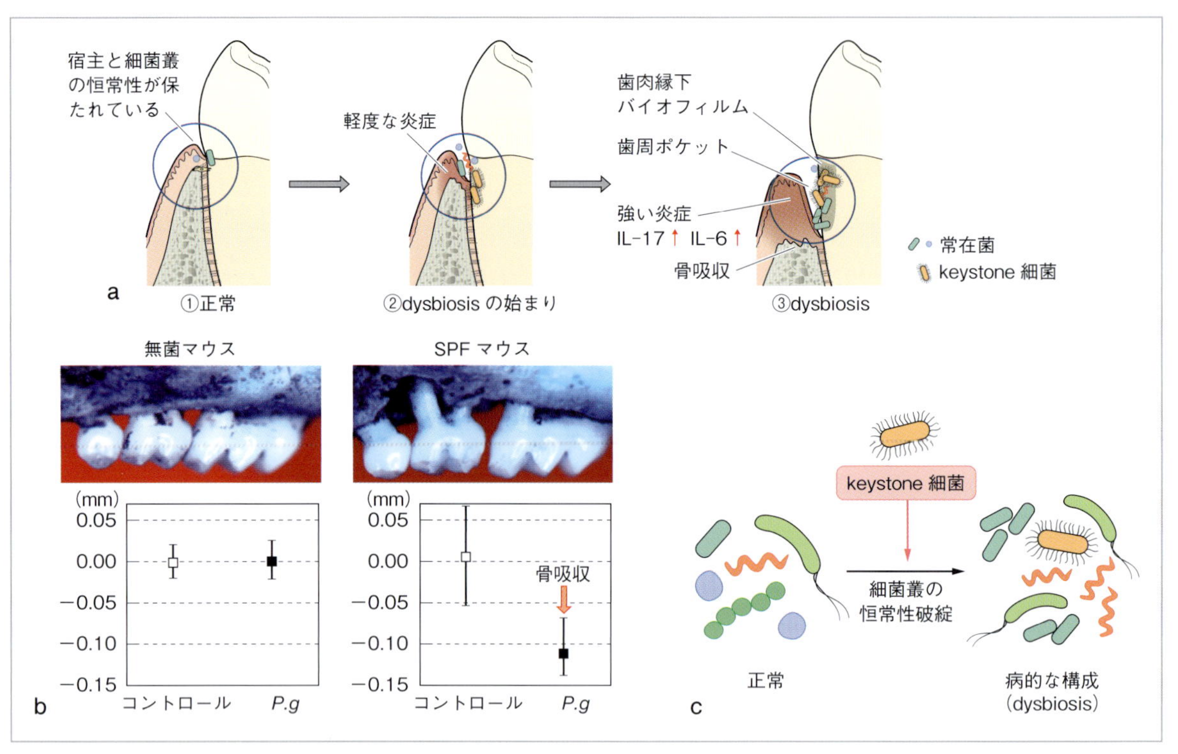

図 5-Ⅵ-2　歯周炎の発症・進展と Keystone 細菌

a：歯周ポケット内で，宿主と細菌叢との恒常性が保たれている（①）．ポケット深さが 4 mm を越えると，内部まで清掃がむずかしく軽微な炎症と dysbiosis が始まり，上皮バリアが破壊される（②）．さらに炎症の進展とともに炎症性サイトカインの産生，破骨細胞の分化により骨吸収が引き起こされる（③）．

b：口腔内に常在菌のいない無菌マウスに *P. g* のみ感染させた場合には歯槽骨の吸収は認められないが，常在細菌叢をもつ SPF マウスに *P. g* を感染させると骨吸収が認められる．

c：keystone 細菌は正常な細菌叢を攪乱し，dysbiosis を引き起こす．

胞の制御が歯周炎における骨吸収の抑制に重要であることが明らかとなっている．米国において，LFA-1 欠損という白血球接着不全症で重篤な歯周炎症状を示す患者に対して，Th17 細胞を阻害する生物学的製剤が有効であることが報告された[3]．さらに細菌側の制御として，歯周炎の keystone 細菌である *P. g* のみをターゲットとした補体制御薬の臨床治験（Phase Ⅲ）が進行している．

（2）歯周病と全身疾患

歯は人体の内と外を交通する唯一の器官である．外部に突出している歯冠と体内に存在する歯根とは上皮バリアである付着上皮によって保護されているが，歯周炎によって上皮バリアが破壊されると口腔細菌は血流に入り込み全身に移動する．実験的歯周炎マウスを用いた実験では，口腔細菌が血流を介して肝臓にまで達することが示された．さらにヒトは 1 日に唾液を 1〜1.5 L ほど飲み込む．つまり，口腔細菌を嚥下することにより，腸内細菌叢や腸管免疫系が影響を受ける．*P. g* や *Aggregatibacter actinomycetemcomitans* をマウスに摂取させると，腸内細菌叢の dysbiosis を引き起こすことや，大腸癌の治療抵抗性の上昇が認められている．また，歯周炎によって口腔粘膜で誘導された Th17 細胞が全身に循環し，腸管粘膜で再度口腔細菌と出会うことで，腸炎を引き起こすことが報告された．さらに，腸管で誘導された Th17 細胞が，口腔の炎症を悪化させるという双方向的に関与する報告もされた[4]．

これまでに，口腔細菌が糖尿病，炎症性腸疾患や大腸癌，循環器疾患，関節リウマチの発症にかかわっていることが報告されており，**ペリオドンタルメディシン** periodontal medicine として注目を浴びている[5, 6]．アテローム性動脈硬化症においては，*P. g* 感染による局所の歯周組織の炎症が全身の炎症に波及すること，または腸内細菌叢の攪乱を引き起こすことで進展に関与することが示された．歯周炎と *P. g* はリウマチ関節炎発症のリスクファクターであることが疫学調査から明らかとなっている．近年，抗環状シトルリン化ペプチド抗体（ACPA）価が高いリウマチ患者は，歯周炎の罹患率も高いことが示された．さらに当該患者の歯肉縁下バイオフィルムには *P. g* が高頻度で検出されている．*P. g* はアルギニン残基をシトルリン化するシトルリン化酵素（PAD）をもつ（PPAD）．これは生体内の PAD と同様な働きを示し，歯周組織局所において ACPA を産生させる．局所で産生された ACPA は前述した歯周炎による局所炎症の全身への波及により，関節で産生されたシトルリン化タンパク質と強く結合し関節への炎症を引き起こすと考えられている．さらに，歯周炎によるTrained immunity（訓練された免疫）の変化が，関節リウマチの感受性を向上させることが報告された[7]．すなわち，歯周組織という特殊なバリア組織としての構造が破綻することにより，口腔細菌が免疫を介して他臓器疾患に関与することが次々と明らかになってきている．

（前川知樹）

2. 歯周組織の再生療法

1）歯周病と歯周組織再生

歯周病は歯肉と歯の境界部に付着した**細菌バイオフィルム（デンタルプラーク）**が原因となって発症する感染症であり，疾患の進行に伴い，歯の支持組織である歯周組織が慢性炎症的に破壊される（**図5-Ⅵ-3**）．歯周病は成人が歯を失う最大の原因であり，成人の約80％が罹患している「口の生活習慣病」としても位置づけられている．歯周治療の原則は，原因である細菌バイオフィルムを歯根表面の壊死セメント質とともに**スケーリング・ルートプレーニング**とよばれる治療法により機械的に除去することである．これらの治療は歯周基本治療ともよばれ，歯周組織の炎症を取り除き歯周病の進行を阻止するものである．さらに，歯周基本治療後にポケット（歯肉溝が，歯周病の進行に伴い病的に深くなったもの）が残存している場合などには，**フラップ手術**とよばれる歯周外科治療が行われることもある．しかしながら，これらの歯周治療が適切に行われたとしても，歯周病の進行により失われた歯周組織をもう一度取り戻す（再生させる）ことは容易ではない．したがって，中高年者，高齢者の「口が支えるQOL」の維持・増進を考えたとき，予知性の高い新規歯周組織再生療法を開発することは社会的な急務といえる．果たして，歯周組織の再生を達成することは，臨床上可能なのであろうか．

現在では，歯周組織の再生を考えるうえで，歯周組織の中の歯根膜が重要な役割を担ってると考えられている．歯根膜を構成する主要な細胞成分は歯根膜線維芽細胞であるが，その他の特徴的な細胞群として，歯槽骨表面に存在する骨芽細胞や破骨細胞，セメント質表面に存在するセメント芽細胞などが認められる．さらに，歯根膜中の多くの細胞が骨芽細胞やセメント芽細胞への分化の指標となる**Runx2**や**アルカリホスファターゼ**などの分子を恒常的に高発現していることが明らかにされている．すなわち，歯根膜は歯槽骨やセメント質といった硬組織を新生する機能を有することが分子レベルで明らかにされており，セメント質や歯槽骨の恒常性を維持する重要な役割を，歯根膜は担っていると考えられている．さらに，歯根膜の中には，骨芽細胞やセメント芽細胞のみならず，その他の間葉系細胞へと分化しうる間葉系幹細胞（「歯周組織幹細胞」とよぶこともできるであろう）が成人になっても存在することも明らかにされている．そして，歯根膜に存在するこのような細胞の機能を十分に発揮させるための歯科医学的工夫をすることにより，従来の歯周治療では不可能と考えられてきた歯周組織の再生を誘導することが臨床上可能であると現在では考えられている[1]．

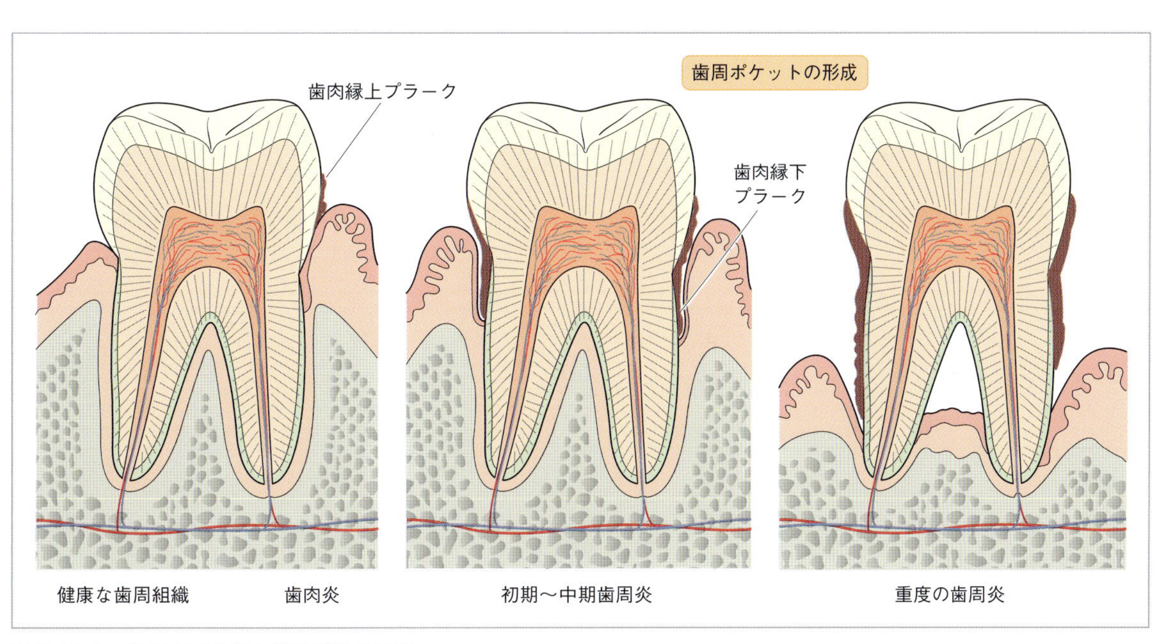

図5-Ⅵ-3　歯周病の進行と歯周組織の破壊

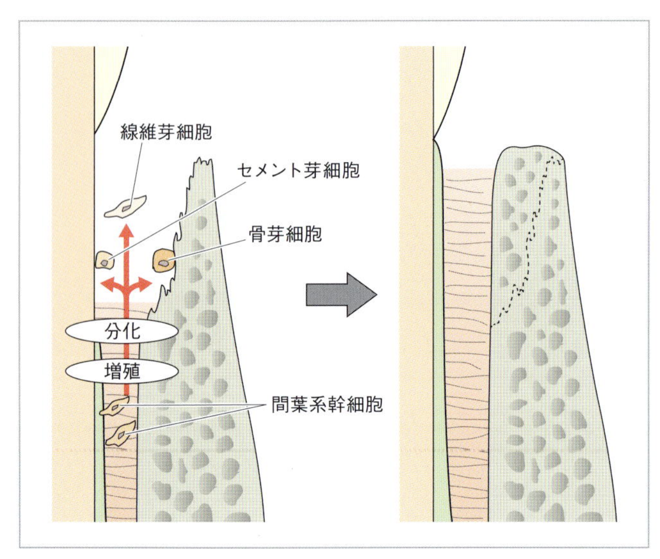

図 5-Ⅵ-4　歯根膜に存在する歯周組織幹細胞の部位特異的分化による歯周組織再生
歯根膜に存在する歯周組織幹細胞が増殖・遊走・部位特異的分化を成し遂げるよう活性化することにより，歯周組織再生が達成される．

ここでいう歯周組織の再生というのは，①歯周組織欠損部に面する歯根面に歯根膜由来細胞が選択的，優先的に誘導され，②これら歯根膜由来細胞中に含まれる未分化間葉系幹細胞（歯周組織幹細胞）が分化能を保有したまま増殖し，硬組織形成細胞（骨芽細胞やセメント芽細胞）や歯根膜線維芽細胞として部位特異的な分化を遂げ，③歯根膜線維芽細胞によって産生されたコラーゲン線維束が骨芽細胞やセメント芽細胞により新生された骨組織やセメント質に埋入され，歯と歯槽骨間に線維性の結合が再生されることを意味している（図 5-Ⅵ-4）．

このような，歯周組織再生の過程が適切に再現されるには，歯周治療に **Tissue Engineering（生体組織工学，再生医工学）**の考え方を導入することが求められる[2)]．Tissue Engineering は，実際に組織を再生する「**幹細胞** stem cell」，その幹細胞の増殖・分化を支え再生すべき組織・臓器の大きさ・形態をその細胞に教える「**足場** scaffold」，幹細胞の増殖や求められる成熟細胞への分化を促す「**シグナル分子** signaling molecule」の３つで構成される（図 5-Ⅵ-5）．そしてこれら３つの要素を適切に融合させることにより，期待される組織・臓器の再生が果たされる．このコンセプトを歯周組織再生療法に当てはめたものが，Periodontal Tissue Engineering となる．この考えを基に，以下に歯周組織再生療法の変遷・現状をまとめる．

2）歯周組織再生療法の現状

歯周基本治療（細菌バイオフィルムの機械的除去）のみでは達成しえない歯周組織の再生を誘導するために，

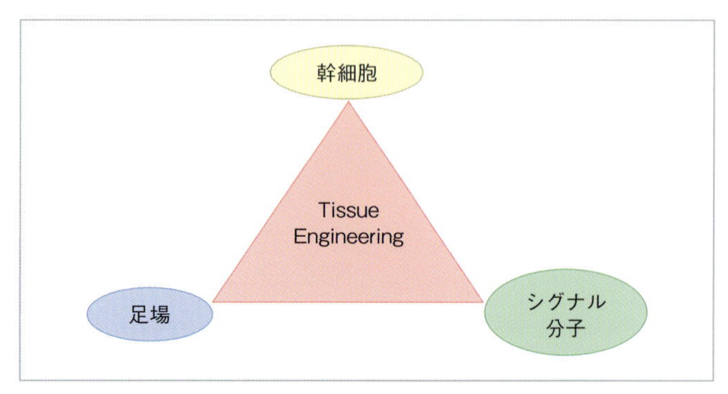

図 5-Ⅵ-5　Tissue Engineering の構成要素
組織・臓器の理想的な再生を成し遂げるためには，幹細胞・足場・シグナル分子の３要素を至適に組み合わせる必要がある．

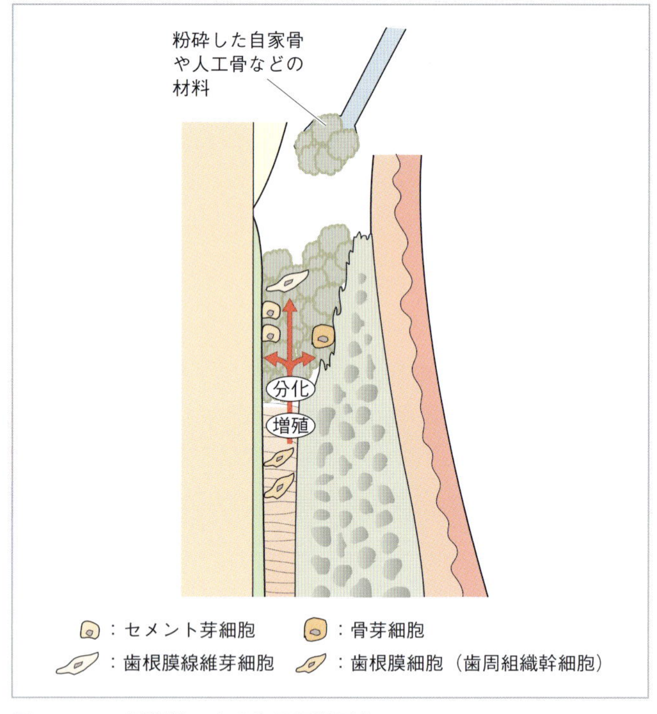

図 5-Ⅵ-6　骨移植による歯周組織再生

いくつかの歯周組織再生療法がすでに開発されている．そして，現在，臨床応用されている歯周組織再生療法は，患歯の歯根膜組織に内在する，いわゆる「歯周組織幹細胞」を幹細胞として用いたものである．

それらのうち，歴史の長いものとして「**骨移植**」があげられる．これは患者の顎骨を一部採取・粉砕して得られた自家骨や，アパタイトのような人工材料（**骨補塡材**）を歯周組織欠損部に充塡することにより，同部の歯槽骨再生を促そうとするものである．移植された自家骨や骨補塡材が近隣の歯根膜から遊走をしてきた幹細胞の「足場」となり，その表面に沿って骨が形成され，周囲の骨と一体化する（このような機能を「**骨伝導能** osteoconduction」とよぶ）ことにより，歯槽骨の新生が促進されることになる（図 5-Ⅵ-6）．人工骨の中には，そのままの形状で歯槽骨内に残存するものと，自家骨に徐々に

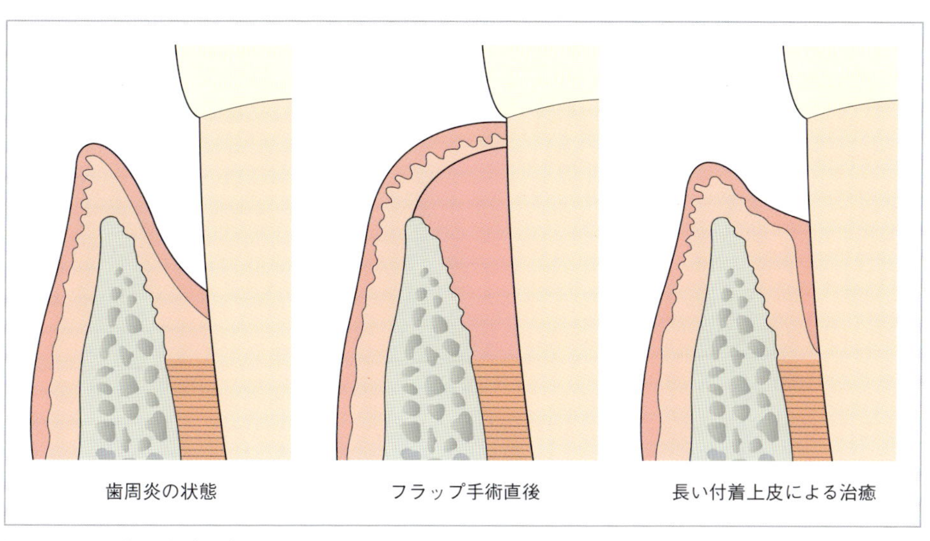

図 5-Ⅵ-7　歯周外科治療後に生じる長い上皮性付着による治癒

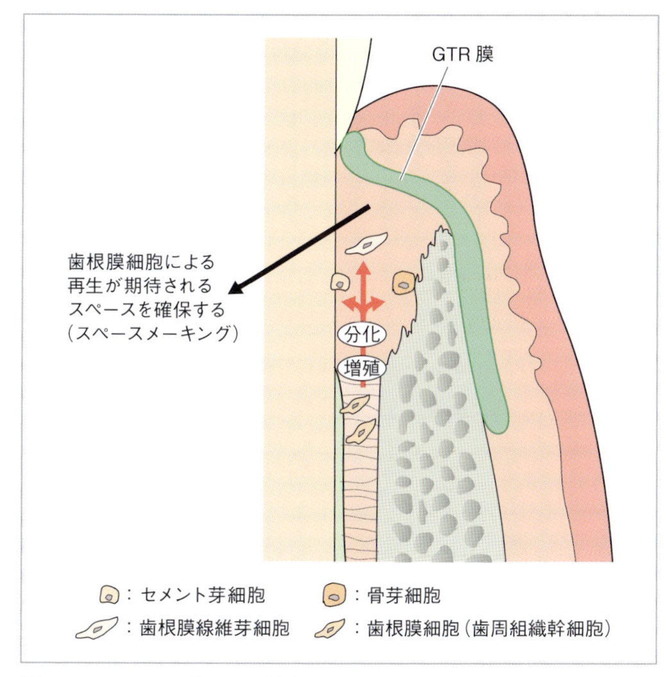

図 5-Ⅵ-8　GTR 法の作用機序

置換されていくものがある．

歯周外科手術を行った後，歯周組織の欠損部にいち早く歯根膜に由来する幹細胞を導引することができれば，同欠損部に歯周組織の再生を誘導することができるであろう．しかしながら，外科治療後の治癒過程では，歯肉上皮細胞が創傷部に遊走して傷口を上皮で覆おうとするため，歯根と歯槽骨間に線維性の付着を回復することなく治癒が完成してしまい，同部の歯槽骨やセメント質の再生が達成されないことになる（**図 5-Ⅵ-7**）．この問題を解決すべく，1980 年代に入り「**Guided Tissue Regeneration（GTR）法**」が開発されることになった[3]（**図 5-Ⅵ-8**）．これは，歯周組織欠損部を生体親和性の GTR 膜で覆うことにより，歯肉上皮由来および歯肉結合組織由来の細胞が同欠損部へ侵入するのを防ぎ，歯根膜由来の幹細胞を同上欠損部へ優先的に到達させることにより，歯周組織再生を誘導しようとする治療法である（**図 5-Ⅵ-9**）．GTR 膜により細胞の遊走を人為的に制御することから，GTR 膜は Tissue Engineering でいう「足場」として分類されることもある．

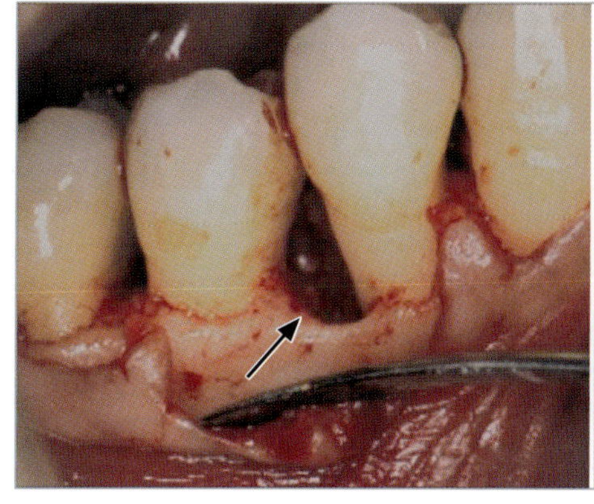
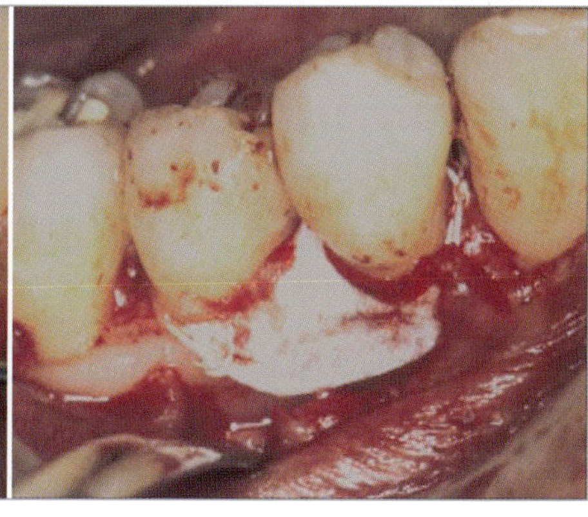

図 5-Ⅵ-9　GTR 法による歯周組織再生
右下第一小臼歯に，垂直性の骨吸収が認められる（矢印）．同部に GTR 膜を設置し，歯周組織再生誘導を図っている．

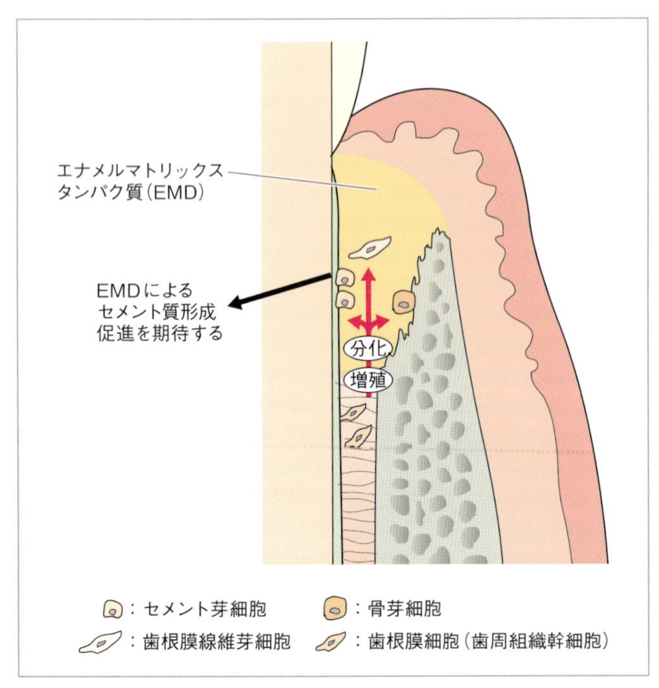

図 5-Ⅵ-10　エナメルマトリックスタンパク質（EMD）の作用機序

その後 1990 年代に入り，「**エナメルマトリックスタンパク質**（EMD）（エムドゲイン®）」が臨床応用されるようになる[4]．EMD は歯の発生期に Hertwig 上皮鞘から分泌されるタンパク質で，歯根膜中の幹細胞がセメント芽細胞へと分化する過程を促進するといわれている（**図 5-Ⅵ-10**）．現在，6 か月齢ブタの下顎骨歯胚から得られた EMD が臨床応用されており，EMD を歯周外科時に歯周組織欠損部へ投与することによりセメント質形成が，ひいては歯周組織再生が誘導されると考えられている（**図 5-Ⅵ-11**）．このような作用機序から，EMD は Tissue Engineering でいうところの「シグナル分子」に分類されている．

1982 年に GTR 法の臨床応用がすでに報告されている歴史的経緯を考えると，歯科医療は他分野に遅れることなく再生医療に取り組んできたといえる．しかしながら，現行の歯周組織再生療法にも，①部分的な再生しか期待できない，②術式が困難，③適応症が限られている，④十分な予知性に欠けるなど，克服されるべき問題点が残されている．

表 5-Ⅵ-1　サイトカインによる歯周組織再生誘導

1. 血小板由来成長因子（PDGF）＋インスリン様成長因子（IGF-I）
2. 骨誘導タンパク質-2（BMP-2）
3. トランスフォーミング増殖因子-β（TGF-β）
4. 骨誘導タンパク質-7（BMP-7，OP-1）
5. 塩基性線維芽細胞増殖因子（FGF-2，bFGF）（リグロス®）
6. 脳由来神経栄養因子（BDNF）
7. 増殖・分化因子-5（GDF-5）
8. 血小板由来成長因子（PDGF）＋β-TCP（GEM 21 S®）

3）サイトカイン療法の可能性

サイトカインとはわれわれの生体を構成している細胞が，周囲の細胞の増殖・分化などのさまざまな細胞機能を制御する目的で分泌されるタンパク質の総称である．サイトカインの種類・作用は実に多様であり，その中には，炎症反応，創傷治癒，あるいは骨の新生・吸収に深く関与するものも存在する．遺伝子工学の進歩により，これらサイトカインを大量生産することが可能となり，現在では各種疾病に対する治療薬としても，サイトカインが用いられている．歯周組織再生療法の分野においても，歯周組織欠損部への歯根膜細胞の遊走，同欠損部における細胞増殖，あるいは骨芽細胞やセメント芽細胞への分化の過程を，ある種のサイトカインを局所投与することにより活性化し，歯周組織再生を誘導しようとする試みがなされている．現在までに，実験動物に作製された人工的歯周組織欠損部に**表 5-Ⅵ-1** に示すようなサイトカインを局所投与することにより，同部の歯周組織再生が誘導，促進されたとの報告がなされており，サイトカイン療法は次世代の歯周組織再生療法を担う有望な選

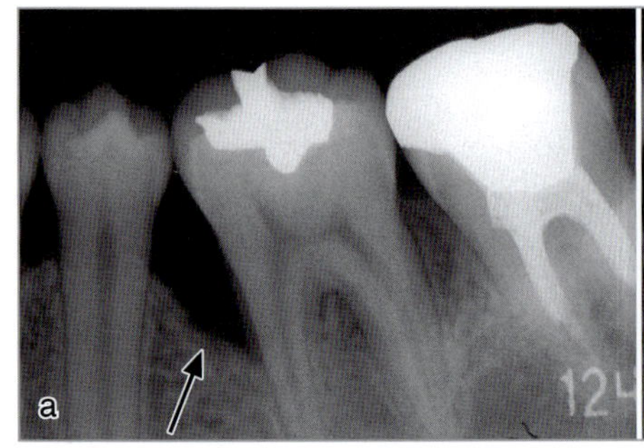

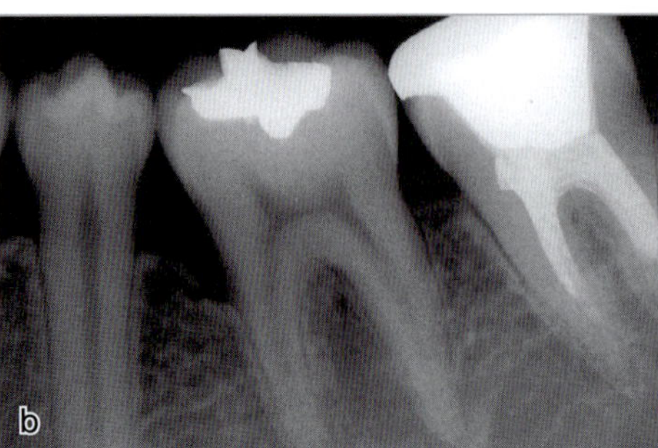

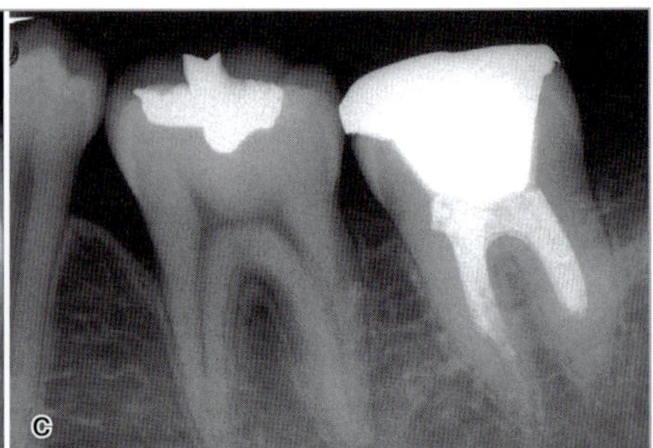

図 5-Ⅵ-11　EMD による歯周組織再生
a：治療前．左下第一大臼歯近心に，垂直性の骨吸収が認められる（矢印）．
b：EMD 投与 10 か月後．治療前に比べて歯槽骨の量が再生しているのが認められる．
c：EMD 投与 3 年後．歯槽骨の量がさらに増加しているのが認められる．
（大阪大学大学院歯学研究科北村正博先生のご厚意による）

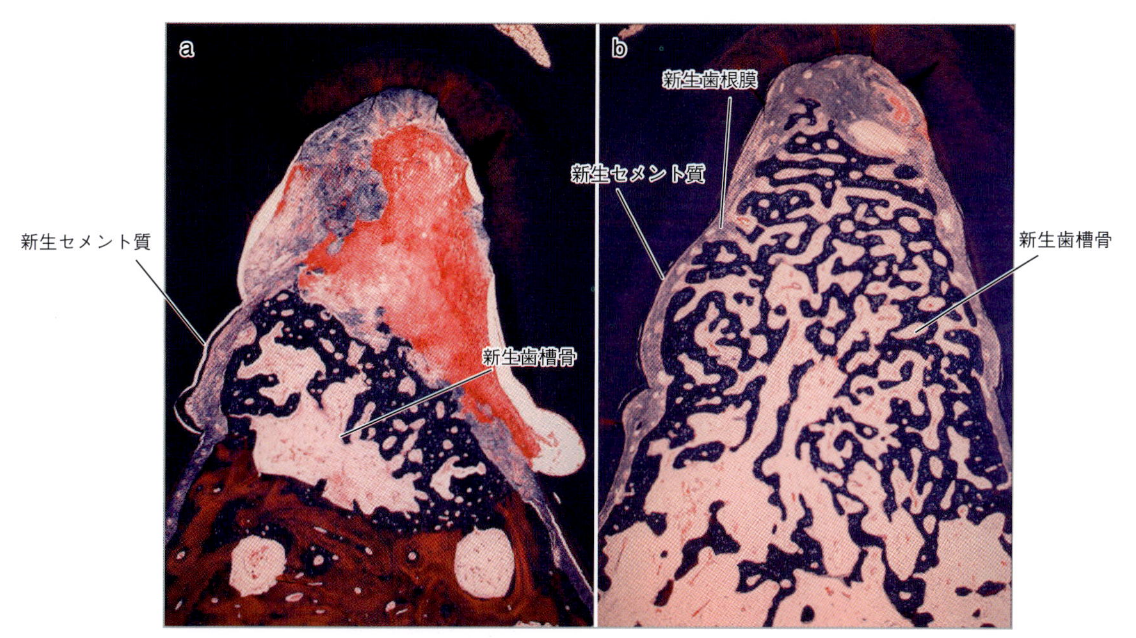

図 5-Ⅵ-12　FGF-2 投与により分岐部に誘導された骨新生
0.1% FGF-2 投与後 6 週目の組織像（AZAN 染色）．FGF-2 投与側（b）では，歯槽骨，歯根膜，セメント質の再生が確認されるが，対照側（a）の歯周組織の再生は限定的である．
（村上伸也，高山真一：bFGF の現状と将来展望．歯界展望，99：533～540，2002.）

択肢の 1 つとしておおいに期待されている．

米国では，0.3 mg/mL の**血小板由来成長因子** platelet-derived growth factor（PDGF）とよばれるサイトカインと β-tricalcium phosphate（β-TCP：自家骨に置換する骨補填材）を組み合わせたものが，歯周組織再生誘導用の医療機器として販売されている[5]．PDGF は，血小板のみならずマクロファージ，平滑筋細胞，内皮細胞，線維芽細胞などの種々の細胞から分泌され，発生過程，創傷治癒過程のみならず，各種病態の発症，進行にも関与するサイトカインである．また，PDGF は培養ヒト歯根膜細胞の増殖・コラーゲン産生を促進することも明らかにされている．

また，わが国において，歯周組織再生誘導薬としての**塩基性線維芽細胞増殖因子**（FGF-2）の有効性と安全性を評価するための研究が行われてきた．FGF-2 は，線維芽細胞のみならず血管内皮細胞，神経外胚葉系細胞，骨芽細胞，軟骨細胞，血管平滑筋細胞，上皮細胞などの多種類の細胞の増殖を誘導することが知られている．とりわけ，①強力な血管新生促進作用を有すること，②未分化間葉系細胞の多分化能を保持させたまま，その細胞増殖を促進する活性を有していることから，FGF-2 は再生医療の分野で大きな注目を集めている．

FGF-2 が歯周組織再生を促進するか否かを検証するために，ビーグル犬の下顎臼歯部複根歯に実験的根分岐部病変を作製し，FGF-2 を同病変部に投与したところ，統計学的に有意な新生骨量，新生骨梁量，新生セメント質量の増加を伴った歯周組織再生が確認された．また，同部位において Sharpey 線維も再現され，線維性付着の再構築が確認されている（**図 5-Ⅵ-12**）[6]．

2001 年より FGF-2 の歯周組織再生誘導効果ならびに安全性の検討を目的として，臨床試験（治験）が実施されている．その結果，ヒトの垂直性歯槽骨欠損部への 0.3% FGF-2 の局所投与が規格エックス線画像上で統計学的に有意な歯槽骨新生を誘導しうることが確認された[7]．また，この臨床試験期間中に安全性上問題になるような事例は認められなかった．2016 年 9 月に FGF-2 は世界初の歯周組織再生剤（リグロス®）として，わが国において製造・販売の承認がとられている．

このように，サイトカイン療法は大きな可能性を秘めた治療法である．引き続き，適応症を吟味し，その有効性と安全性を真摯に評価することで，同療法が正しく育成されること（育薬）が強く望まれる．

4）細胞移植による歯周組織再生療法の可能性

これまでに述べた歯周組織再生療法は，すべて歯根膜の中に存在する幹細胞の機能を引き出すことにより歯周組織再生を促進しようとするものである．しかしながら，歯根膜内の幹細胞数は加齢とともに減少することが知られている[8]．したがって，高齢者や重度歯周病の場合には，歯根膜に存在する歯周組織幹細胞の活用だけでは十分な再生量が期待できないことが想定される．そのような場合には，同一患者の他の組織より採取した間葉系幹細胞を歯周組織欠損部へ移植することにより，歯周組織再生を促すことが必要になるものと考えられる．

多分化能を有する幹細胞源としては，**iPS細胞**の使用が将来的には期待されるところであるが，歯科医療分野での臨床応用が始まるまでには，まだ数年以上待たねばならないであろう．一方，われわれの体の種々の組織中には，成人になっても未分化間葉系幹細胞が存在していることが明らかになり（歯根膜もそのような組織の1つである），これらの組織から採取した幹細胞を至適な足場材とともに歯周組織欠損部に移植することにより歯周組織再生を促そうとする検討が始められている．

骨髄由来細胞を幹細胞源として歯周組織再生に応用する例としては，腸骨などから採取された骨髄細胞と**多血小板血漿** platelet rich plasma（PRP）を混和し，歯周組織欠損部に移植することにより歯周組織再生が誘導されたとの報告[9]，あるいは，骨髄由来細胞を体外でFGF-2にて刺激することによりその数を増殖させた後，コラーゲンゲルを足場材として混和し歯周組織再生誘導を促すとの報告がなされている[10]．

また，脂肪組織の中にも未分化間葉系幹細胞が存在していることが知られている．そこで，歯周病患者の腹部から採取した皮下脂肪より単離した脂肪組織由来間葉系幹細胞をフィブリンゲルとともに歯周組織欠損部へ移植することにより，歯周組織再生を誘導しようとする臨床研究も現在実施されている[11]．

口腔内の組織より移植用の幹細胞を得ようとする試みもなされている．たとえば，顎骨の骨膜より組織片を採取し，同組織片より得られる細胞（骨膜由来細胞）をシート状に培養し，PRPとハイドロキシアパタイトとともに移植し，歯周組織再生を促す検討がなされている[12]．さらに，治療目的で抜歯された智歯などの歯根膜より得られた歯根膜由来細胞をシート状に培養し，歯周組織欠損部に露出した歯根表面に移植し，残りの骨欠損部にβ-TCPを移植することにより，歯周組織の再生をトータルで図ろうとする検討もなされている[13]．

5）おわりに

歯周組織は，歯槽骨・セメント質・歯根膜・歯肉から構成される複雑な組織であり，各組織を歯周組織破壊の程度に応じて自由自在に再生させることは，歯周治療の最終目標の1つである．今後，安全性が担保され，かつ幹細胞の遊走・増殖，さらには骨芽細胞やセメント芽細胞への分化を支持する歯周組織再生用にカスタマイズされた足場材が開発され，それがPDGFやFGF-2などのサイトカインや歯根膜のみに依存しない幹細胞と最適条件で融合させることができれば，予知性の高い真のオーダーメード歯周組織再生療法が確立されるものと期待される．

（村上伸也）

参考図書，参考文献

Ⅰ 概説

●参考図書

1. 矢嶋俊彦：歯周組織の改造現象．細胞，**1**：409〜413，1983．
2. 雨宮　璋：セメント質の微細構造と病変．細胞，**15**：404〜408，1983．
3. 山下靖雄，一条　尚：歯根膜靭帯の発生．歯根膜靭帯の科学（歯根膜靭帯懇話会編）．グノーシス出版，東京，15〜22，1992．
4. 山下靖雄：歯周組織の解剖・組織学（1．歯肉，2．セメント質，3．歯根膜，4．歯槽骨，5．歯周組織の血管分布）．歯周病学（石川　烈編集主幹）．永末書店，京都，1996，3〜9．

Ⅱ セメント質

●参考図書

1. Bosshardt DD and Selvig KA：Dental ementum：the dynamic tissue covering of the root. *Periodontol 2000*，**13**：41〜75，1997．
2. Bosshardt DD et al.：Developmental apparance and distribution of bone sialoprotein and osteopontin in human and rat cementum. *Anat Rec*，**250**：13〜33，1998．
3. Bosshardt DD：Are cementoblasts a subpopulation of osteoblasts or a unique phenotype? *J Dent Res*，**84**：390〜406，2006．
4. Diekwisch TGH：Developmental biology of cementum. *Int J Dev Biol*，**45**：695〜706，2001．
5. 藤田恒太郎：セメント質．歯の組織学．医歯薬出版，東京，1957，133〜146．
6. Grzesik WJ and Narayanan AS：Cementum and periodontal wound healing and regeneration. *Crit Rev Oral Biol*，**13**：474〜484，2002．
7. 松尾　朗：セメント質の層板構造と線維性基質および石灰化度の変化に関する研究．東日本歯誌，12：193〜217，1993．
8. 松尾　朗：セメント質の線維性基質と層板構造．日歯周誌，**32**：140〜149，1990．
9. Nanci A and Bosshardt DD：Structure of periodontal tissues in health and disease. *Periodont 2000*，**40**：11〜28，2006．
10. Schroeder HE 著，下野正基ほか訳：セメント質．シュレーダー歯周組織．第1版．医歯薬出版，東京，25〜132，1989．
11. Yamamoto T et al.：The regulation of fiber arrangement in advanced cellular cementogenesis of human teeth. *J Periodont Res*，**33**：83〜90，1998．

●参考文献

1）Arzate H et al.：Cementum proteins：role in cementogenesis，biomineralization，periodntium formation and regeneration. *Periodont 2000*，**67**：211〜233，2015．

2）Foster BL et al.: Advances in defining regulators of cementum development and periodontal regeneration. In：Current topics in developmental biology（Schatten GP ed）. Vol 78，Elsevier，Amsterdam，2007，47〜126．

3）Giraud-Guille MM：Twisted plywood architecture of collagen fibrils in human compact bone osteons. *Calcif Tissue Int*，**42**：167〜180，1988．

4）Yamamoto T et al.: Twisted plywood structure of an alternating lamellar pattern in cellular cementum of human

teeth. *Anat Embryol*, **202**：25〜30, 2000.
5) Yamamoto T et al.：Histology of human cementum：Its structure, function, and development. *Jpn Dent Sci Rev*, **52**：63〜74, 2016.
6) Zhao N et al. The cementocyte-an osteocyte relative? *J Dent Res*, **95**：734〜741, 2016.

Ⅲ 歯根膜（歯周靭帯）

●参考図書

1. Hasegawa T et al.：Histochemical examination on principal collagen fibers in periodontal ligaments of ascorbic acid-deficient ODS-od/od rats. *Microscopy (Oxf)*, **68**：349〜358, 2019.

●参考文献

1) Horiuchi K et al.：Identification and characterization of a novel protein, periostin, with restricted expression to periosteum and periodontal ligament and increased expression by transforming growth factor beta. *J Bone Miner Res*, **14**：1239〜1249, 1999.

Ⅳ 歯槽骨

●参考図書

1. 須田立雄ほか：新　骨の科学．第2版．医歯薬出版，東京，2016.
2. 溝口　到：矯正歯科治療に伴う生体反応．歯科矯正学．第5版（相馬邦道ほか編）．医歯薬出版，東京，2008，107〜118.
3. James K. Avery 編，寺木良巳ほか訳：第9章　歯周組織の組織学：歯槽骨，セメント質，歯根膜（歯周靭帯）．Avery 口腔組織・発生学．第2版．医歯薬出版，東京，1994，124〜139.
4. Berkovitz BKB, Holland GR, Moxham BJ：13 Alveolar bone. In：Oral Anatomy, Histology and Embryology, 5 th Ed. Elsevier, Edinburgh, London, New York, Oxford, Philadelphia, St. Louis, Sydney, Tronto, 2017, 237〜260.
5. Bhaskar SN：8 Maxilla and mandible (alveolar process). In：Orban's Oral Histology and Embryology, 11 th Ed (Bhaskar SN eds.). Mosby, St. Louis, Tronto, London, 1991, 239〜259.
6. Everts V and Saftig P：Degradation of bone and the role of osteoclasts, bone lining cells and osteocytes. In：Extracellular Matrix Degradation, Biology of Extracellular Matrix 2 (Parks WC and Mecham RP eds.). Springer-Verlag, Berlin Heidelberg, 2011.
7. Saffar JL, Lasfargues JJ, Cherruau M：Alveolar bone and the alveolar process：the socket that is never stable. *Periodontology 2000*, **13**：76〜90, 1997.
8. Sasano Y et al.：Degradation of extracellular matrices propagates calcification during development and healing in bones and teeth. *J Oral Biosci*, **61**：149〜156, 2019.

Ⅴ 歯肉

●参考図書

1. 鴨井久一ほか編：Preventive Periodontology．第1版．医歯薬出版，東京，2007.
2. 相山誉夫ほか：口腔の発生と組織．南山堂，東京，1989，56〜57.
3. Nanci A 編著，川崎堅三監訳：Ten Cate 口腔組織学，原著第6版．医歯薬出版，東京，2006，334.

Ⅵ 臨床的考察

1．歯周病と免疫

●参考文献

1) Tsukasaki M et al.: Host defense against oral microbiota by bone-damaging T cells. *Nat Commun*, **9**：701, 2018.
2) Maekawa T et al.: Porphyromonas gingivalis manipulates complement and TLR signaling to uncouple bacterial clearance from inflammation and promote dysbiosis. *Cell Host Microbe*, **15**：768〜778, 2014.
3) Niki M et al.: Interleukin-12 and Interleukin-23 Blockade in Leukocyte Adhesion Deficiency Type 1. *N Engl J Med*, **376**：1141〜1146, 2017.
4) Kitamoto S et al.: The Intermucosal Connection between the Mouth and Gut in Commensal Pathobiont-Driven Colitis. *Cell*, **182**：447〜462.e14, 2020.
5) Hajishengallis G：Periodontitis: from microbial immune subversion to systemic inflammation. *Nat Rev Immunol*, **15**：30〜44, 2015.
6) Hajishengallis G et al.: Local and systemic mechanisms linking periodontal disease and inflammatory comorbidities. *Nat Rev Immunol*, **21**：426〜440, 2021.
7) Li X et al.: Maladaptive innate immune training of myelopoiesis links inflammatory comorbidities. *Cell*, **185**：1709〜1727.e18, 2022.

2．歯周組織の再生療法

●参考文献

1) Seo BM et al.: Investigation of multipotent postnatal stem cells from human periodontal ligament. *Lancet*, **364**：149〜155, 2004.
2) Langer R and Vacanti JP：Tissue engineering. *Science*, **260**：920〜926, 1993.
3) Nyman S et al.: New attachment following surgical treatment of human periodontal disease. *J Clin Periodontol*, **9**：290〜296, 1982.
4) Lindhe J：Emdogain A biological approach to periodontal regeneration. *J Clin Periodontol*, **24**：658〜714, 1997.
5) Nevins M et al.: Platele-derived growth factor stimulates bone fill and rate of attachment level gain：Results of a large multicenter randomized controlled trial. *J Periodontol*, **76**：2205〜2215, 2005..
6) 村上伸也，高山真一：bFGF の現状と将来．歯界展望，**99**：533〜540, 2002.
7) Kitamura M et al.: FGF-2 stimulates periodontal regeneration：Results of a multi-center randomized clinical trial. *J Dent Res*, **90**：35〜40, 2011.
8) Zheng W et al.: Loss of proliferation and differentiation capacity of aged human periodontal ligament stem cells and rejuvenation by exposure to the young extrinsic environment. *Tissue Eng Part A*, **15**：2363〜2371, 2009.
9) Yamada Y et al.: A novel approach to periodontal tissue regeneration with mesenchymal stem cells (MSCs) and platelet-rich plasma (PRP) using tissue engineering technology: A clinical case report. *Int J Periodont Rest*, **26**：363〜369, 2006.
10) Kawaguchi H and Kurihara H：Clinical trial of periodontal tissue regeneration. *Nippon Rinsho*, **66**：948〜954, 2008.
11) Takedachi M et al.: Periodontal tissue regeneration by transplantation of autologous adipose tissue-derived muitilineage progenitor cells. *Sci Rep*. **12**：8126. https://doi.org/10.1038/s41598-022-11986-z, 2022.
12) Okuda K et al.: Treatment of human infrabony periodontal defects by grafting human cultured periosteum sheets combined with platelet-rich plasma and porous hydroxyapatite granules：case series. *J Int Acad Periodontol*, **11**：206〜213, 2009.
13) Iwata T et al.: Periodontal regeneration with multi-layered periodontal ligament-derived cell sheets in a canine model. *Biomaterials*, **30**：2716〜2723, 2009.

第6章 歯と歯周組織の神経と脈管

chapter 6

 概　説

1. 歯と歯周組織の神経

歯はその発生学的由来から皮膚と相同であると考えられる．皮膚が豊富な感覚神経支配を受けていることから想像できるように歯や歯周組織も密な感覚神経支配を受けている．

歯は主に痛覚のみを受容するのに対し，歯周組織は痛覚に加え，触覚や圧覚などの機械感覚，温度感覚，さらに歯根膜では歯の位置感覚や深部感覚をも受容する．

歯と歯周組織に分布する感覚神経は**三叉神経** trigeminal nerve の枝である上顎神経および下顎神経の枝である（図6-Ⅰ-1）．三叉神経圧痕 impression for trigeminal ganglion に位置する**三叉神経節** trigeminal ganglion の細胞は偽単極性神経細胞 pseudounipolar cell であり，この細胞体から末梢側と中枢側に突起を伸ばしている．すなわち三叉神経節から出る末梢性突起が歯と歯周組織を支配している．

上顎神経 maxillary nerve は三叉神経節を出て正円孔 foramen rotundum を通過し外頭蓋底に出る．翼口蓋窩 pterygopalatine fossa で頰骨神経 zygomatic nerve，翼口蓋神経 pterygopalatine nerves を出した後，眼窩下神経 infraorbital nerve となる．上顎神経が歯槽孔 alveolar foramina から上顎骨内に入る後上歯槽枝 posterior superior alveolar branches が，眼窩下溝から中上歯槽枝 middle superior alveolar branch が，眼窩下管内から前上歯槽枝 anterior superior alveolar branches が出て，これらが歯と歯周組織に分布する．これらは上歯槽神経 superior alveolar nerves とよばれ，歯槽管 alveolar canals の中で上歯神経叢 superior dental plexus をつくり，ここから出る上歯枝 superior dental branches は上顎歯の歯髄に，上歯肉枝 superior gingival branches は歯肉，歯根膜に分布する．この他，眼窩下神経，大口蓋神経 greater palatine nerve，鼻口蓋神経 nasopalatine nerve なども上顎歯肉を支配している（図6-Ⅰ-2a）．

下顎神経 mandibular nerve は三叉神経節を出て卵円孔 foramen ovale を通過し，側頭下窩 infratemporal fossa に出る．下顎神経の終枝の1つである下歯槽神経 inferior alveolar nerve は下顎孔 mandibular foramen を通り，下顎管 mandibular canal の中に入る．下顎管の中で数枝に分かれ，これが歯槽下で吻合して下歯神経叢 interior dental plexus をつくる．この下歯神経叢から出る下歯枝 interior dental branches および下歯肉枝 interior gingival branches はそれぞれ下顎歯の歯髄に，下歯肉枝は歯肉，歯根膜に分布する．この他オトガイ神経 mental nerve，舌神経 lingual nerve，頰神経 buccal nerve なども下顎歯肉を支配している（図6-Ⅰ-2b）．

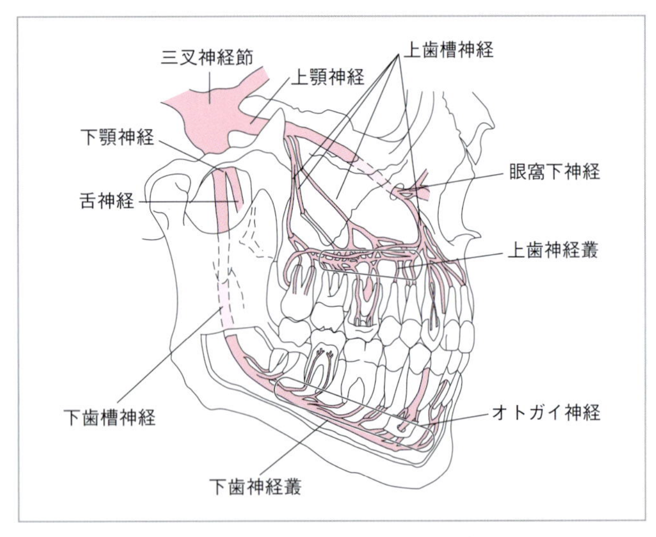

図6-Ⅰ-1　口腔に分布する神経線維の走行の模式図

三叉神経節神経細胞の中枢性突起は三叉神経感覚核群に終枝し，これは吻側から三叉神経主感覚核 principle sensory nucleus of trigeminal nerve（触覚，圧覚など）と三叉神経脊髄路核 nucleus of spinal tract of trigeminal nerve（痛覚，温度覚）に分けられ，さらに後者は吻側から吻側亜核，極間亜核，尾側亜核に区別される（図6-Ⅰ-3）．

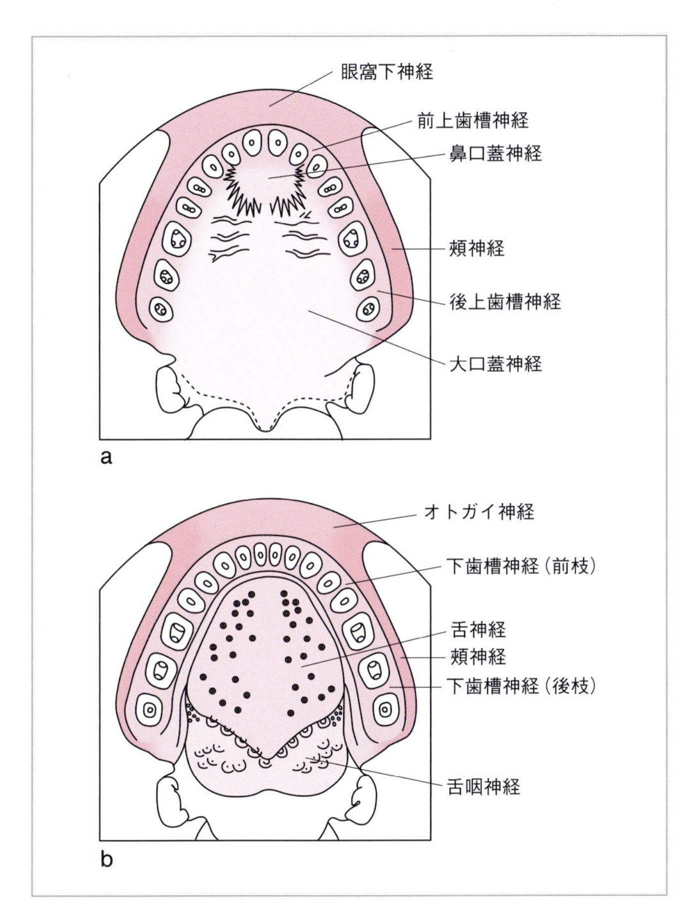

図 6-Ⅰ-2　口腔粘膜の神経支配の模式図
a：上顎．b：下顎．

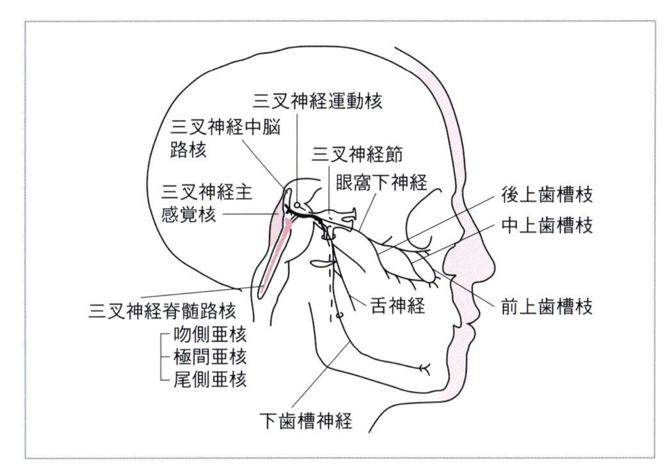

図 6-Ⅰ-3　三叉神経感覚群とその投射部位の模式図

表 6-Ⅰ-1　生理学的特性に基づく末梢神経の分類

	直径（μm）	伝導速度（m/秒）	機　能
Aα	12～20	70～120	固有受容，体性運動
Aβ	5～12	30～70	圧覚，触覚
Aγ	3～6	15～30	筋紡錘への運動線維
Aδ	2～5	12～30	痛覚，温覚，触覚
B	＜3	3～15	交感神経節前線維
C	0.4～1.2 0.3～1.3	0.5～2 0.7～2.3	痛覚，各種の反射 交感神経節後線維

歯根膜の感覚神経の細胞体は三叉神経節に加え，橋 pons に位置する三叉神経中脳路核 nucleus of mesencephalic tract of trigeminal nerve にも存在する（**図 6-Ⅰ-3**）．この三叉神経中脳路核の細胞は三叉神経運動核 motor nucleus of trigeminal nerve に神経線維を送り，歯根膜→三叉神経中脳路核→三叉神経運動核→咀嚼筋という神経回路を構成し，咀嚼の神経調節に重要な役割を果たしている．

交感神経系 sympathetic nervous system と副交感神経系 parasympathetic nervous system も歯と歯周組織に分布している．交感神経は上頸神経節から出た節後線維（外頸動脈神経 external carotid nerves）が動脈 arteries に伴行しながら，歯と歯周組織に到達し，支配血管に分布する．一方，副交感神経系の存在，由来に関してはいまだ不明な点が残されているが，上顎では翼口蓋神経節 pterygopalatine ganglion，下顎では耳神経節 otic ganglion に存在する細胞体からの節後線維が支配血管に分布すると考えられている．これらの２種の神経は歯と歯周組織の血流調節を担っている．

末梢神経を生理学的特性分類すると，**表 6-Ⅰ-1** のようになる．この分類は神経線維の伝達速度を中心にした分類であり，その受容感覚 modality と深い関係がある．興奮の伝達速度は神経線維の直径および支配する神経細胞体の大きさに比例する．また形態学的には A 線維，B 線維が髄鞘をもつ有髄神経 myelinated fiber で，C 線維は髄鞘を欠いている（無髄線維 unmyelinated fiber）．

2. 歯と歯周組織の脈管

歯と歯周組織に分布する動脈はすべて外頸動脈 external carotid artery の枝である（**図 6-Ⅰ-4**）．

上顎に血液を送る動脈は主として顎動脈 maxillary artery の枝である．そのうち，後上歯槽動脈 posterior superior alveolar artery と前上歯槽動脈 anterior superior alveolar arteries は上顎骨の歯槽管の中を走り，歯髄，歯根膜，歯槽骨に血液を送る．後上歯槽動脈，眼窩下動脈 infraorbital artery，大口蓋動脈 greater palatine artery などの枝は歯肉および隣接する軟部組織に血液を供給する（**図 6-Ⅰ-5a**）．前者の血管は上顎骨内，後者は顎骨外の血管であるが，両者は上顎骨表層の緻密骨および上歯頸部の歯根膜を通じて吻合する．

下顎に血液を供給するのは，顎動脈から分岐した下歯槽動脈 inferior alveolar artery，外頸動脈から直接出る

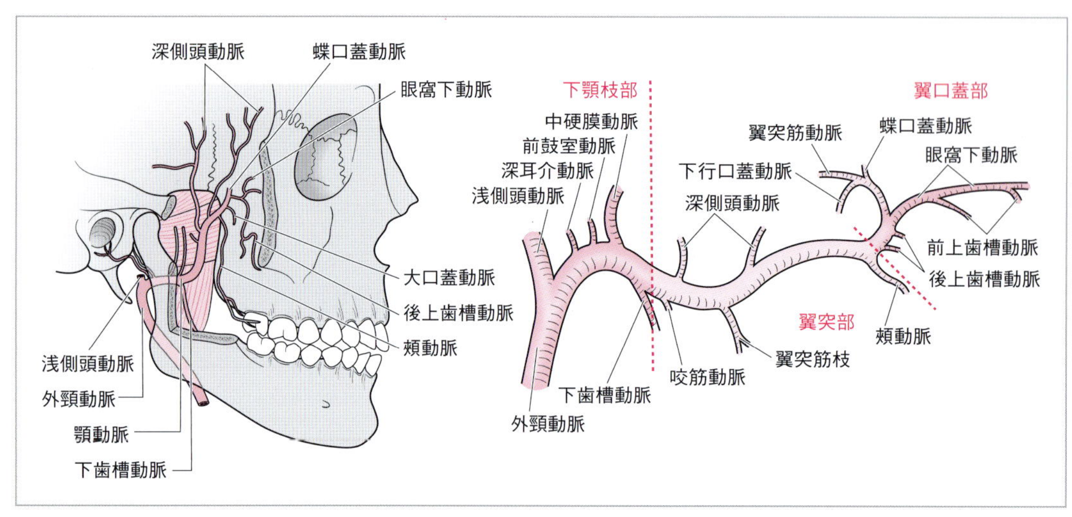

図 6-Ⅰ-4　顎動脈の主な枝

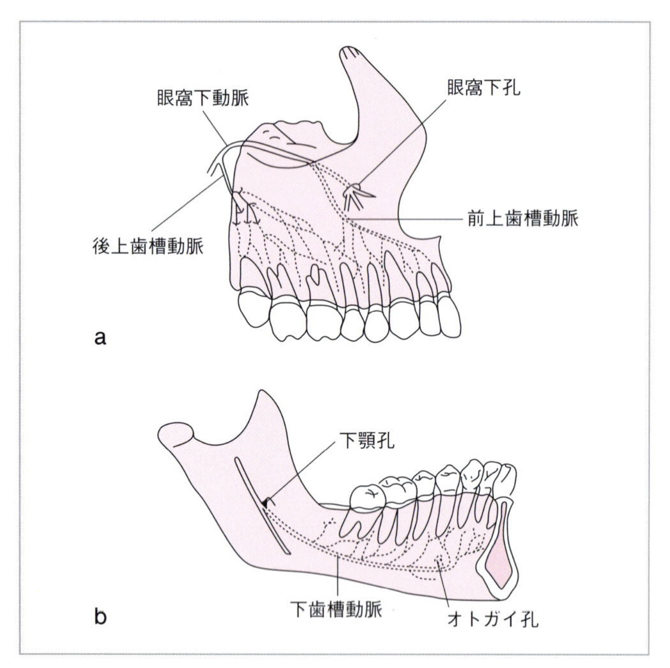

図 6-Ⅰ-5　上顎骨（a）と下顎骨（b）に分布する動脈

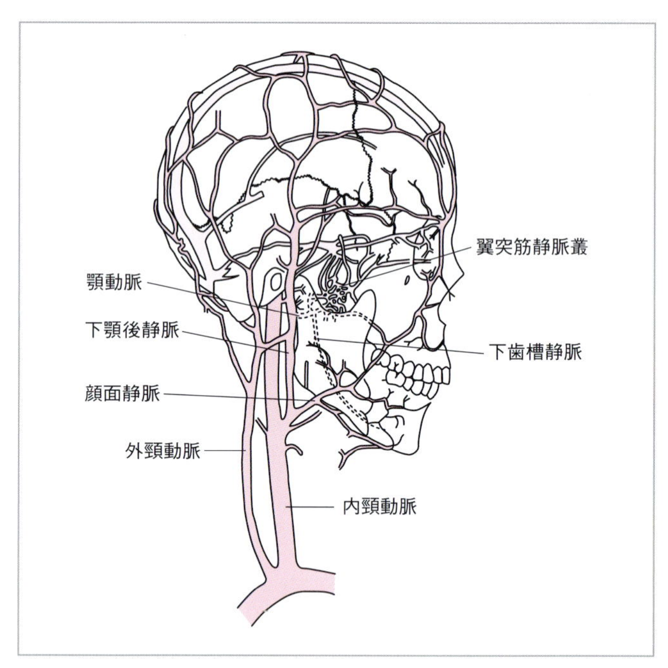

図 6-Ⅰ-6　頭頸部の静脈系

顔面動脈 facial artery および舌動脈の枝である舌下動脈 sublingual artery である．下歯槽動脈は下顎骨内部に向かって多数の枝を出した後，オトガイ孔から下顎骨の外に現れ，オトガイ動脈 mental artery となる（図 6-Ⅰ-5b）．オトガイ動脈，顔面動脈，舌下動脈は下顎骨の外にあって歯肉および付近の軟部組織に血液を送る．上顎同様，下顎においても顎骨内外の動脈は下顎骨の表層緻密骨および歯頸部の歯根膜を通じて吻合する．

これらの動脈は歯と歯周組織の毛細血管 capillaries となった後，静脈 veins に移行する．これらの静脈は通常，動脈と伴行し，上顎では翼突筋静脈叢 pterygoid plexus に，下顎では一部は翼突筋静脈叢に，また一部のものは直接，内頸静脈 internal jugular vein に注ぐ．翼突筋静脈叢の血液は顎静脈 maxillary veins に回収され，顎静脈は浅側頭静脈 superficial temporal veins と合流し，下顎後静脈 retromandibular vein となり，内頸静脈に注ぐ（図 6-Ⅰ-6）．

リンパ管 lymphatic vessel は末梢組織で組織液を回収して，リンパとして静脈へ送る．歯肉および歯根膜のリンパ管の存在については明らかにされているが，歯髄におけるリンパ管の存否については不明な点が多い（☞第 6 章Ⅴ-2-1）参照）．リンパ管は毛細リンパ管として始まり，毛細リンパ管は弁を欠いている．

リンパ管壁には平滑筋はなく，内皮細胞 endothelial cell と不完全な基底膜 basement membrane でつくられている．基底膜が欠如する部位ではリンパ管繋留フィラメント lymphatic anchoring filaments とよばれる細線維が内皮細胞の外面と周囲の結合組織とをつないでいる[1]．リンパ管が太くなり，弁が出現しても，リンパ管壁は平滑筋を欠く．

下顎切歯部を除く，他の部位のリンパは顎下三角に位置する顎下リンパ節 submandibular lymph nodes に注ぐ．一方，下顎切歯部のリンパはオトガイ下リンパ節 submental lymph nodes に注ぎ込む．

II 歯の神経支配

1. 歯の痛み

エナメル質，セメント質は神経支配を欠く．

歯髄に加えられた刺激はすべて痛覚として中枢神経系に伝達される．この痛覚は２種類に分類することができる．１つは象牙質に加えられた痛みで，この痛みは鋭い痛み sharp pain，fast pain とよばれ，これが象牙質感覚 dentin sensitivity に関与する．もう１つの痛みは歯髄の痛みで，たとえば，歯髄炎の際の痛みがこれにあたり，鈍い痛み dull pain，slow pain とよばれている．歯髄には生理学的に有髄神経 myelinated nerves の Aδ 線維と無髄神経 unmyelinated nerves の C 線維が分布している．Aδ 線維は求心性の感覚神経で，C 線維は感覚神経と遠心性の自律神経に相当する．鋭い痛みの伝達には歯髄・象牙質境付近に神経終末をもつ Aδ 線維が，鈍い痛みの伝達には C 線維が関与している．この C 線維は歯髄内で神経終末を形成し，温度刺激，機械刺激や内因性発痛物質などの刺激に反応する．

2. 歯髄の神経分布

歯髄は根尖部に位置する１個（根尖孔）ないしは数個の小孔（副根尖孔）で周囲組織と交通している．歯髄に分布する感覚神経線維は根尖孔より，歯髄の栄養血管とともに歯髄内に進入する（図 6-Ⅱ-1）．歯髄を栄養する動脈には交感神経線維と副交感神経線維が伴行して歯髄内に進入する．

この歯髄神経は数十から数百本の神経線維により構成される神経線維束で，直径 10 μm 以下の有髄神経と，直径 2 μm 以下の無髄神経から構成されている．この神経線維束は明瞭な神経周膜を欠いている．

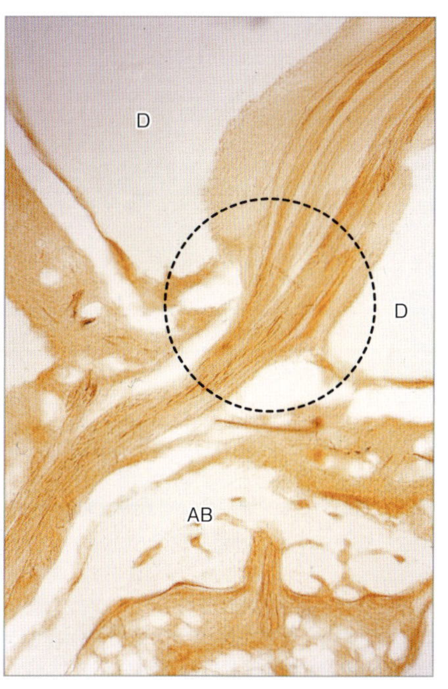

図 6-Ⅱ-1　根尖孔（点線）を通過する神経線維（抗ニューロフィラメントタンパク質（NFP）抗体による免疫組織化学染色）
AB：歯槽骨，D：象牙質

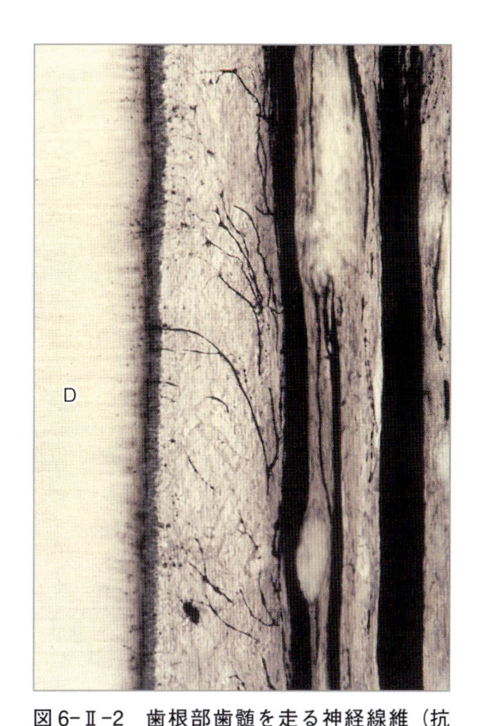

図 6-Ⅱ-2　歯根部歯髄を走る神経線維（抗 PGP 9.5 抗体による免疫組織化学染色）
歯根部歯髄では歯髄神経はほとんど分岐することなく上行する．D：象牙質
（Maeda T et al.: Dense innervation of human radicular dental pulp as revealed by immunocytochemistry for protein gene-product 9.5. *Arch Oral Biol*, **39**: 563〜568, 1994.）

根尖孔より進入した神経線維束は，ほとんど分枝することなく，歯根中央部を血管とともに上行する（図 6-Ⅱ-2）．歯頸部に近づくにつれ，神経線維束は次第に枝分かれを始め，歯髄辺縁部に細い神経線維が分布するようになる．歯根部では象牙芽細胞層および象牙前質内に分布する神経線維は歯冠部歯髄に比べて少ない．さらに，

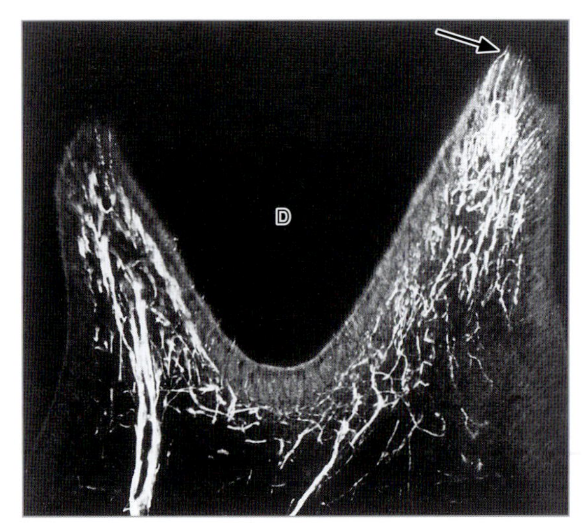

図 6-Ⅱ-3 歯冠部歯髄の神経分布（ラット）
抗ニューロフィラメントタンパク質（NFP）抗体による免疫蛍光染色．歯髄神経は歯冠部歯髄に入ると，著しく枝分かれをし，全域に分布する矢印は象牙質（D）内に進入する神経線維．矢印は象牙質に入る神経線維を示す．
（Maeda T et al.: Distribution of nerve fibers immunoreactive to neurofilament protein in rat molars and periodontium. *Cell Tissue Res*, 249：13〜23, 1987.）

この領域に分布する神経線維の走行は後述する歯冠部歯髄のそれに比べ比較的単純であり，また象牙質内に侵入する神経線維はほとんど認められない．

歯根部歯髄を上行してきた神経線維束が根管口に到達すると，著しい分枝を開始し，太い神経線維束は多数の神経線維小束となる．これらの一部のものは血管と伴行しながら歯冠部歯髄に分布するが，大多数のものは血管と離れて歯冠部歯髄にくまなく分布するようになる（図 6-Ⅱ-3）．

歯冠部歯髄に分布する神経線維が象牙芽細胞層直下の歯髄辺縁部すなわち細胞稠密層 cell-rich zone 付近に至ると，神経線維はさらに激しく分岐を繰り返し，密に集合，錯綜して神経叢をつくる（図 6-Ⅱ-4，5）．これを**象牙芽細胞下神経叢** subodontoblastic nerve plexus あるいは最初の報告者の名にちなんで**Raschkow（ラシュコフ）の神経叢** nerve plexus of Raschkow とよぶ．ここでは神経線維は象牙芽細胞層の基底面にほぼ平行に走る．

歯冠部歯髄に明瞭にみられる象牙芽細胞下神経叢の歯根部での形成は不明瞭であり，また歯冠部髄角部では歯髄腔の狭窄から神経叢構築は示さず（図 6-Ⅱ-3），象牙芽細胞層とは関係なく，神経線維は扇状に放散する．また，この神経叢は発生途中の歯髄では観察されず，歯の形成が進むにつれ，漸次発達し，歯根形成が終了したときに完成される．神経叢の発達程度に若干の差はあるものの，永久歯および乳歯，さらにはヒト以外の動物の歯でもその存在が知られており，歯髄神経の基本的な構築と考えられている[1]．

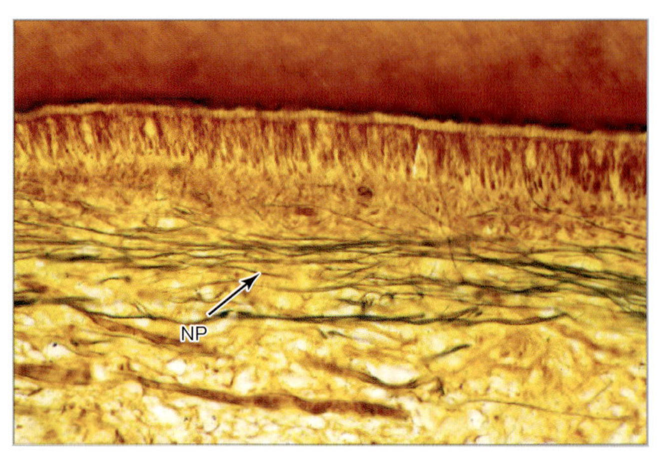

図 6-Ⅱ-4 象牙芽細胞下神経叢（Raschkow の神経叢）（神経鍍銀染色）
歯髄神経は象牙芽細胞層下で集積し，象牙芽細胞下神経叢（NP）をつくる．

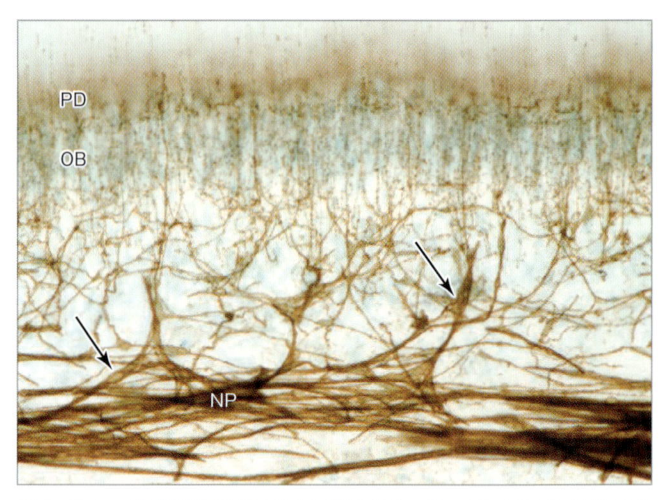

図 6-Ⅱ-5 象牙芽細胞層付近の神経染色（抗 p75-NGFR 抗体による免疫染色）
象牙芽細胞下神経叢（NP）から微細な神経線維が象牙芽細胞層（OB）に侵入し，さらに象牙前質（PD）に進む．この免疫染色では神経線維のみならず，Schwann 細胞も染色される（矢印：Schwann 細胞の核）．象牙芽細胞層では Schwann 細胞の核がみられなくなり，免疫陽性構造がすべて細い神経線維になっていることに注意．

象牙芽細胞下神経叢から伸び出した微細な神経線維は細胞稀薄層 cell-free zone を貫いて象牙芽細胞層に向かう（図 6-Ⅱ-5）．一部の神経線維は象牙芽細胞層の近くに終枝するが，大多数の神経線維はさらに象牙芽細胞層間を象牙質側に進み，象牙前質内に進入する．この象牙芽細胞層，象牙前質，象牙質最内層は象牙質の感覚を考察するうえで重要な場と考えられており，この部位を特に象牙質・歯髄境界領域 pulpodentinal border zone とよんでいる．この領域の神経線維はさまざまな走行を示すが，Gunji（1982）はこの領域の神経線維をその到達深度および終末分岐の状態から次の 4 型に分類して

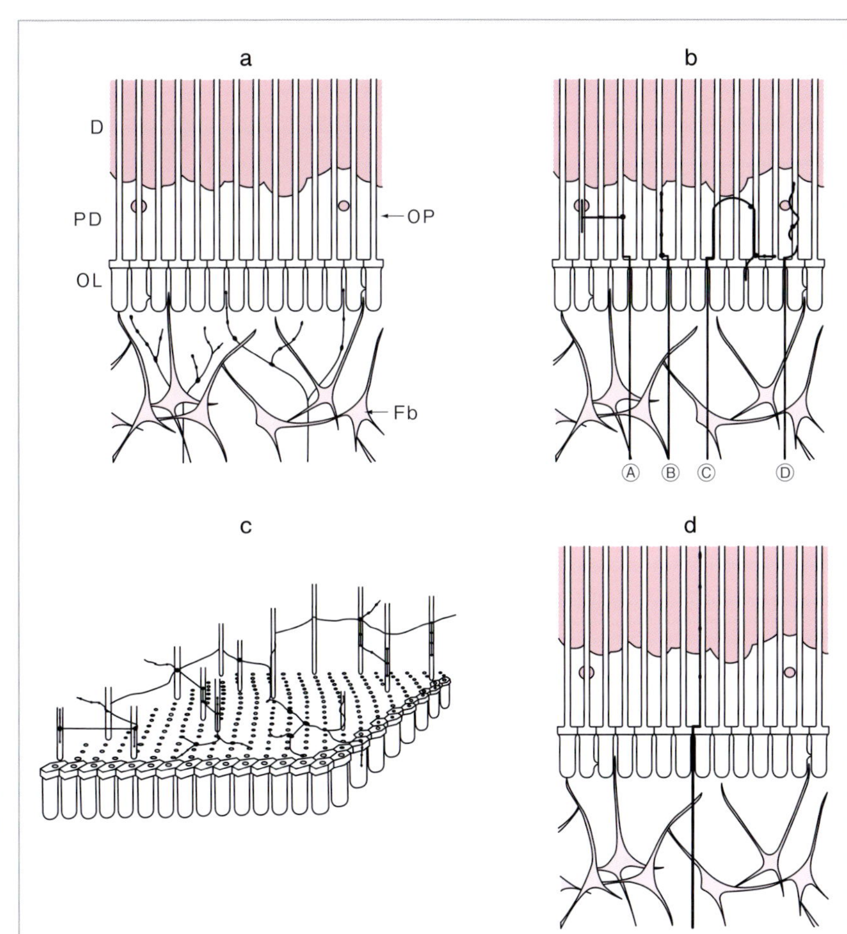

図 6-Ⅱ-6　象牙質・歯髄境界領域の神経分布を示す模式図
a：Ⅰ型神経線維．b：Ⅱ型神経線維．c：Ⅲ型神経線維．d：Ⅳ型神経線維．Ⓐ〜Ⓓ はⅡ型神経線維のサブタイプを示す．D：象牙質，Fb：歯髄線維芽細胞，OL：象牙芽細胞層，OP：象牙細胞の突起，PD：象牙前質
（Gunji T : Morphological research on the sensitivity of dentin. *Arch Histol Jpn*, 45 : 45〜67, 1982.）

いる（図 6-Ⅱ-6）．

1）Ⅰ型神経線維 marginal pulpal nerve fibers

象牙前質に達することなく，種々の程度に終末分岐を行い，歯髄辺縁部（細胞稠密層，細胞稀薄層，象牙芽細胞層）に終枝する神経線維である．

2）Ⅱ型神経線維 simple predentinal nerve fibers

象牙芽細胞層を完全に貫き，象牙前質内あるいは象牙芽細胞層・象牙前質境界部に分布する神経線維で，しかもその終末分岐の状態が比較的単純な神経線維である．このタイプはさらに次の 4 つに分けられる．

① subtype A：象牙前質内を種々の高さで横走するもの（図 6-Ⅱ-7a）．
② subtype B：象牙細管内を象牙芽細胞の突起と伴行して，直線的に走行するもの．
③ subtype C：象牙前質内でループ状に U ターンして，歯髄側へ引き返すもの（図 6-Ⅱ-7b）．
④ subtype D：象牙芽細胞の突起に巻きつきながら，らせん状に走行するもの．

3）Ⅲ型神経線維 complex predentinal nerve fibers

Ⅱ型神経線維と同様，象牙前質内に分布する神経線維であるが，木の根状に三次元的に複雑な終末分岐を行うもの（図 6-Ⅱ-7c）．

1 本のⅢ型神経線維で 200〜2,000 本の象牙細管を支配するといわれている[1]．このことは 1 mm² あたり 60,000 本の象牙細管が存在することから 1 mm² あたり 30〜300 個の神経終末が存在すると概算されており，この密な神経分布が象牙質の痛覚が鋭敏である理由の 1 つと考えられている．

4）Ⅳ型神経線維 dentinal nerve fibers

象牙芽細胞・象牙前質境界部より 100 μm 以内の範囲で象牙細管中を通り，象牙質内に進入するもの．

ヒトの乳歯と永久歯では乳歯のほうが高い感覚閾値を示すことが知られている．その要因の 1 つに中枢神経系の未成熟とともに歯髄神経の構築の相違が指摘されている．ヒト乳歯と永久歯の神経分布を比較してみると，乳歯では，

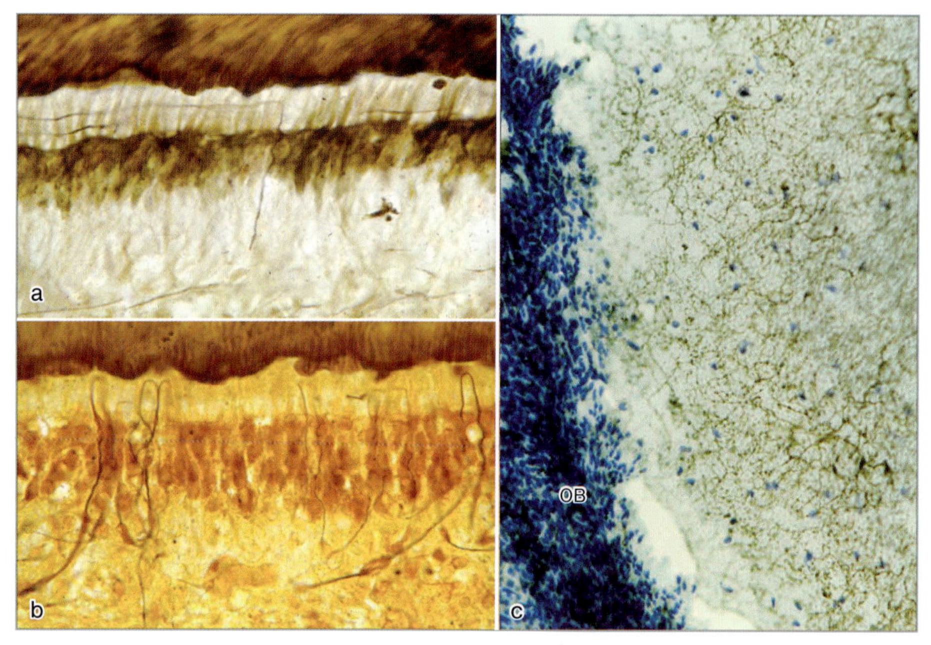

図 6-Ⅱ-7　象牙質・歯髄境界領域の神経分布
a：象牙前質内を横走する神経線維（神経鍍銀染色）.
b：象牙前質内でさまざまな走行を示す神経線維（神経鍍銀染色）.
c：象牙前質の斜断切片（抗 PGP 9.5 抗体による免疫組織化学染色）. 左下から右上に向かうにつれ，エナメル象牙境に近くなる．象牙前質内を無数の神経線維が象牙芽細胞の突起に接触して走行しているのがわかる．OB：象牙芽細胞層

①神経分布密度が低い，②象牙芽細胞下神経叢を構成する神経線維の量が少ない，③象牙芽細胞層周辺に終わる神経線維が少ない，④Ⅲ型神経線維の数が少ないことが示されている[2]．一方，加齢変化をみた研究では若年歯期から青年歯期にかけて，Ⅱ，Ⅲ型神経線維の出現頻度が増し，歯髄腔の狭窄とともに神経線維の消失が起こるという[3]．

3. 歯髄の自律神経

歯髄における交感神経支配は比較的密で，上頸神経節由来の交感神経は歯髄の栄養血管とともに根尖孔より進入し，血管と伴行しながら歯根部歯髄を上行する．歯冠部歯髄に至ると感覚神経は血管から離れて走行，分布するようになるが，交感神経は歯冠部歯髄に到達しても細動脈 arterioles と伴行し，その分布領域も歯髄中央部にほとんど集中し，歯髄辺縁部では疎である．象牙質・歯髄境界領域には観察されない．交感神経と拮抗する副交感神経も交感神経と同様の分布，走行を示す．両者ともに，光学顕微鏡的に数珠玉状の構造として血管内皮細胞に近接して終わる．

交感神経の伝達物質はノルアドレナリン，副交感神経はアセチルコリンで，ともに歯髄の血流調節にあたっている．

血管作動性神経が歯髄炎に及ぼす影響が研究され，歯髄という閉鎖環境下での炎症にかかわる神経線維の関与が指摘されている（☞第 6 章Ⅵ-1-3）参照）．

4. 歯髄神経の微細構造

根尖孔進入時の神経線維束は有髄神経と無髄神経の混合した神経線維である．これらの神経線維の間にコラーゲン線維や線維芽細胞が観察される．神経線維の細胞質には中間径フィラメントである神経細糸（ニューロフィラメント）neurofilament や神経微細管（ニューロチュブリン）neurotubulin が認められ，さらに少数のミトコンドリア，リソソーム様構造，小胞構造が観察される．歯髄に進入する前の神経線維束は神経周膜 perineurium をもつが，歯髄内に進入すると神経周膜を欠く．

象牙芽細胞下神経叢を構成する前の神経線維はほぼ有髄神経であるが，この神経叢を通過中，ほとんどの神経線維は髄鞘を失い，徐々に無髄神経線維の数が増し，基底膜で覆われた直径 2 μm 以下の無髄有鞘神経線維 unmyelinated fiber with Schwann cell covering となる．さらに，この部位では Schwann（シュワン）鞘 Schwann sheath の覆いが不完全となり，神経線維の一部が周囲の基底膜と接するような神経線維も多数認められるようになる．

電子顕微鏡観察を行わなくても，Schwann（シュワン）細胞 Schwann cell と神経線維の両者を染色することが可能な低親

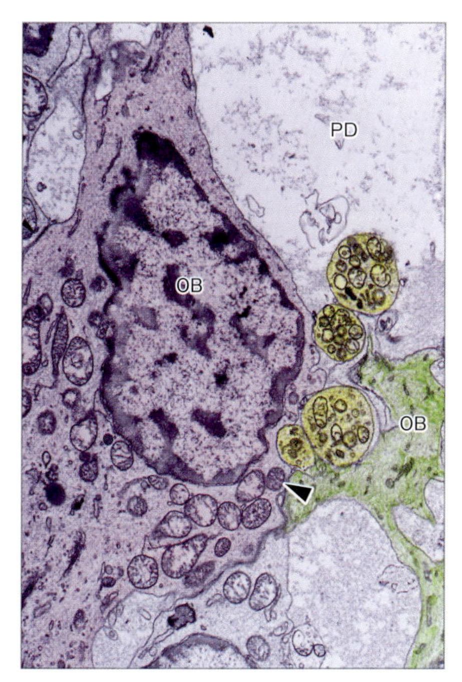

図 6-Ⅱ-8　象牙芽細胞と神経終末の透過型電子顕微鏡写真
神経終末（黄色）は Schwann 鞘の覆いを欠き，ミトコンドリアを多く含んでいる．神経終末と象牙芽細胞間にはシナプス様構造は認められない．矢尻は象牙芽細胞間のギャップ結合を示す．PD：象牙前質，OB：象牙芽細胞

和性神経栄養因子受容体 low affinity nerve growth factor receptor（p75-NGFR）の免疫染色からもこのことが想像される（図 6-Ⅱ-5）．象牙芽細胞層直下では Schwann 細胞の核が明瞭に観察されるが，象牙芽細胞層の近くになると，Schwann 細胞の核をみつけることはむずかしくなる．また，Schwann 細胞の被覆を喪失することで，ある程度の太さをもった免疫反応物は細くみえるようになる．

歯髄内および象牙質・歯髄境界領域の感覚神経終末は特殊な終末構造をもたず，すべて痛覚を受容する**自由神経終末** free nerve ending として終わる（図 6-Ⅱ-8）．これらの神経終末の多くはその内部に神経細糸，神経微細管，そして豊富なミトコンドリアを含んでいる．神経線維は部分的に Schwann 細胞の被覆を欠き，基底膜を介して周囲組織に露出する場合が多いが，歯髄内では完全に Schwann 細胞を脱いだ裸の神経線維として終枝することは少ない．しかし，象牙芽細胞層を含む象牙質・歯髄境界領域ではほとんどの神経終末が完全な裸の神経終末となっている．

電子顕微鏡的に感覚神経終末の横断像を観察すると，痛みの受容器（侵害受容器 nociceptor）の神経終末では軸索終末と周囲の Schwann 鞘の関係が 1：1 ないし 1：0 なのに対し，触覚や圧覚を感受する機械受容器では 1：複数の関係にある[4]．

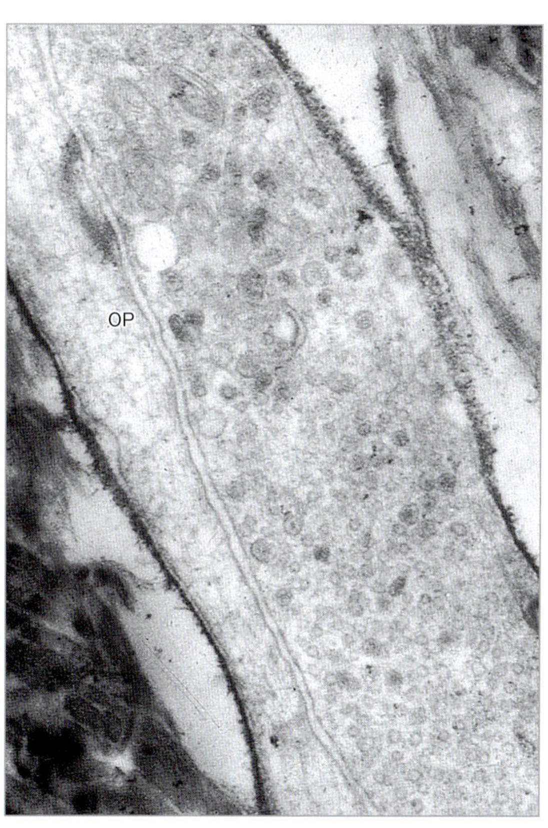

図 6-Ⅱ-9　象牙前質にみられたさまざまな小胞を含む神経終末
未脱灰標本．象牙前質には多数のミトコンドリアを含む神経終末に加え，シナプス小胞を思わせるさまざまな小胞を含む神経終末もみられる．OP：象牙芽細胞の突起
（新潟大学郡司位秀先生のご厚意による）

さらに，象牙前質および象牙質内の神経終末の中にはミトコンドリアを豊富に含む典型的な自由神経終末に加え，さまざまな大きさの小胞を含んだ神経終末も多数存在する（図 6-Ⅱ-9）．

これらの電子顕微鏡所見はこのタイプの神経終末が遠心性の神経終末であることを想像させる．しかしながら，下歯槽神経を切断した動物実験や三叉神経節への ^{3}H-proline 注入実験から，この部位に分布する神経線維はすべて三叉神経節由来の感覚神経と考えられている[5]．

象牙前質を象牙芽細胞突起を横断するように薄切した標本を光学顕微鏡で観察すると，象牙前質内の神経線維は数珠玉状の膨らみをもちながら象牙細管の間を渡り歩くよう網目状に走行する（図 6-Ⅱ-6c）．この数珠玉状の構造はしばしば象牙芽細胞の突起と接触し，また透過型電子顕微鏡下では，これらは Schwann 鞘の覆いを完

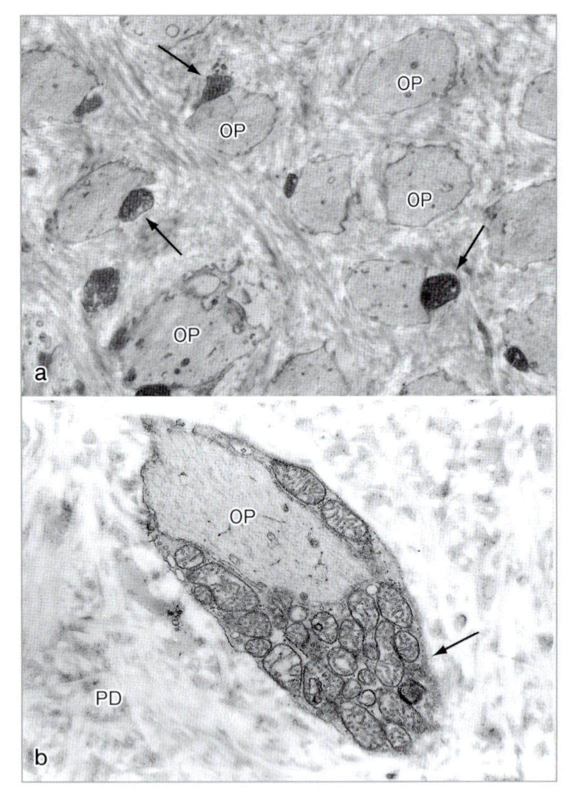

図 6-Ⅱ-10　象牙前質の横断像
a：抗 PGP 9.5 抗体による免疫電子顕微鏡像. 神経終末(矢印) は電子密度の高い像として観察される. OP：象牙芽細胞の突起
b：象牙前質（PD）内の自由神経終末. ミトコンドリアを豊富に含む神経終末（矢印）は象牙細管内で象牙芽細胞の突起（OP）と接触する.
（b は Gunji T：Morphological research on the sensitivity of dentin. *Arch Histol Jpn*, **45**：45〜67, 1982.）

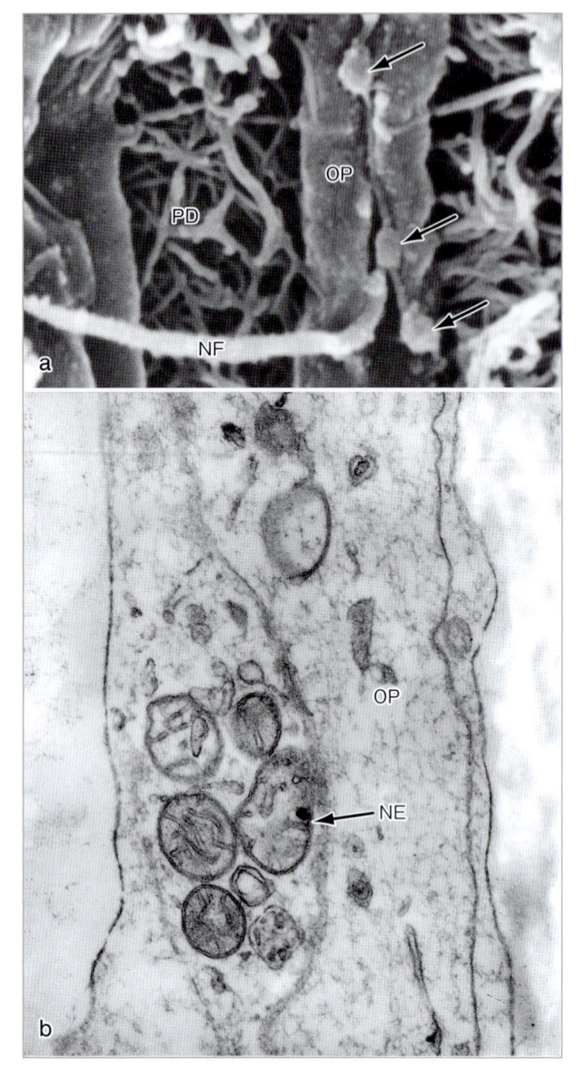

図 6-Ⅱ-11　象牙前質内の神経終末
a：塩酸-コラゲナーゼで消化法による走査型電子顕微鏡像. 神経線維（NF）は象牙芽細胞の突起（OP）と膨らみ（矢印）をつくりながら象牙前質（PD）内を走る.
（Gunji T：Morphological research on the sensitivity of dentin. *Arch Histol Jpn*, **45**：45〜67, 1982.）
b：自由神経終末の透過型電子顕微鏡像. 縦断像. NE：神経終末, OP：象牙芽細胞の突起

全に欠き，神経細線維，神経微細管，ミトコンドリアを豊富に含む典型的な自由神経終末として観察される（図 6-Ⅱ-10b，11a）. また，しばしば，1 本の象牙芽細胞の突起に複数の神経終末が接触している.

これら自由神経終末と象牙芽細胞体およびその突起の間には，電気的シナプスであるギャップ結合 gap junction や化学的シナプス構造は認められず，神経終末と象牙芽細胞の突起は緊密な位置関係にあるのみである（図 6-Ⅱ-11b）.

5. 歯の痛みの発生機序

1）鋭い痛み

この痛みには主として Aδ 線維が関与し，この神経線維の閾値は C 線維よりかなり低く，わずかな刺激でも Aδ 線維は興奮することができる. 臨床的にはエナメル象牙境が最も敏感であることが知られている. しかしながら，形態学的な研究により，歯髄神経はエナメル象牙境には到達しておらず，象牙質の歯髄側 100 μm しか進入していない. このことからこの痛みの受容機構に関してはさまざまな学説が提出されている. 大別すると以下の 4 つに分けられる. すなわち，①象牙質全域に神経線維が存在し，これが直接受容するという説，②象牙芽細胞受容器説，③動水力学説 hydrodynamic theory，④知覚受容複合体説 mechanoreceptive complex theory である（図 6-Ⅱ-12）.

象牙質の神経支配に関する研究は古くから行われ，当初，象牙質に神経線維が存在すると考えられてきた. 豊田はみずから考案した電気浸透洗浄器を使って，Bielschowsky の神経鍍銀染色を用いて，象牙質全層にわたり神経線維が分布していることを報告した[6]. この結果は臨床所見を合理的かつ簡明に説明できるものとして脚光を浴び，この所

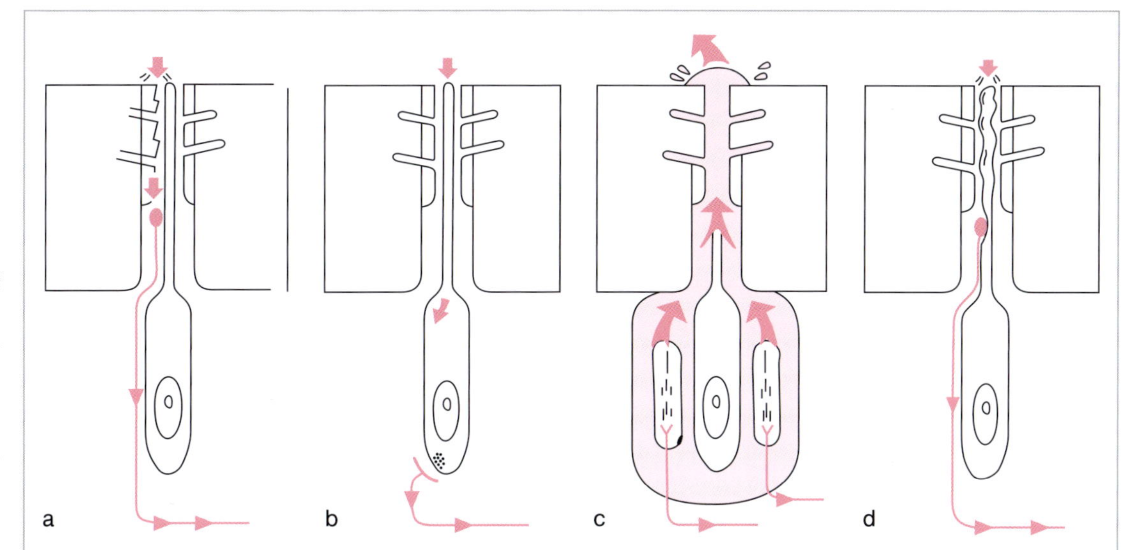

図 6-Ⅱ-12　象牙質感覚受容機構の４つの説
a：象牙質内の神経線維が直接受容するという考え方.
b：象牙芽細胞が感覚受容細胞であるという考え方.
c：動水力学説.
d：知覚受容複合体説.

見は長い間信じられていた．しかしながら，電子顕微鏡の出現により，歯髄神経の分布，終末形態の詳細が明らかにされるにつれ，この象牙質全層に分布する神経線維が直接刺激を受容するという説は完全に否定された．

象牙芽細胞受容器説は象牙芽細胞が神経堤由来の細胞であることから，象牙芽細胞自身が感覚受容細胞として機能し，刺激を受容すると電気的に興奮し，その興奮を近傍にある神経終末に伝えるというものである．しかしながら，象牙芽細胞の膜電位は高く，感覚受容細胞として機能しないこと，象牙芽細胞にシナプス伝達物質が見出されず象牙芽細胞体と神経線維間にはシナプス構造がないことが示されている[1]．

動水力学説は露出象牙質表面に加えられた刺激により象牙細管内容液の外向きの移動が生じる．これにより象牙質・歯髄境界領域付近に分布する Aδ 線維が興奮し，鋭い痛みが生じるというものである．

知覚受容複合体説は象牙質への刺激により，象牙芽細胞の細胞突起が変形し，この変形が象牙芽細胞の突起に近接する神経終末を機械的に刺激し，痛みが生じると考えるものである．

動水力学説と知覚受容複合体説は，象牙細管の内容物に関する考え方から違いが生じている．動水力学説では象牙芽細胞の突起は象牙質の内側 1/3 しか存在せず，細管内は組織液で満たされていると考え，組織液の移動に着目した説である．一方，知覚受容複合体説ではエナメル象牙境まで象牙芽細胞の細胞突起が到達しており，象牙質への刺激を細胞突起の変形，移動に着目した説である．動水力学説では説明がむずかしい現象が存在し，また象牙芽細胞突起の到達度に関するさまざまな学説か

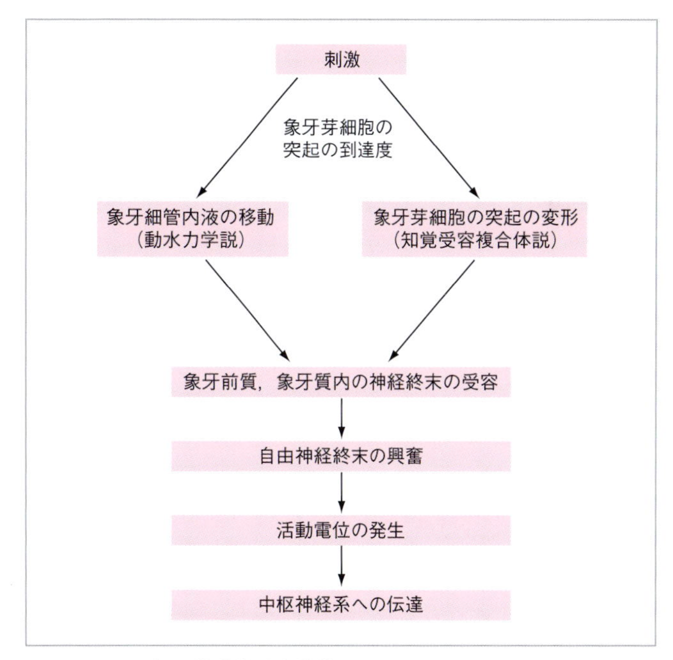

図 6-Ⅱ-13　象牙質感覚受容機構

ら，感覚受容機構はいまだ確定的ではない．しかしながら，歯髄神経の分布，終末形態から考えると，鋭い痛みは，象牙質への刺激→組織液の流動または象牙芽細胞突起の変形→神経終末の興奮という一連の流れに関しては疑う余地がない（**図 6-Ⅱ-13**）．

内因性物質や化学物質のみならず機械刺激などによっても活性化される温度感受性 TRP チャネル（thermosensitive transient receptor potential）や酸感受性チャネル（acid-sensing [ASIC] ion channel）が象牙芽細胞に発現していることが報告されており[7,8]，象牙質の痛みの受容への関与が想像されている．また電位依存性チャネルが象牙芽細胞に存在[9]し，象牙芽細胞のゆがみやねじれなどの変形

がイオンチャネルを介してATPを放出させ，このATPが象牙芽細胞と近接した神経終末間の伝達に関与していることが示唆されている．このような近年の所見は象牙細管内の組織液の移動により象牙質の痛みが生じるとする動水力学説を再考する必要があることを示唆し，また象牙芽細胞の細胞体や突起の変形により，痛みが生じるとする知覚受容複合体説を支持する証拠となるかもしれない．象牙質感覚は象牙質に加われる刺激は象牙芽細胞の変形を引き起こし，象牙芽細胞の細胞膜に存在するTRPチャネル（TRPV1：バニロイド受容体チャネル）からカルシウムイオンが細胞内に流入し，細胞内カルシウム濃度が上昇することにより，象牙芽細胞からATPが放出され，象牙芽細胞の近傍にある神経終末が興奮することにより生じるのではないかと考えられる[10]．実際，象牙芽細胞下神経叢の有髄および無髄神経線維はATP受容体であるP2X陽性を示している[11]．これらイオンチャネルの存在は象牙芽細胞が象牙質形成のみならず機械受容器として働く一面を有していることを示している．

2）鈍い痛み

この痛みは主として歯髄中央部に位置するC線維がかかわっている．

齲蝕などで歯髄炎が起こると，内因性発痛物質が歯髄内で産生される．この内因性発痛物質は血管透過性亢進作用をもつので，歯髄の毛細血管の拡張とともに透過性が亢進し，組織液の歯髄組織への流出が起こる．このことにより，歯髄腔内圧が高まる．この際，内因性発痛物質の1つであるブラジキニンbradykininは選択的にC線維を刺激する（Aδ線維は興奮させない）．内圧の上昇とC線維の興奮により，拍動痛が生じる．さらに内圧が上昇すると，歯髄内微小循環系が傷害され，歯髄内は酸素欠乏状態になり，Aδ線維の興奮が停止する．しかしながら，C線維の興奮は持続する．炎症にかかわる神経線維の関与に関する詳細は，☞第6章VI-1-3）を参照のこと．

ヒト歯髄炎の神経線維の変化をみた研究[12]によると，歯髄充血，漿液性歯髄炎では歯髄神経の基本構築は保たれているが，病巣周囲に微細な数珠玉状（おそらくペプチド作動性）神経が集積し，化膿性歯髄炎に至ると病変部では神経線維が消失することが示されている．

6．歯髄のペプチド作動性神経

アセチルコリンやノルアドレナリンといった古典的神経伝達物質に加え，さまざまな種類の神経ペプチドneuropeptideが発見されている．これらに対する特異抗体を用いた研究により，歯髄内に数種類の神経ペプチドが存在することが明らかにされた．神経ペプチドはいくつかのアミノ酸がつながった短鎖のペプチドで，神経伝達物質neurotransmitter，神経修飾物質neuromodulatorとして働くばかりでなく，さまざまな生理活性をもっている．

歯髄神経には表面が平滑な神経線維と数珠玉状を呈する神経線維が存在し，この中にさまざまな神経ペプチドが含まれていると考えられている．

これまで歯髄内にはサブスタンスP substance P（SP），カルシトニン遺伝子関連ペプチドcalcitonin gene-related peptide（CGRP），ニューロキニンA neurokinin A（NKA），ギャラニン galanin（GAL），ソマトスタチン somatostain（SOM），ニューロペプチドY neuropeptide Y（NPY），血管作動性腸ポリペプチド vasoactive intestinal polypeptide（VIP）が存在することが示されている．オピオイドペプチドであるエンケファリンenkephalinの存在も示唆されている．このうち，SP，CGRP，NKA，GAL，SOMは三叉神経節由来，すなわち感覚性の神経ペプチドである[13]．

感覚神経終末に含まれる神経ペプチドの機能として，神経伝達の修飾，象牙芽細胞の活性のコントロール，炎症への関与などが考えられている．

強い血管収縮作用をもつNPYはノルアドレナリンと共存し，強い血管拡張作用をもつVIPはアセチルコリンと共存し，これら両者は歯髄内の血流調節にあたっている．

また，複数の物質が同一の神経細胞体や神経線維に共存することが報告されている．すなわちアミンやアセチルコリンなどの古典的神経伝達物質と神経ペプチドの共存，神経ペプチド同士の共存が知られている．

7．歯髄神経の発生

歯乳頭に由来する歯髄には，鐘状期になり象牙質形成が開始されると，神経線維が進入する．歯冠形成が進行するにつれて神経線維の数は徐々に増加し，象牙芽細胞近くに終末形成がみられる．しかしながら，歯冠形成中の象牙芽細胞下神経叢の形成は不明瞭である．歯根形成が開始されると，歯髄神経の数は急速に増加し，象牙芽細胞下神経叢が形成され始める．さらに象牙芽細胞下神経叢から神経線維が伸び出し，象牙芽細胞，象牙前質内に神経の進入，終末形成が起こる．この神経線維の進入および終末形成は髄角部から開始され，徐々に側方に広がる．

歯髄神経の発生には神経栄養因子 nerve growth factor（NGF）が関与すると考えられている[14]．生化学的に歯髄がNGFを産生することが知られ，また，歯髄神経が歯乳頭に進入する歯冠形成期に歯髄内のNGF含有量が最も高いことが示されている[15]．

また，Friedら（2007）[16]は歯髄神経の発生過程を調べ，将来歯髄となる歯乳頭は発生の初期段階では軸索の成長を抑制する因子を分泌し，神経線維が歯乳頭内に入るのを防いでいるが，その後，神経線維の侵入の抑制から誘導への転換が起こり，軸索を誘導する因子により，歯乳頭内に神経線維が侵入することを示した．神経線維が歯乳頭に侵入すると，分泌因子と膜結合因子の相互作用により，神経終末が適切な部位に誘導されるのではないかと述べている．歯髄細胞によって産生されるラミニン-8（alpha4beta1gamma1，Lm-411）がこの歯髄神経の発生の過程で重要な役割を果たしていると考えている．

III 歯根膜の神経支配

1．歯根膜の神経分布

歯根膜は歯の支持・固定装置として機能するばかりでなく，豊富な感覚神経支配を受け，口腔内の重要な感覚装置としての機能を担っている．歯髄神経がすべての刺激を侵害性情報として伝達するのに対し，歯根膜神経は痛覚のみならず，触覚，圧覚，歯の位置感覚に関する情報を中枢神経系に伝え，これらによりさまざまな口腔反射を惹起させ，咀嚼運動を神経性に制御している．

歯根膜神経の重要性は古くから認識され，組織学的検索も古くから行われてきたが，歯根膜がコラーゲン線維に富む組織であること，また歯と歯槽骨間に位置するという解剖学的特殊性ならびに神経線維の組織学的同定法の困難さから，歯根膜神経ならびに終末形態，特に発生過程に関する知見は乏しいものであった．従来からこの分野の研究に用いられてきた神経鍍銀染色に加え，1980年代後半より軸索流 axonal flow を利用したオートラジオグラフィ autoradiography，電子顕微鏡，さらには1990年頃から神経特異タンパク質に対する抗体を用いた免疫細胞化学的手法が導入され，歯根膜神経の形態学的研究が飛躍的に進展した[1]．

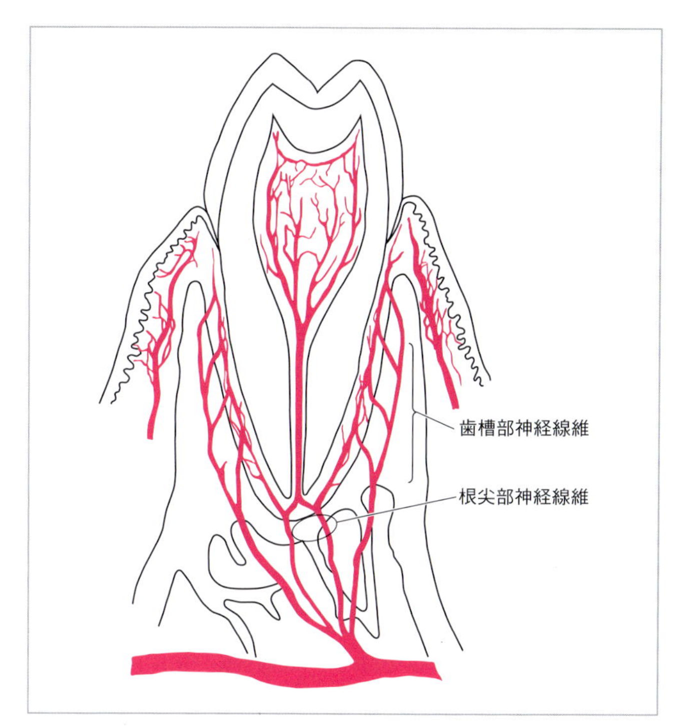

図6-Ⅲ-1　歯根膜神経線維の進入経路

歯根膜に分布する感覚神経線維は2つの経路で歯根膜に進入する．第一の経路は根尖孔直下に存在する歯槽骨の小孔を通って歯根膜に進入するもので，もう1つは槽間中隔または根間中隔のほぼ中央の高さに存在する歯槽骨の小孔より進入するものである．これらはそれぞれ**根尖部神経線維** apical fiber，**歯槽部神経線維** alveolar fiber とよばれる（**図6-Ⅲ-1**）．

根尖部神経線維は比較的太い神経線維束として観察され，これはそのまま上行し根尖孔から歯髄内に進入し歯髄神経になるものと，神経線維束から分岐して歯根膜に分布する神経線維に分かれる．歯根膜に分布する神経線維は，神経線維束から分かれるとすぐに枝分かれを繰り返し，大部分のものはそのまま根尖部付近の歯根膜内に終わるが，一部のものは歯根膜のほぼ中央部を通り，さらに歯冠側に向かって上行する．一方，歯槽部神経線維は歯槽の側壁から歯根膜内に進入するとすぐに歯冠側に向かうものと根尖側に向かうものとに分かれる．歯冠側に向かう神経線維には歯根膜内に終枝するものは比較的少なく，大多数のものは歯肉からきた神経線維と密に絡み合い，歯頸部付近で神経叢構造をつくる．根尖側に向かう神経線維は根尖部神経線維と合流する．この結果，歯根膜では最も密な神経支配が根尖側1/3に，次に密な神経支配が歯頸部付近に存在することになり，中間部付近は比較的疎な感覚神経支配となっている．

切歯部と臼歯歯根膜に分布する神経線維の密度は前者の

ほうが圧倒的に高く，切歯部のほうがより敏感な感覚をつかさどることが可能である．生理学的実験でも切歯歯根膜の感覚閾値が臼歯歯根膜より低いことが示されている[2]．

歯根膜に分布する自律神経線維も感覚神経と同様な経路で血管とともに歯根膜内に進入し，歯根膜内に分布する動脈に終枝する．

2. 歯根膜神経の終末

歯根膜には感覚受容器として**自由神経終末**と特殊神経終末が存在する．前者は主として痛覚を，後者は機械感覚，歯の位置感覚を感受する．ヒト歯根膜では自由神経終末，特殊神経終末として**Ruffini（ルフィニ）様神経終末** Ruffini-like nerve ending，コイル状神経終末 coiled nerve ending および紡錘形を示す神経終末 spindle shaped nerve ending などが存在する（図 6-Ⅲ-2）．

電気生理学的には，歯根膜神経から大別して速順応型 rapidly adapting type と遅順応型 slowly adapting type の2種類のインパルスが記録され，少なくとも2種類の機械受容器の存在が示唆されている[3]．一方，Cash and Linden[4] は歯槽骨壁を頬側から薄く削り取り歯根膜を直接電気刺激して，下歯槽神経から遅順応性の応答と速順応性の応答を記録し，歯根膜機械受容器は1種類しか存在せず，異なった応答を示すのは受容器の位置に依存するという仮説を示している．しかしながら，形態学的には歯根膜中にさまざまな種類の受容器の存在が報告されている[1]．

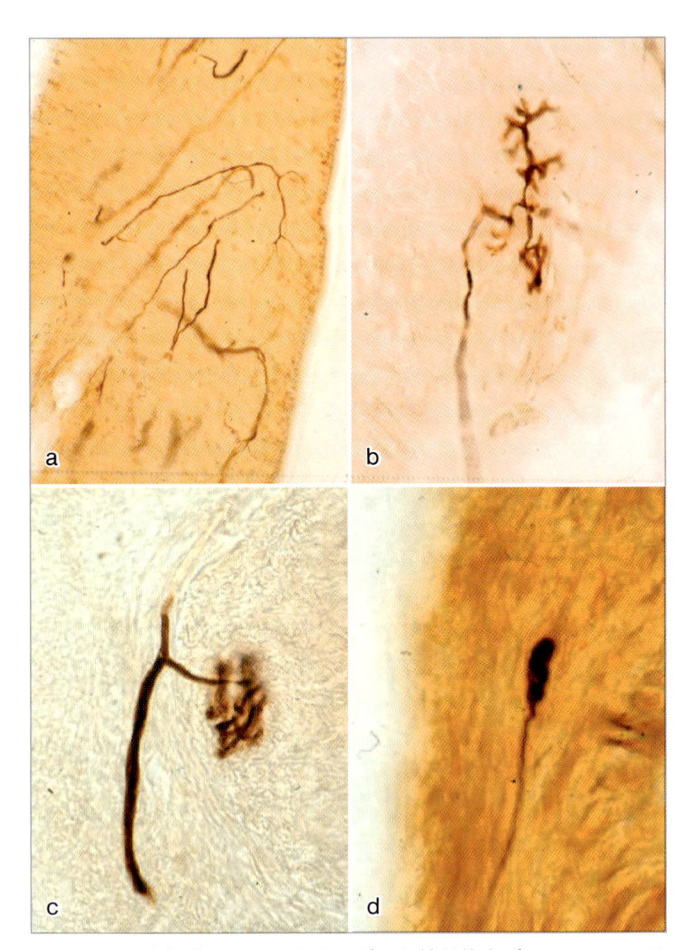

図 6-Ⅲ-2　歯根膜にみられたさまざまな神経終末〔ニューロフィラメントタンパク質（NFP）抗体による免疫蛍光染色〕
a：自由神経終末（サル）．b：Ruffini 様神経終末（ラット）．
c：コイル状神経終末（ヒト）．d：紡錘形の神経終末（ヒト）．
（b は Maeda T et al.: Distribution of nerve fibers immunoreactive to neurofilament protein in rat molars and periodontium. *Cell Tissue Res*, 249：13〜23, 1987. c, d は Maeda T et al: Nerve terminals in human periodontal ligament as demonstrated by immunohistochemistry for neurofilament protein（NFP）and S-100 protein. *Arch Histol Cytol*, 53：259〜265, 1990.）

1）自由神経終末（図 6-Ⅲ-2a）

歯根膜に進入してきた神経線維は太い神経線維束から次第にほぐれ枝分かれを開始する．細い神経線維は歯根に向かいながら，木の枝状に分枝し，その末端に特別な膨らみをつくることなく，歯根膜線維間に終わる．自由神経終末は根尖部から歯頸部にわたる歯根膜すべての領域に見出されるが，最も多く分布するのは根尖部付近である．歯頸部付近から歯根膜の中間部にかけての領域では自由神経終末があたかも自分の感覚領域をもつかのように規則正しく配列している．自由神経終末はセメント質の近くまで分布するが，セメント質内には進入しない．

2）Ruffini 様神経終末（図 6-Ⅲ-2b，3）

この神経終末は比較的太い神経線維からなり，樹枝状に分枝した太い軸索終末をもつことが特徴である．Ruffini 様神経終末はコラーゲン線維の密な皮下組織線維層，腱，靭帯，関節包，筋膜，毛包などさまざまな組織に見出されている機械受容器である．生理学的にわずかな刺激でも興奮し，刺激中，興奮が持続するという性質をもつ（低閾値遅順応性機械受容器 low threshold slowly adapting mecanoreceptor）．

ボローニャ大学の解剖・生理学の教授であった Angelo Ruffini はヒト皮膚中に Pacini（パチニ）小体 Pacinian corpuscle とも Meissner（マイスナー）小体 Meissner's corpuscle とも異なる形態をもつ神経終末を発見した[5]．彼が示した神経終末の多くはこれまで報告されていた神経終末の中間型に相当するものとみなされ，Sfamenti (1900)[6] はこれら神経終末を Ruffini（ルフィニ）小体 Ruffini corpuscle と命名した．Ruffini が報告した Ruffini 小体は薄い結合組織性の被膜に包まれ，その中に神経線維が進入し，繰り返し分岐する神経終末であるが，歯

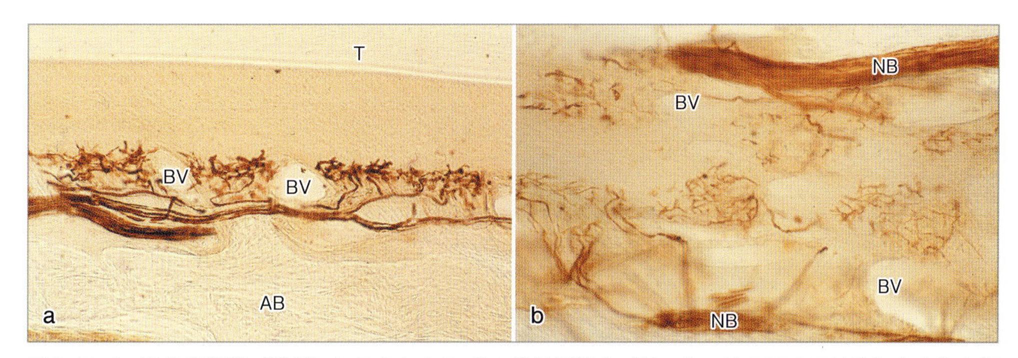

図 6-Ⅲ-3　切歯歯根膜（舌側）にみられた Ruffini 様神経終末（ラット，抗 PGP 9.5 抗体による免疫組織化学染色）

a：ラットのような齧歯類の切歯（常生歯）歯根膜では，Ruffini 様神経終末は歯槽骨（AB）寄りの歯根膜に存在する．この部位の歯根膜は血管（BV）に富む．矢状断．T：切歯

b：水平断切片では，太い神経束（NB）から枝分かれた神経線維が血管（BV）の間の歯根膜に Ruffini 様神経終末が糸玉をつくるように存在する．

根膜で見出されている Ruffini 神経終末は結合組織性の被膜構造を欠いており，本稿では Ruffini（ルフィニ）様神経終末とよぶことにする[7,8]．

歯根膜 Ruffini 様神経終末の光学顕微鏡的特徴は以下の４点に要約される．①歯根膜 Ruffini 様神経終末は歯の機能時に歯根膜線維が最も伸展される領域に集中している．②歯根膜 Ruffini 様神経終末は歯根膜コラーゲン線維の密な領域で激しく分枝し，コラーゲン線維の疎な血管周辺では分枝を示さない．③大型の歯根膜 Ruffini 様神経終末の多くは根尖部周囲に密集している．④被膜性構造を欠く．

電子顕微鏡的には Ruffini 様神経終末はミトコンドリアを豊富に含む軸索終末として観察される（**図 6-Ⅲ-4a**）．また，歯根膜 Ruffini 様神経終末には特殊な Schwann 細胞（終末 Schwann（シュワン）細胞 terminal Schwann cell）が付随している（**図 6-Ⅲ-4a，e**）．この Schwann 細胞はよく発達した細胞質と腎臓形の核を有する（**図 6-Ⅲ-4e**）．この細胞は Pacini 小体の層板細胞 lameller cell や Meissner 小体の薄板細胞 laminar cell に相当する．終末 Schwann 細胞の細胞体からは複数の軸索終末に向かってその細胞質突起が伸び出し，軸索終末を覆っている（**図 6-Ⅲ-4a**）．

軸索終末を覆う Schwann 鞘は複数で，その結果，Schwann 鞘には切れ目が存在する．Ruffini 様神経終末を覆う Schwann 鞘の切れ目からは軸索終末の指状の突起 microspikes or axonal spines が周囲歯根膜組織に伸び出している（**図 6-Ⅲ-4b, c**）．これらは歯根膜コラーゲン線維の変形を感受する場で，これによって歯根膜機械感覚が受容する．また，軸索終末と Schwann 細胞の膜には無数のタコツボ構造（カベオラ caveole）が存在する（**図 6-Ⅲ-4d**）．

Takahashi-Iwanaga（1997）[9] らは水酸化ナトリウムを用いて歯根膜コラーゲン線維を化学的に除去し，歯根膜 Ruffini 様神経終末の立体構造を走査型電子顕微鏡下に描出することに成功した（**図 6-Ⅲ-5a**）．彼女らは軸索終末から伸び出る指状の軸索突起に加え，終末 Schwann 細胞から舌状の突起が伸び出ること（**図 6-Ⅲ-5b**）を明らかにし，この突起が歯根膜の主線維を抱え込んでいることから，歯根膜線維の伸展時に歯根膜 Ruffini 様神経終末の絶対的位置の保持に関与していると考察している．

3）コイル状神経終末（図 6-Ⅲ-2c）

コイル状神経終末は比較的太い神経線維が長い距離を走行した後，いくつかの膨らみをつくりながら，コイル状の走行を示す終末をつくるものである．このタイプの神経終末は歯根膜中央部にのみ観察され，根尖部付近には存在しない．この神経終末は被膜構造をもち，圧受容器と考えられている．しかしながら，出現頻度は低い．

4）紡錘形の神経終末（図 6-Ⅲ-2d）

末端部が紡錘状に膨らむ神経終末が，数は少ないが根尖部付近にみられる．これも有被膜性の神経終末である．皮膚でみられるような典型的な圧受容器として知られる Pacini 小体はヒト歯根膜ではみられない．

ヒト歯根膜に存在する神経終末ならびに分布を**図 6-Ⅲ-6** に示す．

3．歯根膜神経の発生

ヒトを含め哺乳類は哺乳によって乳児期を過ごした後，咀嚼によって摂食を営む．すなわち，吸啜から咀嚼

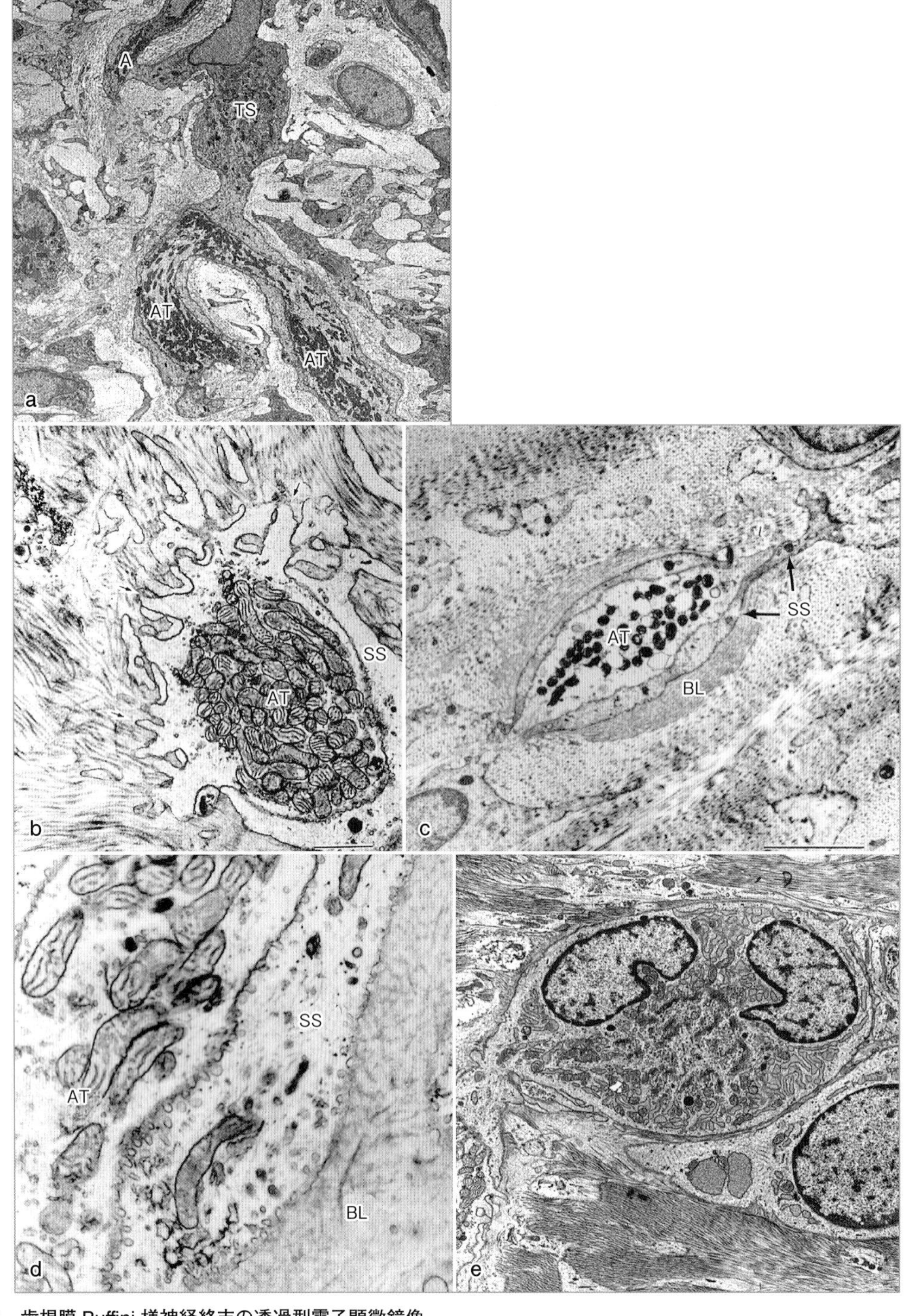

図 6-Ⅲ-4　歯根膜 Ruffini 様神経終末の透過型電子顕微鏡像

a：全体像．Ruffini 様神経終末には終末 Schwann 細胞（TS）が付随し，その細胞質突起がミトコンドリアに富む軸索終末（AT）を覆う．

b：軸索終末（AT）から伸び出る指状の突起．SS：Schwann 鞘

c：軸索終末（AT）は多層化した基底膜構造（BL）によって覆われる．矢印は指状の突起を示す．SS：Schwann 鞘

d：Schwann 鞘の拡大像．Schwann 鞘（SS）と軸索終末（AT）の表面にはカベオラが発達する．BL：基底膜

e：終末 Schwann 細胞の細胞体の拡大像．終末 Schwann 細胞の細胞質は細胞小器官に富んでいる．

（a は Kannari K: Sensory receptors in the periodontal ligament of hamster incisors with special reference to the distribution, ultrastructure and three-dimensional reconstruction of Ruffini endings. *Arch Histol Cytol*, **53**：559～573, 1990. b は Maeda T et al.: The Ruffini ending as the primary mechanoreceptor in the periodontal ligament : its morphology, cytochemical features, regeneration, and development. *Crit Rev Oral Biol Med*, **10**：307～327, 1999. c は Maeda T et al.: The ultrastructure of Ruffini endings in the periodontal ligament of rat incisors with special reference to the terminal Schwann cells（K-cells）. *Anat Rec*, **223**：95～103, 1989. d, e は Maeda T et al.: Cholinesterase activity in terminal Schwann cells associated with Ruffini endings in the periodontal ligament of rat incisors. *Anat Rec*, **228**：339～344, 1990.）

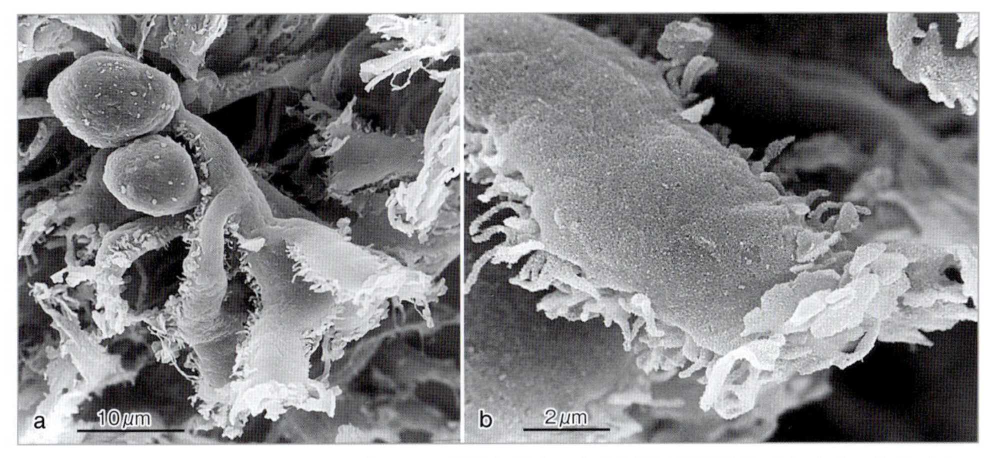

図 6-Ⅲ-5　化学的消化法による歯根膜 Ruffini 様神経終末の走査型電子顕微鏡像（a）とその拡大（b）
歯根膜線維を水酸化ナトリウム（NaOH）で消化してある．Schwann 鞘の隙間から多数の指状の突起が出ているのがわかる．
（a は Takahashi-Iwanaga H et al.: Scanning and transmission electron microscopy of Ruffini endings in the periodontal ligament of rat incisirs. *J Comp Neurol*, 389：177〜184, 1997．b は北海道大学大学院高橋-岩永ひろみ先生のご厚意による）

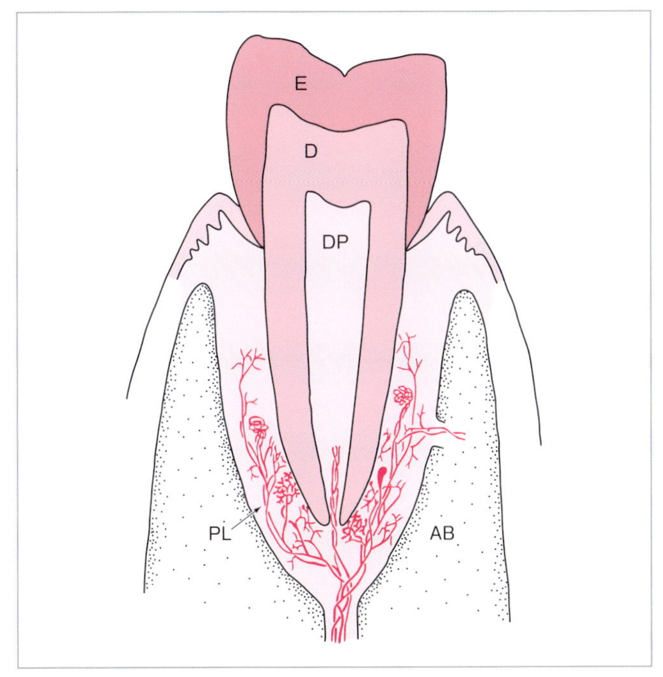

図 6-Ⅲ-6　歯根膜神経終末の分布
Ruffini 様神経終末は根尖部近くに，他の機械受容器は歯根膜中央部（PL）に，また自由神経終末は歯根膜全域に存在する．
AB：歯槽骨，D：象牙質，DP：歯髄，E：エナメル質
（Maeda T et al.: Nerve terminals in human periodontal ligament as demonstrated by immunohistochemistry for neurofilament protein（NFP）and S-100protein. *Arch Histol Cytol*, 53：259〜265, 1990.）

への機能変換が行われる．この移行期には多くの場合，歯の萌出という現象が存在し，歯根膜という感覚受容の場が誕生する．生理学的には，吸啜から咀嚼への機能変換には中枢神経系の成熟化とともに歯の萌出現象と末梢神経系の発達の関与が示唆されている．しかしながら，これまで歯根膜神経の発生・成熟過程に関する形態学的研究は非常に少ない．歯根膜神経終末は歯の萌出直後からその数が増加し，歯の萌出・咬合により成熟すると考えられている．また，咬合力を実験的に喪失させると，神経終末の萎縮が起きるという．

Nakakura-Ohshima らは歯根膜 Ruffini 様神経終末の発達過程を歯の萌出現象・咬合の成立過程に注目し検索している[10, 11]．切歯が未萌出である生後 1 日目では，すべての神経線維は自由神経終末であった（図 6-Ⅲ-7a）．生後 4 日で密な神経網の形成が起こり，歯根膜神経は樹枝状を呈し始め，その末端部に多くの数珠玉状構造を形成する（図 6-Ⅲ-7b）．この膨隆部は電子顕微鏡下で複数の Schwann 鞘が軸索を覆っていたが（図 6-Ⅲ-7c），軸索の突起の形成はまだ認められなかった[11]．この中にはさまざまな大きさの小胞構造が観察され，この構造物は成長円錐 growth cone を想像させる（図 6-Ⅲ-7c）．

切歯が萌出すると，歯根膜には Ruffini 様神経終末を想像させる終末が出現してくる（図 6-Ⅲ-7d）．

上下切歯の咬合開始期になると歯根膜 Ruffini 様神経終末は，より激しい樹枝状の分枝を示し，外形が不整な膨大した神経終末が多数みられるようになる．この光学顕微鏡でみられる不整な外形は電子顕微鏡下では軸索の指状の突起に他ならない（図 6-Ⅲ-7e）[11]．

臼歯も咬合し始めると，歯根膜 Ruffini 様神経終末の数，分布密度はさらに増加し，成体とほぼ同じとなる．軸索の突起もよく発達し，終末末端部にはおびただしい微小突起が観察される（図 6-Ⅲ-7f）．

歯根膜 Ruffini 様神経終末は歯の萌出直後からその数の増加・成熟が急激に進行し，成熟過程には歯の萌出・咬合によ

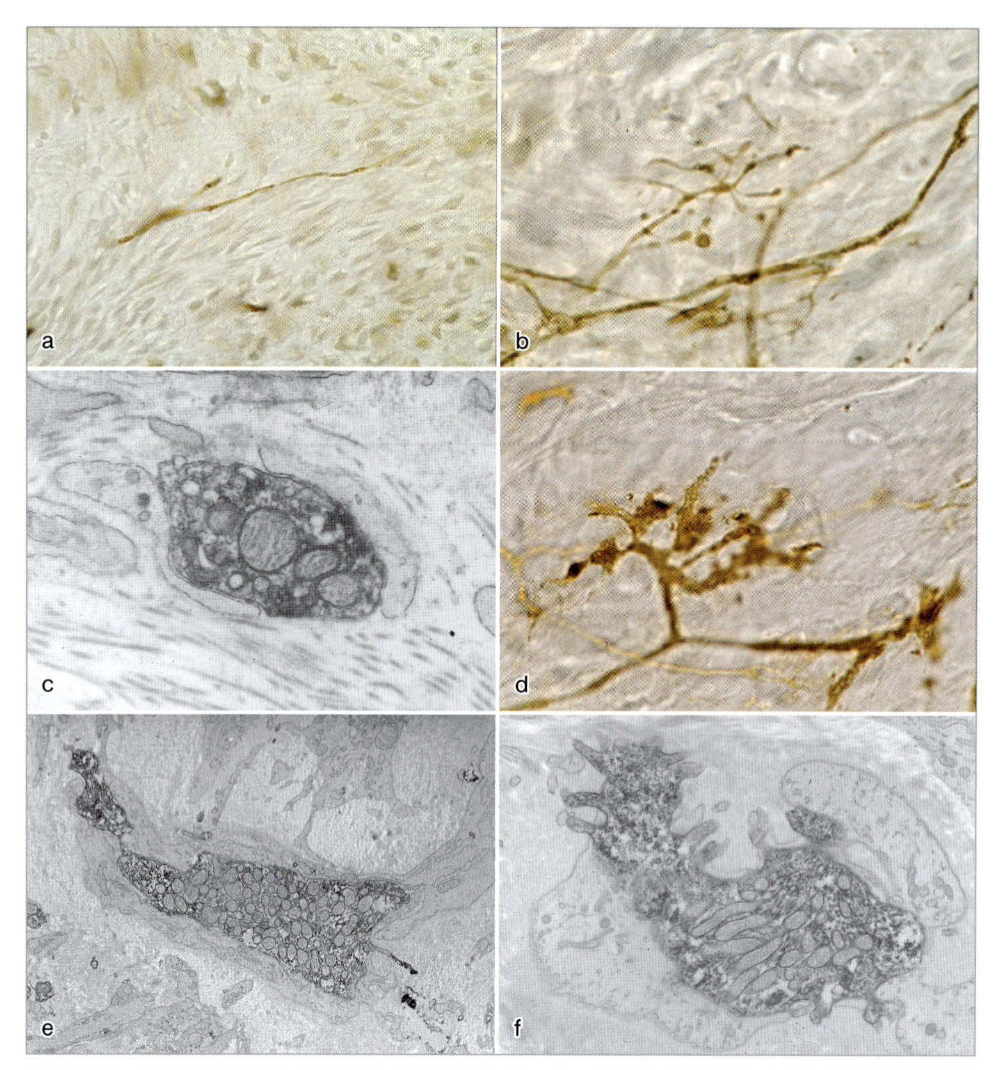

図 6-Ⅲ-7　切歯歯根膜 Ruffini 神経終末の発生過程（ラット，抗 PGP 9.5 抗体による免疫組織化学染色）
a：生後 1 日．わずかな細い神経線維が歯根膜に進入する．
b：生後 4 日．神経線維は樹枝状に分枝し，神経線維のところどころに膨らみができている．
c：このような膨一部分が周囲に露出しており，また神経線維の中にはさまざまな大きさの小胞構造がみられる．しかしながら，指状の構造は発達してしない．
d：生後 11 日．終末が膨らんだ樹枝状の終末がみられ，その周囲に微細な突起がみられる．
e：生徒 11 日の免疫電子顕微鏡像．神経終末から指状の突起が伸び出ているのが確認できる．
f：生後 60 日の免疫電子顕微鏡像．Ruffini 様神経終末の典型的な電子顕微鏡像を示している．
（a，b，d は Nakakura-Ohshima K et al.: Postnatal development of periodontal innervation in rat incisors: An immunohistochemical study using protein gene product 9.5 antibody. *Arch Histol Cytol*, **56**：385～398，1993．c，e，f は Nakakura-Ohashima K et al.: Postnatal development of periodontal Ruffini endings in rat incisors: An immunoelectron microscopic study using protein gene product 9.5（PGP 9.5）-antibody. *J Comp Neurol*，**362**：551～564，1995．）

る機能刺激が密接にかかわっている可能性が示唆される．

神経栄養因子受容体は神経栄養因子に高親和性で結合する高親和性神経栄養因子受容体（Trk ファミリー）と低親和性神経栄養因子受容体（p75-NGFR）に大別される．Trk ファミリーは TrkA，TrkB，TrkC があり，TrkA には神経栄養因子が，TrkB には脳神経由来神経栄養因子 brain-derived neurotrophic factor（BDNF）とニューロトロフィン-4/5 neurotrophin（NT）-4/5 が，TrkC にはニューロトロフィン-3 neurotrophin（NT）-3 が高い親和性で結合する（**図 6-Ⅲ-8**）．P75-NGFR にはすべての神経栄養因子が結合することができるが，キナーゼドメインを欠くため，神経栄養因子が結合しても生物学的効果は発揮できないので，神経栄養因子と結合して局所の濃度を高めるなどの働きが考えられている．

免疫組織化学的研究により，歯根膜機械受容器には TrkB が発現しており，さらに trkB 遺伝子欠損マウスを観察では歯根膜 Ruffini 様神経終末が発生してこないことが示されている[12]．また Hoshino ら（2003）[13] は BDNF 遺伝子欠損（ホモ型）マウスでは歯根膜 Ruffini 様神経終末が発生してこないことを明らかにしている．しかしながら，

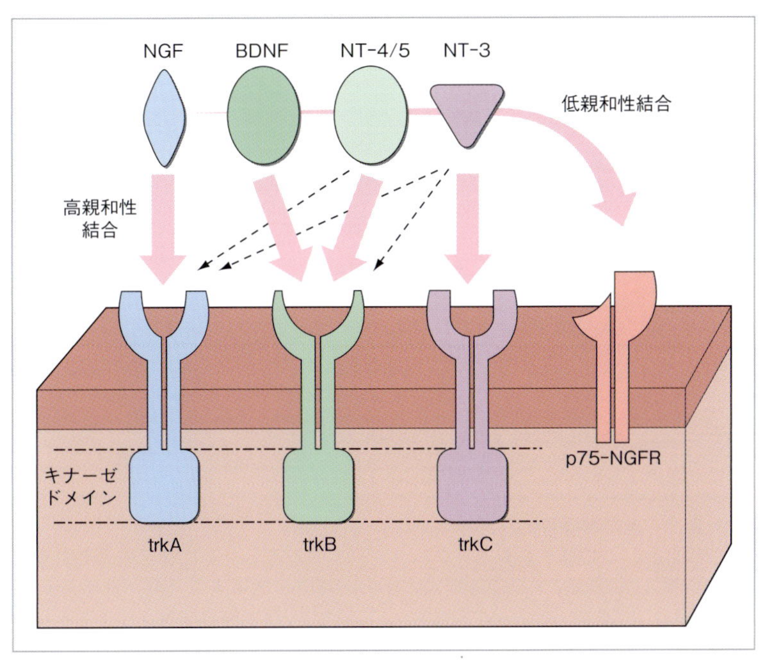

図 6-Ⅲ-8　神経栄養因子と神経栄養因子受容体の関係を示す模式図
高親和性受容体として trkA，trkB，trkC が，低親和性受容体として p 75-NGFR がある．

TrkB に結合する NT-4/5 の遺伝子をノックアウトしても歯根膜 Ruffini 様神経終末は発生してくるが，その数は減少していた[14]．このことから，TrkB-BDNF が歯根膜機械受容器の発生の鍵となる神経栄養因子-同受容体システムと考えられる．

Trk ファミリーに結合する神経栄養因子に加え，グリア細胞由来神経栄養因子 glia cell line-derived neurotrophic factor（GDNF）も歯根膜 Ruffini 様神経終末の発生にかかわっており，成熟にかかわっているようである[15]．歯根膜 Ruffini 様神経終末の発生にはさまざまな標的由来の神経栄養因子が時期依存的に関与しているようである[16]．

しかしながら，歯根膜神経の発生が生後に起こること，また NGF 遺伝子改変マウス（ホモ型）が胎生致死であることから，NGF の歯根膜神経の発生過程にかかわる役割は十分に解明されていない．

4. 歯根膜神経の再生

歯根膜は常に咬合力に暴露され，活発かつ恒常的な組織改造現象が起こっており，また歯根膜のコラーゲン線維のターンオーバーは他の組織のものの 5 倍速いことが示されている．このことは歯根膜中に含まれている歯根膜神経も組織改造現象に適応せざるをえないことを意味する．また，実験的歯の移動実験，外傷性咬合付与実験，歯の再植実験により，歯根膜神経分布の再構築・再配列ならびに神経終末の形態変化が容易に生じることが明らかにされている．これらの事実は，歯根膜神経が潜在的に高い再性能（神経可塑性 neuroplasticity）を有していることを示唆する．

1990 年以降，歯根膜神経の再性能が注目され，さまざまな実験的研究に加え，神経可塑性に関与する物質の検索が行われ，歯根膜 Ruffini 様神経終末における低親和性神経栄養因子受容体[17]や growth assocaited protein-43（GAP-43）の存在[18]ならびに微細局在に関する報告がなされている．p75-NGFR ならびに GAP-43 は発生中や再生中の感覚神経系に出現し，神経の発生・再生過程に重要な役割を果たすが，成熟神経組織ではその合成は低下または停止することが知られているが，歯根膜 Ruffini 様神経終末では成熟歯根膜組織においてもこの 2 種のタンパク質が発現している．

末梢神経が損傷を受けると損傷部位から末梢側の神経線維が変性消失（Waller（ウォーラー）変性 Wallerian degeneration）する．損傷端より末梢側では神経線維の変性と髄鞘の断片化が起こり，遊走してきたマクロファージが変性神経線維成分を貪食する．このマクロファージはインターロイキン 1 interleukin-1（IL-1）を産生するが，この IL-1 は損傷端末梢側で生存している Schwann 細胞の分裂を促進させ，Schwann（シュワン）細胞索 Schwann cell column をつくる．中枢側断端より伸び出る再生芽が再生神経線維となって Schwann 細胞索表面に沿うように伸展し，再び元に近い神経網が形成される（**図 6-Ⅲ-9**）．

第6章
歯と歯周組織の神経と脈管

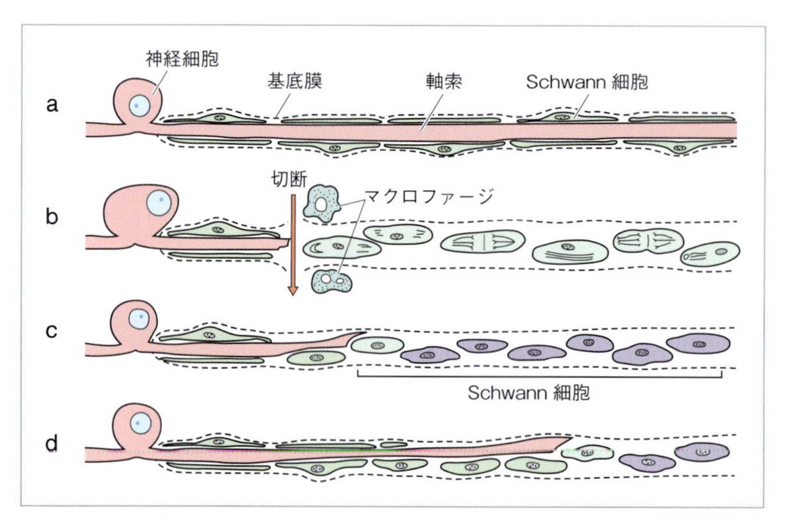

図 6-Ⅲ-9　末梢神経再生のメカニズム
末梢神経（a）が切断されるとマクロファージが遊走し，変性神経成分を処理すると同時に，切断端より末梢側の Schwann 細胞が増殖する（b）．Schwann 細胞が増殖してできた Schwann 細胞索（c）に沿って，再生神経線維が伸長する（d）．
（前田健康ほか：治癒の病理．第３巻．医歯薬出版，東京，1995．より改変）

歯根膜神経が損傷を受けたときも同様のメカニズムで再生が起こる．

Schwann 細胞索では神経栄養因子（NGF）の産生が高まるとともに，低親和性神経栄養因子受容体（p75-NGFR）の発現も高まる．

大阪大学の Wakisaka らの研究グループ[19] はラットの下歯槽神経を実験的に損傷させ，歯根膜 Ruffini 様神経終末の再生過程を経日的に観察している．下歯槽神経を露出させ，圧迫損傷を加えると，術後３日目でほとんどの歯根膜神経は消失する．術後 14 日でほぼ正常な動物と同じような分布を示すようになるが，軸索終末の分岐状態は悪く，分岐状態が正常な動物と同じようになるのはほぼ 28 日頃であった．一方，下歯槽神経を切断すると，切断後 3〜5 日で歯根膜の神経線維はほとんど消失し，切断後 5〜7 日目頃から再生した神経線維が徐々に認められるようになり，切断 10 日目以降は前述した圧迫損傷の場合と同じ傾向を示した．他組織の機械受容器の再生実験と比較すると，歯根膜 Ruffini 様神経終末の再生はきわめて早く生じることがわかる（**図 6-Ⅲ-10**）．

歯根膜神経の発生の項でも述べたように，歯根膜 Ruffini 様神経終末の発生には高親和性神経栄養因子受容体の一種である trkB が重要である．BDNF，NT-4/5，GDNF のような神経栄養因子遺伝子欠損マウスの下歯槽神経切断実験結果から，歯根膜 Ruffini 様神経終末の再生過程は単独の神経栄養因子でコントロールされるのではなく，これらの神経栄養因子が時期依存的に作用することで，再生が進行することが示されている[16]．

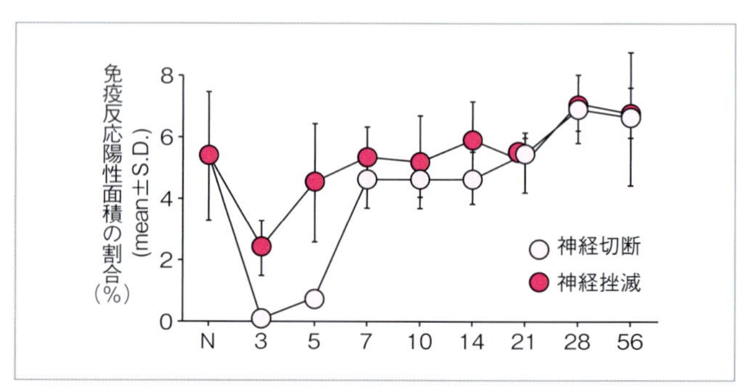

図 6-Ⅲ-10　下歯槽神経損傷による歯根膜神経分布密度の経日的変化
（Maeda T et al.: The Ruffini ending as the primary mechanoreceptor in the periodontal ligament : its morphology, cytochemical features, regeneration, and development. *Crit Rev Oral Biol Med*, 10：307〜327，1999.）

Ⅳ　歯肉の神経支配

歯肉の感覚神経もすべて三叉神経由来である．歯肉の固有層の血管には交感神経および副交感神経が分布している．

歯肉口腔上皮（外縁上皮）と歯肉溝上皮および付着上皮（内縁上皮）では神経分布ならびに神経終末の形態が異なる．

両者の歯肉固有層には主として有髄神経からなる太い神経束が走る．この太い神経束から神経線維が伸び出し，歯肉固有層に２種類の神経叢をつくる．その１つは比較的深部に位置し，さまざまな太さの神経線維からなる神経叢で，もう１つは上皮直下に微細な神経線維からなる神経叢である．上皮下の神経叢から伸び出た神経線

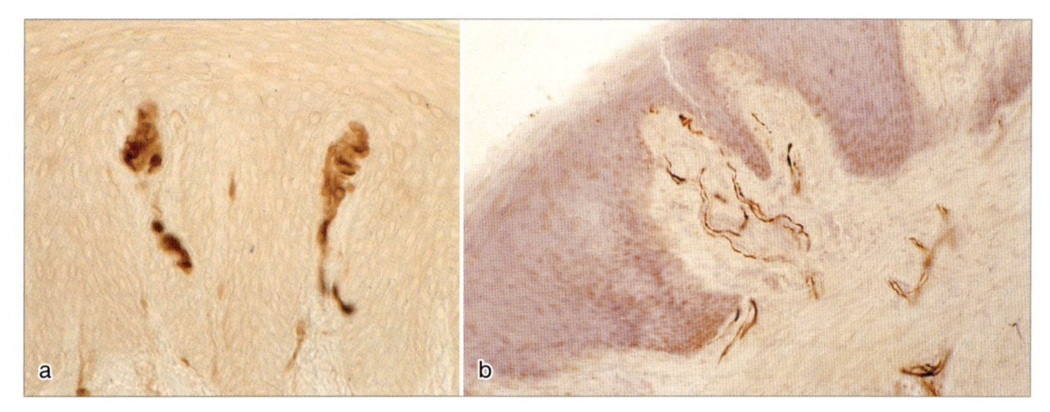

図 6-Ⅳ-1　歯肉にみられる Meissner 様小体とコイル状神経終末
a：抗 S-100 免疫組織化学染色．b：ニューロフィラメントタンパク質（NFP）抗体による免疫組織化学染色．

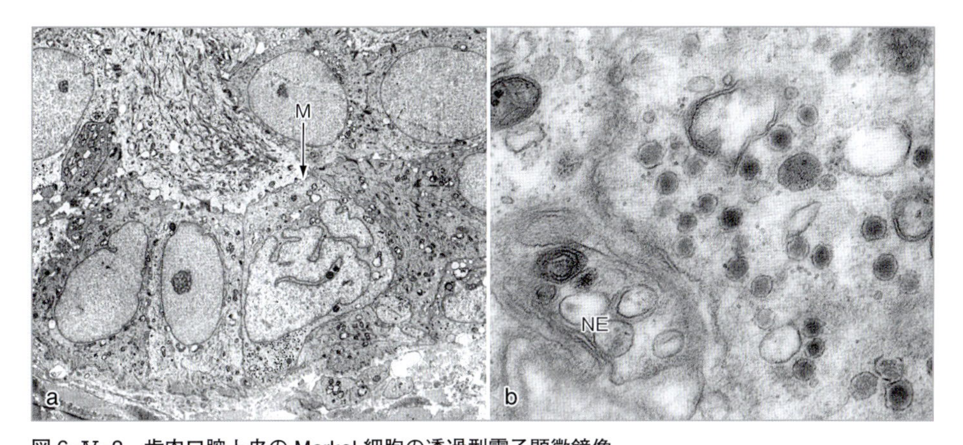

図 6-Ⅳ-2　歯肉口腔上皮の Merkel 細胞の透過型電子顕微鏡像
a：Merkel 細胞（M）は基底層に位置し，不定形の核と細胞質内にさまざまな小胞をもつ．
b：小胞の近くには神経終末（NE）が位置する．

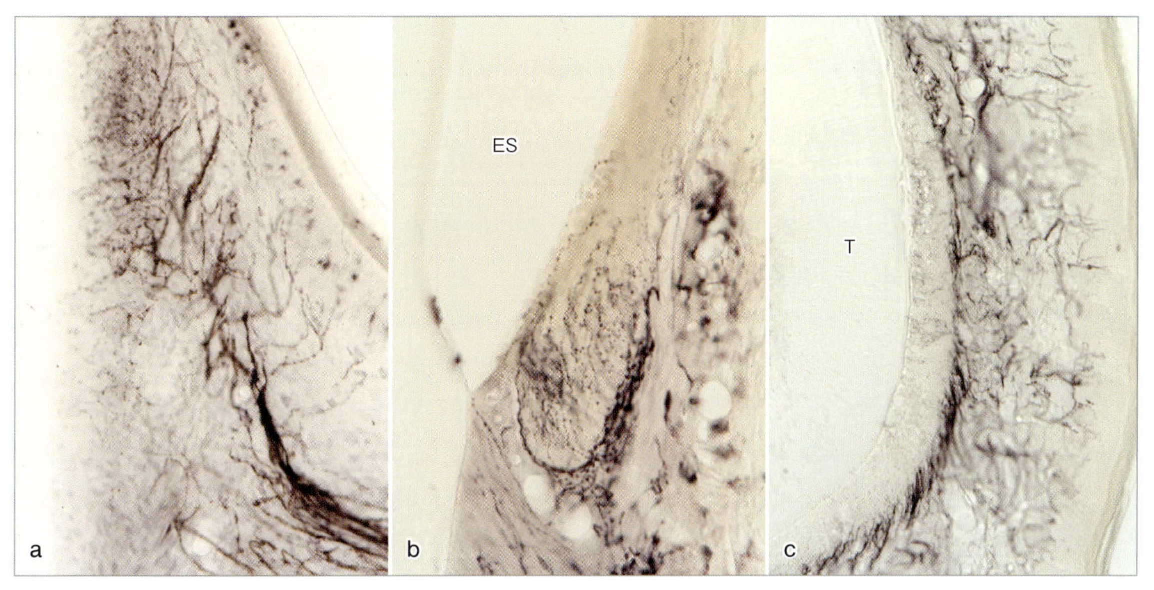

図 6-Ⅳ-3　内縁上皮の神経分布（ラット，抗 PGP 9.5 による免疫組織化学染色）
a：歯肉溝上皮に多数の数珠玉状の神経線維が進入する．
b：付着上皮の直下に神経線維が密集し，そこから上皮内に無数の神経線維が進入する．上皮表面近くに達する神経線維も存在する．ES：溶解したエナメル質のスペース
c：臼歯歯肉の水平断像．外縁上皮に比べ，内縁上皮のほうが高い神経分布密度を示す．T：歯
（a，b は Maeda T et al.: Evidence for the existence of intraepithelial nerve endings in the junctional epithelium of rat molars : an immunohistochemical study using protein gene product 9.5（PGP 9.5）antibody. *J Periodontal Res*, 29：377〜385, 1994.）

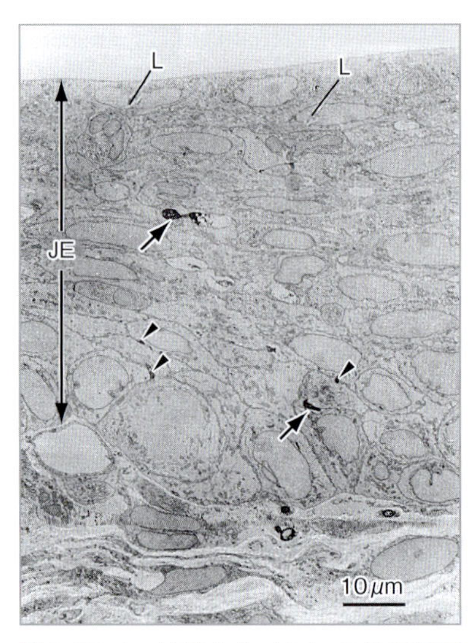

図 6-Ⅳ-4　付着上皮（JE）の免疫電子顕微鏡像（ラット）
抗 PGP 9.5 による免疫組織化学染色. 多くの神経終末（矢印および矢尻）が上皮間に認められる. L：好中球
（Maeda T et al.: Evidence for the existence of intraepithelial nerve endings in the junctional epithelium of rat molars : an immunohistochemical study using protein gene product 9.5（PGP 9.5）antibody. *J Periodontal Res*, 29：377〜385, 1994.）

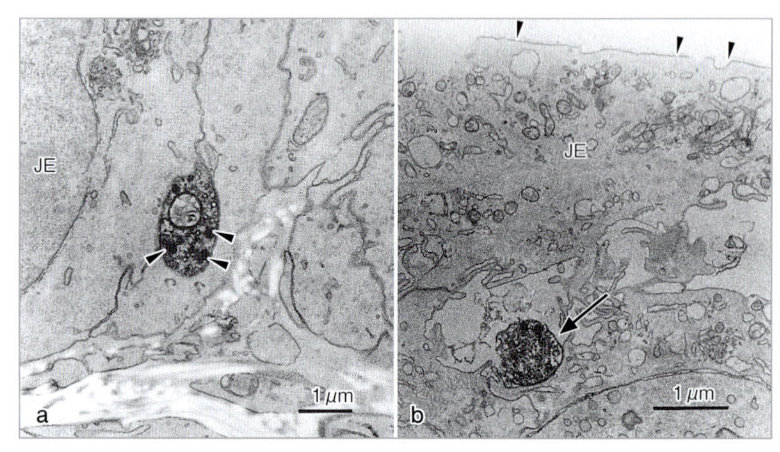

図 6-Ⅳ-5　付着上皮（JE）内の神経終末の免疫電子顕微鏡像（ラット）
a：神経終末は Schwann 鞘を欠き，その中には小胞構造がみられる. しかし，シナプス構造はみられない（矢尻）.
b：上皮表面近くにも神経終末（矢印）が存在する. 矢尻は歯小皮を示す.
（Maeda T et al.: Evidence for the existence of intraepithelial nerve endings in the junctional epithelium of rat molars : an immunohistochemical study using protein gene product 9.5（PGP 9.5）antibody. *J Periodontal Res,* 29：377〜385, 1994.）

維が結合組織乳頭に向かう.

歯肉口腔上皮の結合組織乳頭の神経分布，終末形態は他の口腔粘膜と差はない. すなわち，結合組織乳頭内 connective tissue papilla には Krause（クラウゼ）小体 Krause corpuscle，Meissner 様小体（**図 6-Ⅳ-1**），コイル状神経終末（**図 6-Ⅳ-1**），自由神経終末などが認められる. また，上皮基底部には Merkel（メルケル）細胞 Merkel's cell が存在する（**図 6-Ⅳ-2**）. 上皮内に進入する細い神経線維もみられ，これらは自由神経終末として上皮細胞間に終わる.

歯肉溝上皮および付着上皮（内縁上皮）の結合組織には歯肉口腔上皮に認められた Merkel 細胞を含め特殊な神経終末はまったく存在しない. 特徴的なのは上皮直下の神経叢が数珠玉状を示す細い神経線維から構成されていることである（**図 6-Ⅳ-3a，b**）. この上皮下の神経叢から無数の神経線維が歯肉溝上皮（**図 6-Ⅳ-3a**）および付着上皮内（**図 6-Ⅳ-3b**）に進入している. 特に付着上皮内には密な神経網が観察される.

水平断切片を観察すると内縁上皮のほうが外縁上皮より密な神経支配を受けているのがわかる（図 6-Ⅳ-3）.

上皮内神経線維はすべて自由神経終末として終わる（**図 6-Ⅳ-4**）. 電子顕微鏡的にはこれらの自由神経終末は Schwann 鞘を欠いた神経終末として観察される. 神経終末内には大小さまざまな小胞が含まれる（**図 6-Ⅳ-5a，b**）. 上皮内神経線維の一部のものは上皮自由面近くまで達している（**図 6-Ⅳ-5b**）.

免疫細胞化学的研究により，この上皮内神経線維にはサブスタンス P[20] や CGRP[21] が含まれていることが明らかにされており，白血球の遊走，血漿成分の漏出制御，上皮細胞分裂との関係が論じられている. また，三叉神経節にトレーサーを注入した実験[22] により，これらの上皮内神経は三叉神経節由来であることが示されている.

（前田健康）

 歯と歯周組織の脈管

1. 血管系

1）歯周組織の微小循環

歯周組織の血管は主に顎動脈から出た動脈より歯槽骨，歯根膜，口腔粘膜の 3 方向から血液供給を受ける. その後，細動脈を経て，平滑筋細胞を有しない内皮細胞でできた毛細血管に至る. ここで血管内外の物質交換を行った後，再び平滑筋細胞の存在する細静脈 venules から，静脈となり顎静脈へ戻る. 細動脈から毛細血管を経て細静脈までを含む循環形態を**微小循環** microcirculation とよぶ（**図 6-Ⅴ-1**）.

細動脈は直径約 300 μm 以下で 1〜2 層の平滑筋からなる中膜をもつ. 直径が 50 μm 以下のものは終末細動

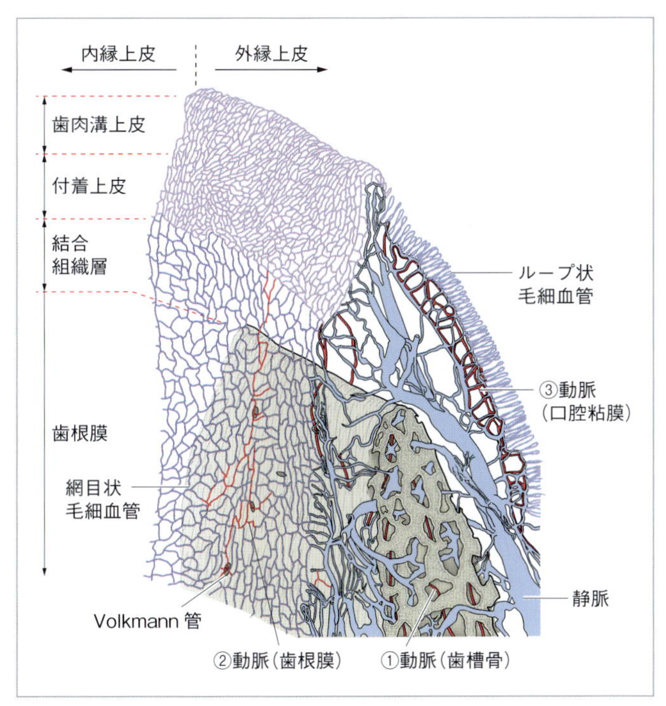

図 6-Ⅴ-1　歯周組織の微小循環（血管鋳型標本からの模式図）
歯周組織の血管は顎動脈から出て歯槽骨内（①）を経て歯髄，歯根膜（②），歯肉（③）へ分布する．血液循環の中で細動脈から毛細血管を経て細静脈へ戻るまでの循環を微小循環とよぶ．

脈 terminal arteriole とよばれ，毛細血管に移行する部分を毛細血管前細動脈 precapillary arteriole という．**毛細血管**の直径は 8〜10 μm で，1 層の内皮細胞から構成され，その外周は基底膜で覆われている．輸送小胞や細胞間隙を介した血管内腔と血管周囲組織の間での物質輸送が行われる．また，物質の透過は細胞自身に開いた小孔によっても行われ，小孔をもつタイプを**有窓型毛細血管** fenestrated capillary といい，孔のないタイプを**連続型毛細血管** continuous capillary という．毛細血管には，外側を取り巻く**周皮細胞** pericyte が存在する場合もある．毛細血管を介さずに細動脈と細静脈が連続した血管を**動静脈吻合** arterio-venous anastomosis という．本章では歯周組織と歯髄の血管についてヒトに形態が近似するビーグル犬を用いた標本で示す．写真は血管内に色素を注入した墨汁注入標本による顕微鏡切片と合成樹脂を注入した血管鋳型標本による走査型電子顕微鏡写真を用いる．

2）歯肉の血管系

（1）歯肉への血管経路

歯肉は歯槽骨や歯根膜から分布する血管と口腔粘膜から分布する血管が吻合した循環路を形成する．血管形態は外縁上皮側 outer epithelium と内縁上皮側 inner epithelium で異なる．外縁上皮下の粘膜固有層 lamina

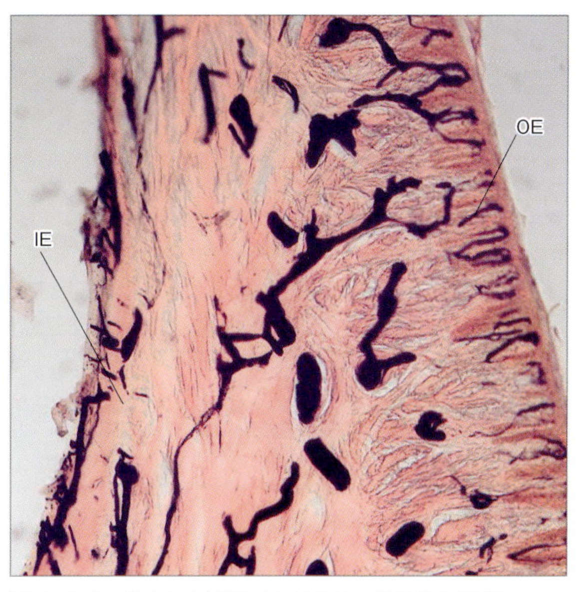

図 6-Ⅴ-2　歯肉の血管網（H-E 染色・墨汁注入切片）
歯肉は歯槽骨・歯根膜と口腔粘膜に由来する血管が吻合し循環路を形成する．内縁上皮側（IE）と外縁上皮側（OE）では異なる血管形態を示す（黒線）．

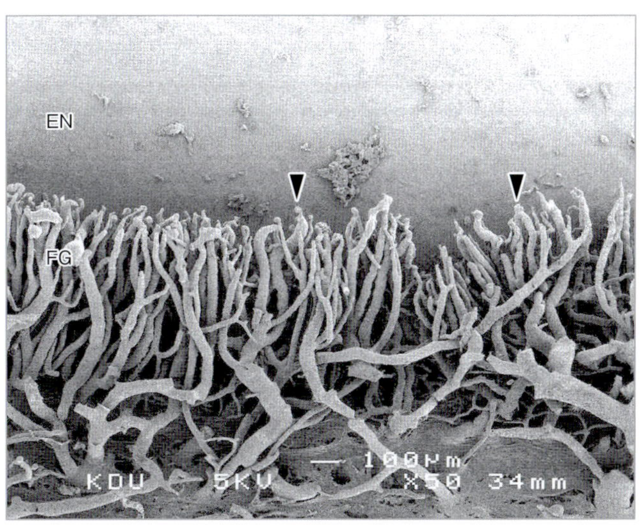

図 6-Ⅴ-3　歯肉外縁上皮下の血管網（血管鋳型標本）
歯肉外縁上皮下には結合組織乳頭内に伸びるヘアピンループ状の毛細血管網が規則的に配列する．EN：エナメル質，FG：遊離歯肉，矢尻：辺縁歯肉のヘアピン状ループ
（Matsuo M et al.：Microcirculation alterations in experimentally induced gingivitis in dogs. *Anat Sci Int*，92：112〜117，2017.）

propria には，歯肉口腔粘膜上皮由来の血管から結合組織乳頭内に伸びる毛細血管ループ capillary loop が配列する．内縁上皮を裏打ちする粘膜固有層側には，平坦な血管網が配列する（**図 6-Ⅴ-2**）．外縁上皮の遊離歯肉 free gingiva では辺縁歯肉を頂点としたヘアピンループ状の毛細血管網 capillary network（**図 6-Ⅴ-3** 矢尻）が規則的に配列する．内縁上皮を裏打ちする血管網では上方より歯肉溝上皮，付着上皮，結合組織層 connective tissue layer で径が異なる網目状の毛細血管が配列する（**図 6-Ⅴ-4**）．

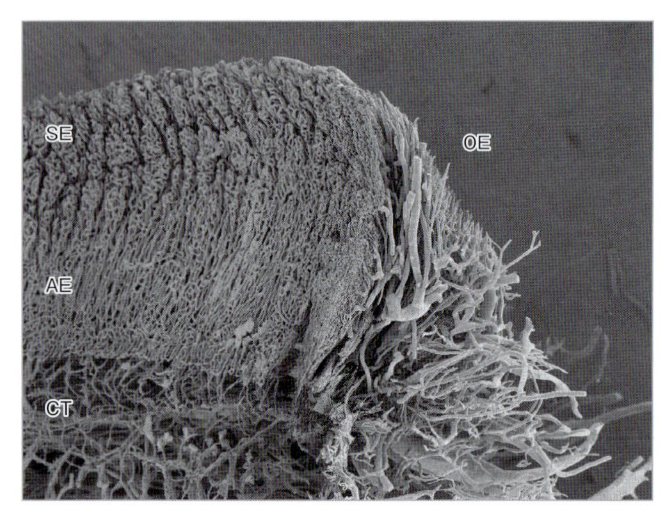

図 6-Ⅴ-4　歯肉内縁上皮下の血管網
内縁上皮側には，網目状の毛細血管網が配列する．歯肉溝上皮（SE），付着上皮（AE），結合組織層（CT）で網目の径と形が異なる．OE：口腔粘膜（血管鋳型標本）
（Matsuo M，Takahashi K：Scanning electron microscopic observation of microvasculature in periodontium. *Microsc Res Tech*, 56：3〜14，2002.）

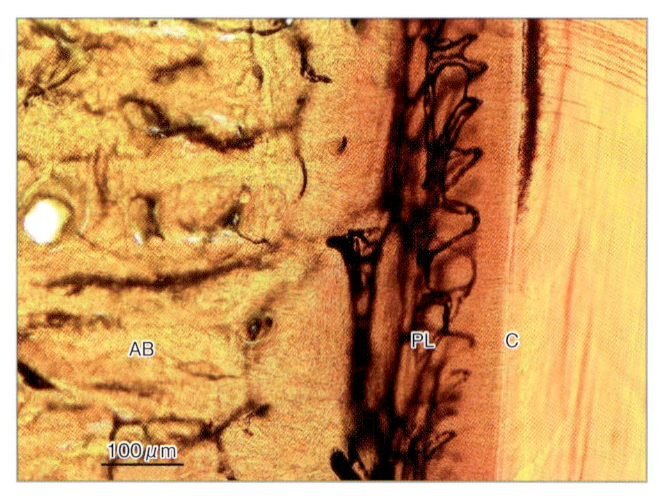

図 6-Ⅴ-5　歯根膜の血管網（H-E 染色・墨汁注入切片）
歯根膜の血管は根尖部や歯槽骨壁の Volkmann 管から分布する．
AB：歯槽骨，PL：歯根膜，C：セメント質

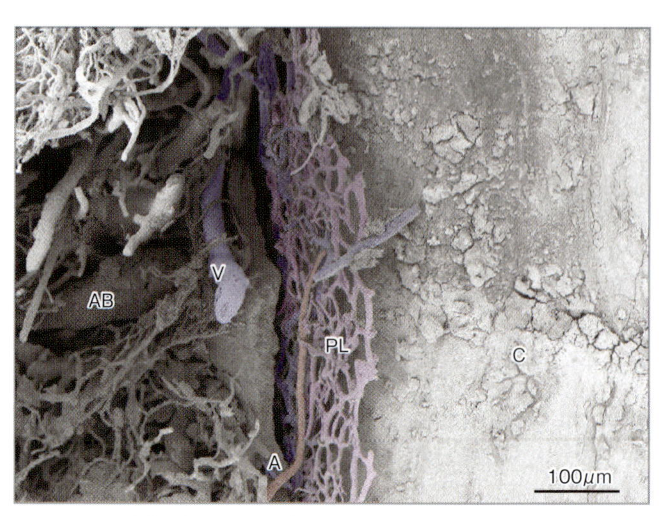

図 6-Ⅴ-6　歯根膜の血管網（側方からの観察）（血管鋳型標本）
歯根膜の血管（PL）は歯根（C）を取り巻いている．歯槽骨（AB）内で分岐した細動脈（A）と細静脈（V）が Volkmann 管を通り交通する．

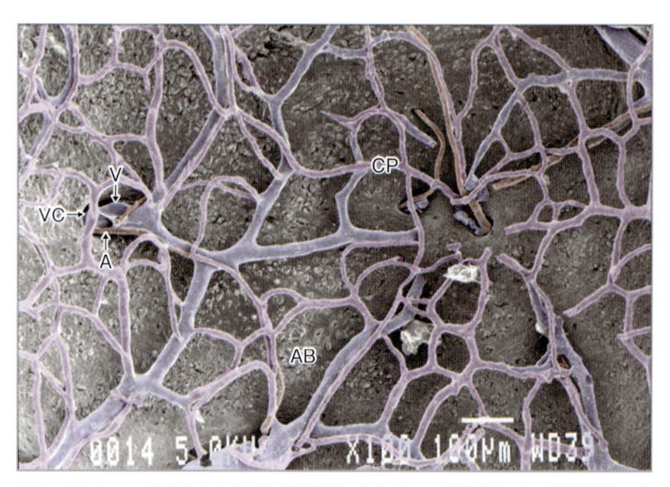

図 6-Ⅴ-7　歯根膜の血管網（歯槽窩方向からの観察）（血管鋳型標本）
歯根膜を歯槽窩内から観察すると歯根側と歯槽壁側の毛細血管網（CP）が二層構造を形成する．この血管は Volkmann 管（VC）を通して骨髄内の細静脈網と交通する．
A：細動脈，V：細静脈，AB：歯槽骨壁

3）歯根膜の血管系

歯根膜の血管は，主に歯槽骨内で分岐した槽間動脈 intraseptal artery から歯槽骨壁の小孔を経て歯根膜に進入する．その他に根尖部で分岐した血管や歯肉から分布する枝もある．歯根膜中の血管は歯根膜線維によって形成される**脈管神経隙** interstitial space の中を神経とともに走る（図 6-Ⅴ-5）．

歯根膜の血管は歯根を取り巻いて分布し，血液循環は歯槽骨内で分岐した細動脈と細静脈から行われる（図 6-Ⅴ-6）．歯槽窩内から観察すると歯根側の毛細血管と歯槽壁側の静脈性毛細血管 venous capillaries で二層構造の毛細血管網を形成する．この血管は Volkmann（フォルクマン）管 Volkmann canal を出入りする細動脈と細静脈を通して骨髄 bone marrow 内の血管網と交通する（図 6-Ⅴ-7）．

4）歯槽骨の血管系

歯槽骨の血管網は骨梁 trabeculae に囲まれた骨髄の中に存在する静脈網 venuler network が主体となる（図 6-Ⅴ-8）．この血管網には**静脈弁** venous valve を有しないものが多い．そのため咬合圧が加わると，歯根膜から流れた血液は Volkmann 管を通って骨髄の静脈系へと流れる．一方，咬合圧が除去されると，血液は歯根膜に戻るとされ，歯根膜の血管網は咬合圧の緩衝作用に副次的に働くとされる．

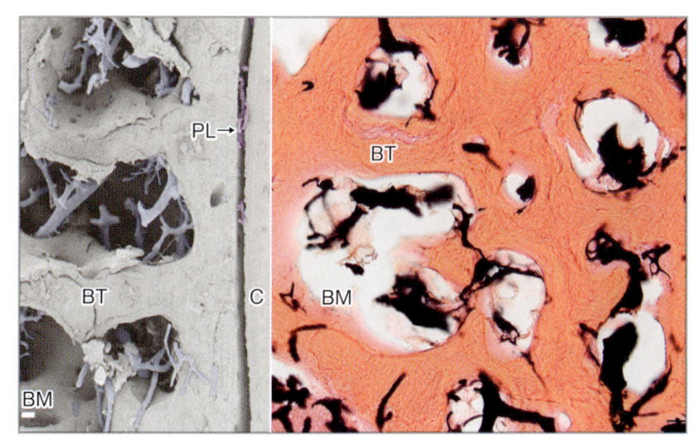

図 6-Ⅴ-8　歯槽骨の血管網
歯槽骨の血管は静脈網を主体とする．咬合圧が加わると，歯根膜から血液が戻ることで緩衝作用を行う．
BM：骨髄，BT：骨梁，PL：歯根膜，C：セメント質

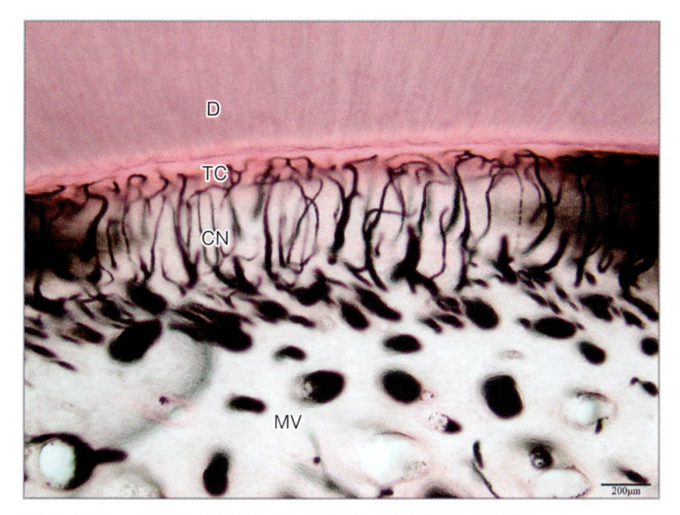

図 6-Ⅴ-9　歯髄の血管網（H-E 染色・墨汁注入切片）
歯髄の血管系は，根尖孔を経由して主幹動静脈（MV）が中心部に進入する．象牙質に沿って微細な毛細血管網を形成する（水平断）．
D：象牙質，TC：終末毛細血管網，CN：毛細血管網

5）歯髄の血管系

歯髄の血管系は，根尖孔を通じて主幹動静脈が進入する（**図 6-Ⅴ-9**）．根管内では，歯冠部歯髄に向かう動脈は中央部を，歯根部の象牙質・歯髄境に向かう動脈は周辺部に位置している．歯髄最表層で象牙前質に沿って真の毛細血管からなる終末毛細血管網 terminal capillary network が配列する．歯軸方向に配列する細動・静脈との間には，動脈性・静脈性毛細血管からなる**毛細血管網**が直行して配列する（**図 6-Ⅴ-10**）．

インプラント周囲の血管系

インプラントは歯根膜の介在なく骨に囲まれるオッセオインテグレーション osseointegration とよばれる様式で顎骨に植立される（**図 6-Ⅴ-11a**）．インプラント体と骨の界面は新生血管で満たされた後，骨形成が行われる．同様に

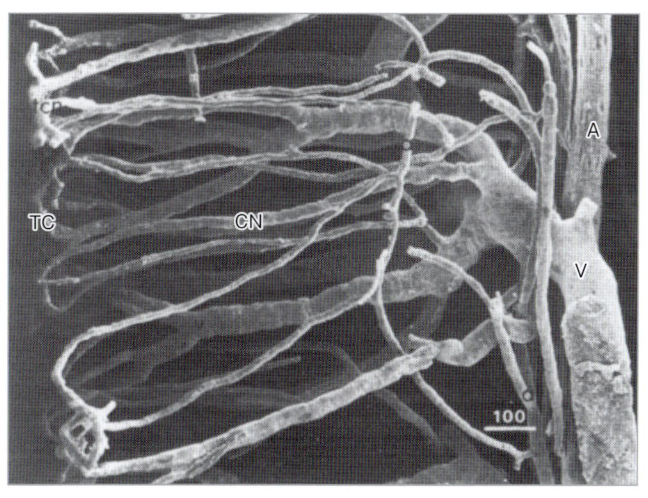

図 6-Ⅴ-10　歯髄の血管網（血管鋳型標本）
象牙前質に沿って真の毛細血管からなる終末毛細血管網（TC）が配列する．細動静脈（A，V）との間には，動脈性・静脈性毛細血管からなる毛細血管網（CN）が平行して配列する．
（Takahashi K et al.：A scanning electron microscope study of the blood vessels of dog pulp using corrosion resin casts. *J Endod*, 8：131～135，1982.）

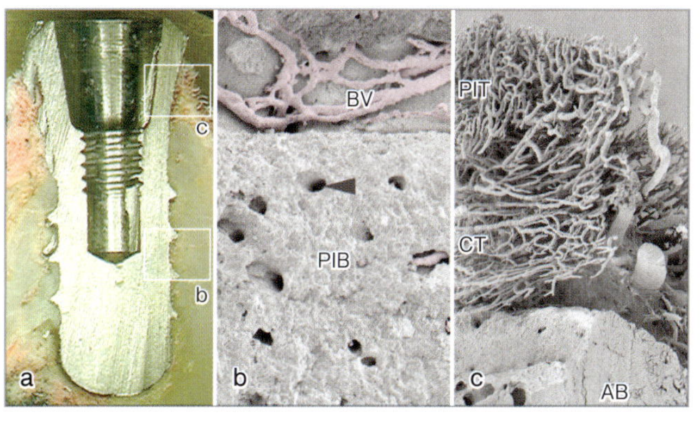

図 6-Ⅴ-11　インプラント周囲の血管網（血管鋳型標本）
a, b：埋入後 6 週．インプラントは歯根膜と付着上皮が欠如する（a）．インプラント体と骨の界面（b）は新生血管（BV）で満たされた後，骨形成が行われる．c：埋入 12 週後．インプラント上皮（PIT）の下方には結合組織層（CT）の血管が周囲を環状に配列する．PIB：インプラント周囲骨，AB：歯槽骨
（b は Matsuo M et al.：Bone Formation and Microvascular Changes after Placement of Sandblasted and Acid-etched（SLA）and Titanium Plasma-splayed（TPS）Implants in Dogs. *J Oral Biosci*, 43：316～324，2001．c は松尾雅斗ほか：実験的インプラント周囲炎下における微細血管構築変化の走査電子顕微鏡観察．日口腔インプラント会誌，14：569～577，2001.）

インプラントは付着上皮の存在はないとされ，インプラント周囲歯肉 peri-implant tissue に接する．インプラント歯肉の下方には水平方向に走る結合組織層が観察され，血管が環状に歯頸部を囲む．そのため付着上皮の欠如は天然歯より炎症防御機構が脆弱だと考えられている．

骨造成と血管

抜歯窩にアパタイト系人工骨（炭酸アパタイト CO_3 AP）

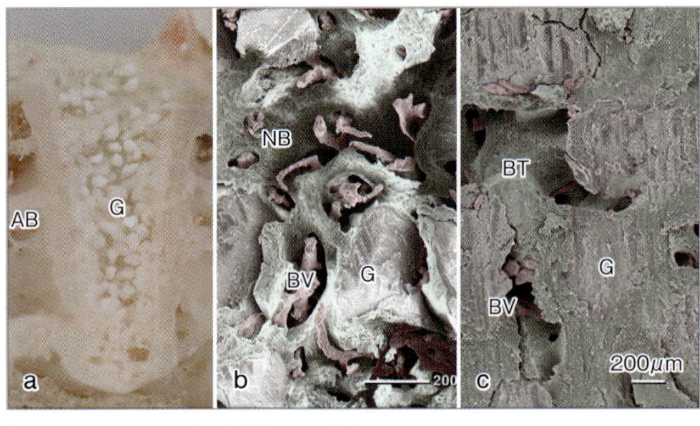

図 6-V-12　人工骨移植後の血管網
a：抜歯窩にアパタイト系人工骨を移植した標本．AB：歯槽骨．G：骨顆粒．
b：術後 14 日．骨顆粒（G）間のスペースに新生血管（BV）が侵入し新生骨（NB）が形成される．
c：術後 30 日．骨顆粒（G）間の新生骨は成熟し，骨梁（BT）形成を始める．骨髄腔が形成され血管網（BV）が再生する．

を骨移植 bone graft し，骨を造成した標本を示す（**図 6-V-12a**）．術後 14 日（**図 6-V-12b**）では骨顆粒 bone granule 間のスペースに新生血管が侵入し取り囲む．そして，血管周囲に幼若な新生骨が形成される．その後，既存骨から血管に沿って骨形成が進行し，術後 30 日（**図 6-V-12c**）では骨顆粒間の新生骨は成熟し，骨梁と骨髄腔が形成され血管網が再生する．この後，骨のリモデリングと骨顆粒の吸収により組織構造の正常化が行われる．

（松尾雅斗）

2. リンパ管系

リンパ管，特に毛細リンパ管の組織学的同定は非常にむずかしいため，歯および歯周組織におけるリンパ管系の分布についてはいまだ不明な点が多く残されている．一般に毛細血管網と毛細リンパ管網とは常に異なる場所に分布していることが知られる．

リンパ管の同定法として，古典的な鉄 hematoxylin（ヘマトキシリン）染色，墨汁加硝酸銀液を還流する方法，樹脂鋳型の走査型電子顕微鏡による観察，透過型電子顕微鏡による観察があり，組織化学的手法，免疫細胞化学的手法も用いられるようになっている．

Kato（1988）[1] はリンパ管内皮が 5'-ヌクレオチダーゼ（5'-Nase）が血管内皮より高く，一方，血管内皮が強いアルカリホスファターゼ（ALP）を示すことを利用した二重染色法を報告し，この方法を用いてさまざまな組織のリンパ管系について検索が進められている．

また，リンパ管内皮細胞に特異的に存在するタンパク質が発見され，これらに対する抗体を用いた免疫染色により，リンパ管が同定できるようになった．リンパ管内皮細胞特異タンパク質として，血管内皮増殖因子受容体 vascular endothelial growth factor receptor-3（VEGFR-3），リンパ管特異的ヒアルロン酸受容体（LYVE-1），Prox1，D2-40，podoplanin が知られている．

歯と歯周組織のリンパ系に関してはその存否のみに研究の主眼がおかれ，リンパ管の分布，毛細リンパ管の起始および起始部が盲端なのか開放端なのかといった統合的観点での研究は乏しい．また，これら組織でのリンパ管の発生学，炎症とのかかわりなどに関する研究はまったく行われていない．

1）歯髄のリンパ系

歯髄におけるリンパ管系の存在については古くから議論されている．

ヒト歯髄のリンパ管系の分布，走行に関しては不明な点が多く残されているものの，ある種の動物の観察では，透過型電子顕微鏡観察，免疫染色により毛細リンパ管の存在が報告されている．

しかしながら，歯髄リンパ管の分布，走行，起始形態さらには機能については不明な点が残されており，今後のさらなる研究の進展が期待される．

Isokawa（1960）[2] はイヌの歯に墨汁を注入した実験結果から，歯髄にはリンパ管系は存在しないが，歯根膜にリンパ管系が存在することを報告した．一方，Bernick（1977）[3] はヒトの歯髄のリンパ管は象牙芽細胞層付近から起こり，歯髄中央部に存在するリンパ集合管に合流し，根尖孔を経て，歯髄外に出ると報告した．しかしながら，この管腔構造は歯髄血管系の分布，走行と一致しており，リンパ管であるという証拠はない．

Bishop（1990）[4] はネコ歯髄を電子顕微鏡的に検索し，毛細リンパ管は歯髄辺縁部の象牙芽細胞層下層から起こり，歯髄中央部に向かうこと，また象牙芽細胞層内および髄角部には存在しないことを明らかにした．この構造はリンパ管の微細構造学的特徴をもつことから，ネコ歯髄にはリンパ管系が存在すると考えられる．Frank ら（1977）[5] もヒト歯髄にリンパ管が存在すると結論づけている．また，Sawa ら（1998）[6] はヒト歯髄にリンパ管が存在することを報告しているが，陽性を示す構造物の分布，走行が歯髄血管系のものに類似しており，その存在は疑わしい．

このように，さまざまな研究手法を用いても，ヒト歯髄におけるリンパ管の存在については意見が対立していた．

Gerliら（2010）[7]は，近年明らかになっているさまざまなリンパ管のマーカーを用いて，ヒト歯髄と皮膚を免疫染色，ウェスタンブロット法，電子顕微鏡法により検討し，①皮膚にはリンパ管が観察できたが，歯髄には観察されなかったこと，②同様の結果がウェスタンブロット法で確認できたこと，③光線顕微鏡下でリンパ管様にみえた構造にはリンパ管繋留フィラメントがみられなかったことから，ヒト歯髄にはリンパ管は存在しないと結論している．

最近，Wiśniewskaら（2021）[8]は，歯髄におけるリンパ管に関する総説を発表している．それによれば，多くの研究者が免疫組織化学的手法を用いて，歯髄におけるリンパ管の存在を確認しているが，他の組織と比較してその発達が悪いと記している．しかしながら，著者らは，歯髄も含めリンパ管と毛細血管と区別することは非常にむずかしいため，また歯髄でのリンパ管の発生過程も不明なため，歯の組織でのリンパ管系を評価するのには問題があると述べている．また，歯髄のリンパ管と，歯髄外のリンパ管および所属リンパ節との関係が不明であり，さらなる研究が必要であると述べている．

2）歯根膜のリンパ系

歯根膜には古くから毛細リンパ管網があるといわれている．歯根膜の毛細リンパ管は盲端として始まり，歯槽頂部では歯肉と口腔粘膜を通り，歯根中央部ではリンパ集合管が固有歯槽骨を貫き，他のものは根尖部に向かうという．しかしながら，血管系に比べ，歯根膜のリンパ管系の発達は悪いという．

3）歯肉のリンパ系

歯肉のリンパ管は固有乳頭から付着上皮に向かい，さらに付着上皮に沿って根尖側に向かう毛細リンパ管が存在し，これらの毛細リンパ管はリンパ集合管に合流し，歯根膜に向かって走るという．しかしながら，起始部の形態についてはまったく不明である．

これらの所見はBernickとGrant（1978）[9]が毛細リンパ管が基底膜を欠くことに注目してサル歯肉のリンパ管系についてPAS（periodic acid-Schiff反応）-ヘマトキシリン，鉄ヘマトキシリンを用いて検索した結果である．これまで頻繁に引用されてきたSchweitzer（1907）[10]の歯肉のリンパ管に関する研究は口腔粘膜に対するものであり，歯肉のリンパ管に関する記載はない．

（前田健康）

 臨床的考察

1．象牙質・歯髄複合体と痛み

1）象牙質・歯髄複合体の傷害に伴う歯髄神経の分布構築の変動

歯の痛みの有無，性状，持続時間などは，歯髄の病態を臨床的に判断する有力な手がかりであり，歯髄疾患の診断と治療方針の決定に際してしばしば重要な根拠となる．このような意味から，象牙質・歯髄複合体における感覚神経の分布様式や痛覚受容機構を知ることは重要である．この際，炎症などの病的状態における分布構築の変動についても理解しておく必要がある．

とりわけ，象牙質の切削や象牙質齲蝕により歯髄に組織傷害や炎症が生じると，神経線維がしばしば著しい**発芽・増生** sproutingを示し，密度を増加させる[1~3]（図6-Ⅵ-1，2）．この変化は，痛みの受容器（自由神経終末）の密度の増加を意味しており，齲蝕や歯髄炎に伴う痛みの感受性の亢進に関連すると考えられる．痛みは自己防衛のための警告信号として非常に重要な感覚であるため，これらの変化は生体にとって合目的的なものと考えることができる．

（1）窩洞形成後の変化

象牙質に窩洞形成を行った場合の神経の分布構築の変動を図6-Ⅵ-1に示す．

窩洞形成により窩洞直下の象牙芽細胞に加えて象牙芽細胞下神経叢も傷害され，同部の神経は変性・消失する．その後，象牙質・歯髄複合体の傷害が比較的軽度の場合や適切な修復が施された場合は，象牙芽細胞様細胞の新生と修復象牙質の形成を伴う組織修復が生じ，この過程の進行とともに象牙芽細胞下神経叢も再構築される．すなわち，修復過程の開始とともに神経線維は発芽・増生し，窩洞直下の歯髄に数珠玉状の形態を示す無数の細い神経線維が分布する．さらに修復象牙質の形成が進行すると，象牙芽細胞下神経叢の再構築も進み，最終的にはおおむね正常歯髄と同様の分布様式が再度観察されるようになる（図6-Ⅵ-1）．

一方，象牙質・歯髄複合体の傷害が高度な場合は，象牙芽細胞や象牙芽細胞下神経叢の傷害に加えて歯髄に膿瘍が形成され，経時的に不可逆性の歯髄の破壊が進行する．化膿性変化が生じた部位では，神経の再構築は生じない．

（2）齲蝕に伴う変化

象牙質齲蝕が発生した場合も，齲蝕病巣と交通する象牙細管の歯髄側開口部直下の歯髄表層部で，数珠玉状の

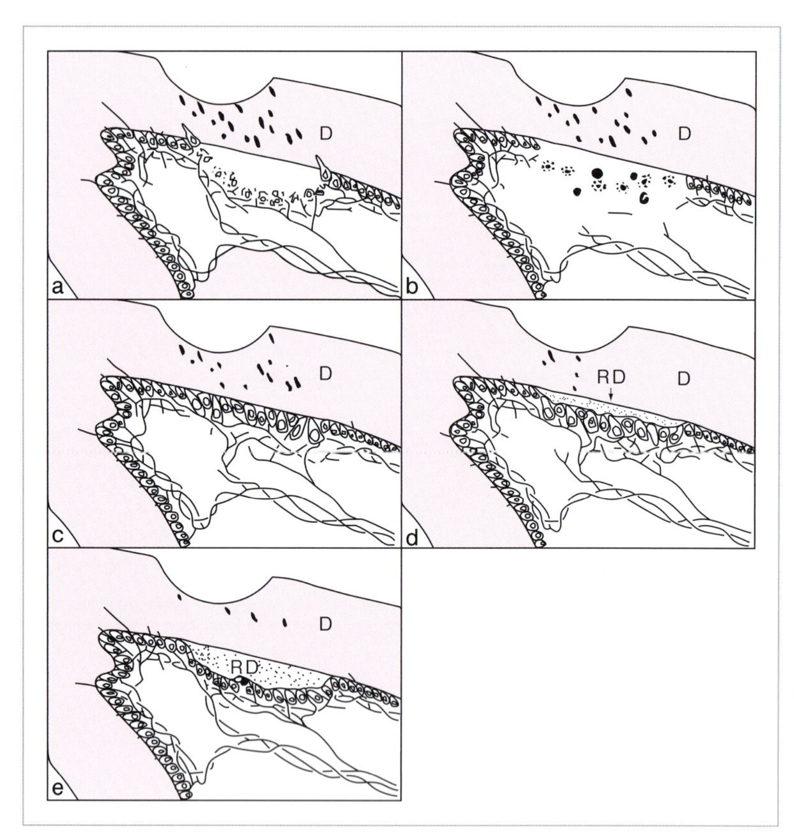

図 6-Ⅵ-1　臼歯窩洞形成後にみられる歯髄神経の変化を表す模式図（ラット，ニューロフィラメントタンパク質（NFP）抗体による免疫蛍光染色）
a：形成直後，b：形成後 1 日目，c：形成後 3 日目，d：形成後 5〜7 日目，e：形成後 10〜15 日目．D：象牙質，RD：修復象牙質
（Sato O: Responses of pulpal nerves to cavity preparation in rat molars : an immunohistochemical study using neurofilament protein（NFP）antiserum. *Arch Histol Cytol*, 52：433〜446, 1989.）

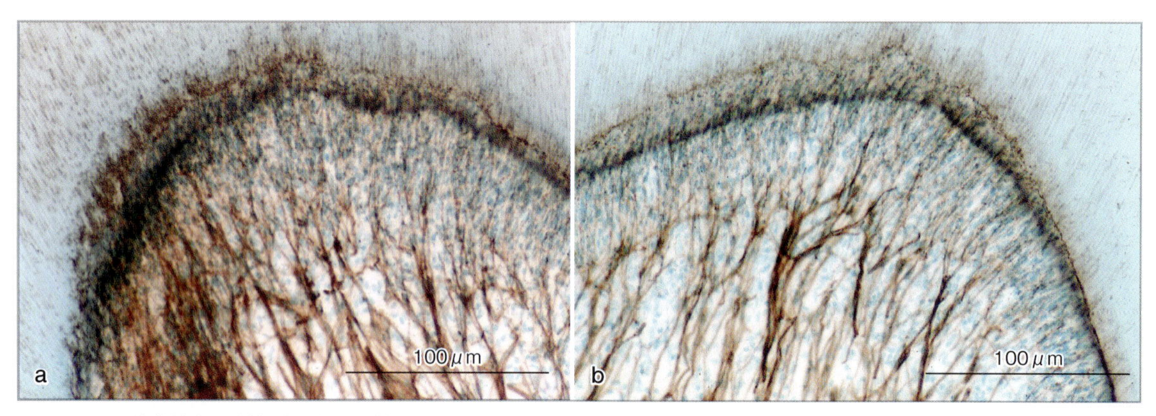

図 6-Ⅵ-2　浅在性象牙質齲蝕を有する第三大臼歯における神経の分布
神経成長因子受容体に対する抗体を用いた免疫染色．
a：齲蝕病巣直下．神経密度の増加が明瞭である．b：同一歯の非齲蝕部．

形態を示す神経線維が限局性に著しい密度の増加を示す（図 6-Ⅵ-2）．この変化も基本的には上に述べた窩洞形成後の変化と同じく，齲蝕病巣からの細菌侵襲により傷害を受けた象牙質・歯髄複合体における組織修復過程を反映したものと考えることができる．また，神経原性炎症（後述）が活発化して防衛反応が展開されている状態と考えることも可能である．齲蝕に対して適切な修復処置が施された場合は，窩洞形成の場合と同様に神経の再構築が営まれる．

2）歯の痛みの臨床的側面

（1）歯の痛みと歯髄の診断

歯髄疾患は臨床的には歯髄保存の可否により**可逆性歯髄炎**（歯髄保存療法の適応），**不可逆性歯髄炎**（抜髄法の適応）に分類され，両者の鑑別診断に際して痛みの有無，性状は重要な診断基準となる．すなわち，可逆性歯髄炎では一過性の冷水痛など，持続時間の短い誘発痛が症状の主体で自発痛は通常みられない．これに対して，症候性不可逆性歯髄炎（急性化膿性歯髄炎など）では自発痛や持続時間の長い誘発痛が診断基準となる．大まかに述べれば，**Aδ 線維**の伝える痛みのみ存在する場合は

表 6-Ⅵ-1　歯髄の感覚神経線維の分類と歯の痛み

分類	種類	伝導速度（m/秒）	象牙-歯髄境での分布	痛みの性状	関連疾患など
Aβ 線維	有髄	約 50～70	＋	痛覚にならない不快な感覚（プレペイン）	（歯髄電気診時）
Aδ 線維	有髄	約 10～20	＋	鋭い一過性の痛み	象牙質知覚過敏症，可逆性歯髄炎
C 線維	無髄	約 0.5～2	−	鈍く疼くような持続時間の長い痛み	症候性不可逆性歯髄炎

可逆性歯髄炎，これに**C 線維**の痛みが加わった場合は不可逆性歯髄炎と考えることができる（**表 6-Ⅵ-1**）．なお，Aβ 線維は歯髄電気診（下記）の際に生じるプレペイン（痛みの閾値以下の刺激で生じる不快な感覚）を担うと考えられている．

ところが，痛みの性状や強さは患者の感覚に依存した主観的な情報であるため，これを術者が客観的に把握することは容易といえない．ここに，歯髄の病態の診断，とりわけ可逆性・不可逆性歯髄炎の臨床的鑑別の限界の一端が存在する．

臨床的には，歯髄の生死の鑑別を目的として，歯に電流刺激や温度刺激を加え，誘発痛の有無により判定する検査法（歯髄電気診，温度診）がしばしば用いられる．これらは与えられた刺激に対して興奮性を有する神経線維の存在の有無を調べる方法である．ところが，神経の興奮性の存在は必ずしも健康な歯髄の存在を意味しないことに留意すべきである．

（2）Aδ 線維の痛みと臨床

Aδ 線維の伝える鋭い痛みが主たる臨床症状である代表的な病態として，**象牙質知覚過敏症** dentin hypersensitivity をあげることができる．この症状は，トゥースウエア（咬耗，摩耗，酸蝕），楔状欠損，歯の切削，歯周疾患による歯肉退縮などが原因で露出象牙質が存在する歯にしばしばみられ，同部に冷却，擦過，送風などの刺激が加えられたときに一過性の鋭い痛みが生じるが自発痛は伴わないことを特徴とする．

このような痛みが生じるメカニズムの大部分は**動水力学説**で説明できる．この学説では，露出象牙質面の象牙細管開口部が刺激されると象牙細管内容液の移動が生じ，その際の水圧変化で象牙細管内や象牙芽細胞層付近に分布する Aδ 線維が機械的に刺激され，活動電位が生じると説明されている．

動水力学説に基づけば，露出象牙質表面や象牙細管表層部を封鎖して象牙細管内溶液の移動を遮断すれば，痛みが抑制されることとなる．実際，近年では接着性レジン系材料やセメント材料によるコーティング，あるいは象牙細管内で不溶性の結晶生成を促進させる薬物の塗布（たとえばシュウ酸カリウムは象牙質中の無機質と反応して細管内に不溶性のシュウ酸カルシウム結晶を生成させる）などの方法により，比較的容易に痛みを制御することが可能となっている．

（3）C 線維の痛みと臨床

症候性不可逆性歯髄炎（急性化膿性歯髄炎）の診断基準として，定位の悪い自発痛や冷・温熱刺激後に生じる持続時間の長い誘発痛をあげることができる．これらは C 線維の伝える痛みの性状とよく合致する．

C 線維の終末は Aδ 線維よりも歯髄深部に分布しており閾値も高いことから，C 線維は擦過，送風などの動水力学的な刺激には通常応答しない．したがって，C 線維における活動電位の発生は，主として炎症により歯髄中で産生された内因性発痛物質などの刺激に応じて引き起こされる．

代表的な内因性発痛物質として**ブラジキニン**をあげることができるが，この物質は選択的に C 線維に作用して痛みの発生に関与する．さらに炎症歯髄では**プロスタグランジン E_2** prostaglandin E_2 の生成も亢進するが，この物質は痛み受容器の感受性を高める発痛増強物質として作用する．これらの作用により生じる**痛覚過敏** hyperalgesia（痛み刺激によって誘発される痛みの感覚が，通常よりも強くなった状態）や**アロディニア** allodynia（異痛症；通常は痛みを誘発しない刺激で痛みが発生する状態）も，症候性不可逆性歯髄炎の痛みに関与すると考えられている．

C 線維の痛みの発現を修飾する因子の 1 つとして，歯髄の低コンプライアンス環境（硬組織に囲まれ体積を変化させることができない環境）をあげることができる．すなわち，歯髄では炎症により内圧が上昇しやすく，その結果血管が圧迫され血流が低下するため，低酸素状態による組織傷害が生じやすいとされる．この際，Aδ 線維は低酸素状態への抵抗性が低く興奮性を失いやすいが，C 線維はある程度の抵抗性を示す．このことからも，症候性不可逆性歯髄炎で歯髄の組織破壊が進行した場合は C 線維の伝える痛みが主体となることが説明される．

また，歯髄内圧の上昇は感覚神経線維の圧迫を引き起こし，強い痛みの発現につながる．実際，歯髄腔が開放されると痛みが和らぐことが臨床的にしばしば経験される．

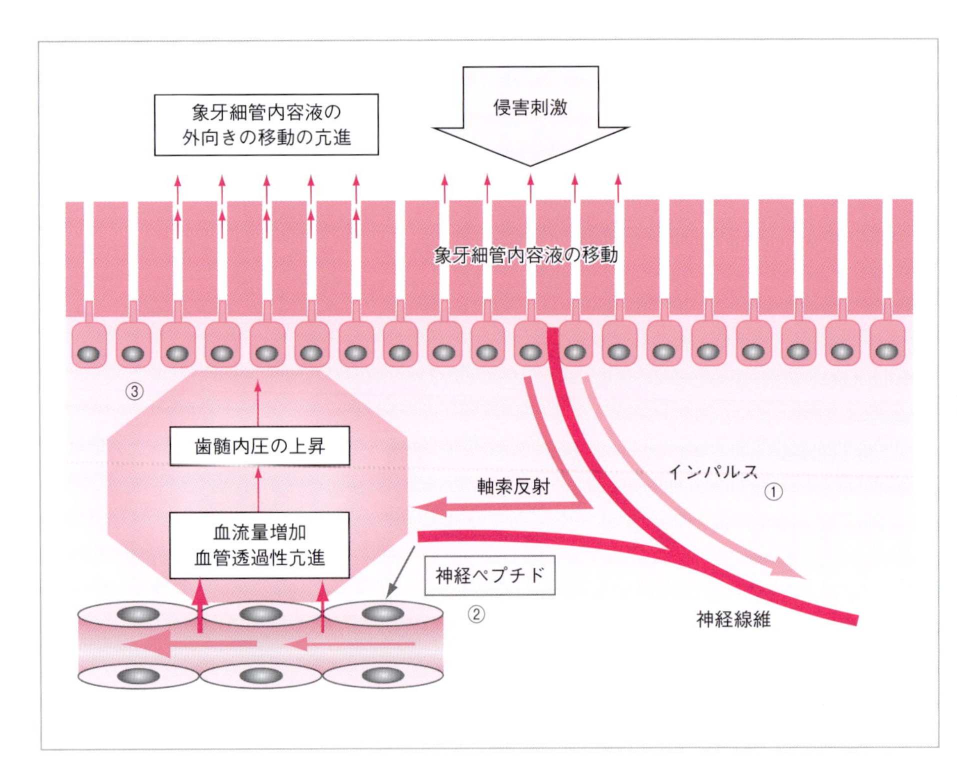

図 6-Ⅵ-3　神経原性炎症の機構
①動水力学的機構による感覚神経終末の刺激により発生した求心性インパルスの一部は，軸索反射により神経の分岐部から逆行性に神経終末まで伝達され，神経ペプチドが放出される．
②ついで，放出された神経ペプチドが血管に作用し，血流量の増加や血管透過性亢進が生じ，血漿タンパク質の血管外漏出が起こる．
③この結果，歯髄の内圧が上昇し，象牙細管内容液の外向きの移動が亢進する．

(4) 神経線維の発芽・増生と歯の痛み

上述した神経線維の発芽・増生は，痛み受容器（自由神経終末）の密度の増加により，生体が外来刺激を痛みとして認識できる確率が上昇することを意味する．したがって，痛みの感受性の亢進と密接に関連すると考えられる．

歯髄に炎症が起きると露出象牙質表面における歯髄神経一本あたりの痛覚受容野（刺激に応答する領域）が拡大することが動物実験で明らかにされている[4]．これは，神経線維の発芽・増生を理由とする変化と考えられる．また，発芽・増生により複数の神経線維の受けもつ痛覚受容野が重複することにより象牙質表面が過敏化する可能性がある．

3) 歯髄神経と血管系の相互作用（神経原性炎症）

歯髄の感覚神経の第一義的な役割が痛みの受容であることはいうまでもないが，これらが血管系と相互作用を行うことにより象牙質・歯髄複合体の防御反応にも関与することが知られている．

歯髄では他の結合組織と同様，神経線維がしばしばサブスタンスP，カルシトニン遺伝子関連ペプチドなどの神経ペプチドを保有している．これらは神経線維が脱分極した際に神経終末からすみやかに放出され，血管拡張作用や血管透過性亢進作用を示す．したがって，歯髄神経が刺激されることにより神経ペプチドの作用を介した血流の増加や血管透過性亢進（血漿漏出）が生じる．この機構は**神経原性炎症** neurogenic inflammation（図 6-Ⅵ-3）とよばれ，歯髄炎の初発反応の1つと考えられている．歯髄では神経，血管とも高密度に分布するため，神経原性炎症の意義は他の結合組織より大きいものと考えられる．

神経ペプチドは刺激を受けて興奮した終末から放出されるのみならず，**軸索反射** axon reflex とよばれる機構により，直接刺激を受けていない他の終末からも放出される．これは，中枢方向に進む神経インパルスが枝分かれしている軸索を逆行性（遠心性）に伝導されることによる（図 6-Ⅵ-3）．象牙-歯髄境付近に分布する神経終末が刺激を受けた場合，同一の軸索から枝分かれして血管付近に分布する神経終末からも神経ペプチドが放出され，血漿漏出などの炎症性変化が加速されることとなる．

歯髄は低コンプライアンス環境にあるため，神経原性炎症による血漿漏出は歯髄内圧の上昇に続いて，象牙細管内容液の外向きの移動の亢進を引き起こす（図 6-Ⅵ-3）．この変化は象牙細管経由の病原物質の流入に抵抗する防御的変化ととらえることができる．

また，上に述べた神経線維の発芽・増生は，神経ペプチド放出部位の増加を意味する変化と考えることができる．歯髄の神経線維は特に終末部付近で分枝が著しいため，軸索反射により刺激受容部位よりもはるかに広範に神経原性炎症が引き起こされる可能性がある．

（興地隆史）

2．歯の移動と痛み

1）歯の移動による痛みの特徴

矯正治療中に歯を移動させると患者のほとんどはさまざまな程度の痛みを感じる[1]．矯正治療で生じる痛みの特異的な点は，歯に矯正力を加えた直後では，力が負荷されたことを感じるものの痛みは現れず，半日から1日経過してから痛みが生じ，2,3日継続することである．痛みは不快な体験であるが，生物学的にみれば，組織の損傷を知らせる警報であり，“痛みを感じる”ということは，生命を維持するうえで欠かせない機能でもある．また，痛みは不快な情動を伴う体験でもあり，外部からの侵害刺激を受けた時や，その時点では組織が傷害されてなくてもそれらの刺激が長く続くと組織が傷害されると予想されるときなどにも生じる感覚である．そのため，痛みの程度は刺激の強さによって単純に決まるのではなく，主観的な不快なものとして認識され，必ずしも刺激そのものの程度を反映するわけではない．歯に適切な矯正力が負荷された際，患者はその直後に歯に力が負荷されていることを認識するものの，これを痛みとして感じることはない．つまり，一般的な矯正力自体は，歯や歯周組織に著しい傷害を引き起こす程度の大きさではない．しかし，痛みは矯正力を負荷後しばらく時間が経過した後に現れ，その程度は軽微なものから重篤なものまでさまざまである．

組織の傷害によって生じる急性痛の場合，その傷害が著しい場合を除き，傷害の程度と感じる痛みの程度にある程度の相関があり，その感じ方に個人差はあまり認められない．一方，歯の移動で生じる痛みは，その程度に個人差が大きいこと，また移動を繰り返すことで次第に痛みの程度が弱まることから，いわゆる急性痛と歯の移動によって生じる痛みの発生のメカニズムとその制御に違いがあることが示唆される．

2）歯の移動による歯根膜での変化

傷害や損傷を受けた部位からの侵害情報は感覚神経終末の受容体で受け取られ，感覚神経を介して伝達される．歯根膜組織には，多くの三叉神経一次ニューロンが存在し，そこから末梢の情報が三叉神経核（三叉神経脊髄路核尾側亜核）に伝達される．歯根膜の神経終末には低域値の機械受容器と侵害受容器が存在する．歯根膜で感じる痛みは，即発性の痛みと遅発性の痛みに分類することができる．歯に過度な矯正力を付加すると，機械受容器と侵害受容器が刺激を感知し，機械刺激が痛みとして認識される．このような即発性の痛みは鋭く，刺激を止めると痛みはただちに鎮静する．一方，遅発性の痛みや不快感は持続することが特徴で，歯に矯正力を加えてから約1日後にその大きさのピークを迎え，数日間持続する．歯に矯正力が加わると，歯根膜には牽引側と圧迫側が生じ，歯根膜では末梢血管の透過性の亢進や炎症様の反応が生じる．その結果，セロトニン，プロスタグランジン，ロイコトリエンなどの起炎物質が分泌され，傷害を受けた部位の侵害受容器の感受性が増すと考えられている．起炎物質は侵害受容器の閾値を持続的に低下させ，次の有害な刺激に対する感応性を増加させる．これを末梢感作という．サブスタンスPやカルシトニン遺伝子関連ペプチド（CGRP）といった神経ペプチドもさらなる感作で末梢に分泌される．実験的歯の移動においても，矯正力を加えてから24時間後に歯根膜でのプロスタグランジンE2レベルが最も上昇することが知られている．このため歯の移動による痛みは，歯根膜に対する機械的刺激で局所的に起炎物質が産生され，末梢感作によって痛みの受容体の閾値が下がることで生じるものと考えられ，その結果，通常では痛みとして感じない刺激を痛みとして感じるようになるのであろう．

3）歯の移動による痛みの情報伝達

痛みの情報は三叉神経を介して橋から延髄に入り，三叉神経脊髄路核で中継される．三叉神経脊髄路核尾側亜核は三叉神経複合核 trigeminal subnucleus complex の最も尾側に位置する神経亜核で，三叉神経の痛みの情報を上位の中枢神経系へ伝える一次中継核であることが知られている．ラットにおいて実験的に歯を移動させると，同側の三叉神経尾側脊髄路核の浅層（第1，第2層）において神経核の活動の亢進が観察される．この神経核における活動の亢進は，歯に力を加えた直後に一度大きなピークを迎え，いったん減少し，その後再び増加する．そして，約48時間後に再び小さなピークを迎える[2]．この実験的歯の移動によって生じる侵害刺激の発現は，矯正治療中に生じる痛みの時間的推移と一致している．

痛みは，識別，感情，行動を伴う生理的また情動的な経験である．脊髄より上位の中枢で痛みを伝達および制御するものは，上行経路と下行経路，中脳や延髄を含めた網様体，視床，辺縁系，大脳皮質などである．三叉神経領域の一般体性感覚は延髄から上行し視床の後内腹側核に投射され，さらに，感覚入力は大脳皮質第一次体性感覚野へと送られる．しかし，実験的歯の移動によって生じる侵害刺激は，これらの神経核ではなく，扁桃体の中心核や視床下部の傍室核などの神経核の活動を亢進させる[3]．扁桃体や視床下部の神経核は痛みに対して情動的および行動的な反応をつかさどる大脳辺縁系の一部を構成しており，侵害刺激に対する回避反応に関連する機能の制動や制御に重要な脳の領域である．橋の傍小脳脚核は扁桃体の中心核と視床下部の傍室核の両方に情報を伝達していることが示されており，これらの神経核を結ぶ経路は有害刺激に対する感情的欲求的反応に関連していると考えられている．実験的歯の移動により情動的側面をもつ侵害刺激が生じることも示唆されている．そのため，歯の移動によって生じる痛みは，組織の傷害によって生じる急性痛とは異なり，痛みの局在がはっきりせず痛みと不快感が持続すると考えられる．

4）歯の移動による痛みの内因性の制御

痛みは上行路で伝わるだけではなく，中枢から脳幹部を通って下行する痛覚の調整機能があることが知られている．これが下行性抑制系である．この経路は脊髄の痛覚伝導路を抑制することで生理的，実験的な刺激に反応し，鎮痛作用を引き起こす．下行性のセロトニン作用系を延髄の縫線核で直接刺激すると，脊髄レベルでの痛覚の伝達が顕著に抑制され，さらに，中脳水道で刺激しても，脊髄後根での神経活動の亢進は顕著に抑制される．実験動物において，歯の移動で生じた侵害刺激はセロトニン作用系を活性化させることで下降性抑制系を賦活化させ，痛覚の伝達を抑制していることが示唆されている[4]．一方，オピオイドペプチドはモルヒネ様作用を有する生理活性ペプチドの総称であり，疼痛制御機構に関わっている．内因性オピオイドペプチドの一つであるエンケファリンが歯の移動で誘導されることが明らかとなり，痛みを抑制していることが示唆された[5]．

実験的歯の移動モデルによって得られた所見から，歯の移動によって生じる痛みは上行する侵害情報と非侵害情報の相互関係と，さらにこれと下行性の疼痛抑制作用の相互作用による複雑な機構によって認識されると考えられる．矯正治療患者においては，治療成果やその有効性への期待感とその実現によって，痛みや不快感に程度があることが示されている．矯正歯科治療において，患者の情動あるいは動機づけといった心理的側面が痛覚への過敏性に影響を及ぼすため，患者が体験する痛みに個人差が生じると考えられる．

中枢神経系では，神経細胞以外にも神経細胞を取り込むようにグリア細胞が存在し，その数は神経細胞の数倍にのぼる．グリア細胞はこれまで神経組織の支持細胞として不活性な細胞としてとらえられていたが，最近では神経性疼痛やアロディニアの発生やその調節に重要な役割を果たすことが明らかにされている．グリア細胞の中でも，ミクログリアやアストロサイトは末梢神経の損傷などによって活性化されると，細胞の形態を変化させるとともにグルタミン酸やATPなどの伝達物質を遊離し，さらにはIL-1βや腫瘍壊死因子（TNF）-αなどのさまざまな炎症性サイトカインを放出する．また，神経活動に伴い，多様な神経伝達物質受容体が発現し，アストロサイト発現グリア線維酸性タンパク質（GFAP），ミクログリア発現補体C3受容体（CR3）など，特定の細胞表面抗原を発現する．このような所見から，グリア細胞は神経因性疼痛やアロディニアの発生と修飾に重要な役割を果たすことが示され，さらにはこの痛みを制御するための創薬のターゲットとしても着目されるようになっている．

以上の成果は，神経因性疼痛における脊髄ミクログリアの重要性を明確にし，従来までの神経細胞主軸型病態疼痛メカニズムにミクログリアの役割を導入する新しい機序を提供するものである．また，さらに詳細なミクログリアの役割および神経細胞との連関に関する基礎研究が，難解な神経因性疼痛メカニズムの全容解明に貢献し，将来，グリア細胞特異的分子をターゲットとした新しい治療薬の創製に寄与できるものと期待したい．

（山城　隆）

3．末梢神経の再生

1）末梢神経の再生の過程

末梢神経は中枢神経に比べ，高い再生能力を有している．末梢神経が損傷を受けると損傷部位から末梢側の神経線維が変性消失（Waller変性）する．損傷端より末梢側では神経線維の変性と髄鞘の断片化が起こり，遊走してきたマクロファージが変性神経線維成分を貪食する[1]．このマクロファージはサイトカインを産生し，これが損傷端の末梢側で生存しているSchwann細胞の分裂を促進させ，Schwann細胞索をつくる．その後，中枢側断端より伸び出る再生芽が再生神経線維となってSchwann細胞索表面に沿うように伸展し，再び元に近い神経網が形成される（図6-Ⅵ-4）．

末梢神経の再生には鍵となる以下の4つの過程がある．

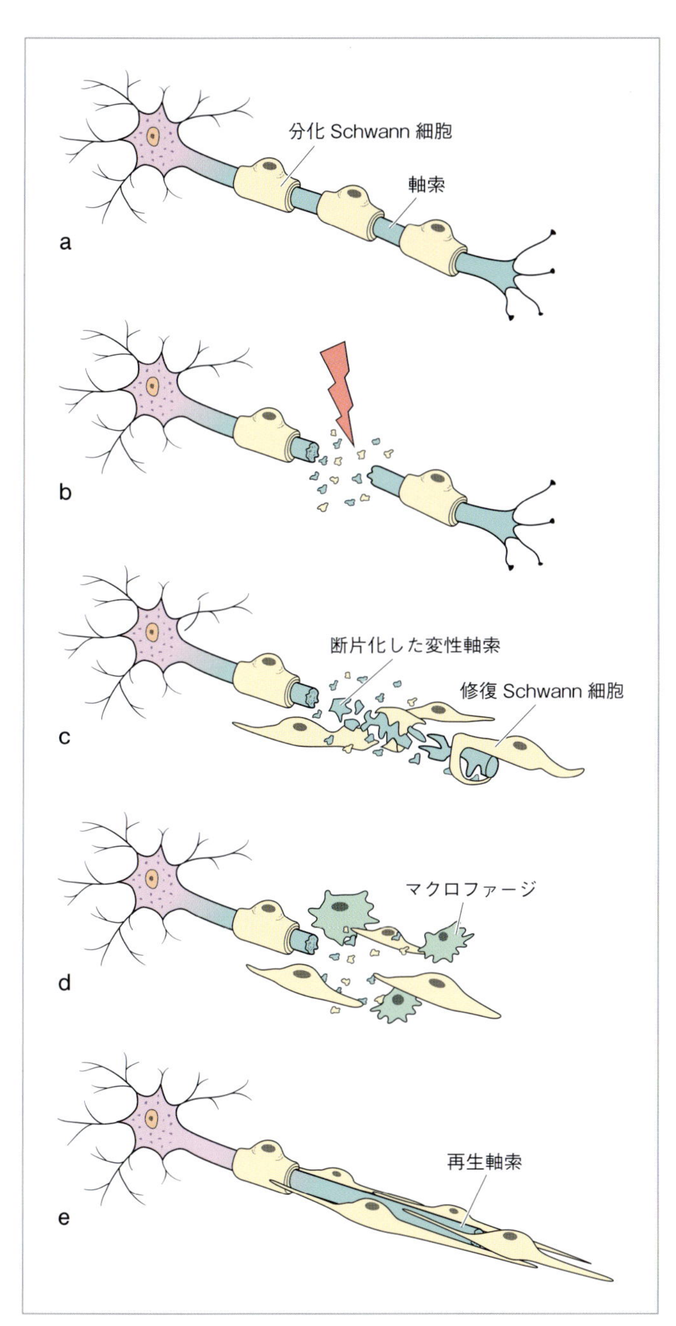

図 6-Ⅵ-4　末梢神経の損傷から再生
a. 正常な末梢神経では分化 Schwann 細胞が軸索を覆う．
b. 損傷により軸索が断裂する．
c. 損傷部より遠位の軸索は変性し，脱分化した Schwann 細胞は修復 Schwann 細胞となる．
d. 損傷部にマクロファージが集積し，断片化した変性軸索および髄鞘を貪食する．
e. 修復 Schwann 細胞が再配列し，再生軸索の足場を提供する．
（Gianluigi N and Claire J：Mechanisms of Schwann cell plasticity involved in peripheral nerve repair after injury. *Cell Mol Life Sci*, 77：3977〜3989, 2020. を参考に作成）

（1）Waller 変性（損傷後すぐ〜48 時間，図 6-Ⅵ-4b）

神経の損傷部より遠位の神経線維は神経細胞体からの代謝サポートが絶たれるため，全長が変性に陥る．変性した神経線維は腫大した後に萎縮を経て断片化する．この損傷部遠位の変性を順行性変性という．一方，損傷部より近位断端の一部でも神経線維の変性が起こり，これを逆行性変性という．

損傷部位の遠心端でみられる神経線維の変性は受動的な軸索構造の崩壊現象ではなく，アポトーシスのような能動的プロセスであると考えられている．Wlds マウスは，中枢・末梢神経系の両者で Waller 変性の進行が著しく遅延する表現型をもつが，このマウスは顕性（優性）遺伝で示す自然発生型突然変異体である．そのため，神経線維の変性が Schwann 細胞との物理的な喪失による副次的反応ではなく，遺伝子により制御されている破壊メカニズムであることを示している．その制御機構は細胞死とは独立した細胞内反応系が働いていると考えられているが，近年細胞死の制御系と共通の反応も発見され，両者の関係性も指摘されている．

（2）Schwann 細胞の脱分化・再配列（損傷後 24 時間〜72 時間，図 6-Ⅵ-4c）

神経線維周囲で髄鞘により取り巻いていた分化 Schwann 細胞は，細胞リプログラミングシステムにより脱分化し，修復 Schwann 細胞となる．

この脱分化は Raf キナーゼの活性化および c-Jun，Sox2 などの転写因子の発現により誘導される．髄鞘も変性し，修復 Schwann 細胞は増殖して神経線維のあった位置に再配列し，その Schwann 細胞中に，Büngner（ビュングナー）帯 Büngner's band とよばれる構造を形成する（図 6-Ⅵ-5）．Büngner 帯は再生神経線維の足場となるラミニンやⅣ型コラーゲンなど細胞外マトリックスを構成する分子，基底膜を形成することで再生軸索に足場を提供する．さらに NGF，BDNF などの神経栄養因子を供給して再生軸索の成長を助ける[2]．

Schwann 細胞索では神経栄養因子 neurotrophin の産生が高まるとともに，局所の神経栄養因子濃度の保持にあたると考えられている．低親和性神経栄養因子受容体 p75-NGFR の発現も高まる（図 6-Ⅵ-5）．

（3）炎症性細胞の集積と変性成分の貪食（損傷後数時間〜数日後，図 6-Ⅵ-4d）

神経損傷後数時間で，損傷部に炎症性細胞と単球由来マクロファージの集積が開始する．集積したマクロファージは変性した神経線維や髄鞘の断片を貪食する．変性断片の残存は神経線維の再伸長を妨げるため，マクロファージによる変性成分の除去は神経線維の再生のための環境整備に必須のプロセスである．さらに，マクロファージは IL-1 などの各種サイトカインを分泌し，

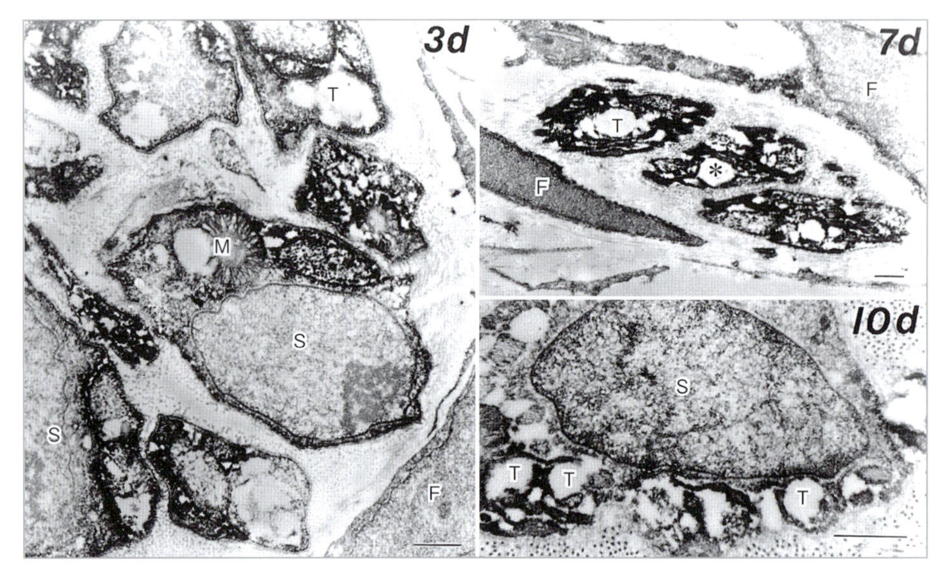

図 6-Ⅵ-5　神経切断後の Schwann 細胞における p 75-NGFR の発現
3〜10 日にかけて Schwann 細胞は神経線維の通る穴（T：Büngner 帯）をつくるが，この際，p 75-NGFR を強く発現する．神経栄養因子が高濃度の環境下で再生神経線維（＊）が伸びていく．
F：線維芽細胞，M：髄鞘，S：Schwann 細胞
（Byers MR et al.: Analysis of low affinity nerve growth factor receptor during pulpal healing and regeneration of myelinated and unmyelinated axons in replanted teeth. *J Comp Neurol*, 326：470〜484, 1992.）

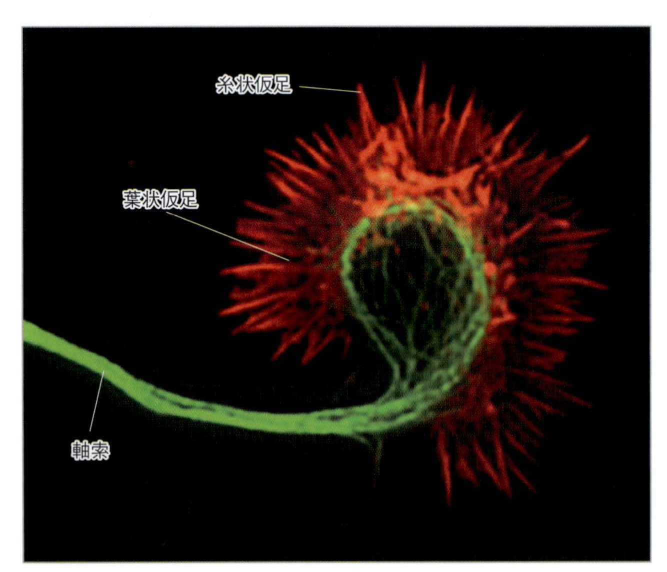

図 6-Ⅵ-6　成長円錐
中心部は微小管（緑）で形成され，周辺の仮足部はアクチン（赤）に富んでいる．
（Kalil et al.: Signaling mechanisms in cortical axon growth, guidance, and branching. *Front Neuroanat*, 5：62, 2011.）

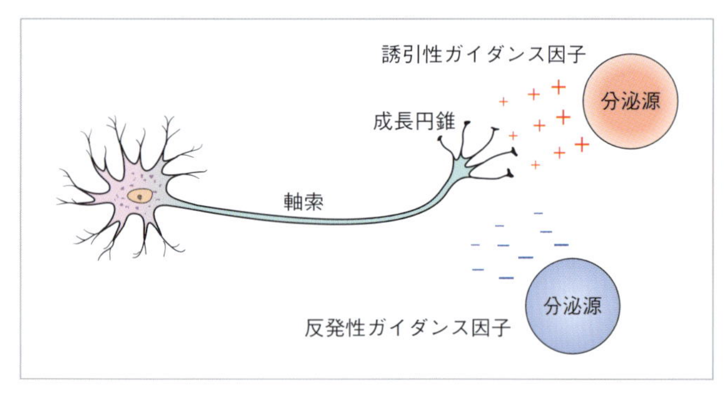

図 6-Ⅵ-7　軸索伸長方向に影響する軸索ガイダンス分子
軸索ガイダンス分子は誘引性因子と反発性因子に分類される．軸索は誘引性因子に引き寄せられる方向へ，反発性因子を遠ざける方向へ伸長する．
（生沼　泉：神経軸索ガイダンス分子セマフォリンの情報伝達機構．生化学，87：428〜437，2015．を参考に作成）

Schwann 細胞索をつくる修復 Schwann 細胞の遊走をサポートする[3]．

(4) 再生軸索の再伸長（数日後，図 6-Ⅵ-4e）

損傷側近位端の神経線維の先端は，円錐状の構造物である成長円錐を形成する．成長円錐は非常に高い運動性を示し，細胞骨格，接着分子や膜輸送経路の制御を通じ，末梢端に移動し，神経線維を伸長させる（**図 6-Ⅵ-6**）．神経線維の伸長の進行方向は netrin，ephrin，semaphorin などの細胞外環境に存在する軸索誘導（ガイダンス）分子によって規定される．成長円錐の細胞膜には軸索誘導分子の受容体が多数発現しており，軸索誘導分子を検出するアンテナの役割を果たす（**図 6-Ⅵ-7**）．

2）末梢神経再生と血管再生

末梢神経線維と血管は密接な位置関係にあり，併走することが多く，機能的に密接な相互作用が存在している．末梢神経の損傷時には伴走している血管も損傷を受ける．近年の研究[4, 5]により，末梢神経の再生には損傷血管の新生が重要な役割を果たしていることが明らかにされつつある．

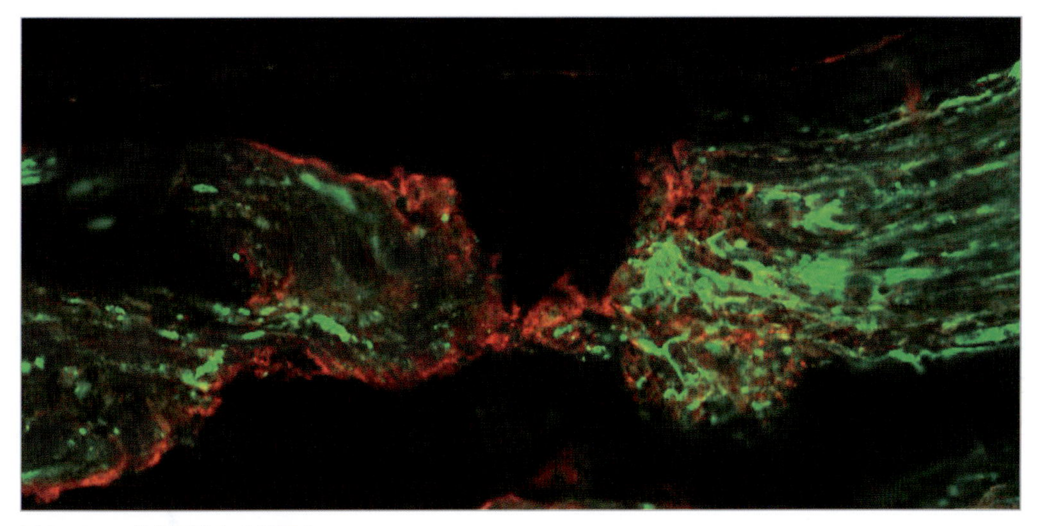

図 6-Ⅵ-8　神経再生と血管再生
損傷中枢側（右側）から末梢側（左側）へと伸長する再生軸索（緑色）に先行して，再生血管（赤色）が損傷部で再接合している．
（Nishida Y et al.：Vascularization via activation of VEGF-VEGFR signaling is essential for peripheral nerve regeneration. *Biomed Res*, 39：287〜294, 2018.）

損傷された血管では，血管内皮細胞が損傷断端で増殖・遊走することで，既存の血管と接続・連続し，血管新生が起きる．血管新生の過程では損傷部に集積したマクロファージが低酸素状態を感知し，血管内皮細胞増殖因子 vascular endothelial growth factor（VEGF）を放出する．損傷部に伸長した新生血管は，修復 Schwann 細胞が遊走するための足場の役割を果たす．すなわち，Schwann 細胞は新生血管に沿って損傷部に遊走するため，新生血管は Schwann 細胞の遊走方向を規定するとともに，遊走に必要な足場となる基質を提供する．この一連の過程は神経線維の再生に先行して起こる．マウス下歯槽神経切断モデル[5]では，神経切断 3 日後に損傷両断端から伸長した再生血管が損傷部で接続し，5〜7 日後に再生神経線維が損傷部を超えて，遠位へと伸長することが示されている（**図 6-Ⅵ-8**）．

臨床的にも下歯槽神経損傷患者の神経再生不良症例では，損傷部の血流低下が認められることが多く，神経再生治療後の損傷部の循環回復が予後を決定する重要な因子の 1 つと考えられている．

3）下歯槽神経切断の損傷と再生

末梢神経は，外傷・炎症・腫瘍・代謝障害など広範な要因で障害される．口腔領域は豊富な感覚神経支配を受けており，そのため神経損傷を受けやすい．特に，下顎管内を走行する下歯槽神経は，下顎智歯の抜去，インプラント体植立，下顎骨骨折などによる損傷を受けやすい．また，舌神経も歯科治療によって障害を受けやすい．下歯槽神経損傷では下口唇からオトガイ部，舌神経では舌半側領域における異常感覚を引き起こすが，その症状は感覚脱失 anesthesia，錯感覚 paresthesia，感覚過敏 hyperesthesia，アロディニア（異痛症）など多岐にわたる．さらに顔面神経から舌神経に合流する鼓索神経を損傷すると味覚障害も伴う．これらの感覚異常は会話，食事，洗顔などで誘発されることも多く，患者の QOL を著しく低下させる．そのため，下歯槽神経や舌神経損傷後の再生過程は歯科領域の末梢神経研究の研究課題となっている．

下歯槽神経の再生速度は坐骨神経や正中神経より速く，また下歯槽神経の圧迫損傷より，切断損傷のほうが早期に再生が生じることの理由の 1 つとして，下歯槽神経が下顎管という閉鎖環境に位置することが考えられている[6]．しかしながら，機能の回復にはさらに長時間要する．末梢神経再生を阻害する神経腫 neuroma の発生機構ならびに神経線維の伸長阻害などにかかる分子機構には不明な点が多く残されている．

4）歯髄神経の再生

歯髄神経は歯髄の痛覚の伝達を行うばかりでなく，組織修復にも関与しているようである．実験的に炎症を起こした際の歯髄神経の動態をカルシトニン遺伝子関連ペプチド calcitonin gene-related peptide（CGRP）の免疫染色でみた一連の研究[7]では，炎症巣周囲や修復象牙質形成や組織修復が行われる場に多数の神経線維が集積することが報告されている．CGRP は強い血管拡張作用，炎症細胞の活性化，歯髄細胞のコラーゲン線維形成能の促進といった作用が示されており，歯髄神経由来の神経ペプチドが組織修復や組織防御の一役を担っていることが想像される．このCGRPを含む歯髄神経は高親和性神経栄養因子受容体high affinity neurotrophic factorの1つであるtrkA遺伝子に制御されている．trkAを欠損させたマウスでは歯髄神経の数が著しく減少すること[8]，歯髄神経は低親和性神経栄養因子受容体low affinity neurotrophic factor（p75-NGFR）を強く発現していることから，歯髄神経の発生・再生・維持にはNGF-trkA系が関与することが想像される．一方，窩洞形成を行うと歯髄神経は変性・再生過程を経て，その分布構築が変化することが知られている（☞第6章VI-1-1）-（1）参照）．この一連の変化にはNGFが関与していることが実験的に明らかにされている．Byersら[9]はラット臼歯に窩洞形成を行うと，窩洞形成6時間後にNGFのmRNAとタンパク質が上昇し，形成後2日までに正常レベルまで低下することを示した．さらに，窩洞形成時に象牙芽細胞層下の細胞稠密層の線維芽細胞でNGFのmRNAが急増することを明らかにしている．

5）末梢神経再生治療の現状[10]

しびれや痛みを主訴とする末梢神経障害の治療は，薬物療法による保存的対症療法が中心となっている．改善がみられない場合は外科的な神経修復術が適応されている．神経の鋭的断裂では，損傷神経の中枢側断端と末梢側断端が近接している場合，両者をつなぎ合わせる直接神経縫合術が行われる．

一方，鈍的損傷や損傷神経断端間にギャップが生じている場合は直接縫合が不可能なため，患者自身の健常な神経を採取し受傷部に移植する自家神経移植が必要になる．自家神経移植材に含まれるSchwann細胞や基底膜などが再生軸索の足場として機能し，良好な神経再生が得られるため，現在でもゴールドスタンダードと考えられている．しかし，自家移植には採取部位の疼痛や感覚脱出，移植材長の制限などの欠点がある．

これらの欠点を克服するために第三の選択肢として人工神経管が開発された．ポリグリコール酸コラーゲンチューブを用いた人工神経管は，下歯槽神経，舌神経損傷の治療にも応用され，触覚，味覚の回復に成功している．一方，この治療法は神経再生可能な切断間の距離は30 mmが限界であること，組織への十分な血流が得られないと再生しにくいこと，術後に一過性の再生痛を生じることなど，いくつかの欠点があるため，適応に関しては慎重に判断されるべきである．

（佐藤友里恵，前田健康）

参考図書，参考文献

I 概説～IV 歯肉の神経支配

●参考図書

1. Frank RM et al.: Teeth, handbook of microscopic anatomy. Vol. V/6 (Oksche A, Vollrath L eds.). Springer-Verlag, Berlin, 1989.
2. Schroeder HE: The periodontium, handbook of microscopic anatomy. Vol. V/5 (Oksche A, Vollrath L eds.). Springer-Verlag, Berlin-Heiderberg-New York, 1986.
3. 佐野　豊：神経科学　形態学的基礎I. ニューロンとグリア．第1版．金芳堂，京都，1995.
4. 下野正基：決定版 治癒の病理　臨床の疑問に基礎が答える．医歯薬出版，東京，2022.
5. 前田健康，山田友里恵：神経組織．歯科再生医学（村上伸也ほか編）．医歯薬出版，東京，2019.

I 概説，II 歯の神経支配

●参考図書

1. Brännström M et al.: The hydrodynamics of dentine: its possible relationship to dentinal pain. *Int Dent J*, **22**：219～227, 1972.
2. Gunji T : Morphological research on the sensitivity of dentin. *Arch Histol Jpn*, **45**：45～67, 1982.

●参考文献

1）Frank RM et al.: Teeth, handbook of microscopic anatomy, Vol. V/6, Springer-Verlag, Berlin, 1989, 265～286.
2）竹内弘美：ヒト乳歯歯髄神経の神経支配に関する形態学的研究-抗ニューロフィラメントプロテイン（NFP）血清を用いた免疫組織化学的研究．小児歯誌，**29**：330～344, 1991.
3）郡司位秀ほか：ヒト歯髄神経の加齢変化．歯基礎誌，**25**：503～529, 1983.
4）Andres KH et al.: Morphology of cutaneous receptors. In: Iggo A (ed) Handbook of Sensory Physiology, Vol. II. Somatosensory system. Springer, Berlin-Heidelberg-New York, 1972, 3～28.
5）Byers MR : Dental sensory receptors. *Int Rev Neurobiol*, **25**：39～94, 1984.
6）藤田恒太郎：歯の組織学．医歯薬出版，東京，1957.
7）Magloire H et al.: Topical review. Dental pain and odontoblasts: facts and hypotheses. *J Orofac Pain*, **24**：335～349, 2010.
8）Solé-Magdalena A et al.: Human odontoblasts express transient receptor protein and acid-sensing ion channel mechanosensor proteins. *Microsc Res Tech*, **74**：457～463, 2011.
9）Egbuniwe O et al.: TRPA1 and TRPV4 activation in human odontoblasts stimulates ATP release. *J Dent Res*, **93**：911～917, 2014.
10）Sole-Magdalena A et al.: Molecular b0 asis of dental sensitivity: The odontoblasts are multisensory cells and express multifunctional ion channels. *Ann Anat*, **215**：20～229, 2018.
11）Alavi AM et al.: Immunohistochemical evidence for ATP receptors in human dental pulp. *J Dent Res*, **80**：476～483, 2001.
12）新井秀明：ヒト歯髄炎における神経線維の動態に関する神経組織学的研究．日歯保誌，**34**：1631～1645, 1991.
13）脇坂　聡：治癒の病理．臨床編第1巻（下野正基ほか編）．医歯薬出版，東京，1993, 132～150.

14) Byers MR : Segregation of NGF receptor in sensory receptors, nerves and local cells of teeth and periodontium demonstrated by EM immunocytochemistry. *J Neurocytol*, **19** : 765～775, 1990.
15) Naftel JP et al.: Immunoassay evidence for a role of nerve growth factor in development of dental innervation. *Proc Finn Dent Res*, **88** : 543～550, 1992.
16) Fried K et al. : Target finding of pain nerve fibers: Neural growth mechanisms in the tooth pulp. *Physiol Behav*, **92** : 40～45, 2007.

Ⅲ 歯根膜の神経支配，Ⅳ 歯肉の神経支配

●参考文献

1) Maeda T et al.: The Ruffini ending as the primary mechanoreceptor in the periodontal ligament: its morphology, cytochemical features, regeneration, and development. *Crit Rev Oral Biol Med*, **10** : 307～327, 1999.
2) Manly R et al.: Oral sensory threshold of persons with natural and artificial; dentitions. *J Dent Res*, **31** : 305～312, 1952.
3) Taylor A : Neurophysiology of the Jaws and Teeth. Macmilian Press, London, 1990.
4) Cash RM et al.: The distribution of mechanoreceptors in the periodontal ligament of mandibular canine tooth of the cat. *J Physiol (Lond)*, **330** : 439～447, 1982.
5) Ruffini A : Osservasioni critiche allo studio del dott. Andrea Rossi sulle terminazioni nervose di senso della pella dell'uomo. *Arch. Internatz*, **11** : 16, 1893.
6) Sfamenti P : Gli organi nervosi terminai del Ruffini ed I corpuscol: del Pacini studiati nelle piante e nei polpastrellidel cane, del gatto e della scimia. *Bull R Accad Sci Torino*, **2** : 64～80, 1900.
7) Byers MR : Sensory innervation of periodontal ligament of rat molars consists of unencapsulated Rufini-like mechanoreceptors and free nerve endings. *J Comp Neurol*, **231** : 500～518, 1985.
8) Maeda T et al.: The ultrastructure of Ruffini endings in the periodontal ligament of rat incisors with special reference to the terminal Schwann cells (K-cells). *Anat Rec*, **223** : 95～103, 1989.
9) Takahashi-Iwanaga H et al.: Scanning and transmission electron microscopy of Ruffini endings in the periodontal ligament of rat incisors. *J Comp Neurol*, **389** : 177～184, 1997.
10) Nakakura-Ohshima K et al.: Postnatal development of periodontal innervation in rat incisors: An immunohistochemical study using protein gene product 9.5 antibody. *Arch Histol Cytol*, **56** : 385～398, 1993.
11) Nakakura-Ohashima K et al.: Postnatal development of periodontal Ruffini endings in rat incisors: An immunoelectron microscopic study using protein gene product 9.5 (PGP 9.5)-antibody. *J Comp Neurol*, **362** : 551～564, 1995.
12) Matsuo S et al.: Ruffini endings are absent from the periodontal ligament of trkB knockout mice. *Somatosens Mot Res*, **19** : 213～217, 2002.
13) Hoshino N et al.: Involvement of brain-derived neurotrophic factor (BDNF) in the development of periodontal Ruffini endings. *Anat Rec A Discov Mol Cell Evol Biol*, **274** : 807～816, 2003.
14) Jabbar S et al.: Involvement of neurotrophin-4/5 in regeneration of the periodontal Ruffini endings at the early stage. *J Comp Neurol*, **501** : 400～412, 2007.
15) Aita M et al.: Expression of GDNF and its receptors in the periodontal mechanoreceptor. *Neurosci Lett*, **400** : 25～29, 2006.
16) 前田健康ほか：歯根膜ルフィニ神経終末の再生・発生過程．新潟歯誌，**33**：167～181，2003．
17) Byers MR : Segregation of NGF receptor in sensory receptors, nerves and local cells of teeth and periodontium demonstrated by EM immunocytochemistry. *J Neurocytol*, **19** : 765～775, 1990.
18) Maeda T et al.: Different localizations of growth-associated protein (GAP-43) in mechanoreceptors and free nerve endings of adult rat periodontal ligament, dental pulp and skin. *Arch Histol Cytol*, **59** : 291～304, 1996.
19) Wakisaka S et al.: Morphological and cytochemical characteristics of periodontal Ruffini ending under normal and regeneration processes. *Arch Histol Cytol*, **63** : 91～113, 2000.
20) Nagata E et al.: Immunohistochemical study of nerve fibres with substance P-or calcitonin gene-related peptide-like immunoreactivity in the junctional epithelium of developing rats. *Arch Oral Biol*, **37** : 655～662, 1992.
21) Byers MR et al.: Numerous nerves with calcitonin gene-related peptide-like immunoreactivity innervate junctional epithelium of rats. *Brain Res*, **419** : 311～314, 1987.
22) Byers MR et al.: Trigeminal nerve endings in gingiva, junctional epithelium and periodontal ligament of rat molars as demonstrated by autoradiography. *Anat Rec*, **188** : 509～523, 1977.

Ⅴ 歯と歯周組織の脈管

1．血管系

●参考図書

1. Hand R and Frank E : Fundamentals of Oral Histology and Physiology. 1 st ed. Wiley Blackwell, Oxford, 2014, 115～148.
2. Grant P : Oral Cells and Tissues. 1 st ed. quintessence, Carol Stream, 2003, 123～151, 168～178.
3. Olgart L et al. : Dynamic Aspects of Dental pulp. molecular biology, pharmacology and pathophysiology. 1 st ed. Chapman and Hall, London, 1990, 97～133.

2．リンパ管系

●参考図書

1. 岩永敏彦，渡部剛志：標準組織学各論．第6版（藤田尚男，藤田恒夫原著）．医学書院，東京，2022．

●参考文献

1) Kato S : Intralobular lymphatic vessels and their relationship to blood vessels in the mouse thymus. Light- and electron-microscopic study. *Cell Tissue Res*, **253** : 181～187, 1988.
2) Isokawa S : Uber das Lymphsystem des Zahnes. *Z Zell forsch*, **52** : 140～149, 1960.
3) Bernick S : Lymphatic vessels of the human dental pulp. *J Dent Res*, **56** : 70～77, 1977.
4) Bishop MA et al. : An investigation of lymphatic vessels in the feline dental pulp. *Am J Anat*, **187** : 247～253, 1990.
5) Frank RM et al. : Ultrastructure of lymphatic capillaries in the human dental pulp. *Cell Tissue Res*, **178** : 229～238, 1977.
6) Sawa Y et al. : Immunohistochemical demonstration of lymphatic vessels in human dental pulp. *Tissue Cell*, **30** : 510～516, 1998.
7) Gerli R et al. : Absence of lymphatic vessels in human dental pulp: a morphological study. *Eur J Oral Sci*, **118** : 110～

117, 2010.
8) Wiśniewska K et al. : review on the lymphatic vessels in the dental pulp. *Biology (Basel)*, **10** : 1257, 2021.
9) Bernick S and Grant DA : Lymphatic vessels of healthy and inflamed gingiva. *J Dent Res*, **57** : 810〜817, 1978.
10) Schweitzer G : Uber die lymphagefase des Zahnfleisches und der Zahne beim Menschen und bei Saugetieren. I. Die lymphagefase des Zahnfleisches beim Menschen. II. lymphagefase der Zahne. *Arch Mikrosk Anat*, **69** : 807〜908, 1907.

Ⅵ 臨床的考察

1. 象牙質・歯髄複合体と痛み

●参考文献

1) Byers MR and Närhi MV : Dental injury models: experimental tools for understanding neuroinflammatory interactions and polymodal nociceptor functions. *Crit Rev Oral Biol Med*, **10** : 4〜39, 1999.
2) Sakurai K et al. : Co-increase of nerve fibers and HLA-DR- and/or factor XIIIa-expressing dendritic cells in dentinal caries-affected region of the human dental pulp. An immunohistochemical study. *J Dent Res*, **78** : 1596〜1608, 1999.
3) Yoshiba K et al.: Class II antigen-presenting dendritic cell and nerve fiber responses to cavities, caries, or caries treatment in human teeth. *J Dent Res*, **82** : 422〜427, 2003.
4) Närhi M et al. : Function of intradental nociceptors in normal and inflamed teeth (Proceedings of the International Conference on Dentin/Pulp Complex 1995 and the International Meeting on Clinical Topics of Dentin/Pulp Complex) (Shimono M et al. eds.). Quintessence, Tokyo, 1996, 136〜140.

2. 歯の移動と痛み

●参考文献

1) Krishnan V : Orthodontic pain : from causes to management--a review. *Eur J Orthod*, **29** : 170 〜 179, 2007.
2) Fujiyoshi Y et al.: The difference in temporal distribution of c-Fos immunoreactive neurons between the medullary dorsal horn and the trigeminal subnucleus oralis in the rat following experimental tooth movement. *Neurosci Lett*, **283** : 205 〜 208, 2000.
3) Yamashiro T et al.: Expression of Fos in the rat forebrain following experimental tooth movement. *J Dent Res*, **77** : 1920 〜 1925, 1998.
4) Yamashiro T et al.: Activation of the bulbospinal serotonergic system during experimental tooth movement in the rat. *J Dent Res*, **80** : 1854 〜 1827, 2001.
5) Balam TA et al.: Experimental tooth movement upregulates preproenkephalin mRNA in the rat trigeminal nucleus caudalis and oralis. *Brain Res*, **1036** : 196〜201, 2005.

3. 末梢神経の再生

●参考文献

1) 佐野　豊：神経科学　形態学的基礎Ⅰ．ニューロンとグリア．第1版．金芳堂，京都，1995.
2) Johnson Jr. EM : Expression and possible function of nerve growth factor receptor in Schwann cells. *Trends Neurosci*, **11** : 299〜304, 1988.
3) Lindholm D : Interleukin-1 regulates synthesis of nerve growth factor in non-neuronal cells of rat sciatic nerve. *Nature*, **330** : 658〜659, 1987.
4) Cattin et al. : Macrophage-induced blood vessels guide Schwann cell-mediated regeneration of peripheral nerves. *Cell*, **162** : 1127〜1139, 2015.
5) Nishida et al. : Vascularization via activation of VEGF-VEGFR signaling is essential for peripheral nerve regeneration. *Biomed Res*, **39** : 287〜294, 2018.
6) Wakisaka S et al. : Morphological and cytochemical characteristics of periodontal Ruffini ending under normal and regeneration processes. *Arch Histol Cytol*, **63** : 91〜113, 2000.
7) Byres MR et al. : Dental neuroplasticity, neuro-pulpal interactions, and nerve regeneration. *Microsc Res Tech*, **60** : 503〜515, 2003.
8) Matsuo S et al. : TrkA modulation of developing somatosensory neurons in oro-facial tissues: tooth pulp fibers are absent in trkA knockout mice. *Neuroscience*, **105** : 747〜760, 2001.
9) Byers MR et al. : Altered expression of NGF and P75 NGF-receptor by fibroblasts of injured teeth precedes sensory nerve sprouting. *Growth Factors*, **6** : 41〜52, 1992.
10) 前田健康，山田友里恵：神経組織．歯科再生医学（村上伸也ほか編）．医歯薬出版，東京，2019.

第7章 歯の萌出と交換

chapter 7

 I 概説

歯の**萌出** eruption とは，一般的には歯が口腔粘膜を破って口腔内に出現し，咬合機能を営むまでの過程を指すことが多い．しかし，この過程は顎骨内で歯胚の段階から始まっている．歯は歯根形成の開始に伴い口腔側へ移動を始め，やがて口腔粘膜を破って口腔内に現れ，対合歯と咬合接触するまで萌出する．乳歯 milk teeth の萌出は生後約7〜8か月に始まり，およそ2歳6か月で第二乳臼歯が萌出して乳歯列は完成する（**図7-Ⅰ-1a**）．また，乳歯から代生歯に置換される際には，乳歯の吸収と脱落 shedding，exfoliation を伴って，代生歯は口腔内に萌出し（**図7-Ⅰ-1b**），12歳頃までにすべての乳歯が脱落して永久歯と交換する．

歯の交換と代生歯・加生歯の萌出という過程は，成人の大きな顎に調和する大型の永久歯 permanent teeth で置き換えられることである．乳歯と永久歯とでは大きさが異なり，乳歯列から永久歯列への移行が正常に起こるためには空隙による調節機構が存在している．その1つである**リーウェイスペース** leeway space は乳犬歯から第二乳臼歯までの近遠心径の総和が後継代生歯である犬歯から第二小臼歯までの近遠心径の総和よりも大きいために生じるスペースを指している．他に上顎では乳側切歯と乳犬歯の間，下顎では乳犬歯と第一乳臼歯の間にみられる**霊長空隙** primitive space，顎の発育に伴って現れる**発育空隙** developmental space があげられる．これらの空隙と顎骨の成長が相まって，歯の交換と萌出が調和して行われて，正常な永久歯列弓が完成する．また，咬合機能を営むようになってからも，切歯歯軸は傾斜し，顎の成長と咬耗，摩耗に適応するように歯は移動，萌出（挺出）を続けるため，歯の萌出は歯がなくなるまで続くと考えることもできる．

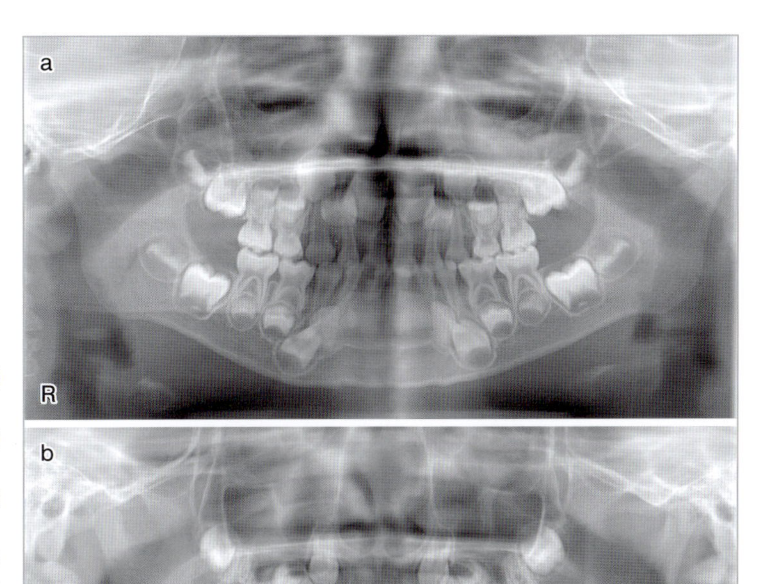

図7-Ⅰ-1 小児のパノラマエックス線写真
a：3歳児のパノラマエックス線写真（Hellman の歯齢ⅡA に相当）
乳歯列期を示しており，乳歯歯根部には代生歯としての永久歯が存在している．
b：8歳児のパノラマエックス線写真（Hellman の歯齢ⅢA に相当）
混合歯列期を示しており，それぞれの乳歯歯根部には，種々の発育段階を示す代生歯としての永久歯が存在している．永久歯が乳歯歯根に近接した部位では歯の交換に伴う歯根吸収がみられる．
Hellman の歯齢は小児の咬合発育段階を示すもので，歯の萌出完了を A（attained），萌出開始を C（commenced）として分類している．Hellman ⅡA は乳歯萌出完了期，ⅢA は第一大臼歯・前歯萌出完了期を示している．
（松本歯科大学大須賀直人先生のご厚意による）

II 歯の萌出

歯の萌出は萌出前期，機能前萌出期，機能的萌出期の3つの過程に分けて考えることができる．

1. 萌出前期

萌出前期 preeruptive phase は萌出の準備段階で，顎骨内で発生・発育する歯胚が，顎骨の成長に伴ってその位置を移動する時期である．つまり，歯胚は顎骨の幅，長さの増大に適応し，歯胚同士の位置関係を保つように顎骨内を移動するのである．たとえば，乳前歯の歯胚は顎骨内で互いに重なり合って叢生状態で存在しているが（**図7-Ⅱ-1**），顎骨の成長とともに叢生状態が解消される．

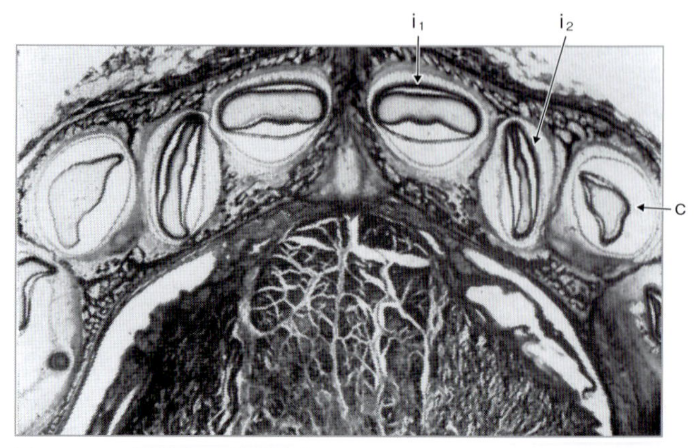

図7-Ⅱ-1 乳前歯の配列様式
前歯部乳歯が顎骨内で叢生状態になっている．
i_1：乳中切歯，i_2：乳側切歯，c：乳犬歯
（大江規玄：歯の発生学―形態編―．医歯薬出版，東京，1968，92.）

代生歯は，その先行乳歯胚の舌側に発生し（**図7-Ⅱ-2**），上下的には先行乳歯の切縁あるいは咬合面近傍で発育する．やがて永久歯胚は前歯部では舌側の根尖側1/3に位置するようになるが，これは永久歯胚の根尖方向への移動によるものではなく，乳歯の萌出とこれに伴う歯槽骨の高さの増大の結果として，このような位置関係になるのである．乳臼歯の代生歯である小臼歯の歯胚は乳臼歯の歯根に覆われるように位置するが，小臼歯の歯胚も乳臼歯の舌側で発生し（**図7-Ⅱ-3**），乳臼歯の萌出と小臼歯の歯胚が頬側へ発育することにより，乳歯根間に入り込むのである．その際，小臼歯の歯胚はややねじれて根間に入り込むといわれている．下顎小臼歯では上顎小臼歯に比べてねじれが強く，小臼歯の捻転の頻度が下顎に多いのは発生時のねじれが関与していると考えられている．

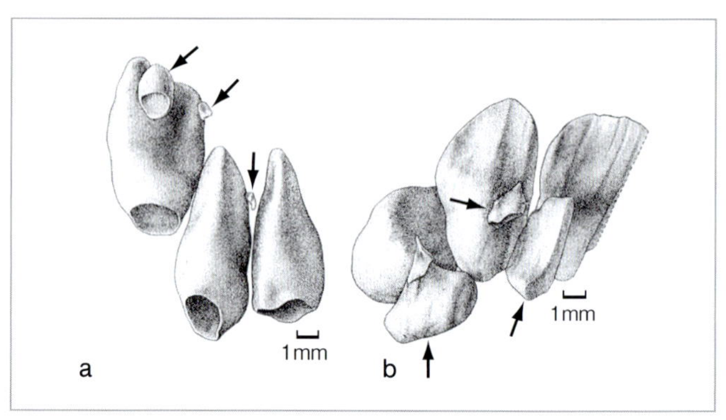

図7-Ⅱ-2 下顎前歯の先行乳歯と後継永久歯との関係
永久歯胚（矢印）は，最初，乳歯の舌側切縁付近に存在し（a：新生児），乳歯の萌出に伴い舌側歯頸部付近に位置するようになり（b：8か月児），最終的には舌側根尖付近に落ち着く．
（大江規玄：歯の発生学第2版．医歯薬出版，東京，1984，203.より改変）

2. 機能前萌出期

機能前萌出期 prefunctional eruptive phase は歯根形成の開始から対合歯と咬合接触するまでの時期をさす．歯根形成開始時には歯冠エナメル質の基質形成は終了し，成熟期に移行している．顎顔面の成長に伴って歯胚は顎骨内で移動するが，この時期には主として口腔側方向への移動が生じる．組織発生学的変化としては，エナメル器の歯頸ループ cervical loop が Hertwig（ヘルトウィッヒ）上皮鞘 Hertwig's epithelial (root) sheath として根尖方向へ伸長し，歯根形成，すなわち歯根象牙質とセメント質の形成が開始される．また，歯小嚢の細胞からは歯根膜線維芽細胞，骨芽細胞も分化し，それぞれ歯根膜線維，固有歯槽骨を形成する．歯冠部のエナメル質が完成すると，エナメル芽細胞は退縮エナメル上皮としてエナメル質表

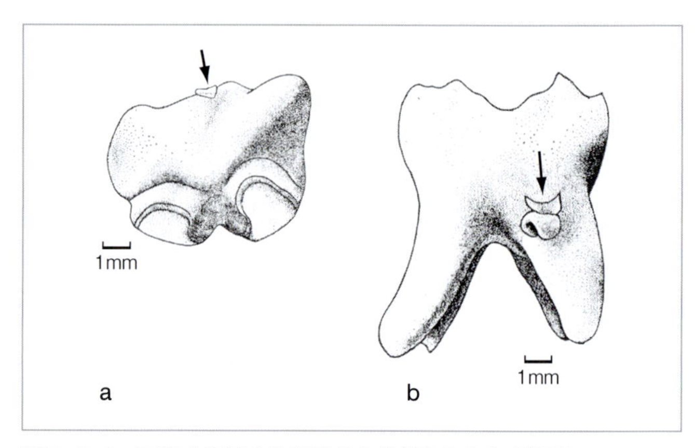

図7-Ⅱ-3 下顎小臼歯の先行乳歯と後継永久歯との関係
永久歯胚（矢印）は，最初，乳歯の咬合面付近に存在し（a：11か月），乳歯が萌出する頃，歯頸部付近に位置するようになり（b：2歳児），最終的には根分岐部に落ち着く．
（大江規玄：歯の発生学第2版．医歯薬出版，東京，1984，207.より改変）

面を覆う．乳歯や大臼歯の萌出の際には，萌出方向に存在する骨を破骨細胞が吸収して萌出が始まる．歯胚の口

図 7-Ⅱ-4　先行乳歯と代生歯の関係
乳歯根の吸収が起こっている（矢印）.
DT：先行乳歯，PT：代生歯
（標本で学ぶ口腔の発生と組織．医歯薬出版，東京，2003，181. をカラー化）

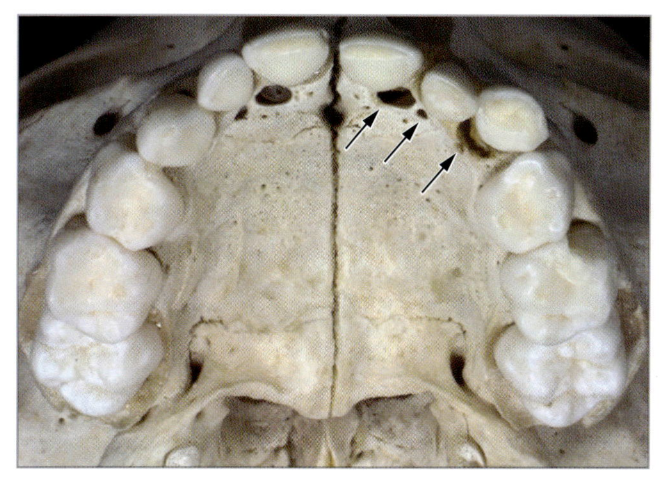
図 7-Ⅱ-5　上顎前歯部の口蓋側にみられる導帯孔（矢印）
（松本歯科大学田所　治先生のご厚意による）

腔側方向への移動により歯冠の切縁，咬頭頂部が口腔粘膜に接近すると，退縮エナメル上皮は口腔粘膜上皮と癒合し，徐々に歯冠を覆っている上皮は菲薄化する．この部分は血液供給がほとんどないため粘膜は白っぽくみえるようになり，やがて歯の先端が非観血的に口腔内に現れ，歯の萌出は対合歯と咬合するまで続く．エナメル質表面を覆っていた退縮エナメル上皮は徐々に剝がれて大部分は消失し，この細胞が分泌した有機成分が歯小皮としてしばらくは歯の表面に存在する．また，萌出直後の付着（接合）上皮は退縮エナメル上皮に由来し，エナメル質とはわずかな基底膜を介してヘミデスモゾームで接着している．

代生歯の萌出では**乳歯の吸収**という過程が加わる（**図 7-Ⅱ-4**）．前歯部の代生歯は乳歯の舌側に位置し，萌出の際には乳前歯の歯根の舌側から吸収が始まる．また，前歯部の舌側には導帯孔 gubernacular tract という孔が開いており（**図 7-Ⅱ-5**），その内部には歯小嚢由来の結合組織である導帯索 gubernacular cord とよばれる組織が存在している．この導帯孔と導帯索が歯の萌出を誘導する働きをするという考えもあるが，すべての歯において存在するわけではないため，これらの構造のみで歯の萌出を説明することはむずかしい．一方，小臼歯の歯胚は乳臼歯の根間に位置しており，小臼歯の萌出時には歯冠部に近接した乳臼歯の歯根面から吸収が始まる．

また，乳歯の吸収過程では形態学的に破骨細胞とほぼ同じ特徴を示す**破歯細胞** odontoclast が出現して，乳歯根吸収を行う．

歯の萌出に伴い歯周組織の形成も進んでいく．すなわち，歯根形成とともに歯根膜線維が歯根のセメント質と固有歯槽骨をつなぐように発達し，歯槽骨は高さを増す（**図 7-Ⅱ-6**）．また，萌出期の歯根膜線維は活発に改変され，そのコラーゲン線維の産生と分解は歯根膜の線維芽細胞が行っている．歯を支持する歯槽骨は歯の萌出に伴って形成される骨であり，萌出による牽引力が歯槽骨形成に重要な役割を担っている．一方，歯の基底部では歯根の伸長に必要なスペースを確保するために骨は吸収される．

加生歯である大臼歯の歯胚は歯堤が遠心に伸びる部分に形成され，上顎大臼歯は上顎結節中で，その咬合面を遠心に向けて発育し，下顎大臼歯は下顎枝底で，その咬合面を近心に向けて発育する．第一大臼歯は，第二乳臼歯にガイドされるように萌出し，上顎では萌出路は遠心から近心に向かい，下顎では近心から遠心に方向を変えて萌出する．しかし，第三大臼歯では萌出のためのスペースが十分に確保されていない場合が多く，近心に傾斜したまま萌出したり，水平智歯とよばれる状態になることがある．

3. 機能的萌出期

機能的萌出期 functional eruptive phase は歯が対合歯と接触し，咬合機能を営み始めてから始まる．咬合により歯には近心方向に力がかかるため，前歯部では歯軸が唇側に傾き，歯列弓は前方に拡大することになる．また，顎の成長に伴い歯も相対的に移動するため，歯列弓は側方拡大する．歯が対合歯と咬合した時点では歯根は

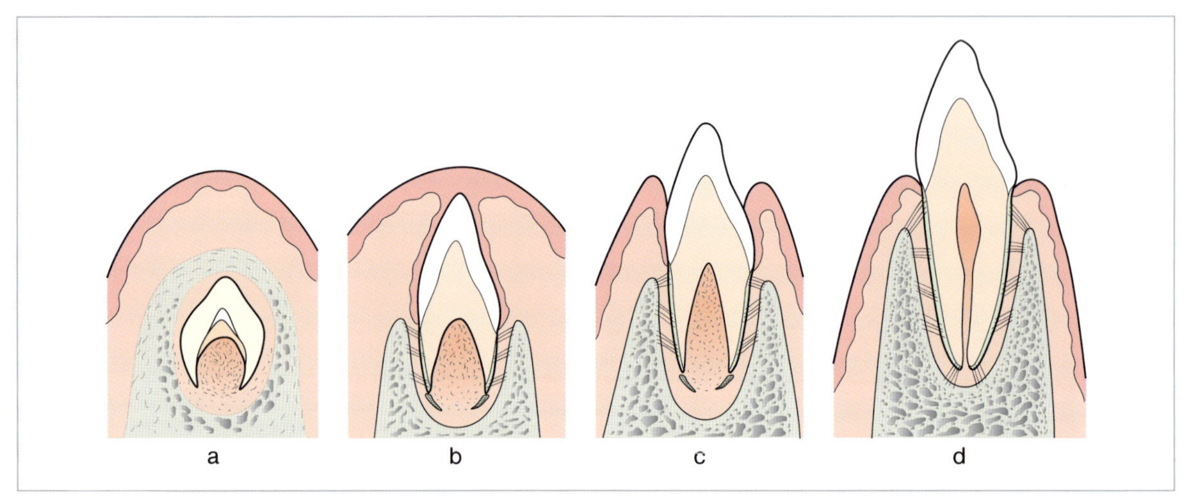

図 7-Ⅱ-6　歯の萌出と歯根膜線維の形成
a：萌出前期．b，c：機能前萌出期．d：機能的萌出期．
a：顎骨内に歯胚が存在．b：退縮エナメル上皮が口腔粘膜上皮と癒合．c：歯冠の一部が口腔内に露出．d：歯冠全体が萌出．
歯根形成時には歯頸部付近のコラーゲン線維は萌出方向に形成され，萌出に伴って特徴的な歯根膜線維の走行となる．

完成していないため歯根形成は続いており，歯根の完成には機能し始めてから，乳歯で 1〜1.5 年，永久歯で 2〜3 年が必要である．この時期には歯槽骨の骨密度も増加し，歯根膜の主線維も太くなって，走行も線維群に区別できるようになる．歯根膜腔には歯槽骨から多数の血管が入り込み，痛覚や歯根膜の伸展受容を司る神経も発達する．咬合機能を営むと，加齢に伴い歯は咬耗するが，低位咬合になることを防ぐために歯はわずかに萌出（挺出）する．その際，歯根の根尖部にはこの挺出を代償するためにセメント質の添加が生じる．加齢とともに根尖部で有細胞セメント質の添加が起こるのはこのためと考えられる．また，歯は咬合面の咬耗に加えて，咀嚼によって歯の隣接面同士がこすりあって摩耗し，接触点は接触面となる．この摩耗分を補うように歯は近心方向にかかる咬合力により，わずかに移動することとなる．以上のように，機能的萌出期において咬合機能を営むことにより，各個人の咬合様式に対応した歯列が完成することになる．

Ⅲ　歯の萌出機序

歯の萌出にはいくつかの要因が複雑に絡み合っていると考えられており，次のような要因があげられる．

1．歯根形成

歯の萌出時には歯根形成が進行しており，根尖方向への歯根の伸長が萌出力となるという説である．しかし，顎骨内に埋伏した未萌出歯でも歯根は形成されること，歯根のない歯でも萌出すること，歯根完成後も歯は挺出することから，歯根の伸長のみで歯の萌出を説明することはできない．

2．歯槽底部における骨形成

歯根形成が進行している歯槽の底部において網目状あるいは梯子状の骨がみられる．この骨形成が歯を押し上げる力となるとする説であるが，この骨組織は歯の萌出の結果として添加されたとも考えられる．

3．歯槽骨の形成と骨リモデリング

歯の萌出時には歯根形成とともに歯根膜や歯槽骨の形成と骨リモデリングも生じている．歯小嚢の線維ははじめ歯胚を取り囲むように配列するが，歯根形成の開始とともに，歯軸に垂直に伸びる線維が出現し，歯根と歯槽骨とをつなげる歯根膜線維が発達する．歯槽骨の高さの増加と歯根膜線維の改変が萌出力として働くとする説であるが，このような現象は歯の萌出の結果ととらえることもでき，歯の萌出の直接的な原因であると結論づけることはできない．

4．歯頸・歯肉線維群，歯根膜線維群による牽引

歯の萌出時の歯頸・歯肉線維群，歯根膜線維群の走行は，歯を引き上げるような配列をしていることから，歯の萌出にかかわっていると考えられている．歯肉や歯根膜に存在する線維芽細胞は，咬合力などのストレスに応じてコラーゲン線維の形成と吸収を行い，活発に改変して歯肉や歯根膜の恒常性を維持している．対合歯を喪失した場合の歯の挺出は，この線維の改変によるものと考えられている．

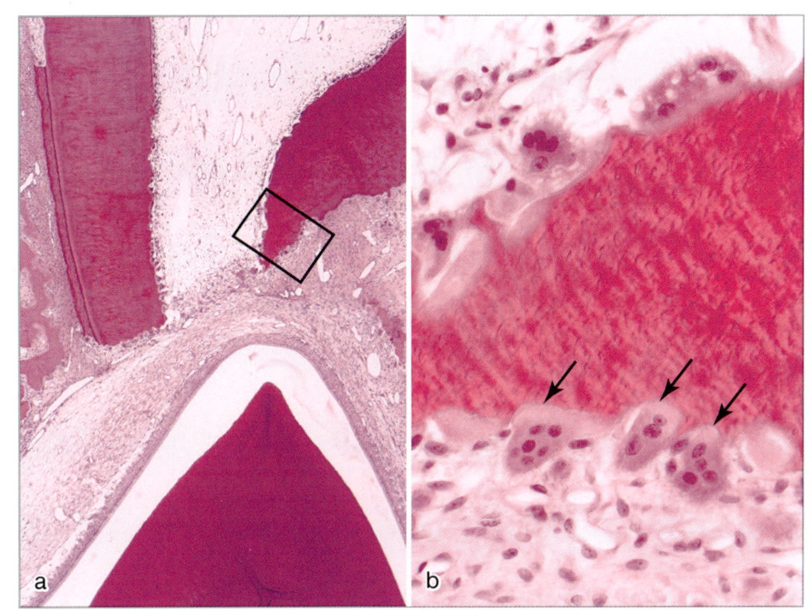

図7-Ⅳ-1 歯の萌出と歯根吸収を示す光学顕微鏡写真（イヌ）
a：代生歯の萌出により，乳歯根が吸収されている．
b：aの拡大．多核の破歯細胞が歯根表面に接着して，乳歯根を吸収している．吸収面にはHowship窩がみられる（矢印）．
（標本で学ぶ口腔の発生と組織．医歯薬出版，東京，2003，185．をカラー化）

5. 血管，組織圧

根尖部の歯小嚢，歯周組織には豊富な血管が存在し，その動脈性拍動およびその周囲の組織圧の上昇が萌出力となる説である．実験的に交感神経を切断し，血管の拡張をきたすと歯の萌出は早まること，歯根膜の炎症により歯周組織の血管分布が増加すると，隣接歯の萌出も促進することなどが報告されている．

6. 異物排除に類似した機構

歯の萌出時には口腔粘膜上皮とエナメル器の退縮エナメル上皮が癒合して，口腔内へと歯冠部が出現する．この現象は歯冠部エナメル質を異物として上皮組織が取り囲み，体外へ排除する現象とみなすこともできる．また，歯根周囲にもエナメル器由来の上皮であるMalassez（マラッセ）の上皮遺残epithelial rests of Malassezが存在し，全体として歯根をハンモックのように取り囲んでいる．すなわち，Malassezの上皮遺残の内側に存在する歯根を異物のように取り囲んで排除する機構が歯の萌出の一助となっており，対合歯との咬合力や歯周組織により咬合位に保たれるとする説である．

このように歯の萌出機序にはさまざまな説があるが，萌出中の歯に加わるそれぞれの因子による圧力のバランスが歯を萌出へと導くと考えることができる．つまり，歯の萌出（挺出）方向からかかる圧力の減少と歯の根尖側および周囲からかかる圧力の増加により，歯は口腔内へと萌出するのである．

歯小嚢においてPTHrP（parathyroid hormone-related protein）とPTHレセプターを介したシグナル伝達系を阻害すると，歯の萌出が障害されることが報告された[1]．今後，歯の萌出の分子メカニズムについても明らかにされていくものと思われる．

Ⅳ 歯の吸収と脱落

2〜3歳で乳歯列は完成するが，顎骨の成長に伴い小型の乳歯は永久歯と置き換わっていく．永久歯の萌出に伴い，先行する乳歯が吸収され抜け落ちる過程を脱落といい，乳歯は最終的には脱落する歯であるため脱落歯deciduous teethともよばれる．乳歯の脱落は6〜7歳で乳中切歯に始まり，乳側切歯（7〜8歳），乳犬歯・乳臼歯（9〜12歳）へと進行する．

代生歯である切歯，犬歯，小臼歯は先行する乳歯の吸収を伴って萌出することになる．まず，乳歯と代生歯胚との間にある歯槽骨に萌出圧が加わり，破骨細胞による骨吸収が起こる．次いで，乳歯歯根表面に破歯細胞が出現し，歯根吸収を開始する（図7-Ⅳ-1）．

前歯部では代生歯胚は乳歯根尖側の舌側あるいは口蓋側に位置することから，乳切歯と乳犬歯の吸収は根尖部の舌側または口蓋側から始まり，永久歯の萌出方向へと進行する．また，小臼歯の歯胚は乳臼歯の根間に位置することから，乳臼歯の吸収は根間の内側から始まり，歯根部から歯冠部へと徐々に進行する．歯の吸収が歯冠部に及ぶと，歯髄の線維芽細胞の減少や象牙芽細胞の配列の不規則化，変性，消失がみられ，破歯細胞が象牙質の歯髄側から吸収を始めるようになる．

歯の吸収過程においては硬組織の吸収とともに軟組織

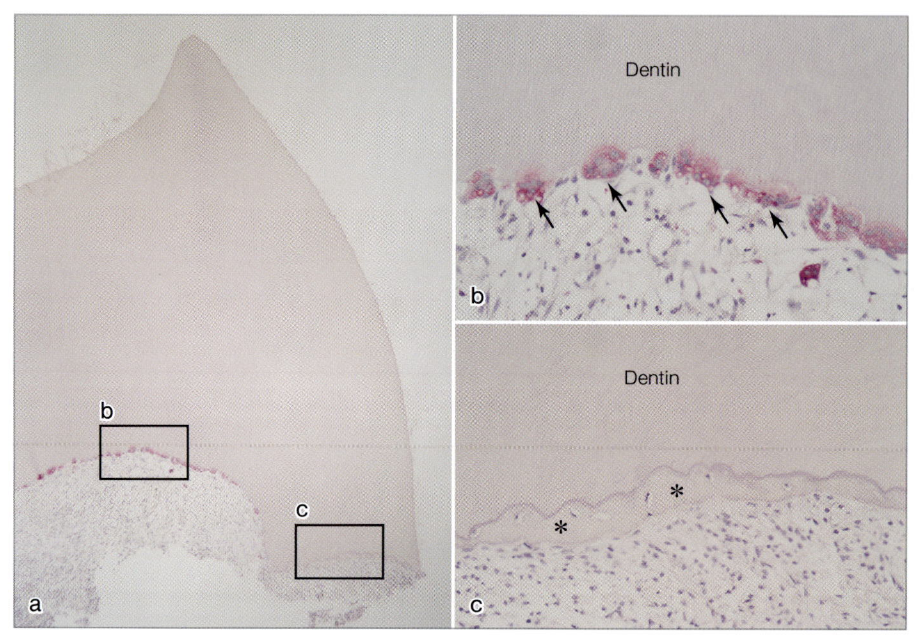

図 7-Ⅳ-2　脱落乳歯の TRAP 染色像
a：全体像．b：a の拡大像．TRAP 陽性破歯細胞が象牙質（Dentin）を吸収している（矢印）．
c：a の拡大像．吸収された象牙質面にセメント質様組織が形成されている（＊）．

の処理も同時に進行する．前者には破歯細胞が関与し，後者においては，変性した細胞の処理するマクロファージと変性したコラーゲン線維を処理する線維芽細胞が関与する．乳歯の硬組織吸収に直接的に関与するのは**破歯細胞**とよばれ，4〜20 個の核を有する多核巨細胞である．破歯細胞は，細胞質が Hematoxylin-eosin（ヘマトキシリン エオジン）染色（H-E 染色）ではエオジンによく染まり，**酒石酸抵抗性酸ホスファターゼ** tartrate resistant acid phosphatase（TRAP）活性を有しており，形態学的にも機能的にも破骨細胞と類似している（**図 7-Ⅳ-1，2b，3**）．破歯細胞によりセメント質，象牙質およびエナメル質という歯の硬組織が吸収されていくが，その吸収機構も破骨細胞による骨吸収と同様の機構である．破歯細胞は**明帯** clear zone とよばれる部位（**図 7-Ⅳ-3，4a**）でこれらの硬組織に接着する．明帯の内側には**波状縁** ruffled border が形成され（**図 7-Ⅳ-3，4b**），この領域で硬組織の無機成分と有機成分が分解される．すなわち，波状縁の細胞膜に存在するプロトンポンプとクロライドチャネルにより，細胞外に塩酸が分泌されて，ハイドロキシアパタイトを主体とする無機成分を溶解する．一方，コラーゲン線維などの有機成分はリソソームに含まれるカテプシン K と MMP-9 が波状縁で分泌されて分解される．歯の硬組織が吸収された部位はくぼみとしてみられ，このくぼみは骨組織の場合と同様に **Howship 窩**（ハウシップ） Howship's lacuna とよばれている（**図 7-Ⅳ-1b，5**）．破歯細胞内の多数のミトコンドリアは破骨細胞の運動やプロトンポンプのた

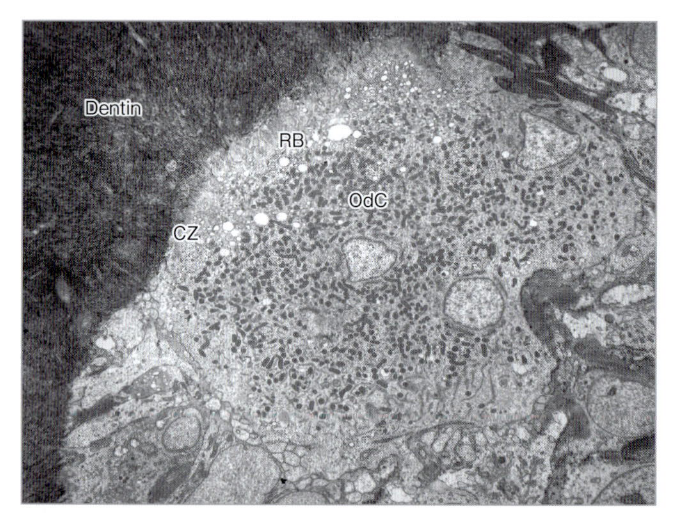

図 7-Ⅳ-3　破歯細胞の透過型電子顕微鏡像（ウサギ）
破歯細胞（OdC）の細胞質には多数のミトコンドリアが認められ，Howship 窩近傍では波状縁（RB）と空胞がみられる．また，歯根表面とは明帯（CZ）で接着している．Dentin：歯根象牙質

めのエネルギーを産生し，リソソームや空胞はコラーゲン線維などの有機成分を分解する構造であると考えられている．

永久歯の萌出時に生じる乳歯の吸収は，常に吸収のみが進行するように思われがちであるが，乳歯に加わる力が緩和されると，一時的に吸収を休止する．つまり，①吸収期，②休止期，③セメント質様硬組織形成期というサイクルを繰り返して歯の吸収は進行する．実際，脱落した乳歯を観察すると，歯の表面全体に破歯細胞が存在することも多いが，脱落に至る過程においては歯の吸収

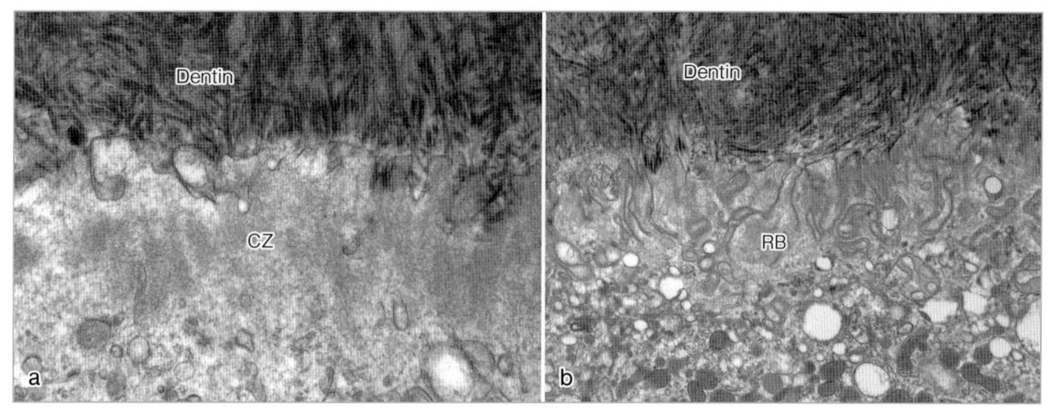

図 7-Ⅳ-4　破歯細胞の透過型電子顕微鏡像（ウサギ）
a：明帯（CZ）の拡大像．破歯細胞は明帯により歯根象牙質（Dentin）と接着している．
b：波状縁（RB）の拡大像．波状縁に接してコラーゲン線維がみられ，細胞内には小さな空胞も多数認められる．

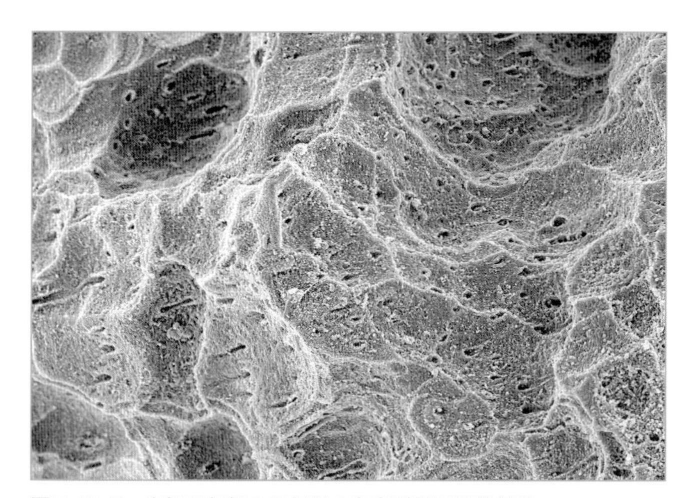

図 7-Ⅳ-5　歯根吸収部の吸収面の走査型電子顕微鏡像
細胞成分をすべて取り除いて吸収面を露出させている．大小不整の Howship 窩が観察される．
（明坂年隆：口腔組織・発生学．医歯薬出版，東京，2006，273.）

は一様ではなく，吸収期，休止期，セメント質様硬組織形成期が部位によって混在している（図 7-Ⅳ-2c，6）．これは臨床的にも交換期の乳歯は動揺する時期と動揺がみられない時期を繰り返すことからも推測することができる．乳歯の吸収が歯冠部に及んで歯根部がほぼ吸収されると，口腔粘膜上皮は歯頸部から吸収面に向かって増殖し，乳歯は周囲の血管と分離される．そのため，乳歯の脱落時にはあまり出血を伴わないことが多い．このような上皮組織による被覆は，一種の異物排除の機構に類似している．

V 歯の吸収の要因

乳歯の脱落は歯根吸収とそれに伴う歯周組織の支持の喪失により生じるが，歯根吸収の開始と進行には 2 つの要因が考えられている．

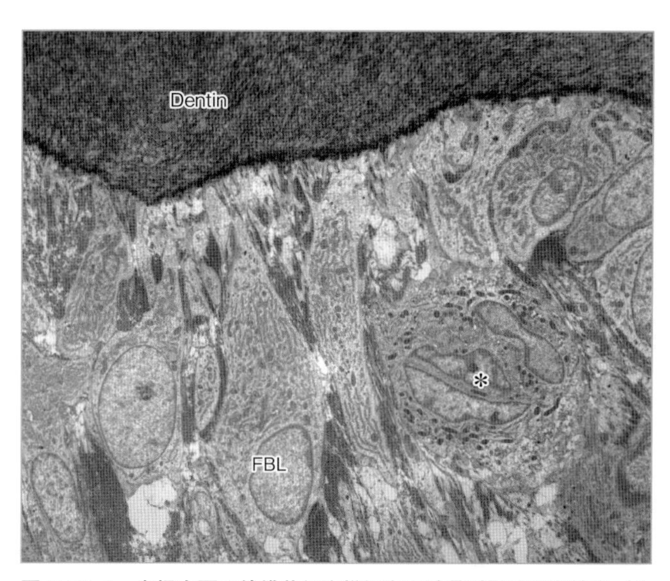

図 7-Ⅳ-6　歯根表面の線維芽細胞様細胞の透過型電子顕微鏡像（ウサギ）
歯根吸収の休止期には線維芽細胞様細胞（FBL）がみられ，周囲にはコラーゲン線維が豊富に認められる．近傍には破歯細胞系細胞（*）もみられる．

第一に，代生歯の萌出により乳歯根には圧迫力が加わり，そこに破歯細胞が出現して，歯根吸収を開始するというものである．しかし，代生歯胚の欠如により乳歯が晩期残存となっても，乳歯根は吸収されるため，この機序のみでは説明できない．

第二には，成長に伴い咬合力が増し，乳歯にかかる負担が増大するためとする考えである．歯根吸収の進行に伴い，歯槽骨や歯根膜による支持も減弱するため，ますます乳歯に加わる負担は増大することになる．いずれの場合にも，圧迫力が加わる部位に破歯細胞が出現する．破歯細胞の分化過程は破骨細胞の場合と同様に，macrophage colony-stimulating factor（M-CSF）と receptor activator of NF-κB ligand（RANKL）を必要とする．矯正治療による歯の移動時には，圧迫側で破骨細胞が分化，活性化するが，圧迫側の骨芽細胞系細胞にRANKL発現が上昇し，単球-マクロファージ系細胞を破骨細胞へと分化させるという機序が働いている．顎骨内で歯を取り巻く歯小嚢は，セメント芽細胞，歯根膜線維芽細胞，骨芽細胞への分化能を有している．おそらく歯の萌出過程においても歯小嚢の骨芽細胞系細胞がRANKLを発現して，破骨細胞や破歯細胞の分化を誘導しているのであろう．

（中村浩彰）

Ⅵ 臨床的考察

歯根吸収と萌出障害

日常の小児歯科臨床で，萌出障害に遭遇することは少なくない．萌出障害は乳歯および永久歯それぞれに認められる．ここでは，歯根吸収との関係を主体とした萌出障害として，永久歯の萌出障害について記載する．永久歯の萌出障害は，それ自体が問題になるばかりか，その後の歯列・咬合に大きな影響を及ぼすことにつながる．さらに，萌出障害による咀嚼機能や構音機能などへの問題も無視できない．よって，萌出障害およびその原因を早期に発見して，すみやかに対応することが重要であり，定期管理はそのためにも必要である．

1）萌出障害の状態

前項（Ⅳ　歯の吸収と脱落）の解説にあるように，後継永久歯胚の成長と萌出行動により，先行乳歯の歯根に生理的歯根吸収が生じる．小児歯科領域では，この永久歯の成長と萌出行動によってもたらされる**萌出力**が重要要素と考えている[1]．この萌出力が炎症や障害物などにより十分に発揮されない場合，萌出障害が生じる．

萌出障害によって認められる状態は，**萌出位置異常**，**萌出遅延**，**埋伏**となる．萌出位置異常は，本来萌出すべき場所と異なる位置に歯が萌出する状態であり（図7-Ⅵ-1）[2]，萌出遅延は，平均萌出時期よりも遅れて口腔内に萌出することをいう[2]．埋伏は，平均萌出時期を大幅に過ぎても〔およそ平均萌出年齢＋2 SD（標準偏差）以上〕，歯冠が口腔粘膜下あるいは顎骨内に歯がとどまっている状態である[1, 2]．

2）萌出障害の原因

萌出障害の原因としては，歯胚の位置異常，乳歯の根尖病巣，乳歯の外傷，乳歯の晩期残存，永久歯の萌出余地不足，顎骨の発育不全，過剰歯，歯牙腫や嚢胞の存在などが考えられる．また，原因不明のものもみられる．

この中で，歯根吸収の異常に伴うものは，乳歯の**根尖病巣**，乳歯の**外傷**，乳歯の**晩期残存**があげられる．その詳細を以下に示す．

①一般的な根尖性歯周炎において，乳歯歯根の吸収不全が生じた場合，乳歯の脱落が生じなくなり，萌出障害となる（図7-Ⅵ-1）．

②根尖病巣が重篤な状態の場合は，後継永久歯歯胚の回避現象が生じ，本来の萌出経路から外れるため，永久歯の萌出方向の異常と乳歯歯根吸収不全が生じる（図7-Ⅵ-1b）．

③乳前歯の外傷の場合は，乳歯歯根と歯槽骨の間に骨性癒着などが生じることにより乳歯歯根が吸収不全とな

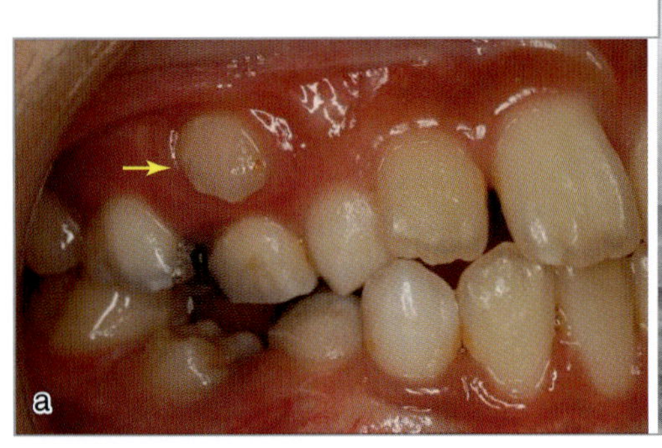

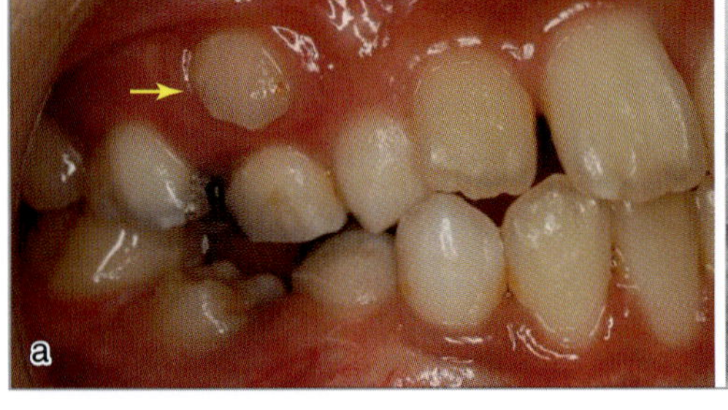

図7-Ⅵ-1　萌出位置異常
a：上顎右側第一小臼歯（黄矢印）が頬側から萌出しているが，先行乳歯である上顎右側第一乳臼歯は残存している．
b：パノラマエックス線写真．上顎右側第一小臼歯（黄矢印）と上顎右側第一乳臼歯が近接している．下顎右側第一乳臼歯（白矢印）の歯根は吸収不全を生じており，後継永久歯である下顎右側第一小臼歯の歯胚の位置異常（水平：黒矢印）が認められる．上顎左側第一小臼歯（赤矢印）は遠心傾斜を呈している．先行乳歯である上顎左側第一小臼歯の近心側歯根の吸収不全が認められる．

り，乳歯の脱落が生じなくなり，萌出障害となる．

④乳歯の晩期残存の場合は，原因は不明なものもあるが，乳歯歯根吸収が滞り，そのため交換現象を障害している状態である．

その他として，永久歯の萌出余地不足，顎骨の発育不全においては，後継永久歯の萌出余地が十分に確保できないため，生理的歯根吸収が生じても，適切な位置への永久歯萌出が期待できない．乳歯の早期脱落の一部の症例においても，隣在歯の移動により，同様の萌出余地不足が生じることがある．過剰歯，歯牙腫や囊胞の存在は後継永久歯の萌出を直接障害する．さらに先行乳歯の歯根吸収不全を引き起こす場合もあり，萌出障害が生じる．

3）萌出障害への対応

対応の主体は原因の除去となる．萌出障害が生じている場合は，根尖性歯周炎を有する先行乳歯，晩期残存乳歯などの抜去，囊胞の開窓，過剰歯や歯牙腫の摘出などを行う．萌出障害が予想される場合は，すみやかな当該乳歯の根管治療の実施が必要となる．

萌出障害による永久歯の萌出異常が生じている場合は，咬合誘導により，永久歯の適切な位置への誘導を行う．

（八若保孝）

●参考図書，参考文献

Ⅱ 歯の萌出，Ⅲ 歯の萌出機序

●参考図書

1. Nanci A 編著，川崎堅三監訳：Ten Cate 口腔組織学．原著第 6 版．医歯薬出版，東京，2006，253〜271．
2. James K. Avery 編，寺木良己ほか訳：Avery　口腔組織・発生学．第 2 版．医歯薬出版，東京，1999，95〜111．
3. 大江規玄編：歯の発生学―形態編―．医歯薬出版，東京，1968，91〜123．
4. 大江規玄編：改定新版　歯の発生学．医歯薬出版，東京，1984，171〜228．
5. 脇田　稔ほか編：標本で学ぶ口腔の発生と組織．医歯薬出版，東京，2003，180〜185．

●参考文献

1）Takahashi A et al.: Autocrine regulation of mesenchymal progenitor cell fates orchestrates tooth eruption. *Proc Natl Acad Sci USA*，**116**：575〜580，2019．

Ⅳ 歯の吸収と脱落

●参考図書

1. Sahara N et al.: Odontoclastic resorption ate the pulpal surface of coronal dentin prior to the shedding of human deciduous teeth. *Arch Histol Cytol*，**55**：273〜285，1992．
2. Sahara N et al.: Cementum-like tissue deposition on the resorbed enamel surface of human deciduous teeth prior to shedding. *Anat Rec*，**279**：779〜791，2004．

Ⅴ 歯の吸収の要因

●参考図書

1. Fukushima H et al.: Expression and role of RANKL in periodontal ligament cells during physiological root-resorption in human deciduous teeth. *Eur J Oral Sci*，**111**：346〜352，2003．
2. Kodama H et al.: Congenital osteoclast deficiency in osteopetrotic（op/op）mice is cured by injection of macrophage colony stimulating factor. *J Exp Med*，**173**：269〜272，1991．
3. Suda T et al.: Modulation of osteoclast differentiation. *Endoc Rev*，**13**：60〜80，1992．

Ⅵ 臨床的考察

●参考文献

1）日本小児歯科学会編：小児歯科学専門用語集．第 2 版．医歯薬出版，東京，2020，93，95．

2）福本　敏，山田亜矢：小児歯科学．第 5 版（白川哲夫ほか編）．医歯薬出版，東京，2017，86〜88，90．

第7章

歯の萌出と交換

第8章 顎関節

chapter 8

 概　説

1. 関節の構造

骨の連結を広義の関節といい，骨と骨の間に介在する組織の種類によって，**線維性の連結** fibrous joint，**軟骨性の連結** cartilaginous joint，**滑膜性の連結** synovial joint（diarthrosis）に分けられる．滑膜性の関節は可動性をもつ狭義の関節で，骨と骨の間に狭い隙間，すなわち**関節腔** articular cavity があり，その内面に**滑膜** synovial membrane（layer）という組織をもつ．この連結部は骨膜の続きである**関節包** joint（articular）capsule に包まれる．

滑膜性の連結は①関節をつくる骨の数により，単関節と複関節に，②運動形式により，一軸性の関節，二軸性の関節，多軸性の関節に，③関節面の形状により，球関節，楕円関節，顆状関節，蝶番関節，車軸関節，鞍関節，平面関節に分けられる．

関節腔に向かう骨の関節面 articular surface は**関節軟骨** articular cartilage で覆われる．一般的に相対する関節面の一方は**関節頭** articular head をつくり，他方は**関節窩** articular fossa となっている．また関節腔は**関節円板** articular disk によって完全に二分され，もしくは関節円板が環状あるいは半月状で関節腔を完全に二分しないときには，これを関節半月 meniscus という．

関節包は関節の周囲を包むように存在する．これは2層からなり，外層は骨膜の表層に続く線維膜 fibrous membrane（layer）で，内層は**滑膜**で関節包内面や関節軟骨表面を潤す**滑液** synovial fluid を分泌する．

また関節に付随する構造物として，コラーゲン線維を主体とした靱帯 ligaments があり，関節の過度の運動を制御している．関節運動の激しいところでは関節包の線維膜の一部が発達し，関節包靱帯となる．関節包靱帯と区別できる靱帯を副靱帯といい，特に両側にできるとき，側副靱帯 collateral ligaments という．副靱帯には関節（包）外靱帯 extracapsular ligament と関節（包）内靱帯 intracapsular ligament がある．

2. 顎関節

顎関節 temporomandibular joint は側頭骨 temporal bone と下顎骨 mandible の間にある関節（**側頭下顎関節**）（**図 8-Ⅰ-1**）で，この構造は哺乳類に特有の構造である．顎関節は1つの下顎骨の左右に関節頭をもった

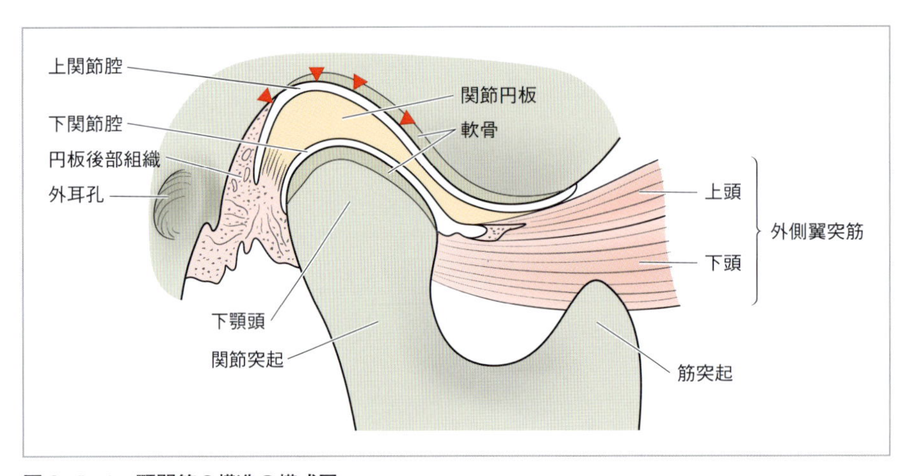

図 8-Ⅰ-1　顎関節の構造の模式図
矢尻は下顎窩を示す．

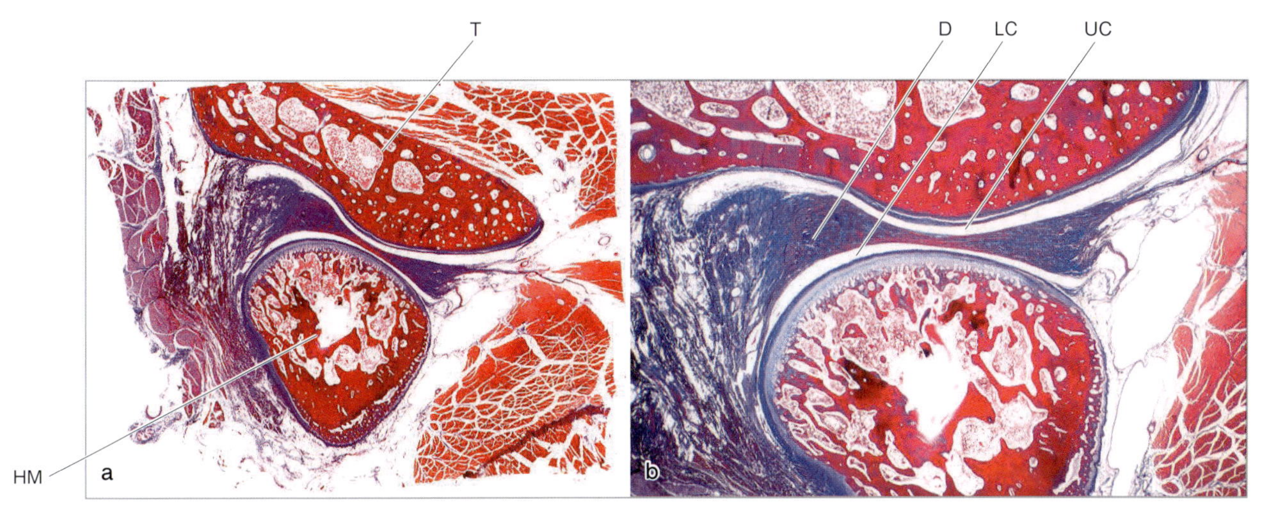

図 8-Ⅰ-2　顎関節の矢状断（a）と拡大像（b）（サル，AZAN 染色）
D：関節円板，HM：下顎頭，LC：下関節腔，T：側頭骨，UC：上関節腔

め，上下顎歯の咬合など下顎が運動する際には，左右両側の顎関節が協調して動く（両側性の関節）．

顎関節は大きく骨部と軟組織部に大別される．骨部として，下顎骨の**下顎頭** head of mandible と側頭骨の**下顎窩** mandible fossa があり，軟組織部として，**関節円板**，外側翼突筋 lateral pterygoid muscle，**関節包**，**靱帯**がある（**図 8-Ⅰ-2**）．

下顎頭は臨床の場ではしばしば顆頭 mandibular condyle とよばれる．

下顎枝上端の後方にある突起を関節突起 condylar process といい，その上端を下顎頭という．下顎頭はラグビーボール状（横長の楕円形）をしており，上方からみると，その長軸は前内方に向いている．下顎頭の下方はくびれており，ここを**下顎頸** neck of mandible といい，その前面には外側翼突筋が停止する**翼突筋窩** pterygoid fossa がある．下顎頭の表面は関節軟骨で覆われ，関節面をつくる．下顎窩は側頭骨鱗部の下面にある浅いくぼみで，横楕円形をしている．下顎窩の前縁はゆるやかに隆起しており，ここを**関節結節** articular tubercle といい，ここには関節包の一部をなす**外側靱帯** lateral ligament がつく．下顎頭，下顎窩および関節結節の関節面は線維性結合組織によって覆われる．

関節表面が線維性結合組織で覆われるのは，顎関節，胸鎖関節と肩鎖関節だけである．

関節面の形は，顎運動や咬合の状態などに適応して，生涯にわたり変化する．歯科臨床では炎症，外傷や矯正治療などにより関節面の形が変化することが知られている．

下顎頭と下顎窩の間に**関節腔**があり，**関節円板**により，関節腔は上下の関節腔（上関節腔 upper articular cavity，下関節腔 lower articular cavity）に完全に二分される（**図 8-Ⅰ-2a**）．

関節腔が関節円板により完全に二分されるのは顎関節のほかに胸鎖関節と手関節（下橈尺関節・橈骨手根関節）がある．

顎運動時に，関節円板の上関節面は下顎窩から関節結節にかけての斜面を下顎頭とともに滑走し，また下関節面は下顎頭と蝶番関節を形成する．関節円板は中央がくぼんだ形をしており，その中央部は薄く，過大な力によってしばしば穴が空く（円板穿孔）ことがある．この中央部は中央狭窄部または菲薄部ともよばれ，血管や神経を欠く．

顎関節には**外側翼突筋**が付着する（**図 8-Ⅰ-1**）．この筋は上頭と下頭からなる二頭筋で，上頭は蝶形骨側頭下稜の側頭下面から，下頭は蝶形骨翼状突起外側板から起こり，下顎頸の翼突筋窩と関節円板の前方部についている．開口時には，外側翼突筋により関節円板も前方に移動する（**図 8-Ⅰ-3**）．

関節包は顎関節を取り巻く強靱な結合組織の膜で，上方は下顎窩の周辺，下方は下顎頸に付着し，靱帯とともに顎関節を補強している．関節包の外層は強靱な線維性結合組織で，内側は滑膜でできている．**滑膜**からヒアルロン酸などを含む滑液が分泌され，滑液は関節腔を満たしている．滑液は関節が動く際の潤滑材や摩耗防止に働いている．

過度な運動を規制し，顎関節を補強する靱帯には**外側靱帯**があり，また副靱帯として**蝶下顎靱帯** sphenoman-

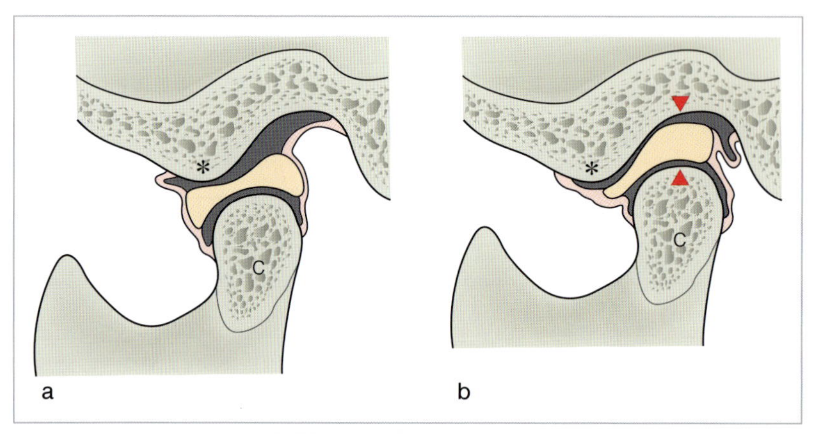

図 8-Ⅰ-3　開口時と閉口時の関節円板の位置
a：開口時には関節円板は下顎頭とともに関節隆起（*）に沿って前下方に移動する．
b：閉口時には下顎頭（C）は関節円板とともに後方へ転位し，関節円板の中央部が下顎窩と下顎頭のほぼ中央（矢尻）に位置する．
（Norton NS: Chapter 9 Temporomandibular joint In: Netter's Head and Neck Anatomy for Dentistry 3rd eds. Elsevier, Philadelphia PA, 2017. を参考に作成）

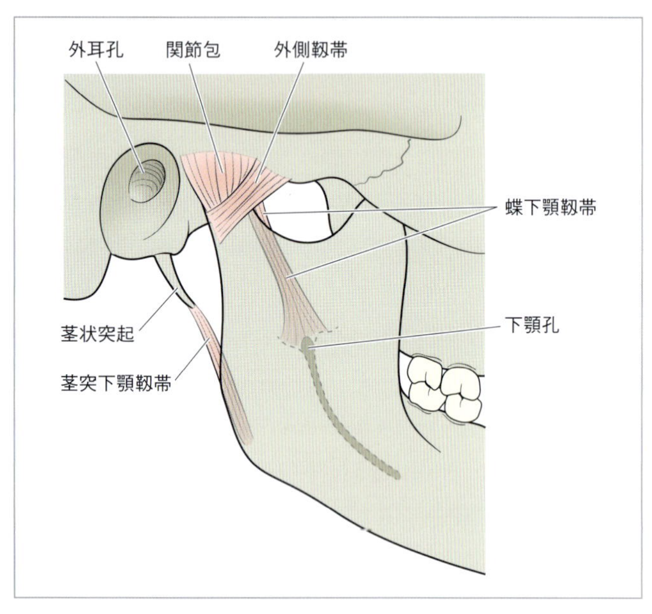

図 8-Ⅰ-4　外側靱帯と副靱帯

dibular ligament と**茎突下顎靱帯** stylomandibular ligament があり，外側靱帯や関節包の補助として働く．前者は蝶形骨棘 sphenoid spine から起こり，下顎頭および下顎孔付近につき，後者は茎状突起から起こり，下顎角内面につく（図 8-Ⅰ-4）．

Ⅱ　顎関節の構造

1．下顎窩と下顎頭

下顎窩は側頭骨鱗部の下面のへこみである（図 8-Ⅰ-1）．前方には関節結節，後方には鼓室鱗裂 squamotympanic fissure および錐体鼓室裂 petrotympanic fissure があり，内側に蝶形骨棘，外側に側頭骨頬骨突起 zygomatic process が隣接する．下顎窩の中央部の骨は成人ではしばしば光を通すほど薄い．

下顎窩の前方の境を関節隆起 articular eminence とする本もあるが，関節隆起という用語は解剖学用語集改訂第 13 版（医学書院）には収載されていない．

下顎頭は下顎骨の関節突起 condylar process の上端にある長楕円形の構造物で，下顎窩にはまり込む（図 8-Ⅰ-1）．下顎頭を上方から観察すると，下顎頭の外側端（外側極）は前方に位置するため，外側端（外側極）と内側端（内側極）を結ぶ下顎頭長軸は前頭面に対して，角度をもって交わる．

下顎窩と下顎頭の関節面は線維性組織で覆われ（図 8-Ⅱ-1），これを線維層 fibrous layer という．線維層は主にⅠ型コラーゲンでできており，コラーゲン線維は関節面に平行に走る．コラーゲン線維の間には線維芽細胞が散在する．また大きな血管もほとんどみられない．下顎頭の線維層の下には下顎頭軟骨があり，骨へと連なっている．一方，側頭骨は膜内骨化で発生するので，下顎窩では線維性結合組織の下に軟骨は存在しない．

下顎窩の表面の線維層は薄いが，関節結節の斜面では顎運動時に下顎頭がこの斜面を滑走するため，線維層が厚くなっている．また，咬合の負荷などに反応して軟骨が形成されることがある．

下顎頭軟骨に関する詳細な報告は，ヒトやその他の動物を含めてもきわめて少なく，不明な点が多く残されて

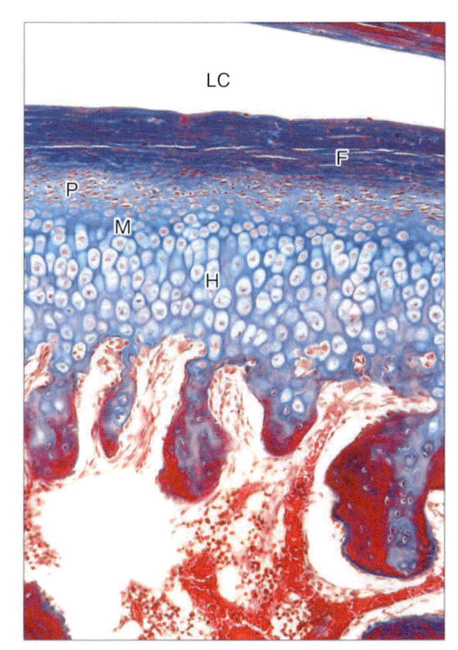

図 8-Ⅱ-1　下顎頭軟骨（サル，AZAN 染色）
F：線維層，P：増殖細胞層，M：成熟軟骨細胞層，H：肥大化軟骨細胞層，LC：下関節腔

いる．軟骨の層区分も研究者によって異なる．しかし，下顎頭最表層の線維性結合組織を線維層とすることは一致している．軟骨の層区分は加齢によっても変化するので，ここでは下顎頭を表層から線維層，増殖細胞層 proliferative layer，成熟軟骨細胞層 maturative cell layer，肥大化軟骨細胞層 hypertrophic cell layer の 4 層に分ける（**図 8-Ⅱ-1**）．

下顎頭軟骨の層区分は 3 層，4 層，5 層と分けるものもあり，上記に石灰化軟骨層を加えて 5 層としたり，また 4 層とするものでも層の名称を線維層，増殖細胞層，軟骨細胞層，石灰化軟骨層とするもの[1]もあり，名称も必ずしも統一されていない．ただし，線維層は線維性組織なので，軟骨の層区分から除いたほうがよいかもしれない．

下顎頭軟骨の加齢変化をみた研究結果では，加齢とともに下顎頭で骨量の増加，軟骨の厚さやプロテオグリカン量の減少やタンパク質分解活性の上昇のような変化がみられることから，観察時期や動物種によって軟骨の層区分を明瞭に確定できないのかもしれない．

軟骨細胞は軟骨小腔内に位置し，線維と軟骨基質をつくる．関節面近くでは軟骨細胞は小型，扁平で，下方に向かうにつれ大きく，丸みを増す．軟骨基質にはコラーゲン線維が含まれるが，長管骨の関節軟骨のようにⅡ型コラーゲンを多く含む均質な硝子軟骨ではなく，Ⅰ型コラーゲンを含む線維軟骨に近い．しかしながら，椎間板のような典型的な線維軟骨とも異なり，非定型な軟骨組織といえる．

城戸（2015）[2]は，顎関節軟骨は股関節や膝関節とは異なり，表層が線維性結合組織（線維層）で覆われ，加齢に伴い厚さを増し，その下の軟骨層は線維化し，線維軟骨の様相を示すと述べている．顎関節の下顎頭軟骨を線維軟骨と断定しているものもみられるが，下顎頭軟骨が線維軟骨であるといい切るのは危険であろう．

下顎頭軟骨は加齢に伴って軟骨細胞の増殖が抑えられ，骨組織へ置き換わっていく．その一方で，咬合の変化など新たな負荷や刺激が加わると，軟骨の増殖を再開することがある．そのため下顎頭の形態は口腔環境を映し出すといわれる．

関節軟骨は血管，神経，リンパ管を欠いている．そのため関節軟骨は滑液からの浸透や滑膜中の血管からの滲出により，栄養されている．また単なる浸透ではなく，顎運動による負荷が加わることによるポンプ作用により，軟骨基質が滑液を吸収するという．

2. 滑　膜

関節包は骨膜と同様，強靱なコラーゲン線維の集合である線維層とその内面にある疎性結合組織の滑膜（層）（または滑膜内膜 synovial intima）からなる（**図 8-Ⅱ-2**）．滑膜は関節包の内面全体を覆っており，後上方では滑膜ヒダ synovial folds が関節腔内に突出している．さらにその表面で絨毛状の突起，滑膜絨毛 synovial villi を出している．関節腔内の関節円板，下顎窩，関節結節，下顎頭の関節面は滑膜を欠く．

滑膜層はさらに**滑膜細胞層（滑膜表層細胞層）**synovial lining layer と**表層下層** sublining layer に分けられる．表層下層では脈管に富むので，内膜下層 vascular subintima ともよばれる．滑膜細胞層では一見上皮様に細胞が配列しているが，真の上皮ではなく，関節腔の内面に上皮は存在しない．表層下層は疎性結合組織を構成する要素の発達程度により，疎性滑膜 areolar synovial membrane，線維性滑膜 fibrous synovial membrane，脂肪性滑膜 adipose synovial membrane に分けられる．また，これらの中間型，移行型もみられる．

1）滑膜表層細胞

滑膜表層細胞は滑膜の最表層に配列しているが（**図 8-Ⅱ-3**），その種類を通常の光学顕微鏡で区別するのは

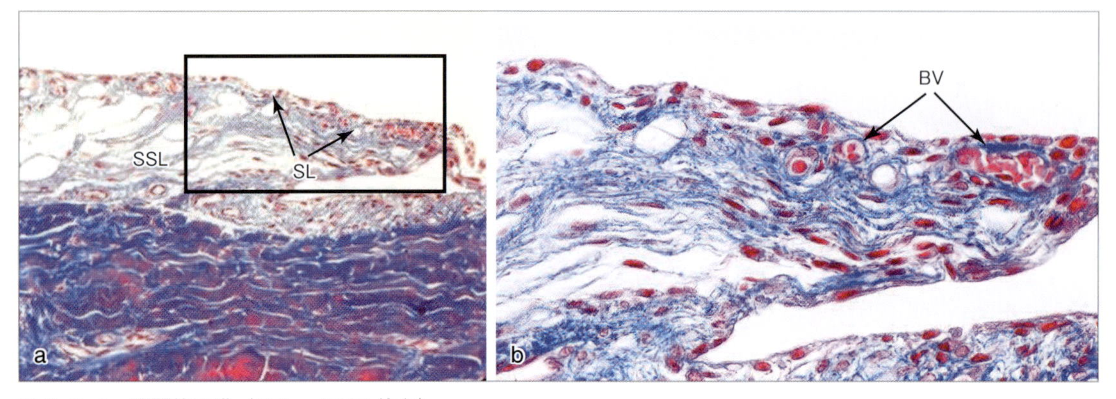

図 8-Ⅱ-2　顎関節滑膜（サル，AZAN 染色）
a：滑膜は関節腔に面し，細胞成分に富む滑膜細胞層（SL）とその下層にある表層下層（SSL）からなる．
b：a の□部の拡大．滑膜細胞層は２種類の滑膜細胞からできているが，通常の染色では区別することができない．
滑膜細胞層直下には血管（BV）が発達する．

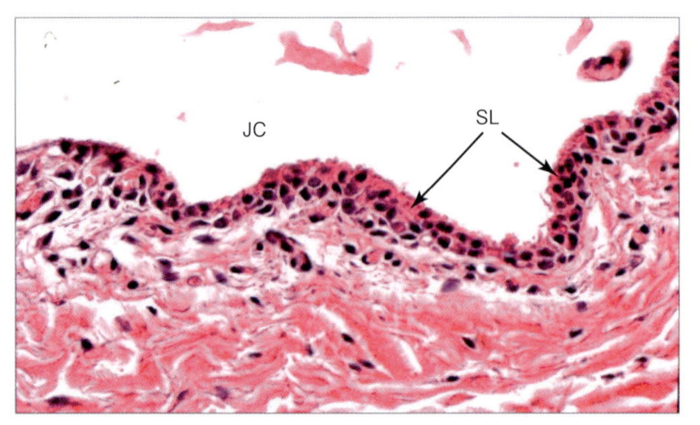

図 8-Ⅱ-3　滑膜表層細胞（ラット，H-E 染色）
関節腔（JC）に面して，滑膜細胞層（SL）が位置する．

むずかしい．滑膜表層細胞の形は関節腔内でさまざまである．また，滑膜表層細胞の配列は一様でなく，部位により異なってみえる．滑膜表層細胞が関節腔を裏打ちするように配列していたり，表層下層がそのまま関節腔に接しているようにみえる部位もある．

滑膜細胞という語句は滑膜表層細胞に加え，表層下層を含めた滑膜に存在する細胞に対して用いられてきた．特に培養系では培養された細胞すべてを滑膜細胞として記載している場合もある．混同を避けるため，本書では滑膜表層に上皮様に配列する細胞に対して滑膜表層細胞という語句を用いている．

電子顕微鏡観察により，滑膜表層細胞は A 型と B 型に分類され，それぞれ，**滑膜 A 型細胞，滑膜 B 型細胞**とよぶ（**図 8-Ⅱ-4**）．滑膜 A 型細胞はマクロファージ由来の細胞で，滑膜 B 型細胞は滑膜固有の細胞で（**図 8-Ⅱ-5**），線維芽細胞に似ている．

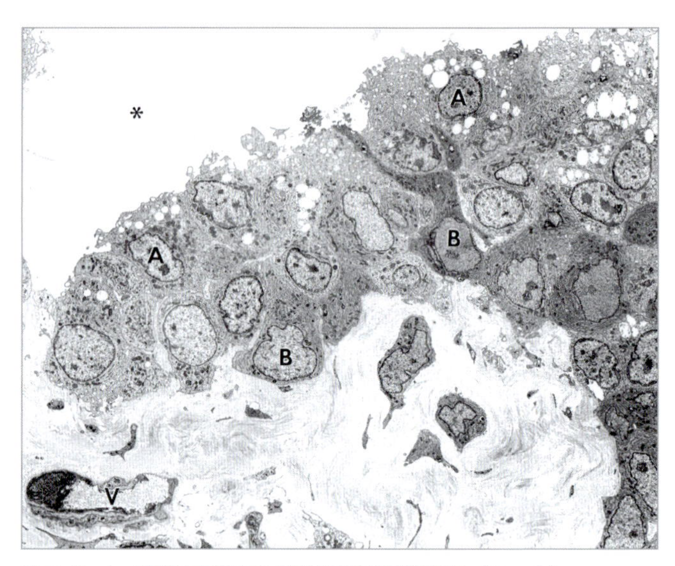

図 8-Ⅱ-4　滑膜表層細胞の透過型電子顕微鏡像（ラット）
滑膜細胞層は滑膜 A 型細胞（A）と滑膜 B 型細胞（B）から構成される．V：毛細血管，＊：関節腔

滑膜 A 型細胞を食性滑膜細胞，滑膜 B 型細胞を分泌性滑膜細胞ということもある．

過去に A 型細胞，B 型細胞に加え，その中間型細胞 intermediate（transitional）cells（C 型細胞 type C cell）の存在が記載されていたが，詳細な観察により，その存在は否定されている．

滑膜 A 型細胞は円形で，滑膜 B 型細胞より表層に位置するという．細胞表面には微小なヒダや微絨毛がみられる．細胞質にはさまざまな大きさの小胞や空胞，リソソーム，Golgi（ゴルジ）装置 Golgi apparatus が発達している．核は電子密度の高いクロマチンに富んでいる（**図 8-Ⅱ-5，6**）．細胞学的特徴，実験結果から，滑膜 A 型細胞は関節腔内の不要な成分や細胞断片などの異物の除去にあたると考えられている．

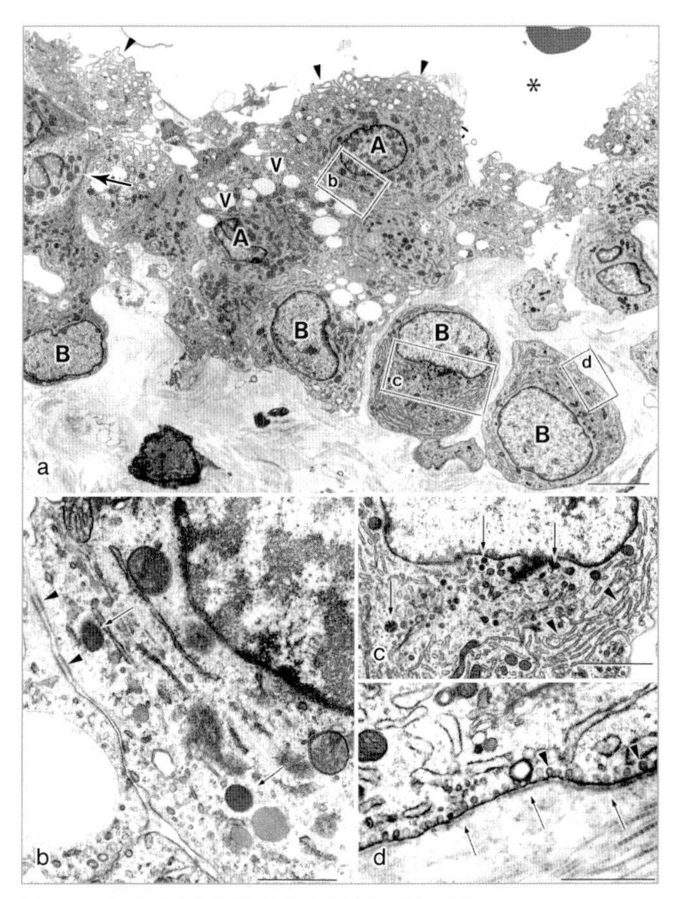

図 8-Ⅱ-5　滑膜表層細胞の細胞小器官（ラット）
a：滑膜表層細胞層には偽足（矢尻）と空胞（V）が発達する滑膜A型細胞（A）とやや深層に位置する滑膜B型細胞（B）が存在する．矢印は深層に位置する滑膜B型細胞の長い細胞質突起を示す．＊：関節腔
b：aの□b部の拡大．滑膜A型細胞にはリソソーム（矢印）が発達し，隣の滑膜A型細胞の間にはデスモゾームがみられる（矢尻）．
c：aの□c部の拡大．滑膜B型細胞の細胞質には粗面小胞体（矢尻）と分泌顆粒（矢印）が発達している．
d：aの□d部の拡大．滑膜B型細胞周囲には無定形基質（矢印）がみられる．矢尻はカベオラを示す．
（Nozawa-Inoue K et al.: Immunocytochemical demonstration of the synovial membrane in experimentally induced arthritis of the rat temporomandibular joint. *Arch Histol Cytol*, 61：451〜466, 1998.）

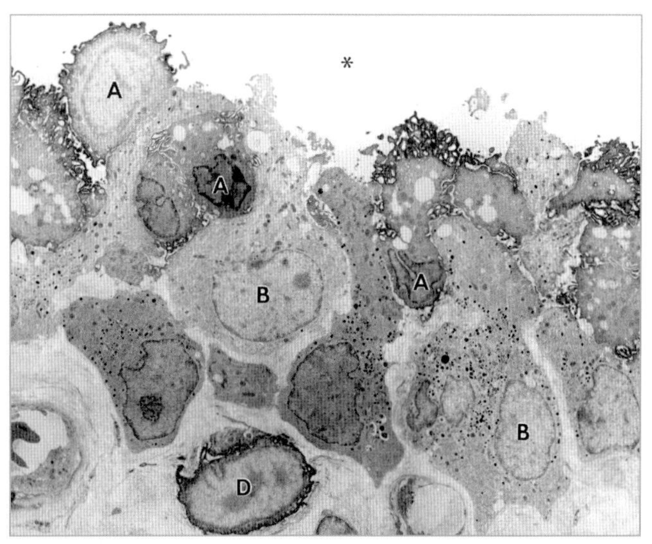

図 8-Ⅱ-6　アジュバント関節炎を誘発させた滑膜表層細胞の免疫電子顕微鏡像（ラット，抗OX-6抗体による免疫組織化学染色）
抗OX-6抗体はマクロファージ系細胞に反応する．OX-6陽性の滑膜A型細胞（A）は多数のヒダ，突起をもっている．滑膜B型細胞（B）はOX-6陰性で，分泌にかかわる細胞小器官が発達している．D：樹状細胞，＊：関節腔
（Nozawa-Inoue K et al.: Immunocytochemical demonstration of the synovial membrane in experimentally induced arthritis of the rat temporomandibular joint. *Arch Histol Cytol*, 61：451〜466, 1998.）

関節腔内に外来性の異物（HRP，墨汁やカーボンなど）を注入すると滑膜A型細胞が取り込み，貪食能が旺盛な細胞であることが示されている[3, 4]．またマクロファージに対する抗体を用いた免疫染色やリソソーム酵素の組織化学でも特異的かつ選択的に染めることができる．さらに滑液中にみられる細胞の多くが，滑膜A型細胞の特徴をもつことから，この細胞は遊走性をもつと考えられている．

滑膜B型細胞は滑膜A型細胞より大きく，複雑な細胞質突起を伸ばしている．この細胞は滑膜A型細胞より下層に存在していることが多い（図 8-Ⅱ-5，6）．滑膜細胞層の深部から，滑膜表層に向かって太い突起を伸ばし，この突起は関節腔近くで分枝している．

走査型電子顕微鏡や免疫細胞化学的手法により，ウサギの膝関節では滑膜B型細胞の細胞質突起は細胞質密度が高いところでは突起同士が重なり合い，網目状の構造をつくり，その隙間から滑膜A型細胞が関節腔に露出するように位置していること，また顎関節の滑膜細胞層が薄いところでは扁平な細胞が顎関節腔を裏打ちしていることが報告されている[5]．滑膜下層の組織が直接関節腔に露出している部位はこれまで考えられていたより，はるかに少ないと考えられている．

滑膜B型細胞の細胞質には粗面小胞体，Golgi装置，ミトコンドリア，分泌顆粒が発達しており（図 8-Ⅱ-5），活発なタンパク質合成能をもつことが想像される．産生物として，Ⅳ型コラーゲン，ヒアルロン酸やフィブロネクチンが知られている．核のクロマチンは滑膜A型細胞に比べ疎であるが，核小体の発達はよい．細胞膜には多数のカベオラ caveola がみられることから（図 8-Ⅱ-5d），筋線維芽細胞 myofibroblasts とみなす研究者もいる．

ラットでは滑膜B型細胞が筋特異的な中間径フィラメン

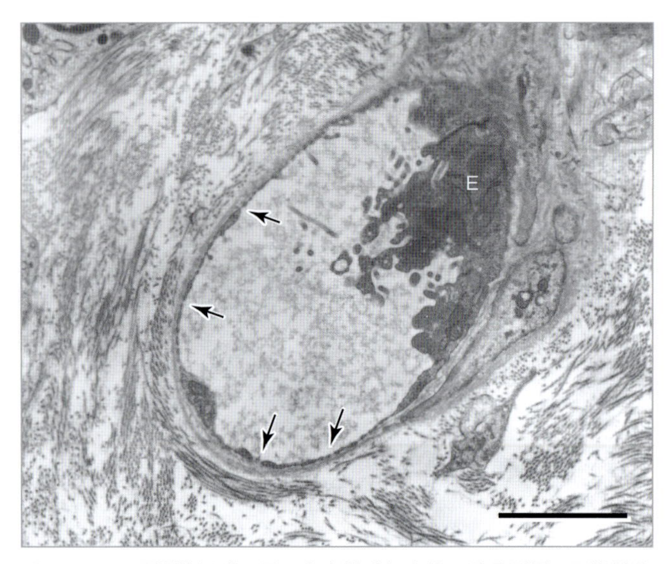

図 8-Ⅱ-7　顎関節滑膜下層の有窓性毛細血管の透過型電子顕微鏡像（ラット）
内皮細胞（E）の有窓部分を矢印で示す.
（Nozawa-Inoue K et al.: Immunocytochemical demonstration of the synovial membrane in experimentally induced arthritis of the rat temporomandibular joint. *Arch Histol Cytol*, 61：451～466, 1998.）

トのデスミンを含むことが報告されている[6].

滑膜細胞はⅣ型コラーゲン，ヒアルロン酸やフィブロネクチンに加え，ラミニン，コラゲナーゼ，各種サイトカインや成長因子，一酸化窒素合成酵素（NOS），プロスタグランジンなども産生することが報告されている．またさまざまな受容体の発現も報告されている[7].

滑膜 B 型細胞の周囲には不連続な基底膜様構造（**図 8-Ⅱ-5d**）がみられることがあるが，滑膜細胞層と細胞下層の結合組織の間には連続した基底膜はない.

2）表層下層

表層下層は疎性結合組織で，毛細血管などの血管系が発達している．部位によっては血管が滑膜細胞層に近接しており，また多孔性の有窓性毛細血管に富んでいて，滑液と血液との間での活発な物質交換をうかがわせる（**図 8-Ⅱ-7**）．この血管網は特に滑膜ヒダや滑膜絨毛で発達している．表層下層には線維芽細胞，脂肪細胞などがみられる.

3）滑液

滑液は関節液ともよばれ，関節腔を満たす粘稠な液体である．細胞成分として滑膜から脱落した滑膜細胞，マクロファージや血球成分がみられる．滑液は基本的には無色あるいは黄色を帯びた透明な液体で，滑膜 B 型細胞が産生する高濃度のヒアルロン酸のようなグリコサミノグリカンと糖タンパク質を含んでいる．滑液は顎関節の運動の際に摩擦力を低減する潤滑油の役割を果たすとともに，関節軟骨に酸素や栄養を与えている.

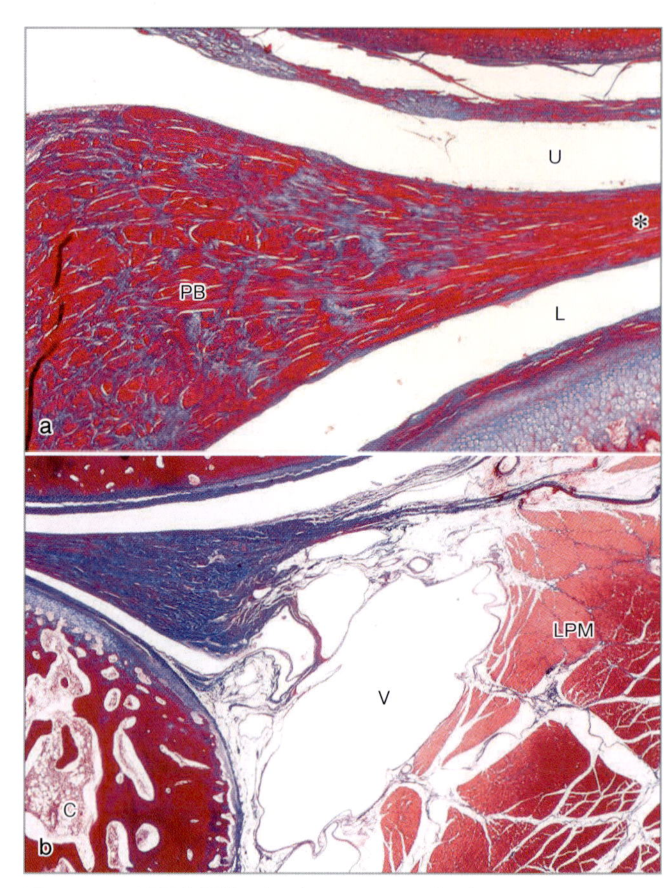

図 8-Ⅱ-8　顎関節関節円板（サル，AZAN 染色）
a：上（U）・下関節腔（L）を境して，密なコラーゲン線維束でできている関節円板が存在する．顎関節円板中央部は薄く（中央狭窄部：＊），後方部では肥厚する（関節円板後方肥厚部：PB).
b：顎関節前方部．下顎頭（C）前方部に外側翼突筋（LPM）がみえる.
V：血管

滑液を顕微鏡でみてみると，炎症時には多数の白血球や脱落した滑膜細胞などが増加するという．また，滑膜の血管から血漿の滲出が増加し，滑液が多量に産生される.

臨床では顎関節疾患の病態解明と病期診断の方法の 1 つとして滑液中のヒアルロン酸量などの分析が試みられている.

3. 関節円板（図 8-Ⅱ-8）

関節円板は関節包の内面から関節腔内に突出して，関節腔を完全に上下に二分し，2 つの小腔，すなわち上関節腔と下関節腔に分ける．関節円板の形態は関節面の形態に適合しており，下面は下顎頭の凸彎に一致して凹面となっている．また上面も前方および後方が肥厚し，中央部では薄くなっている．すなわち，関節円板は中央が上下にくぼんだ形となっている.

このような形態から，関節円板は**前方肥厚部** anterior band，**中央狭窄部**あるいは菲薄部 intermediate zone，**後方肥厚部** posterior band の 3 部に分けられる．また関節円板後方部の疎性結合組織を特に**円板後部結合組織** retrodiscal connective tissue という．前方肥厚部は下顎頭のやや前方に位置し，円板後部結合組織は下顎頭と下顎窩の間の隙間を埋めている．

関節円板は密な**Ⅰ型コラーゲン**線維束と弾性線維，そしてその間を満たすプロテオグリカンからなる強靱な構造である．これらの線維束の走向はさまざまで，円板の長軸方向に走る線維束や放射状に走る線維束などが配列している．関節円板のプロテオグリカンの大部分がコンドロイチン硫酸であり，プロテオグリカンは弾性と硬さの両方の性質を与え，圧迫力に抵抗しているという．コラーゲン線維束の間には線維芽細胞や卵円形の核をもつ扁平な細胞が散在し，しばしば軟骨細胞様細胞とよばれる．また周辺部には血管，神経が分布するが，中央狭窄部には含まれない．

コラーゲンは関節円板重量の約 37%を占め，Ⅰ型コラーゲンの他にⅡ型，Ⅲ型もわずかに存在するという[8]．

Anastasi ら（2021）[9] はコラーゲン線維と弾性線維が中央狭窄部で互いに平行に走り，前方，後方に向かうにつれ，それらの配列が無秩序になり，これら線維が織り交ぜられた編み目構造をつくっていることを示した．

関節円板が線維軟骨であるという報告もなされているが，関節円板内の細胞が軟骨細胞であるか否かについては議論のあるところである．Detamore ら（2006）[10] はブタ顎関節の関節円板を構成する細胞の定量化を試み，軟骨細胞様細胞に対する線維芽細胞の関節円板全体の比率は，約 2.35 対 1 であり，軟骨細胞様細胞の数は関節円板中央部で最大であったことを報告している．また円板細胞周囲の細胞外マトリックスの電子顕微鏡所見や軟骨細胞とは異なる細胞集団が不均一に存在していることから，顎関節円板の細胞を「軟骨細胞」とよばず，「軟骨様細胞」とよぶべきであると述べている．

ヒト以外の若い動物の関節円板では中央狭窄部にわずかながら毛細血管が存在することが報告されている．

円板後部結合組織は疎性結合組織で，脂肪，血管に富み，顎運動時にクッションのような役目をしていると考えられている．また関節円板と下顎窩後壁および鱗鼓室裂を連結する弾性線維に富む上層と関節円板から下顎頭後面に至るコラーゲン線維を主体とする下層に分けられ，ここを**二層部** bilaminar zone という．

4. 脈管と神経

外頸動脈の終枝である浅側頭動脈，顎動脈の枝である深耳介動脈と前鼓室動脈からの枝が顎関節に分布している．また顎関節からの枝が集まり，顎静脈と浅側頭静脈に合流して，下顎後静脈となる．

顎関節を支配する感覚神経は下顎神経から分枝した耳介側頭神経，咬筋神経，後深側頭神経の枝である．また感覚神経に加え，血管作動性の自律神経が分布している．

自律神経のうち，交感神経の節後線維は上頸神経節由来で，一部，星状神経節由来のものもあるという．副交感神経の節後線維は耳神経節や翼口蓋神経節由来と考えられている．

顎関節に分布する神経線維は顎関節前方部および後方部より血管とともに顎関節内に侵入する（**図 8-Ⅱ-9**）．前方部の神経は咬筋神経と後深側頭神経の枝で，後方部の神経は耳介側頭神経の枝であると思われる．関節包と関節円板の前外側部に神経線維が密に分布する．また関節円板の辺縁部には神経線維が分布する（**図 8-Ⅱ-10**）．滑膜にも神経分布は認められるが，滑膜層の発達程度により密度は異なるようである．すなわち，滑膜細胞が疎な部位では神経線維は滑膜細胞近傍にまで，ときには関節腔近傍まで分布しており，また滑膜細胞が密な部位では神経線維は血管が密に分布する表層下層に終止する．

Kido ら（1993）[11] は滑膜細胞とペプチド陽性神経が密接な位置関係から滑膜の代謝機能への神経要素の関与を推測している．

感覚神経は顎関節を構成する軟組織に分布する自由神経終末に加え，少なくとも 3 種類の機械受容器をつくることが報告されている．これら機械受容器を関節受容器ともいう．すなわち，関節包に存在する Ruffini（ルフィニ）様神経終末 Ruffini-like ending（**図 8-Ⅱ-11**）と Pacini（パチニ）小体様終末 Pacinian corpuscle-like corpuscle および靱帯に存在する Golgi（ゴルジ）腱様器官 Golgi tendon-like organ である．自由神経終末は痛みを伝える侵害受容器として働いており，関節受容器は関節の位置感覚，関節の動き（運動方向や振幅，速度など）を受容するといわれている．

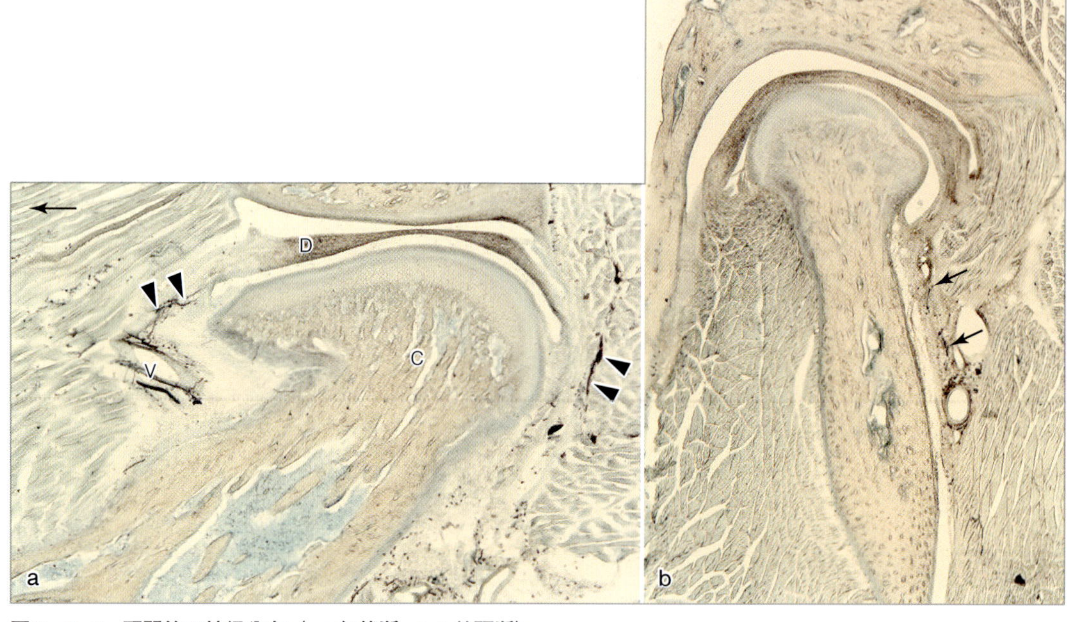

図 8-Ⅱ-9　顎関節の神経分布（a：矢状断，b：前頭断）
（ラット，抗 PGP 9.5 抗体による免疫組織化学染色）
a：PGP 9.5 陽性を示す神経線維（矢尻）は太い血管（V）に伴行して下顎頭（C）付近に達し，上行して顎関節に分布する．矢印は前方を示す．D：関節円板
b：関節円板前方部．円板外側部結合組織内に多数の神経線維（矢印）を認めるが，内側部結合組織には神経線維はほとんど観察されない．
（小林龍彰ほか：ラット顎関節の神経支配：抗 PGP 9.5 血清を用いた免疫組織学的研究．口科誌，43：369〜385，1994.）

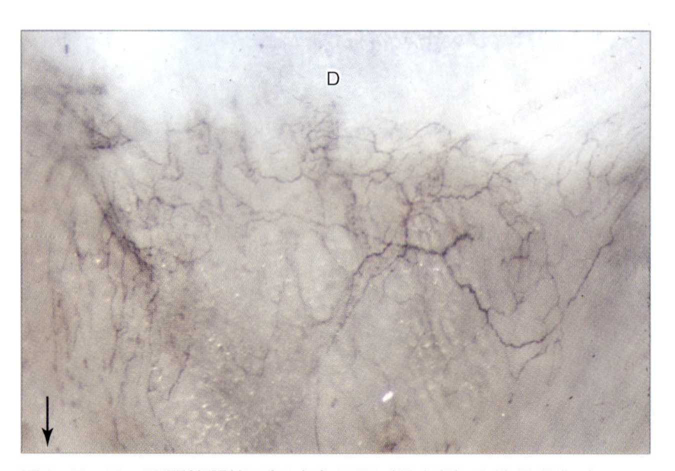

図 8-Ⅱ-10　顎関節関節円板（D）周囲（前方部）の神経分布（Whole mount 標本）（ラット，抗 PGP 9.5 抗体による免疫組織化学染色）
関節円板前方部結合組織に豊富な神経分布がみられる．矢印は前方を示す．
（小林龍彰ほか：ラット顎関節の神経支配：抗 PGP 9.5 血清を用いた免疫組織学的研究．口科誌，43：369〜385，1994.）

Freeman と Wyke（1967）[12] は関節受容器を分類し，Type Ⅰ が Ruffini 様終末，Type Ⅱ が Pacini 小体様終末，Type Ⅲ が Golgi（ゴルジ）腱様器官，Type Ⅳ が無髄神経の叢または無髄神経終末としている．また，各タイプの生理学的特性をそれぞれ低閾値遅順応性（Type Ⅰ），低閾値速順応性（Type Ⅱ），高閾値遅順応性（Type Ⅲ），高閾値だが順応

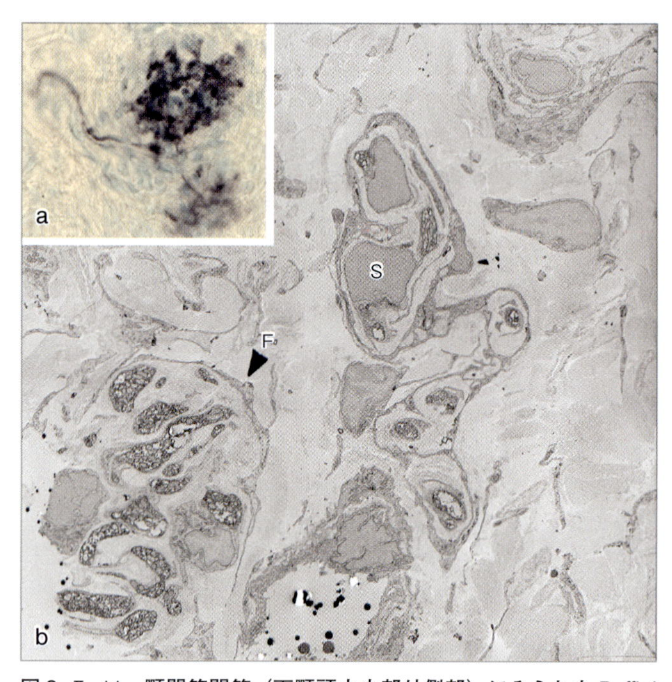

図 8-Ⅱ-11　顎関節関節（下顎頭中央部外側部）にみられた Ruffini 様神経終末（ラット，抗 PGP 9.5 抗体による免疫組織化学染色）
a：Ruffini 様神経終末．神経線維の末端は膨らみ，樹枝状に分枝している．
b：免疫電子顕微鏡像．Ruffini 様神経終末の軸索終末はミトコンドリアとともに免疫陽性反応物で満たされている．軸索終末の周囲は線維芽細胞様細胞（F）で覆われている．S：Schwann 細胞
（小林龍彰ほか：ラット顎関節の神経支配：抗 PGP 9.5 血清を用いた免疫組織学的研究．口科誌，43：369〜385，1994.）

しない（Type Ⅳ）としている．

顎関節に上述の３種類の機械受容器が存在すると記載したが，これらの存在は顎関節の電気生理学的データと膝関節や肘関節などの形態学的観察から，その存在を推測したものである．

5．顎関節の加齢変化

顎関節も他の器官同様に加齢変化を示す．加齢により，下顎窩は平坦化がみられる．下顎頭を覆う線維性結合組織も肥厚し，下顎頭軟骨は減少するという．また関節円板も薄くなり，硝子化や軟骨様変化を示し，ときには円板中央部で穿孔が起こる．滑膜は線維成分が増え，滑液の産生量も減少するといわれる．

Ⅲ 顎関節の発生

顎関節は人体で唯一の両側性の滑膜可動関節であるが，全身の他の滑膜関節とはその発生過程が異なる．一般的な滑膜性の関節は，ヒトでは胎生７週までには形成されるが，軟骨内骨化する骨の間に関節腔が生じて形成されるため，関節の形成当初から両者の軟骨性の骨が連結するような概形を呈する．これに対し，顎関節は胎生７週以後，発生を開始する．系統発生学的にも，哺乳類になって初めて側頭骨と下顎骨で形成される顎関節となる．このことは顎関節が他の関節と異なり，口の開閉ないしは下顎の上下運動のための関節機構が進化の途中で，同じ機能をもちながらまったく別の機構に置き換わっていったという複雑な歴史を反映していることに他ならない．

下顎骨は系統発生的に歯骨 dentary bone に相当し，側頭骨鱗部と関節を形成することから，顎関節は別名，鱗状・歯骨関節 squamosal-dentary joint ともいわれる．一方，魚類から爬虫類までの多くの脊椎動物では，下顎は多くの骨で構成されており，頭骨の中の方形骨 quadrate bone と下顎の中の関節骨 articular bone が開閉口するための方形・関節骨関節 quadrate-articular joint を形成している．哺乳類に進化すると下顎は歯骨のみとなり上顎の鱗状骨と関節するようになる．これは，食性の変化により歯が進化することで，歯骨が他の骨を押しのけるように鱗部に相対する位置まで発達した結果と考えられる．魚類や爬虫類にみられた方形・関節骨関節は，哺乳類では顎から離れて中耳内に取り込まれ，方形骨がキヌタ骨 incus に，関節骨はツチ骨 malleus となり，聴覚器の一部となる．

Meckel（メッケル）軟骨 Meckel's cartilage の背側端にあったツチ骨とキヌタ骨が形成する関節は，顎関節である側頭下顎関節が形成されるまで，開閉口するための関節として機能する．そのため，これを一次関節とよび，顎関節を二次関節とよぶ．つまり，哺乳類以外の脊椎動物は一次関節がいわゆる顎関節であり，二次関節は存在しないといえる．

1．顎関節の発生の概略（図 8-Ⅲ-1）

胎生８週頃に間葉組織が増殖し，下顎頭原基と側頭骨原基が確認される．胎生 10 週頃から下顎頭原基が軟骨組織を形成して下顎頭軟骨となり，側頭骨方向に成長する．当初，側頭骨と下顎頭の間は間葉組織で埋められているが，発生が進むと間葉組織の中に上下２つの裂け目を生じ，この２つの裂け目が将来の上関節腔と下関節腔となる．したがって，関節円板は２つの裂け目の間に残された部分から形成される．上下の関節腔のうち，どちらが先に形成されるかは動物によって異なっている．

動物種により両関節腔の形成順は異なり，ラット，ヒツジ，ネコ，ウサギではヒトの場合とは逆に，上関節腔が先に形成されるという．

2．初期発生

体幹や四肢の骨は中胚葉由来で，軟骨内骨化により発生するが，頭蓋を形成する骨のほとんどは頭部神経堤 cranial neural crest 由来の外胚葉性間葉から膜内骨化により発生する．軟骨内骨化を示す下顎頭も神経堤由来の間葉系細胞の集積から形成される．顎関節は膜内骨化する下顎窩と，軟骨内骨化する下顎頭という骨化様式の異なる２つからできる特殊な関節である．

ヒトでは胎生７週頃，Meckel 軟骨の前方部の外側に凝集した間葉組織内に膜内骨化が起こり，下顎突起から発達した下顎骨が薄い骨板として形成され始める．この時期にはまだ顎関節の原基は認められない．その後，この板状の下顎骨の骨化は Meckel 軟骨の外側に沿って進んでいくが，胎生８週頃にはその範囲は将来の下顎小舌となる位置まで到達する．

3．下顎頭と下顎窩の発生

胎生８週頃，発育中の下顎骨背側端に，それとは独立した間葉系細胞の集積が出現する．この集合体が下顎頭原基である．胎生 10 週頃，この下顎頭原基の中心部

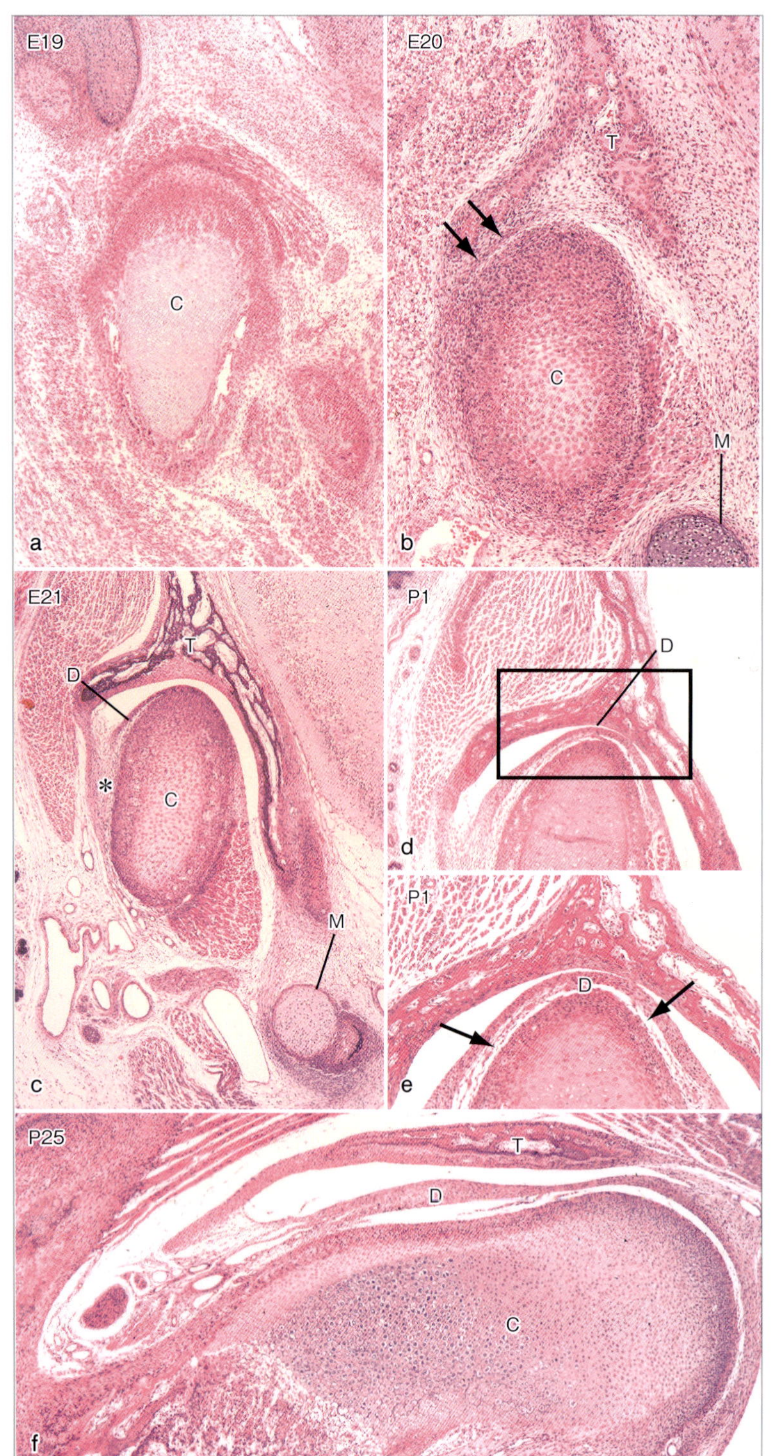

図 8-Ⅲ-1　顎関節の発生過程（ラット）
a：胎生（E）19 日の矢状断．下顎頭原基（C）が形成されている．
b：胎生（E）20 日の前頭断．下顎頭（C）は Meckel 軟骨（M）の外側に位置する．側頭骨原基（T）が出現し，下顎頭との間に将来の関節円板となる細胞の集積（矢印）がわずかにみられる．
c：胎生（E）21 日の前頭断．上関節腔はすでに形成されているが，関節円板（D）と下顎頭（C）の間はまばらな細胞からなり，下関節腔はまだ形成されていない．顎関節の外側には関節包（＊）が認められる．M：Meckel 軟骨
d：生後（P）1 日の前頭断．下関節腔の形成が始まり，関節円板（D）が明瞭となる．
e：d の枠内の拡大像．関節円板（D）と下顎頭の間の細胞層には空隙（矢印）がみられるようになる．
f：生後（P）25 日の矢状断．顎関節各要素が完成している．
T：側頭骨，D：関節円板，C：下顎頭

から間葉系細胞が軟骨細胞に分化し，軟骨の芯を形成する．軟骨は発育していくにつれて円錐形となり，下顎頭軟骨となる．間質成長と付加成長により，次第に大きくなり，下顎頭の下端では軟骨内骨化が開始される．胎生 12 週頃，下顎頭は下方から発育してきた下顎骨体後部と融合する．下顎頭軟骨は次第に骨に置換されていくが，その上端の軟骨は生後も残存し，20 歳頃まで成長を続ける．

下顎頭軟骨は「二次軟骨」に分類されることがある．四肢などの一般的な軟骨は「一次軟骨」である．頭部における二次軟骨は頭蓋の軟骨結合，耳嚢や鼻嚢に代表され，その特徴は①一次軟骨より発生時期が遅い，②軟骨芽細胞から肥大軟骨細胞への分化速度が一次軟骨より速い，③付加成長する（一次軟骨は間質成長），④軟骨芽細胞が発生途中の膜性骨の辺縁に一過性に出現し，やがて消失する，などである．しかし，下顎頭軟骨には間質成長も生じ，生後に消失することもないことから，特殊な二次軟骨であると

いえる．

下顎窩をつくる側頭骨の原基は下顎頭原基の出現から少し遅れた胎生９週に現れ，胎生 14 週頃に骨化点が生じるとされてきたが，下顎頭原基とほぼ同時に出現し，その膜内骨化も胎生８週ですでに認められるという報告もある．いずれにせよ，下顎窩と関節結節にみられる凹凸の形態形成という点では，下顎頭の発生に比べて下顎窩の形成はかなり遅い．胎生５か月になると，わずかに陥凹した下顎窩を形成する骨梁が確認できるようになる．下顎窩と関節結節の形成は出生後も続き，関節結節は乳歯の萌出後に隆起し始める．

出生時にはほとんど平坦であった下顎窩が，乳歯の萌出に伴って下顎頭の形態に適合するような凹面の形態となる．このことから下顎窩の形態は下顎頭の機械的圧迫により形成されると考えられている．

近年，さまざまな遺伝子改変動物における下顎頭や側頭骨に異常を生じさせた顎関節では，下顎頭と下顎窩の初期発生はそれぞれ独立しているものの，その後の下顎窩の形態形成には下顎頭の存在が影響し，一方で，下顎頭の成長発育は側頭骨の影響を受けないことが報告されている．

4. 関節円板の発生

関節円板は，下顎頭と下顎窩の間に未分化な間葉系細胞の密集帯として発生する．したがって，上下の関節腔が形成されないと，明瞭には現れてこない．

一方，関節円板の発生には下顎頭が必要である，ともいわれている．

遺伝子操作により下顎頭軟骨を欠損させたり，Meckel 軟骨を下顎窩下方まで過成長させて下顎頭の形成を妨げると，関節円板が形成されない．一方で下顎窩を欠損させても不完全ではあるものの関節円板様構造物が形成されるという．

5. 関節腔の発生

関節腔の発生時期は上下で異なり，ヒトでは下関節腔の形成が上関節腔に先行する．胎生 12 週頃に下顎頭表層の間葉系細胞が次第にまばらになり，その細胞間隙が広がって，小さな裂隙（下関節隙）が生じ，この裂隙が拡大することにより，下関節腔が形成される．胎生 13 週には，同様に上関節隙が生じ，拡大して上関節腔となる．しかしながら，関節腔形成のメカニズムには不明な点が多く残されており，上下で異なる形成機構をとるという意見が多い．

顎関節の関節腔形成のメカニズムを探る研究はいくつかなされているが，いまのところ定説がない．これまでの仮説を大別すると以下の５つに集約される．

①顎運動により形成されるとする説（機械的因子）

脊髄損傷モデルの研究では，顎運動が不可能な動物には顎関節腔が完全に形成されないことが報告されており，機械的因子がなんらかの形で関節腔形成に関与していると考えられている．

②アポトーシスにより間葉組織に裂隙ができるとする説

指の関節の関節腔形成にアポトーシスが関与することが明らかにされている．一方，アポトーシスはみられないか，存在するにしてもわずかであるという報告もなされている．顎関節腔の形成もアポトーシスによると考えられていたが，Matsuda（1997）らや Suzuki（2005）らはラット顎関節の発生過程を検索し，アポトーシス像は下顎頭付近には存在するが，関節腔形成予定域にはみられないこと，さらに，関節腔形成予定域では DNA の断片化が認められないことを明らかにし，アポトーシスによる関節腔形成の可能性を否定している．

③アポトーシスと機械的因子の両方によるとする説

④組織液の増加によるとする説

指の関節腔形成時にはヒアルロン酸の合成能が上がり，またヒアルロン酸の受容体（CD44）も豊富になることから，組織液の増大が関節腔形成の誘因であると考える人も多い．

⑤上関節腔はマクロファージ，下関節腔は毛細血管の侵入によるとする説（図 8-Ⅲ-2）

上下の関節腔はその形成時期もメカニズムも異なるという考えがある．

Linck（1978）[1] らは上関節腔の形成が予定される部位の細胞や基質を，マクロファージが貪食することで，関節腔形成に重要な役割を担うと報告した．ラットの顎関節形成期にマクロファージと血管内皮細胞に着目して，その出現を観察した研究（図 8-Ⅲ-2）でも，上関節腔形成に先立って，その予定部位に多数のマクロファージが出現していた．一方，その後に下関節腔が形成される下顎頭表面にはマクロファージは出現せず，その代わりに血管内皮細胞が連なって配列する様子が観察された．ヒト胎児でも顎関節の下関節腔形成部にのみ血管侵入が認められ，上関節腔形成時には生じなかったという報告がある．

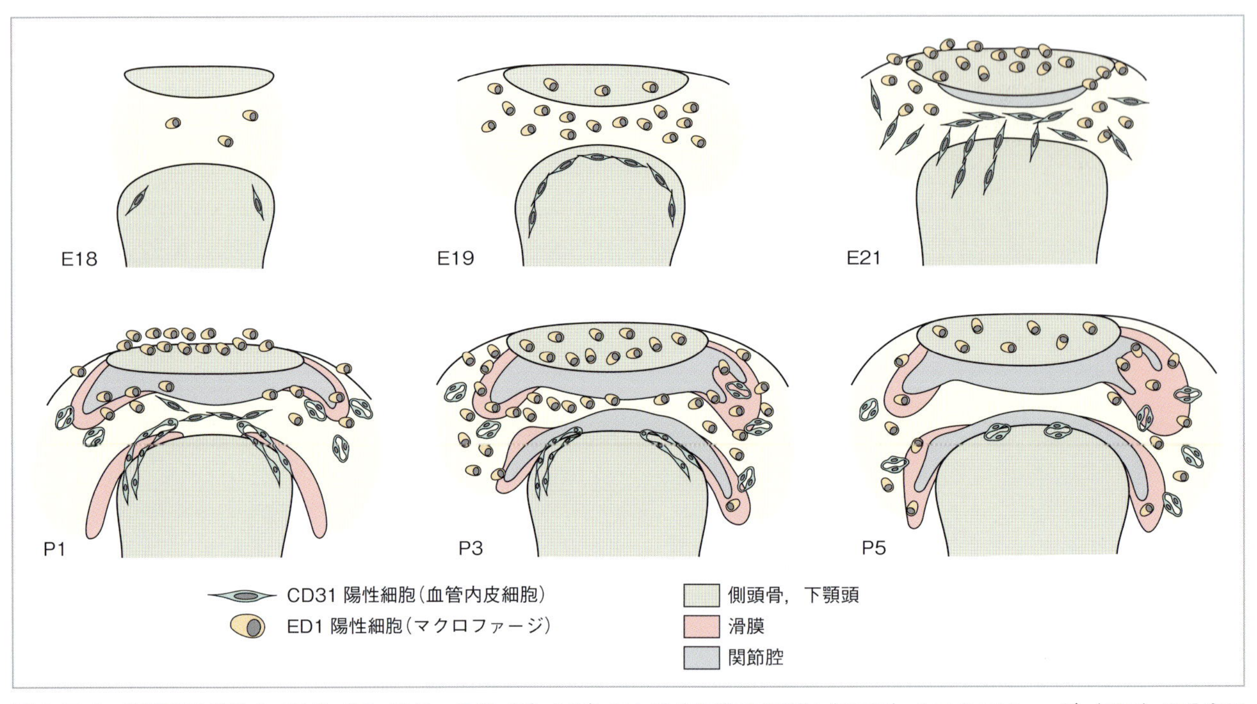

図 8-Ⅲ-2 顎関節の発生中〔胎生（E）18 日～生後（P）5 日〕における血管内皮細胞（CD31）とマクロファージ（ED1）の分布の変化に関する模式図（ラット）

ラットの場合，上関節腔の形成には主としてマクロファージが，下関節腔の形成には毛細血管の侵入がかかわると考えられる．
（Suzuki A et al.: Development of the articular cavity in the rat temporomandibular joint with special reference to the behavior of endothelial cells and macrophages. *Anat Rec A Discov Mol Cell Evol Biol*, 286：908～916, 2005.）

6. 滑膜の発生

顎関節滑膜の発生過程に関する所見は乏しい．ヒトの顎関節滑膜に関する研究はまったくなく，マウスやラットのような小動物の発生学的観察が散見するのみである．

顎関節滑膜は関節軟骨表面を除き，関節腔を裏打ちしているので，滑膜の発生は関節腔の形成と密接な関係をもつことが想像される．ラット顎関節滑膜の発生過程をみた研究では，下顎頭原基と側頭骨原基の間の間葉組織から滑膜を形成する細胞が発生し，関節腔の形成に伴って，滑膜表層細胞が関節腔を裏打ちし，その後，滑膜表層細胞層は厚みを増す．また，顎運動が活発になると，顎関節滑膜の構造は成体と同じようになるので，顎関節滑膜の発生・発育は発生初期では顎関節腔の形成に，後期では顎運動の開始と深くかかわっていると考えられる．

顎関節滑膜ヒダの発生，発育に関する研究も少ない．ラット顎関節では，生後 0～3 日後の上関節腔後方部の滑膜が小さなヒダ状の突出として形成され，その後，大きさを増していく（**図 8-Ⅲ-3**）．

Ikeda ら（2004）[2] と Niwano ら（2008）[3] は線維芽細胞様滑膜 B 型細胞に注目し，ラット顎関節滑膜の発生・発育をみた研究によると，関節腔がまだ形成されていない胎生 19 日に未熟な線維芽細胞様滑膜 B 型細胞が出現し，関節腔の形成に伴って，その数を増し，線維芽細胞様滑膜 B 型細胞が成熟していくという．さらに，関節腔が拡大するに伴い，顎運動が活発となる生後 14 日には豊富な粗面小胞体を含む線維芽細胞様滑膜 B 型細胞は劇的にその数を増加させ，滑膜表層細胞層が完成する．一方，マクロファージ様滑膜 A 型細胞の出現時期は，線維芽細胞様滑膜 B 型細胞の出現時期より遅れるという．

滑膜表層 A 型細胞は単球由来，B 型細胞は間葉由来と考えられている．

滑膜表層細胞の由来についてはこれまで 2 つの仮説が提示されてきた．第一の説は A 型細胞，B 型細胞ともに同一の滑膜芽細胞 synovioblast に由来するというもので，第二の説はそれぞれ別由来の細胞であるというものである[4]．大理石病マウス osteopetrotic（op/op）mouse の滑膜は A 型細胞を欠いている[5] ことから，A 型細胞は単球由来であると考えられた．これに対し，B 型細胞の由来については不明であったが，B 型細胞はタンパク質やヒアルロン酸などのプロテオグリカンを産生，分泌する特殊な線維芽細胞であること，未熟な B 型細胞が発生初期の間葉組織に認め

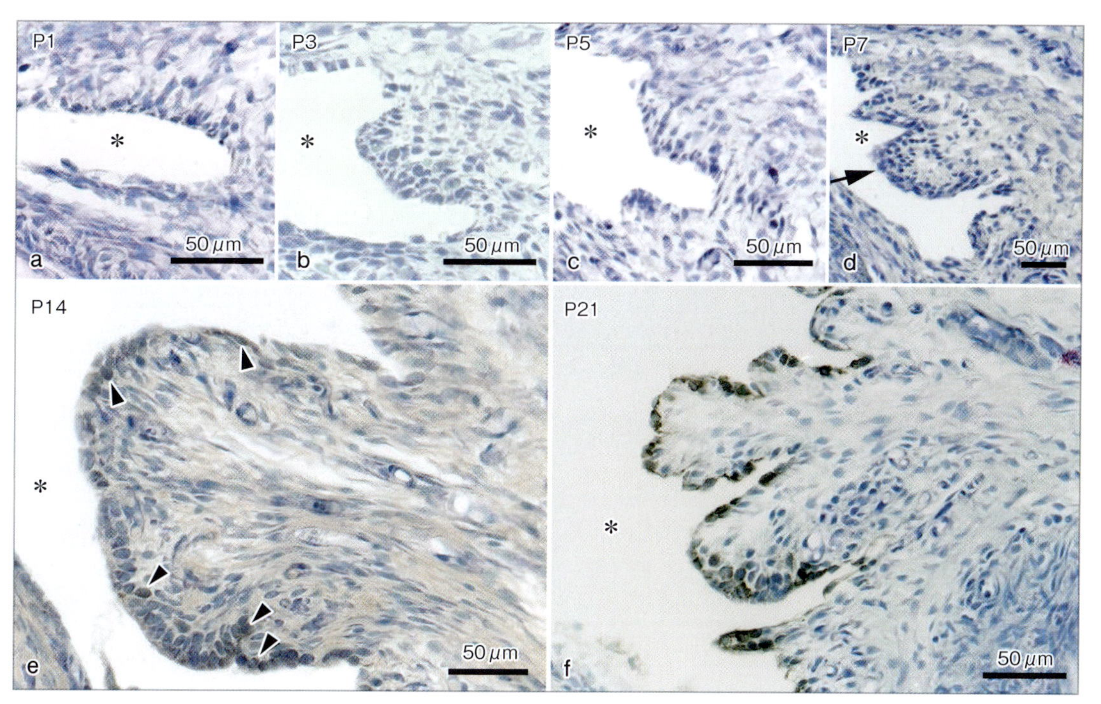

図 8-Ⅲ-3　顎関節の上関節腔後方部における滑膜形成過程（ラット）
筋特異的細胞膜カベオラを標識する抗 caveolin-3 抗体による免疫組織化学染色.
a：生後（P）1 日の矢状断．関節腔（*）が形成され，それを裏打ちするように滑膜表層細胞が配列を開始する.
b：生後（P）3 日．関節腔に向けてわずかに突出した滑膜ヒダが形成されている.
c：生後（P）5 日．滑膜ヒダの発育が進む.
d：生後（P）7 日．滑膜表層細胞が増加し，滑膜下層との区別が明瞭となる（矢印）.
e：生後（P）14 日. 滑膜ヒダはさらに発達し, B 型細胞の一部が caveolin-3 免疫陽性反応を示すようになる（矢尻）.
f：生後（P）21 日．滑膜ヒダは陥凹が増え，強い caveolin-3 免疫陽性反応を示す B 型細胞も増加している.
（Niwano M et al.: Immunocytochemical localization of caveolin-3 in the synoviocytes of the rat temporomandibular joint during development. *Anat Rec*（*Hoboken*）: **291**：233〜241, 2008.）

られることから，B 型細胞は間葉系細胞から直接分化する可能性が大きい.

7. 顎関節の発生に関与する遺伝子

神経堤細胞由来の間葉系細胞から発生する顎関節の発生には，時期依存的に特定の細胞に特定の遺伝子が発現することにより，一連の細胞増殖と分化が巧妙に制御されている．遺伝子改変マウスを用いた研究により，顎関節の発生時にも多岐にわたる遺伝子群の関与が解明されている．インディアンヘッジホッグ成長因子 Indian hedgehog（*Ihh*）は，全身の骨格形成と発生を制御するヘッジホッグ成長因子の 1 つであり，軟骨と滑膜性関節の発生と形成に必須であることが知られ，関節円板が下顎頭表層から分離して下関節腔が形成されることに必須であることが示唆されている．また，骨芽細胞分化と軟骨細胞分化に必須の因子である Runt-related transcription factor 2（*Runx2*）と sex determining region Y box9（*Sox9*）は間葉系細胞から下顎頭原器の形成を開始させることが示されている.

IHH が細胞膜上の受容体 Patched1（PTCH1）に結合すると, PTCH1 と結合している共受容体 Smoothend（SMO）が HH シグナリングに特異的な転写因子 glioma-associated oncogene（GLI）protein を活性型に分解する．核内に移行した活性型 GLI1 は対象遺伝子の転写を開始させる．これら一連の分子（*Ihh*，*Gli2*，*Sox9-Cre;Smo*）を欠損させたマウスでは，不規則に配列した関節軟骨層をもつ矮小な下顎頭の形成，関節円板と下関節腔の不形成が認められた[6, 7]．また，HH シグナリングは一次線毛に依存しているが，一次線毛の形成を軟骨細胞特異的に阻害すると（*Col2a1-Cre;Kif3a* ノックアウトマウス），成熟軟骨細胞層と肥大化軟骨細胞層が著しく短く未発達な関節軟骨が形成され，関節円板と下顎頭が癒合する[8].

Runx2 ノックアウトマウスでは，間葉系細胞から軟骨芽細胞への分化が認められず，下顎頭軟骨が形成されない[9].
また，*Runx2* を軟骨細胞特異的に欠損させると，細胞分裂層と成熟層の著しい肥厚，肥大化軟骨細胞層への分化の阻害が起こり，下顎頭軟骨細胞層の正しい形態の維持ができない[10]．一方，*Sox9* を神経堤細胞特異的に欠損させると，下顎頭軟骨原基の形成が起こらず，下顎頭欠損，関節円板

と関節腔の欠損，側頭骨下顎窩形成不全がみられる[11, 12]．

顎関節の発生に関与する遺伝子の項の執筆にはミズーリ大学カンザスシティ校歯学部鈴木晶子博士の協力を得た．

（前田健康，井上佳世子）

Ⅳ 臨床的考察

顎関節と骨吸収

骨は，破骨細胞による骨吸収と骨芽細胞による骨形成を繰り返し，骨リモデリングすることで，その構造と機能を維持する．また，骨形態を維持するためには十分な力学的負荷が必要であるが，過度の力学的負荷は進行性の骨吸収や変形を引き起こす[1]．

顎関節においても，力学的負荷に対応して骨リモデリングが生じるが，破骨細胞による骨吸収が骨芽細胞による骨形成よりも優位になると骨吸収像を呈する．臨床的には，パノラマエックス線写真やパノラマ顎関節撮影法（4 分割撮影），CT 画像において，下顎頭関節面の骨皮質の連続性の喪失や断裂を伴う erosion や骨吸収を起こした周囲に骨が添加する marginal proliferation，突起状の骨変化である osteophyte，下顎頭と関節隆起が平坦化する flattening，下顎頭が縮小した deformity，下顎頭表面下の類円形の境界明瞭なエックス線透過像を認める subchondral cyst などのさまざまな異常像（**図 8-Ⅳ-1**）を呈する．また，下顎頭の形態異常を認める症例では，高率に非復位性円板前方転位を認め，関節円板の断裂や穿孔を伴うこともある．下顎頭の形態異常を認めても，臨床的な症状を呈しないこともめずらしくないが，顎関節痛，開口障害あるいは関節雑音のいずれかが 1 つ以上認められる場合には**変形性顎関節症**と診断され，薬物療法やスプリント療法などの治療により症状の改善が図られる．変形性顎関節症は，退行性病変を主徴候とした病態で，軟骨破壊，瘢痕形成，骨吸収，骨形成，骨変性を呈し，その罹患率は加齢とともに増加し，発症頻度に性差は認められない[2]．下顎頭と関節円板の関係が正常な状態で関節組織の力学的負荷受圧能力の低下と関節部への力学的負荷の増大を基盤に発症する変形性顎関節症の発症頻度は高くないが，関節円板転位や顎関節部の炎症，関節包内骨折などに続発する変形性顎関節症は頻度が高く，特に非復位性関節円板転位を認める顎関節症患者の約半数に生じる[3]．また，関節リウマチなどの全身の骨関節症に随伴して，顎関節にも骨吸収性の変形をきたす．下顎頭の形態異常によって顎位の変化とともに咬合不全が生じ，これが不可逆的な変化の場合には，口腔機能回復療法としての補綴歯科治療や矯正歯科治療が必要となる．しかし，どのタイミングで下顎位を確定し，多種多様な咬合不調和のレベルに対応したアプローチをどのように行うかという指針は確定していない．下顎頭の骨変化が進行性であるかを判断するためには，エックス線撮影や CT などによる経時的な画像検査が必要であり，下顎頭の吸収性の所見が認められたならば，少なくとも半年から 2 年間は経過観察し，咬合に関連する治療は骨吸収が停止していることを確認してから開始すべきである[4]．

一方，下顎後退症や骨格性開咬症症例ならびに下顎非対称症例の偏位側の顎関節では，高率に非復位性円板前方転位や下顎頭の吸収性骨変化を認め，これらの顎変形症と下顎頭の形態異常とが関連している[5]．下顎頭に進行性の吸収性骨変化を呈する病態として，特発性下顎頭吸収 idiopathic condylar resorption（ICR）や進行性下顎頭吸収 progressive condylar resorption（PCR）があげられる[6]．PCR は関節リウマチ，全身性エリテマトーデス，乾癬性関節炎などの自己免疫疾患やホルモン分泌機能異常などの全身的な疾患，ステロイドの使用，外傷，腫瘍，矯正歯科治療，および顎矯正手術に伴う様

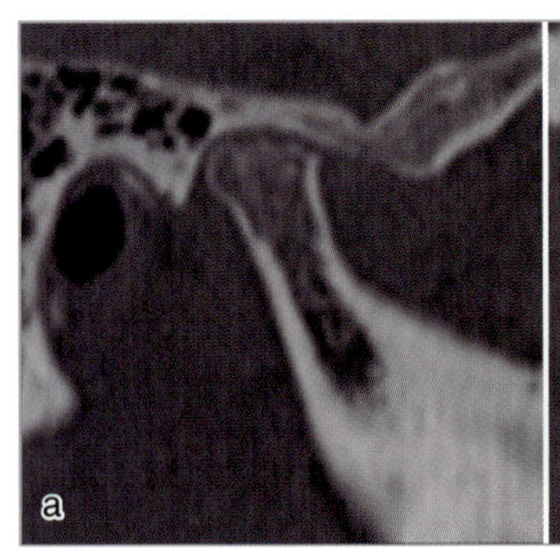

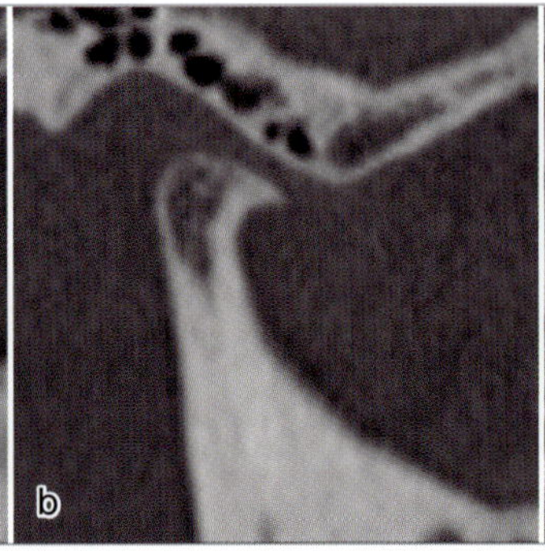

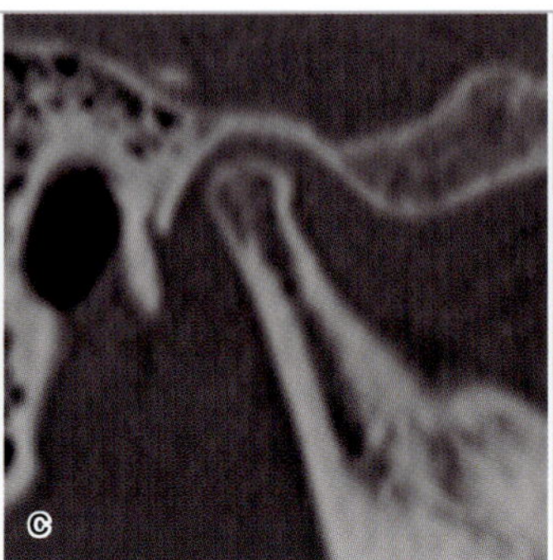

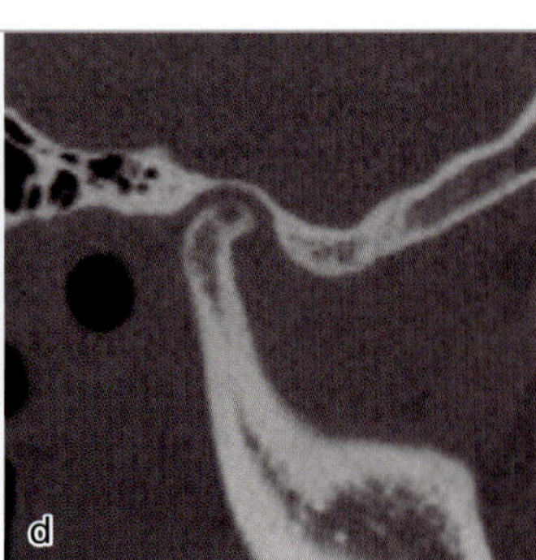

図 8-Ⅳ-1　下顎頭骨吸収の CT 画像
a：erosion．b：osteophyte．c：deformity．d：subchondral cyst．

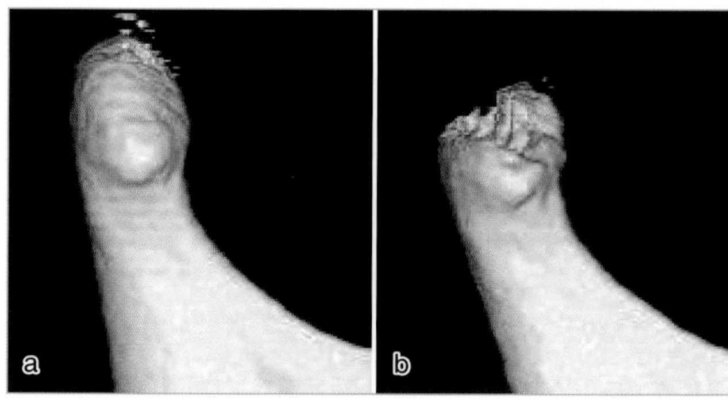

図 8-Ⅳ-2　下顎骨前方移動術後に PCR を発症した症例の 3D-CT 像
a：術前．b：術後 1 年．

態（**図 8-Ⅳ-2**）を含み，ICR はそれらを含まないと定義するものがあるが，両者の病理学的な違いはなく，特異的に下顎頭が進行性に吸収する病態とそれに伴う著明な下顎枝高の減少と定義され，咬合系と筋骨格系のバランスが崩れて下顎骨の後退や骨格性開咬を呈するようになる．エックス線所見として，短縮した下顎枝長と下顎頭長，下顎頭体積の減少，下顎骨の時計回りの回転，および下顎が後退した側貌が認められる．CT 画像では，下顎頭表面の皮質骨の連続性の欠如，平坦化および変形のように下顎頭吸収に伴う骨形態変化が観察され，顎顔面形態や咬合状態などの所見を含めて診断を行うのが一般的である．好発年齢は比較的若年，特に思春期の若い女性に多くみられるが，これらの特発性の若年患者と自己免疫疾患などの合併症がある中年以降の患者の二峰性分布を示す．正確な発症機序と病因はいまだ完全には解明されていないが，以下のような病因論が考えられている．1 つが性ホルモン誘発性壊死によるもので，エストロゲンが顎関節の軟骨と骨の代謝に関与しており，女性の顎関節にはエストロゲン受容体が多く存在することから，エストロゲンの分泌低下が変形性顎関節症を含む進行性下顎頭吸収の発現を惹起している可能性が示唆されている[7, 8]．また，下顎頭部へ大きな力学的負荷が同部の血管を圧迫して血流障害による組織の壊死と骨吸収を引き起こす可能性が指摘されている．さらに，下顎頭に対する力学的負荷がそれに対する骨の耐性やリモデリング能力を超えると，軟骨組織とその下の骨組織に形態的変化をもたらすと考えられている[9]．特に，非復位性円板前方転位症例では，関節円板がずれて下顎頭と関節窩が近接することから，顎運動などの機能時に骨への力学的負荷が大きくなる．また，骨の耐性には，骨密度（骨量）とともに骨質（骨構造）が関与しており，なんらかの要因によってこれらが低下すると骨の耐性も低下して吸収性の骨変化を起こしやすくなる．

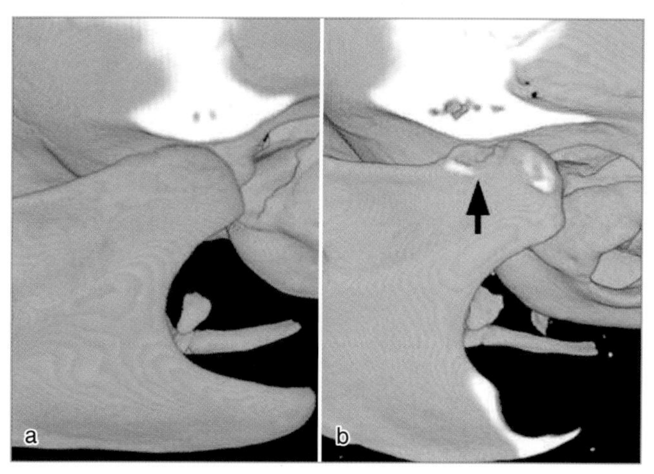

図 8-Ⅳ-3　下顎骨延長モデルにおけるマイクロ CT 像（ラット）
a：対照群．
b：下顎骨延長終了後 3 週．矢印：下顎頭前方部の骨欠損
（Sakagami N et al.: A histologic study of deformation of the mandibular condyle caused by distraction in a rat model. *Oral Surg Oral Med Oral Pathol Oral Radiol*, 118：284〜294, 2014.）

下顎後退症や骨格性開咬症症例に対して顎矯正手術により下顎骨を移動させた後に発症する PCR は，下顎骨前方移動量が大きい症例や下顎骨を反時計回りに回転させて下顎枝の高径が延長されるような症例など，術後の下顎頭部への力学的負荷が大きくなる症例において発症するリスクが高くなることから[10]，われわれはラット下顎骨延長モデルを用いて下顎頭部への力学的負荷が下顎頭の形態に及ぼす影響ならびに骨吸収メカニズムをマイクロ CT 解析と組織学的手法により調べた[11]．本研究では，10 週齢の Wistar 系雄性ラットを用いて右側下顎骨骨体部で骨切りを行い，骨延長装置を装着して，術後 5 日後より，12 時間ごとに 0.175 mm ずつ 10 日間で 3.5 mm 骨延長を行った．マイクロ CT 解析（**図 8-Ⅳ-3**）では，下顎骨延長により下顎頭は後方へ移動し，骨延長後 3 週時には下顎頭前方部に過度な力学的負荷によると思われる顕著な骨欠損が観察された．対照群の組織学的所見（**図 8-Ⅳ-4a〜c**）では，下顎頭の表面は平滑であり，下顎頭軟骨は表面から線維層，増殖細胞層，成熟軟骨細胞層，肥大化軟骨細胞層の 4 層に明確に分かれ，軟骨層の下には密に配列された海綿骨を認めた．下顎頭前方部では中央部よりも薄い軟骨層を呈していた．骨延長後 3 週時の組織学的所見（**図 8-Ⅳ-4d，e**）では，下顎頭前方部が変形しており，同部の軟骨層が完全に失われ，破壊された下顎頭の骨表面は，線維性組織に置き換わり，不規則な輪郭を示して TRAP 陽性を示す大型の破骨細胞が優位に分布していた．一方，中央部では，骨延長後早期には軟骨細胞層の乱れや骨髄腔の拡大が観察されたが，骨延長後 3 週時には軟骨層の再生

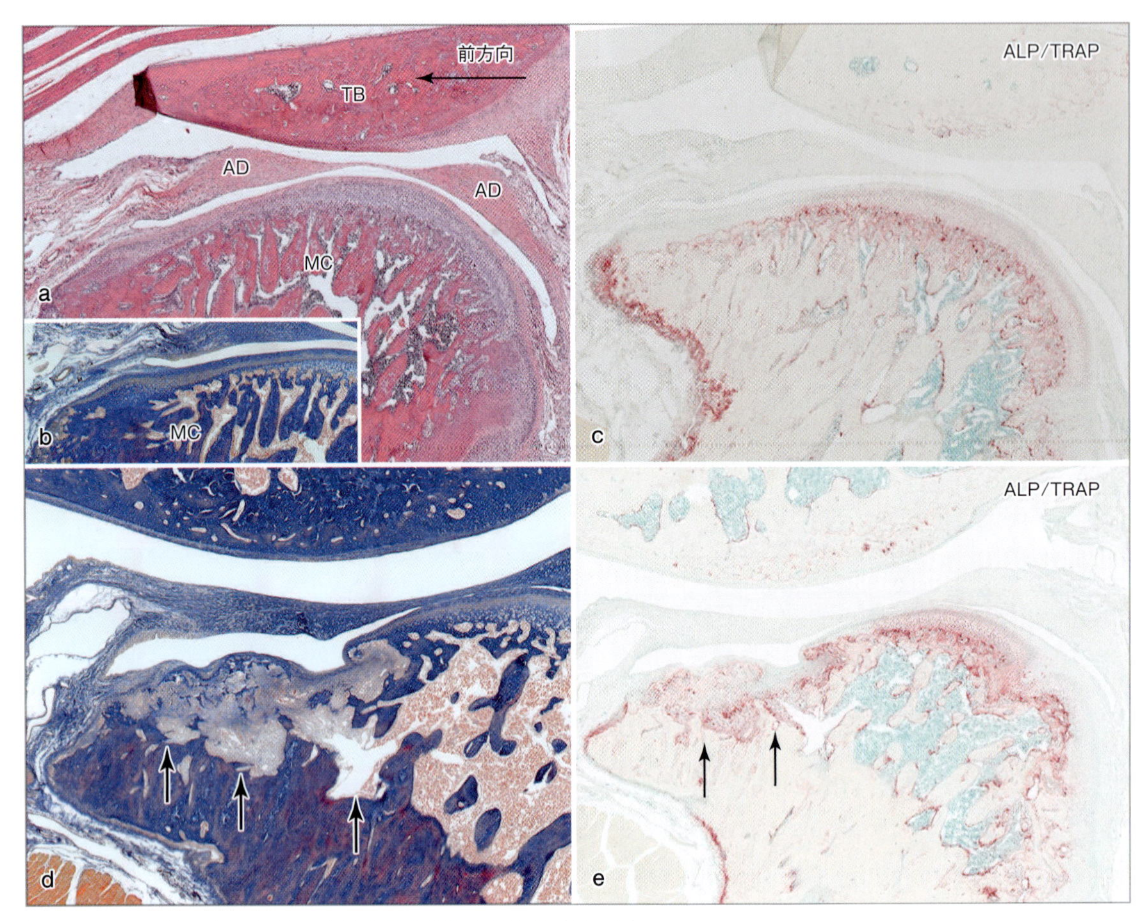

図 8-Ⅳ-4　下顎骨延長モデルにおける顎関節部の組織像（ラット）
a：対照群 H-E 染色．TB：側頭骨，AD：関節円板，MC：下顎頭
b：対照群 AZAN 染色．
c：対照群 ALP/TRAP 染色．
d：下顎骨延長終了後 3 週 AZAN 染色．矢印：下顎頭前方部の骨吸収領域は線維性組織に置換
e：下顎骨延長終了後 3 週 ALP/TRAP 染色．矢印：TRAP 陽性破骨細胞の局在
（Sakagami N et al.: A histologic study of deformation of the mandibular condyle caused by distraction in a rat model. *Oral Surg Oral Med Oral Pathol Oral Radiol*，118：284～294，2014.）

と軟骨−骨接合部において新生骨が形成され，同部の高さが増加し，力学的負荷に対する適応と骨リモデリングが認められた．下顎頭部の軟骨組織と軟骨下骨髄はともに力学的負荷に対する感度が高く，その後の骨リモデリングや吸収性骨変化を決定する重要な要素と考えられ，骨の耐性やリモデリング能力を超える力学的負荷は，最も圧力がかかる領域で細胞の損傷や骨リモデリングの崩壊を引き起こし，骨吸収を引き起こすと考えられる．

以上より，下顎頭の吸収性骨変化には，下顎頭部にかかる力学的負荷の大きさと負荷に対する骨の耐性（骨密度＋骨質）が関与していると考えられ，そこにはさまざまな要因が影響していることからそのメカニズムを解明することは困難であるが，臨床においては下顎頭部への力学的負荷とともに個々の症例の骨の耐性をよく考慮し，骨変化が進行性であるかを判断したうえで治療にあたる必要がある．

（小林正治）

参考図書，参考文献

Ⅰ 概説，Ⅱ 顎関節の構造

参考図書

1. 高橋富久：第 4 章　関節学総論．口腔解剖学．第 2 版（前田健康ほか編）．医歯薬出版，東京，2015．
2. Ten Cate：Chapter 13 The mastication apparatus In: Ten Cate's Oral Histology Development, Structure, and Function 9 th eds（Nanci A ed.），Elsevier, St. Louis, 2016．
3. 金子丑之助：日本人体解剖学上巻．改訂 19 版（金子勝治ほか改訂）．南山堂，東京，1999．
4. Bernick S：Temporomandibular joint. In: Oral Development and Histology（Avery JK ed.）．Williams & Wilkins, Baltimore，1987，348 ～ 364．
5. Iwanaga T et al.：Morphology and functional roles of synoviocytes in the joint．*Arch Histol Cytol*，63：17～31，2000．
6. Nozawa-Inoue K et al.：Synovial membrane in the temporomandibular joint-its morphology, function and development. *Arch Histol Cytol*, 66：289～306，2003．
7. Kido MA et al.: Topography and distribution of sympathetic nerve fibers in the rat temporomandibular joint: Immunocytochemistry and ultrastructure. *Anatomy and Embryology*, 203：357～366，2001．

8. 小林龍彰ほか：ラット顎関節の神経支配 抗 PGP 9.5 血清を用いた免疫組織学的研究．口科誌，**43**：369～385，1994．
9. Thilander B：Innervation of the temporomandibular joint capsule in man. *Trans Roy Sch Dent*，**7**：9～67，1961．
10. Wang Y et al.：Tissue interaction is required for glenoid fossa development during temporomandibular joint formation. *Dev Dyn*，**240**：2466～2473，2011．

●参考文献

1) 田口 望：関節軟骨．顎関節小辞典（上村修三郎ほか編）．日本歯科評論社，東京，1990，118～123．
2) 城戸瑞穂：第 8 章 顎関節．II 顎関節の構造．口腔解剖学．第 2 版（前田健康ほか編）．医歯薬出版，東京，2015，237～245．
3) Yamaza T et al.：NF-kB activation and iNOS expression in the synovial membrane of rat tempromandibular joints after induced syovitis. *J Dent Res*，**82**：183～188，2003．
4) Ueno S：The uptake of horseradish peroxidase in the temporomandibular joint synovium of the rat following unilateral extraction of molars. *J Dent Res*，**61**：516～520，1982．
5) Iwanaga T et al.：Morphology and functional roles of synoviocytes in the joint. *Arch Histol Cytol*，**63**：17～31，2000．
6) Nozawa-Inoue K et al.：Contribution of synovial lining cells to synovial vascularization of the rat temporomandibular joint. *J Anat*，**228**：520～529，2016．
7) Kiyoshima T et al.: Localization of cathepsins B and D in the synovial lining cells of the normal rat temporomandibular joint by immuno-light and -electron microscopy. *Acta Histochem Cytochem*，**27**：441～450，1994．
8) Scapino RP et al.：Organization and function of the collagen fiber system in the human temporomandibular joint disk and its attachments. *Cells Tissues Organs*，**182**：201～225，2006．
9) Anastasi MR et al.: Articular disc of a human temporomandibular joint: Evaluation through light microscopy, immunofluorescence and scanning electron microscopy. *J Funct Morphol Kinesiol*，**6**：22，2021．
10) Detamore MS et al.: Cell type and distribution in the porcine temporomandibular joint disc. *J Oral Maxillofac Surg*，**64**：243～248，2006．
11) Kido MA et al.：Distribution of substance P and calcitonin gene-related peptide-like immunoreactive nerve fibers in the rat temporomandibular joint. *J Dent Res*，**72**：592～598，1993．
12) Freeman MA and Wyke B：The innervation of the knee joint. An anatomical and histological study in the cat. *J Anat*，**101**：505～532，1967．

Ⅲ 顎関節の発生

●参考文献

1) Linck G and Porte A：B-cells of the synovial membrane：II. Differentiation during development if the synovial cavity in the mouse. *Cell Tiss Res*，**195**：251～165，1978．
2) Ikeda N et al.：Development of the synovial membrane in the rat temporomandibular joint as demonstrated by immunocytochemistry for heat shock protein 25. *Anat Rec A Discov Mol Cell Evol Biol*，**279**：623～635，2004．
3) Niwano M et al.: Immunocytochemical localization of caveolin-3 in the synoviocytes of the rat temporomandibular joint during development. *Anat Rec*，**291**：233～241，2008．
4) Nozawa-Inoue K et al.：Synovial membrane in the temporomandibular joint. morphology，function and development. *Arch Histol Cytol*，**66**：289～306，2003．
5) Naito M et al.: Abnormal differentiation of tissue macrophage populations in 'osteopetrosis'（op）mice defective in the production of macrophage colony-stimulating factor. *Am J Pathol*，**139**：657～667，1991．
6) Suzuki A and Iwata J：Mouse genetic models for temporomandibular joint development and disorders. *Oral Dis*，**22**：33～38，2016．
7) Bechtold TE et al.：The Roles of Indian Hedgehog Signaling in TMJ Formation. *Int J Mol Sci*，**20**：6300，2019．
8) Kinumatsu T et al.：TMJ development and growth require primary cilia function. *J Dent Res*，**90**：988～994，2011．
9) Shibata S et al.：Runx2-deficient mice lack mandibular condylar cartilage and have deformed Meckel's cartilage. *Anat Embryol*，**208**：273～280，2004．
10) Liao L et al.：Deletion of Runx2 in condylar chondrocytes disrupts TMJ tissue homeostasis. *J Cell Physiol*，**234**：3436～3444，2019．
11) Wang Y et al.：Tissue interaction is required for glenoid fossa development during temporomandibular joint formation. *Dev Dyn*，**240**：2466～2473，2011．
12) Mori-Akiyama Y et al.：Sox9 is required for determination of the chondrogenic cell lineage in the cranial neural crest. *Proc Natl Acad Sci*，**100**：9360～9365，2003．

Ⅳ 臨床的考察

●参考文献

1) Cancel M et al.：Effects of in vivo static compressive loading on aggrecan and type II and X collagens in the rat growth plate extracellular matrix. *Bone*，**44**：306～315，2009．
2) 日本顎関節学会編：新編 顎関節症．第 1 版．永末書店，京都，2013，9～12．
3) 日本顎関節学会編：顎関節症治療の指針 2020，13．http://kokuhoken.net/jstmj/publication/file/guideline/guideline_treatment_tmj_2020.pdf
4) 小見山 道：顎関節症の病態による下顎位，咬合の変化．日補綴会誌，**13**：205～212，2021．
5) 相川 弦ほか：顎変形症患者の顎関節症状と顎顔面形態との関連．日口外誌，**57**：441～451，2011．
6) Arnett GW and Gunson MJ：Risk factors in the initiation of condylar resorption. *Semin Orthod*，**19**：81～88，2013．
7) Milam SB：TMJ osteoarthritis. In：Temporomandibular Disorders：An Evidence-Based Approach to Diagnosis and Treatment（Laskin DM et al. eds.）. Quintessence，Chicago，2006，105～123．
8) Yasuoka T et al.：Effect of estrogen replacement on temporomandibular joint remodeling in ovareiectomized rats. *J Oral Maxillofac Surg*，**58**：189～197，2000．
9) Bouvier M and Zimny ML：Effects of mechanical loads on surface morphology of the condylar cartilage of the mandible in rats. *Acta Anat（Basel）*，**129**：293～300，1987．
10) Kobayashi T et al.：Progressive condylar resorption after mandibular advancement. *Br J Oral Maxillofac Surg*，**50**：176～180，2012．
11) Sakagami N et al.：A histologic study of deformation of the mandibular condyle caused by distraction in a rat model. *Oral Surg Oral Med Oral Pathol Oral Radiol*，**118**：284～294，2014．

第9章 口腔の軟組織

chapter 9

I 概説

口腔の内面は**口腔粘膜**で覆われ，**舌粘膜**や**歯肉**，**口蓋粘膜**は機能に応じた特徴を備えている．また，**発声**にも関与している．

超高齢社会においても良好な生活の質 Quality of Life（QOL）を保持するには，**口腔機能低下**の予防が欠かせないことが明らかになってきた．そのためにもここで学修する口腔軟組織の構造が機能的必然性に密着していることを理解するのが大変重要である．

また,発生学の項で述べられているように,口腔は狭い領域ながら体表の外胚葉に覆われた**口窩**，内胚葉に覆われた**原腸**，**神経堤**に由来する**外胚葉性間葉**と中胚葉由来の間葉や筋組織など，あらゆる発生学的要素が組み合わさって構成されている．発生学的な背景と完成した口腔のさまざまな細胞・組織の形態との関連も重要である．

1. 粘膜

全身の体表と，体表と連続した消化管はすべて表皮と**粘膜上皮**が覆っているが，唯一の例外が歯である．エナメル質は上皮性ではあるが，細胞成分を失っていることから上皮組織としての一般的な機能は発揮できない．細胞外マトリックスに乏しく細胞接着装置により緊密に連続して外部からの微生物や異物の進入を阻止する上皮の保護作用を補うため，歯肉は**付着（接合）上皮**をはじめとする特別な構造をもっている．

さらに食塊形成や咀嚼時に加わる圧力に抵抗し，粘膜を保護するため，**咀嚼粘膜**（後述）に分類される硬口蓋 hard palate や歯肉では表皮と同じように角化して死細胞が表面を覆うと同時に，可動性を抑制するためにコラーゲン線維が粘膜下の骨に埋入して**Sharpey（シャーピー）線維** Sharpey's fiber となっている．頰や口唇，軟口蓋 soft palate，口腔底（口底）などの**被覆粘膜**では，咀嚼運動や舌運動という筋や骨の働きに追随してなめらかに動くことができるよう非角化である．

口腔粘膜は口唇を介して皮膚と連続している．皮膚の3層，すなわち**表皮**，**真皮**，**皮下組織**は粘膜の**粘膜上皮**，**粘膜固有層**，**粘膜下組織**に移行する．しかし，口腔では粘膜筋板を欠くため，粘膜固有層と粘膜下組織を区別することがむずかしく，粘膜下組織がない部位もある．粘膜下には**小唾液腺**が存在している．また口唇では皮膚と粘膜の構造の類似性と相違が同時に観察できるほか，他の皮膚と違った赤みを帯びた色調は豊富な血管網に由来し，チアノーゼなどの重要な身体症状を観察できる．

2. 唾液腺

口腔内は常に唾液で潤っている．唾液は，粘膜内にあって直接口腔粘膜各部に分泌する**小唾液腺**と，独立した器官である3種の**大唾液腺**，すなわち**耳下腺**，**顎下腺**および**舌下腺**から分泌される．唾液は消化作用に加えて，口腔の湿潤や粘膜保護，自浄，生体防御など多くの機能を担っている．唾液分泌量が著しく低下する**口腔乾燥症** xerostomia（ドライマウス dry mouth）では，齲蝕の多発や舌粘膜の異常を引き起こし，QOL が低下する．また唾液腺自体の疾患に加え，薬物などの多様な刺激により影響を受ける．

3. 舌

舌は口腔底を構成し，口腔隔膜ともよばれる顎舌骨筋の上に，舌外の3方向から伸びる**外舌筋**と，**内舌筋**で構成された筋性器官である．口腔内から直接観察できる部分は上半分であり，舌筋の占める体積はかなり大きい．その舌筋が協調して収縮することにより複雑で繊細な運動が可能となっている．また舌筋は表情筋や咀嚼筋などの鰓弓筋とは異なり，四肢筋と同じく体節の筋板に由来するため，舌は第三の手ともいわれる．

食塊を効率的に捕捉するために，**舌背粘膜**には**舌乳頭**が存在する．そのうち**糸状乳頭**は強く角化した鋭い尖頭状の形態で，**舌背粘膜**のほぼ全域を覆っている．また同時に**茸状乳頭**，**葉状乳頭**，**有郭乳頭**には味蕾が存在し，味覚を特異的に受容している．

その反面，**舌下面粘膜**は，薄い非角化の粘膜で覆われ，血管が透けてみえる．その特徴から初回通過効果を回避できる薬物投与部位として利用されている．

4. リンパ組織

外部から進入する微生物に加え，口腔には常在菌として常に種々の微生物が存在している．これらに対する主要な防御装置が**扁桃**である．扁桃は舌根部の**舌扁桃**，口峡の**口蓋扁桃**，咽頭鼻部の**咽頭扁桃**，耳管開口部付近の**耳管扁桃**など，口腔と鼻腔から咽頭へかけての境界部付近に輪のように配置されて，**Waldeyer の咽頭輪** Waldeyer's (tonsillar) ring とよばれる．扁桃はリンパ節の基本的構造であるリンパ小節が粘膜下に集合した構造をもち，リンパ球を口腔内の唾液中に放出する（**唾液小体**）．そのため，扁桃を覆う上皮に多数の遊走中のリンパ球が観察される．

口腔軟組織の構造が有する機能的・発生学的な合理性や必然性を考え合わせることが本質的な理解につながる．

（天野　修）

II 口腔粘膜

1. 口腔粘膜の組織構成

口腔粘膜は口腔内を覆っている口腔上皮 oral epithelium である．口腔内の部位により，**上皮** epithelium，**粘膜固有層** lamina propria，**粘膜下組織** submucosa の3層を有するタイプと，上皮，粘膜固有層の2層を有する2つのタイプに分類される（図 9-Ⅱ-1）．上皮は**重層扁平上皮**であり，部位により上皮細胞の成熟は角化の様式が異なる．

粘膜固有層は上皮下に存在する結合組織で，粘膜固有層は上皮側に突出している結合組織乳頭と上皮から粘膜固有層に向かって伸びている上皮脚あるいは上皮稜 epithelial ridge により接着し，上皮を支持する役目を担っている．口腔上皮と粘膜固有層との境界は明瞭である．食道以下の多くの消化管では粘膜固有層の下層に平滑筋の薄層である**粘膜筋板** lamina muscularis mucosae がみられるが，口腔粘膜では認められない．そのため，粘膜固有層から粘膜下組織への移行は不明瞭になっている．粘膜固有層には交錯する細いコラーゲン線維や弾性線維が混在し，線維間には線維芽細胞 fibroblast やマクロファージ，リンパ球が散在する．しかし，口唇や頬，軟口蓋，口腔底など粘膜固有層が筋組織に接する場合には，粘膜下組織が存在する．硬口蓋や歯肉の部位は粘膜固有層が直接に骨膜についているため，粘膜下組織は認められない．

粘膜下組織は，血管，神経，小唾液腺，脂肪細胞を含む疎性結合組織である．

粘膜上皮と皮膚では，構成される細胞の形態は類似しているが，それぞれの名称が違うので注意が必要である（表 9-Ⅱ-1）．

口腔粘膜は加齢に伴い表面の平坦化，上皮，粘膜固有層，粘膜下組織のそれぞれの厚さの減少，乾燥が認められるとされている．

2. 口腔上皮

1）上皮の構造

口腔上皮は外胚葉に由来する重層扁平上皮で，神経線維は侵入しているが血管を欠いており，細胞が層状に配

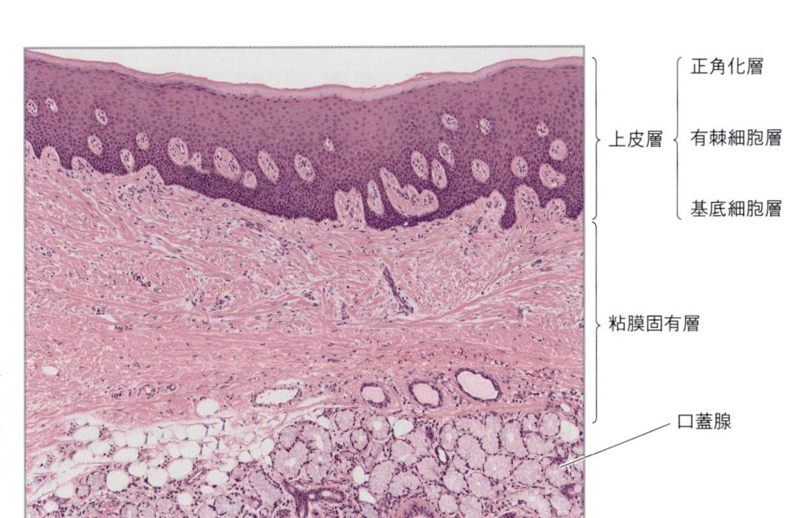

図 9-Ⅱ-1　硬口蓋組織（H-E 染色）
硬口蓋は粘膜上皮と粘膜固有層の２層からなる．重層扁平上皮で表層の角質細胞は正角化を示している．粘膜固有層は密なコラーゲン線維から構成されている．硬口蓋では粘膜下組織は認められない．粘膜下には粘液優勢または純粘液腺である口蓋腺がみられる．
（新潟大学大学院田沼順一先生のご厚意による）

表 9-Ⅱ-1　粘膜と皮膚との比較

口腔粘膜	皮膚
上皮	表皮
粘膜固有層	真皮
粘膜下組織	皮下組織
毛はない	毛はある
メラニン顆粒を含むことがある	メラニン顆粒を含む
粘液で湿っている	皮脂で潤う
唾液腺を含む	汗腺，脂腺を含む

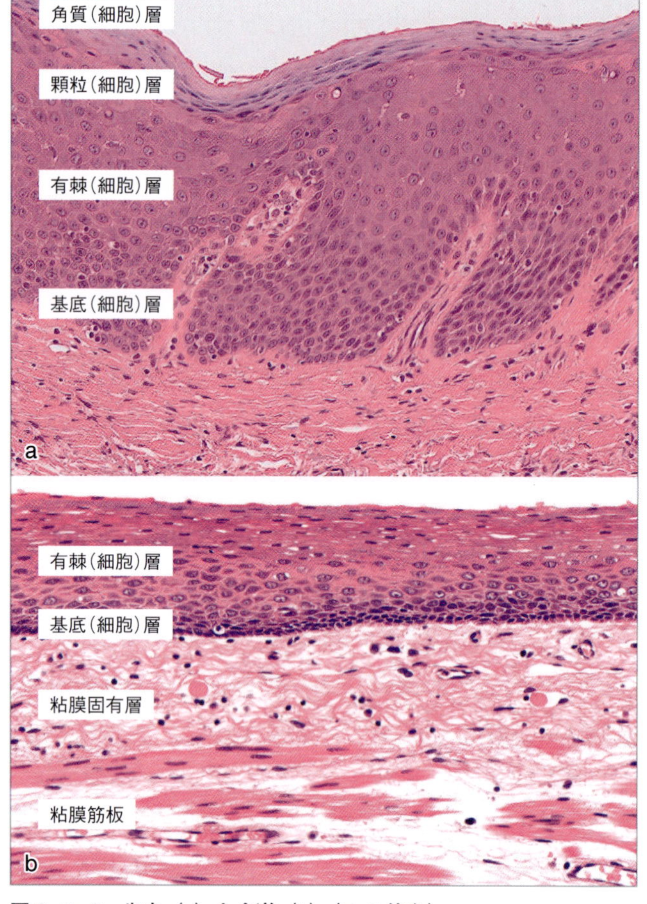

図 9-Ⅱ-2　歯肉（a）と食道（b）（H-E 染色）
歯肉上皮は角化重層扁平上皮であり，深層から基底（細胞）層，有棘（細胞）層，顆粒（細胞）層，角質（細胞）層の 4 層に分けられる．食道上皮は非角化重層扁平上皮である．
（新潟大学大学院田沼順一先生のご厚意による）

列している．消化管のうち，口腔，咽頭，食道と直腸の下部 1/3 は重層扁平上皮で覆われており，胃，小腸，大腸，直腸の上部 2/3 の上皮は単層円柱上皮である．

口腔上皮のうち角化している重層扁平上皮は，深層より表層 superficial layer に向かって，**基底（細胞）層** basal cell layer，**有棘（細胞）層** pricle cell layer，**顆粒（細胞）層** granular layer，**角質（細胞）層**となっている（図 9-Ⅱ-2a）．一方，角化が明瞭でない場合や非角化の重層扁平上皮では，基底層，有棘層，中間層 intermediate layer，表層とよばれることがある．また，有棘層は基底層とともに胚芽層 germinative layer または Malpighi（マルピギー）層 Malpighian layer ともよばれる．口腔上皮の幹細胞は基底層にある未分化な細胞である．特に，分裂中の細胞は上皮脚の部分に多く認められ，細胞は形を変えながら基底層から上層へと移動し，成熟し，最後は角質層より剥落していく．そのため角質層は剥離層ともよんでいる．歯肉，硬口蓋，舌背の糸状乳頭の表層は**角化** keratinization している．角化している細胞は**角化細胞** keratinocyte とよばれ，細胞質は**ケラチン**で満たされている．角化の程度は，正角化 orthokeratinization，錯角化 parakeratinization，非角化 non-keratinization に分類され，口腔粘膜上皮の存在部位によって異なる．正角化上皮の表層にある角質層の細胞，いわゆる角質細胞 corneocyte の核は消失する．錯角化では，角質層が存在し，その表層の角質細胞に濃縮し扁平化した核が残存する点が正角化との違いである．非角化上皮では角質層は存在しない．このような上皮の角化の程度は，物質の透過性や吸収性に影響しているといわれている．

角化は広義には細胞死の一種と考えられ，細胞膜が濃縮・消失して，上皮細胞の中間径フィラメントであるケラチンフィラメントの構成タンパク質であるケラチンのみが残存した状態である．

上皮が新しい上皮に置き換わる周期の速度を**ターンオーバー** turnover という．口腔上皮は深層の基底細胞層で分裂・増殖し，表層に移動し，最終的に上皮の表面から剥離していく．口腔上皮のターンオーバーは部位によって異なり，付着上皮で 5〜10 日，その他の口腔上皮で 12〜14 日といわれ，皮膚よりも口腔上皮の方でターンオーバーが速いことが知られている．

2）上皮細胞同士の特殊構造

口腔上皮の細胞は上皮細胞同士，さらに上皮下の粘膜固有層と連結している．上皮細胞同士の細胞間には，通常約 20 nm の間隙があり，この細胞間に特殊な構造を有する接着装置がある．その種類には①**タイト結合** tight junction（密着帯），②**接着結合** adherens junction（接着帯），③**接着斑**（デスモゾーム）desmosome，④**ギャップ結合** gap junction の 4 種類がある（図 9-Ⅱ-3）．

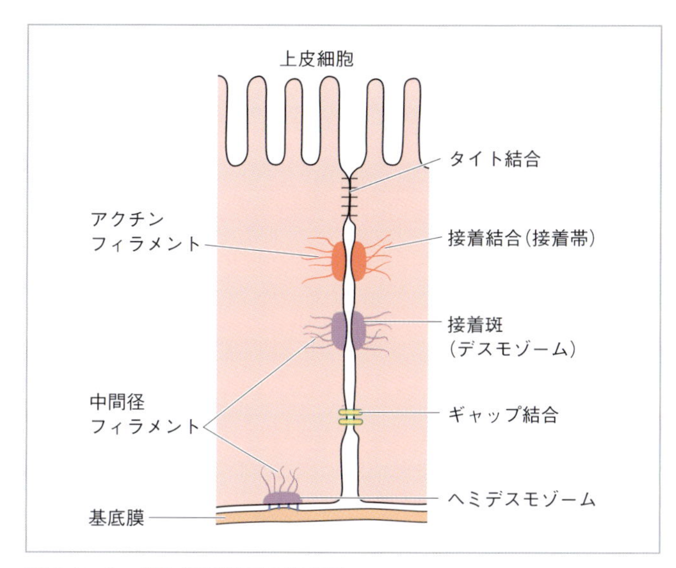

図 9-Ⅱ-3　細胞接着装置の模式図

(1) タイト結合（密着帯）

相対する細胞間に細胞間隙がなく，細胞膜の外板同士が密着している．外板の密着部は膜貫通タンパク質の一種である**オクルディン** occludin が複雑に吻合しているといわれている．

(2) 接着結合（接着帯）

物質が細胞間腔を通過し，拡散，移動するのを防いでいる．接着結合は，閉鎖結合の基底側に位置する．相対する細胞膜の間に 15～20 nm の間隙があり，ここで両方の細胞から由来した**カドヘリン** Cadherin の細胞外部分が互いに結合している．カドヘリンの細胞質側は細胞骨格となるアクチンフィラメントが結合している．

(3) 接着斑（デスモゾーム）

相対する細胞の側面に複数個みられる．重層扁平上皮では**デスモゾーム**が主体である．相対する上皮細胞の細胞膜の細胞質側に接着斑板が存在する．接着斑板には接着タンパク質である**デスモプラキン** desmoplakin が含まれ，中間径フィラメントであるケラチンフィラメントがヘアピンカーブを描いて接着している．細胞間隙には両方の細胞から由来したカドヘリンファミリーに属し，Ca^{2+}依存性である膜貫通タンパク質の**デスモグレイン** desmogleins の細胞外部分が互いに強力に結合している．このデスモグレインの接着機構が阻害されると，天疱瘡が誘発されると考えられている．

(4) ギャップ結合

6 個の膜貫通タンパク質である**コネキシン** Connexin が直径 1.5～2.0 nm の親水性の小孔を囲むように配列している．相対する細胞からのコネキシンがぴったり結合し，細胞間を連絡するチャンネルが形成される．

3）上皮細胞の基底面の特殊構造

上皮細胞の基底部側は**基底膜** basement membrane に面し，下層の結合組織との間で接着装置を形成している．すなわち，上皮細胞の基底側の細胞膜はその直下に存在する基底膜を介して，上皮と結合組織である粘膜固有層と接着している．この接着様式には，エナメル質と付着上皮との接着様式でもある**半接着斑（ヘミデスモゾーム** hemi-desmosome）と局所的接着 focal adhesion の 2 種類の細胞間接着装置があるといわれている．

ヘミデスモゾームの役目は接着するとともに，物質透過のフィルターや上皮再生の足場としても働いている．構造的にヘミデスモゾームは，デスモゾームの半分とほぼ同じ形態を呈している．接着する組織と相対する上皮細胞の基底側の細胞質には接着タンパク質（デスモプラキン）を含む接着斑板が存在する．接着斑板の細胞内の細胞質側には，微小管・中間径フィラメントなどの細胞骨格が発達し，細胞の形態維持や外力からの抵抗などに働いている．この中間径フィラメントの中でも上皮細胞に特異的なサイトケラチンの遺伝子の変異は，皮膚や口腔内に水疱を生じる疾患の原因といわれている．

接着斑の細胞膜側には細胞膜を貫通するタンパク質であるインテグリンファミリーが結合している．インテグリンの細胞外部分は，基底板のうちの透明層 lamina lucida に含まれるラミニンと結合している．すなわち，上皮細胞は接着斑板，インテグリン，ラミニンなどを介して基底板と結合していることになる．

上皮と粘膜固有層との境界をなすこの基底膜は，光学顕微鏡で観察されるものだが，電子顕微鏡でみると基底板と線維細網板に区分できる．基底板はさらに透明層と緻密層 lamina densa に区分できる．透明層には，細胞外糖タンパク質であるラミニン laminin やフィブロネクチン fibronectin，膜貫通タンパク質インテグリンの細胞外部分が含まれる．緻密層にはⅣ型コラーゲンが存在し，網目構造を呈している．

線維細網板には，Ⅰ型とⅢ型のコラーゲンが含まれており，線維細網板は基底板とその下の結合組織との接着および緩衝帯の役目を果たすといわれている．

4）口腔上皮に存在する非角化細胞

口腔上皮には，**色素細胞** pigment cells（メラニン細胞 melanocytes），**Langerhans**（ランゲルハンス）**細胞** Langerhans' cell)，**Merkel**（メルケル）**細胞** Merkel's cell（☞ p. 141 **図 6-Ⅳ-2** 参照），マクロファージ，リンパ球などが認められる．

口腔粘膜の色調は，部位や粘膜上皮や粘膜固有層の厚さに影響されるが，色素細胞から分泌される**メラニン** melanin，血中のヘモグロビン hemoglobin によっても決まってくる．色素細胞は，基底層に存在し，上皮細胞間に細胞突起を長く伸ばし，上皮細胞全体にメラニン顆粒を分泌している．

Langerhans 細胞は，基底層から有棘層にみられる長い細胞突起を有する細胞で，細胞質中に Birbeck（バーベック）顆粒 Birbeck granule を有し，MHC（major histocompatibility complex）抗原や免疫グロブリンの受容体を有する抗原提示細胞として働いている．

Merkel（メルケル）細胞 Merkel's cell は，基底層に存在し，神経線維と接触し，機械刺激の受容器として働いている．口腔上皮内にはマクロファージ，リンパ球などが遊走し，粘膜の防御にかかわっている．

3. 粘膜固有層と粘膜下組織

口腔上皮を支持している結合組織が粘膜固有層である．口腔粘膜上皮は，固有層に向かって突起のようにみえる上皮脚あるいは上皮稜を形成し，伸長する．一方，粘膜固有層の結合組織も乳頭状の突起，すなわち結合組織乳頭を形成する．上皮脚と結合組織乳頭はお互いに嵌合し，広い接着面積で接着を強固にしている．粘膜固有層は上皮脚と結合組織乳頭付近の上部の部分とそれより下部深層の網状の部分に区分される．上部の部分では，コラーゲン線維は細くてまばらに配列している．さらに豊富な血管が分布し，結合組織乳頭に向かって多くの毛細血管がループを形成している．また，結合組織乳頭には，深層部の神経束からの神経線維がみられ，Krause（クラウゼ）小体 Krause corpuscle，Meissner（マイスナー）小体 Meissner's corpuscle などの特殊な神経終末も部位によっては観察され，その一部は上皮下で神経叢を形成し，その枝は固有層や上皮内に進入して自由神経終末で終わっている．

深層の網状の部分では，表面に平行に走行するコラーゲン線維の太い束がみられる．

口腔粘膜は，伸展，圧縮などの機械的な力に抵抗する必要があることから，粘膜固有層には細胞外マトリックス extracellular matrix（細胞間質）が発達する．線維成分として，コラーゲン線維，細網線維 reticular fiber，弾性線維 elastic fiber が存在し，ここに細胞成分が含まれる．基質として種々のプロテオグリカン proteoglycan，ラミニンやフィブロネクチンなどの多種結合性糖タンパク質 multiadhesive glycoprotein，デルマタン硫酸やヒアルロン酸などのグリコサミノグリカンなどがある．

粘膜固有層には，さまざまな種類の細胞が存在し，結合組織固有の細胞（定着型 fixed，定住型 resident）と二次的に血管の外に出た細胞，すなわち造血幹細胞 hematopoietic stem cell に由来する細胞（遊走性 migratory）とが存在する．

結合組織に固有の細胞には，線維芽細胞や筋線維芽細胞 myofibroblast，間葉系細胞，細網細胞，色素細胞，脂肪細胞などがある．また，造血幹細胞に由来するものには，好中球 neutrophil，好酸球，好塩基球，リンパ球，形質細胞 plasma cell，マクロファージ，肥満細胞などがある．

口腔は粘膜筋板を欠くため，緻密な線維からなる粘膜固有層は，徐々に疎性の粘膜下組織に移行する．しかし，硬口蓋と歯肉では粘膜下組織を欠き粘膜固有層が骨膜に強く付着している（粘膜性骨膜 mucoperiosteum）．

4. 口腔粘膜の分類と特徴

口腔粘膜は口腔の各部位の構造と機能によって，**被覆粘膜** lining mucosa，**咀嚼粘膜** masticatory mucosa，**特殊粘膜** specialized mucosa の 3 種類に分類されている．

被覆粘膜は，咀嚼時にあまり強い刺激が加わらない部位の粘膜で，頬粘膜，舌の下面，口腔底，歯槽粘膜，軟口蓋，口唇，頬の後部などの可動性の高い粘膜が該当する．上皮の厚さは，外力が直接加わる口唇や頬粘膜で厚く，軟口蓋や口腔底，歯槽粘膜では薄い．上皮は非角化重層扁平上皮で，結合組織乳頭の背が比較的低く，粘膜固有層に加えて粘膜下組織が，通常，存在しているのが特徴である．

咀嚼粘膜は，咀嚼時に，咬合圧や食物との摩擦による機械的刺激が加わる部位を覆う粘膜であり，歯肉（付着歯肉）や硬口蓋がこれにあたる．上皮は厚く，正角化ないし錯角化重層扁平上皮で，コラーゲン線維が密に束となって多方向に走行する粘膜固有層は存在するが，粘膜下組織は通常，欠如し，粘膜性骨膜がこれにかわっている．

特殊粘膜は，味蕾や舌乳頭を有する特殊な粘膜で，舌背の粘膜が代表である．粘膜固有層を有するが，粘膜下組織はあまり発達していない．

1）口唇

口唇は口腔と顔面の境界に位置するため，組織構造にも特徴がみられる．そのため，口唇は皮膚部，紅唇（口唇紅部，赤唇縁，中間部），粘膜部に区分されている．

皮膚部は顔面の皮膚なので，表皮（重層扁平上皮）は薄く，毛，皮脂腺，エクリン汗腺を有する．

紅唇は皮膚部と粘膜部の移行部で，上皮は表皮よりも厚く，完全に角化していない．メラニン色素も乏しく，存在しないこともある．上皮脚と嵌合する結合組織乳頭の背は高く，毛や腺は存在しない．紅唇が赤くみえるのは上皮が完全に角化していないため比較的透明で，その下の結合組織乳頭に毛細血管が豊富に存在しているからである．

粘膜部は口腔粘膜の一部で，粘膜下組織には混合腺である口唇腺 labial gland が含まれる．しばしば，皮脂腺（Fordyce（フォーダイス）斑 Fordyce spots）が口角部の粘膜にみられることがある．

2）頬粘膜

頬粘膜の上皮は厚く，上皮脚も長い．粘膜下組織は頬腺 buccal gland や脂肪組織で構成され，深部では頬筋につながる．

3）口蓋

硬口蓋は，咀嚼粘膜に覆われ，上皮は正角化あるいは錯角化した重層扁平上皮である．硬口蓋前方部の上皮は粘膜固有層の結合組織によって下層の骨と結合しているが，後方部では粘膜下組織が存在し，脂肪組織が含まれる．最後方域の粘膜下組織には口蓋腺 palatine gland が存在し，軟口蓋まで及んでいる．硬口蓋の正中域は，口蓋縫線とよばれ，粘膜下組織は存在せず，固有層の緻密な結合組織が下層の骨と強く結合している．これを**粘膜性骨膜**とよぶ．

軟口蓋は，内部に骨を欠き，口蓋筋（横紋筋）が主体で，これを粘膜が覆っている．上皮は重層扁平上皮で，粘膜下組織には硬口蓋の最後方域から続く口蓋腺が含まれる．

4）舌，口腔底

舌は咀嚼，発音の補助，味覚などに携わる器官である．舌筋（内舌筋，外舌筋）とよばれる横紋筋が発達し，その表面を粘膜が覆っている．その舌の上面である舌背に，粘膜の隆起物である糸状乳頭，茸状乳頭，有郭乳頭，葉状乳頭の4種類が存在する．いずれも粘膜固有層が隆起して，その表面を粘膜上皮（口腔上皮）が覆うことによって形成され，粘膜下組織は関与していない．

口腔底の粘膜上皮は薄く，角化していないので血管が透けてみえる．固有層は疎性結合組織や脂肪組織がみられ，下層には筋組織が存在する．口腔底は透過性が高いことが知られており，狭心症ではニトログリセリンの舌下投与がなされる．最近では，アレルギー治療のための免疫療法にも活用されている．

5）口腔粘膜の境界

口腔内における口腔粘膜の境界部は，皮膚と口腔粘膜部や歯肉と歯槽粘膜部，硬口蓋と軟口蓋との移行部などが存在する．いずれの移行部も上皮形態や角化の程度，固有層や粘膜下組織の有無によって異なっている．

（菊池憲一郎）

Ⅲ 唾液腺

1．唾液と唾液腺

1）唾液腺とは

口腔粘膜の表面は常に唾液で覆われて潤っている．口腔に唾液を外分泌する組織・器官を唾液腺 salivary gland という．独立した器官である**大唾液腺** major salivary gland と，粘膜内に存在する顕微鏡的なサイズの**小唾液腺** minor salivary gland がある．

大唾液腺には一対の**耳下腺** parotid gland，**顎下腺** submandibular gland，**舌下腺** sublingual gland がある．小唾液腺には口腔の部位に応じた名称がそれぞれつけられている．各唾液腺の基本構造は共通した特徴も多いが，腺ごとの違いも顕著である．腺組織構造の違いは分泌する唾液成分の違いにも反映する．

2）唾液の成分と機能

（1）化学的成分

唾液分泌量は成人で1日に約1〜1.5Lで，その約70％が大唾液腺から分泌される．唾液は水99.5％，無機質0.2％，有機質0.3％から構成されている（**表9-Ⅲ-1**）．

唾液はこれらの物質により，多彩かつ重要な機能を発揮している．唾液の成分は個人差のほか，安静時と食事時，加齢，全身の健康状態や唾液腺疾患，薬物摂取などでも大きく変動する．血液から漏出した唾液中の物質やその濃度は血中の状態を反映することが多いため，検査用に利用されることがある．

（2）唾液小体

唾液中には剥離した口腔粘膜細胞の他に扁桃や歯肉溝から漏出したリンパ球や顆粒白血球が含まれており，**唾液小体** salivary corpuscle という．

第9章 口腔の軟組織

表 9-Ⅲ-1　唾液の化学的成分

無機質		Na^+, K^+, Ca^{2+}, Mg^{2+}, Cl^-, HCO^{3-}, H_2PO^{4-}
有機質	唾液腺自身が合成	αアミラーゼ
		ムチン
		高プロリン糖タンパク質
		スタテリン
		リゾチーム
		ラクトフェリン
		唾液ペルオキシダーゼ
		シスタチン
		ヒスタチン
	結合組織の形質細胞が合成	分泌型免疫グロブリンA
	血液から漏出	アルブミン
		尿素
		グルコース
		ステロイドホルモン
		薬物・ウイルス・抗体

(3) 唾液の機能

(a) 消化作用

唾液の**αアミラーゼ**（唾液アミラーゼ）の作用により，食物中のデンプンをマルトース，マルトトリオース，α限界デキストリンに加水分解する．この分解は胃に達してもしばらく持続する．マルトースは腸粘膜で単糖のグルコースに分解され，すみやかに吸収される．

(b) 粘膜保護作用

唾液には粘液性タンパク質の**ムチン**が含まれ，粘膜や食塊を覆う作用がある．粘膜表面のムチンは乾燥を抑える保湿効果のほか，外部からの刺激に対し口腔内の粘膜を保護する作用がある．

(c) 自浄作用

歯の表面に付着した食物残渣やプラークを物理的に洗い流す．

(d) 抗菌作用・免疫作用

口腔内には常在菌が存在し，バランスの取れた一定の細菌叢を維持している．外部から口腔に侵入した細菌は唾液中のラクトフェリンやリゾチームなどにより増殖が抑制される．また，唾液中には免疫グロブリン（**分泌型IgA**）が含まれている．

分泌型IgAは，結合組織中の形質細胞で分泌されて上皮細胞の基底側細胞膜から取り込まれ，分泌片secretory componentとよばれるタンパク質と結合して細胞質中を移動し，管腔側から分泌される．

唾液腺の腺房細胞や導管細胞にはCOVID-19ウイルスに結合する受容体（ACE2）が存在し，血管を介してウイルスが感染し，唾液にも多量のウイルスが漏出する．

(e) 緩衝作用

唾液中の重炭酸塩やリン酸塩には酸を中和してpHを一定に保つ役割がある．口腔内のpHは食後すぐに酸性になるが，食後30〜40分程度で中性へ回復する（ステファンカーブ Stephan curve）．

(f) 再石灰化作用

唾液にはカルシウムイオン，リン酸イオンが含まれており，脱灰されたエナメル質表面に沈着させて再石灰化を起こす．

(g) 溶媒作用

唾液に食物中の味物質が溶解することによって，味蕾の味細胞に結合し，味覚を感じることができるようになる．

(h) 内分泌作用

唾液には上皮成長因子epidermal growth factor（EGF）や神経成長因子nerve growth factor（NGF）をはじめとする細胞増殖因子などの生理活性物質が含まれている．唾液中の生理活性物質は口腔粘膜や消化管粘膜に直接的に働いて創傷治癒に働くほかに，再吸収されて血管系に入り，他の組織・器官に内分泌的作用を発揮すると考えられている．

2. 唾液腺組織の基本構造

1）被膜と小葉

唾液腺の表面は薄い疎性結合組織性の**被膜** capsuleが全体を取り囲み，腺組織は被膜から内側に伸びた隔壁様の疎性結合組織により多数の区画に区分されている．この区画を**小葉** lobule，隔壁の結合組織を**小葉間結合組織** interlobular connective tissueという（**図 9-Ⅲ-1**）．小葉の内部は，**小葉内結合組織** intralobular connective tissueが腺上皮組織の間隙を埋めている．唾液腺の神経や脈管は，これらの結合組織中を通過する．

2）導管と腺房

大唾液腺は細長い導管ductが分岐を繰り返し，その先端部にふくらみをもつ**複合管状胞状腺** compound tuburoalveolar glandである．小葉内の腺組織のうち，**唾液**を産生，分泌する腺細胞が存在する袋状の構造を**腺房** acinus，腺房から伸びて口腔まで唾液を運ぶ管状の

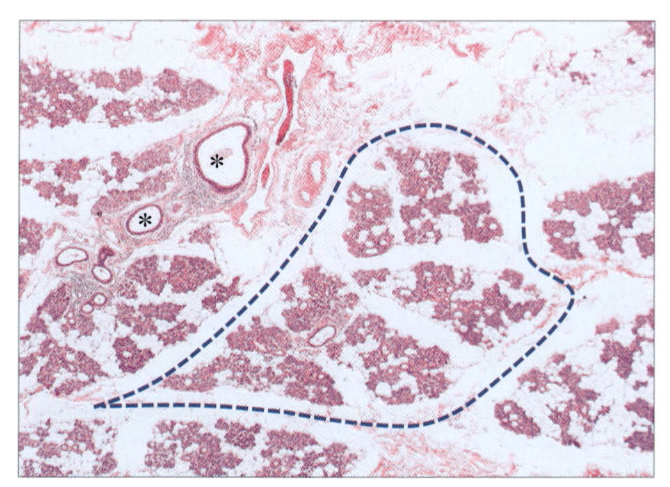

図 9-Ⅲ-1　大唾液腺の小葉構造（耳下腺）
小葉（点線で囲った領域）と小葉間結合組織にある小葉間導管（*）を示す.

組織を**導管**という. 導管は合流を繰り返して太くなり, 耳下腺や顎下腺では1本の主導管に収束し, 腺外を走行して口腔粘膜に達する. 口腔の導管開口部から遡ると腺房が終点となるので, 腺房を**終末部** end portion ともいう.

導管系は構造の違いにより以下のように分類され, 順に口腔粘膜まで連続している.

①**介在部導管** intercalated duct
②**線条部導管** striated duct
③**排出導管** excretory duct
④**主導管** main excretory duct

①と②は常に小葉内結合組織中に存在し, ③は小葉内から小葉間結合組織にまたがって存在し, 腺門で1本に収束して太い④となる. 主導管は腺門を出て腺外を走行し, 口腔粘膜に開口する. 大唾液腺の主導管には**耳下腺管** parotid duct（Stensen（ステンセン）管 Stensen duct）, **顎下腺管** submandibular duct（Wharton（ワルトン）管 Wharton duct）, **大舌下腺管** greater sublingual duct（Bartholin（バルトリン）管 Bartholin duct）などの名称がついている.

腺内の導管系は小葉内導管 intralobular duct と小葉間導管 interlobular duct に区別するが, 小葉内導管に①と②を含める場合と③の小葉内部分だけを指す場合がある. 小葉間導管は③で構成される.

3. 腺房の構造

腺房は分泌部 secretory portion で, 産生, 分泌されたものを**原唾液**（一次唾液）primary saliva といい, 口腔内に存在する唾液と異なった性状・成分をもつ. 腺房は球状または胞状の外形をもち, その表面は基底膜で覆われている. すべての腺房の細胞は基底膜に接しており, 腺房の主要部を占める腺細胞を**腺房細胞** acinar cell という. 腺房細胞と基底膜の間には, ネット状に腺房細胞を包む扁平で多くの突起をもつ**筋上皮細胞** myoepithelial cell が存在する.

1）腺房細胞

腺房細胞は唾液の主成分である水を血管のある小葉内結合組織から透過させて管腔に分泌するとともに, 多種の唾液タンパク質を合成して細胞内に蓄え, 必要に応じて管腔に放出する. 分泌は腺房細胞に分布する交感性・副交感性の神経線維からの刺激に応じて起こる. 腺房細胞には形態的に区別可能な2種類が存在する.

①**漿液細胞** serous cell
②**粘液細胞** mucous cell

漿液細胞は水分が多く粘稠度の低い漿液性の唾液を分泌し, 粘液細胞は粘稠度の高いタンパク質であるムチンを多量に含む唾液を分泌する.

動物の唾液腺漿液細胞には, 形態的に漿液細胞であるが, その分泌物にはムチンを比較的多く含み, 漿粘液細胞または粘漿液細胞とよばれるものも存在する.

(1) 漿液細胞

比較的小型の円錐型の細胞で, 基底側に偏在した丸い核をもつ. 細胞質はエオジン好性で, 核上部のほとんどの領域は顆粒状を呈する（**図 9-Ⅲ-2**）. 漿液細胞は大唾液腺では耳下腺と顎下腺に多く認められる.

電子顕微鏡で観察すると, 漿液細胞は円錐の頂点に管腔をもち, 互いに発達した細胞間結合装置でつなぎ止められている. しかし, 細胞間結合装置はやや基底側に下がった位置にある. また, 細胞と細胞の接合部では管腔が基底側に細く入り込んだ**細胞間分泌細管** intercellular secretory canaliculi を形成している（**図 9-Ⅲ-3**）. 基底側に偏位した核周囲は層板状に配列した粗面小胞体で満たされている（**図 9-Ⅲ-3**）. その間に数個の Golgi（ゴルジ）装置 Golgi apparatus が認められる.

核より管腔側の細胞質は円形の断面をもつ分泌顆粒で満たされている. 分泌顆粒は細胞膜と同じ単位膜をもち, その内部は分泌物で満たされている.

刺激により分泌顆粒の内容物は**開口分泌** exocytosis により分泌される. すなわち, 管腔側または細胞間分泌細管の細胞膜に接近して融合し, 癒合部位に小孔があいて Ω（オメガ）状の形態をとり, この孔から内容物が

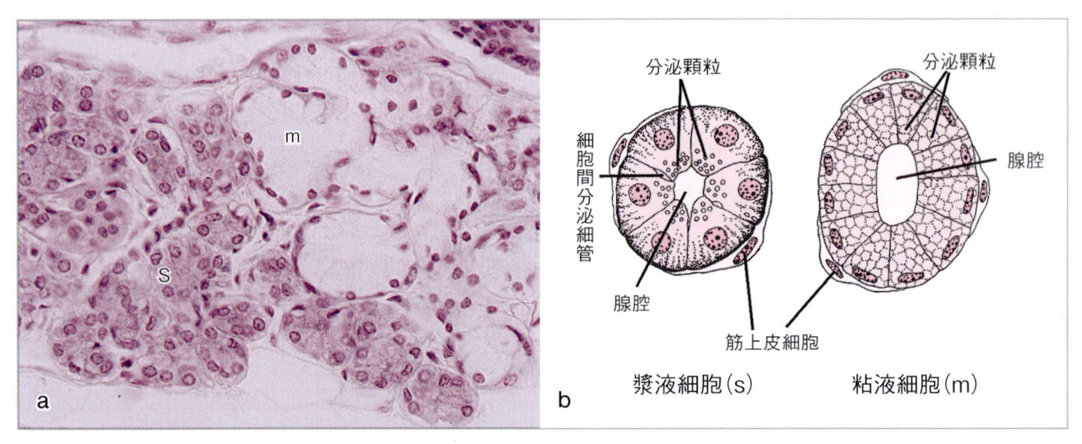

図 9-Ⅲ-2　腺房細胞
a：顎下腺の腺房細胞．b：腺房細胞の模式図．
漿液細胞で構成された腺房（s）と粘液細胞で構成された腺房（m）およびその構造の相違を示す．
（b は山本敏行：図解人体解剖学．共立出版，東京，1972．より改変）

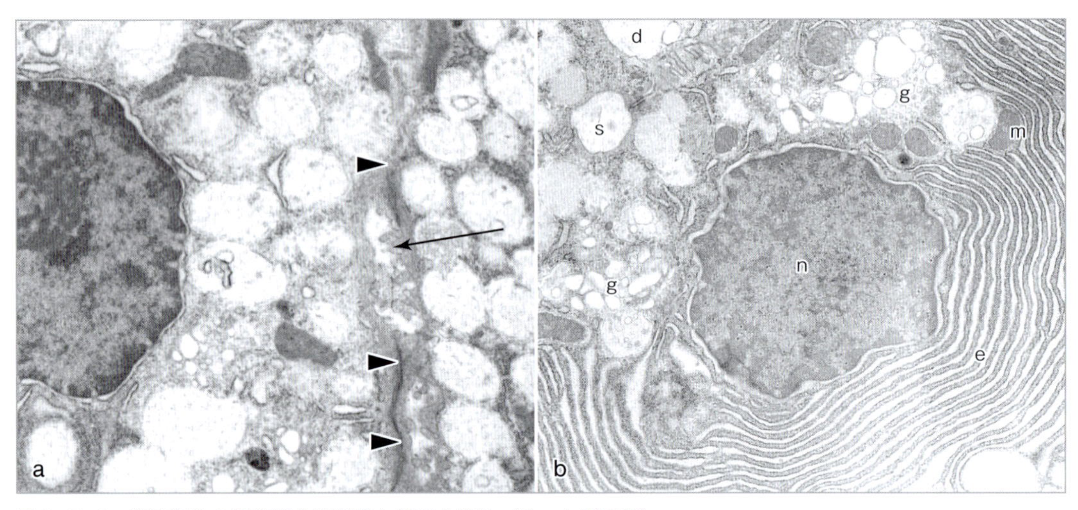

図 9-Ⅲ-3　漿液細胞の細胞間分泌細管と粗面小胞体（ラット顎下腺）
a：細胞間分泌細管．漿液細胞間にみられる細胞間分泌細管（矢印）とその両側にある細胞間連結装置（矢尻）．
b：粗面小胞体．層状に重なった粗面小胞体（e）と分泌顆粒（s）の間に Golgi 装置（g）がある．
n：核，d：管腔，m：ミトコンドリア

管腔に放出される．

（2）粘液細胞

漿液細胞よりやや大きい円錐型で，基底側に偏位した圧平された核をもつのが特徴的である．Hematoxylin（ヘマトキシリン）-eosin（エオジン）染色（H-E 染色）では核上部の細胞質は青白く明るくみえる（**図 9-Ⅲ-2**）．粘液細胞は舌下腺や小唾液腺に多く認められる．

電子顕微鏡でみると，基底面細胞膜に沿った核周囲の比較的狭い領域に粗面小胞体と Golgi 装置があり，核上部から管腔側までの広い領域は比較的大型で不定形の断面をもった分泌顆粒で満たされている．分泌顆粒内は電子密度が低く明るくみえる．細胞間分泌細管はほとんど認められない．

杯細胞 goblet cell などの粘液分泌細胞に共通していることれらの特徴は，ホルマリンなどの化学固定とアルコールを利用する脱水過程を必要とする標本作製法によって生じた人工産物的な所見であるとの説もある．急速凍結法で作製した標本の電子顕微鏡所見では，核は漿液細胞と同様に圧平されておらず，分泌顆粒も小型で，その外径はほぼ一定である[1]．

（3）漿液半月

顎下腺，舌下腺や多くの小唾液腺では，漿液細胞と粘液細胞の両者が共存している**混合性**の腺房が認められる．混合性腺房では，粘液細胞が集中した部位の遠位端に，帽子状（半月状）に小型の漿液細胞の集塊が付属するような配列をとる．この漿液細胞の集塊を**漿液半月** serous demilune といい，混合腺に特徴的である（**図 9-Ⅲ-4**）．

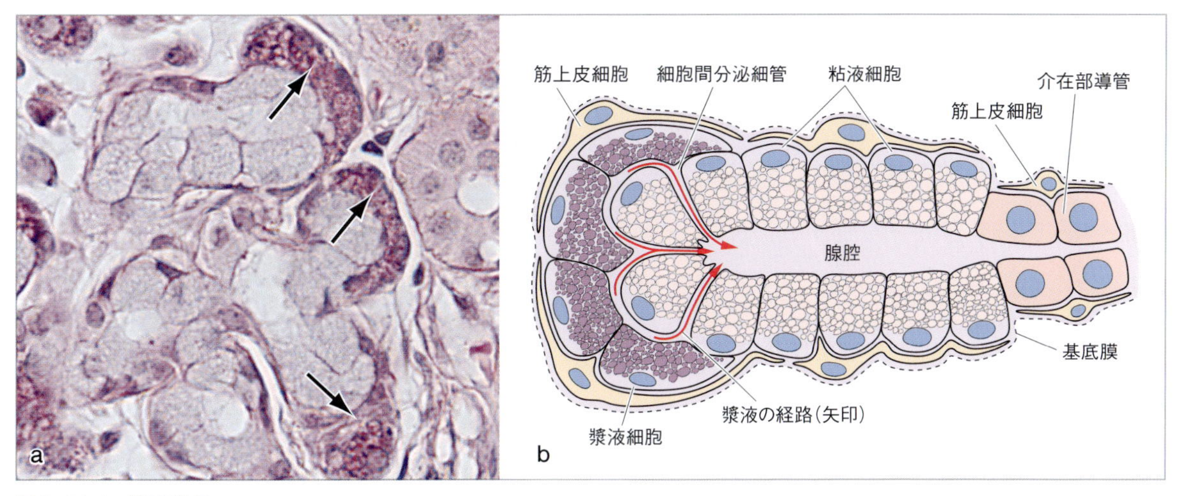

図 9-Ⅲ-4 漿液半月
a：顎下腺．b：漿液半月の模式図．
混合腺では，粘液性の細胞の集団に付随した漿液細胞の集団である漿液半月（矢印）が認められる．

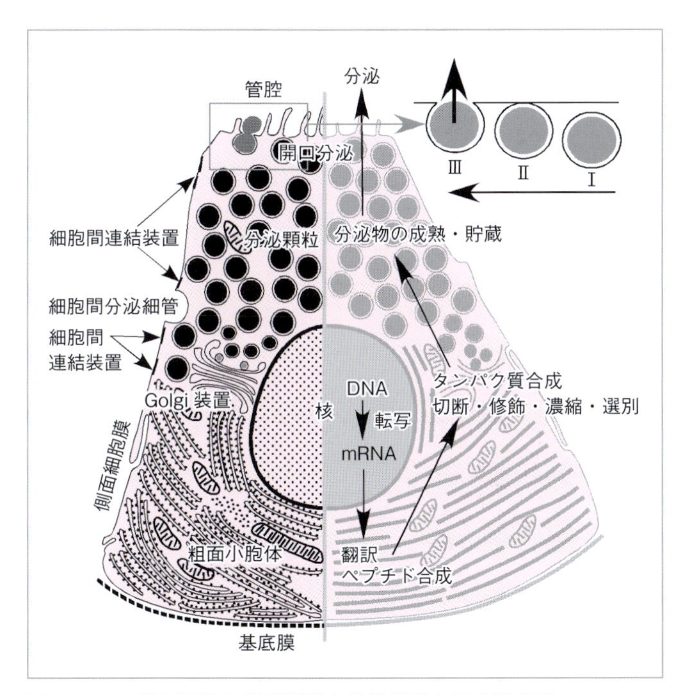

図 9-Ⅲ-5 腺房細胞の微細構造と分泌機構を示す模式図

（4）腺房細胞の機能的形態

図 9-Ⅲ-5 に腺房細胞の構造とタンパク質合成・分泌の関係を模式図に示す．核内の DNA の転写により mRNA が合成され，核膜孔から細胞質に出て粗面小胞体状のリボソームに達し，そこで塩基からアミノ酸への置き換えによる翻訳が起こる．アミノ酸が連続したペプチドは小胞体の内腔に入る．核のすぐ近傍にリボソームと小胞体が合体した**粗面小胞体**が発達しているのはこの機構を効率的に遂行するのに適しており，タンパク質合成が活発であることを示している．

粗面小胞体中のペプチドは輸送小胞により **Golgi 装置**へと運ばれ，そこで切断や修飾を受けて完成したタンパク質に近い状態となる．合成されるタンパク質の中には，細胞質の構成成分になるものや，リソソームに入る酵素などもあるが，Golgi 装置でその分別が行われ，分泌タンパク質は Golgi 装置のトランス側層板から発芽状に突出する突起の中に入るが，根元からちぎれて独立した未熟な**分泌顆粒**となる．さらに分泌顆粒中で濃縮や成熟が続く．Golgi 装置がちょうど粗面小胞体と分泌顆粒の間に位置しているのは，このような合成機序を反映したものである．

腺房細胞には自律神経の終末が到達しており，そこで分泌の刺激を受容する．唾液腺は自律神経の二重支配を受けており，交感神経と副交感神経の両方が分布し，どちらの刺激に対しても分泌が起こる．唾液腺は安静時でも緩やかな刺激とそれに伴う分泌が起こっているが，交感神経に強い刺激が伝わると，神経終末からノルアドレナリンが放出され，すぐに腺房細胞の細胞膜上のβ受容体に結合し，細胞内の cAMP 濃度が上昇する．それによって分泌顆粒の細胞膜への移動が起こる．

分泌顆粒の膜が細胞膜と接触すると，両者の癒合が起こり，細胞膜に風船状の分泌顆粒が付着してぶら下がった格好となる．次にその癒合部に孔が開いて次第に広がり，顆粒の内容物がその孔を通して管腔に放出される．**開口分泌**により分泌顆粒の生体膜は細胞膜の一部となるが，再び細胞内に取り込まれてリソソームで処理されて，その成分の一部は再び膜合成に利用される．

2）筋上皮細胞

腺房内で腺房細胞の基底側には**筋上皮細胞**が存在する．この細胞は基底膜と腺房細胞の基底側細胞膜との間に位置する．筋上皮細胞はその名が示すとおり，筋細胞と上皮細胞の両者の特徴をもっている．細胞質内には平

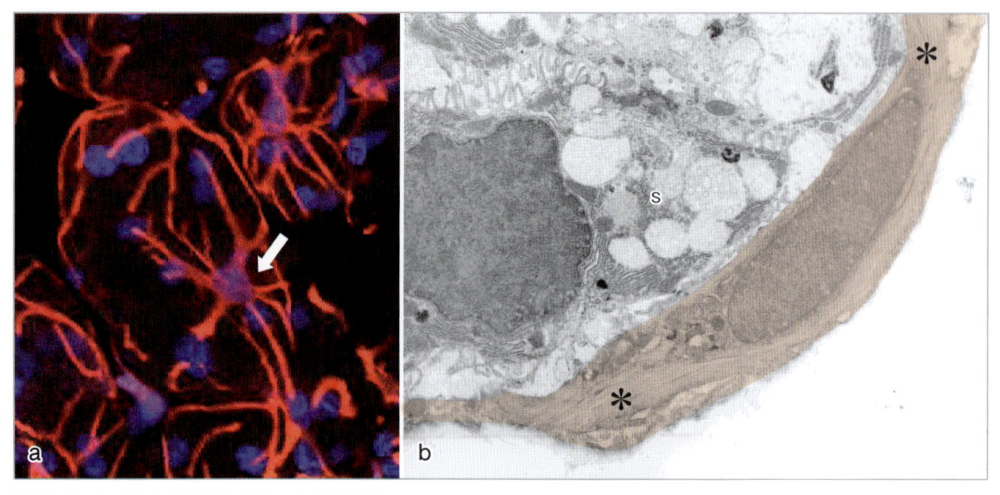

図 9-Ⅲ-6　筋上皮細胞（ラット顎下腺）
a：αアクチン免疫組織化学による三次元再構築像．筋上皮細胞の細胞体（矢印）から分岐する多数の細い突起が丸い腺房を取り囲んでいる．
b：αアクチン免疫組織化学による電子顕微鏡像．漿液細胞（s）の基底側に筋上皮細胞（着色）がみられる．細胞質に筋細糸がみられる（*）．

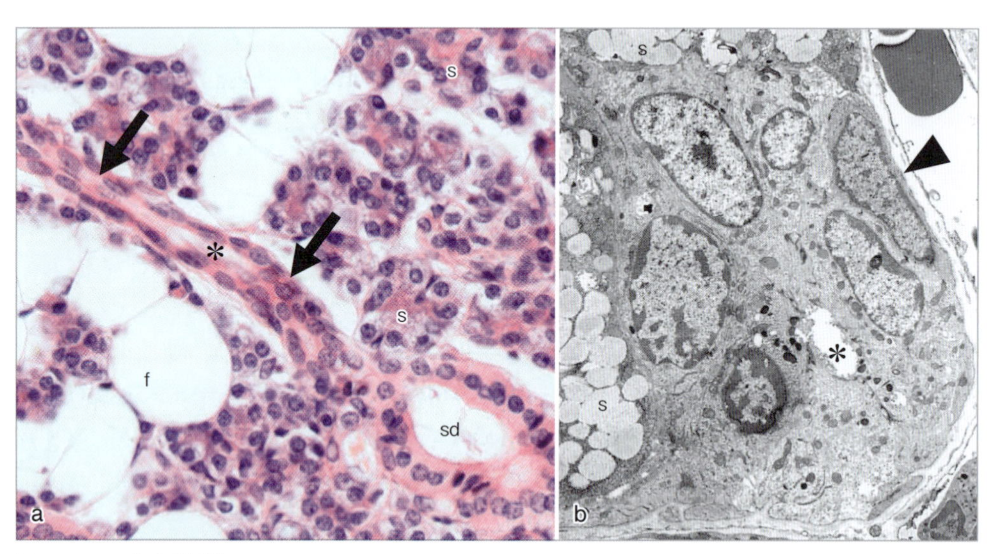

図 9-Ⅲ-7　介在部導管
a：ヒト耳下腺．b：ラット顎下腺．
耳下腺で観察される長い介在部（矢印）が線条部（sd）から起こっている．狭い管腔（*）を囲む単層円柱上皮細胞で構成されている．筋上皮細胞（矢尻）もみられる．
s：漿液細胞，sd：線条部導管，f：脂肪細胞

滑筋に似た**筋細糸**を含んでいて，刺激により収縮する．薄く，長く伸びた突起をもつのが特徴である（図 9-Ⅲ-6）．ちょうどボールを入れるネット状の袋のように腺房を取り囲んでいるため，**籠細胞** basket cell ともいう．1 つの腺房は 1～数個の筋上皮細胞に取り囲まれている．

筋上皮細胞は収縮して腺房を圧迫することにより，腺房細胞からの分泌や腺房からの分泌物の排出を補助すると考えられる．介在部導管にも導管長軸に沿って突起を伸ばす筋上皮細胞が存在する．

筋上皮細胞は乳腺や汗腺にも発達しているが，耳下腺と同じ純漿液腺の膵臓外分泌部には筋上皮細胞が存在しない．筋上皮細胞の発達の程度は，その外分泌腺の役割や分泌物の性状と関連している．

4. 導管の構造

1）介在部

腺房に続く最初の導管で，背の低い単層の立方上皮細胞で構成されているが，その基底側に**筋上皮細胞**が存在する．中央に狭い管腔がある．細胞のほぼ中心に球形の核が認められ，淡くエオジンに好染する細胞質をもつ（図 9-Ⅲ-7）．

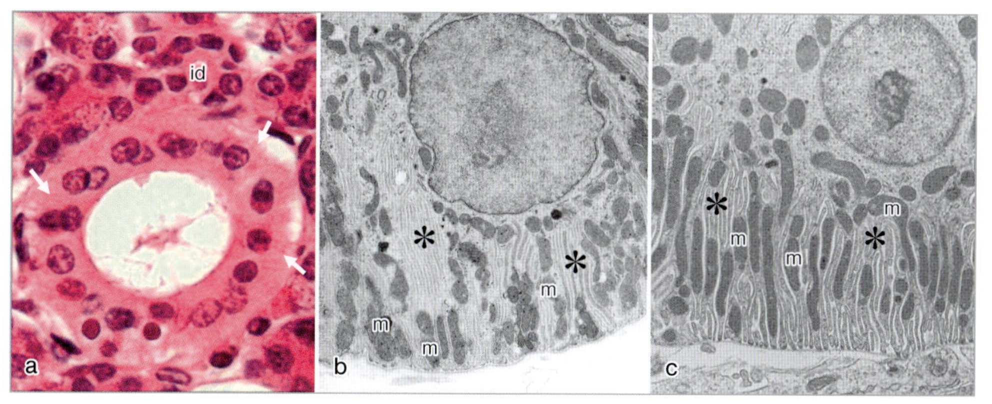

図 9-Ⅲ-8　線条部導管
a：ヒト耳下腺．b：ラット顎下腺．c：遠位尿細管（ラット腎臓）．
線条部導管は広い管腔を囲む背の高い単層の円柱上皮細胞からなる．基底側に筋状にみえる基底線条がある（矢印）．線条部と尿細管の基底線条では，基底側に多くのミトコンドリア（m）と細胞膜の基底陥入（*）が特徴．id：介在部導管

電子顕微鏡で観察すると，細胞同士は細胞間連結複合体で互いに結合し，細胞質内には少数のミトコンドリアや発達の悪い粗面小胞体が認められる（**図 9-Ⅲ-8**）．介在部導管細胞の一部には小型の分泌顆粒をもつことがある．

介在部には幹細胞因子が発現しているという研究報告もあり[2] 同部が潜在的な増殖・分化能をもつ組織幹細胞ではないかと考えられているが，いまだに不明な点が多い．

2）線条部

（1）線条部導管細胞

介在部に次ぐ導管は**線条部**とよばれる．耳下腺と顎下腺ではよく発達している．背の高い単層の円柱上皮細胞が管腔を取り囲んでいる．ほとんどの細胞が基底膜から管腔まで伸びているが，一部に基底膜に接するが管腔には達しない背の低い小型の細胞が認められる．

ほぼ中央部に球形の核があり，細胞質全体がエオジンに好染する．特に核より基底側の細胞質は強くエオジンに染まり，基底膜に対して直角の角度で走るしわのような構造が認められる（**図 9-Ⅲ-8a**）．この基底側のしわを**基底線条** basal striation といい，線条部の名称の由来ともなっている．

電子顕微鏡で線条部の導管細胞を観察すると，細胞全体は背の高い台形を呈し，上辺が管腔，下辺が基底膜に接している．ほぼ中央にほぼ円形の核が認められる．核上部の細胞質にはミトコンドリアに加え，粗面小胞体や Golgi 装置が散在している．管腔に近い部位では小型の分泌顆粒が認められることがある．核下部の細胞質には基底側細胞膜がヒダ状に核周囲部まで深く入り込んで，**基底陥入** basal infolding を形成している．基底陥入によって生じた細い細胞質のヒダは，隣接する細胞に互いに食い込んでいる．ヒダを形成している細胞質内には細長い**ミトコンドリア**が充満している．基底膜は基底陥入のヒダの間には入らない．光学顕微鏡像での基底線条は基底陥入とミトコンドリアの豊富な細胞質に相当する（**図 9-Ⅲ-8b**）．

基底線条は腎臓の**遠位尿細管**にも同様の構造が発達している（**図 9-Ⅲ-8c**）．

（2）線条部導管細胞の機能的形態

腺房で産生，分泌された唾液成分は水チャネル（アクアポリン）を介して腺房細胞を通過した水に溶けて原唾液となり，導管を通過中にその成分の調整を受けて口腔に出される．導管細胞では，基底側の細胞膜で毛細血管から漏出した血漿成分との物質の交換が，管腔側の細胞膜で原唾液との物質の交換が行われる．原唾液の成分の一部は，導管細胞を介して血液循環系に再吸収される．

線条部導管細胞の基底側細胞膜の Na^+ポンプによって Na^+は結合組織に，K^+は細胞内に能動的に移動される．すると原唾液の Na^+と Cl^-が管腔側細胞膜のそれぞれのイオンチャネルを通じて細胞内に受動的に再吸収される．能動輸送に必要なエネルギーを得るため，多数のミトコンドリアが必要となる．基底陥入による細胞膜のヒダは，基底側細胞膜の面積を増加させている．

代謝によって生じた CO_2 は炭酸脱水酵素により H^+と HCO_3^-となり，HCO_3^-は共輸送体により導管に分泌される．導管は水をほとんど透過させないため，最終的な唾液は血漿に比べてかなり低張となる．このような導管系の調節機構は自律神経により調節されている（**図 9-Ⅲ-9**）．

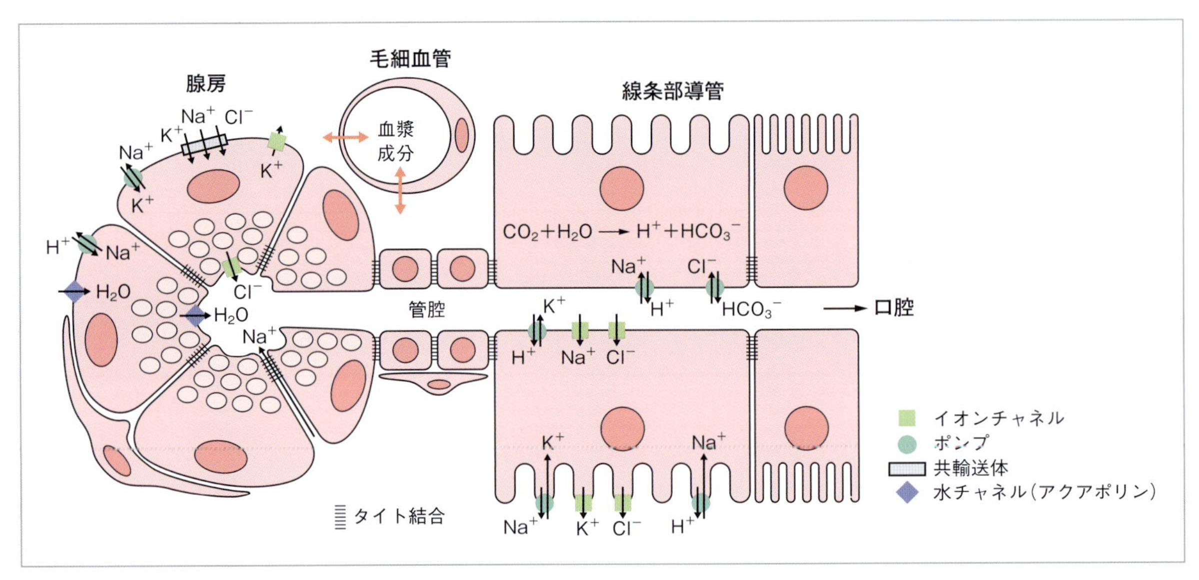

図 9-Ⅲ-9　唾液腺の電解質分泌・再吸収を示す模式図

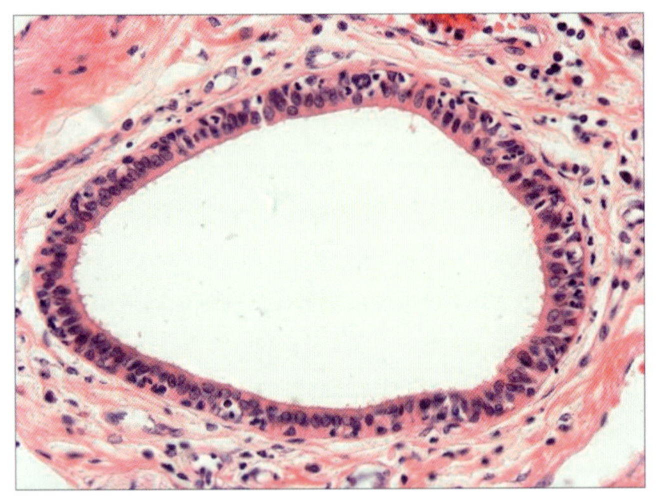

図 9-Ⅲ-10　排出導管（顎下腺）
小葉間結合組織にみられる太い排出導管で，背の低い細胞と背の高い円柱上皮細胞からなる．多列上皮または重層円柱上皮で構成される．

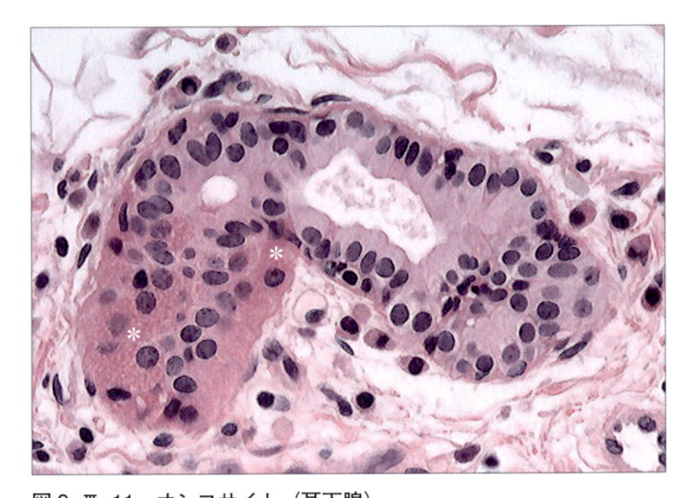

図 9-Ⅲ-11　オンコサイト（耳下腺）
高齢者の耳下腺にみられたオンコサイト（＊）．エオジンに強く染まる顆粒状の細胞質が特徴である．
（明海大学 草間薫名誉教授，菊池建太郎先生のご厚意による）

3）排出導管・主導管

線条部以降で主導管に収束するまでの導管を**排出導管**という．排出導管はしばらく小葉内を走行しながら合流して次第に太くなり，さらに小葉間結合組織でも合流を繰り返して導管上皮も厚みを増す．線条部からの移行直後は単層円柱上皮だが，一部に背の低い基底細胞を含み，厚みが増すに従って多列上皮，さらに重層円柱上皮となり，杯細胞を含むことがある（**図 9-Ⅲ-10**）．

主導管の上皮も排出導管の近位側と基本的に同じで，不連続の背の低い基底膜に接する基底細胞と，立方状または円柱状の細胞の重層上皮で，杯細胞を交えることがある．開口部付近では重層扁平上皮に移行する．

高齢者の唾液腺導管部または腺房に，オンコサイト oncocyte とよばれる細胞が出現することがある（**図 9-Ⅲ-11**）．オンコサイトは細胞質に酸性色素で好染する顆粒状構造物を有するのが特徴である．

5．大唾液腺

1）耳下腺

耳下腺は頰部皮膚の直下にあり，上縁は頰骨弓，後縁は胸鎖乳突筋前縁，前縁は咬筋のほぼ中央に位置した逆三角形で，深部は顎関節に達している．耳下腺内を**顔面神経** facial nerve が貫通し，**耳下腺神経叢** parotid plexus を構成する．この神経叢を境に**浅部**と**深部**（浅葉と深葉）を区別するが，組織構造上の違いはない．

組織学的には，耳下腺は漿液性の小型の腺房を多数もつ小葉から構成され，小葉内結合組織に若い個体でも**脂**

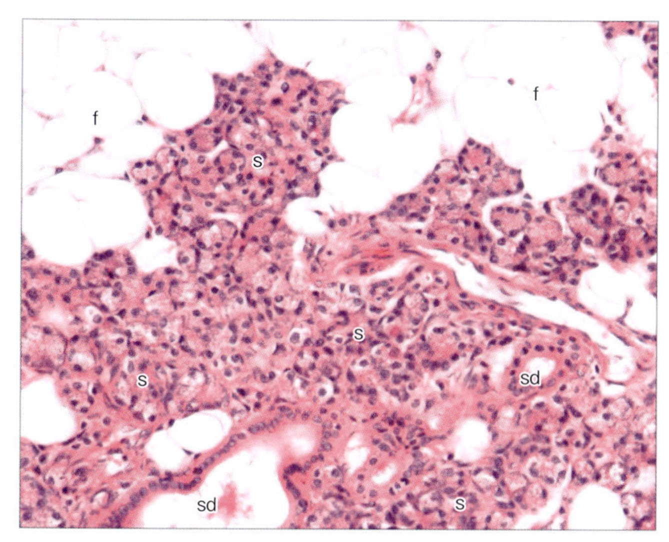

図 9-Ⅲ-12　耳下腺の組織構造
多数の漿液細胞からなる腺房（s）と脂肪細胞（f）が特徴.
sd：線条部導管

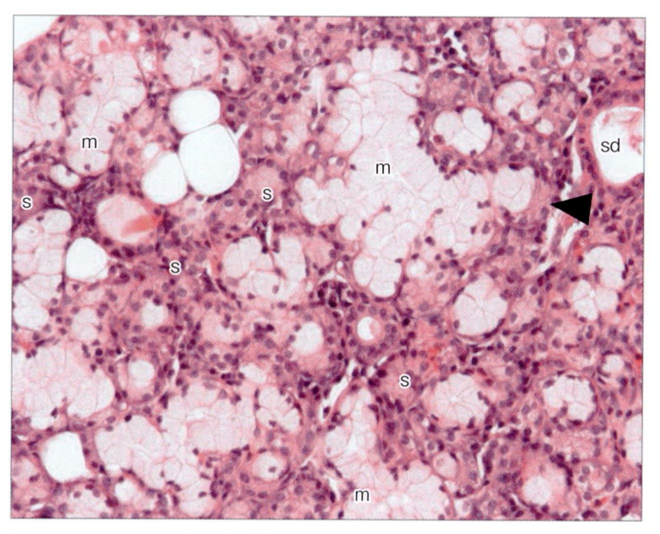

図 9-Ⅲ-14　舌下腺の組織構造
多数の粘液細胞からなる腺房（m）と，顎下腺に比べて少ない漿液細胞からなる腺房（s）が特徴．sd：線条部導管

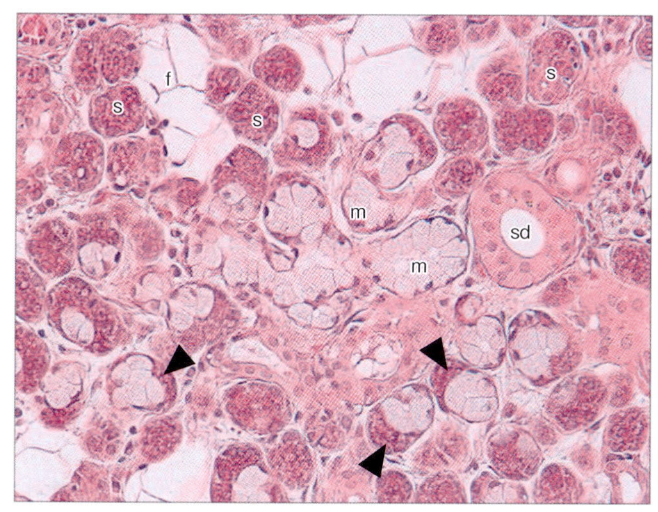

図 9-Ⅲ-13　顎下腺の組織構造
大多数の漿液細胞からなる腺房（s）と，小数の粘液細胞からなる腺房（m）が特徴．漿液半月（矢尻）や線条部導管（sd）も多くみられる．f：脂肪細胞

肪細胞を多数含むのが大きな特徴である（**図 9-Ⅲ-12**）．導管系では発達した長い介在部と線条部が特徴的である．耳下腺は大唾液腺唯一の**純漿液腺**である．

2）顎下腺

顎下腺は顎下三角と顎舌骨筋に囲まれた**顎下隙** submandibular space に主要な**浅部**があり，後部は舌下隙 sublingual space に伸びて**深部**とよばれる．

顎下腺は漿液性が優位の**混合腺**である．薄い被膜と多数の小葉からなり，小葉内には多数の漿液性腺房と，**漿液半月**を伴った粘液細胞からなる少数の**混合性腺房**が存在している（**図 9-Ⅲ-13**）．導管では介在部は短いが発達してしばしば分岐する．線条部もよく発達しており，小葉内導管のほとんどを占める．顎下腺は大唾液腺全体の約 70％の唾液を分泌する．

マウスやラットなどの齧歯類の顎下腺では，腺房は純漿液性の形態をもつ．導管系では介在部と線条部の間に顆粒性膨大部（顆粒性導管 granular duct）とよばれる部位をもっているのが特徴で，しばしば粘液性の腺房と誤認される．顆粒性導管細胞には多数の分泌顆粒があり，NGF や EGF などの生理活性物質を多量に含んで，外分泌している[3]．顆粒性導管の発達は男性ホルモンに強く依存しており，オスには顕著だが，メスでは発達程度が低い．

3）舌下腺

舌下腺は，舌下ヒダ sublingual fold と顎舌骨筋と舌筋，下顎骨に囲まれた領域である**舌下隙**に存在し，下顎骨とは**舌下腺窩** sublingual fossa で接している．舌下腺には 1 本の**大舌下腺管**と多数の短い**小舌下腺管**の 2 種の主導管があり，大舌下腺管は**舌下小丘** sublingual caruncle に，小舌下腺管は多数の細く短い導管の総称で，**舌下ヒダ**に開口する．

舌下腺は粘液性優位の混合腺で，多数の粘液細胞と少数の漿液細胞で構成され，腺房のほとんどは，小型の漿液半月を伴った混合性である．組織標本では漿液半月が断面には現れない腺房も多数みられる．導管系では介在部および線条部の発達は耳下腺や顎下腺に比べて顕著に悪い（**図 9-Ⅲ-14**）．

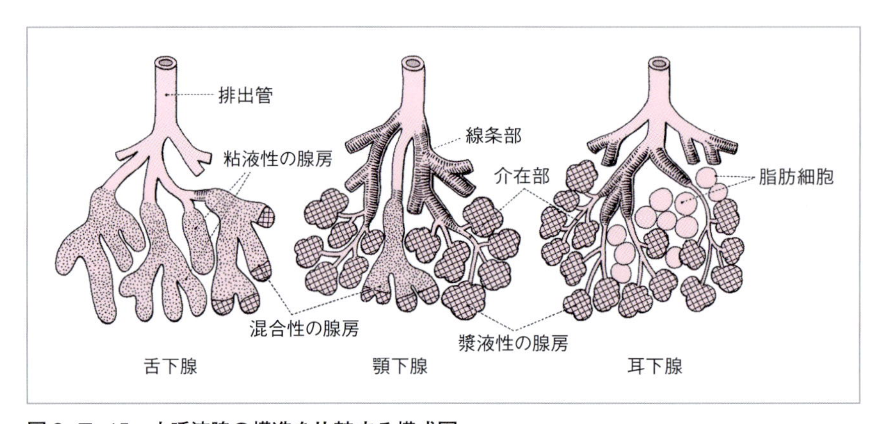

図 9-Ⅲ-15　大唾液腺の構造を比較する模式図
（山本敏行：図解人体解剖学．共立出版，東京，1972．より改変）

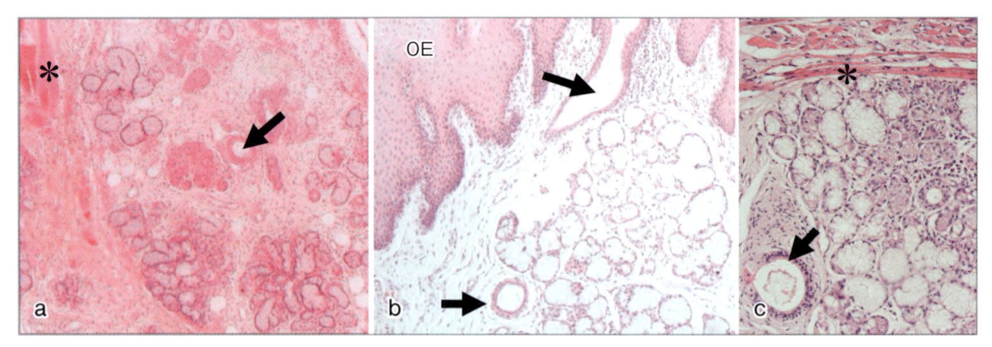

図 9-Ⅲ-16　口唇腺（a），頰腺（b），前舌腺（c）の組織構造
混合腺の形態を示す小葉とすぐ近傍に存在する骨格筋の筋線維（＊）．矢印：排出導管，OE：口腔粘膜上皮

4）大唾液腺組織の比較

大唾液腺の組織構造の相違を模式図（**図 9-Ⅲ-15**）に示す．導管のうち介在部と線条部の発達程度が漿液性の腺房と関連が強いことがわかる．

6. 小唾液腺

1）小唾液腺の組織構造

小唾液腺のほとんどは粘液性の優位な混合腺で，Ebner（エブネル）腺 Ebner glands が例外的に純漿液腺である．どの腺も粘膜の結合組織に散在する．数本の独立した導管が直接に口腔粘膜に開口する．平静時の口腔内を潤す唾液は小唾液腺唾液が主体を占める．

2）口唇腺

口唇腺は口唇粘膜の粘膜下組織にある小唾液腺で，多数の導管が直接に口唇粘膜に開口する．腺組織は口輪筋の筋組織の間に散在することもある．口唇腺は混合腺で，漿液半月をもつ混合性の腺房が多数認められる（**図 9-Ⅲ-16a**）．

口腔乾燥症などで口唇腺の生検を行うことがある．

3）頰腺

頰腺は，耳下腺の開口部である耳下腺乳頭の付近の頰粘膜の粘膜下組織から頰筋の筋組織間，または頰筋外側の結合組織に散在する小唾液腺である．腺房は粘液性優位の混合腺の形態を示す（**図 9-Ⅲ-16b**）．

4）口蓋腺

口蓋腺は**硬口蓋**および**軟口蓋**の粘膜固有層に散在する小唾液腺である．しかし硬口蓋の前方部の横口蓋ヒダがある付近にはほとんど存在せず，後方 2/3 に偏在している．軟口蓋部では，骨格筋線維の間にも散在する．

腺房のほとんどを粘液細胞が占め，少数の漿液細胞を認める．腺全体としては粘液腺または粘液性の非常に優位な混合腺である．口蓋腺の導管は**口蓋小窩** palatine foveola を含む口蓋粘膜に開口する．

5）前舌腺（Blandin-Nühn（ブランダン ヌーン）腺）

舌腺 lingual glands は場所により**前舌腺** anterior lingual salivary gland，**Ebner 腺**，**後舌腺** deep posterior lingual gland に分類されるが，互いに関連はなく，それぞれ独立した小唾液腺である．

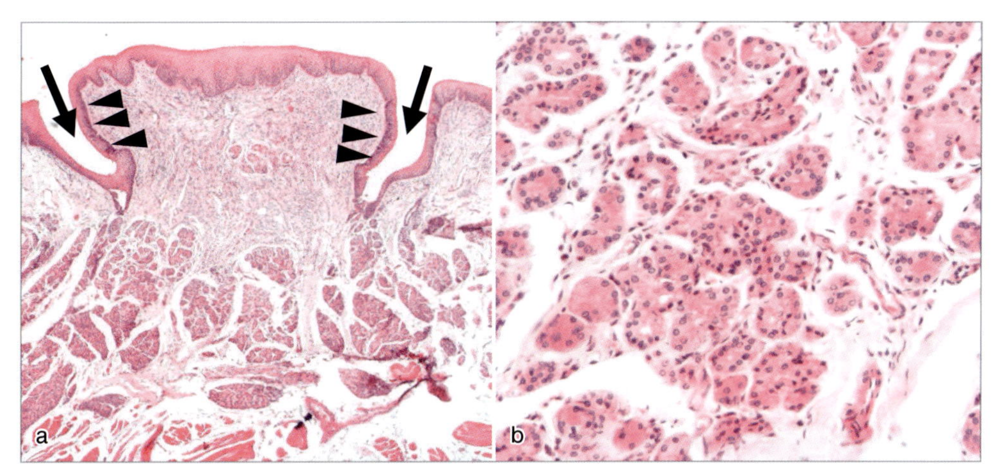

図 9-Ⅲ-17　有郭乳頭（a）と Ebner 腺の組織構造（b）
a：有郭乳頭の直下に存在し，味蕾（矢尻）が並ぶ溝（矢印）に導管が開口する．
b：腺房は純漿液性である．

前舌腺は，Blandin-Nühn 腺 Blandin-Nühn gland ともいい，舌尖部の舌下面付近にある左右一対の小唾液腺である．舌下面に数個の導管開口部を有する．腺房は舌筋線維の間に散在し，漿液性腺房，粘液性腺房，漿液半月が認められる混合腺である（図 9-Ⅲ-16c）．

6）Ebner 腺

Ebner 腺は中舌腺に相当し，有郭乳頭と葉状乳頭の下部の結合組織内に発達した小唾液腺で，その導管は乳頭溝の底部に開口する．腺房や導管は舌筋の間にも散在し，腺房は**純漿液性**である（図 9-Ⅲ-17）．

有郭乳頭および葉状乳頭の側壁には多数の**味蕾**があり，Ebner 腺唾液は味物質を溶解し，また洗い流す働きがある．

7）後舌腺

後舌腺は，舌根部の舌扁桃周囲の結合組織に散在する小唾液腺で，粘液性がほとんどを占める混合腺である．舌扁桃を覆う**舌小胞** lingual follicle の間隙にある**舌小窩** lingual crypt に開口する．

8）臼歯腺

臼歯腺 molar gland は臼後三角付近の**レトロモラーパッド** retromolar pad の歯槽粘膜の結合組織に散在する粘液性の小唾液腺である．**臼後腺** retromolar gland とよぶこともある．

（天野　修，坂東康彦）

Ⅳ 舌

舌 tongue は口腔底の後部から隆起した横紋筋を主とした器官で，その柔軟な運動によって吸飲，咀嚼，嚥下および言語形成に重要な役割をもつとともに，味覚，触覚などの感覚受容や，唾液，リンパ球の産生も行う．

舌の表面（舌背）は舌乳頭からなる粘膜によって覆われる．舌の前端は舌尖 tip of tongue といい，そこから後方の V 字形をした**舌分界溝** terminal sulcus までの 2/3 を**舌体** body of tongue，さらにその後方の 1/3 を**舌根** root of tongue とよぶ．舌分界溝の頂点には**舌盲孔** cecal foramen of the tongue とよばれるくぼみがみられる（図 9-Ⅳ-1）．これは甲状腺 thyroid gland の発生に際して，**甲状舌管** thyroglossal duct が陥入した部位の名残である．この管はやがて消失する．

舌根には**舌扁桃**が存在し，**口蓋扁桃**，**咽頭扁桃**とともに口狭を取り囲み，リンパ咽頭輪 pharyngeal lymphat-

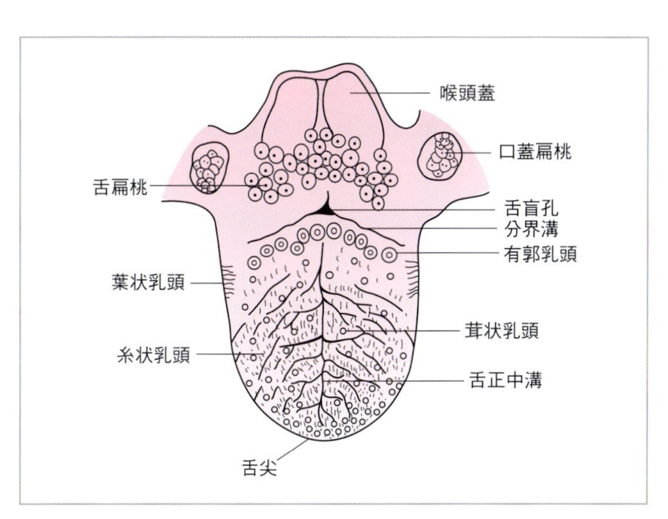

図 9-Ⅳ-1　舌背面

ic ring (Waldeyer の咽頭輪) を形成する．これらリンパ組織は，産生したリンパ球がつくる抗体によって生体の入口を防衛するのに役立つ．

1. 舌　筋

舌の実質は横紋筋で，これを総称して舌筋 lingual muscles とよぶ．舌筋は，頭蓋の骨に起き舌内に終わる**外舌筋** extrinsic muscles と，舌内に起こり舌内に終わる**内舌筋** intrinsic muscles に分けられる．外舌筋は主に舌の位置を変え，内舌筋は舌の形を変える．外舌筋には，舌を前方に出すオトガイ舌筋 m. genioglossus，舌を後方に引き込む舌骨舌筋 m. hypoglossus，茎突舌筋 m. styloglossus があり，また内舌筋には，舌を短縮する上縦舌筋 superior longitudinal muscle，下縦舌筋 inferior longitudinal muscle，舌を縦長に細くする横舌筋 transverse muscle，舌を扁平にする垂直舌筋 vertical muscle があり，ともに**舌下神経** hypoglossal nerve によって支配される．内舌筋，外舌筋はともに，舌背の粘膜固有層に存在する強靭な緻密結合組織からなる舌腱膜 lingual aponeurosis に停止する．

これら舌筋群は舌中隔 lingual septum によって左右に分けられているため，片側の舌下神経が麻痺しても，反対側は動かすことができる．この場合，舌を前に出すと舌は麻痺側に曲がる．ヒトでは，外舌筋，内舌筋ともに多数の筋紡錘がみられ，その多くは舌体に広く分布する．舌筋線維は加齢により萎縮し，さらに数も減少して筋線維間には脂肪が沈着し始める．また舌動脈にも加齢に伴って動脈硬化症が生じ，血管内腔の狭窄は 60 歳以降に顕著に認められる傾向があるという[1]．

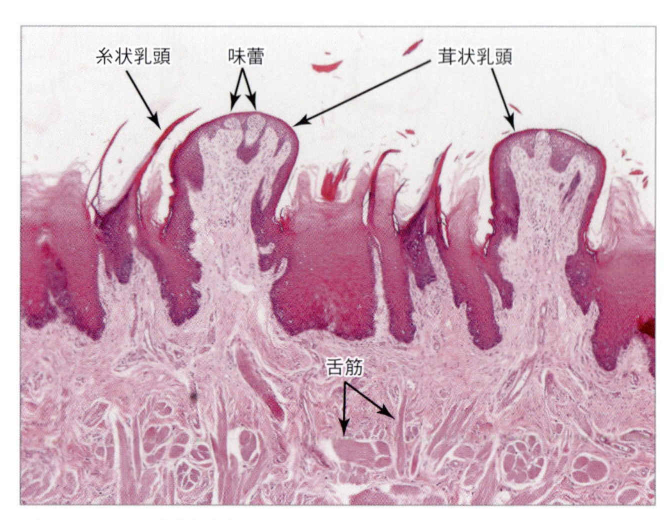

図 9-Ⅳ-2　舌乳頭（イヌ）

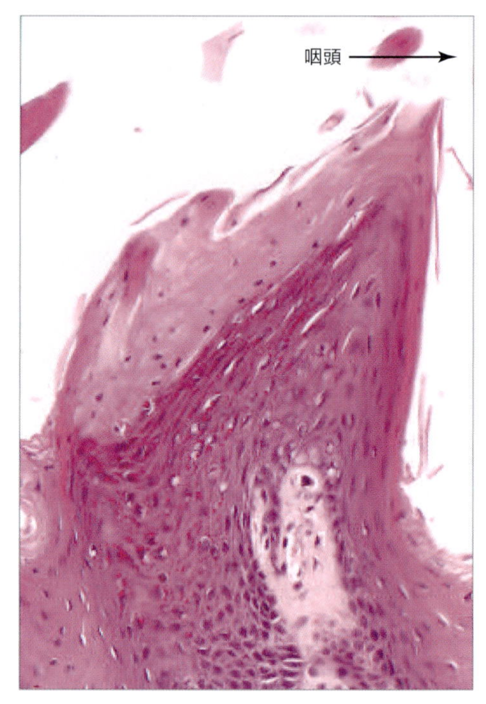

図 9-Ⅳ-3　糸状乳頭（イヌ）

2. 舌乳頭

舌背の表面は，**糸状乳頭** filiform papilla，**茸状乳頭** fungiform papilla，**有郭乳頭** circumvallate papilla および**葉状乳頭** foliate papilla とよばれる**舌乳頭** lingual papilla によって覆われる．舌乳頭は胎生 8 週頃から出現する．

1）糸状乳頭

糸状乳頭は舌尖から舌背の全面に密生する幅の狭い突起である．肉眼的にはビロード状にみえ，最も数が多い．乳頭の先端は咽頭側を向く．乳頭の後方（咽頭側）は，角質層を伴う角化上皮によって覆われるが，乳頭前方の上皮は通常角化しない（**図 9-Ⅳ-2，3**）．糸状乳頭は味蕾を欠くが，固有層には**三叉神経** trigeminal nerve 由来の**舌神経** lingual nerve が終末し，触覚をつかさどる．

2）茸状乳頭

茸状乳頭は糸状乳頭間に散在し，舌体から舌尖にかけて数，大きさともに増大する．乳頭先端は茸状に膨らんでおり，その表面は薄い非角化上皮によって覆われる（**図 9-Ⅳ-2，4**）．さらに固有層では，ループ状をした血管が二次乳頭内に侵入するため，特に幼児では茸状乳頭は赤みを帯びてみえる．舌尖近くにある茸状乳頭の上皮基底部には，遅順応性の触覚受容器として知られる Merkel 細胞がみられる．また，固有層には速順応性の触覚受容器として知られる有被膜神経終末が存在し，こ

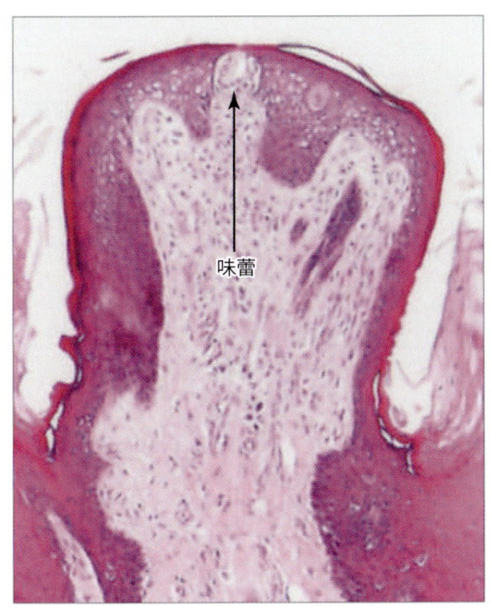

図 9-Ⅳ-4　茸状乳頭（イヌ）

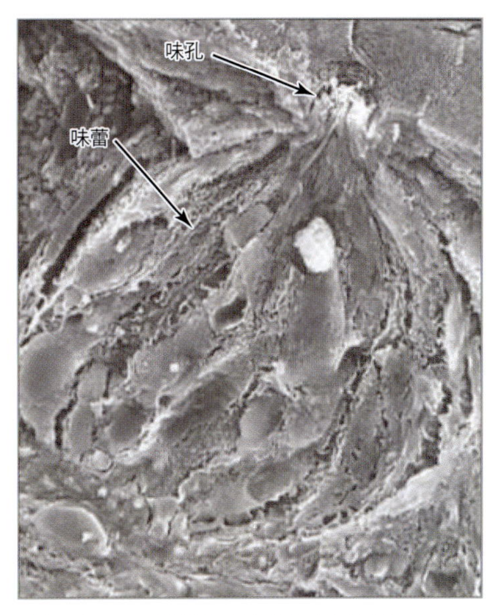

図 9-Ⅳ-6　有郭乳頭凍結割断（ウサギ）

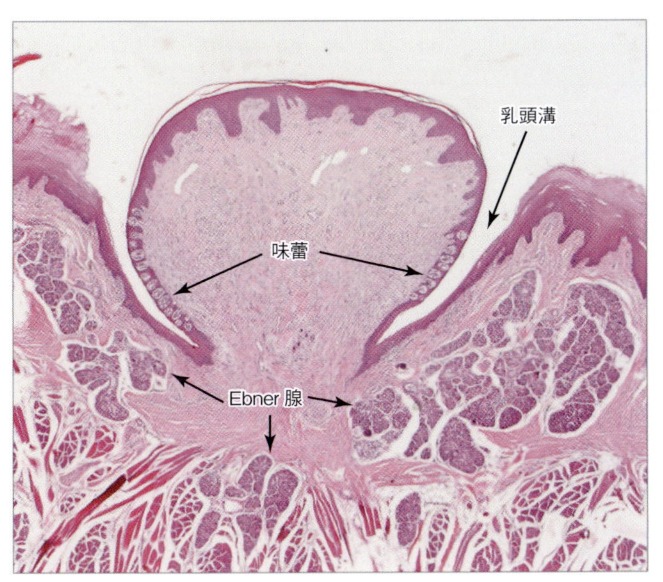

図 9-Ⅳ-5　有郭乳頭（サル）

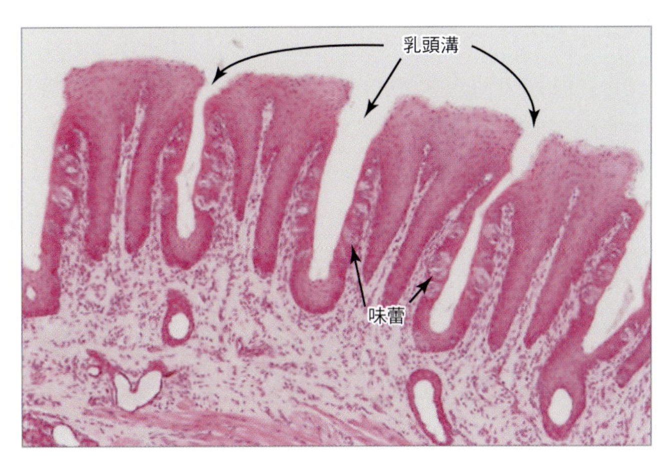

図 9-Ⅳ-7　葉状乳頭（ウサギ）

の部位の鋭敏な触覚受容を担う．乳頭背部の上皮には味蕾が数個出現する．これらの味蕾は第二鰓弓の神経である**顔面神経**の枝である鼓索神経 chordatympanic nerve によって支配される．

3）有郭乳頭

有郭乳頭は，直径が約 2 mm 前後ある大きな乳頭で，V 字形をした舌分界溝の直前に，ほぼこれに沿って 8～15 個並ぶ．乳頭の周囲は乳頭溝とよばれる深い溝に囲まれ，さらに溝の外側には乳頭郭 vallum papilla とよばれるドーナツ状の粘膜丘がみられる．乳頭溝側壁の上皮内には**舌咽神経** glossopharyngeal nerve 支配の味蕾が，1 個の乳頭あたり約 200～300 個含まれる．乳頭溝底には純漿液性の Ebner 腺が開口する．Ebner 腺の分泌物は，乳頭溝を洗浄し，味毛についた味物質を洗い流すのに役立つことから，味腺ともよばれる（**図 9-Ⅳ-5, 6**）．

4）葉状乳頭

葉状乳頭は舌縁後部より分界溝端にかけて切れ目状にみられる乳頭で，ヒトでは痕跡的であるが，ウサギではよく発達している（**図 9-Ⅳ-7**）．有郭乳頭と同様に乳頭溝の側壁上皮には，味蕾が存在する．葉状乳頭の溝底部にも Ebner 腺が開口する．

舌乳頭の形態は食性を反映することが多い．ネコをはじめとした食肉目の糸状乳頭はきわめてよく発達しており，先端の角質が厚く，また太くなっている．これは，肉を骨からそぎ取るのに役立つ．

舌咽神経を切断すると，その支配領域の有郭乳頭や葉状乳頭の味蕾は変性し，ついには完全に消失するが，神経の再生に伴って，味蕾はもとの上皮内に再生することが知ら

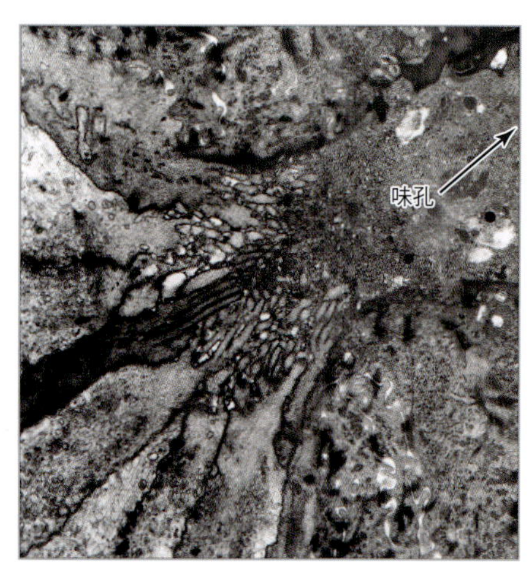

図 9-Ⅳ-8　茸状乳頭味蕾（マウス）
透過型電子顕微鏡写真．茸状乳頭の味孔は，管状に長く，顆粒状の物質で満たされる．

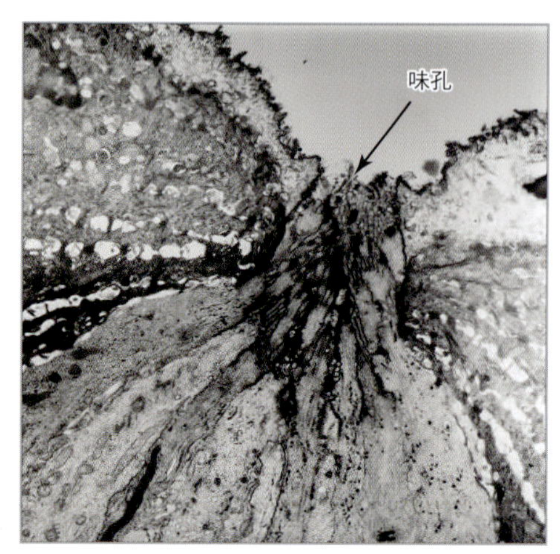

図 9-Ⅳ-9　有郭乳頭味蕾（マウス）
透過型電子顕微鏡写真．有郭乳頭の味孔は，暗調物質で満たされる．

れている．また，茸状乳頭を支配する鼓索神経と舌神経を長期間にわたって切断しておくと，味蕾は変性し消失するとともに，茸状乳頭の形態は糸状乳頭化し，ついには周囲の糸状乳頭と区別ができなくなる．このことから，茸状乳頭は糸状乳頭が特殊に分化したものと考えられている[2]．

3. 味　蕾

味覚の受容器は**味蕾** taste bud とよばれる．成人では口腔内に約 4,000〜7,000 個の味蕾があるといわれるが，その約 7 割は茸状乳頭，葉状乳頭，有郭乳頭の上皮内に存在し，残りの約 3 割は軟口蓋，咽頭，喉頭蓋の上皮内にみられる．糸状乳頭には味蕾は存在しない．

味蕾の発見は，Leydig（1851）[3] が魚で Geschmacksbecher（味覚杯）としてその存在を記載したのに始まり，その後すべての脊椎動物に出現するのが知られるようになった．味覚からの情報は，口腔に入ってくるすべての物質をモニターし，有害物質が体内に入らないように弁別するとともに忌避行動を誘発することができる．これまで加齢による味覚感受性の低下は，味蕾数の減少によるものと考えられてきた[4]．しかしながら，実験動物において味蕾数は加齢により大きな減少はみられず[5, 6]，ヒトの茸状乳頭の分布密度も加齢による変化はないことが報告されている[7]．加齢による味覚感受性の低下については，これからの重要な研究課題となっている．

茸状乳頭味蕾と有郭乳頭味蕾を比較すると，味孔の形態・シナプス小胞の数・種類などに違いが観察される．このことは，未来を支配する神経の種類によって味蕾の形態の違いや伝達物質が異なることが推測される[8]（図 9-Ⅳ-8，9）．

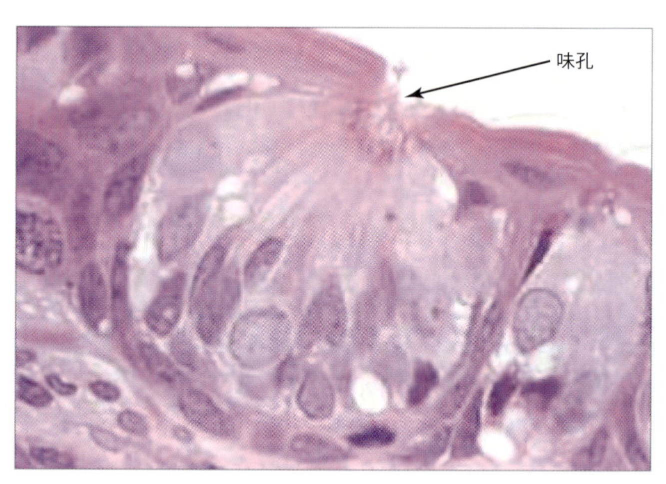

図 9-Ⅳ-10　葉状乳頭味蕾（ウサギ）

味蕾の外形は，その名前のようにつぼみ状を呈しており，紡錘形をした明るい細胞の集まりとして，乳頭上皮内に容易に見出すことができる．味蕾の直径は約 40〜50 μm，長さは約 70〜80 μm あり，約 40〜80 個の細胞から構成される．紡錘形をした味蕾細胞の下端は基底膜に接し，そこから細胞は上皮表層に向かって伸長する．味蕾細胞は先端で味毛 taste hair とよばれる微絨毛を形成し，味孔 taste pore を通して唾液に溶解した味物質と直接接触する．すなわち，味蕾は重層扁平上皮内に点在する多列上皮細胞の小集団とみなすことができる（図 9-Ⅳ-10，11）．

電子顕微鏡による観察で，味蕾内には少なくとも 4 種類の細胞型が存在することが知られている（図 9-Ⅳ-12，13）．Ⅰ型細胞は，核，細胞質ともに比較的暗調な細胞で，味蕾細胞の 50〜70％を占める．

Ⅱ型細胞は，核，細胞質ともに明調な比較的大型の細胞で，味蕾細胞の約 15〜30％を占める．Ⅱ型細胞は甘

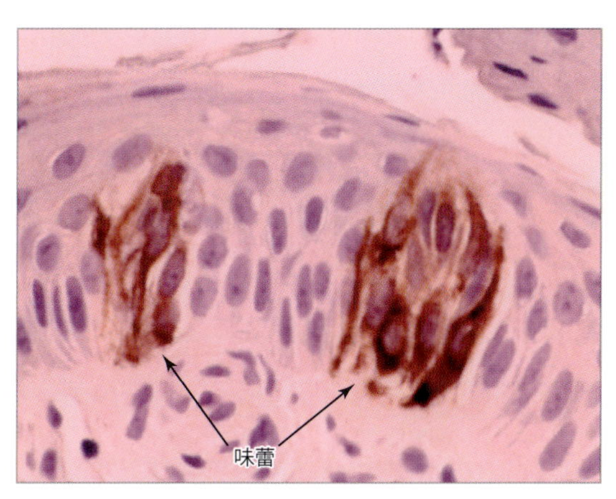

図 9-Ⅳ-11　茸状乳頭味蕾（免疫組織化学）
茸状乳頭味蕾に発現するサイトケラチン 20.

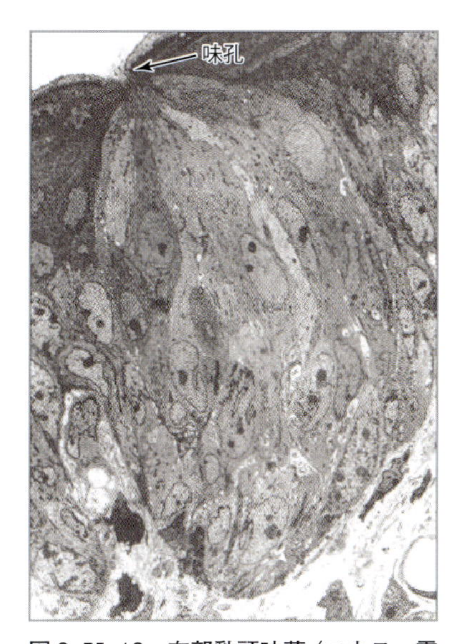

図 9-Ⅳ-12　有郭乳頭味蕾（マウス，電子顕微鏡切片）
有郭乳頭味蕾の透過型電子顕微鏡写真.

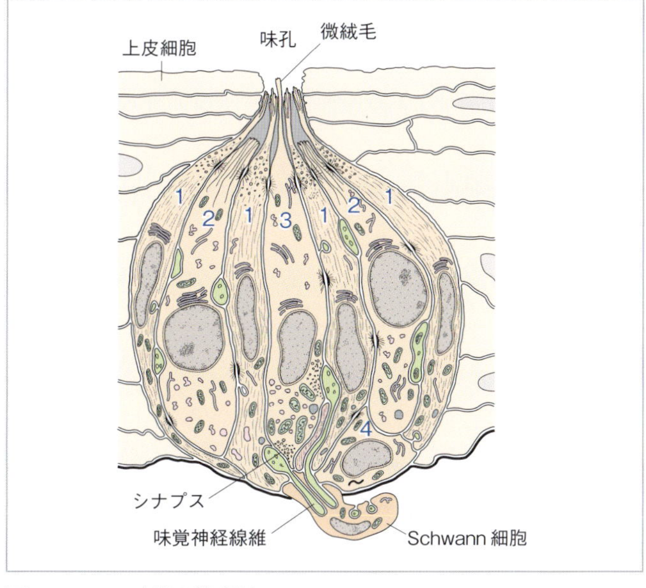

図 9-Ⅳ-13　味蕾の模式図
1：Ⅰ型細胞，2：Ⅱ型細胞，3：Ⅲ型細胞，4：Ⅳ型細胞
（Murray RG：The mammalian taste bud type Ⅲ cell：a critical analysis. *J Ultrastruct Mol Struct Res*, **95**：175～188, 1986.）

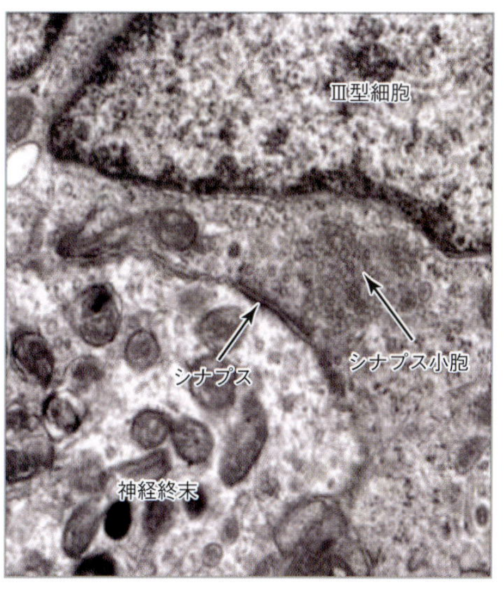

図 9-Ⅳ-14　茸状乳頭シナプス（マウス）
茸状乳頭味蕾のシナプスの透過型電子顕微鏡写真.

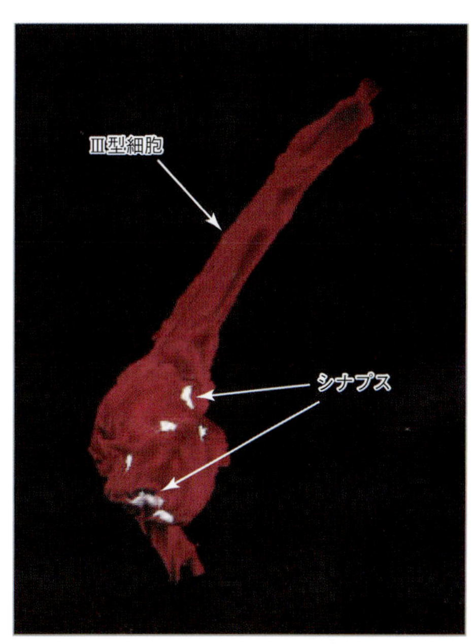

図 9-Ⅳ-15　Ⅲ型細胞
茸状乳頭味蕾のⅢ型細胞の立体再構築像．白はシナプスの位置を示す.

味・うま味・苦味の受容体を発現しており，これらの味物質に対する味細胞であると考えられている.

Ⅲ型細胞は，光学顕微鏡的にも電子顕微鏡的にもⅠ型細胞とⅡ型細胞の中間調的明るさと大きさをもち，味蕾細胞の約 5～15％を占める．Ⅲ型細胞には，味神経との間に細胞膜の肥厚を伴う典型的なシナプスが観察される唯一の細胞であり，受容体の発見がなされる以前はⅢ型細胞が唯一の味細胞と考えられていた．近年の受容体の発現に関する研究により，Ⅲ型細胞には酸味受容体が発現しており，酸味受容細胞であると考えられている（**図 9-Ⅳ-14，15**）.

Ⅲ型細胞は，消化管の内分泌細胞とともに典型的な化学受容性パラニューロンとみなされている[9]．また，Ⅲ型細胞は芳香族Lアミノ酸脱炭酸酵素（AADC），炭酸脱水素酵素Ⅳ（CA Ⅳ），神経特異タンパク質エノラーゼ neuron-specific enolase（NSE），セロトニン serotonin，spot-35 タンパク質 spot-35 protein，エンケファリン enkephalin，神経接着分子（N-CAM），protein gene product 9.5（PGP 9.5）などをもつことが免疫組織化学的に示されている[10, 11]．

舌咽神経を切断した後，舌下神経などの味覚に関与しない神経とつなぎ換えても味蕾は再生しないが，鼓索神経や迷走神経などの味神経とつなぎ換えると，味蕾は元の上皮内に再生することが知られている．茸状乳頭の味蕾と有郭乳頭の味蕾で，Na^+受容機構（アミロライド感受性）が異なることが知られている[12]．すなわち，鼓索神経支配領域の味細胞の約50％は利尿剤アミロライドによって塩味が抑制される．一方，舌咽神経が支配する有郭乳頭の味蕾はアミロライドに感受性がない．マウスの鼓索神経と舌咽神経をつなぎ換えて，鼓索神経支配の味蕾を有郭乳頭に再生させると，有郭乳頭の味蕾の約半数がアミロライド感受性を示すようになるという[13]．

味蕾の基底部にはⅣ型細胞とよばれる基底細胞が存在する．この細胞は味孔に達しない細胞で，やがてⅠ型，Ⅱ型，Ⅲ型細胞へと分化するものと考えられている[14, 15]．

味蕾の各細胞型は幹細胞と考えられている基底細胞から別個に分化してくるもので，それぞれが他型に移行しない独立した細胞系とする多元説が有力である．しかしながら，味蕾細胞は基本的に1種類であり，各細胞の形態の差異は，それぞれの細胞の成熟過程を反映したものであるという一元説を唱える研究者もいる．

味蕾は上皮由来であると考えられているが，周囲の重層扁平上皮に比べて寿命は短く，ラットの味蕾では約10日で更新されるという[16]．味蕾の発生・形態の維持には神経の支配が重要で，神経が味蕾形成予定領域の上皮細胞と連接して初めて味蕾の形成が始まる．また，味神経を切断すると味蕾は変性し，上皮内から完全になくなってしまうが，神経が再生して味蕾が元あった舌の上皮に伸びてくると，同じ場所に味蕾が再生される．このことから，味神経からは味蕾の発生や生存を維持する成長因子 trophic factor 様の物質が分泌されていると推測されている．

味覚は塩味，酸味，甘味，苦味，うま味の五つの基本味に分類される．塩味や酸味は，味受容膜に存在するイオンチャンネルを介して引き起こされると考えられている．一方，甘味，苦味，うま味は，味受容膜に存在するGタンパク質共役型受容体に味物質が結合することにより引き起こされる．

近年，味蕾細胞に特異的に発現する味受容体共役Gタンパク質のα-サブユニットが発見され，ガストデューシン gustducin と名づけられた．また，ガストデューシンノックアウトマウスの解析から，ガストデューシンは苦味の受容に重要であることが明らかとなった．さらに最近になって，苦味受容体（T2 R family）および甘味，うま味受容体（T1 R family）の候補遺伝子がクローニングされた．T2 R 遺伝子は，ガストデューシン発現細胞にのみ存在することが，*in situ* ハイブリダイゼーションにより確認されており，T2 R 受容体とガストデューシンが苦味の受容にかかわっていることが示唆される．ガストデューシンはⅡ型細胞に発現することが明らかになり，Ⅱ型細胞のマーカーとしても用いられている．これらの研究結果から，今日ではⅡ型細胞が主たる味覚受容細胞（味細胞）である考えられるようになった．しかしながら，Ⅱ型細胞は神経終末と広く接触するが，細胞内にはシナプス小胞は存在せず，古典的化学シナプスは観察できない．このため，Ⅱ型細胞による味覚情報伝達については不明だったが，近年の研究によりⅡ型細胞ではATPが伝達物質して機能していることが示された．

近年，Ⅱ型細胞が女性ホルモン，エストロゲン合成酵素であるアロマターゼ aromatase をもつことが明らかにされた．エストロゲンは神経ステロイドの1つであり，これを神経伝達物質として，一部の味覚情報を伝えているという仮説が提唱されている[17]．

T1R family に関しては，T1R2 と T1R3，または T1R1 と T1R3 が1つの味蕾細胞に共存していることが明らかになった．（T1R2 と T1R3）と（T1R1 と T1R3）は，それぞれヘテロダイマーを形成し，甘味受容体とうま味受容体として機能していると考えられている[18, 19]．味毛には代謝型グルタミン酸受容体 mGluRs も発現することが知られており，この受容体を介するグルタミン酸（うま味）受容の経路も推測されている[20, 21]．

舌を弱い電流で刺激すると，正常な味覚をもつ人は金属をなめたような酸味を感じる．このことを利用して，味覚障害の有無を診断する味覚検査が行われている．

4. 舌　腺

舌に存在する小唾液腺を**舌腺**という．舌尖近くの筋層内には Blandin-Nühn 腺とよばれる混合性の小唾液腺があり，舌の下面にある舌小帯に開口する．一方，舌体後部から舌根にかけては後舌腺とよばれる２種類の小唾液腺がみられる．１つは純漿液性の**Ebner 腺**で，有郭乳頭や葉状乳頭の溝底に開口する．もう１つは舌根に広くひろがる粘液性のWeber（ウェーバー）腺 Weber's glands で，舌扁桃の陰窩 crypt に開口する．

Ebner 腺は，食物中の長鎖脂肪酸を分解するリパーゼを分泌することが，Hamosh and Scow（1973）[22] によって初めて明らかにされ，舌リパーゼ lingual lipase とよばれるようになった．舌リパーゼは，膵臓の外分泌部が未発達な新生児が，母乳の乳脂肪を消化・吸収できるよう，胃や小腸上部で働くという．近年，舌リパーゼが，食物中に含まれる脂肪を分解し，分解によって生じた脂肪酸が脂肪の味（第６の味）として味細胞を刺激するという考えが，Fushiki and Kawai（2005）[23] によって提唱された．

最近，Ⅲ型細胞が含む有芯顆粒が，神経伝達物質としてだけではなく，局所ホルモンとして傍分泌される可能性のあることが示唆されている．味刺激による興奮は，シナプス小胞に含まれると考えられている神経伝達物質によって，シナプスを介して味神経に伝えられるとともに，有芯顆粒が傍分泌され，これがホルモン様の働きによって近在の Ebner 腺の分泌を促し，その結果，大量の漿液が瞬時に乳頭溝に流れ出ることによって，その壁にある味蕾の表面，厳密には味孔を洗浄することでその感覚を再生する機能があると考えられている．

（瀬田祐司）

V リンパ系

1. 概　説

リンパ系 lymphatic system は，リンパ lymph，リンパ球 lymphocyte，リンパ管 lymphatic vessel，**リンパ節** lymph node，リンパ組織 lymphoid tissue，脾臓 spleen，胸腺 thymus，骨髄 bone mallow などの細胞や組織，器官から構成される．毛細血管から組織内に滲出した**間質液** interstitial fluid の約 90％は毛細血管の静脈系から回収されるが，残りの約 10％は組織内に分布している毛細リンパ管からリンパとして回収される．毛細リンパ管が集まってリンパ管となるが，リンパ管に沿ってところどころにリンパ節が存在し，リンパ節でリンパに含まれる病原体や異常細胞に対する免疫応答と濾過が行われた後，リンパは静脈血に合流する．また，腹部では胃腸管から吸収された脂質や脂溶性ビタミンはリンパによって血液中へ運ばれる．

口腔や鼻腔は外界と体内とをつなぐ交通路であるため，摂食や呼吸に伴って細菌やウイルスなどの病原微生物の攻撃に常にさらされている．そのため，免疫監視（免疫サーベイランス）として，炎症のない健康な粘膜でも**自然免疫** innate immunity にかかわるマクロファージ，好中球，樹状細胞 dendric cell，Langerhans 細胞（重層扁平上皮に侵入している樹状細胞の呼称），NK 細胞 natural killer cells などが常時存在するだけでなく，**獲得免疫** acquired immunity を担っているリンパ球が絶えず毛細血管から遊走して粘膜組織を巡回している．また，マクロファージや樹状細胞からの抗原提示に基づいてリンパ球が特定の病原体に対する特異的な免疫応答を起こす場として，リンパ節だけでなく，頭頸部では**粘膜関連リンパ組織** mucosa-associated lymphoid tissue（MALT）である扁桃 tonsil が口峡と咽頭を取り囲んで **Waldeyer の咽頭輪**を構成している．

2. 一次性リンパ器官と二次性リンパ器官

獲得免疫は**細胞性免疫** cell-mediated immunity と**体液性免疫** humoral immunity に大別される．細胞性免疫をつかさどる T 細胞 T cell と体液性免疫をつかさどる B 細胞 B cell はともに骨髄の造血幹細胞から骨髄系幹細胞 myeloid stem cell とは互いに異なる系列に分化したリンパ系幹細胞 lymphoid stem cells を経て分化する．骨髄系幹細胞は骨髄にとどまるが，リンパ系幹細胞は骨髄を離れ，T 細胞の前駆細胞は胸腺で T 細胞に分化する．B 細胞の前駆細胞が分化する場は，鳥類では Fabricius（ファブリキウス）嚢 bursa of Fabricius であるが，ヒトでは骨髄で B 細胞に分化すると考えられている．幹細胞が増殖し，T 細胞および B 細胞に分化する場である骨髄と胸腺は**一次性リンパ器官** primary lymphoid organs または**中枢リンパ器官** central lymphoid organs という．また，T 細胞および B 細胞が活性化して免疫応答を行う主要な場は，脾臓やリンパ節のほか，扁桃，回腸末端粘膜のパイエル板，虫垂などの粘膜関連リンパ組織 MALT や**腸管関連リンパ組織** gut-associated lymphoid tissue（GALT）であり，これらは**二次性リンパ器官** secondary lymphoid organs または**末梢リンパ器官** peripheral lymphoid organs とよばれる．

3. リンパ節の基本構造

リンパ節は表面を線維性被膜で包まれており，輸入リンパ管 afferent lymphatic vessel が入る凸部と門

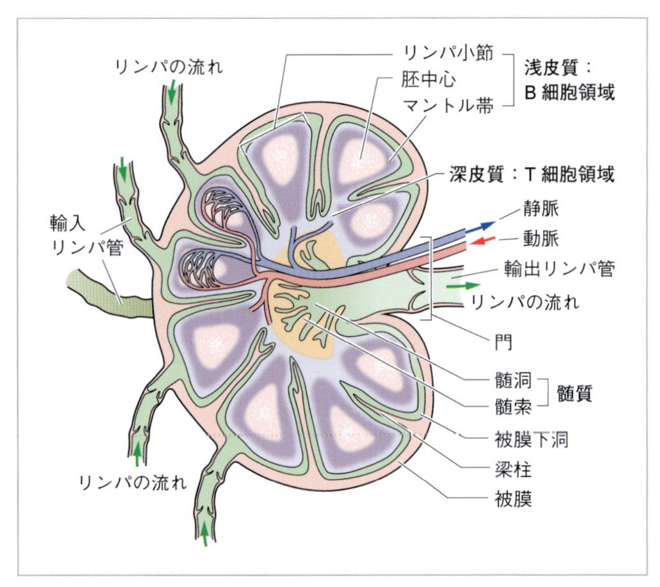

図 9-V-1　リンパ節の構造

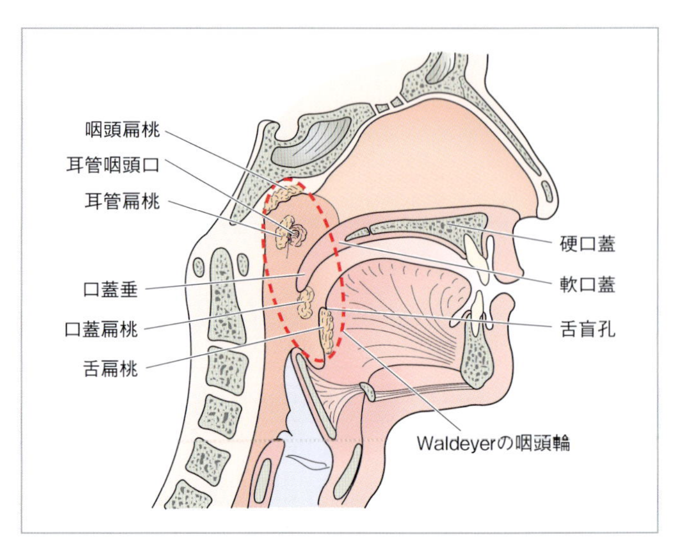

図 9-V-2　Waldeyer の咽頭輪を構成する扁桃の局在
（中村雅典：口腔解剖学第 2 版．医歯薬出版，東京，2018，144．より改変）

hilum とよばれる凹部がある．門から動脈と神経が入り込み，静脈と輸出リンパ管 efferent lymphatic vessel は門から出る（図 9-V-1）．リンパ節の内部は，被膜から伸びる梁柱および細網線維がリンパ節の骨格となり，表層の**皮質** cortex と深層の**髄質** medulla に大別される．皮質はさらに B 細胞が集まる**浅皮質** superficial cortex と T 細胞が集まる**深皮質** deep cortex との 2 つの領域に分かれる．

浅皮質には輸入リンパ管のリンパを受ける被膜下洞と B 細胞が集まって結節様構造をなすリンパ小節 lymphatic nodule が存在する．リンパ小節の中心部にしばしば**胚中心** germinal center が認められるが，胚中心では抗原提示を受けて活性化した B 細胞の急速な増殖と形質細胞または免疫記憶 B 細胞 immune memory B cell への分化が起こっており，活性化していない未熟な B 細胞（ナイーブ B 細胞とよばれる）は胚中心の周囲に押し出されてマントル帯 mantle zone を形成する．深皮質には**高内皮細静脈** high endothelial venule とよばれる特殊な高立方形の内皮細胞をもつ細静脈が分布し，再循環リンパ球のほとんど（約 90％）がこの細静脈の壁を通り抜けてリンパ節内に遊走する．

髄質は，主に B 細胞，形質細胞，マクロファージによって占められる髄索 medullary cord，およびリンパの濾過にかかわる多数のマクロファージが存在する髄洞 medullary sinus の 2 つの領域に分かれる．髄洞は被膜下洞と連絡しており，門付近で髄洞が集合して輸出リンパ管になる．

4. 扁　桃

Waldeyer の咽頭輪を構成する扁桃は，存在する場所に応じて，**口蓋扁桃** palatine tonsil，**咽頭扁桃** pharyngeal tonsil，**耳管扁桃** tubal tonsil，**舌扁桃** lingual tonsil とよばれる（図 9-V-2）．

1）口蓋扁桃

口蓋扁桃は口蓋舌弓と口蓋咽頭弓との間の陥凹である扁桃窩に存在する．それぞれの扁桃の表面は重層扁平上皮で覆われるが，陰窩とよばれる 10〜20 個の上皮陥入を形成し，陰窩の上皮内には大量のリンパ球や他の白血球が浸潤している（図 9-V-3）．上皮を通り抜けたリンパ球は唾液と混ざり，唾液小体を形成する．上皮下の結合組織に多くのリンパ小節が帯状に配置され，基底側は線維性被膜により覆われる．

2）咽頭扁桃

無対の咽頭扁桃は咽頭鼻部後壁から咽頭円蓋にかけて存在する．表面は多列線毛円柱上皮で覆われ，陰窩はみられない．上皮下にびまん性に広がるリンパ組織やリンパ小節を含み，基底側に薄い線維性被膜をもつ．幼児期から学童期にかけて鼻呼吸を妨げるくらいに肥大した咽頭扁桃は**アデノイド** adenoid とよばれる．

3）耳管扁桃

耳管咽頭口より後方の耳管隆起から咽頭陥凹の粘膜に広がる扁桃は耳管扁桃とよばれる．咽頭扁桃とほぼ同じリンパ組織をもつ．

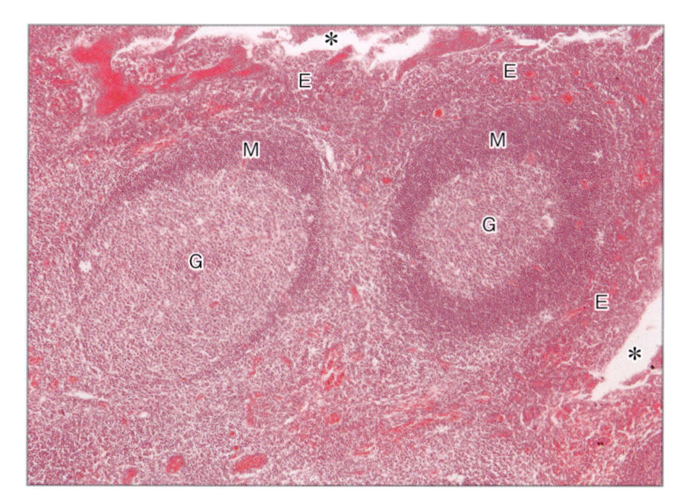

図 9-V-3　口蓋扁桃のリンパ小節
陰窩（*）に面する上皮（E）にリンパ球や他の白血球が多数浸潤している．上皮直下に明瞭な胚中心（G）とマントル帯（M）をもつ卵形のリンパ小節がみられる．

4）舌扁桃

舌扁桃は舌根部に存在し，表面は重層扁平上皮で覆われている．口蓋扁桃や咽頭扁桃よりも小さくて数が多い．1 つの舌扁桃に 1 つの陰窩があり，口蓋扁桃とほぼ同じリンパ組織をもつが，基底側に明瞭な線維性被膜はみられない．

5. 口腔領域のリンパの経路と所属リンパ節

口腔領域のリンパは，部位に応じて互いに異なるリンパ管を通って，それぞれの所属リンパ節 regional lymph node で免疫応答と濾過を受ける（**表 9-V-1，図 9-V-4**）．リンパが最初に流入する一次リンパ節は，癌が最初に転移するセンチネルリンパ節 sentinel lymph node となるため，口腔癌の転移の有無を調べるためのリンパ節生検や術中迅速診断の対象となる．一次および二次所属リンパ節を通過した口腔領域からのリンパは，頭頸部の他の部位からのリンパと左右の頸リンパ本幹 cervical lymphatic duct で合流する．頸リンパ本幹に沿って点在する**深頸リンパ節** deep cervical lymph nodes（内頸静脈リンパ節ともいう）は肩甲舌骨筋を境にして上深頸リンパ節と下深頸リンパ節とに分けられる．上深頸リンパ節のうち，顎二腹筋後腹が内頸静脈と交差する付近に存在する**頸静脈二腹筋リンパ節** jugulodigastric lymph node は，多くの口腔部位からのリンパを受け入れるため，口腔癌が転移する頻度の高いリンパ節として知られる．

頭頸部のすべてのリンパは深頸リンパ節を通過した後，全身の他の部位からのリンパと合流して最終的に鎖骨上窩リンパ節 supraclavicular lymph node で濾過され，右側上半身のリンパは右リンパ本幹を，左側上半身と下半身すべてのリンパは**胸管** thoracic duct を通って，左右の静脈角（鎖骨下静脈と内頸静脈とが接合する部位）から血液中に還る．特に，左鎖骨上窩リンパ節には消化器系の癌が高頻度に転移することが知られてお

表 9-V-1　口腔領域のリンパが流入する一次リンパ節と二次リンパ節

流入部位	一次リンパ節	二次リンパ節
上唇	顎下リンパ節	上深頸リンパ節
下唇	オトガイ下リンパ節	顎下リンパ節，深頸リンパ節
頬粘膜	頬筋リンパ節，下顎リンパ節	顎下リンパ節
硬口蓋前部 硬口蓋後部	顎下リンパ節，咽頭後リンパ節 上深頸リンパ節，咽頭後リンパ節	上深頸リンパ節 下深頸リンパ節
軟口蓋	上深頸リンパ節，咽頭後リンパ節	下深頸リンパ節
上顎歯と周囲組織（第二大臼歯まで）	顎下リンパ節	上深頸リンパ節
上顎第三大臼歯と周囲組織	上深頸リンパ節	下深頸リンパ節
下顎切歯と周囲組織	オトガイ下リンパ節	顎下リンパ節，深頸リンパ節
下顎犬歯，小臼歯，大臼歯と歯周組織	顎下リンパ節	上深頸リンパ節
口腔底部	オトガイ下リンパ節	顎下リンパ節，深頸リンパ節
舌尖部	オトガイ下リンパ節	顎下リンパ節，深頸リンパ節
舌体部	顎下リンパ節	上深頸リンパ節
舌根部	上深頸リンパ節	下深頸リンパ節
口蓋扁桃，舌扁桃	上深頸リンパ節	下深頸リンパ節

（中村雅典：口腔解剖学第 2 版．医歯薬出版，東京，2018，140．より一部抜粋）

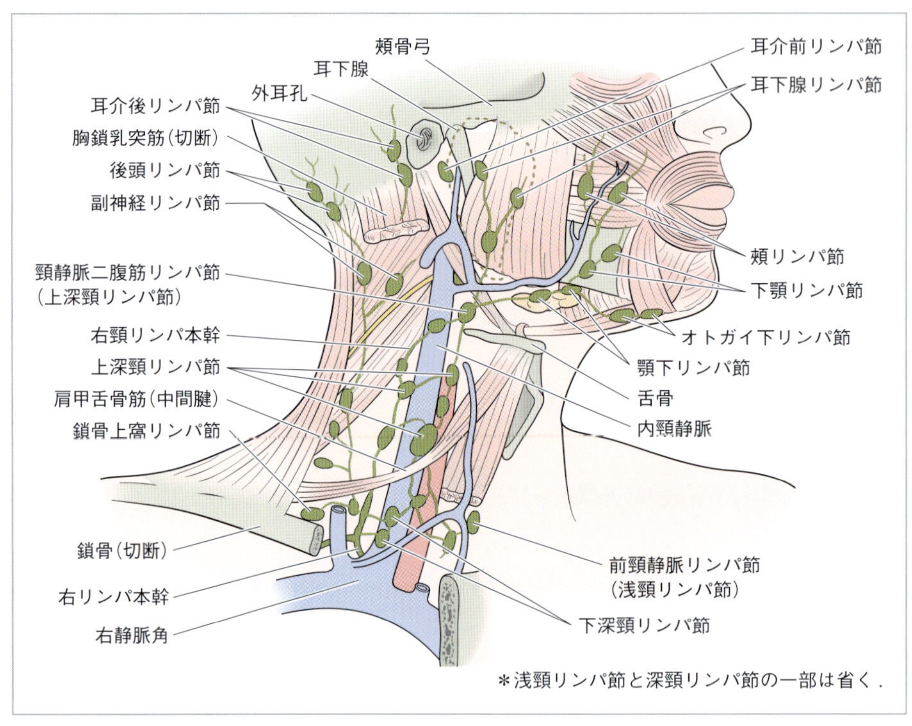

図 9-V-4　頭頸部の主なリンパ節群
（中村雅典：口腔解剖学第２版．医歯薬出版，東京，2018，142〜143．より改変）

り，**Virchow のリンパ節転移**とよばれる．

（滝川俊也）

VI 臨床的考察

1．口腔粘膜

口腔外科臨床で遭遇する口腔癌の切除後や外傷，先天異常の手術においては，手術創の形や部位のせいで，傷を縫い寄せることが困難な場合が多く，比較的大きな口腔粘膜の欠損創/開放創を修復・再建する機会は少なくない．口腔は摂食・嚥下・発音という重要な機能をもつ器官であるため術後の機能障害が残らないようにすることは肝要で，それには創傷治癒が良好であると同時に，欠損部の移植・再建術が必要となる．また，歯科用インプラントの施術前や，歯周炎に対して歯周外科治療を施す症例で，付着歯肉の形成が必要な症例も存在する．したがって，口腔外科手術後やインプラント前処置，歯周外科治療においては，適切な組織が移植されなければならない．移植される組織（材料）に対する生体の拒絶反応を考慮すると，自家組織（同一人物の他の部位から採取した組織の移植）が最適で，口腔外科では遊離皮膚／有茎皮弁，インプラント前処置，歯周外科では遊離歯肉が用いられる．

癌切除後のような大きな創の場合，広範な組織採取が可能な植皮（皮膚移植）が一般的であるが，口腔内植皮では皮膚の表面性状が口腔粘膜と大きく異なり，患者に不快感を与えることが多い．また，毛や汗腺を含んでいるため，口腔内での発毛や発汗などの好ましくない現象も認められる．さらに自家移植の場合は組織採取部が２つ目の創となり，その治癒もしばしば問題になることがある．したがって，口腔粘膜欠損部には口腔粘膜移植（歯肉，頬粘膜，口蓋）を行うのが理想的である．皮膚に比べ採取量が限られるものの，インプラント前処置，歯周外科治療においては，遊離歯肉移植が行われることが多い．

しかしながら，自家組織移植では避けられない２つ目の傷は患者にとって大きな負担となる．このデメリットを解決する方法が**ティッシュエンジニアリング**である．

1）培養表皮／皮膚の開発の経緯

ティッシュエンジニアリングの世界で表皮（皮膚）角化細胞の培養法確立に伴い，角化細胞のみからできた表皮細胞シートを作製し，1984 年に Gallico らは熱傷患者に対する自家培養表皮細胞シート移植を世界で初めて報告した[1]．ただ，培養表皮細胞シートは破れやすく，取り扱いにくいことと，創との接着・生着率が必ずしも良好ではないことが課題である．

培養表皮細胞シートの欠点を補うため，真皮／結合組織成分 dermis/connective tissue（線維芽細胞を組み込

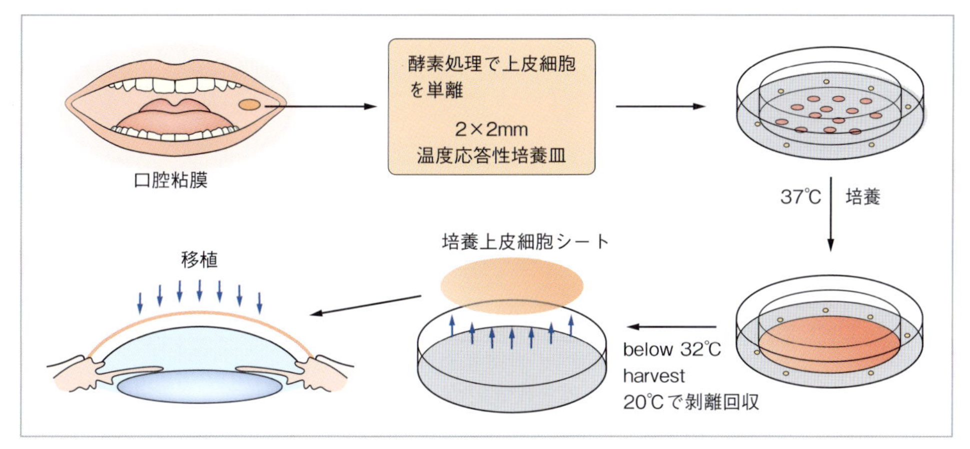

図 9-Ⅵ-1　自家培養口腔粘膜上皮細胞シートによる角膜上皮再生治療の概要
両側性角膜疾患患者の場合は，口腔粘膜組織を患者自身から採取→酵素処理で幹細胞・前駆細胞を含む上皮細胞を単離→上皮細胞を温度応答性培養皿上で培養（37℃）→温度を下げて（20℃）自家培養口腔粘膜上皮細胞シートを剝離→疾患眼へ移植
（林　竜平，西田幸二：幹細胞を用いた角膜再生医療．再生医療，10：12〜16，2011．より改変）

んだⅠ型コラーゲン基質をはじめ，さまざまな種類が存在）を同時に移植すると創傷治癒が促進されるという研究成果をもとに，移植時表層（皮膚）側にくる上皮成分 epithelial layer と真皮成分を合体させた２層で構成される“培養皮膚”が続いて開発された．真皮成分上に表皮角化細胞を播いて，空気にさらして培養すると角化細胞が重層化し，生体組織に類似した三次元構造の重層扁平上皮が形成される．角化細胞と線維芽細胞の相互作用によって上皮と真皮成分の境界部に基底膜構造も自発的に再生されることもわかった．

再生医療 regenerative medicine において培養表皮細胞シートや培養皮膚のヒトへの臨床応用は先駆的であり，わが国をはじめ世界で多くが製品化され，患者治療に利用されている．

2）培養口腔粘膜の開発/臨床応用

皮膚と組織構造が類似する口腔粘膜でも，口腔粘膜角化細胞 oral keratinocyte のみからなる**口腔粘膜上皮細胞シート**が作製され，口腔粘膜欠損部に臨床応用されたが，機械的強度不足の面から普及しなかった[2,3]．また，いわゆる“自家培養口腔粘膜”も，培養皮膚に準じた方法で作製可能であるにもかかわらず，皮膚より過酷な環境である口腔内への適用は限られる[4]．筆者はヒト新鮮屍体真皮 AlloDerm®を真皮成分とした培養口腔粘膜を作製しヒト臨床応用に至ったが，輸入品の AlloDerm®がネックで継続実施は困難であった[5〜7]．2012 年に米国で“培養皮膚”の口腔内適用が承認された（Gintuit®）が[8]，他家細胞のため細胞の生着は見込めず，これまで製品化に至った培養口腔粘膜はない．

3）自家口腔粘膜上皮細胞シートによる角膜・食道粘膜再生医療

口腔粘膜の組織採取は他の部位に比べ容易で，皮膚のように審美的なハードルも低い．また，口腔粘膜上皮角化細胞は表皮角化細胞より増殖能が高い．口腔粘膜上皮細胞シートの口腔内移植は普及しなかったが，こうした利点を活かし口腔粘膜上皮細胞シートの“口腔外”への移植による再生医療，ヒト臨床応用が行われ，疾患治療に貢献している．これには**温度応答性培養皿**を用いた細胞シート作製技術の発達が役立っている．自家培養口腔粘膜上皮細胞シート移植により，難病や外傷のために視力がほとんど失われたにもかかわらず，これまではドナーからの角膜移植でしか治療ができなかった患者の視力回復を可能にしている[9,10]（**図 9-Ⅵ-1**）．また，浅在性の食道癌を内視鏡手術で切除する治療法は患者への侵襲が少なく普及してきているものの，切除後の創傷治癒過程で起こる食道狭窄が問題とされている．その食道狭窄を防ぎ，傷の修復を促進する方法として，内視鏡切除後の創面に培養口腔粘膜上皮細胞シートを貼りつける方法が期待され，現在臨床治験が行われている[11,12]．

4）口腔粘膜組織欠損に対する再建用移植材

現在のところ口腔粘膜の組織欠損部に対して適用のある被覆材・再建材は１種類しかない．元来この生体移植材料は真皮（皮膚）欠損に対して開発されたコラーゲン製材で，多孔質でできており，片面にシリコーン膜が貼付されている[13]．シリコーン膜は結合組織（真皮/粘膜固有層）の治癒後に除去し，表皮移植を行うことを前提に貼付されている．口腔内の創面に対して表皮移植を

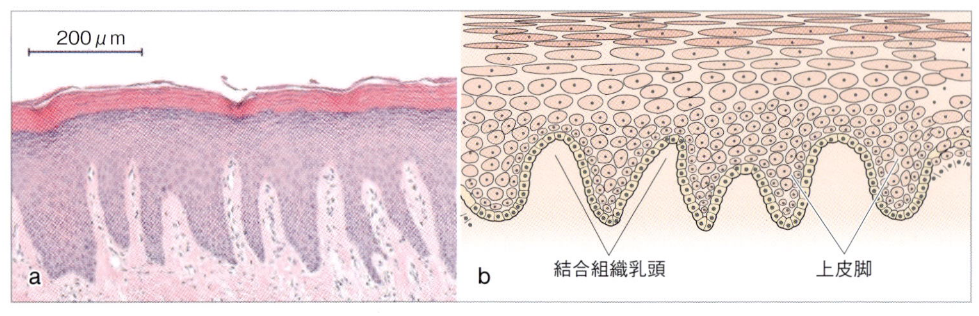

図 9-Ⅵ-2　口腔粘膜
a：口腔粘膜（上皮層＋粘膜固有層）の組織像（H-E 染色）.
b：口腔粘膜が有する微細構造の模式図．結合組織乳頭に相当する三次元的な波型微細構造（マイクロパターン）をコラーゲン製材表面へ再現することを，異分野連携で試みた.
（b は日本歯科医学会「歯科医学を中心とした総合的な研究を推進する集い」事後抄録を改変）

図 9-Ⅵ-3　魚うろこコラーゲンシート
左が平坦な表面であるのに対し，右にはマイクロパターンが付与されている.

実施することはまれであるため，創の上皮化の妨げとなるシリコーン膜の存在は，皮膚に比べて上皮化が早いとされる口腔内の創では不利に働くため，新しい移植材の開発が望まれている.

5）新たな口腔内移植用コラーゲン製材の開発

米国製の AlloDerm®に代わる口腔内に特化した移植再建生体在料として，筆者らは輸入に頼ることなく作製可能で，人獣共通感染症のおそれがなく，安心・安全に使用可能な海産物由来のコラーゲン製足場材の開発に取り組んでいる[14]．開発の基本理念は**バイオミメティス（生体模倣）**で，口腔粘膜や皮膚固有の**物理学的微小環境**である結合組織乳頭（マイクロパターン）が付与されている（**図 9-Ⅵ-2**）．使用しているコラーゲンは，これまで廃棄されていたイズミダイ（ティラピア）の鱗に由来しているため，安価で手にすることができる利点がある．異分野（歯工）連携によって，口腔粘膜固有層の結合組織乳頭に類似した三次元波型構造をもつ各種鋳型を用いて，コラーゲンを線維化させて作製する[15]（**図 9-Ⅵ-3**）．初代培養口腔粘膜角化細胞をマイクロパターン化した魚コラーゲン製足場材播種して作製した培養口腔

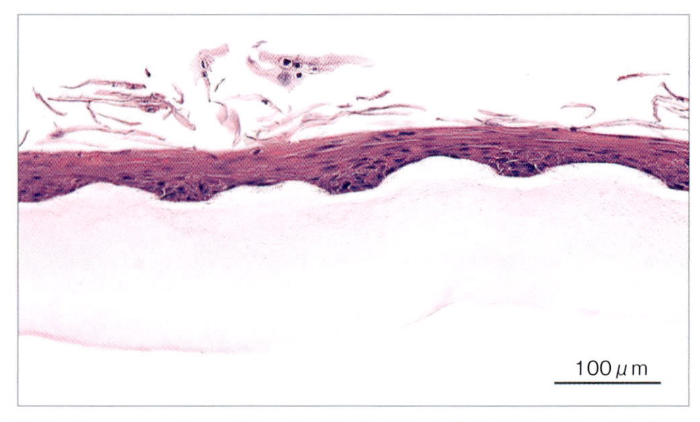

図 9-Ⅵ-4　マイクロパターンが付与された魚うろこコラーゲンシート（足場材）に口腔粘膜角化細胞を播種して作製した培養口腔粘膜の組織像（H-E 染色）.
バイオミメティクスの観点から，図 9-Ⅵ-2b の模式図に類似した上皮脚様構造が再生されている.

粘膜は，組織学的にヒト口腔粘膜上皮に類似した**上皮脚様構造**ができている（**図 9-Ⅵ-4**）．今後は基底膜成分の付与など，足場材の高機能化が要求される.

（泉　健次）

2. 唾液腺

1）唾液腺の形成不全

唾液腺の形成は，耳下腺が胎生 4 週，顎下腺が胎生 6 週，さらに舌下腺が胎生 6 週以降に口腔粘膜上皮の肥厚とその陥入からそれぞれ始まる．次いで上皮・間葉の相互作用 epithelial-mesenchymal interaction により導管の伸長，分枝および腺房形成を繰り返し，その大きさを増し生後すぐに唾液を分泌する．これらの発達段階が障害されると唾液腺の形成不全が生じることになる．唾液腺の発生段階における障害としては，唾液腺の**無形成** aplasia があり，大唾液腺すべてが欠損する場合やその一部が欠損する場合が報告されているが，臨床症状としては重篤な**口腔乾燥症（ドライマウス）**があげられ

る[1, 2]．まれな発育異常で先天的に大唾液腺の一部またはすべての欠損を伴う遺伝性疾患に，涙腺耳介歯指症候群 lacrimo-auriculo-dento-digital（LADD）syndrome がある[3]．また，これらの患者では線維芽細胞成長因子 fibroblast growth factor（FGF）-10 やその受容体（FGFR2）の遺伝子変異が認められる．

動物モデルを用いたリバースジェネティクス（逆遺伝学）による解析で，FGF-10 ないしその受容体（FGFR2 b）を欠損したマウス実験モデルにおいて，唾液腺の無形成が認められることが報告されている[4]．前述した涙腺耳介歯指症候群に加え，aplasia of lacrimal and salivary glands（ALSG）は常染色体顕性遺伝を示すまれな疾患で，涙腺，唾液腺の欠損ないし低形成が認められるが，これらの患者においても FGF-10 遺伝子の変異が報告されている．したがって，FGF-10/RGFR2 を介したシグナルが唾液腺の初期発生にきわめて重要な役割を担っていることは明らかである．

2）口腔乾燥症（ドライマウス）

唾液は，1 日に約 1～1．5 L 分泌され，その大部分が大唾液腺から分泌される．唾液の成分はほとんどが水（99.5%）で，その中に電解質やタンパク質が混ざり，それらの作用により口腔内環境が維持されている．唾液の機能には，消化作用，抗菌作用，粘膜保護作用および食塊形成作用などがあり，唾液分泌減少による口腔乾燥症（ドライマウス）では種々の口腔内症状を呈することになる．口腔乾燥感は唾液分泌量の低下や水分の過蒸発（過蒸散）に起因する口腔粘膜の乾燥症状のことであり，特に高齢者における唾液分泌低下は多くが薬剤の副作用に起因することが知られている（**表 9-Ⅵ-1**）[5]．その作用機序には中枢性の水分泌刺激（副交感神経）を抑制する場合や唾液の原料となる血中の水分量の減少による場合がある．その他，全身性疾患である糖尿病や尿崩症では脱水により，また，高齢者に多くみられる口呼吸での唾液の蒸散や寝たきり状態における飲水の低下も口腔乾燥症状を呈するので注意が必要である．これらの病態においては，唾液腺実質組織の損傷は認められない．一方，Sjögren（シェーグレン）症候群や頭頸部癌の放射線照射後にみられる唾液分泌障害では，唾液腺実質組織の破壊・消失が顕著で重篤な分泌障害を呈する結果，著しい QOL の低下を伴うことがある．

（1）Sjögren 症候群

中高年の女性に好発する難治性の自己免疫疾患である．唾液腺や涙腺などの外分泌腺特異的にリンパ球が浸潤し，唾液・涙液量の減少による**口腔乾燥症**（ドライマウス）や**乾燥性角結膜炎**（ドライアイ）を主徴とする．原因は不明であるが，特定の HLA（HLA-DR w 52）やウイルス感染（EB ウイルスなど）との関連が指摘されている[1]．

Sjögren 症候群の病型は，**関節リウマチ** rheumatoid arthritis（RA）や**全身性エリテマトーデス** systemic lupus erythematosus（SLE）などの膠原病に合併する二次性（続発性）と，これらの合併のない一次性（原発性）に大別される．さらに一次性は，涙腺，唾液腺などの腺症状のみの腺型と，腺以外の臓器に病変がみられる腺外型に分けられる．

確定診断は血清学的検査（血清中の**抗 SS-A/Ro 抗体**，**抗 SS-B/La 抗体**陽性），眼科的検査，唾液腺造影，涙液（Schirmer テストなど）・唾液量（ガムテスト，Saxon テスト）測定，口唇腺生検（導管周囲のリンパ球浸潤（50 個以上）を 1 focus/mm² 以上）により行われる（厚生労働省研究班，1999）．

Sjögren 症候群患者の口腔症状としては，口渇，唾液の粘稠感，口角の発赤びらん，口腔粘膜の発赤・疼痛，難治性口内炎，味覚異常，舌乳頭の萎縮（平滑舌や溝状

表 9-Ⅵ-1　口腔乾燥症の原因

先天異常
・唾液腺無形成
水・電解質異常
・水分摂取不足 ・脱水（人工透析，嘔吐，下痢，多汗など）
全身性疾患
・Sjögren 症候群 ・糖尿病 ・尿崩症 ・サルコイドーシス ・ウイルス感染（HIV，HCV など） ・移植片対宿主病（Graft-versus-host disease：GVHD） ・精神疾患
医原性
・薬剤〔抗ヒスタミン薬，降圧薬（Ca 拮抗薬），抗うつ薬，向精神薬，利尿薬など〕 ・頭頸部の放射線治療 ・化学療法
局所的
・口呼吸 ・咀嚼低下
生理的
・加齢

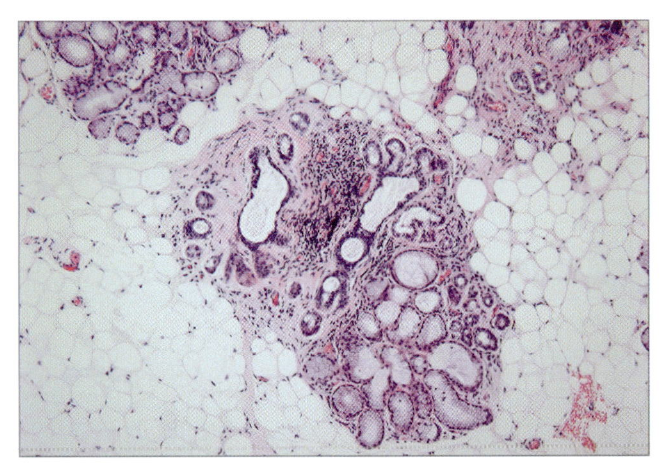

図 9-Ⅵ-5　Sjögren 症候群患者より採取した口唇腺生検の病理組織像
小唾液腺の導管周囲のリンパ球浸潤に加えて，腺房細胞の消失が顕著で，間質の線維化や脂肪変性が目立つことから発症より経過の長い症例であることがわかる．

舌）などが認められる．また，耳下腺の再発性腫脹も認められる．

組織学的には，リンパ球の導管周囲浸潤が主体をなし，腺房の萎縮・消失，間質の線維化や脂肪変性ならびに筋上皮島の形成が特徴的所見となる（**図 9-Ⅵ-5**）．腺外症状には，関節炎，間質性肺炎，間質性腎炎などがある．本症の患者では唾液腺原発悪性リンパ腫（B 細胞性）発症が報告され臨床上注意が必要である．

（2）頭頸部癌に対する放射線照射

頭頸部癌に対する放射線照射では，その照射野に含まれた大唾液腺に 26 Gy 以上の照射が行われた場合，照射後 1 週間以内に約 50〜60％の唾液量の減少が認められる．また，この唾液量の減少はその後も持続することが知られている[6]．すなわち，一定以上の線量の放射線に暴露された唾液腺はその後も再生しない．組織学的には，初期病変として腺房細胞の萎縮・消失，導管の拡張や間質への慢性炎症性細胞浸潤像が認められる．腺房では漿液腺における障害が顕著で粘液腺の障害は少ない．障害が持続した晩期病変では腺房細胞の萎縮・消失が進行し，間質の線維化や脂肪変性が認められる．その結果，重篤な唾液分泌障害を生じる．

動物モデルを用いた詳細な解析が報告されているが，照射後ごく早期（1 週間以内）にみられる分泌低下と晩期にみられる分泌低下ではそのメカニズムが異なることが報告されている[7〜9]．すなわち，放射線照射後早期では，唾液腺実質組織の形態学的変化を伴わない分泌障害が認められる．この分泌障害の原因は，①放射線照射により生じたフリーラジカルによる細胞膜の損傷，②ムスカリン受容体を介した水分泌シグナルの異常，③ Aquaporin 5 などの水分泌チャネルの異常，などがあげられる．一方，放射線照射後，晩期では，唾液腺の明らかな容積の減少がみられ，組織学的にも，腺房細胞の萎縮・消失，導管の拡張や間質への慢性炎症性細胞浸潤像が認められる．さらに障害が持続すると腺房細胞は萎縮・消失し，間質の線維化や脂肪変性が進行する．

この際認められる唾液腺実質組織の障害メカニズムとしては，放射線により直接ないしフリーラジカルを介した核・ミトコンドリア DNA などに損傷が生じた結果，①腺房細胞のアポトーシス，②血管内皮細胞の損傷による血流障害，③副交感神経の障害による修復機能の低下，などの複合的な要因によることが報告されている[10]．

（3）口腔乾燥症の症状

口腔粘膜の灼熱感をはじめ，溝状舌・舌乳頭の萎縮などがあり，義歯装着者においては，義歯不適合の原因にもなる．唾液量の減少により，唾液のもつ抗菌作用が期待できず，**口腔カンジダ症** oral candidiasis，齲蝕，歯周病や種々の口腔感染症の罹患率の上昇をもたらす．加えて，**味覚障害**や高齢者においては**摂食嚥下障害**による**誤嚥性肺炎**の誘因ともなりうる．

口腔乾燥症の治療法としては，人工唾液や唾液分泌促進薬の使用などがあげられるが，頭頸部癌に対する放射線照射や Sjögren 症候群による口腔乾燥症では，これらの治療が奏効しない重症例が認められる．このような症例においては，障害された唾液腺を再生するために**幹細胞** stem cell を用いた**再生医療**の応用が期待されている．臨床応用の現状は，唾液分泌の障害された患者の唾液腺局所に造血幹細胞や間葉系幹細胞を移入する臨床試験が実施されている[11, 12]．

3）唾液の流出障害

（1）唾石症

唾石症 sialolithiasis は，唾液腺導管内に**結石（唾石）**を生じる疾患で，急性ないし慢性の唾液腺炎を伴う．顎下腺に最も多くみられ，耳下腺では頻度が少ない．唾石の多くは腺体外導管に形成されることが多く，腺体内導管は少ない．小唾液腺では，上唇や頬粘膜にみられることが多い[2, 5]．

臨床症状として，食事時における唾液腺腫張と**唾仙痛**を認める．エックス線撮影により偶然認められる場合や導管の開口部付近に生じたものは触知される．

組織学的には，唾石は同心円状の層構造を有する石灰

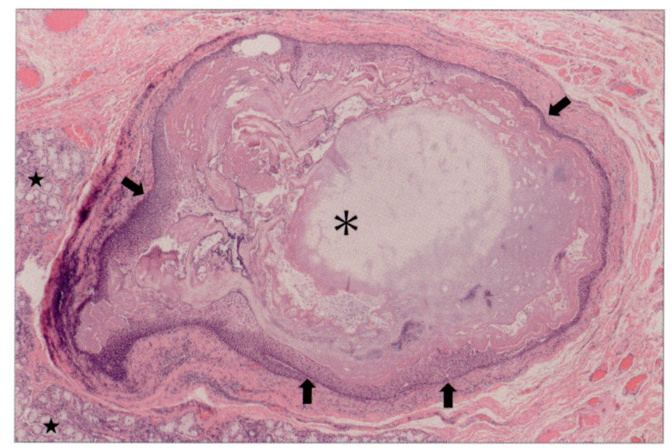

図 9-Ⅵ-6　唾液腺の導管内に形成された唾石
扁平上皮化生を生じた唾液腺導管上皮（矢印）に囲まれて，同心円状の層状構造を示す唾石（＊）が存在する．その周囲にはリンパ球・形質細胞よりなる慢性炎症性細胞浸潤を呈する唾液腺組織（★）が存在する．

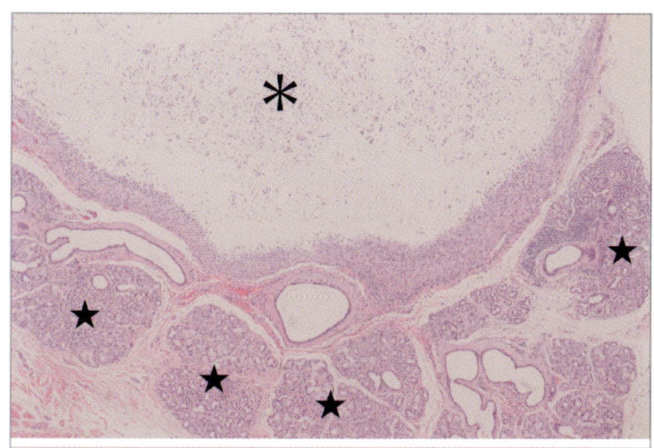

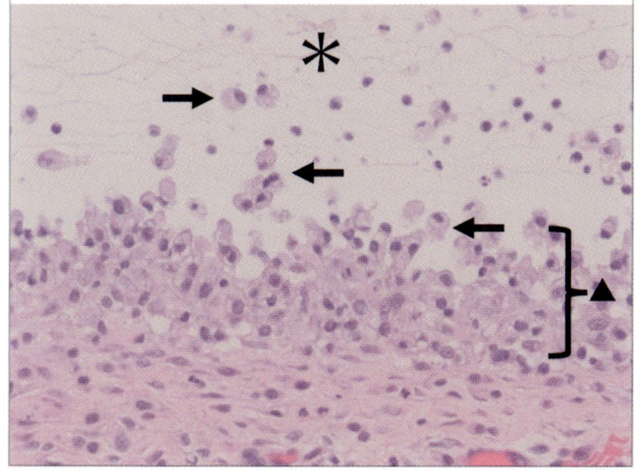

図 9-Ⅵ-7　下唇に生じた粘液囊胞（溢出型）
囊胞内には，粘液様物質（＊唾液）の貯留が認められ，その周囲には小唾液腺組織（★）が存在している．囊胞壁（▲）は裏装上皮をもたず，多数の泡沫細胞（矢印）を有する肉芽組織よりなり，いわゆる偽囊胞の形態を呈する．

化物であり，唾石に接する導管には，びらん，潰瘍や**扁平上皮化生**がみられる（図 9-Ⅵ-6）．また，周囲の導管には拡張が目立ち，腺房の変性・萎縮，リンパ球，形質細胞を主体とする慢性炎症性細胞浸潤および間質の線維化を伴う．

（2）粘液囊胞

粘液囊胞 mucous cyst は，外傷による唾液腺導管の損傷や唾石などによる唾液の流出障害により生じる囊胞で下唇および舌下面の小唾液腺に好発する[2, 5]．舌下面の前舌腺に生じたものは **Blandin-Nühn 囊胞**とよばれる．また，口腔底に生じた顎下腺および舌下腺の導管に関連する粘液囊胞は外観がガマの喉頭囊に似ていることより**ガマ腫**とよばれる．肉眼的には，半透明の青みがかった半球状腫瘤が認められ，内腔に唾液を貯留し波動を触知する．

粘液囊胞の多くは，排出導管の損傷により周囲組織に唾液が漏出した**溢出型**が主なもので，導管の閉塞ないし狭窄による**停滞型**は少ない．

組織学的には，溢出型は炎症性肉芽組織よりなる囊胞壁を有し，内腔には粘液様物質の貯留を認める（図 9-Ⅵ-7）．囊胞壁に裏装上皮をもたないことより偽囊胞に分類される．囊胞腔内および囊胞壁内には多数の泡沫細胞の存在がみられる一方，停滞型では，円柱ないし扁平上皮によりなる裏装上皮の存在を認めるが頻度はきわめて少ない．隣接する唾液腺には導管の拡張と慢性炎症性細胞浸潤がみられる．

（美島健二）

3. 舌

口腔の主機能は生体維持のための摂食行動であり，それゆえに消化器系に分類されている．この摂食行動は単に栄養摂取による生命維持だけではなく「味わうこと」による QOL の向上につながっていることはいうまでもない．この「味わうこと」には視覚，聴覚，触覚（一般体性感覚），味覚，嗅覚のいわゆる「五感」が総動員されているが，とりわけ口腔に特有の感覚である味覚が重要な役割を果たしている．

近年，**味覚異常**を訴える患者が多くなっている．この味覚異常の症状は多様であるが，以下に示すようにいくつかに分類される．

①味覚低下：味が薄くなった
②味覚消失：味がまったくわからなくなった
③乖離性味覚障害：特定の味だけが感じられない（例：甘味だけがわからない）
④自発性異常味覚：口の中に何もないのに味覚を感じる
⑤異味症：本来の味と違った味がする（例：甘いものが苦く感じる）
⑥悪味症：何も食べていないのに，いやな味がする

このうち①～③は味そのものの感覚が鈍くなる「量的異常」であり，④～⑥は味覚が変化してしまう「質的異常」である．この味覚異常の原因としては，末梢性味覚

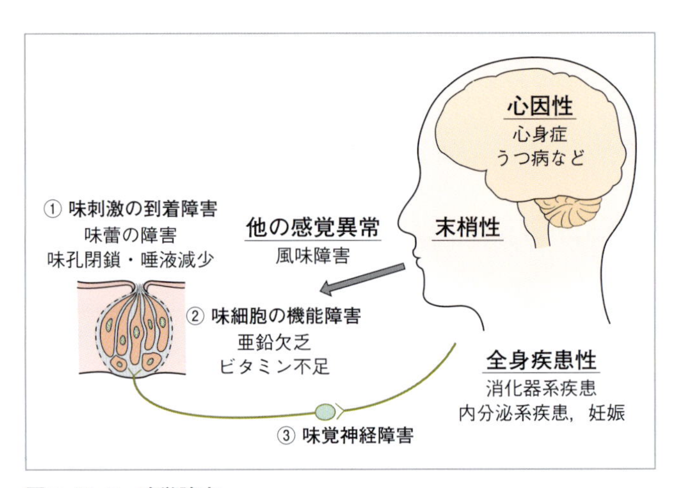

図 9-Ⅵ-8　味覚障害

伝導路での障害はもちろんのこと全身疾患との関連もある[1]．

1）末梢性味覚伝導路での障害による味覚異常（図 9-Ⅵ-8）

（1）味刺激の到達障害

味覚受容は味刺激が味蕾の味孔に到達して始まるが，味蕾が舌炎や火傷などにより障害されたり，舌苔や錯角化症などにより味孔が閉鎖したりすると味刺激が味蕾に到達しない．また，加齢や Sjögren 症候群などでは唾液分泌量が減少し，その結果，味物質の味孔への到達が困難になり味覚異常が起こると考えられる．

（2）味細胞の機能障害

味覚異常の最も多い原因とされており，味孔に到達した刺激が味細胞の機能障害で，味覚神経に伝わらないことにより味覚異常が起こる．この原因として最も知られているのは亜鉛欠乏による味覚異常である．

亜鉛は生体に必須のミネラルであり，DNA の合成，細胞の分裂，タンパク質合成，免疫機能の維持，創傷治癒に重要な役割を担っていることが知られており，1 日の亜鉛摂取推奨量は 8～11 mg とされている．亜鉛は肉類や魚介類，特にレバーや牡蠣などに多く含まれている．亜鉛不足で認められる臨床症状としては，小児での体重増加不良や低身長などの発育障害，性腺機能不全，皮膚炎，口内炎，脱毛症，易感染症，食欲低下などに加え味覚異常がある．亜鉛欠乏の原因としては食事性や薬剤性などがある．食事性亜鉛欠乏は食事での亜鉛摂取の不足による．食品添加物の中には亜鉛をキレートする作用があるものもあり，摂取した亜鉛がキレートされて機能していない場合もある．降圧剤，高血糖や高コレステロール，痛風，甲状腺機能障害，骨粗鬆症の治療薬の成分により亜鉛欠乏となる場合もある．

ラットを低亜鉛飼料で飼育することで，食餌性亜鉛欠乏モデルを作製できる．動物を離乳後ただちに低亜鉛飼料で飼育すると，顕著な体重増加不良が認められ，明らかな味覚異常が観察される[2]．正常ラットでは味細胞の寿命は約 10 日とされているが，食餌性亜鉛欠乏モデルラットでは味細胞の寿命は約 15 日と長くなっており，細胞分化機構に異常をきたしていると推測される．このモデル動物を正常飼料で飼育すると，体重は増加し味覚異常は解消される．

亜鉛以外にもビタミン B_2 やビタミン A などの欠乏が味覚異常の原因となることがある．

（3）味覚神経障害

味蕾の維持には味覚神経が深く関与しており，味覚神経の損傷により味蕾が変性消失することが知られている[3]．舌，軟口蓋，咽頭の味蕾への味刺激は鼓索神経（顔面神経），舌咽神経および大錐体神経（顔面神経）から顔面神経を経て中枢に伝えられるので，顔面神経麻痺や中耳手術などにより顔面神経に損傷があると味蕾が変性消失し味覚異常が認められる．また，中枢に脳腫瘍などの疾患があると感覚受容器に異常がなくても味覚異常が認められる．

2）全身疾患との関係

肝炎や肝硬変，腎不全で腎透析を受けている患者では血中亜鉛含量が低下している場合が多く，味覚異常を起こすことがある．また，亜鉛は十二指腸，空腸で吸収されるため，胃腸疾患で十二指腸の切除を受けると亜鉛が欠乏しやすくなり，味覚異常を起こすことがある．

Basedow 病や橋本病など甲状腺ホルモン機能異常，糖尿病などの内分泌系疾患でも味覚異常が認められるが，これらの疾患ではその治療薬が血中亜鉛含量を低下させる場合があり，それが原因で味覚異常を起こす場合がある．

妊娠すると悪心，嘔吐，食欲不振などの悪阻や嗜好の変化がみられる場合が多いが，同時に味覚減退が認められることがあり，これはホルモンバランスの変化によると考えられている．また，女性の正常な性周期でも黄体期に味覚感受性の低下が認められる．

味覚異常を訴える患者の中には，味覚受容機構や味覚情報の伝達経路の障害よりも，心身症，神経症，うつ病などの要素が強い心因性味覚障害の患者もいる．

3）他の感覚異常に起因する味覚異常

食べ物の味は，本来の味覚のほかに，においや香りなどの嗅覚をはじめ，視覚，聴覚さらには舌触り，歯触り，食物の温度や硬さなどがかかわる統合的な感覚であり，味覚受容が正常に行われていても味覚異常を訴えることがある．中でも嗅覚が食べ物の味が深くかかわっており，感冒罹患時には嗅覚障害により「食べ物の味が変わった」あるいは「味がしない」と訴える患者が多い．このような場合，味覚検査は正常でも嗅覚検査が異常である**風味障害**の場合や，味覚検査，嗅覚検査のいずれも異常である感冒後味覚嗅覚同時障害の場合もある．

嗅覚障害はにおいの伝達経路でなんらかの障害が起こり，その結果嗅覚減退（においが弱くしか感じられない），嗅覚消失（においがまったくしない），異臭症（本来と違うにおいがする，何を嗅いでも同じにおいがする）や嗅覚過敏（少しのにおいでも強い悪臭に感じる）などの症状を呈する．障害部位により，①気導性嗅覚障害：アレルギー性鼻炎や副鼻腔炎などによりにおい成分が鼻腔内で物理的に遮断され，嗅粘膜に到達しなかったり，嗅粘膜が障害されたことによる嗅覚障害，②嗅神経性嗅覚障害：感冒の原因であるウイルス感染などで嗅神経が障害されることによる嗅覚障害，③中枢性嗅覚障害：頭部外傷，脳腫瘍，Alzheimer病などにより中枢神経系が障害されることによる嗅覚障害に分けられ，感冒，慢性副鼻腔炎，頭部外傷が嗅覚障害の三大原因疾患とされている．

2019年に新型コロナウイルス感染症 coronavirus disease 2019（COVID-19）が発生した当初の代表的な症状として嗅覚障害・味覚障害があり，一般的なインフルエンザなどの感冒患者よりも嗅覚障害，味覚障害を発症する患者が多く，新型コロナウイルス感染患者の約53％に嗅覚障害が認められ，約44％に味覚障害が認められたと報告されている[4]．

ウイルスは自分自身では増殖できないので宿主細胞に侵入して増殖する．新型コロナウイルスではアンギオテンシン変換酵素2（Angiotensin Converting Enzyme 2; ACE-2）を介して細胞に侵入し増殖する．ACE-2は鼻腔，気管支，肺などほとんどの臓器の粘膜に発現している．嗅粘膜上皮では支持細胞や前駆細胞にACE-2の発現が認められるが，嗅細胞には発現が認められないとされている．コロナウイルス感染で嗅覚障害が起きるメカニズムは十分に不明な点が多いが，コロナウイルスがACE-2を発現している嗅粘膜上皮の支持細胞，前駆細胞などに侵入することにより嗅覚ニューロンの機能を低下させていると考えられる．舌上皮にもACE-2が発現し，コロナウイルスの感染により粘膜炎が起こり，味刺激の味細胞への到達が障害されると考えられる．また，コロナウイルス感染患者の味蕾のII型細胞にACE-2が発現しており，これが原因で味蕾細胞の機能や新生が障害され味覚障害が起こっている可能性もある[5, 6]．

新型コロナウイルスは変異を繰り返しており，それに伴い症状にも変化が出てきている．2022年後半に主流となった変異株（オミクロン株）では流行当初と比べ嗅覚・味覚障害を発症している患者の割合は減少している．また，味覚障害を発症している患者の多くが嗅覚障害を発症しており，味覚障害のみを発症している患者が少ないことから，味蕾への直接的な影響よりも，嗅覚障害に伴う風味障害による味覚異常が多いとされている．

さらに，三叉神経第II枝，第III枝である上顎神経，下顎神経の障害により，一般体性感覚に異常が認められ「舌触り」や「歯触り」が変化したり，義歯や矯正装置などの装着によりいままでの「舌触り」や「歯触り」が変わり，味が変わったと感じる場合もある．

4）加齢による味覚障害

個人差もあるが加齢により味覚減退が起こることが多い．ただ基本味すべてが同じように味覚減退を起こすのではなく，「塩味」に対する感受性が低下する．その結果「濃い味」の食事を好むようになる．また加齢により上記の味覚異常の原因が起こりやすい状態であることも考えられる．

（脇坂　聡）

●参考図書，参考文献

Ⅰ 概説

●参考図書

1. 天野 修：唾液腺―臨床と研究のための解剖学―．日口外誌，**57**：384〜393，2011．
2. 天野 修：第三の手・舌．小児保健研究，**75**：706〜710, 2016．

Ⅱ 口腔粘膜

●参考図書

1. 阿部 和，牛木辰男：組織学．改訂20版．南山堂，東京，2019．
2. James K. Arery編，寺木良巳ほか訳：Avery口腔組織・発生学．第2版．医歯薬出版，東京，2001．
3. Antonio Nanci編著，川崎堅三監訳：Ten Cate口腔組織学．第6版．医歯薬出版，東京，2006．
4. 磯川桂太郎，下田信治，山本 仁編：カラーアトラス口腔組織発生学．第4版．わかば出版，東京，2016．

Ⅲ 唾液腺

●参考図書

1. 上條雍彦：図説口腔解剖学 5内臓学．アナトーム社，東京，1969．
2. 佐藤 匡：唾液の分泌機序とその臨床的解析法．日唾誌，**41**：1〜9，2000．
3. 武田泰典：唾液腺のオンコサイトとオンコサイト症．日唾誌，**42**：1〜8，2001．
4. 天野 修，草間 薫編：口腔生物学各論 唾液腺．学建書院，東京，2006．
5. 天野 修：唾液腺組織．歯科再生医学（村上伸也ほか編）．医歯薬出版，東京，2019，46〜57．
6. Jenkins GN：The physiology and biochemistry of the mouse. 4 th ed，Blackwell，Oxford，1978．
7. Martinez-Madgrigal F and Micheau C：Histology of the major salivary glands. *Am J Sur Pathol*，**13**：879〜899，1989．
8. Saracco CG and Crabill EV：Anatomy of the human salivary gland. In: Biology of the Salivary Glands (Dobrosielski-Vergona K ed.). CRC Press，Boca Raton，1993．
9. Barka T：Biologically active polypeptides in submandibular glands. *J Histochem Cytochem*，**28**：836〜859，1980．
10. 井関尚一：マウス顎下腺導管系のホルモン依存性分化．日唾誌，**62**：53〜61，2022．

●参考文献

1) Ichikawa M and Ichikawa A：The fine structure of sublingual gland acinar cells of the Mongolian gerbil, Meriones unguiculatus，processed by rapid freezing followed by freeze-substitution fixation. *Cell Tissue Res*，**250**：305〜314，1987．
2) Purwanti N et al.：Induction of Sca-1 in the duct cells of the mouse submandibular gland by obstruction of the main excretory duct. *J Oral Pathol Med*，**40**：651〜658，2011．
3) Amano O et al.：Anatomy and histology of rodent and human major salivary glands:-overview of the Japan salivary gland society-sponsored workshop-. *Acta Histochem Cytochem*，**45**：241〜250，2012．

Ⅳ 舌

●参考図書

1. Chandrashekar J et al.：T2 Rs function as bitter taste receptors. *Cell*，**100**：703〜711，2000．
2. Kanazawa H：Fine structure of the canine taste bud with special reference to gustatory cell functions. *Arch Histol Cytol*，**56**：533〜548，1993．
3. Kawai T and Fushiki T：Importance of lipolysis in oral cavity for orosensory detection of fat. *A J Physiol Regul Integr Com Physiol*，**285**：R447〜R454，2003．
4. 窪田金次郎：解剖学入門―咀嚼システム解明への道．日本歯科評論社，東京，1988．
5. 栗原堅三：味の情報処理．感覚器官と脳内情報処理（御子柴克彦，清水孝雄編）．共立出版，2002，19〜26．
6. MacLaughlin SK，Mckinnon PJ and Margolskee RF：Gustducin is a taste-cell-specific G protein closely related to the transducins. *Nature*，**357**：563〜569，1992．
7. Oakley B：On the specification of taste neurons in the rat tongue. *Brain Res*，**75**：85〜96，1974．
8. Takeda M and Hoshino T：Fine structure of taste buds in the rat. *Arch Histol Jap*，**37**：395〜413，1975．
9. Toyoshima K and Shimamura A：A scanning electron microscopic study of taste buds in the rabbit. *Biomed Res*，**2** (Suppl)：459〜463，1981．
10. Toyoshima K et al.：Merkel-neurite complexes in the fungiform papillae of two species of monkeys. *Cell Tissue Res*，**250**：237〜239，1987．
11. Toyoshima K，Miyamoto K and Shimamura A：The ultrastructure of encapsulated sensory corpuscles in the fungiform papillae of monkeys. *Arch Histol Jap*，**50**：385〜392，1987．
12. Toyoshima K and Tandler B：Dividing type II cell in rabbit taste bud. *Anat Rec*，**214**：161〜164，1996．
13. 豊島邦昭：味覚の科学（佐藤昌康，小川 尚編）．朝倉書店，東京，1997，91〜98．
14. Yoshie S et al.：Fine structure of the taste bud in guinea pigs. I. Cell characterization and innervation patterns. *Arch Histol Cytol*，**53**：103〜119，1990．
15. 豊島邦昭：うま味も苦味も味蕾から．③ 味蕾から性ホルモン．ミクロスコピア，**25**：114〜119，2008．
16. Ma Z et al.：CALHM3 is essential for rapid ion channel-mediated purinergic neurotransmission of GPCR-mediated tastes. *Neuron*，**98**：547〜561，2018．
17. Taruno A et al.：CALHM1 ion channel mediates purinergic neurotransmission of sweet，bitter and umami tastes. *Nature*，**495**：223〜226，2013．

●参考文献

1) 浦郷篤史：口腔諸組織の加齢変化．クインテッセンス出版，東京，1991．
2) Nakashima T et al.：Morphological changes of taste buds and fungiform papillae following long-term neurectomy. *Brain Res*，**533**：321〜323，1990．
3) Leydig F：Über die Haut einiger Süßwasserfische. *Z Wiss Zool*，**3**：1〜12，1851．
4) Arey LB，Tremaine MJ，Monzingo FL：The numerical and topographical relations of taste buds tohuman circumvallate papillae throughout the life span. *Anat Rec*，**64**：9〜25，1935．
5) Mistretta CM and Baum BJ：Quantitative study of taste buds in fungiform and circumvallate papillae of young and aged rats. *J Anat*，**138**：323〜332，1984．
6) Bradley RM，Stedman HM，Mistretta CM：Age does not affect numbers of taste buds and papillae in adult rhesus monkeys. *Anat Rec*，**212**：246〜249，1985．
7) Miller IJJr：Human taste bud density across adult age groups. *J Gerontol*，**43**：26〜30，1988．
8) Seta Y and Toyoshima K：Three-dimensional structure of the gustatory cell in the mouse fungiform taste buds：a computer-assisted reconstruction from serial ultrathin sections. *Anat Embryol*，**191**：83〜88，1995．
9) Fujita T，Kanno T，Kobayashi S：The paraneuron. Spring-

er-Verlag, Tokyo, Berlin, Heidelberg, New York, London, Paris, 1988.
10) 内田　隆：マウス有郭乳頭味蕾のセロトニンの免疫組織化学. 歯基礎誌, **27**：132〜139, 1985.
11) Yoshie S et al.：Immunocytochemical localization of neuron-specific proteins in the taste bud of the guinea pig. *Arch Histol Cytol*, **51**：379〜384, 1988.
12) Doolin RE and Gilbertson TA：Distribution and characterization of functional amiloride-sensitive sodium channels in rat tongue. *J Gen Physiol*, **107**：545〜554, 1996.
13) Ninomiya Y et al.：Reinnervation of cross-regenerated gustatory nerve fibers into amiloride-sensitive and amiloride-insensitive taste receptor cells. *Proc Natl Acad Sci USA*, **95**：5347〜5350, 1998.
14) Murray RG, Murray A, Fujimoto S：Fine structure of gustatory cells in rabbit taste buds. *J Ultrastruct Res*, **27**：444〜461, 1969.
15) Murray RG：The ultrastructure of taste buds. In: The ultrastructure of sensory organs（Friedmann I ed.）. North-Holland, American Elsevier, Amsterdam, New York, 1973, 1〜81.
16) Beidler LM and Smallman RL：Renewal of cells within taste buds. *J Cell Biol*, **27**：263〜272, 1965.
17) Toyoshima K et al.：Immunohistochemical identification of cells expressing steriodogenic enzymes cytochrome P450 and P450 aromatase in taste buds of rat circumvallate papillae. *Arch Histol Cytol*, **70**：215〜224, 2007.
18) Nelson G et al.：Mammalian sweet taste receptors. *Cell*, **106**：381〜390, 2001.
19) Nelson G et al.：An amino-acid taste receptor. *Nature*, **416**：199〜202, 2002.
20) Toyono T et al.：Expression of the metabotropic glutamate receptor, mGluR4 a, in the taste hairs of taste buds in rat gustatory papillae. *Arch Histol Cytol*, **65**：91〜96, 2002.
21) Toyono T et al.：Expression of metabotropic glutamate receptor group 1 in rat gustatory papillae. *Cell Tissue Res*, **313**：29〜35, 2003.
22) Hamosh H and Scow RO：Lingual lipase and its role in the digestion of dietary lipid. *J Clin Invest*, **52**：88〜95, 1973.
23) Fushiki T and Kawai T：Chemical reception of fats in the oral cavity and the mechanism of addiction to dietary fat. *Chem Senses*, **30**：i184〜i185, 2005.

V リンパ系

● 参考図書

1. Anthony LM：第 14 章 免疫系とリンパ器官. ジュンケイラ組織学. 第 5 版<原書 14 版>（坂井建雄, 川上速人監訳）. 丸善出版, 東京, 2018, 289〜318.

Ⅵ 臨床的考察

1. 口腔粘膜

● 参考文献

1) Gallico GG et al.：Permanent coverage of large burn wounds with autologous cultured human epithelium. *N Engl J Med*, **311**：448〜451, 1984.
2) De Luca M et al.：Evidence that human oral epithelium reconstituted in vitro and transplanted onto patients with defects in the oral mucosa retains properties of the original donor site. *Transplant*, **50**：454〜459, 1990.
3) Raghoebar GM et al.：Use of cultured mucosal grafts to cover defects caused by vestibuloplasty：An in vitro study. *J Oral Maxillofac Surg*, **53**：872〜878, 1995.
4) Feinberg SE et al.：Role of tissue engineering in oral and maxillofacial reconstruction：Findings of the 2005 AAOMS research summit. *J Oral Maxillofac Surg*, **63**：1418〜1425, 2005.
5) Izumi K et al.: Development and characterization of a tissue engineered oral mucosa equivalent produced in a serum-free culture system. *J Dent Res*, **79**：798〜805, 2000.
6) Izumi K et al.：Intraoral grafting of an ex vivo produced oral mucosa equivalent：a preliminary report. *Int J Oral Maxillofac Surg*, **32**：188〜197, 2003.
7) Izumi K et al.: Intra-oral grafting of tissue-engineered human oral mucosa. *Int J Oral Maxillofac Implants*, **28**：e295〜e303, 2013.
8) McGuire MK et al.：Living cell-based regenerative medicine technologiesfor periodontal soft tissue augmentation. *J Periodontol*, **91**：155〜164, 2020.
9) Nishida K et al.：Corneal reconstruction with tissue-engineered cell sheets composed of autologous oral mucosal epithelium. *New Eng J Med*, **351**：1187〜1196, 2004.
10) Burillon C et al.：Cultured autologous oral mucosal epithelial cell sheet（CAOMECS）transplantation for the treatment of corneal limbal epithelial stem cell deficiency. *Invest Ophthalmol Vis Sci*, **53**：1325〜1331, 2012.
11) Takagi R et al.: Fabrication of human oral mucosal epithelial cell sheets for treatment of esophageal ulceration by endoscopic submucosal dissection. *Gastrointest Endosc*, **72**：1253〜1259, 2010.
12) Ohki T and Yamato M：Esophageal regenerative therapy using cell sheet technology. *Regen Ther*, **13**：8〜17, 2020.
13) Yura S et al.：Repair of oral mucosal defects using artificial dermis: factors related to postoperative scar contracture. *Oral Surg Oral Med Oral Pathol Oral Radiol Endod*, **112**：161〜163, 2011.
14) Suzuki A et al.：Manufacturing micropatterned collagen scaffolds with chemical-crosslinking for development of biomimetic tissue-engineered oral mucosa. *Sci Rep*, **10**：22192, 2020.
15) Suebsamarn O et al.：In-process monitoring of a tissue-engineered oral mucosa fabricated on a micropatterned collagen scaffold:Use of optical coherence tomography for quality control. Heliyon, **8**：e11468, 2022.

2. 唾液腺

● 参考文献

1) 斎藤一郎ほか編：ドライマウスの臨床. 医歯薬出版, 東京, 2007.
2) 下野正基ほか編：新口腔病理学. 第 3 版. 医歯薬出版, 東京, 2021.
3) Hajianpour MJ et al.：Dental issues in lacrimo-auriculo-dento-digital syndrome: An autosomal dominant condition with clinical and genetic variability. *J Am Dent Assoc*, **148**：157〜163, 2017.
4) Ohuchi H et al.：FGF10 Acts as a Major Ligand for FGF Receptor 2 IIIb in Mouse Multi-Organ Development. *Biochem Biophys Res Commun*, **277**：643〜649, 2000.
5) Neville BW et al.：Oral & Maxillofacial Pathology 4 th ed, ELSEVIER, St. Louis, **422**, 2015.
6) Eisbruch A et al.：Dose, volume, and function relationships in parotid salivary glands following conformal and intensity-modulated irradiation of head and neck cancer. *Int J Radiat Oncol Biol Phys*, **45**：577〜587, 1999.
7) RP Coppes et al.：Defects in muscarinic receptor-coupled signal transduction in isolated parotid gland cells after in vivo irradiation: evidence for a non-DNA target of radiation. *Br J Cancer*, **92**：539〜546, 2005.

8) Cotrim AP et al.：Prevention of irradiation-induced salivary hypofunction by microvessel protection in mouse salivary glands. *Mol Ther*, **15**：2101～2106, 2007.
9) Lombaert IM et al.：Cytokine treatment improves parenchymal and vascular damage of salivary glands after irradiation. *Clin Cancer Res*, **14**：7741～7750, 2008.
10) Knox SM et al.：Parasympathetic stimulation improves epithelial organ regeneration. *Nat Commun*, **4**：1494, 2013.
11) Grønhøj C et al.：First-in-man mesenchymal stem cells for radiation-induced xerostomia（MESRIX）：study protocol for a randomized controlled trial. *Trials*, **18**：108, 2017.
12) Blitzer GC et al.：Marrow-Derived Autologous Stromal Cells for the Restoration of Salivary Hypofunction（MARSH）：Study protocol for a phase 1 dose-escalation trial of patients with xerostomia after radiation therapy for head and neck cancer: MARSH: Marrow-Derived Autologous Stromal Cells for the Restoration of Salivary Hypofunction. *Cytotherapy*, **24**：534～543, 2022.

3. 舌

●参考文献

1）富田　寛：味覚障害の全貌．診断と治療社，東京，2011．
2) Kawano A et al.：c-Fos expression in the parabranchial nucleus following intraoral bitter stimulation in the rat with dietary-induced zinc deficiency, *Brain Res*, **1659**：1～7, 2017.
3) Guth L：The effects of glossopharyngeal nerve transection on the circumvallate papillae of the rat. *Anat Rec*, **128**：715～731, 1957.
4) Tong et al.：The prevalence of Olfactory and Gustatory Dysfunction in COVID-19 Patients: A Systematic Review and Meta-analysis. *Otolaryngol-Head Neck Surg*, **163**：3～11, 2020.
5) Santos HO：Therapeutic supplementation with zinc in the management of COVID-19-related diarrhea and ageusia/dysgeusia: mechanisms and clues for a personalized dosage regimen. *Nutr Rev*, **805**：1086～1093, 2021.
6) Doyle ME et al.：Human type II taste cells express angiotensin-converting enzyme 2 and are infected by severe acute respiratory syndrome coronavirus 2（SARS-CoV-2）. *Am J Pathol*, **191**：1511～1519, 2021.

第10章 顎骨

chapter 10

I 顎骨の組織学

1. 骨の基本組織構造

歯槽骨の組織構造については，第５章「歯の支持組織」で述べているが，ここでは，それも一部含めて，骨の細胞・組織学を体系的に記載する．

1）皮質骨と海綿骨

長管骨（長骨）の外壁を構成する皮質の骨を**皮質骨** cortical bone，一方，内部の骨髄が存在する骨を髄骨 medullary bone という．しかし，ヒトの場合，髄骨といわず，骨が海綿状または羽毛状に発達しているため，**海綿骨** spongy bone，cancellous bone とよばれることが多い（図 10-Ⅰ-1）．

2）骨の基本単位

皮質骨は発達した同心円状の**骨単位（オステオン** osteon，**Havers 系** Haversian system）および内外の**基礎層板**（環状層板 circumferential lamella）で構成されている（図 10-Ⅰ-2）．皮質骨を顕微鏡で観察すると，そこには，一定方向に走行する**コラーゲン線維**の束が層をつくっていることがわかる．そのような層状構造を示す骨を**層板骨** lamella bone という．下顎骨は，体部の厚い皮質骨とその内部の海綿骨からなり，特に底部では典型的な層板骨としての皮質骨を観察することができる．

一方，海綿骨を構成する基本単位は小さな柱状の**骨梁** trabecule であり（骨小柱という表現は，現在，あまり使用されなくなった），それが内部応力の方向や大きさに一致した配列を示す（図 10-Ⅰ-3）．成人における骨梁は緻密な層板骨を示すが，同心円状の骨単位を有することはない．健常者の下顎骨の骨梁は，大腿骨や脛骨の骨端ほど数は多くないが，太い骨梁が張り巡らされている．

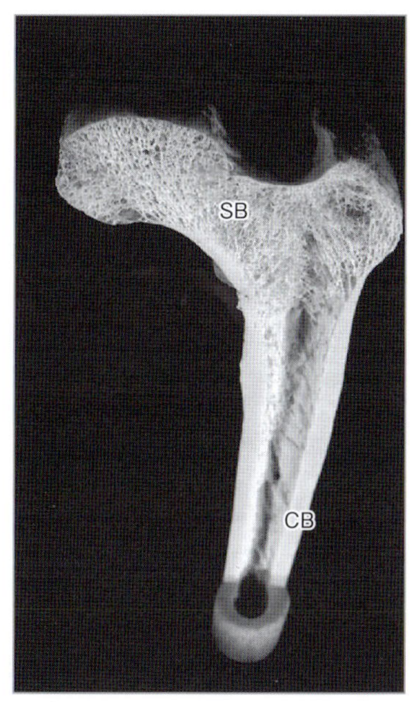

図 10-Ⅰ-1 大腿骨を前頭断し，内部を観察した像
SB：海綿骨，CB 皮質骨

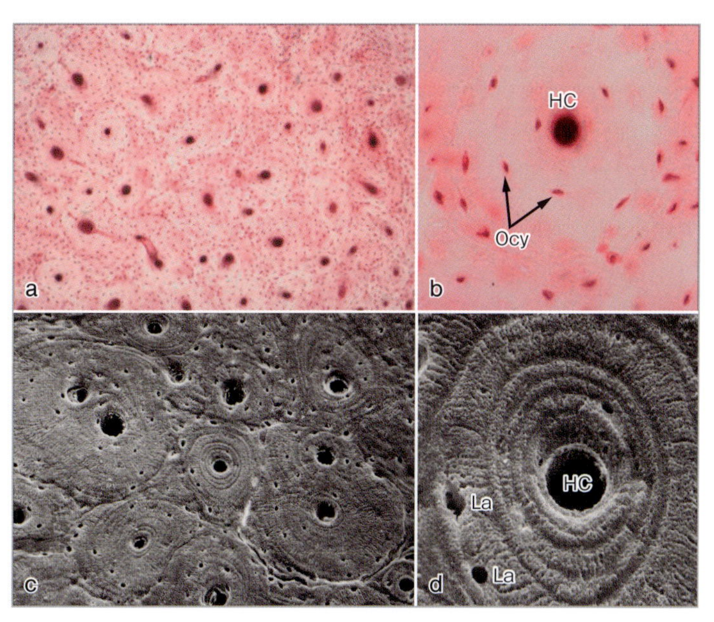

図 10-Ⅰ-2 骨単位（オステオン，Havers 系）の顕微鏡像
a：大腿骨の横断研磨像．多数の骨単位が観察される．b：骨単位の拡大像．c：a と同様の部位を観察した走査型電子顕微鏡像．d：c を一部拡大し骨単位を観察．HC：Havers 管，Ocy：骨細胞，La：骨小腔

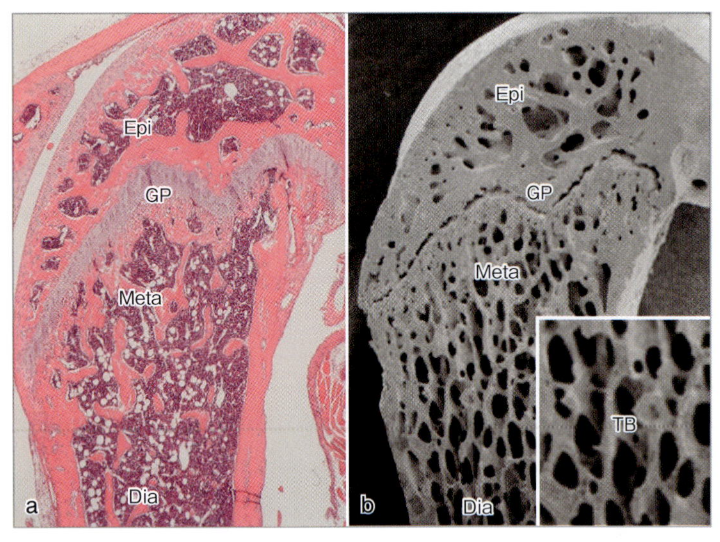

図 10-Ⅰ-3　大腿骨の顕微鏡像（マウス）
a：マウス大腿骨の矢状断の H-E 染色像．b：マウス大腿骨の矢状断の走査型電子顕微鏡像．
a，b ともに多数の骨梁（TB）が観察される．
Epi：骨端，GP：成長板軟骨，Meta：骨幹端，Dia：骨幹

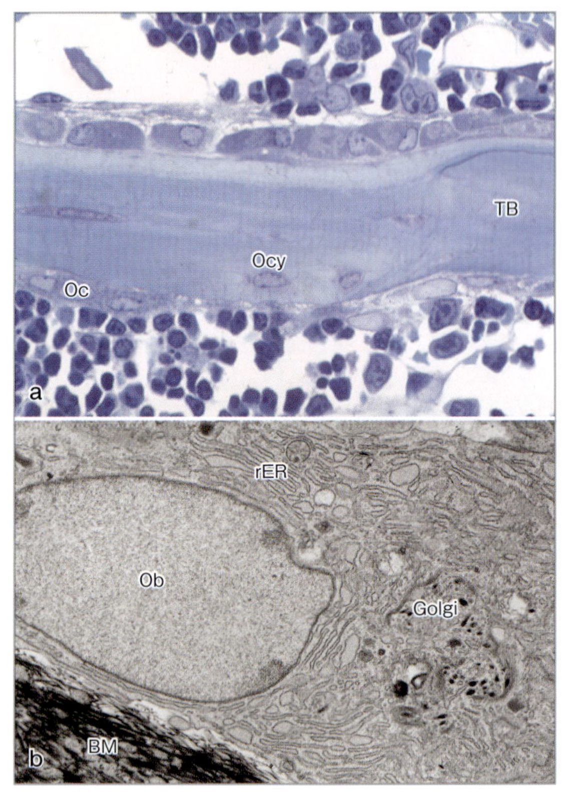

図 10-Ⅰ-4　骨芽細胞の光学顕微鏡・電子顕微鏡像
a：骨梁のトルイジンブルー染色像．骨芽細胞（Ob），骨細胞（Ocy），破骨細胞（Oc）を観察する．b：活発に骨基質を合成している骨芽細胞（活性型骨芽細胞）の透過型電子顕微鏡像．粗面小胞体（rER）と Golgi 装置（Golgi）が発達している．BM：骨基質，TB：骨梁

3）幼若骨と成熟骨

発生過程や修復過程で形成されたばかりの幼若な骨を**幼若骨** immature bone，成熟した骨を**成熟骨** mature bone という．幼若骨の組織像を観察すると，コラーゲン線維がさまざまな方向を向いており，石灰化度も低いことから，その骨基質が毛羽立ったようにみえる．このため，このような骨は，しばしば**線維性骨** woven bone と表現される．これに対して，成熟骨は，コラーゲン線維が緻密な束を形成して規則的に配列した層板骨を示すことが多い．また，成熟骨は高度に石灰化 calcification しており，**緻密骨** compact bone と表現される．

4）骨リモデリングとモデリング

骨組織では，古い骨基質が除去されて，そこに新しい骨基質で置き換えるといった**骨リモデリング（骨改造）** bone remodeling が行われている．骨リモデリングはバランスの取れた骨の置き換えであり，骨の形や大きさが変わることはない．すなわち，健常な成人における骨リモデリングでは，**破骨細胞** osteoclast と**骨芽細胞** osteoblast が骨の形を変えずに新旧の基質へと置換していく．細胞学的にみると，骨リモデリングは破骨細胞と骨芽細胞との**共役**，すなわち，**カップリング** coupling に依存している．破骨細胞は骨芽細胞に対してなんらかの作用を及ぼしており（カップリング因子 coupling factor を想定），骨芽細胞はそれによって，破骨細胞の骨吸収 bone resorption を行った部位に，また，骨吸収と同じ量の骨基質を添加させていく．

ところが，骨には，「**骨の置き換え**」である**骨リモデリング**だけでなく，「**骨の形づくり**」ともいえる**モデリング** modeling も認められる．モデリングは，骨吸収と骨形成が連動していないため，骨吸収が進む部位と骨形成が優位な部位が異なる．モデリングは骨の成長がさかんな時期，特に，胎生期や成長期の子どもの骨に認められる．たとえば，子どもと大人とで顎顔面の骨の形状が異なるのは，モデリングによって子どもの顔から大人の顔への形づくりがなされたと考えることができる．一方，骨リモデリングは成人した大人の骨によく認められる現象であり，成人の骨が長い間，同じ形状を保てるのは骨リモデリングによる．

2．骨の細胞群の役割

顎骨・歯槽骨では，一般の長管骨と同様に，骨芽細胞，前骨芽細胞 preosteoblast，骨細胞 osteocyte そして破骨細胞などの細胞群により骨基質が形成・石灰化され，また，改造されていく．ここでは，それら細胞や**細胞外マトリックス** extracellular matrix について説明する．

1）骨芽細胞の構造と機能

骨芽細胞は骨表面に一列に局在して骨形成を担う細胞である（**図 10-Ⅰ-4**）．骨芽細胞は，骨形成能を有するが細胞増殖を行わない．細胞増殖を行うのは，前駆細胞である**骨原性細胞** osteogenic cell や**前骨芽細胞**である．骨芽細胞はコラーゲン線維をはじめとする骨基質タンパク質を合成する一方，基質小胞 matrix vesicle を分泌して骨基質の石灰化を誘導している．このような骨芽細胞の働きは，骨基質からの情報のほかに，血清カルシウム調節ホルモンである**副甲状腺ホルモン** parathyroid hormone（PTH）や**活性型ビタミン D_3**（$1,25(OH)_2D_3$），局所因子や神経，さらには，血管やその周囲細胞などによって調節されている．

2）骨芽細胞の細胞間，細胞-基質間接着装置

骨芽細胞は，隣接する骨芽細胞同士，あるいは骨基質内の骨細胞や，骨芽細胞の血管側に存在している前骨芽細胞と機能的な細胞グループを築いている．

骨芽細胞がグループとして機能できるのは細胞間結合装置に負うところが大きい．骨芽細胞間には**ギャップ結合** gap junction や**接着結合** adherens junction などの結合様式が存在する．また，後述するように骨細胞とも細胞突起のギャップ結合を介して細胞性ネットワークを形成しており，骨芽細胞と骨細胞が連携して機能する可能性が高い．一方，骨芽細胞と骨基質における接着機構に関しては骨基質中のⅠ型コラーゲン線維 type I collagen やフィブロネクチン fibronectin と骨芽細胞の integrin 1 を介した接着機構が存在する．このような細胞基質間接着も骨芽細胞系細胞の分化や機能発現に重要な役割を果たしていると思われる．

3）活性型骨芽細胞と休止期骨芽細胞

骨表面に局在するすべての骨芽細胞が骨基質合成を行っているわけではない．骨芽細胞は，活発に骨基質を合成している時期と，細胞小器官が発達せず細胞体が著しく扁平化して，単に骨表面を覆っているだけの時期に分けられる．骨基質合成を活発に行う骨芽細胞を**活性型骨芽細胞**または**成熟型骨芽細胞** mature osteoblast といい，扁平化して休止状態にある骨芽細胞を**休止期骨芽細胞**または bone lining cell という（**図 10-Ⅰ-5**）．

活性型骨芽細胞を顕微鏡観察すると，細胞体がふくよかで全体的には立方形もしくは楕円形状を示し，核の隣には H-E 染色に濃染しない球形状のトランス・Golgi（ゴルジ）ネットワーク trans Golgi network をみることができる．透過型電子顕微鏡で観察すると，活性型骨芽細胞の細胞内部には，槽状に発達した多数の粗面小胞体，および，Golgi 装置 Golgi apparatus を認める．このような像は，典型的な分泌タンパク質合成細胞の特徴を示しており，たとえば，トランス・Golgi ネットワークの空胞内には合成過程中のコラーゲン線維などを認めることができる（**図 10-Ⅰ-4**）．

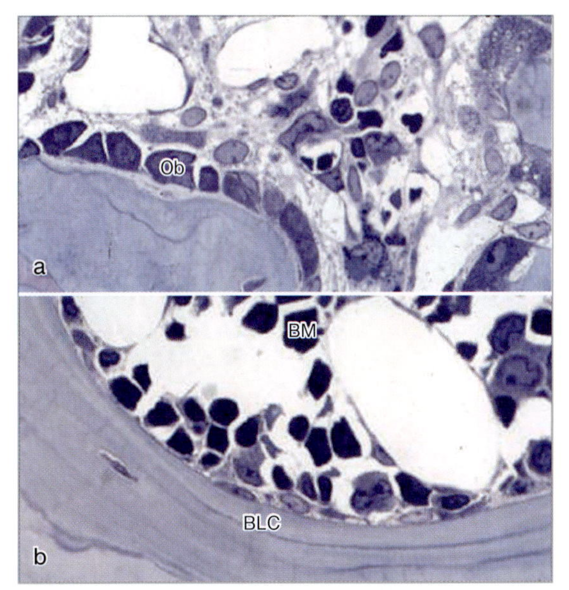

図 10-Ⅰ-5　骨梁のトルイジンブルー染色像
a：骨改造が活発に行われているところでは，活性型骨芽細胞（Ob）が認められる．b：一方，骨改造が活発に行われないところでは，扁平な休止期骨芽細胞（BLC）が認められる．BM：骨髄

休止期骨芽細胞は，成長因子や力学負荷などの刺激によって活性型骨芽細胞に変わり，活発に骨基質合成を行う潜在性がある．しかし，基質合成の必要性がなくなると，骨芽細胞は再び扁平化し細胞小器官の乏しい休止期骨芽細胞になる．

4）骨芽細胞による骨基質石灰化

骨芽細胞が骨基質に向かって分泌するものは，主に，Ⅰ型コラーゲン線維，非コラーゲン性タンパク質，そして**基質小胞**である（**図 10-Ⅰ-6**）．基質小胞には単位膜で囲まれた細胞外小胞構造物で，その膜には石灰化にかかわる多数の酵素や膜輸送体が備わっている．そして，周囲のリン酸イオン（PO_4^{3-}）やカルシウムイオン（Ca^{2+}）を基質小胞内部に輸送し，リン酸カルシウム calcium phosphates 結晶の核を形成し，その後の結晶成長を可能にする．つまり，基質小胞は石灰化の開始点と考えることができる．基質小胞で形成された**リン酸カルシウム結晶**の細片は，基質小胞の外に出ると，それらが球状に集積した**石灰化球** mineralized nodule，calcifying foci

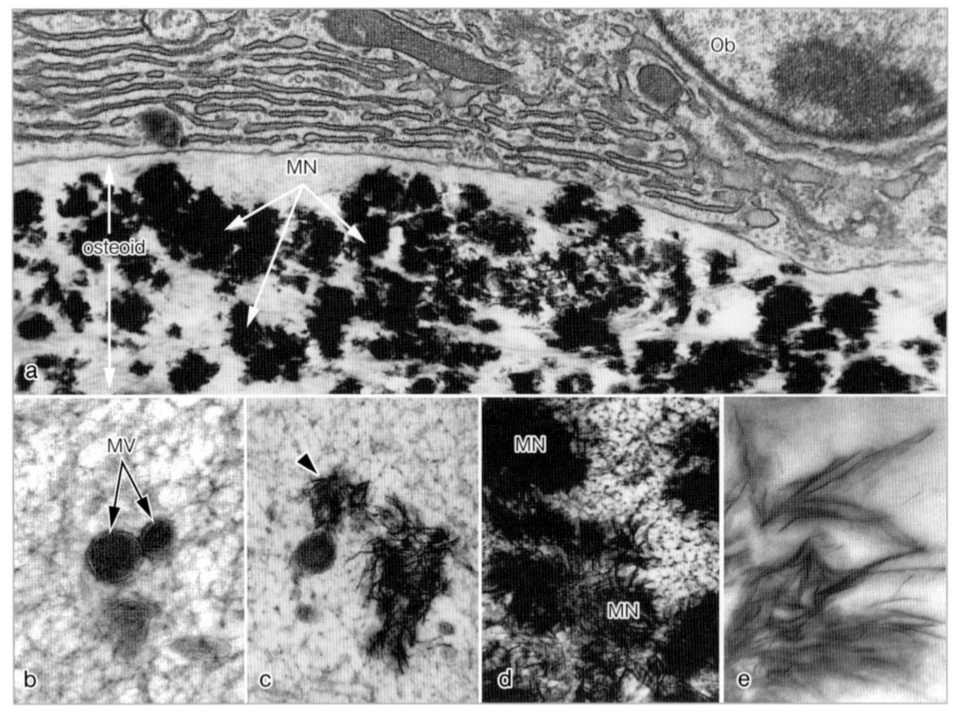

図 10-Ⅰ-6　基質小胞と石灰化球の透過型電子顕微鏡像
a：骨芽細胞の直下に広がる類骨層（osteoid）における石灰化球（MN）．b：類骨層における基質小胞（MV）．c：基質小胞から出てくる石灰化結晶（矢尻）．d：石灰化球（MN）．e：石灰化球を構成する針状のリン酸カルシウム結晶．Ob：骨芽細胞

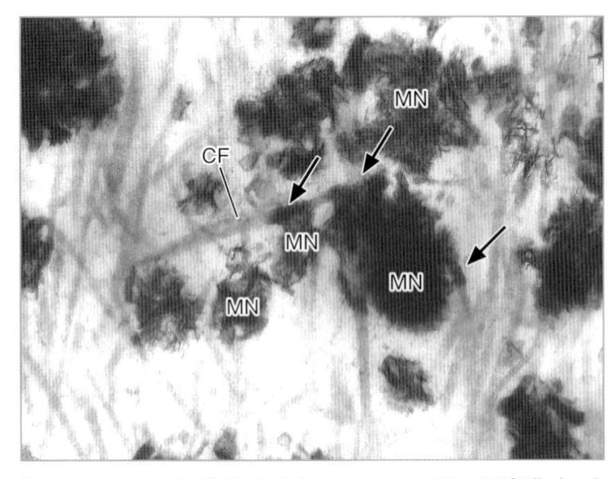

図 10-Ⅰ-7　石灰化球（MN）からコラーゲン細線維（CF）への石灰化（矢印）を観察した透過型電子顕微鏡像

となるが，すぐに，周囲に存在するコラーゲン線維を石灰化していく（**図 10-Ⅰ-7**）．基質小胞から石灰化が開始する過程を**基質小胞性石灰化** matrix vesicle (mediated) calcification，その後のコラーゲン線維が石灰化する過程を**コラーゲン性石灰化** collagen calcification という．

骨芽細胞により分泌されたコラーゲン線維は，分泌後ただちに石灰化するのではない．コラーゲン線維の分泌とその後の石灰化には時間差 osteoid maturation period があるため，**類骨** osteoid とよばれる未石灰化領域が形成される．また，類骨と石灰化骨基質との境界を**石灰化前線** calcification front という．類骨の厚さは，活性型骨芽細胞直下では 5〜10 μm にも達するが，休止期骨芽細胞の部位には類骨はほとんど存在しない．

5）骨基質の有機成分

骨芽細胞は，**Ⅰ型コラーゲン線維**のほか，**オステオカルシン** osteocalcin，**基質グラタンパク質** matrix Gla protein，**骨シアロタンパク質** bone sialoprotein，**オステオポンチン** osteopontin，**オステオネクチン** osteonectin などの非コラーゲン性タンパク質，さらにはプロテオグリカンである**デコリン** decorin や**バイグリカン** biglycan を合成・分泌している（**図 10-Ⅰ-8**）．

非コラーゲン性タンパク質とプロテオグリカンの多くは結晶性カルシウムと親和性を有することから，石灰化の誘導・制御に関与すると考えられるが，実際には，石灰化に対して抑制的に作用するという．また，オステオカルシンと基質グラタンパク質はビタミン K_2 の作用で，グルタミン酸残基が γ-カルボキシ化を受けて（グラ化 γ-carboxylation），石灰化結晶のカルシウムとの結合能を獲得することができる．

オステオポンチンはアミノ酸配列に連続したアスパラギン酸を有するため，リン酸カルシウム結晶のカルシウムと結合することが知られている（**図 10-Ⅰ-9**）．一方で，オステオポンチンは RGD（Arg-Gly-Asp）配列を有することか

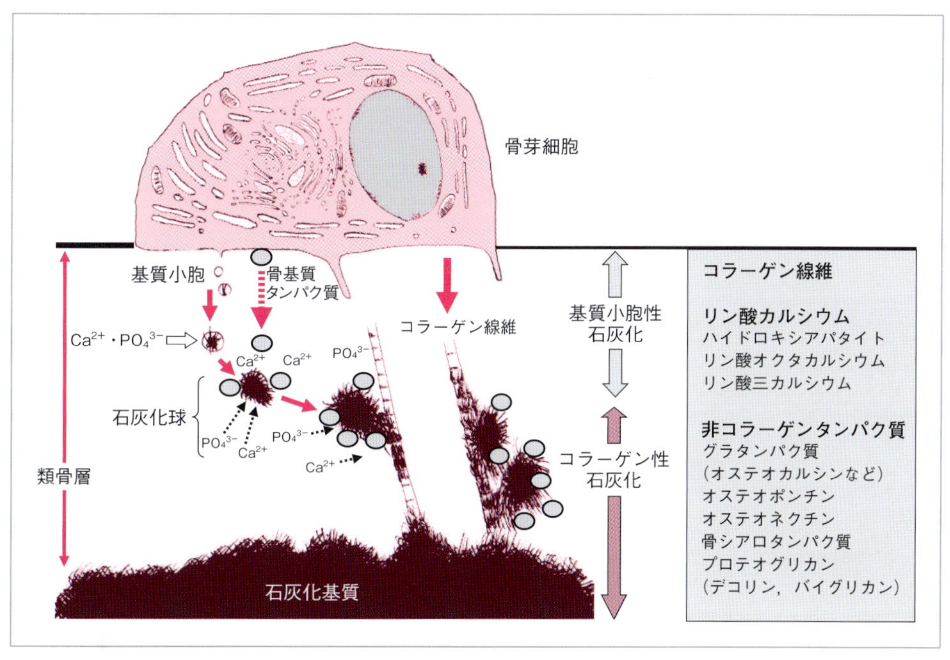

図 10-Ⅰ-8　骨芽細胞の石灰化骨基質の分泌・合成を示した模式図

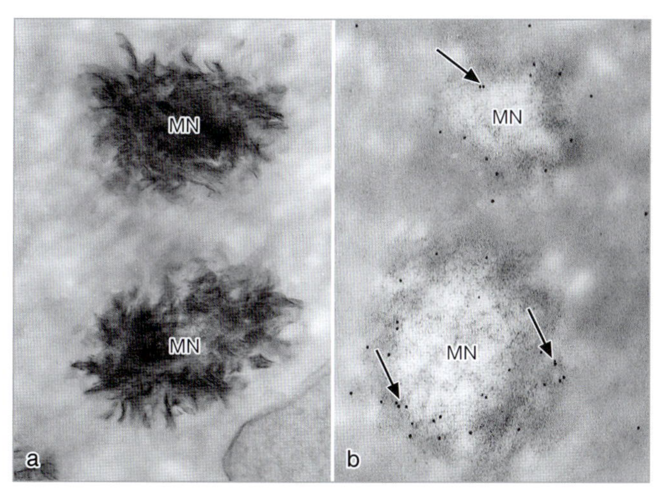

図 10-Ⅰ-9　石灰化球（MN）の透過型電子顕微鏡像（a）と石灰化球のまわりに局在するオステオポンチン（銀粒子：矢印）の局在（b）
a ではリボン状石灰化結晶塊が集積して，球状の石灰化球（MN）を構成している像がみられる．b では石灰化球は白く抜けて観察される．

ら，破骨細胞や骨芽細胞などの $\alpha v\beta 3$ インテグリンと結合することができる．さらに，オステオポンチンはヘパリン結合部位やトロンビン切断部位なども存在し，骨芽細胞だけでなく破骨細胞やマクロファージからも分泌することが知られている．

6）基質石灰化の微細構造学的メカニズム

石灰化とはカルシウム塩が沈着する現象であり，ヒトでは，歯や骨に**ハイドロキシアパタイト** hydroxyapatite $Ca_{10}(PO_4)_6(OH)_2$ などのリン酸カルシウムが沈着することをいう．骨，セメント質，軟骨の石灰化層（肥大化軟骨細胞層），象牙質，そしてエナメル質などヒトの正常な石灰化構造物はハイドロキシアパタイトが主体をなす．

エナメル質の上皮性細胞由来の石灰化と，骨，象牙質，セメント質といった間葉系細胞由来の石灰化とでは，その細胞学的メカニズムが大きく異なる．たとえば，上皮系細胞であるエナメル芽細胞は，石灰化結晶だけでなく豊富な有機成分を含む多量の細胞外マトリックスを分泌産生し，その後，成熟期で有機成分の分解・脱却により石灰化結晶の成長を誘導する．これに対して，骨芽細胞，象牙芽細胞，セメント芽細胞，肥大化軟骨細胞など間葉系細胞由来の細胞は，基質小胞を細胞外に分泌し，そこを石灰化の開始点とする基質小胞性石灰化を誘導する．基質小胞内部で生じたリン酸カルシウム結晶は成長すると基質小胞の外に出て，石灰化球を形成し，それからコラーゲン線維などの基質線維を石灰化する．

骨，象牙質，セメント質，肥大化軟骨細胞層における石灰化機構については，アルカリホスファターゼ説（押し上げ機構），エピタキシー説（核形成説）が唱えられてきたが，現在では，骨芽細胞から細胞外マトリックスに分泌された基質小胞内で生じるメカニズムが確認されている．

7）基質小胞性石灰化

基質小胞は，単位膜（脂質二重層）で囲まれた細胞外の小胞構造物で，大きさは直径 40～200 nm とまちまちである（**図 10-Ⅰ-6**）．骨芽細胞や象牙芽細胞から発

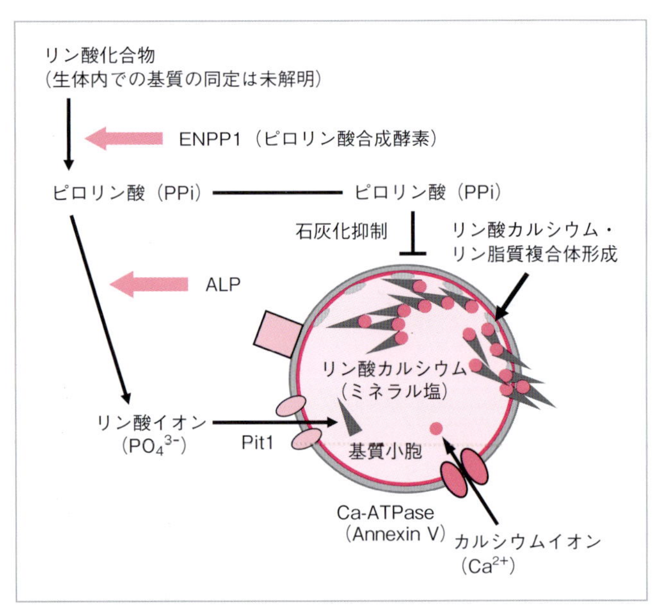

図 10-Ⅰ-10 基質小胞性石灰化とそれに関連する酵素・膜輸送体の模式図

芽 budding するように形成されて細胞外に分泌される機序が考えられている.

基質小胞の膜には,**アルカリホスファターゼ** alkaline phosphatase (ALP;GPI アンカー型タンパク質であり,骨に存在するのは組織非特異型アルカリホスファターゼである),**Na/Pi co-transporter type Ⅲ** (Pit1),Ca^{2+}チャネルなどといった酵素や膜輸送体が備わっており,PO_4^{3-}やCa^{2+}を基質小胞内に輸送する(**図 10-Ⅰ-10**).

基質小胞にPO_4^{3-}やCa^{2+}を流入させるためには,組織液中のリン酸化合物からPO_4^{3-}を遊離させる必要がある.その過程において,**ピロリン酸合成酵素** ecto-nucleotide pyro-phosphatase/phosphodiesterase 1 (**ENPP1**) は,細胞外のヌクレオチド三リン酸 (ATP) などから,**ピロリン酸** (PPi;2 個のリン酸が結合した構造) を切り離す.さらに,ALP によって,ピロリン酸を 2 つのPO_4^{3-}に遊離させ,基質小胞の膜に局在する Na/Pi co-transporter type Ⅲ (Pit1) により,PO_4^{3-}を基質小胞内へと輸送する機序が考えられている.近年,**PHOSPHO1** (phosphoethanolamine/phosphocholine phosphatase 1) が基質小胞性石灰化に重要な役割を果たすことが明らかにされた.PHOSPHO1 は基質小胞内部に存在し,単位膜の構成成分である phosphoethanolamine や phosphocholine (ホスファチジルコリン合成の中間体) を基質としてPO_4^{3-}を生成することが述べられている.したがって,ALP/ENPP1 と PHOSPHO1 の 2 つの経路により,基質小胞内のPO_4^{3-}濃度が上昇すると考えられる.

基質小胞に存在するカルシウム結合タンパク質である**アネキシン 5A** annexin 5A がCa^{2+}チャネルとして機能し,それによってCa^{2+}が基質小胞内部に入り込むと想定されている.

基質小胞内部では,いきなりハイドロキシアパタイトが形成されるのではなく,無定形状,つまり,結晶構造を示さないリン酸カルシウム,特に単純なリン酸カルシウム化合物が最初に形成され,その後,エネルギーの高い複雑な構造を示すハイドロキシアパタイトに成長すると考えられている.

8) 石灰化球の形成

リン酸カルシウムの結晶核は,基質小胞の単位膜に接するように形成される.その後,リン酸カルシウム結晶塊は針状または細長いリボン状(針状)の結晶が集積した構造を呈するが,やがて,針状のリン酸カルシウム結晶が放射状に配列・成長することで,基質小胞の単位膜を突き破り,外界へと露出していく.基質小胞から出てきた針状のリン酸カルシウム結晶は放射状に配列し,また,全体としては球状に集積していることから,この石灰化構造物を**石灰化球**という(**図 10-Ⅰ-6,7**).

石灰化球を構成する 1 つのリン酸カルシウム結晶の周囲には,厚さ約 1 nm の有機性の鞘状構造 crystal sheath が覆っており,結晶の形成・成長に重要な役割を果たしていると考えられている.これらの鞘にはオステオカルシン,オステオポンチンや骨シアロタンパク質が含まれており,結晶鞘を構成するだけでなく結晶成長を調節している可能性が高い.

9) コラーゲン性石灰化

基質小胞から発達した石灰化球が,周囲に存在するコラーゲン線維に接すると,その接触部位からコラーゲン線維を石灰化していく(**図 10-Ⅰ-11**).この過程を**コラーゲン性石灰化**という.

骨基質タンパク質の主な構成物質はコラーゲン線維であり,骨基質の有機質の 90%以上を占めている.骨芽細胞直下の類骨においては横紋構造を有するⅠ型コラーゲン細線維が観察されるが,それらコラーゲン細線維は直径 1.5 nm 長さが約 300 nm のスーパーへリックス(3 本の α 鎖のらせん構造)から構成されており,その周囲にはコラーゲン結合性のフィブロネクチンやテネイシン C,あるいは遊離型のヒアルロン酸が存在するという.石灰化球からの石灰化結晶が周囲のコラーゲン細線維に

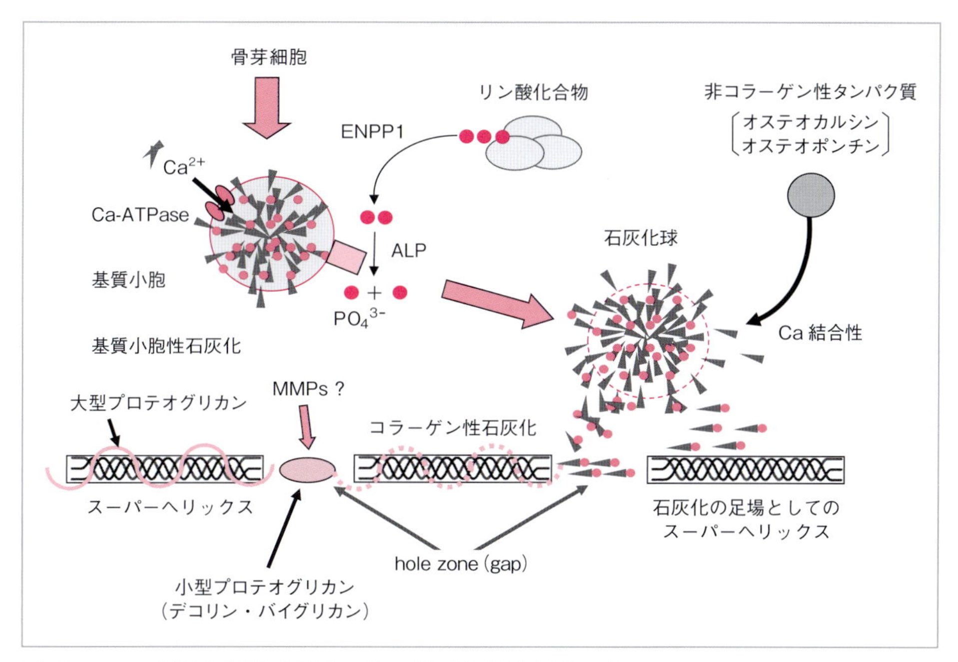

図 10-Ⅰ-11 基質小胞性石灰化とコラーゲン性石灰化の概略図

接触すると，そこから石灰化が波及し，コラーゲン性石灰化が誘導されることが推測される．

従来，コラーゲン性石灰化のメカニズムとして，スーパーヘリックスの“ずれ”，すなわち隙間 hole zone（または gap）には，小型プロテオグリカンであるデコリンやバイグリカンが存在し，コラーゲン線維の石灰化を阻止していると考えられており，石灰化が誘導される時期になると，デコリンやバイグリカンが hole zone から除去されて，その中で PO_4^{3-} と Ca^{2+} が結晶核を形成するという hole zone theory が提唱されてきた．しかし，コラーゲン線維の石灰化については，コラーゲン線維のスーパーヘリックスを足場に石灰化が進行することが述べられており，いまだ議論の余地が残る．

10）骨芽細胞の前駆細胞

骨芽細胞の由来は，**未分化間葉系細胞**に求めることができる．未分化間葉系細胞は骨芽細胞になりうる**骨原性細胞**へと分化する．この段階では，骨芽細胞のみではなく，まだ，軟骨，筋あるいは脂肪などへ分化する能力も有している．これらの骨原性細胞が**前骨芽細胞**へと分化すると，コラーゲン線維などの基質合成や ALP などの基質石灰化に関与するさまざまな酵素を発現するようになり，最終的には，基質小胞を分泌する骨芽細胞に分化する．

骨芽細胞分化の重要なマスター遺伝子として，1997 年に **Runx2**（Runt-related transcription factor 2）が，

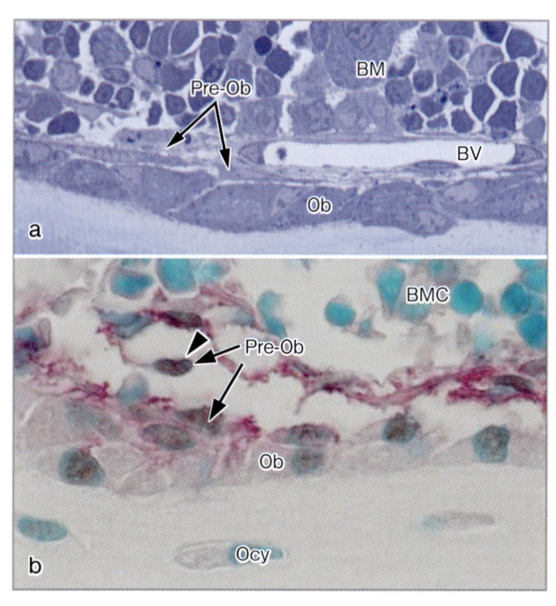

図 10-Ⅰ-12 前骨芽細胞の光学顕微鏡像
a：前骨芽細胞（Pre-Ob）は骨芽細胞（Ob）と骨髄（BM）の間に局在する紡錘形状の細胞として観察される．
b：前骨芽細胞（Pre-Ob）は骨芽細胞（Ob）と同様に Runx2（矢尻）およびアルカリホスファターゼ（ALP）陽性を示す．骨細胞（Ocy）と骨髄細胞（BMC）は Runx2 陽性を示さない．BV：血管

また，2002 年には **osterix** が発見されており，Runx2，osterix ともに骨芽細胞分化への重要な転写因子として知られている．前骨芽細胞は，ALP，Runx2，osterix を発現しており骨芽細胞への分化が運命づけられているが，まだ，骨基質上に定着し活発に骨基質を合成する段階にまで至っていない（**図 10-Ⅰ-12**）．

第10章 顎骨

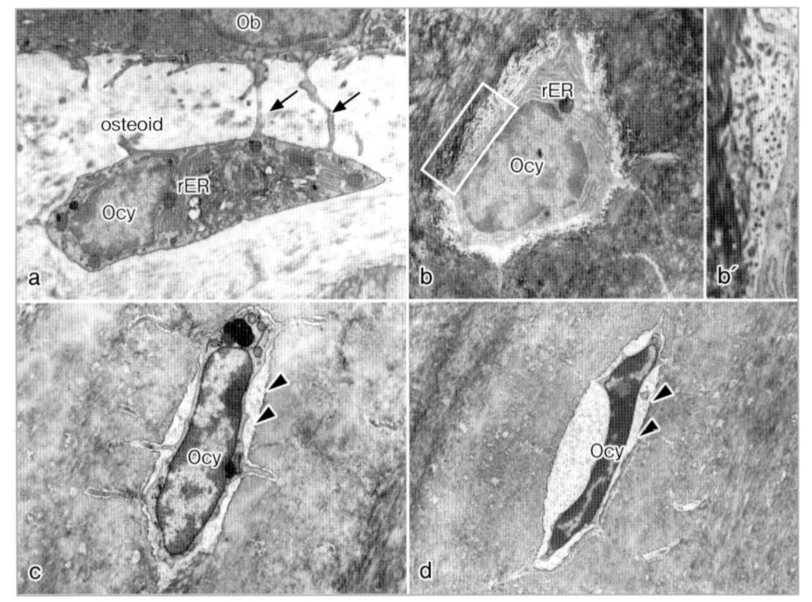

図 10-Ⅰ-13　骨細胞の透過型電子顕微鏡像
a：類骨層に局在する骨細胞（Ocy）.
b：骨の浅層に局在する骨細胞．b′は□部分の拡大．
a，b ともに細胞小器官が発達している．
c，d：骨基質深部に存在する骨細胞．ともに，骨小腔の壁に境界板（lamina limitans）が形成されている（矢尻）．
d の骨細胞のほうが細胞小器官の発達が悪い．Ob：骨芽細胞，rER：粗面小胞体，osteoid：類骨

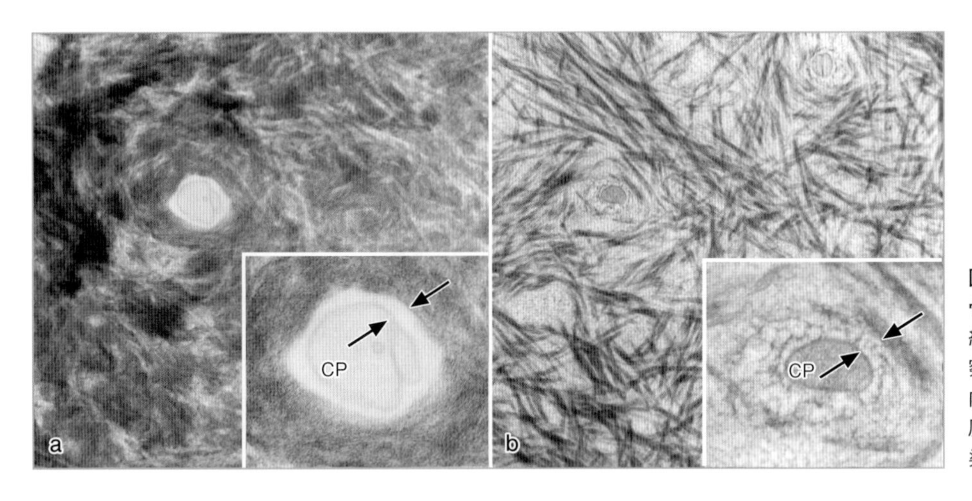

図 10-Ⅰ-14　未脱灰の骨基質にみられる骨細管の横断像（枠内は拡大を示す）
細管内には骨細胞の細胞突起（CP）が観察される．矢印で挟まれた領域は，骨細管内の間隙を示す．a は未脱灰切片，b は脱灰後，タンニン酸でコラーゲン線維を黒く染めてある．

活発に骨基質合成を行っている活性型骨芽細胞の周囲には厚い前骨芽細胞のネットワークが形成されており，その中で単核の**破骨細胞前駆細胞**（**前破骨細胞** preosteoclast）が前骨芽細胞と細胞間接触を保っている．前骨芽細胞には，**RANKL**（receptor activator of NFκB ligand）という破骨細胞の分化誘導因子を細胞膜上に発現する一方，前破骨細胞はそれと結合する受容体（**RANK**：receptor activator of NFκB）を細胞膜上に有している．したがって，これら前破骨細胞は，前骨芽細胞との細胞間接触により RANK シグナルが伝わり，破骨細胞へと分化する．さらに，破骨細胞形成の場では，RANKL のおとり受容体である**オステオプロテゲリン** osteoprotegein が分泌されており，RANKL/RANK の結合を抑制することで，破骨細胞分化・形成を調整していると考えられる．このように，前骨芽細胞は破骨細胞形成に深く関与する細胞であるが，みずからは，骨芽細胞となり骨形成を行っていく，いわば，二極性の機能を有する細胞と考えられる．

11）骨細胞の構造と機能

骨細胞は，骨芽細胞みずからが産生した骨基質中に埋め込まれた細胞であり，骨基質中の**骨小腔** osteocytic lacuna という空間に存在している（**図 10-Ⅰ-13**）．骨細胞はその細長い細胞突起を**骨細管** osteocytic canaliculi とよばれるトンネル状の管に伸ばしている（**図 10-Ⅰ-14**）．骨細胞の細胞突起は，骨細胞同士や骨表面を覆う骨芽細胞の突起とギャップ結合で連結することで，細胞性ネットワーク，すなわち**骨細胞・骨細管系** osteocyte lacunar-canalicular system を形成している（**図 10-Ⅰ-15**）．骨細胞は，層板骨のような緻密骨において，1 mm^3 あたり 25,000 個も存在し，その細胞数は骨芽細胞や破骨細胞よりも圧倒的に多い．

骨細胞・骨細管系は骨リモデリングを受けるたびに規則的な配列へと構築されていく．つまり，緻密骨における骨細胞・骨細管系は，骨梁あるいは皮質骨の長軸方向と骨細胞の長軸が平行になり，さらには骨細胞から伸び

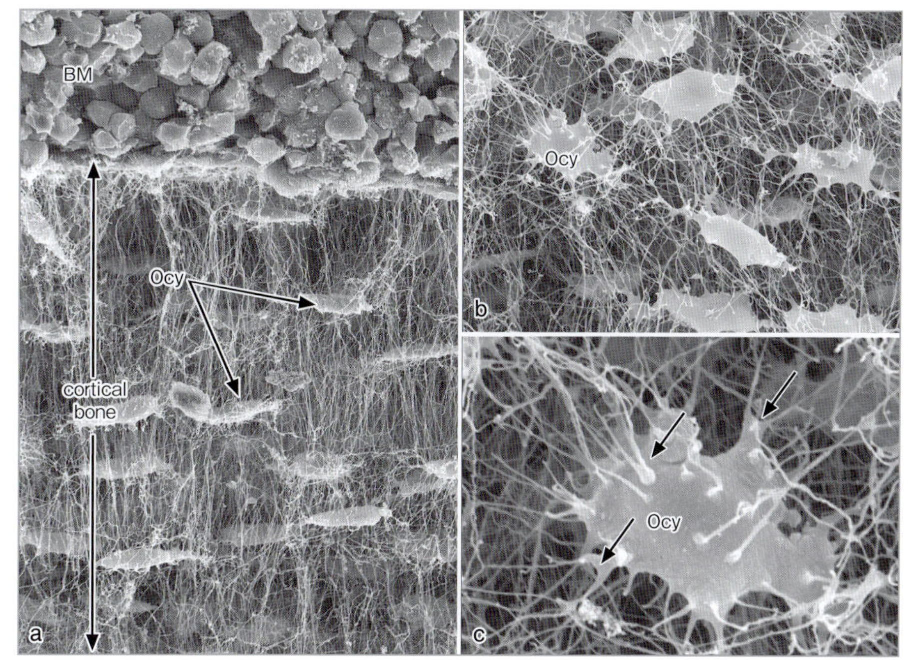

図 10-Ⅰ-15　骨細胞ネットワークの三次元構造
a：骨基質を除去した骨細胞性ネットワーク.
b：骨細胞（Ocy）からは多数の細胞突起が伸びている.
c：b の拡大像.
BM：骨髄，cortical bone：皮質骨

る突起が骨表面に垂直に終止するといった規則的な分布を示す（**図 10-Ⅰ-16**）．特に，層板骨では，コラーゲン線維は束となって層状構造を形成するが，骨細胞の細胞突起はそのコラーゲン線維束の走行を妨げないように取り囲んでいる．一方で，コラーゲン線維と骨細胞突起の規則的な立体関係は，コラーゲン線維の引っ張りやたわみを三次元的に感知するのに都合がよいと考えられる．したがって，力学負荷が作用する歯槽骨や顎骨では，骨細胞・骨細管系の果たす役割が大きいと思われる．

骨細胞の機能については未解明な点が多かったが，近年，重要な因子を産生していることが明らかにされた．骨細胞から産生・分泌される**スクレロスチン** sclerostin は，**Wnt シグナル**を抑制することで**骨芽細胞活性を低下**させる因子である（**図 10-Ⅰ-17**）．近年，抗スクレロスチン中和抗体 Romosozumab が骨粗鬆症治療薬として用いられており，破骨細胞の骨吸収を伴わずに骨芽細胞を活性化させて骨形成を誘導させることが明らかにされている．抗スクレロスチン中和抗体による骨形成は骨吸収を伴わないモデリングであることから，modeling-based bone formation として知られている．一方，**FGF-23**（fibroblast growth factor 23）も骨細胞から分泌される因子であり，腎臓の近位尿細管に存在する **Na/Pi Ⅱa/Ⅱc**（sodium phosphate co-transporter type Ⅱa/Ⅱc；リン酸をナトリウムとともに再吸収する膜輸送体）によるリン酸の再吸収を抑制することで**血中リン濃度を低下**させることが明らかにされている．近年の報告では，骨細胞は，一度形成された破骨細胞に対して

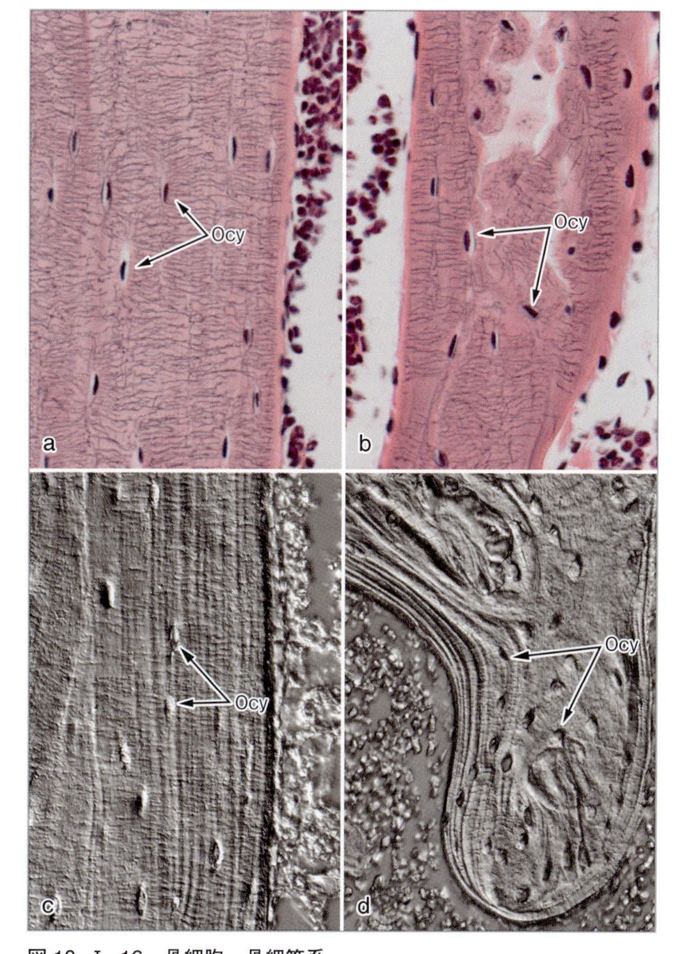

図 10-Ⅰ-16　骨細胞・骨細管系
鍍銀染色（a, b）および位相差（c, d）で観察した皮質骨（a, c）と骨梁（b, d）の骨細胞・骨細管系を示している．皮質骨では，骨細胞（Ocy）は骨表面に平行に局在し，骨細管を骨表面に垂直に伸ばしている．

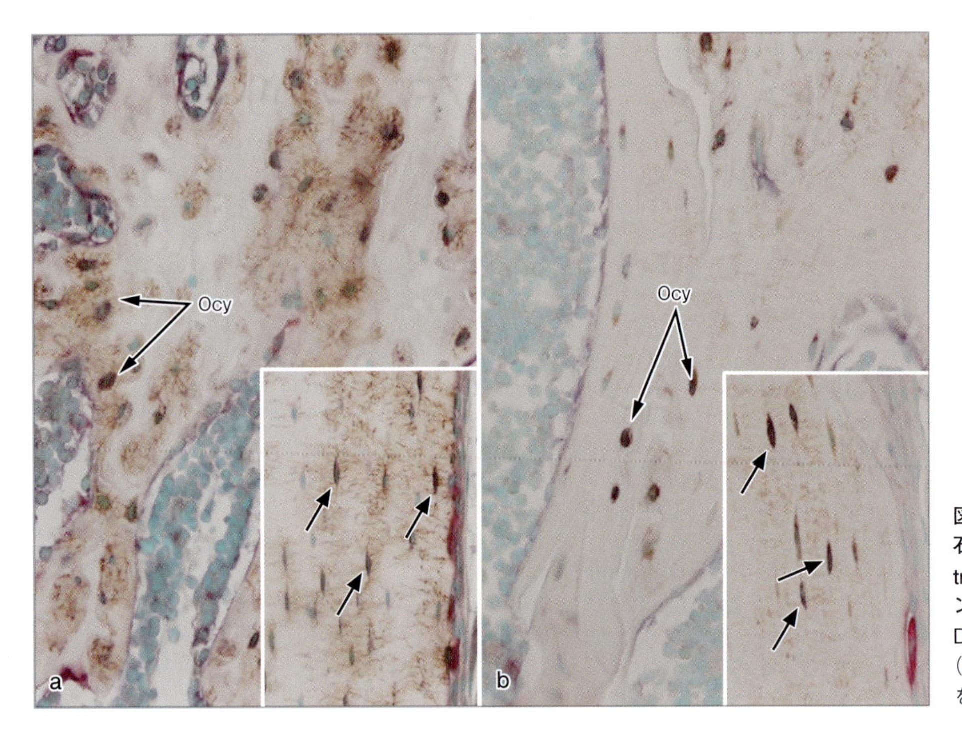

図 10-Ⅰ-17　アルカリホスファターゼと酒石酸抵抗性酸ホスファターゼに dentin matrix protein（DMP)-1（a）とスクレロスチン（b）の局在を示した組織化学
DMP-1 とスクレロスチンはともに骨細胞（Ocy）に一致して局在する．枠内はそれらを産生する骨細胞（矢印）．

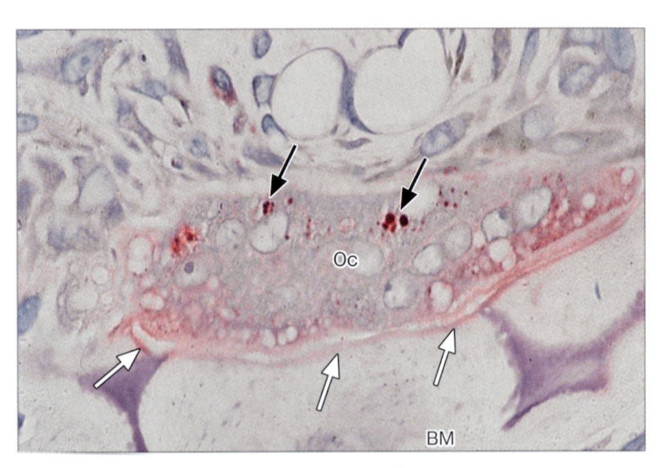

図 10-Ⅰ-18　破骨細胞（Oc）の TRAP 染色像
細胞内では，リソソームと思われる顆粒状構造物（黒矢印）と骨基質に面した波状縁の領域に反応がみられる．また，破骨細胞直下の骨基質にも反応が観察される（白矢印）．BM：骨基質

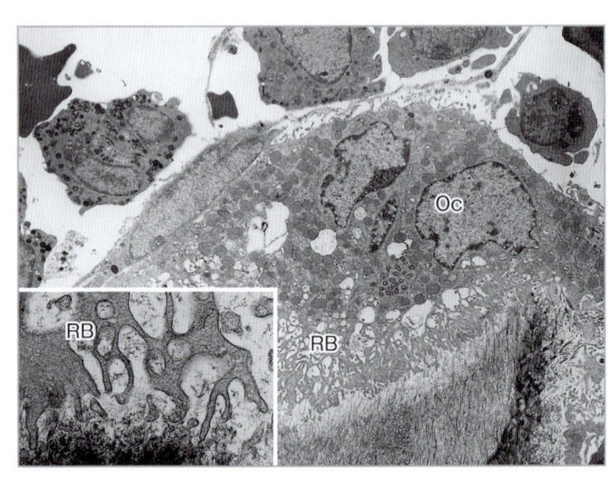

図 10-Ⅰ-19　破骨細胞（Oc）の透過型電子顕微鏡像
発達した波状縁（RB）を形成している．枠内は，波状縁直下で脱灰されている石灰化骨基質（黒）．

RANKL を産生することで，骨基質の脆弱な部位に破骨細胞を誘導させて，その部位の骨基質を改造させる可能性が指摘されている．さらに，骨細胞は骨小腔周囲のリン酸カルシウム結晶に結合する **DMP1**（dentin matrix protein 1）を分泌し，周囲の骨基質石灰化を調節している可能性が高い（**図 10-Ⅰ-17**）．また，**PHEX**（phosphate-regulating gene with homologies to endopeptidases on the X chromosome）や **MEPE**（matrix extracellular phosphoglyoprotein）なども産生する．PHEX については，その遺伝子変異で**ビタミン D 抵抗性くる病・骨軟化症**，特に **FGF-23 関連低リン血症性くる病・骨軟化症**を発症することが知られているが，その詳細な機序については明らかにされていない．

12）破骨細胞の構造と分化

破骨細胞は**骨吸収**を営む多核巨細胞である．

破骨細胞は強い**酒石酸抵抗性酸ホスファターゼ** tartrate resistant acid phosphates（TRAP）活性を示すことから，TRAP は破骨細胞のマーカーとして用いられている（ヒトの場合，TRAP 5b が破骨細胞マーカーとして用いられる）（**図 10-Ⅰ-18**）．活発に骨吸収を営む破骨細胞の特徴として，骨基質に面して発達した複雑な細胞膜の嵌入構造，すなわち**波状縁** ruffled border をあげることができる（**図 10-Ⅰ-19**）．波状縁の周りでは，**明帯** clear zone，sealing zone が骨基質と接着するため，波状縁とその直下の骨基質では，閉ざされた空間がつくられている．破骨細胞は，波状縁から多量の**酸**（H^+）と**基質分解酵素**を分泌することで，その直下に存在する

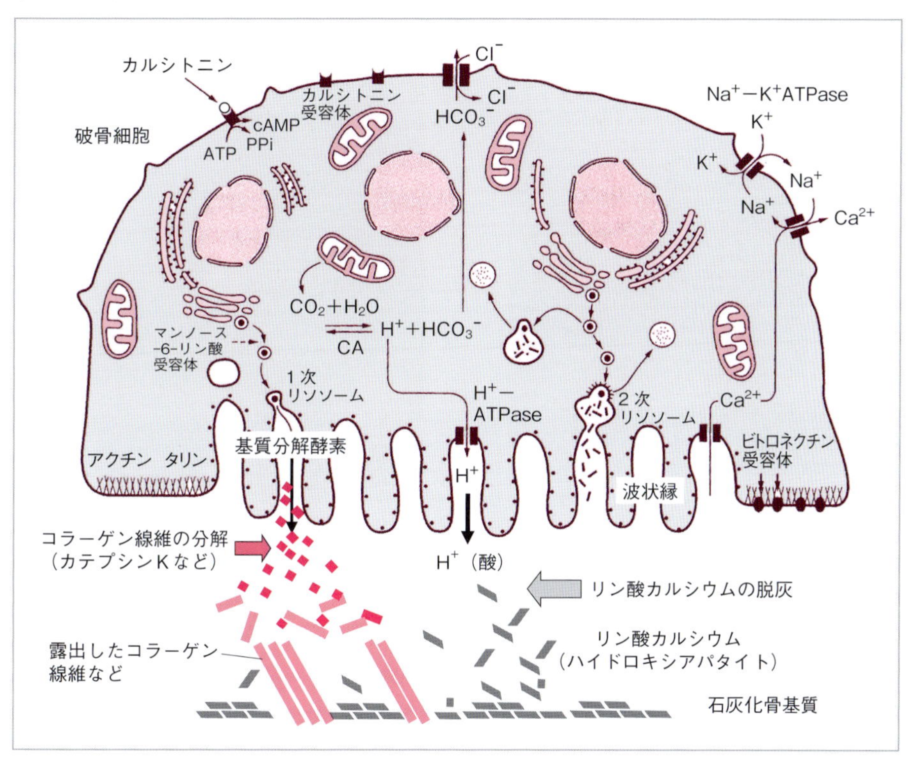

図 10-Ⅰ-20　破骨細胞の骨吸収の模式図

骨基質を分解していく（図 10-Ⅰ-20）．また，破骨細胞の細胞質内には多数のミトコンドリア，核を取り巻くように分布する Golgi 装置，大小さまざまな小胞や空胞が発達していることから，破骨細胞は，エネルギー代謝や基質分解酵素の産生が活発な細胞であることがうかがえる．

破骨細胞の基質接着は明帯によって行われる．明帯の細胞膜にはインテグリン integrin $\alpha_v\beta_3$ が存在し，骨基質のオステオポンチンと結合することが知られている．

破骨細胞は，細胞基質接着を介して c-src を活性化させることで，細胞骨格や細胞極性および骨吸収機能に関連することが論じられている．

破骨細胞は，マクロファージと同様に造血系細胞に由来するが，その分化過程で骨芽細胞系細胞の支持を受けて形成される．単核の前破骨細胞は細胞癒合により多核化して破骨細胞へと分化するが，その癒合には **DC-STAMP**（dendritic cell-specific transmembrane protein）や **OC-STAMP**（osteoclast stimulatory transmembrane protein）が重要な役割を示す．活発に骨吸収を行っている破骨細胞の周囲には，発達した前骨芽細胞の厚いネットワークが取り巻いており，前骨芽細胞が破骨細胞に細胞突起を伸ばして細胞間接触を行うことが多い．

13）破骨細胞の骨吸収メカニズム

骨吸収を営む破骨細胞の直下は緩やかに陥凹しており，そこを **Howship 窩**（ハウシップ）Howship's lacuna（または**吸収窩** resorption lacuna，resorption pit）という．波状縁からは，酸（H^+）やさまざまな基質分解酵素が吸収窩に向かって分泌され，骨基質の吸収が行われる．この吸収窩内における石灰化骨基質の分解は，**ハイドロキシアパタイトの脱灰**と**有機成分の分解過程**に分けて考えることができる（図 10-Ⅰ-20）．

ハイドロキシアパタイトの脱灰に関しては，破骨細胞の細胞質内に存在するⅡ型炭酸脱水酵素 carbonic anhydrase Ⅱにより H^+ が産生され，それが波状縁に局在する**液胞型プロトンポンプ** vacuolar H^+-ATPase によって Howship 窩へと能動輸送される．また，Cl^-/H^+ antiporter である CLC-7 によって塩素イオン Cl^- が同領域に分泌されるため，結局，破骨細胞は波状縁から塩酸を分泌することになる．このため，Howship 窩は pH 3〜4 の酸性環境となり，ハイドロキシアパタイトなどの大きな石灰化結晶塊が小さな結晶塊へと細片化される．

有機成分の分解については，破骨細胞は TRAP を Howship 窩へ分泌することで，そこにおける脱リン酸化を可能にしている．そのため，Howship 窩の骨表面には TRAP が吸着しており，Howship 窩から続く，**リバーサルライン**（骨吸収から骨形成に転じる骨表面），

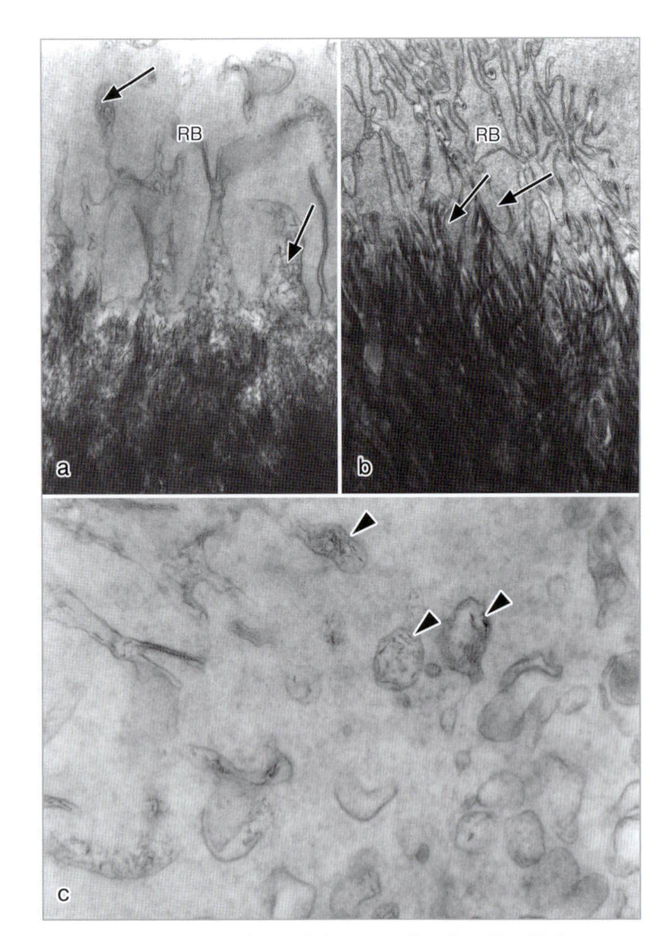

図 10-Ⅰ-21　破骨細胞の波状縁による骨吸収の微細構造
破骨細胞の波状縁（RB）には，脱灰されて細片になった石灰化結晶塊（a：矢印）と骨基質のコラーゲン線維（b：矢印）が取り込まれていく．破骨細胞内には石灰化結晶塊を取り込んだ小胞をみることができる（c：矢尻）．

そして**セメントライン** cement line（新旧の骨基質の境界面）にはTRAP活性を見出すことができる．さらに，破骨細胞は，コラーゲン分解酵素である**カテプシンK** cathepsin Kを吸収窩に分泌するが，カテプシンKは酸性環境で活性化しコラーゲン線維を断片化（ゼラチン化）していく．それだけでなく，破骨細胞はゼラチナーゼとして機能する**マトリックスメタロプロテアーゼ-9** matrix metalloproteinase（MMP）-9も分泌することで，それらをさらに細かく分解していく．

このように，石灰化結晶は細かな断片へ，またコラーゲン線維などの有機成分も分断化されていくが，Howship窩内ですべて完全に分解・消失されてしまうわけではない．波状縁から細かな石灰化結晶塊やコラーゲン線維が取り込まれ，空胞へと輸送され，そこでミネラルイオンやアミノ酸レベルまで分解されていく（**図10-Ⅰ-21**）．

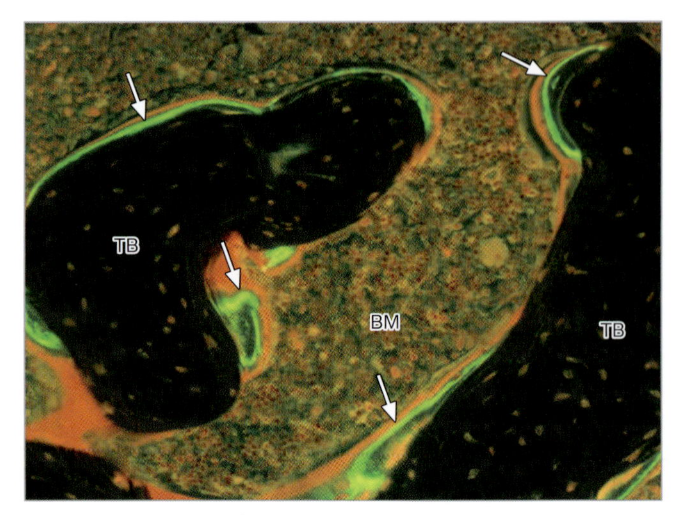

図 10-Ⅰ-22　ミニモデリングの蛍光顕微鏡像
新しくつくられた骨基質（矢印）は骨髄に局所的に盛り上がるようにつくられている．黒くみえる骨梁（TB）と新しい骨基質の境界はなめらかである．BM：骨髄

3. 顎骨・歯槽骨における骨リモデリングとモデリング

骨リモデリングは，破骨細胞の骨吸収が先行し，そのあと，破骨細胞が骨吸収を行った部位に吸収した量の骨を添加していく．そのため，骨リモデリングにおける新旧の骨基質の境界線は鋸歯状のTRAP陽性セメントラインを示す．また，骨の量が変わらないため，以前と変わらない平坦な骨表面を示す．

一方，**モデリング**を大きく2つに分けて考えることができる．1つは肉眼レベルで骨の形や大きさを識別できるモデリングであり，**肉眼的モデリング** macroscopic modelingという．一方で，顕微鏡レベルで海綿骨の骨梁や皮質骨の形や大きさの変化を識別できるモデリングであり，**顕微的モデリング** microscopic modelingという．子どもの成長とともに，顔貌や体の骨格が変化するのは肉眼的モデリングであり，大腿骨や椎骨内部の骨梁の走行・形の変化など顕微鏡観察でわかるものは顕微的モデリングになる．

正常なヒトの口腔内で最も典型的なモデリングは，歯の生理学的移動に伴う歯槽骨の牽引側における骨形成である．また，顎骨や歯槽骨の中に存在する骨梁は，多くの場合，骨リモデリングを受けており，新旧の骨基質の置換を行っている．しかし，それら骨梁が受ける力の方向や程度が変化したときに，骨リモデリングではなく顕微的モデリングが誘導されることがある．特に，骨梁における顕微的モデリングを**ミニモデリング** mini-modelingという（**図10-Ⅰ-22**）．

ミニモデリングは，骨吸収に依存せずに骨芽細胞が休

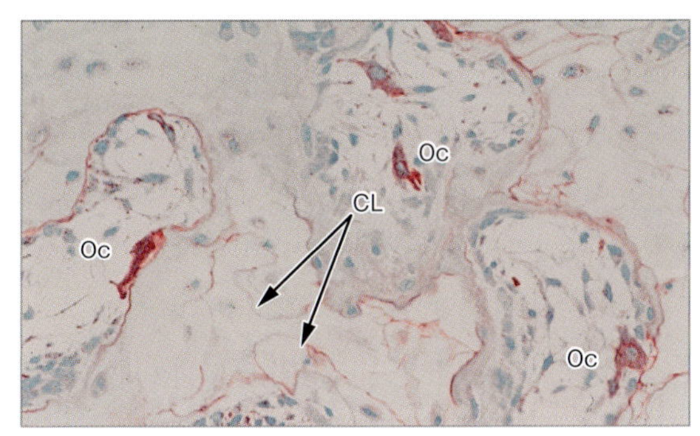

図 10-Ⅰ-23　セメントラインの組織化学
TRAP 染色を行うと，破骨細胞（Oc）の他にセメントライン（CL）も陽性反応を示す．

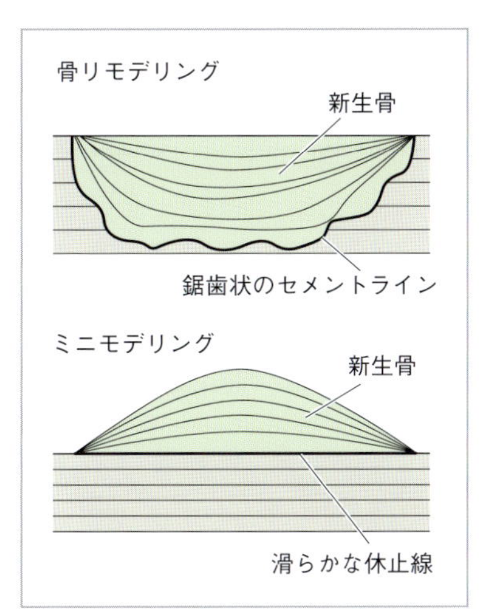

図 10-Ⅰ-24　骨リモデリングとミニモデリングの違いを示した模式図

止期→活性化という過程をたどるため，この機序において破骨細胞と骨芽細胞間のカップリングは存在しない．骨リモデリングでは，新旧の境界線は破骨細胞が骨吸収を行った軌跡であるセメントラインとして残存する．それは，破骨細胞が骨基質上に吸収窩を形成しながら移動するため，ギザギザとした鋸歯状を示す（**図 10-Ⅰ-23**）．それに対して，ミニモデリングでは，骨芽細胞がグループをつくりながら，休止期であった骨表面に添加的に骨形成をするため，新旧の骨基質の境界面はなめらかであり，それを**休止線** arrest line という（**図 10-Ⅰ-24**）．

Ⅱ 顎骨の発生

脊椎動物の胚発生において神経管が完成するに伴い，背側の**神経堤** neural crest から細胞が遊走し始める．腹側へと移動する**神経堤細胞**は将来の顔面下部から咽頭にあたる領域で**鰓弓** branchial arch（咽頭弓ともいう：☞第２章Ⅰ-4 参照）を形成するようになる．第一鰓弓も神経堤由来からの**未分化間葉系細胞** undifferentiated mesenchymal cell で形成されるが，第一鰓弓からは**上顎突起**と**下顎突起**が形成され顎骨が形成されるばかりではなく，眼窩を構成する骨もつくりあげていく．顎顔面を構成する顔面突起のうち，上顎突起からは上顎・頬骨・側頭骨の一部が形成され，また，下顎突起からは下顎骨が形成される．

1．下顎骨の発生

1）下顎骨と Meckel 軟骨

下顎骨の出現に先立ち，下顎突起には硝子軟骨からなる**Meckel 軟骨**（メッケル） Meckel's cartilage が形成される．Meckel 軟骨は，左右の下顎骨の領域にできるが，これらは正中部で癒合することはなく，独立して存在している．ところで，一般の長管骨および後述の下顎頭などは**軟骨内骨化** endochondral ossification（**図 10-Ⅱ-1**）にて誘導されるが，下顎骨は Meckel 軟骨によってではなく，それとは独立して形成される間葉系組織のシート状の凝集塊から**膜内骨化** intramembranous ossification により形成される（**図 10-Ⅱ-2，3**）．下顎骨の骨化点は，下歯槽神経がオトガイ神経と切歯枝の終末枝となる付近の結合組織中に出現するという．骨形成はこの骨化点から急速に前後上方に広がりをみせ，下歯槽神経や血管を包むように下顎骨の基底部を形成していく．

Meckel 軟骨は最終的に石灰化を受け，**破骨細胞**（**破軟骨細胞** chondroclast）によって吸収されてしまうため，結局，下顎骨体には置換されない軟骨である（**図 10-Ⅱ-4**）．しかし，Meckel 軟骨の一部は軟骨内骨化によって骨に置換されていく．その例として，胎生 16 週までに，Meckel 軟骨の後端は丸みを帯びて**ツチ骨**，また，その下方では**キヌタ骨**の前駆体である軟骨塊をつくる（ツチ骨とキヌタ骨は Meckel 軟骨から軟骨内骨化で形成される（**図 10-Ⅱ-5**）．**アブミ骨**は **Reichert 軟骨**（ライヘルト） Reichert's cartilage から形成されることに留意）．この段階で，すでに，ツチ骨とキヌタ骨との間に関節縫合を形成し始めており，また，Meckel 軟骨の中央やや後方の一部が**蝶下顎靱帯**へと変化していく．

2）下顎骨と二次軟骨

下顎骨のほとんどは**膜内骨化**によって形成されるのに対して，将来の関節突起（下顎頭）condylar cartilage，筋突起 coronoid cartilage および下顎正中部 symphyseal cartilage には，発生過程で二次軟骨が形成され，**軟骨内骨化**により骨に置換されていくことが知られてい

第10章
顎骨

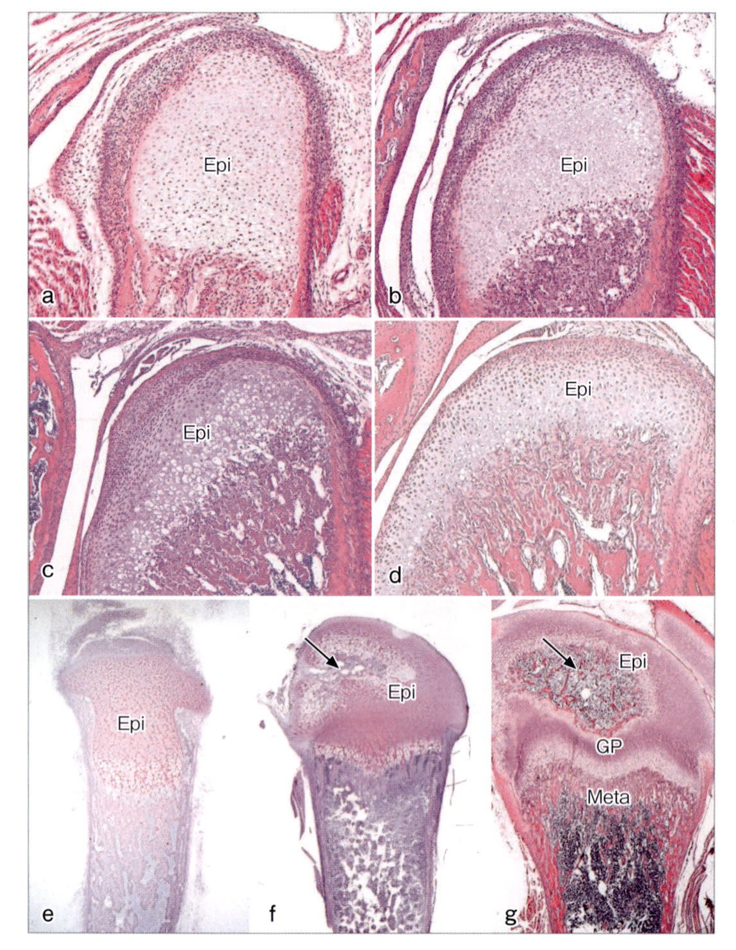

図 10-Ⅱ-1　下顎頭軟骨（a～d）および大腿骨（e～g）における経時的変化（マウス）
下顎頭は，生後 3 日（a），7 日（b），14 日（c），21 日（d）と経っても，骨端（Epi）に二次骨化は認められない．一方，大腿骨は，経時的（e→g）に骨端（Epi）に二次骨化（f，g：矢印）が形成されていく．GP：成長板軟骨，Meta：骨幹端

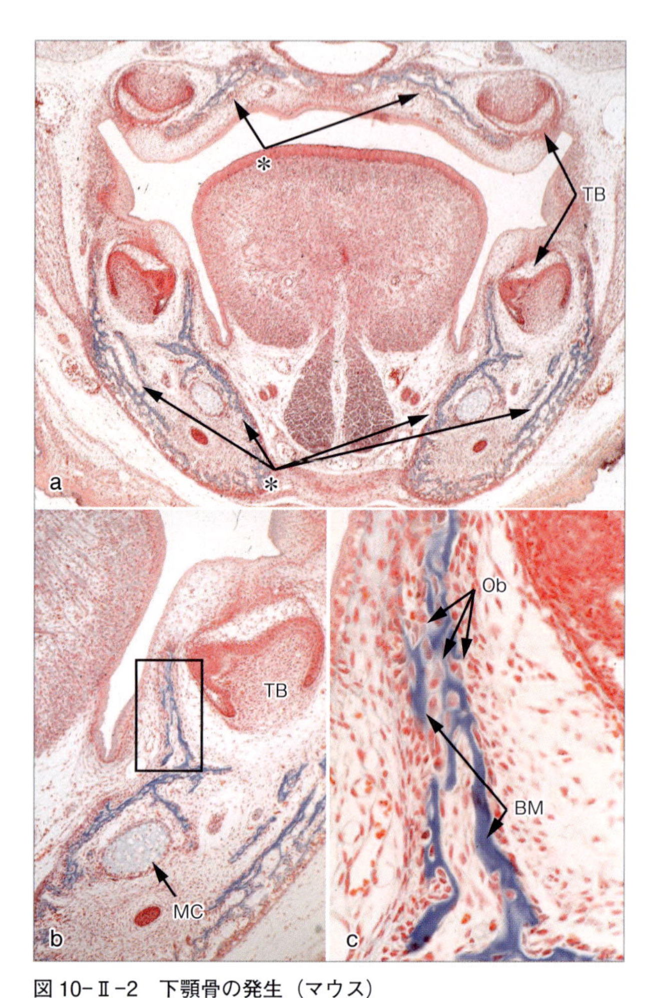

図 10-Ⅱ-2　下顎骨の発生（マウス）
a：顔面の前頭断像．上顎と下顎に歯胚（TB）を観察する．また，上顎と下顎には骨形成が認められる（*）．b：下顎の歯胚（TB）の周囲に形成された骨．Meckel 軟骨（MC）の軟骨内骨化で骨が形成されていないということに注意．c：歯胚周囲にはシート状の骨基質（BM）がつくられており，そこには多数の骨芽細胞（Ob）が観察される．

る（**図 10-Ⅱ-1，6**）．このように，下顎骨のほとんどは膜内骨化で形成されるが，一部，軟骨内骨化でつくられる部位もあることに留意されたい．

関節突起（関節突起＝下顎頭＋下顎頸）は，Meckel 軟骨から分化したツキ骨・キヌタ骨の前方に形成された間葉系組織の凝集塊からつくられる．この凝集塊から円錐状の軟骨が形成され，軟骨内骨化で骨が形成されていく．関節突起と下顎体が癒合した後，下顎枝の後縁には骨形成，前縁は骨吸収が誘導されて，下顎枝へと形づくられていく．

下顎頭軟骨が，長管骨の骨端軟骨と大きく異なる点は，**二次骨化がない**ことである．すなわち，二次骨化によって，骨端と骨幹端を分ける板状の**成長板軟骨** growth plate cartilage は形成されない（**図 10-Ⅱ-1**）．したがって，下顎頭軟骨は，関節軟骨から軟骨内骨化で形成された一次骨梁 primary trabecule がそのまま伸び，骨リモデリングによって，二次骨梁 secondary trabecule へと置換されていく．

2. 上顎骨の発生

1）頭蓋底軟骨の発生

頭蓋は主として脳を容れる部分である**脳頭蓋**（神経頭蓋）と，主に顔面を構成する**顔面頭蓋**（内臓頭蓋）に分けられる．頭蓋の発生は，神経堤，沿軸中胚葉，側板中胚葉に由来する（**図 10-Ⅱ-7**）．**神経堤細胞**は，将来の上顎骨や下顎骨などの顔面頭蓋のほか，前頭骨や蝶形骨領域にも移動し，膜内骨化あるいは軟骨内骨化を誘導していく．これに対して，**沿軸中胚葉**は，後頭領域まで移動し，脳頭蓋底の大部分，および頭頂骨に至る．また，側板中胚葉は喉頭軟骨へと分化する．

頭蓋底においては，神経堤はトルコ鞍より前方を，また，沿軸中胚葉がその後方をつくりあげていく．頭蓋の発生において，最初に発達するのは頭蓋底を支える軟骨であり，前方は鼻骨領域から後方は大後頭孔まで軟骨が

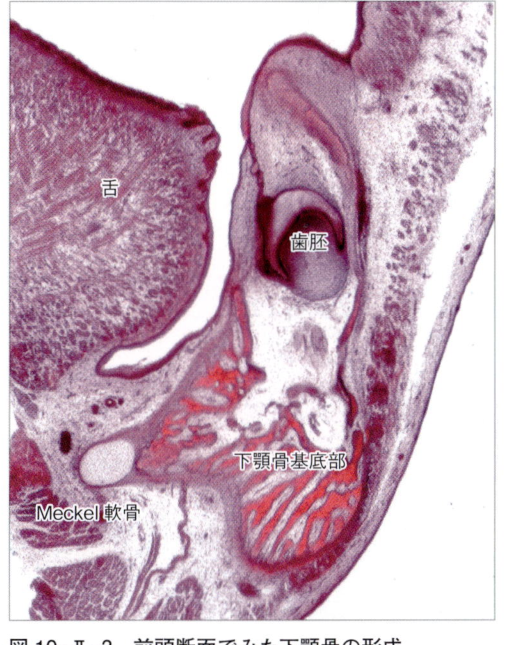

図 10-Ⅱ-3　前頭断面でみた下顎骨の形成
下顎骨基底部と歯胚を入れる歯槽内板と外板が区別される．Meckel 軟骨は，形成途上の下顎骨に近接するが独立して存在する．
（明坂年隆：口腔組織・発生学．医歯薬出版，東京，2006，366．をカラー化）

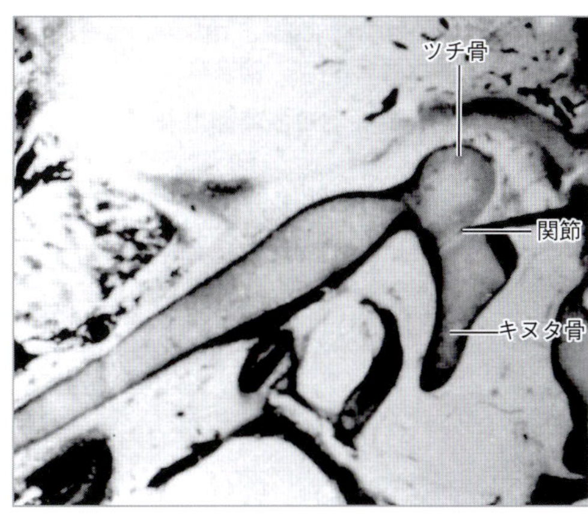

図 10-Ⅱ-5　Meckel 軟骨の後端部と接続しているツチ骨の矢状断面
キヌタ骨とツチ骨の関節は一次顎関節となる．
（James K. Avery 編：Avery 口腔組織・発生学第 2 版．医歯薬出版，東京，1999，45.）

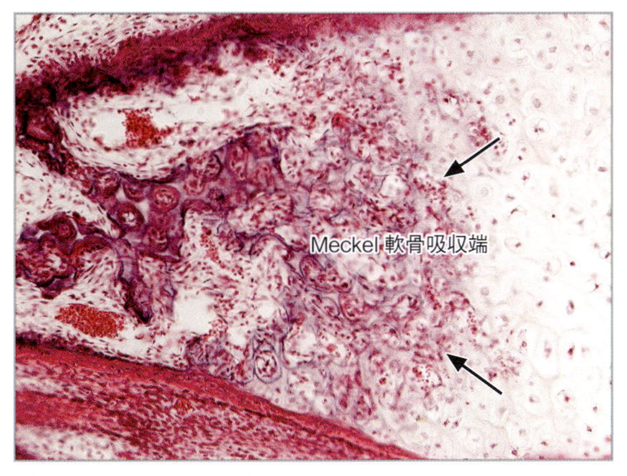

図 10-Ⅱ-4　Meckel 軟骨の吸収部
後端から軟骨組織に血管が侵入し崩壊している（矢印）．軟骨基質は石灰化してから崩壊するが骨に置き換わることはない．
（明坂年隆：口腔組織・発生学．医歯薬出版，東京，2006，365．をカラー化）

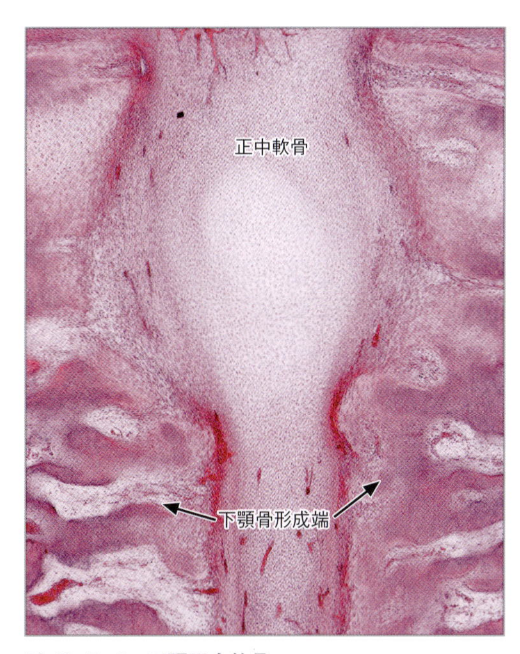

図 10-Ⅱ-6　下顎正中軟骨
（明坂年隆：口腔組織・発生学．医歯薬出版，東京，2006，367．をカラー化）

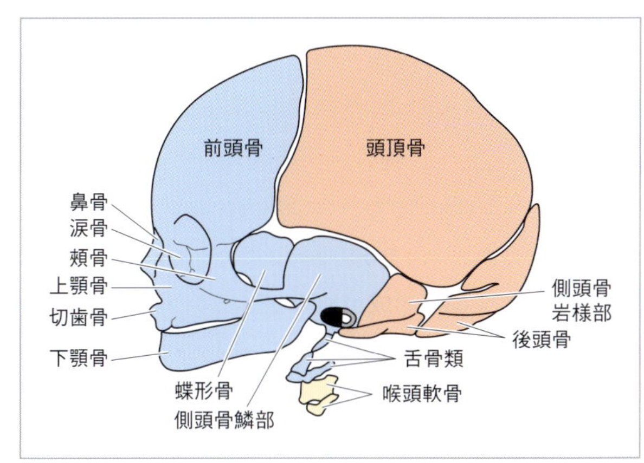

図 10-Ⅱ-7　頭蓋における由来
乳児の矢状面観の模式図．神経堤由来（青），沿軸中胚葉由来（赤），側板中胚葉由来（黄）．
（Sadler TW：Langman's Medical Embryology. Wolters Kluwer, Philadelphia, 2015. および Moore KL et al.：The Developing Human. Elsevier Saunders, Philadelphia, 2013. を参考に作成）

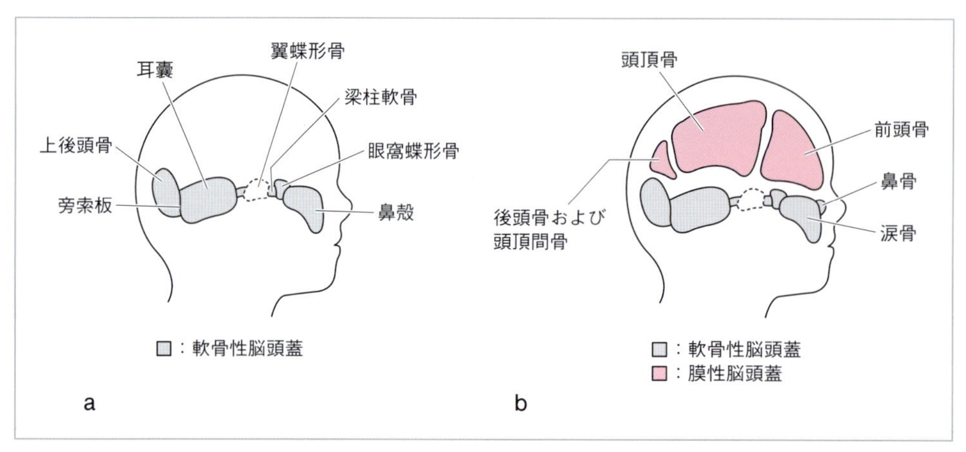

図 10-Ⅱ-8　軟骨性脳頭蓋の模式図
a：初期軟骨形成．b：扁平骨の成長．

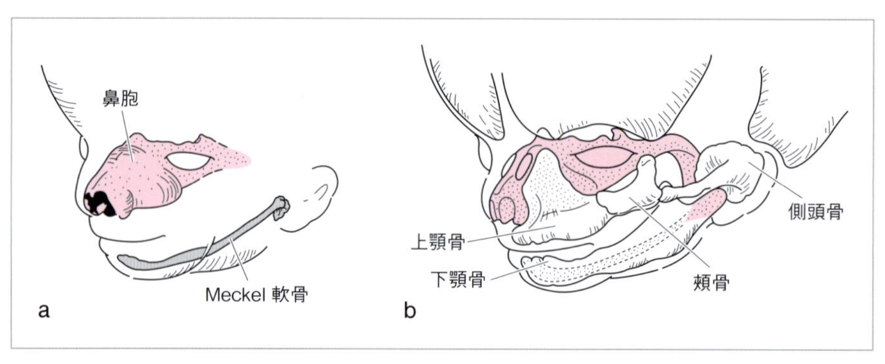

図 10-Ⅱ-9　顔面軟骨の成長
a：胎生 8 週．b：胎生 12 週．

頭蓋底中央に縦列を作る．このような軟骨原器による頭蓋底を軟骨性脳頭蓋（頭蓋底軟骨）とよび，頭蓋の前後方向の成長に寄与している（**図 10-Ⅱ-8**）．

頭蓋底において軟骨が形成される領域は，大きく前方（前頭骨・篩骨・蝶形骨の縦列中央部）の前索領域と後方（後頭骨基底部）の索傍領域（または傍索領域）に分けて考えることができる．前索領域の前方には，左右一対の梁柱軟骨が形成され，また，将来の下垂体の領域には下垂体軟骨が形成されていく．梁柱軟骨の先端は鼻殻として将来の鼻骨領域を形成していく一方（**図 10-Ⅱ-9**），左右の梁柱軟骨は癒合して篩骨を形成していく．下垂体軟骨は蝶形骨体をつくりあげていく．このように，鼻殻から鼻部の骨，梁柱軟骨から篩骨，下垂体軟骨からは蝶形体骨が，傍索軟骨から後頭骨の基底部と大後頭孔を囲む前方領域が形成されていく．

2）上顎骨の形成

顔面部では，第一鰓弓で形成される顔面隆起が胎生 4 週に出現する．口窩の側方には**上顎突起**，下には**下顎突起**が区別され，また，口窩の上には**前頭鼻突起**が形成される．前頭鼻突起の両側には**鼻板**がつくられるが，じきに中央部が陥入して鼻窩となる．鼻窩の外側が**外側鼻突起**，また内側が**内側鼻突起**となる．これらの隆起は顔面中央部に移動しながら顔面を形成していく一方，上顎骨の切歯部には**顎間部**が形成され，口唇・切歯・**一次口蓋**を形成するとともに，口蓋突起に由来する**二次口蓋**と癒合して口腔をつくりあげていく（詳細は☞第 2 章参照）．また，鼻腔領域では，鼻殻が鼻骨を，また，梁柱軟骨から篩骨と下鼻甲介が形成されていく．

顔面領域においては，胎生 8 週までに，鼻殻を覆うように**前顎骨** premaxilla（切歯骨，前上顎骨，顎間骨ともいう），上顎骨，頬骨，側頭骨の岩様部のそれぞれに骨化点が出現する（**図 10-Ⅱ-10**）．前顎骨は，正中口蓋突起の左右に 1 つずつの骨化点が形成されていき，将来，中切歯と側切歯を覆う板状の骨，ならびに，一次口蓋の骨となる．一方，上顎骨の骨化点は，前顎骨の外側，すなわち，犬歯から遠心側の骨をつくりあげていく．したがって，上顎骨は，固有の上顎骨でつくられた領域と前顎骨で形成された領域が癒合し，現在の上顎骨がつくりあげられることになる．

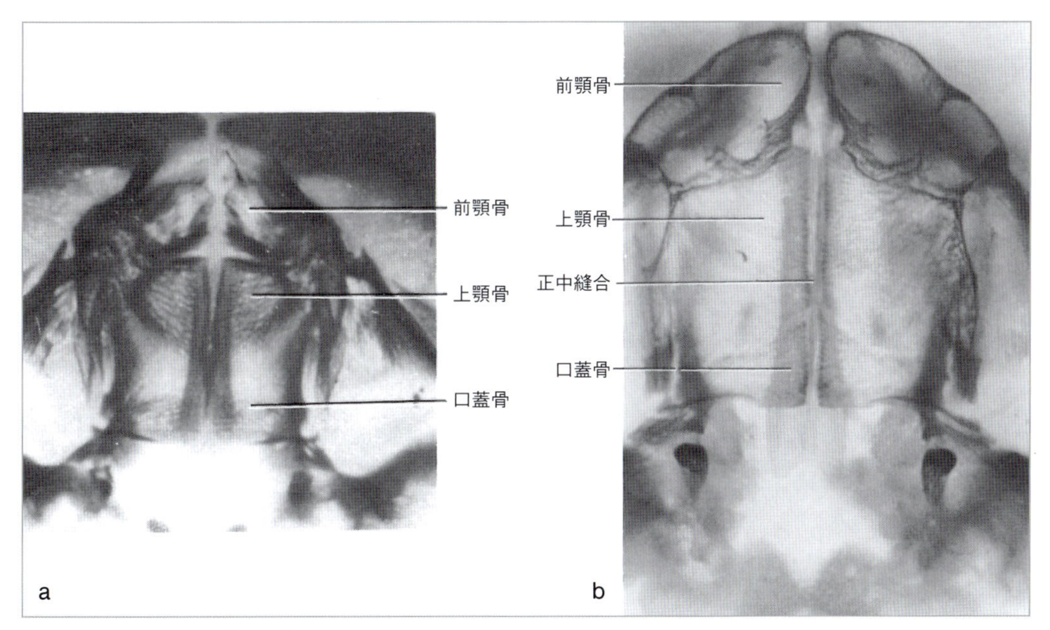

図 10-Ⅱ-10　胎児口蓋の骨化
a：胎生 13 週．b：胎生 8 か月．
（James K. Avery 編：Avery 口腔組織・発生学第 2 版．医歯薬出版，東京，1999，44〜45.）

3）軟骨内骨化と膜内骨化

骨の発生は，**軟骨内骨化**と**膜内骨化**の 2 つに分けることができる．軟骨内骨化は，主に長管骨や短骨にみられる骨化であり，将来，骨ができる部位に軟骨原器が形成され，続いて，軟骨が骨に置換される．一方，膜内骨化は扁平骨などにみられる骨化であり，未分化間葉系細胞がシート状に集まり，骨芽細胞に分化した後にコラーゲン線維をはじめとする基質分泌と石灰化を行うことで骨基質を合成していく．

軟骨内骨化では，最初に将来の骨の形をした細長い軟骨が形成され，その軟骨が骨に置換わっていく（軟骨から骨に置換わる骨を**置換骨**という）（**図 10-Ⅱ-11**）．軟骨原器の端部から中央部にかけて，軟骨細胞は静止層 resting zone，増殖層 proliferative zone，肥大化層 hypertrophic zone へと分化する．肥大化層は周囲に**基質小胞**を分泌し軟骨基質を石灰化するとともに，将来の骨外膜（軟骨膜）にも 1 層の石灰化沈着が生じる．すると，血管および，将来，骨芽細胞になる細胞群が軟骨原器の中央部に入り込んでいく．その際，破骨細胞が骨外膜の石灰化基質を吸収することで血管侵入が可能になるのか，あるいは，血管が先行して軟骨基質内部に侵入するかはいまだ不明な点が多い．

軟骨に侵入した血管は，軟骨の長軸方向（近位と遠位の二方向）に進むため，軟骨は近位と遠位の両端に分かれて骨端軟骨となる．一方，中央部には血管とともに侵入してきた細胞が骨芽細胞になり，骨形成を行っていく．

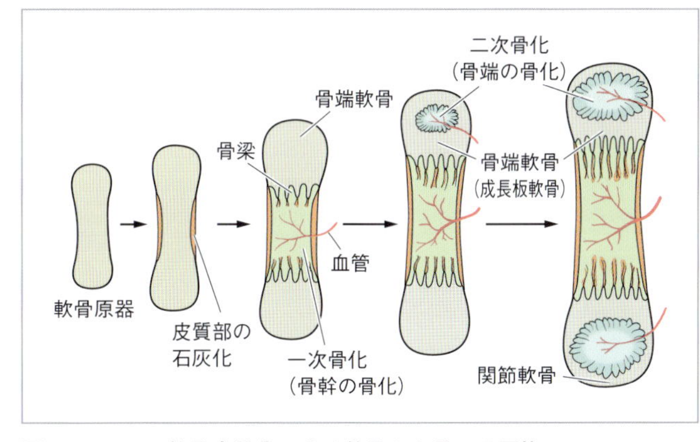

図 10-Ⅱ-11　軟骨内骨化による軟骨から骨への置換
長管骨は軟骨原器がはじめに形成され，その骨幹に相当する皮質部が石灰化を示すようになる．すると，周囲の血管が骨原生細胞を伴って軟骨内部に侵入し，一次骨化を誘導する．血管は両端の骨端部に向かって侵入する一方，骨端にも血管が侵入し二次骨化を誘導する．

これを**一次骨化**とよび，その部位を**一次骨化中心**という．肥大化軟骨細胞が骨の長軸方向に平行に石灰化軟骨基質を形成していき，それをもとに骨芽細胞が**骨梁**（**一次骨梁**）をつくりあげていく．

また，骨端軟骨にも血管および骨芽細胞になる細胞群が侵入していき，同様に骨がつくられていく．これを**二次骨化**とよび，その部位を**二次骨化中心**という．一次骨化と二次骨化とで挟まれた骨端軟骨を**成長板軟骨**という．この成長板軟骨の増殖と骨梁形成が長軸方向に行われていくことで，骨全体として長軸方向に伸びることになる．一方，二次骨化の関節側の軟骨は**関節軟骨**として機能する．なお，成長期を過ぎると，成長板軟骨が閉じ

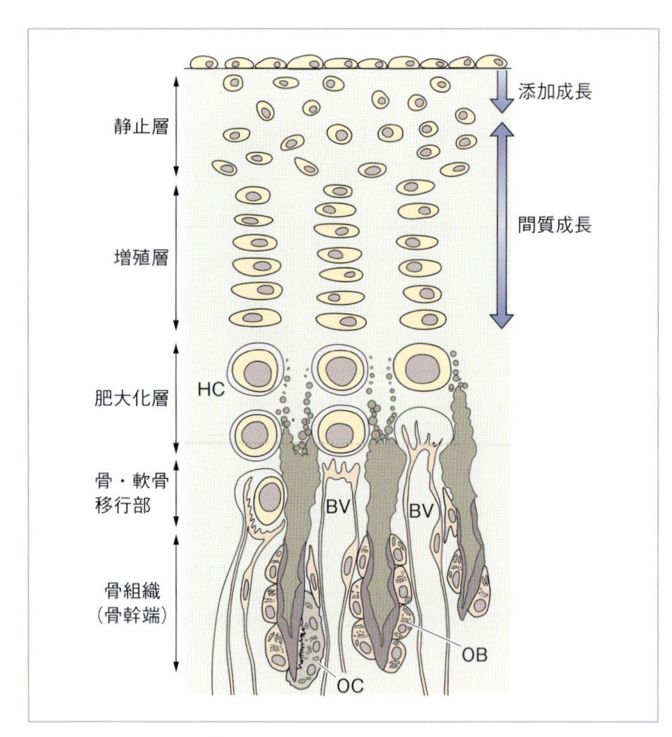

図 10-Ⅱ-12　軟骨内骨化の概略図
骨端軟骨の軟骨細胞が肥大化軟骨細胞（HC）に分化すると基質小胞を軟骨カラムの間に分泌するが，カラム内の隣り合う上下の軟骨細胞間には分泌しない．そのため，カラム内の横隔壁は石灰化しないため，骨組織から侵入する血管（BV）は軟骨内部へと侵入することができる．OB：骨芽細胞，OC：破骨細胞

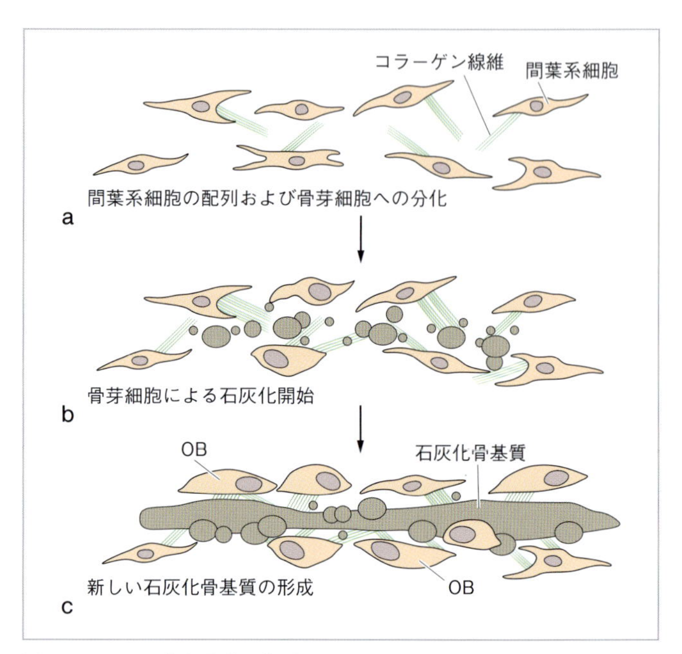

図 10-Ⅱ-13　膜内骨化の概略図
顔面頭蓋などの扁平骨は膜内骨化で形成される．
a：間葉系細胞が，将来，骨形成を行う部位にシート状に配列し骨芽細胞へ分化する．b：分化した骨芽細胞はコラーゲン線維のほか基質小胞も分泌し石灰化を開始する．c：骨芽細胞がシート状に配列しているため，新しく形成される骨も板状を示す．OB：骨芽細胞
（歯科衛生士教育協議会監修：骨の発生　人体の構造と機能 1．解剖学・組織発生学・生理学．第 1 版．医歯薬出版，東京，2022．より改変）

るため，成長板軟骨による骨への置換が行われなくなる．成長板軟骨の跡は骨化し，骨端線として残る．

4）軟骨内骨化の組織学的メカニズム

軟骨内骨化による骨の成長は，軟骨増殖，および，軟骨への血管侵入と一次骨梁形成に分けて考えることができる（**図 10-Ⅱ-12**）．骨端軟骨，すなわち，将来の関節面において，将来，軟骨細胞に分化する細胞が軟骨細胞に分化するといった**付加成長** appositional growth が行われる．また，軟骨細胞は，その分化段階に応じて**静止層**，**増殖層**，**肥大化層**の大きく 3 つの相に分けて考えることができるが，静止層と増殖層の軟骨細胞は基質合成を行いながら細胞増殖をすることができる．これを**間質成長** interstitial growth という．静止層の軟骨細胞は円形または楕円形状をしており細胞配列に規則性はないが，増殖層では，軟骨細胞が細胞分裂をした後に細胞自体は扁平となり，細胞体を平行に配置した縦方向の柱を形成していく．これを**軟骨カラム** cartilage column または**軟骨柱**という．増殖層の軟骨細胞は，いっせいに細胞体を膨大化させて肥大化軟骨細胞へと分化するが，この時期では軟骨細胞は細胞増殖することはできない．肥大化軟骨細胞は軟骨カラム間の長軸方向の軟骨基質に向かって基質小胞を分泌するが，軟骨カラム内の軟骨細胞間の横隔壁には基質小胞を分泌しない．したがって，肥大化層においては，多くの軟骨カラムが長軸方向に配列するとともに，軟骨カラムの間の長軸方向の軟骨基質は石灰化を受けることになる．

そこに，骨組織からの血管が軟骨カラム内部に侵入することで，肥大化軟骨細胞が除去され，また，石灰化していない横隔壁を血管が貫いて侵入する．すると相対的に軟骨カラム間の長軸方向の石灰化した軟骨基質が骨組織へと露出する．そこに，前骨芽細胞が移動・定着し，骨基質を合成していくことで一次骨梁を形成していく．一次骨梁を顕微鏡観察すると，軟骨基質が骨基質で挟まれた像を示しているのは，このようなメカニズムによるためである．

5）膜内骨化

結合組織内で骨が直接できる様式であり，膜内骨化でつくられた骨を**膜性骨**という．膜内骨化は胎生期の未分化間葉系細胞がシート状に配列し，将来的に骨になる部位で骨芽細胞へと分化し，みずからの周囲に骨基質を分泌し，また，骨基質を石灰化することによって硬い骨をつくっていく（**図 10-Ⅱ-13**）．上顎骨や下顎骨の項でも

述べたように，1か所の骨化点で1つの骨を形成するのではなく，いくつかの骨化点が形成されて複雑な骨の形をつくりあげていく．また，頭蓋部で骨化点が癒合してしまうと，個体成長に伴う骨の成長がむずかしくなる．それを可能にしているのが骨の縫合である．膜内骨化によってつくられるのは，頭蓋底を除く顎顔面および頭蓋の扁平骨（下顎骨もいくつかの部位を除いて主に膜内骨化でつくられることに注意）と鎖骨などである．

（網塚憲生，長谷川智香）

III 臨床的考察

1．薬剤関連顎骨壊死

骨粗鬆症や骨転移を有する患者に用いられる**ビスホスホネート** bisphosphonate（BP）製剤による重大な副作用の1つとして，難治性の骨露出を特徴とする**ビスホスホネート関連顎骨壊死** bisphosphonate-related osteonecrosis of the jaw（BRONJ）が世界で最初に報告されるようになって約20年が経過した．その後，RANKLの中和抗体であるdenosumabによる顎骨壊死が報告され，**薬剤関連顎骨壊死** medication-related osteonecrosis of the jaw（MRONJ）の呼称が一般的になり，AAOMSポジションペーパー2022年や日本のポジションペーパー2023年改訂版[1]でも用いられている．BP製剤に始まり，顎骨壊死に関連する薬剤およびその服薬形態は多様化してきている．**表10-Ⅲ-1**にMRONJのリスクとなる医薬品（骨修飾薬 bone modifying agents：BMA）を示す．

1）MRONJの定義

①ビスホスホネートまたはデノスマブによる治療歴がある．

②8週間以上持続して，口腔・顎・顔面領域に骨露出を認める．または口腔内，あるいは口腔外の瘻孔から触知できる骨を8週間以上認める．8週以内でも（経過や画像所見などから）明らかに治癒傾向のない骨壊死がみられる症例である場合はMRONJと診断できる．

③顎骨への放射線照射歴がない．また顎骨病変が原発性癌や顎骨への癌転移でない．

2）病因論

MRONJの発症や進展にかかわる仮説として①骨のリ

表10-Ⅲ-1　MRONJのリスクとなる医薬品（骨修飾薬）

分類	一般目	容量	商品名	使用目的	リスク
ビスホスホネート（BP）	ゾレンドロン酸水和物	高容量	ゾメタ点滴静注/ゾレンドロン酸点滴静注	多発性骨髄腫による骨病変および固形癌骨転移による骨病変	高
		低容量	ゾメタ点滴静注/ゾレンドロン酸点滴静注	悪性腫瘍による高カルシウム血症	中
			リクラスト点滴静注液	骨粗鬆症	中
	パミドロン酸二ナトリウム	高容量	パミドロン酸二Na点滴静注用	乳癌の溶骨性骨転移/骨形成不全	中〜高
		低容量	パミドロン酸二Na点滴静注用	悪性腫瘍による高カルシウム血症	中
	アレンドロン酸	低容量	フォザマック錠/ボナロン/アレンドロン酸	骨粗鬆症	中
	イバンドロン酸ナトリウム水和物	低容量	ボンビバ（静注・錠）	骨粗鬆症	中
	ミノドロン酸水和物	低容量	ボノテオ錠/リカルボン錠/ミノドロン酸錠	骨粗鬆症	中
	リセドロン酸ナトリウム水和物	低容量	アクトネル錠/ベネット錠/リセドロン酸Na錠	骨粗鬆症	中
	エチドロン酸二ナトリウム	低容量	ダイドロネル錠	骨粗鬆症/骨Paget（パジェット）病	低
抗RANKLモノクローナル抗体	デノスマブ	高容量	ランマーク皮下注	多発性骨髄腫による骨病変および固形癌骨転移による骨病変/骨巨細胞腫	高
		低容量	プラリア皮下注	骨粗鬆症/関節リウマチに伴う骨びらんの進行抑制	中
ヒト抗スクレロスチンモノクロナール抗体	ロモソズマブ	—	イベニティー皮下注	骨折の危険性の高い骨粗鬆症	—

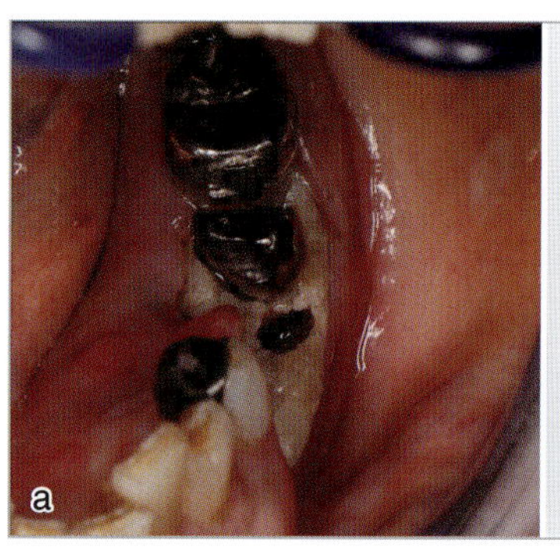

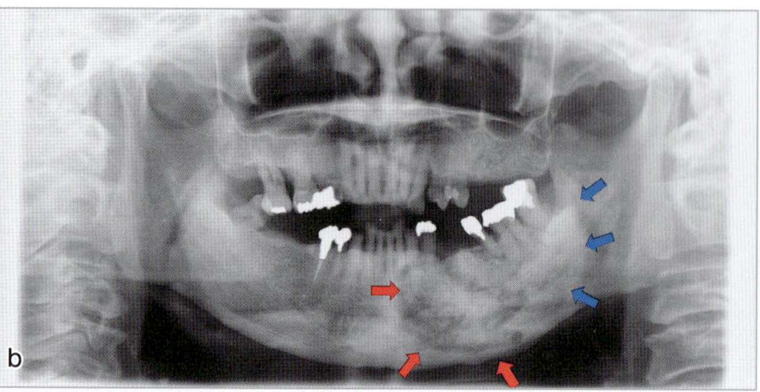

図 10-Ⅲ-1　75/F 乳癌　Zoledronate による MRONJ 症例
a：下顎左側臼歯部に骨壊死が認められる．
b：パノラマエックス線画像では広範囲に骨硬化/骨融解の混合像が確認できる．粘膜下の病変の進展範囲（赤矢印）のスクリーニングとしては有用であるが，境界不明瞭の部位も存在する（青矢印）．

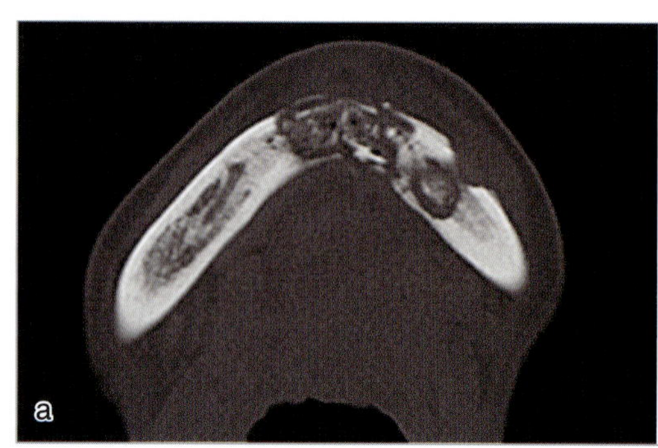

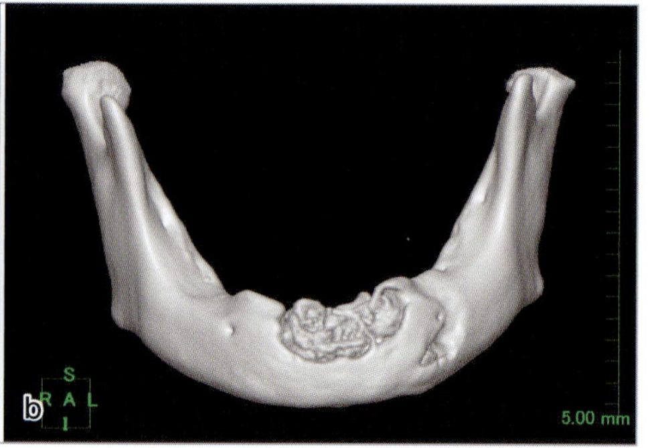

図 10-Ⅲ-2　63/F MRONJ ステージ 3 症例
関節リウマチでビスホスホネート，MTX，ステロイド内服の治療を受けていた．
CT 画像（a：水平断，b：三次元像）にて皮質骨の破壊，骨融解，骨硬化像が認められる．

モデリング阻害，②細菌感染，③血管新生阻害，が考えられる．

3）画像診断

MRONJ の診断には口内法エックス線画像は高解像度であるため，歯根膜腔の拡大や歯槽硬線の肥厚や硬化，局所の骨融解・骨硬化の評価に有用である．

パノラマエックス線画像では，下顎管や上顎洞底線の肥厚，びまん性骨硬化/骨融解の混合，上顎洞炎や腐骨分離像，病的骨折などの評価に有用である（**図 10-Ⅲ-1**）．

CT 検査では皮質骨や海綿骨の初期変化をとらえることができ，海綿骨の骨硬化・骨融解，皮質骨の破壊，腐骨分離，骨膜反応，抜歯窩の残存，瘻孔形成，下顎管の肥厚，上顎洞底の肥厚や融解，上顎洞炎および周囲軟組織の変化を三次元的に評価できる（**図 10-Ⅲ-2**）．骨露出がない症例での海綿骨の硬化は注意を要する．

MRI では骨髄信号の変化をとらえることができる．骨髄炎であれば T1 強調像で低信号，T2 強調像および STIR で高信号となる．骨壊死が当初から存在した場合，T1 強調像，T2 強調像で低信号になる．核医学画像として以前から骨シンチグラフィは用いられてきたが，近年 SPECT 画像を用いた定量評価が可能になったことで MRONJ の診断やステージングへの応用，切除範囲の設定，MRONJ の消炎効果のモニタリングなどにおいて骨シンチグラフィの有用性がさらに増してきている．

4）病理組織像

MRONJ の主要な病理組織像は，骨壊死を伴った慢性骨髄炎で特異的な所見は確立されていない．感染と壊死の強い部分が主体のもの，炎症の影響を受けながらも添加性骨形成で既存骨の硬化を伴うもの，さらには新生骨梁の誘導が顕著なものなど多彩な病理組織像を呈する．BP による MRONJ では比較的大型の破骨細胞や，骨表面から遊離した破骨細胞が出現することが報告されている（**図 10-Ⅲ-3**）．

5）難治性顎骨骨髄炎における FDG-PET/CT の応用

われわれは ^{18}F-fluorodeoxyglucose Positron Emission Tomography（**FDG-PET**）の白血球などの炎症性

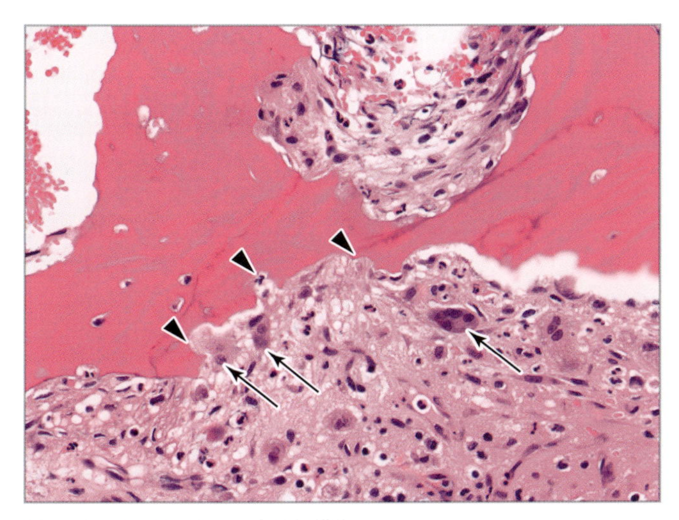

図 10-Ⅲ-3　MRONJ の病理組織像
顎骨は鋸歯状の表面（矢尻）を示し，そこには多数の破骨細胞（矢印）が認められる．
（東京医科歯科大学池田　通先生のご厚意による）

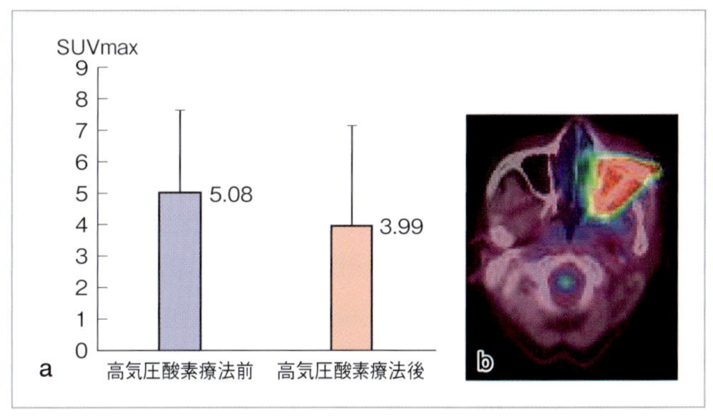

図 10-Ⅲ-5　MROJ に対する高気圧酸素療法の効果
a：FDG の集積値は高気圧酸素療法前後で有意に低下している．
b：FDG-PET/CT で MRONJ の活動性の評価が可能になった．

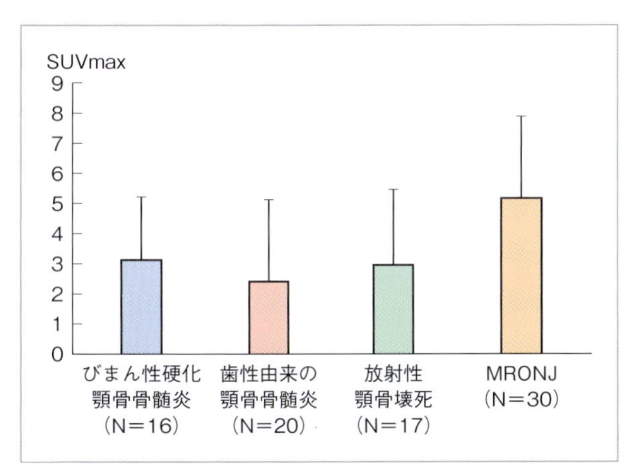

図 10-Ⅲ-4　難治性顎骨骨髄炎における PDG-PET/CT 画像評価
MRONJ の FDG 集積値は他の骨髄炎に比べて有意に高く，炎症の活動性が高いことを示している．

細胞に FDG が取り込まれる点に着目し，MRONJ や放射線性顎骨壊死，びまん性硬化顎骨骨髄炎などの難治性顎骨骨髄炎の診断と治療の評価に対して FDG-PET/CT の有用性を検討してきた．MRONJ や放射線性顎骨壊死に対する FDG-PET/CT では骨髄炎と周囲軟組織に FDG 集積が認められ，中央の腐骨部により高い FDG 集積を認めることから，壊死骨中に浸潤した炎症性細胞の活動性を反映していることが示された[2]．歯性由来の顎骨骨髄炎や他の骨髄炎と比較して MRONJ の SUVmax は有意に高く，炎症の活動性が高いことが示された（**図 10-Ⅲ-4**）．また放射線性顎骨壊死や MRONJ の外科的治療時に術前後の高気圧酸素療法を実施している．高気圧酸素療法では血中溶解酸素向上，活性酸素による殺菌，循環障害の改善などにより顎骨骨髄炎，骨壊死への治療効果が期待できるが，難治性骨髄炎に対する消炎効果を客観的に示した報告はない．MRONJ では高気圧酸素療法前後で SUV 値が有意に低下しており，高気圧酸素療法による MRONJ に対する消炎効果が FDG-PET/CT によって初めて示された（**図 10-Ⅲ-5**）[3]．

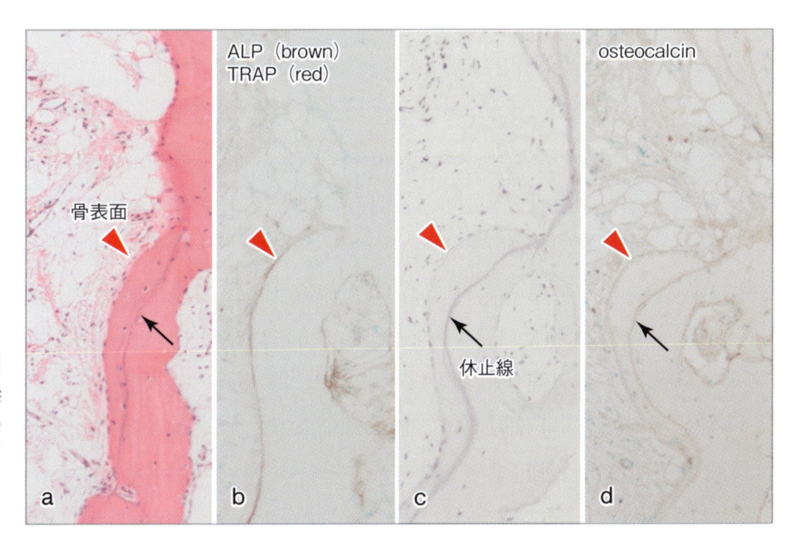

図 10-Ⅲ-6　高気圧酸素療法で誘導される骨形成
高気圧酸素療法を行った患者の顎骨サンプルの連続切片を用いて H-E 染色（a），ALP/TRAP 染色（b），Hematoxlylin 染色（c），osteocalcin 染色（d）を行ったところ，破骨細胞の骨吸収を伴わないミニモデリングにより骨形成が誘導されていた．赤矢尻：骨表面，矢印：休止線
（北海道大学網塚憲生先生のご厚意による）

6）高気圧酸素療法の効果：新生骨ミニモデリング

手術標本を病理組織学的，免疫組織化学的に観察したところ，**高気圧酸素療法**により骨表面にはスムーズなセメントラインの上に新生骨が観察された．これは通常のリモデリングとは異なり，破骨細胞による骨吸収を伴わず，休止期骨芽細胞が高気圧酸素療法により活性化された結果，スムーズなセメントライン上に形成される骨形成で**ミニモデリング**とよばれる新しい現象を報告した（図 10-Ⅲ-6）．ミニモデリングは，現在，modeling-based bone formation として，世界中で認識されており，**テリパラチド**（PTH 製剤）に勝るといわれている骨粗鬆症治療薬（**抗スクレロスチン抗体**）で誘導される骨促進作用メカニズムとして紹介されている．

（北川善政）

2．インプラント周囲骨の形成と骨リモデリング

口腔インプラント（歯科インプラント）の周囲には歯根膜が存在しない．現在の主流であるチタン製インプラントなどでは，インプラントと骨の安定した界面（**オッセオインテグレーション** osseointegration，**図 10-Ⅲ-7**）の形成が，インプラント治療の成否と密接にかかわっている．

1）インプラント-骨界面

オッセオインテグレーションを獲得しているインプラントを光学顕微鏡で観察すると，骨組織だけでなく，血管の結合組織や脂肪組織などとも接触している．

また，光学顕微鏡レベルでインプラントと骨組織が直接接触している部分でも，電子顕微鏡学的な検索によると，インプラント表面のチタンと骨組織との間に 50 nm 程度の無定形構造物の層が存在することが明らかにされている[1]．この層には非コラーゲン性タンパク質のプロテオグリカンやオステオポンチン，オステオカルシンがみられる．オステオポンチンやオステオカルシンは，インプラント側で表面の酸化チタン（TiO_2）に結合しているカルシウムと結合し，骨組織側で骨芽細胞のインテグリンあるいは骨組織のカルシウムと結合することで，チタンと骨組織の結合に大きな役割を果たしている．

一方，カルシウムを含むハイドロキシアパタイトでインプラントの表面が覆われている場合，インプラントと骨組織は間に沈着したカルシウムの結晶を介して，化学的に結合するといわれている[2]．

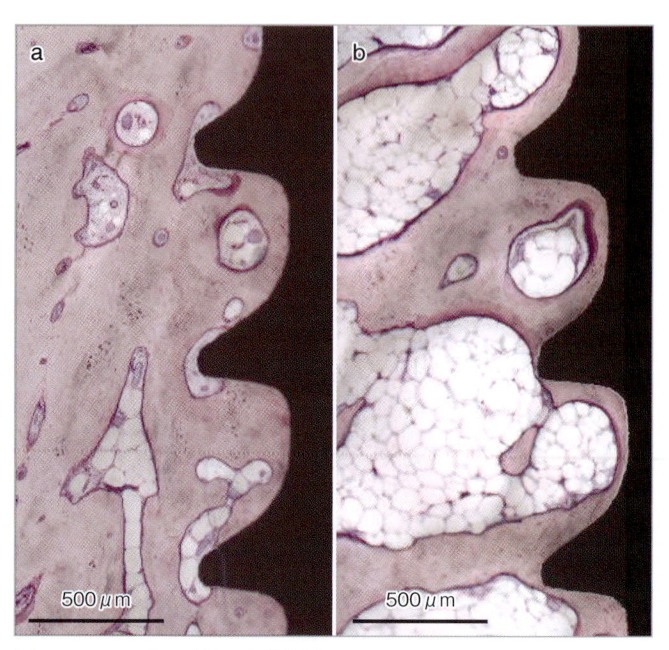

図 10-Ⅲ-7　インプラント周囲骨
（トルイジンブルー-塩基性フクシン染色）
a：インプラント周囲の緻密骨．
b：インプラント周囲の海綿骨．

2）インプラント周囲の創傷治癒

インプラント周囲骨は，インプラント周囲の創傷治癒において形成される[1, 3, 4]．その過程は，骨の発生や成長と異なり，骨折後の創傷治癒と類似している．

インプラント周囲の創傷治癒は，インプラントの窩洞形成により血管が損傷され，出血が起こることから始まる．窩洞内に血液が充満し，赤血球や血小板などの細胞成分やフィブリノゲンなどの血漿成分が滲出することで，血餅がつくられていく．血小板は破壊された血管の流入口で血栓を形成し，凝固の主役として働くとともに，顆粒を放出して，線維芽細胞や骨芽細胞など，その後の創傷治癒に必要な細胞の増殖を促す．

血小板や破壊された細胞から放出された物質により白血球が滲出し，損傷を受けた組織や侵入した細菌を浄化していく．貪食能をもつ好中球とマクロファージは血餅や壊死組織などを分解する．感染時にはリンパ球系白血球も出現し，免疫応答にかかわる段階へ移行するとされている．血小板，リンパ球，血管内皮細胞などにより活性化されたマクロファージは周辺の基質を刺激して，線維芽細胞の増殖を促進する．

血管新生がさかんになり，マクロファージの活性化がピークを迎えると，線維芽細胞や新生血管などの働きで肉芽組織が形成され，組織が修復される．血管は骨組織の形成と維持にも不可欠である．骨芽細胞の分化，増殖もみられる．

その後，肉芽組織が収縮することで治癒が進み，線維

芽細胞などによる組織の再構築が起こる．コラーゲン線維は成熟し，細胞外マトリックスが満たされる．また，骨芽細胞により形成された新生骨は成熟された骨となる．

インプラントの種類，埋入された部位や骨の状態などによるが，インプラント周囲が安定した骨組織になるために6か月以上かかることもある[2, 5]．インプラント周囲の緻密骨の再生は比較的緩徐なのに対し，インプラント周囲の海綿骨は，迅速に再生するといわれている[3]．

3）インプラント周囲の骨リモデリング

骨組織は静的な組織でなく，常に骨吸収と骨形成を繰り返し，新しい組織に生まれ変わっている（骨リモデリング）．インプラント周囲においても，創傷治癒の流れの中で起こる新生骨形成と骨リモデリングによって，オッセオインテグレーションの獲得と維持がなされている．

窩洞形成後の創傷治癒で，最初に形成される新生骨はコラーゲン線維の配列が不規則で幼若な骨，すなわち線維性骨である[4]．その後，古い既存骨および線維性骨は破骨細胞により吸収され，コラーゲン線維が規則的に配列する層板骨に置換される．インプラント周囲の骨は，骨の吸収と形成を繰り返して，荷重に適応し，成熟した構造となる．オッセオインテグレーションの獲得後も，生理的な骨リモデリングは恒常的に行われている[2, 6]．

骨リモデリングは骨の強さの維持に影響する．骨吸収と骨形成のバランスで骨量や骨質は変化するため，このバランスはインプラント周囲骨の状態を決める大きな要素であると考えられる．インプラント周囲の骨リモデリングは，インプラント周囲骨を良好な状態に保つことにかかわっている．

4）インプラント周囲骨の形成と維持にかかわる細胞

破骨細胞と骨芽細胞はそれぞれ骨吸収と骨形成を行う．骨リモデリングはこれらの細胞の相互作用によって進行している．

破骨細胞による既存骨および線維性骨の吸収は，その後の新生骨形成のためのスペースづくりに必要である（**図 10-Ⅲ-8**）．損傷部位では，破骨細胞による骨吸収が起こることで骨リモデリングが開始される．スレッドが嵌合している部分など，インプラントと骨が接している部分でも，一度，破骨細胞による骨吸収が起こった後に新生骨が形成される[2]．破骨細胞は，骨リモデリングの最初の過程である骨吸収を行うとともに骨吸収とカップリングした骨形成を誘導する細胞であり，インプラント周囲骨の形成と維持に不可欠な細胞といえる．

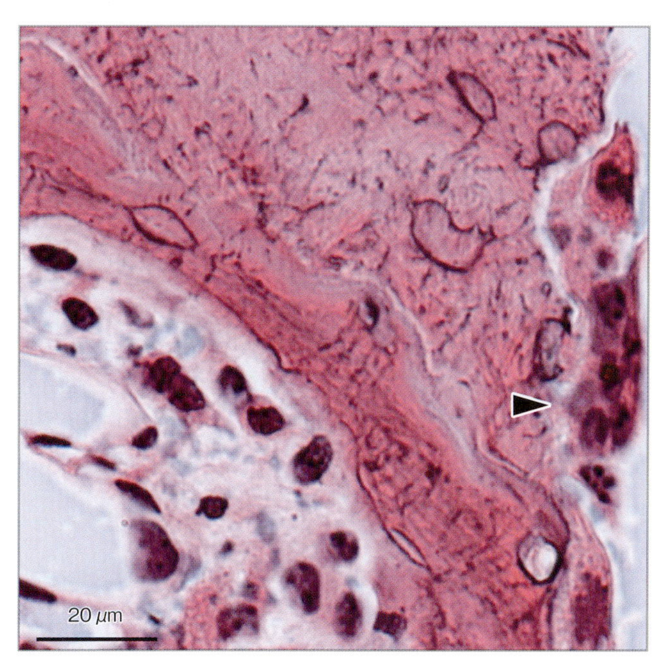

図 10-Ⅲ-8　上顎骨インプラント埋入モデルのインプラント周囲骨にみられる骨吸収像（ラット，鍍銀染色，インプラント窩洞：右側）
インプラント埋入５日後．破骨細胞（矢尻）によりインプラント周囲の骨は吸収される．

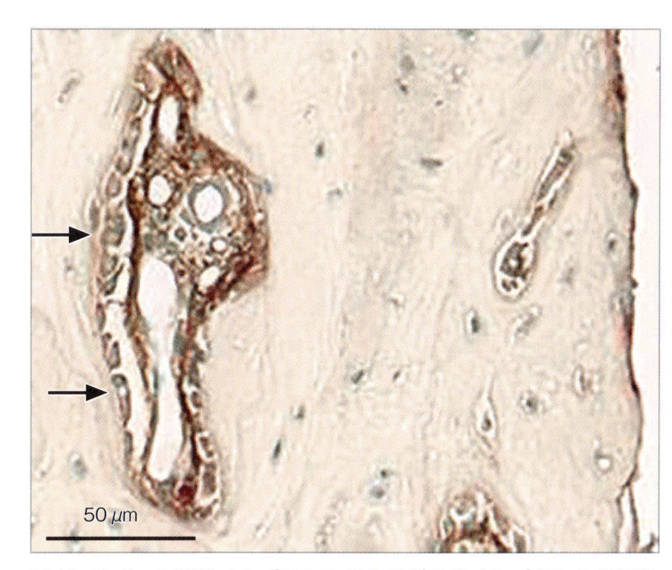

図 10-Ⅲ-9　上顎骨インプラント埋入モデルのインプラント周囲骨に存在する骨芽細胞（ラット，ALP/TRAP 染色，インプラント窩洞：右側）
インプラント埋入 20 日後．インプラント周囲骨中に骨芽細胞（矢印）が並んでいる様子が観察される．
（Haga M et al.：A morphological analysis on the osteocytic lacunar canalicular system in bone surrounding dental implants. *Anat Rec*（*Hoboken*），294：1074～1082. 2011．より改変）

骨形成を担うのは骨芽細胞である．また，骨芽細胞は骨形成だけでなく，破骨細胞の分化や活性化にも関与し，骨細胞と共同して骨組織を維持する（**図 10-Ⅲ-9**）．さらに骨芽細胞が分泌したオステオポンチンやオステオカ

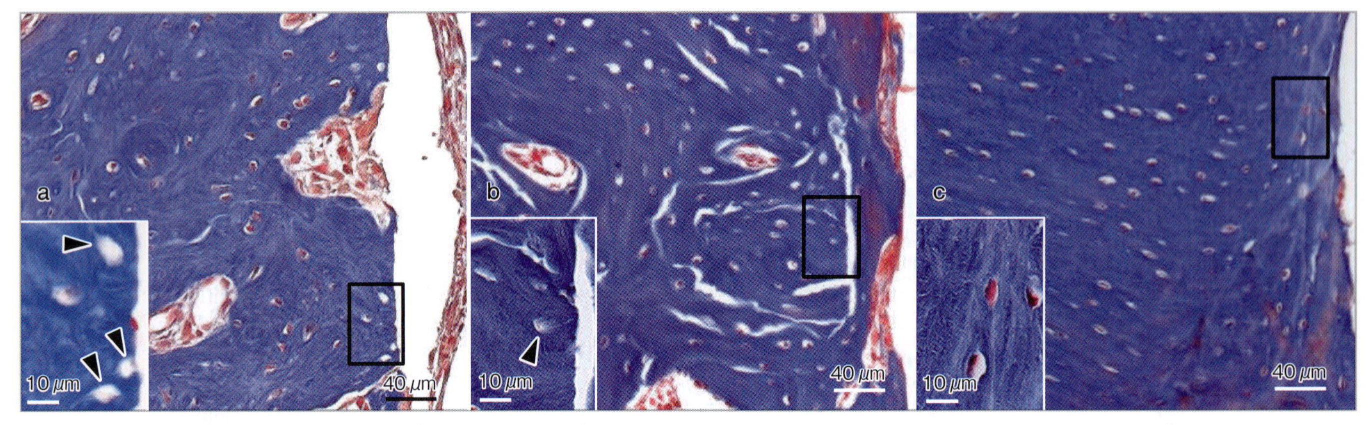

図 10-Ⅲ-10　上顎骨インプラント埋入モデルにおけるインプラント周囲骨の変化
（ラット，AZAN 染色，インプラント窩洞：右側）
a：インプラント埋入 5 日後．b：1 か月後．c：7 か月後．
インプラント窩洞形成により変性・消失した骨細胞（矢尻）を含む骨組織が生じる（a）．このような傷害を受けた骨組織は，オッセオインテグレーション獲得時（b）にも存在するが，骨リモデリングにより消失し，周囲骨は成熟していく（c）．
（Haga M et al.：A morphological analysis on the osteocytic lacunar canalicular system in bone surrounding dental implants. *Anat Rec* (*Hoboken*)，**294**：1074〜1082. 2011．より改変）

ルシンとともに，界面部でのインプラントと骨の結合にもかかわっている[1]．骨芽細胞はみずから分泌，形成した骨基質に埋め込まれ，骨細胞となる．

骨細胞は骨細胞同士や骨表面の骨芽細胞とギャップ結合などを介したネットワークを形成して，情報を交換する．骨細胞は外界からの力学的負荷や骨基質の損傷を感知し，周囲に伝達することで，骨リモデリングに関与すると考えられている[4,6]．

骨リモデリングの主役である破骨細胞と骨芽細胞，さらに骨リモデリングの制御や骨の恒常性の維持に重要な役割を果たす骨細胞が作用して，インプラント周囲骨は形成，維持されている．

5）インプラント周囲の骨細胞の変化

細心の注意を払って注水下で骨窩洞の形成を行っても，窩洞形成時のドリリングによる熱刺激などは骨組織に傷害を与える．これにより，インプラント周囲の既存骨には，骨組織において重要な働きをする骨細胞が変性または消失した領域が生じることがわかっている[1,6]．動物実験モデルでは，骨細胞が変性・消失した領域が，オッセオインテグレーション獲得後もインプラント周囲骨中に残存することが確認されている[6]．このような傷害を受けた既存骨は，活発な骨リモデリングによって新生骨に置換され，最終的に消失する（**図 10-Ⅲ-10**）．骨リモデリングにより周囲骨が成熟するにつれて，インプラント周囲骨の骨細胞は規則的に配列するようになる（**図 10-Ⅲ-11**）．

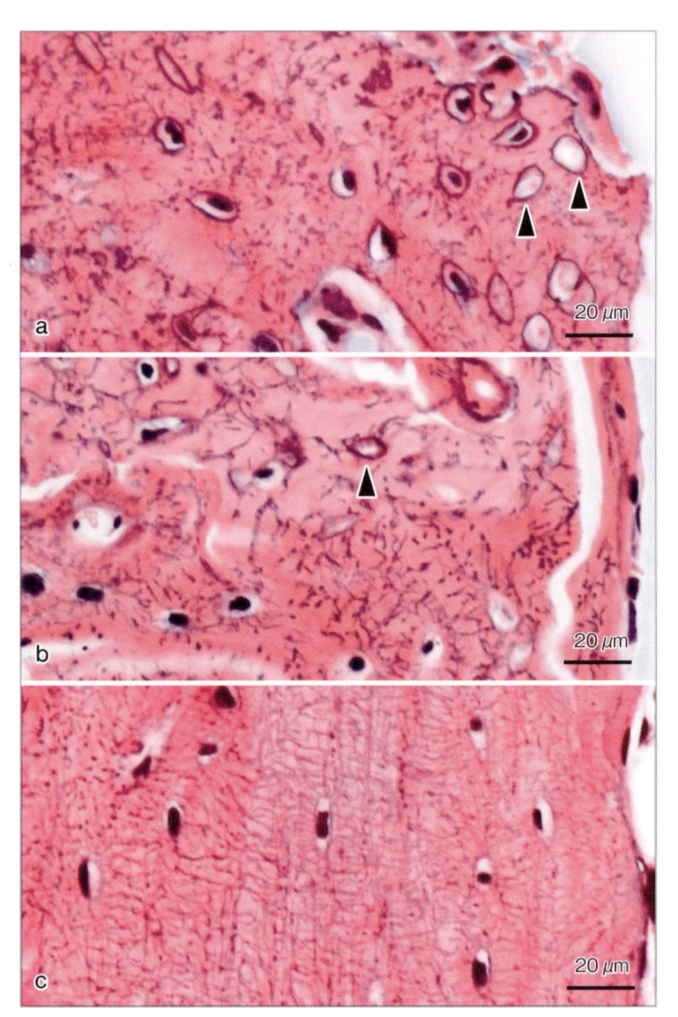

図 10-Ⅲ-11　上顎骨インプラント埋入モデルにおけるインプラント周囲骨の骨細胞の変化（ラット，鍍銀染色，インプラント窩洞：右側）
a：インプラント埋入 5 日後．b：1 か月後．c：7 か月後．
傷害を受けた骨細胞（矢尻）を含む骨は，骨リモデリングにより消失し，骨細胞は規則的に配列していく．
（Haga M et al.：A morphological analysis on the osteocytic lacunar canalicular system in bone surrounding dental implants. *Anat Rec* (*Hoboken*)，**294**：1074〜1082. 2011．より改変）

6）インプラント周囲骨の形成と維持に影響する因子

インプラント周囲骨の形成と維持は，さまざまな因子の影響を受ける．埋入手術や咬合負荷などインプラント治療自体に関連した因子も多い[1, 5]．たとえば，インプラント埋入手術によって，インプラントが緊密に埋入された場合，細胞や血管の侵入が制限され，インプラント周囲の骨吸収と骨形成が起こりにくくなることがある．

インプラントの材料や表面性状が，周囲の骨に及ぼす影響も非常に大きい．新生骨形成には，既存骨から新生骨が形成される遠隔骨形成とインプラントの表面から新生骨が形成される接触骨形成の2つの様式があり，どちらの様式で形成されるかについては，インプラントの表面性状の影響を受ける[3, 5]．インプラント埋入部位で多くみられる海綿骨では，接触骨形成が初期の安定に重要とされている[3]．また，粗面のインプラント表面に骨が沈着しやすいとされており，現在もインプラント周囲骨の形成に有効なインプラントの表面処理の研究開発は続いている[1, 5]．

一方，全身にかかわる因子によっても，インプラント周囲の骨組織は変わる[1, 5, 7]．低タンパク血症や低栄養状態，糖尿病をはじめとする代謝疾患などでは，創傷治癒が遅延し，骨形成が阻害される可能性がある．また，骨粗鬆症の患者において，骨リモデリングが正常に行われず，インプラント周囲骨の形成や維持が困難になることがある．骨吸収や骨形成に影響するステロイド薬や破骨細胞に作用する骨粗鬆症の治療薬など，治療に用いる薬剤も含めて，インプラント周囲骨の形成や維持に関して注意が必要な全身疾患は多岐にわたる．

インプラントは非自己であるため，インプラント埋入後の治癒過程で問題が生じると，インプラントを排除する方向に組織が変化するかもしれない．治療に際しては，インプラント周囲組織を十分に理解しておく必要がある．

（辻村麻衣子）

●参考図書，参考文献

Ⅰ 顎骨の組織学〜Ⅱ 顎骨の発生

●参考図書

1. Glimcher MJ et al.：Treatiseon Collagen. vol.2, Part B. Academic Press, New York, 1968, 67〜251.
2. James K. Avery 編，寺木良巳ほか訳：Avery 口腔組織・発生学. 第2版. 医歯薬出版，東京，1999.
3. 下村淳子ほか：骨の細胞の形態と機能. 新しい透析骨症. 日本メディカルセンター，東京，2003，107〜115.
4. 下野正基ほか編：歯の移動の臨床バイオメカニクス. 医歯薬出版，東京，2006.
5. 網塚憲生ほか：ビタミンK_2と骨質. 1）構造特性. *Clinical Calcium*, **19**：78〜86, 2009.
6. 網塚憲生ほか：骨の構造と機能. 医学のあゆみ，**221**：5〜13, 2007.
7. Amizuka N et al.：Defective bone remodeling in osteoprotegerin-deficient mice. *J Electron Microsc*, **52**：503〜513, 2003.
8. Hasegawa T et al.：Sclerostin is differently immunolocalized in metaphyseal trabecules and cortical bones of mouse tibiae. *Biomed Res*, **34**：153〜159, 2013.
9. de Freitas PH et al.：Eldecalcitol, a second-generation vitamin D analog, drives bone minimodeling and reduces osteoclastic number in trabecular bone of ovariectomized rats. *Bone*, **49**：335〜432, 2011.
10. Luiz de Freitas PH et al.：Intermittent PTH administration stimulates pre-osteoblastic proliferation without leading to enhanced bone formation in osteoclast-less c-fos(-/-) mice. *J Bone Miner Res*, **24**：1586〜1597, 2009.
11. Sasaki M et al.：Morphological Aspects on Osteocytic Function on Bone Mineralization. *Oral Science International*, **9**：1〜8, 2012.
12. Hossain KS et al.：Histochemical evidences on the chronological alterations of the hypertrophic zone of mandibular condylar cartilage. *Microsc Res Tech*, **67**：325〜335, 2005.
13. Amizuka N et al.：Histology of epiphyseal cartilage calcification and endochondral ossification. *Front Biosci*, **4**：2085〜2100, 2012.

Ⅲ 臨床的考察

1．薬剤関連顎骨壊死

●参考文献

1）岸本裕充ほか，顎骨壊死検討委員会：骨吸収抑制薬関連顎骨壊死の病態と管理：顎骨壊死検討委員会ポジションペーパー 2023.
2）Kitagawa Y et al.：Imaging modalities for drug-related osteonecrosis of the jaw, Positron emission tomography imaging for the diagnosis of medication-related osteonecrosis of the jaw. *Jpn Dent Sci Rev*, **55**：65〜70, 2019.
3）北川善政，浅香卓哉：歯科領域における FDG-PET/CT の有用性　特集「画像診断技術の新展開」. 日歯理工誌，**41**：207〜210, 2022.

2．インプラント周囲骨の形成と骨リモデリング

●参考文献

1）井上　孝：よくわかる口腔インプラント学. 第3版（赤川安正ほか編）. 医歯薬出版，東京，2017，23〜30，72〜73.
2）吉村健太郎ほか：骨研究最前線. 第1版. エヌ・ティー・エス，東京，2013，165〜168.
3）下野正基：新編　治癒の病理. 第1版. 医歯薬出版，東京，2011，341〜348.
4）Terheyden H et al.：Osseointegration—communication of cells. *Clin Oral Implants Res*, **23**：1127〜1135, 2012.
5）古谷野　潔，松浦正朗編著：エッセンシャル口腔インプラント学. 第1版. 医歯薬出版，東京，2009，12，14〜17，30〜33.
6）Haga M et al.：A morphological analysis on the osteocytic lacunar canalicular system in bone surrounding dental implants. *Anat Rec (Hoboken)*, **294**：1074〜1082, 2011.
7）日本口腔インプラント学会編：口腔インプラント治療指針 2020. 医歯薬出版，東京，2020，23〜24.

硬組織の形態学的研究法

chapter 11

I 概　説

本項では，歯や骨といった石灰化した硬組織を顕微鏡レベルで形態や構造を明らかにすることを主眼にした研究方法を紹介する．

顕微鏡観察するうえで，最もよく用いられるのが**パラフィン包埋**による切片作製であろう．しかし，エナメル質・象牙質・セメント質・骨基質などは石灰化しており，そのままでは，通常のパラフィン切片が作製できない．そのため，サンプルの固定後に，酸またはEDTA（ethylenediaminetetraacetic acid）にて**脱灰**という操作をすることで，他の軟組織と同様にパラフィン切片を作製することが行われている．一方，石灰化した状態のエナメル質・象牙質・セメント質・骨基質を観察したい場合には，脱灰操作をせずにサンプルの研磨切片を作製し顕微鏡観察を行う．この場合，**テトラサイクリン**や**カルセイン**が石灰化部位に沈着することを利用して石灰化基質合成の部位を特定したり，あるいは，**von Kossa 染色**で石灰化基質を暗褐色に可視化することができる（図11-Ⅰ-1）．さらに，電子顕微鏡にて結晶構造を解析する場合にも未脱灰サンプルが使用される．

歯や骨などの石灰化組織において，何をターゲットとして観察するかによって，顕微鏡的な解析方法が異なってくる．たとえば，**組織化学** histochemistry は組織標本で特定タンパク質などの物質の局在を明らかにする方法であり（図11-Ⅰ-2），免疫組織化学 immunohistochemistry，酵素組織化学 enzime-histochemistry，*in situ* ハイブリダイゼーションなどの手法がある．免疫組

図11-Ⅰ-1　マウスの骨幹端における von Kossa 染色（黒）（マウス）
石灰化基質は成長板の肥大化層，および，骨梁の骨基質に観察される．
Tb：骨梁，GP：成長板，HZ：肥大化層，BM：骨髄

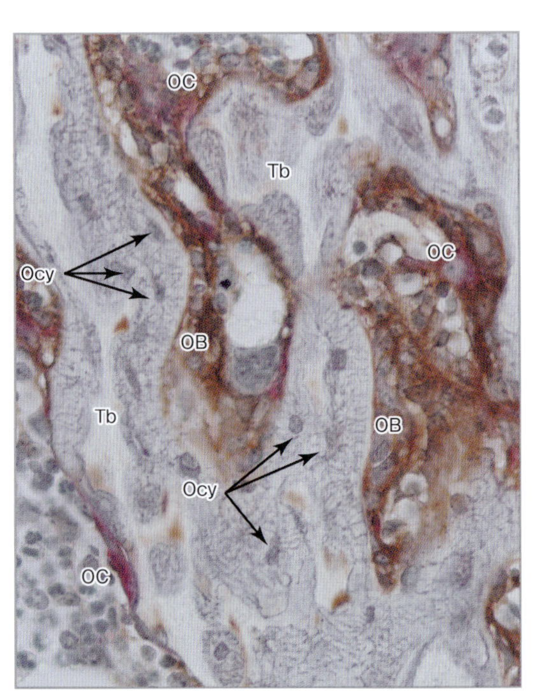

図11-Ⅰ-2　骨梁における鍍銀染色（黒）・TRAP 染色（赤）・ALP 染色（茶）（マウス）
組織化学染色の一例．鍍銀染色によって骨細胞から伸びる網目状の細い骨細管が黒く染色されている．破骨細胞を酒石酸抵抗性酸性ホスファターゼ（TRAP）（赤；酵素組織化学），骨芽細胞をアルカリホスファターゼ（ALP）（茶色；免疫組織化学）にて染色．
Tb：骨梁，OC：破骨細胞，OB：骨芽細胞，Ocy：骨細胞

織化学は，組織内に存在する特定のタンパク質を認識する物質（**抗体** antibody）を用いる手法である．認識されるタンパク質などを抗原 antigen とよび，抗原と抗体が結合する反応（抗原抗体反応）が基本原理になっている．また，酵素組織化学は，細胞や組織に存在する酵素活性を利用してその局在・分布を観察する方法であり，その酵素に対する基質と発色剤を反応させて可視化する手法である．一方，免疫組織化学がタンパク質そのものを同定する方法であるのに対して，***in situ* ハイブリダイゼーション**は，特定タンパク質をコードするメッセンジャー RNA（mRNA）の発現を捕らえる手法である．つまり，タンパク質をコードする mRNA の塩基配列には高い特異性があることから，タンパク質そのものを検出しなくとも mRNA の段階で将来のタンパク質の発現を明らかにすることができる．さらに，先に述べたテトラサイクリン・カルセインを動物に投与して，石灰化基質合成を観察するとともに，**骨形態計測** bone histomorphometry という方法によって石灰化領域や速度などを計測することもできる．このように，歯や骨における顕微レベルの解析方法は多岐にわたっている．

II 組織化学的手法

骨や歯に存在するタンパク質・酵素活性，さらには，遺伝子発現を特異的に可視化する方法として以下があげられる．

1．免疫組織化学

免疫組織化学は，求める物質に結合する抗体を切片上で反応させた後，その抗体に対する標識物質により発色させ可視化する方法である．大きく直接法と間接法に分けられる．直接法は，標識物質をあらかじめ標識した抗体を反応させる方法であり，1 回の反応ですむ．一方，間接法は，抗原を認識する抗体（一次抗体）とそれに対して結合する抗体（二次抗体）を用いる方法であり，切片の抗原と一次抗体の反応，さらには一次抗体と二次抗体の反応といった２つのステップに分かれる．また，直接法，間接法にかかわらず，抗原と抗体が結合しただけでは顕微鏡では観察できないため，なんらかの方法で発色させる必要がある．その可視化のために標識されている物質が蛍光色素，西洋わさびペルオキシダーゼ horseradish peroxidase（HRP）などの酵素，あるいは金属粒子の違いにより，それぞれ**蛍光抗体法**，**酵素抗体法**，**金コロイド法**と分類することができる．また，間接法の変法として，一次抗体に結合する二次抗体などを工夫して反応を増大させる増感法が存在する．たとえば，一次抗体の反応が終わった後に，ビオチン biotin という物質を標識した二次抗体で反応させ，さらに HRP を標識したアビジン avidin（ビオチンに結合）を反応させる．すると，アビジンとビオチンの結合のため，最終的に多量の HRP を結合させた大きな抗体複合体をつくりだすことができ，HRP による発色反応を増感することができる．この方法は，標識物の頭文字をとって ABC 法 avidin-biotin complex method という．

抗原を認識する抗体の種類として，モノクローナル monoclonal 抗体とポリクローナル polyclonal 抗体に大きく分けることができる．モノクローナル抗体は抗原として決まった領域のアミノ酸配列だけ認識する抗体であり，ポリクローナル抗体は，抗原となるタンパク質の多くの箇所のアミノ酸配列を認識する抗体の集合体である．また，抗体によって免疫沈降や western blotting に向いているもの，あるいは，中和抗体として使用できるものなどがあり，免疫組織化学で使用できる抗体であってもサンプルがパラフィン切片または凍結切片（クリオスタット切片）であるかによって向き不向きがある．

1）酵素抗体法

酵素抗体法は，二次抗体などの可視化物質として酵素が用いられる手法である（**図 11-Ⅱ-1**）．実際には，HRP を標識する場合が多い．ペルオキシダーゼは過酸化水素水（H_2O_2）を水と酸素に分解する酵素であるが，HRP の作用で発生した酸素は，3,3'-diaminobenzidine（DAB）四塩酸塩と反応して茶色の沈殿物を生じる（**図 11-Ⅱ-2**）．すなわち，この沈殿物が標的とするタンパ

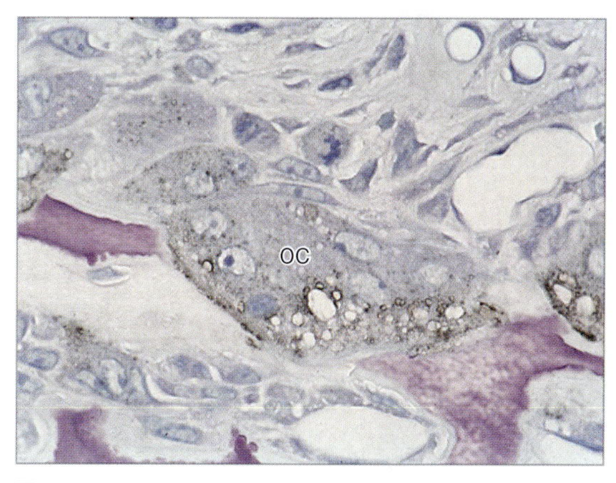

図 11-Ⅱ-1　リソソームの膜を認識する抗体（ED1）を用いた酵素抗体法
破骨細胞（OC）の波状縁の領域と小胞状構造物に免疫反応が観察される．

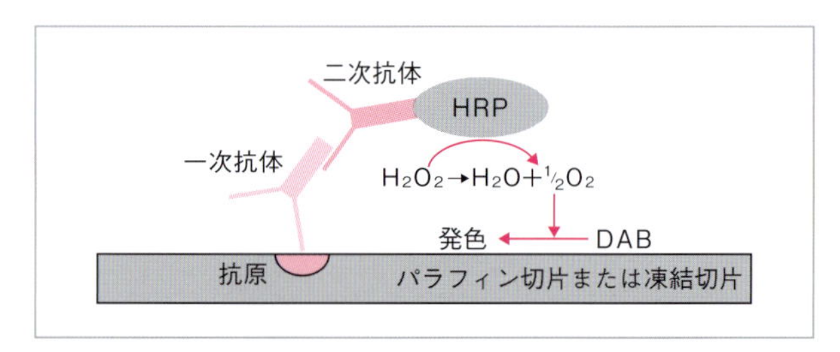

図 11-Ⅱ-2　酵素抗体法における間接法の原理を示した模式図

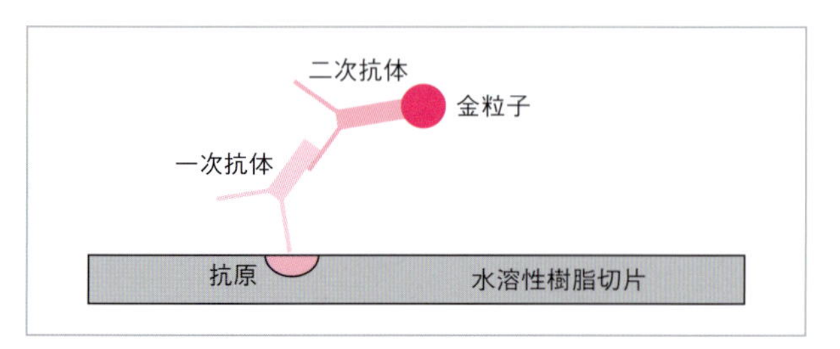

図 11-Ⅱ-3　金コロイド法の原理を示した模式図

ク質の局在と一致することになる．また，二次抗体に標識されている他の酵素として，アルカリホスファターゼ alkaline phosphatase（ALP）や β-ガラクトシダーゼなどがあり，それらの酵素に応じた基質と緩衝液によって特定の沈殿物を産生することができる．

DAB 反応で生じた茶色の沈殿物は，通常の電子顕微鏡観察の後固定で用いられるオスミウムで電子線を通さない黒い物質となる．このことを利用して，DAB 反応を行った凍結切片を，オスミウム固定，脱水，エポキシ樹脂包埋させて，電子顕微鏡レベルで免疫反応の局在を観察することも可能である．

2）蛍光抗体法

蛍光抗体法は，二次抗体として蛍光色素である FITC（緑色），ローダミン（オレンジ色），テキサスレッド（赤）などを標識したものを用いる手法である．この場合は，蛍光顕微鏡で観察するため，発色などの操作は必要がない．さらに，蛍光色で色分けができるため，二重染色あるいは三重染色などの多重染色が可能であり，1 つの細胞・組織内の異なる物質の局在を観察しやすくしている．ただし，特定の蛍光の波長のみを透過させるので，免疫反応以外の組織構造などは把握しにくい．そのために，コンピュータ上で細胞や組織の外形を映し出しておき，そこで蛍光色を映し出して周囲組織との関係を明らかにするなどの工夫を行う場合もある．また，蛍光抗体法の免疫染色を施した試料を共焦点レーザー顕微鏡で観察すれば，観察したい面を断層的に映し出すことができる．

3）金コロイド法

金コロイド法は，**金粒子**を結合させた二次抗体を用いる方法であり，主に電子顕微鏡での観察に用いられることが多い（**図 11-Ⅱ-3**）．二次抗体に標識されている金粒子の大きさは約 5〜20 nm が最も多く用いられており，電子顕微鏡での観察に向いている．厚い切片を作製して一次抗体，二次抗体と反応させた後，金粒子を**銀増感**によって大きくすることで光学顕微鏡でも観察することができる．また，金コロイド法の多くは，水溶性樹脂切片で行われることが多い．

2. 酵素組織化学

1）酵素組織化学

組織中の酵素の検出には，その酵素に対する抗体を用いた免疫組織化学も適用できるが，その酵素活性を利用して，発色性をもたせた基質（発色基質という）を用いることで**酵素組織化学**を行うことができる．免疫組織化学はタンパク質そのものを検出する方法であるが，酵素組織化学では酵素活性の局在を見ることになる．ただし，酵素活性は抗原性を維持するよりむずかしい場合が多く，たとえば，歯や骨に存在するアルカリホスファターゼ活性は熱に弱く，包埋の過程で熱せられるパラフィン切片ではその活性の多くが失われてしまう．さらには，酵素の多くは二価の陽イオンを活性中心にもつが，歯科領域では石灰化組織を含むことが多く，EDTA での脱灰操作により Ca^{2+} や Mg^{2+} などの二価の陽イオンが消失する．そのため，EDTA などで脱灰した試料は，Ca^{2+} や Mg^{2+} などを含む溶液にて再賦活する必要がある．

歯や骨組織で最も多く用いる酵素組織化学として，ホスファターゼの酵素活性を検出することが多い．ホスファターゼはリン酸エステルを加水分解する酵素の総称であり，アルカリ領域で活性を示すものを**アルカリホスファターゼ**，また，酸性領域で活性を示すものを**酸ホスファターゼ** acid phosphatase（ACP）という．特に後者については，細胞のリソソームに検出される．また，酸ホスファターゼは酒石酸 tartrate acid の存在で活性を示さなくなるものが多いが，破骨細胞においては**酒石酸抵抗性酸ホスファターゼ** tartrate resistant acid phosphatase（TRAP）を有していることから，TRAP 染色は破骨細胞の同定として有力な方法として広く用いられている（**図 11-Ⅱ-4**）．一方，アルカリホスファターゼは骨芽細胞系細胞の同定の一助として用いられる．

ホスファターゼの活性を検出する方法の 1 つとして，

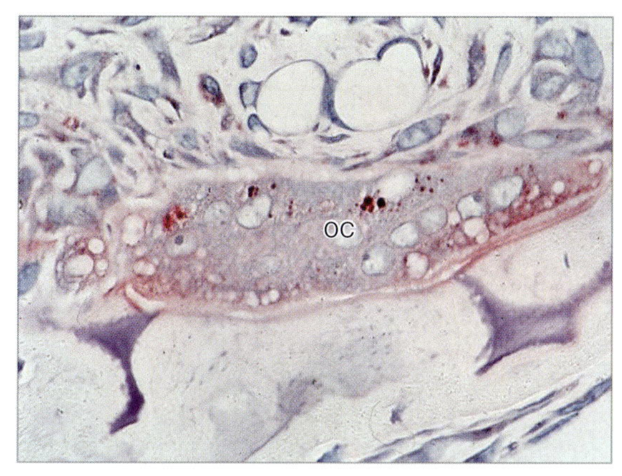

図 11-Ⅱ-4　破骨細胞（OC）における TRAP 染色像
波状縁の領域および細胞質内の顆粒状構造に反応をみることができる．
（下村淳子，網塚憲生：骨の形態と骨代謝．新しい透析骨症（黒川　清監修，深川雅史編集）．日本メディカルセンター，2003，図Ⅱ-2-6.）

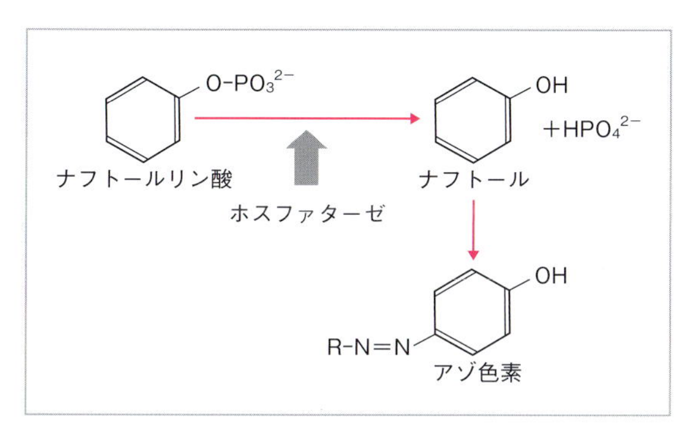

図 11-Ⅱ-5　アゾ色素法の原理を示した模式図

Burstone により開発されたアゾ色素法が多く用いられている．これは，酵素の基質となるリン酸ナフトールがホスファターゼの作用でリン酸とナフトールに分解されるが，ジアゾニウム塩をジアゾ結合することでアゾ色素を沈殿する（**図 11-Ⅱ-5**）．

2）オートラジオグラフィ

オートラジオグラフィ autoradiography は，放射性同位元素（ラジオアイソトープ）を用いた組織化学的手法であり，知りたい物質の局在あるいは細胞内動向について検索するときによく用いられる．その過程として，まず，ラジオアイソトープを標識した物質，あるいはラジオアイソトープそのものを動物に投与する必要がある．そして，ラジオアイソトープを標識した物質を動物に投与した一定時間後に，観察したい組織を取り出し，固定・脱水・包埋などの過程を経て切片を作製する．しかしながら，これだけではその物質の局在を同定することはできないために，切片に乳剤という液体の感光材料をかぶせることで，ラジオアイソトープからの放射線が

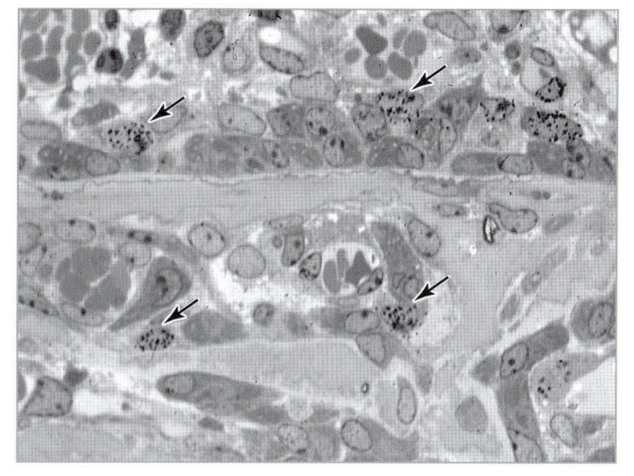

図 11-Ⅱ-6　^{3}H-thymidine を用いたオートラジオグラフィ
細胞の核の領域に黒い銀粒子が集積する像（矢印）を観察することができる．

乳剤を感光させるのを待つ．放射線により乳剤が感光した部位は，次に行う現像処理によって黒化した銀粒子として成長する．つまり，黒い銀粒子の局在がラジオアイソトープ標識した物質の局在と一致することになる．

オートラジオグラフィの応用範囲は広く，^{3}H-thymidine や ^{3}H-proline など細胞増殖あるいはコラーゲン合成などの構成成分になっている物質にラジオアイソトープを標識してオートラジオグラフィを行う方法（**図 11-Ⅱ-6**），後述する *in situ* ハイブリダイゼーションで用いるプローブ（細胞内で転写された mRNA と相補的な RNA または DNA）にラジオアイソトープを結合させ，ハイブリダイゼーション hybridization を最終的にオートラジオグラフィで表現する方法，さらにはアイソトープ標識の生理活性物質の受容体との結合を調べる方法，細胞内の物質の輸送過程・時間を調べる方法など多岐に富む．これらのさまざまな手法を光学顕微鏡で観察するばかりでなく，電子顕微鏡でも観察することができる（電顕オートラジオグラフィ）．この場合は，電子顕微鏡用に超薄切片を作製し，その上にごく薄い乳剤の膜をかぶせ同様に現像することで，電子顕微鏡観察で検出することのできる銀粒子を成長させる（**図 11-Ⅱ-7**）．

しかし，オートラジオグラフィをはじめとする放射性同位元素を用いてきた手法は，脱アイソトープの考え方からあまり用いられなくなってきた．放射性同位元素の代わりに，ハプテンを免疫組織化学的に検出する方法，細胞増殖については ^{3}H-thymidine ではなく PCNA（proliferating cell nuclear antigen）や Ki67 などの抗体を用いる方法，または，BrdU（Bromodeoxyuridine）を投与して，それを検出する方法に変わってきている．さらに，石灰化基質合成などについては，^{3}H-proline によるコラーゲン合成ではなく，後述するテトラサイク

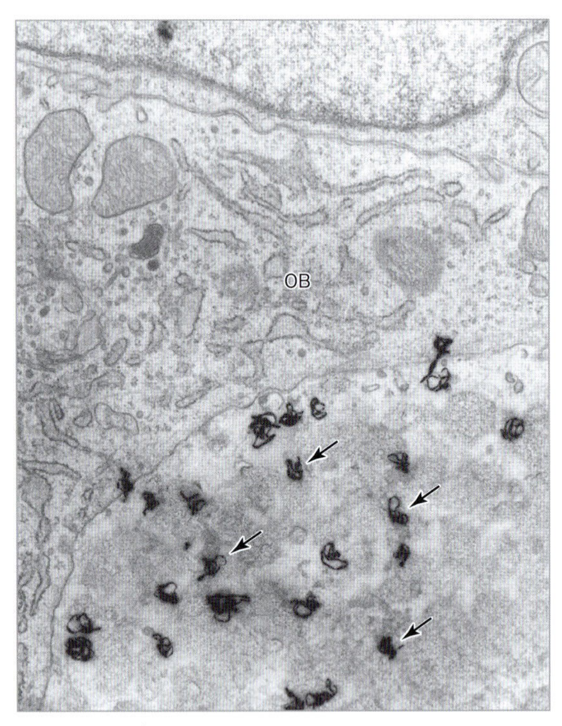

図 11-Ⅱ-7 ^{3}H-proline を用いた電子顕微鏡レベルでのオートラジオグラフィ
^{3}H-proline はコラーゲンの成分として骨芽細胞（OB）に取り込まれ，その直下の細胞外マトリックスに黒い銀粒子（矢印）として観察される．

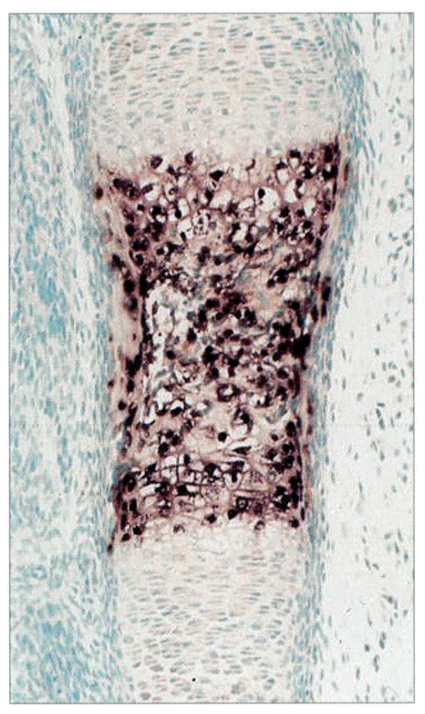

図 11-Ⅱ-8 脛骨におけるオステオポンチンの *in situ* ハイブリダイゼーション（マウス，胎生 15 日）

リンやカルセインなどを用いた方法が主流になっている．

3. *in situ* ハイブリダイゼーション

特定の遺伝子の発現時期や組織内の局在を同定するために考案されたのが，***in situ* ハイブリダイゼーション**である（**図 11-Ⅱ-8**）．すべてのタンパク質は，DNA から mRNA への転写を得てタンパク質合成（翻訳）を受ける（セントラルドグマ）．*in situ* ハイブリダイゼーションは，この過程の中でも特定のタンパク質をコードする mRNA を検出する技法である．

in situ ハイブリダイゼーションでは，免疫組織化学の抗体に相当するものとして，**プローブ**を用いる．プローブも DNA あるいは RNA といった核酸であるが，細胞内で発現される mRNA に対して相補的な塩基配列を示す．プローブの作製には，検出しようとする mRNA に対する RNA または cDNA プローブに可視化できる物質をあらかじめ標識しておく．プローブが切片と反応するときには，細胞内に存在する mRNA とプローブは相補的な塩基配列を示すため，ある条件下でこれらの間に結合が起こる．このように，1 本鎖の DNA あるいは RNA が相補的塩基配列によって二重鎖を形成することをハイブリダイゼーションという．*in situ* ハイブリダイゼーションは組織化学の 1 つであり，その表現方法も放射性同位元素を標識物質とする方法，**ジゴキシゲニン**あるいはチミンダイマーなどの修飾塩基をハプテンとして免疫組織学的に検出する方法，またビオチンとストレプトアビジンの特異的な結合反応を利用して酵素的に検出する方法などが存在する．

in situ ハイブリダイゼーションは，その手順から①切片の処理（除タンパク質，mRNA の露出，非特異結合の抑制），②プローブの作製，③ハイブリダイゼーション，④洗浄（不要なプローブと非特異結合の除去），⑤ハイブリダイゼーションした mRNA とプローブの可視化，に大きく分けられる．ハイブリダイゼーションさせる前の過程においては，切片内の mRNA が RNase で分解してしまわないように注意する．また，ハイブリダイゼーションの条件決め（温度，塩濃度など）が必要となる．*in situ* ハイブリダイゼーションは免疫組織化学に比べて比較的新しい手法であるが，近年では分子生物学の発展に伴って多くの研究室で行われるようになってきた．

4. 骨形態計測

歯や骨はリン酸カルシウムが沈着した石灰化組織であり，石灰化異常を組織解析する場合が多く，特に，骨では骨粗鬆症，骨軟化症，あるいは，慢性腎症や糖尿病な

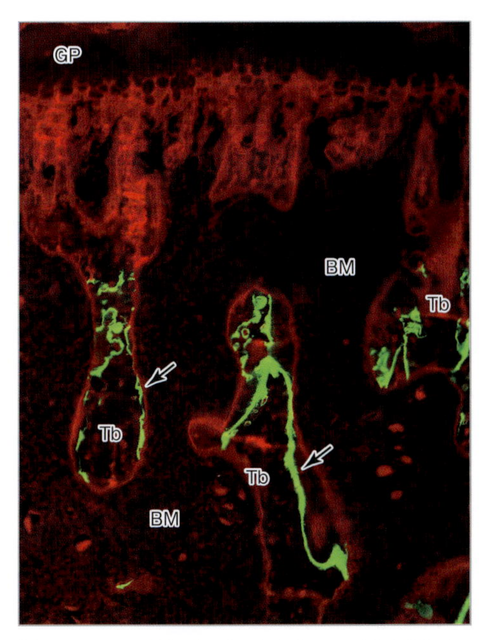

図 11-Ⅱ-9　骨幹端におけるカルセイン標識（マウス）
カルセインは緑色の蛍光標識（矢印）として観察される．カルセイン標識は骨形成（石灰沈着）が生じている部位に認められる．
Tb：骨梁，GP：成長板，BM：骨髄

ど全身疾患による骨疾患では石灰化異常が生じてしまう．そのような解析，あるいは，そのモデル疾患動物を作製し，石灰化を検索する必要が出てくる．

骨形態計測では，**テトラサイクリン**や**カルセイン**が石灰化している部位に取り込まれる性質を利用して，骨や歯などの石灰化部位を特定することができる（**図 11-Ⅱ-9**）．テトラサイクリンはやや黄色味を帯びた緑色，また，カルセインは鮮やかな緑色をしているため，テトラサイクリンとカルセインとを時間をずらしてモデル動物に投与することで，テトラサイクリンとカルセインで二重標識された部位における石灰化速度 mineral apposition rate を計算にて求めることができる．この場合，テトラサイクリンやカルセインを投与したサンプルは脱灰せずにメチルメタクリレート methyl methacrylate などの樹脂包埋を行い，研磨切片または薄切切片を作製して蛍光顕微鏡または共焦点レーザー顕微鏡で観察する．

このように，骨の組織像やテトラサイクリン・カルセインの標識から，骨吸収や骨形成，また，石灰化速度などを求めていく方法を骨形態計測という．骨形態計測のパラメータは大きく2つに分けて考えることができ，テトラサイクリン・カルセインなどの標識を行わなくても，単位面積当たりの骨の量 bone volume/tissue volume，骨梁の数 trabecular number，骨量の太さ trabecular thickness などといった静的パラメータを算出し，コントロール群と実験群における統計処理を行うことで有意差があるか解析することができる．また，テトラサイクリン・カルセイン標識を行った場合，**石灰化速度**や**骨形成速度** bone formation rate/bone surface など動的パラメータを算出することができる．骨形態計測学は，骨代謝研究にて発達してきた解析手法であるが，歯などにも応用が可能である．

Ⅲ 電子顕微鏡

1．電子顕微鏡の原理と種類

1）電子顕微鏡の原理の概要

電子顕微鏡は，可視光線ではみえない微細構造を観察するために，真空中の電子線を利用する顕微鏡である．一般に，顕微鏡の分解能（2点を判別しうる最小の距離）は波長の大きさに影響され，波長より小さいものは観察できない．光学顕微鏡の可視光の波長は約400～800 nm で，理論上ミクロンオーダーまでの大きさのものを観察できるが，電子顕微鏡は2.5～5 Å の波長を有する電子線を用いるため，光学顕微鏡と比べて高い分解能をもつ．電子顕微鏡は，大きく，**透過型電子顕微鏡** transmission electron microscope（TEM）と，**走査型電子顕微鏡** scanning electron microscope（SEM）に分けることができる．

透過電子顕微鏡は，電子線が薄い切片を透過したときの投影像を観察する装置である．透過型電子顕微鏡は，真空中に電子線を発生させて電子レンズの方向に加速させる「電子銃と加速電極」，電子線を収束させて試料面に照射させる「照射系」（収束レンズ），試料を透過した試料情報をもつ電子線を拡大する「結像系」（対物レンズ，投射レンズ）から構成されており，最終的に蛍光板上に投影した像を観察する（**図 11-Ⅲ-1**）．透過型電子顕微鏡における生物学試料の観察では，加速電圧 50～100 KV を用いて厚さ 70～100 nm の超薄切片を観察することが多いが，500～3,000 KV またはそれ以上の超高圧を加えることで厚い切片を観察することもできる．電子顕微鏡の電子銃，すなわちフィラメントから放出した熱電子は磁石でできているコンデンサーレンズ（収束レンズ）により屈曲されて切片を透過する．その後，対物レンズと投射レンズを通過することで拡大されて蛍光板に試料のイメージを結像する．

電子顕微鏡の試料作製のときに，固定液の1つとして四酸化オスミウム（OsO_4）が用いられ，さらには超

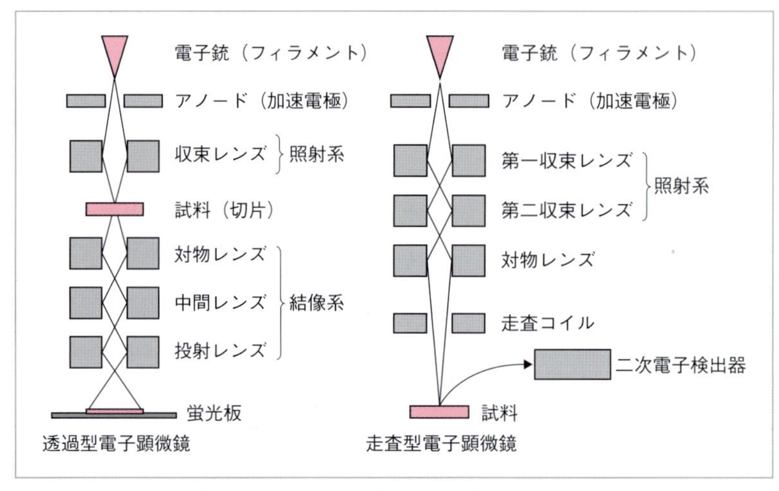

図 11-Ⅲ-1 透過型電子顕微鏡と走査型電子顕微鏡の構造を簡単に表した図

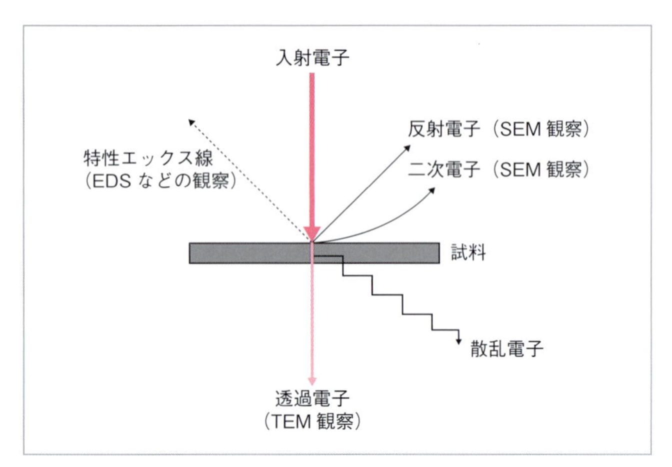

図 11-Ⅲ-2 電子線を試料に照射したときに発生する線
その多くは透過電子線となるが，試料（切片）を透過する際に散乱する電子線（散乱電子），二次電子，反射電子，特性エックス線が発生する．走査型電子顕微鏡（SEM）観察のためには，二次電子あるいは反射電子が用いられる．

薄切片を作製した後に酢酸ウランやクエン酸鉛による電子染色を行うために，細胞膜あるいは細胞質内の有機質には金属性の固定液と染色液が結合した濃淡ができあがる．電子線がこのような切片を透過すると，蛍光板に明暗を生じる投影像を映し出すことができる（**図 11-Ⅲ-2**）．

一方，走査型電子顕微鏡は試料に電子線を照射し，その表面形態を観察する装置である．したがって，組織切片を樹脂に包埋して超薄切片をつくる必要はなく，観察したい試料を電子顕微鏡に入れて検鏡することになる．ただし，試料のオスミウムによる固定，脱水，導電性の付与といった処理が必要となる．観察時においては，電子銃で発生した電子線は試料表面に照射し，その部位から発生する二次電子（凹凸の情報を含む）を輝度の信号に変換することで画像を映し出す．二次電子は試料の凸部分からの発生量が多いため，映像としては凸部分が明るく凹部分が暗い三次元像を表現することができる．このように走査型電子顕微鏡の最大のメリットは光学顕微鏡の分解能を超えた倍率で立体的に試料の形状が評価できることがあげられる．

2）電子顕微鏡の種類

試料の性状を明らかにする目的で使用するものに分析電子顕微鏡がある．分析電子顕微鏡は試料に入射した電子とそこに存在する原子との相互作用の情報を捕らえることによって，試料内に存在する元素の組成や局在などを検出することができる．一般には，分析電子顕微鏡は走査型電子顕微鏡あるいは透過型電子顕微鏡に検出器をとりつけて検出する場合が多い．

その1つである**エネルギー分散型エックス線分光** energy dispersive X-ray spectrometry（**EDS**）は，電子線を照射された観察領域から発生する各元素に特異的なエックス線（特性エックス線）を検出する（**図 11-Ⅲ-2**）ことで，試料にどのような元素がどれだけ含まれるかを調べる装置である．また，走査型電子顕微鏡に特性エックス線の分光分析を装着した**電子プローブマイクロアナライザー** electron probing micro-analyzer（**EPMA**）でも元素の分布（元素マッピング）を調べることができる．また，**電子エネルギー損失分光** electron energy-loss spectroscopy（**EELS**）は，入射電子が試料の原子に衝突するとき，そのエネルギーを一部失って（速度が遅くなる）散乱される電子（非弾性散乱電子）のエネルギーを分光する顕微鏡である．その結果，微小領域から元素の定性定量分析を行うことができる．

近年，注目を浴びている**クライオ電子顕微鏡**（通称，クライオ電顕 cry-electron microscopy）は，サンプルを化学固定や染色するのではなく，液体窒素で凍結した

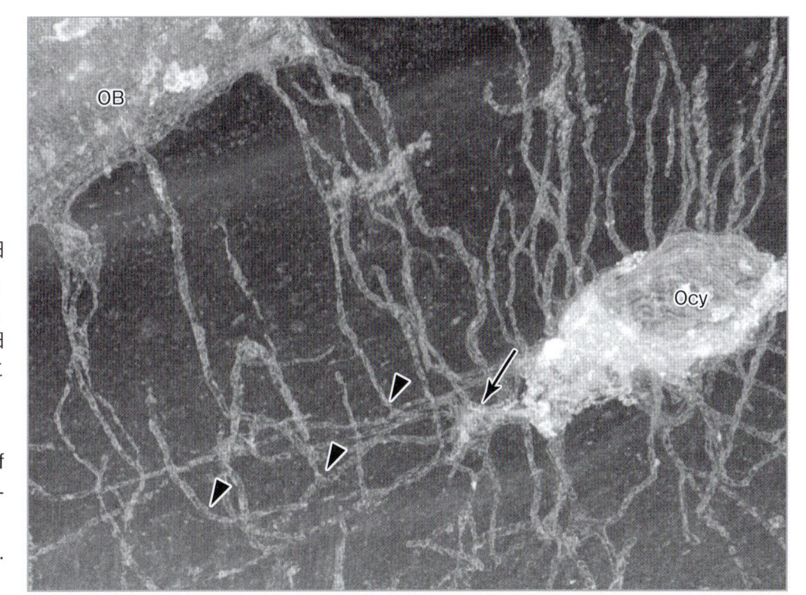

図 11-Ⅲ-3　FIB-SEM で観察した骨細胞と細胞突起
FIB-SEM によって骨細胞とその細胞突起を三次元的に微細構造観察した所見．骨細胞から太い突起（矢印）が伸びて，その突起から細い突起が分岐するのが認められる．また，それら細い突起は，その後，直角に曲がり骨表面の骨芽細胞へとつながる．矢尻は，骨細胞からの細胞突起が直角に折れ曲がり骨芽細胞に向かう箇所を示す．
Ocy：骨細胞，OB：骨芽細胞
（Hasegawa T et al.：Three-dimensional ultrastructure of osteocytes assessed by focused ion beam-scanning electron microscopy（FIB-SEM）. *Histochem Cell Biol*, 149：423〜432, 2018. doi: 10.1007/s00418-018-1645-1. Figure 5）

状態で固定しサンプルを観察する方法であり，透過電子顕微鏡をベースとしている．しかし，超微細構造を観察するのに適しているため，微細な振動や磁場の影響を受けない環境を整える必要がある．

また，微細構造レベルで対象となる細胞や細胞小器官の三次元構築を可能とする電子顕微鏡として **FIB-SEM**（focused ion beam-scanning electron microscope）と SBF-SEM（serial block-face scanning electron microscope）をあげることができる．FIB-SEM は集束イオンビーム focused ion beam 装置でサンプル表層から表面を順次切削することでサンプル内部の構造を走査型電子顕微鏡で観察する装置である（**図 11-Ⅲ-3**）．また，SBF-SEM は，走査型電子顕微鏡の試料室内にダイヤモンドナイフでサンプル表面の切削を連続して行い，サンプル内部の構造を観察する装置である．

2. 電子顕微鏡の試料作製

生物試料を電子顕微鏡観察用に作製する場合のタンパク質固定液には，パラホルムアルデヒドやグルタールアルデヒドといったアルデヒド固定液，またはその混合液を用いることが多い．これらはタンパク質に強固な架橋構造を形成するために，細胞あるいは細胞小器官の微細構造を保つことができる．また，固定の方法として，固定液を心臓または局所的に血管を通して灌流すると，必要な場所に固定液を十分にいきわたらせることができる．電子顕微鏡の試料作製では，このようなタンパク質固定の後に OsO_4 水溶液による固定（後固定）をすることが多い．OsO_4 は細胞や細胞小器官の単位膜の構成成分であるリン脂質に結合して架橋形成・固定する．したがって，OsO_4 固定はアルデヒド固定液とは異なる機序で細胞をしっかりと固定するだけではなく，単位膜に高電子密度を与えることができる．

歯科領域の場合は，透過型電子顕微鏡で観察する組織試料の多くは，歯や骨などの石灰化組織であることから，アルデヒド固定と OsO_4 固定の間に脱灰操作が入ることが多い．脱灰操作により基質の石灰化ミネラルを溶かし軟らかな組織にすることができるため，超薄切片も作製しやすくなる．脱灰は，通常，二価の陽イオンのキレート剤である EDTA 水溶液を用いて行うことが多い．Warshawsky と Moore によれば，適度な浸透圧は 4.13% EDTA 水溶液で得られるという．このような脱灰を行った場合は，その後に OsO_4 固定を行うことになる．OsO_4 による後固定まで処理された試料はアルコールやアセトンで脱水され，エポキシ樹脂などの包埋剤に埋め込まれる．すなわち，試料を硬い樹脂に埋め込むことで超薄切片の作製を容易に行うことができる．超薄切片を作製するときは，ミクロトームという切片作製装置とダイヤモンドナイフを用いて，70〜100 nm ぐらいの厚さの切片を作製する．超薄切片はダイヤモンドナイフに貯められた水の上に浮遊するように作製されるが，さらに，酢酸ウランやクエン酸鉛などの電子染色を施した後に電子顕微鏡で観察することが多い．

また，従来のタンパク質固定法ではなく，液体窒素などで冷却した銅ブロックに取り出したばかりの生の試料を瞬間的に当てることにより凍結固定する**急速凍結法** rapid freezing technique がある．その結果，銅ブロックに接触した表面から数ミクロン内に氷晶が形成されず微細構造観察を行える領域ができあがる．さらに，急速

図 11-Ⅲ-4　象牙質の有機成分を除去して歯髄から観察した走査型電子顕微鏡像
多数の石灰化球を認めることができる．象牙芽細胞の突起を通す小さな無数の孔を認める．

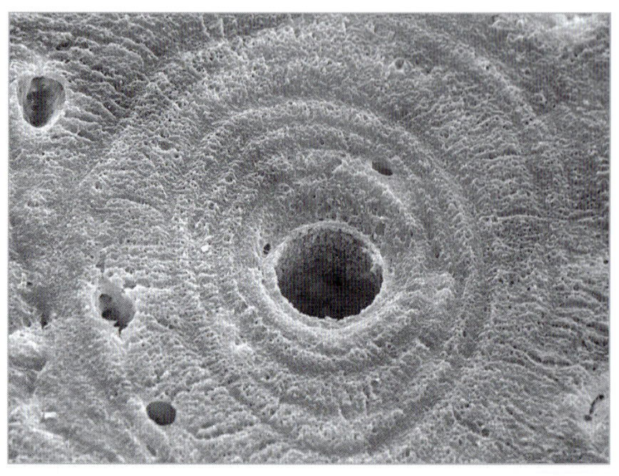

図 11-Ⅲ-5　脛骨皮質骨における Havers 系を示した走査型電子顕微鏡像（サル）
骨を研磨し酸処理を行うことで，同心円状の Havers 系を明らかにすることができる．

凍結した試料は，冷却したまま OsO_4 アセトン溶液につけて固定・脱水を行うといった**凍結置換法**を用いることが多い．急速凍結置換法を用いた場合は，通常の化学固定よりも細胞膜や細胞質内のタンパク質の保持がよいとされているが，その目的や簡便性など考慮する必要もある．

一方，走査型電子顕微鏡の場合は，タンパク質固定後は表面を観察するために必ずしも脱灰は必要ではない．たとえば，骨基質や歯の石灰化構造を観察するためには，むしろ細胞成分や細胞外マトリックス extracellular matrix を除去する目的で次亜鉛素酸ナトリウムを用いて有機質を溶解し，石灰化基質を観察することもよく行われる．また，さらにその表面を研磨し，塩酸処理を施すと石灰化の程度により表面に凹凸をつけ基質の構造を理解しやすくする方法，あるいは割断することで内部の構造を見る方法など，さまざまな観察手法が存在する(**図 11-Ⅲ-4，5**)．走査型電子顕微鏡観察も，透過型電子顕微鏡と同様に OsO_4 固定を行うことが多い．しかしながら，それは試料表面の導電性を高めることが目的である．走査型電子顕微鏡内は高真空であるため，生体試料などの水分の多い試料は脱水処理が必要となる．したがって，試料を乾燥するステップが生じるが，このときの乾燥で生じる試料の収縮や変形を最小限に抑える工夫がされている．たとえば，臨界点乾燥という方法は，気相と液相が平衡状態にある臨界点では表面張力がゼロになることを利用して，臨界状態から液相を通ることなく気相（気体）を排出するために，微細構造を破壊せず乾燥することができる．観察時では，電子線が試料に入射するため，試料の表面に金や炭素などの金属を蒸着して導電性を与える必要がある．これにより，試料表面 に電荷がたまり光りすぎてしまう現象（チャージアップ）を防ぐことができる．

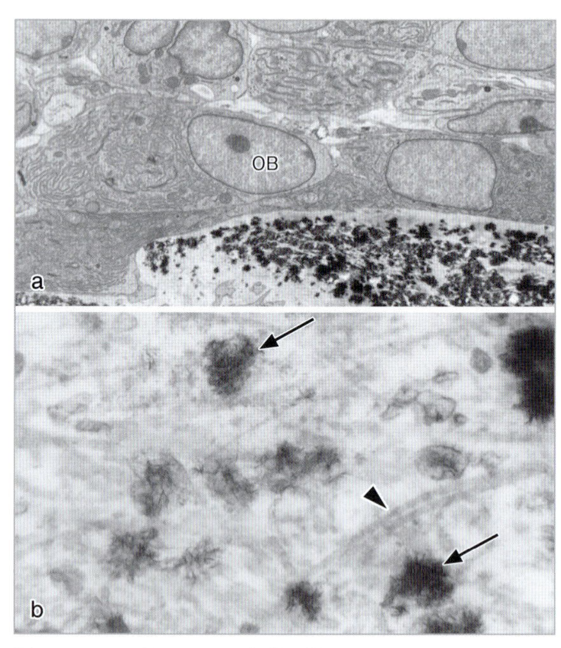

図 11-Ⅲ-6　骨における未脱灰像
a：骨芽細胞（OB）の直下に集積した石灰化球を観察した像.
b：細胞外マトリックスの拡大像. 石灰化球（矢印）とコラーゲン線維（矢尻）を観察することができる.

3. 電子顕微鏡の細胞組織化学への応用

試料の作製方法などを工夫することにより，電子顕微鏡レベルでの細胞組織化学を行うことができる．たとえば，放射性同位元素（アイソトープ）で標識した物質を動物個体に注入し，超薄切片を作製した後に薄い乳剤で覆うことで，切片内におけるアイソトープ標識した物質の微細局在を観察する方法（電顕オートラジオグラフィ），あるいは後述する免疫組織化学の方法を電子顕微鏡レベルで行うことにより，特定の物質が細胞内のどの部位に局在するか明らかにする方法などがある．さらには，歯科領域では石灰化基質が存在することから，たとえば，透過型電子顕微鏡で観察する試料を作製する場合，あえて脱灰操作を行わず石灰化基質のそのままエポキシ樹脂に包埋し，超薄切片を作製する技法もある（**図11-Ⅲ-6**）．この場合，ダイヤモンドナイフで作製された超薄切片を水に浮かべるのではなく，エチレングリコールに浮かべることで切片内の石灰化成分であるリン酸カルシウムが溶け出さないようにする工夫を行う．

（網塚憲生，長谷川智香）

Ⅳ 蛍光顕微鏡と蛍光バイオイメージング

生命が正常に発生，発達し，恒常性を維持するには，細胞の増殖，移動，分化が，時間的にも空間的にも正しい位置で生じることが大切である．同様に，そのような組織構築過程において，細胞の機能およびそれを担う生体分子も時空間的に適切な場所で機能する．蛍光タンパク質や蛍光物質によって標識された細胞や分子の動態を観察する（**蛍光バイオイメージング**）は，時間や空間の流れの中での，それらの動態を観察することを可能にする．ここでは，蛍光バイオイメージングに用いられる，一般的な蛍光顕微鏡，共焦点レーザー顕微鏡，多光子励起顕微鏡，超改造顕微鏡の基本原理について解説する．またこれらの顕微鏡技術を用いた実際の応用例や定量解析についても紹介する．

1. 蛍　光

ある分子（タンパク質のような生体分子あるいは化学分子）の中にある電子が，外から与えられたなんらかのエネルギー（たとえば光）によって励起状態（エネルギーの高い状態）になり，再び安定な基底状態（元のエネルギー状態）に戻るときに発する光を**蛍光**という（**図11-Ⅳ-1**）．励起状態になった電子はエネルギー的に不安定なので，すぐに基底状態に戻る．その際に，熱や光（すなわちエネルギー）を放出してもとの基底状態に戻る．この光として放出されたエネルギーが蛍光である．光として放出されたエネルギーは，与えられたエネルギーよりも小さい．すなわち，ある一定の波長の光をエネルギーとして吸収した電子は，それより必ず波長の長い光（蛍光）を放出する（**長波長シフト**）．これは，光のエネルギーと波長が反比例の関係にあるためである．たとえば研究でよく使われる**緑色蛍光タンパク質**（**GFP**）は，488 nmの青緑色の光をよく吸収し，510 nm程度の緑色の蛍光を発する．蛍光顕微鏡の光学系は，この長波長シフトの性質を利用して設計されている．また蛍光顕微鏡は，照射光（励起光）の波長と検出光（蛍光）の波長が変えられるようになっている．励起光と蛍光の波長をずらして異なる色の蛍光を撮影することで，マルチ(多色)蛍光イメージングが可能になる．

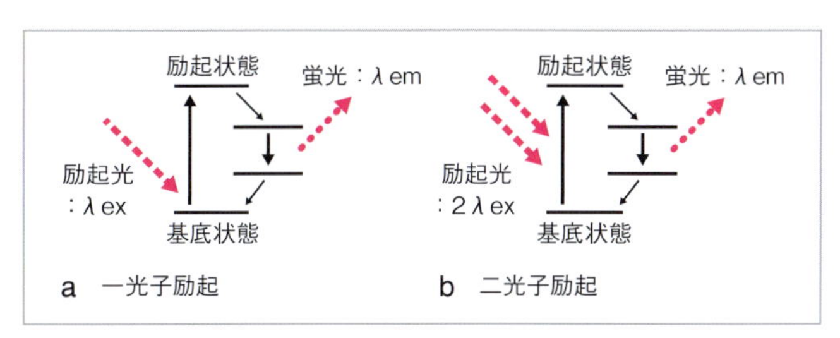

図11-Ⅳ-1　一光子励起と二光子励起
a：通常の蛍光顕微鏡観察では一光子励起により蛍光分子を光らせる．
b：二光子励起観察では，通常より2倍の波長の光子を同時に2個当てることで，1個の蛍光分子を光らせる．

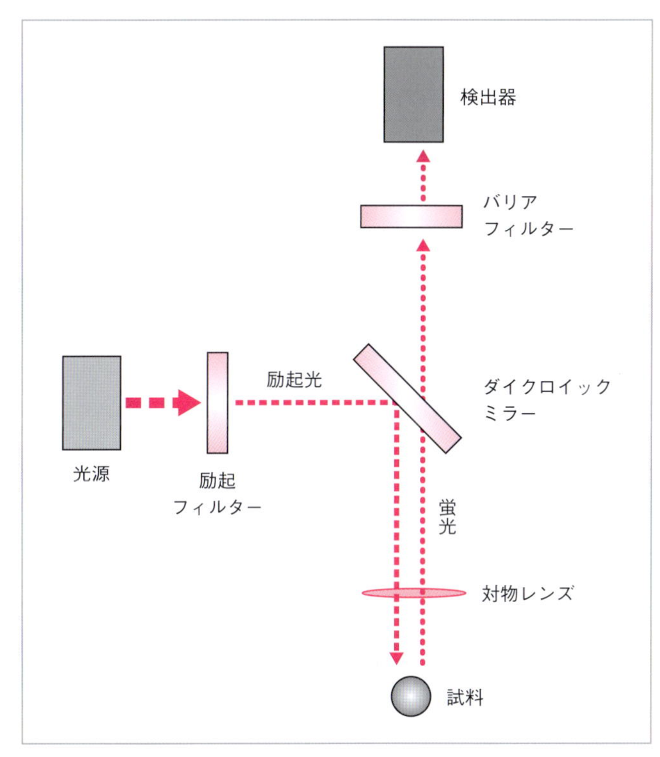

図11-Ⅳ-2　蛍光顕微鏡の基本システム

2. 全視野蛍光顕微鏡（蛍光顕微鏡）

全視野蛍光顕微鏡は，最もスタンダードな，いわゆる「**蛍光顕微鏡**」である．蛍光顕微鏡では，対物レンズを通して励起光を試料に照射する（**図11-Ⅳ-2**）．光源は水銀ランプやハロゲンランプが使われる．顕微鏡の鏡筒内には，ダイクロイックミラーという特別な鏡が設置してある．このダイクロイックミラーは，光の波長の違いに応じて透過率が異なるように設計されている．たとえ

第11章　硬組織の形態学的研究法

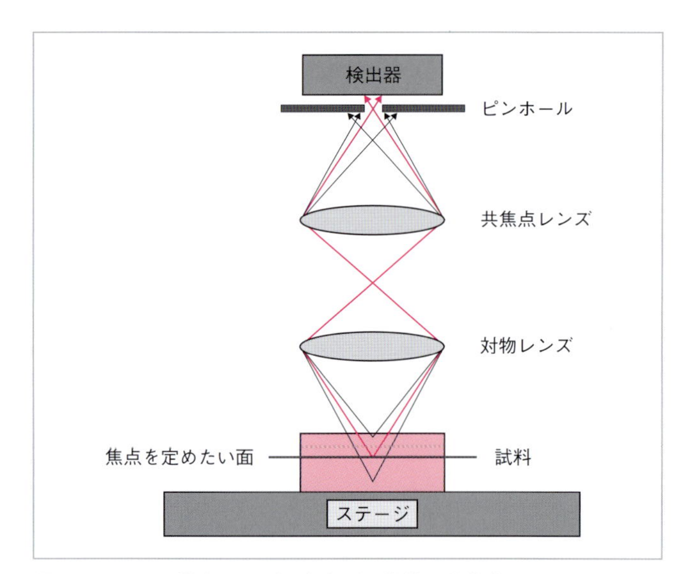

図 11-Ⅳ-3　共焦点レーザー走査型顕微鏡の共焦点の原理
試料の観察したい焦点が，ピンホールの位置で焦点が共役して形成される（赤矢印）．観察したい焦点よりも上下の位置は，ピンホールによって検出器まで達しない（黒矢印）．

ば**図 11-Ⅳ-2** では，低波長の励起光を反射し長波長の蛍光を通過させるようなダイクロイックミラーが設置されている．これによって，励起光源から出た光（低波長）が試料に当たり，試料から出てきた長波長の蛍光がこのミラーを通過するため，検出器に届く．

3. 共焦点レーザー顕微鏡

共焦点レーザー顕微鏡は，レーザーを光源とすること，および光電子倍増間（PMT）とよばれる高感度の検出器を用いることが顕微鏡装置としての特徴であるが，光学系（光の通り道）の設計は全視野蛍光顕微鏡と同様である（**図 11-Ⅳ-3**）．共焦点レーザー顕微鏡では，レーザーによる励起光で試料面を走査して，その焦点面からの検出光の輝度値や波長を，空間分布（xyz 座標系）の情報とともにコンピュータで再現し，平面（あるいは立体）画像として再現して観察する．光学系に内蔵されたミラー（ガルバノミラーなど）によって，試料面の焦点と検出器に届く検出光の焦点が共役するように設計されている．すなわち，試料面の焦点と，検出器での焦点が，「共焦点 confocal」の関係にあるためこの名がつけられている．

全視野蛍光顕微鏡（蛍光顕微鏡）観察では，焦点の上下からの光や，焦点周囲からの散乱光など，いわゆる「ボケ光」も一緒に観察することになるが，共焦点レーザー顕微鏡では，上記の工夫から，「ボケ光」を排除して観察することが可能になる．したがって，試料が発する本来の光のみを検出できるため，高い分解能を有する高画質での観察が可能になる．

4. 多光子励起顕微鏡（二光子励起顕微鏡）

同じ波長をもった 2 つの光子が 1 つの分子にヒットした場合，その半分の波長の光子 1 つがぶつかった場合と同じ励起現象が生じる（**図 11-Ⅳ-1b**）．このことを二光子励起という．また，二光子励起観察はこの原理を利用したものである．**多光子励起顕微鏡（二光子励起顕微鏡）**は，この二光子励起観察（原理的には多光子励起観察）を可能にする顕微鏡である．共焦点レーザー顕微鏡に類似した顕微鏡系（装置）からなるが，さらに高出力のレーザー（フェムト秒レーザーなど）を設置している．これは，二光子励起現象を起こさせるため，すなわち 1 つの蛍光分子に同時に 2 つの光子がぶつかる確率を高めるためには，多量の光子を照射する必要があるからである．二光子励起観察の場合，目的の蛍光分子を，通常よりも 2 倍の波長（GP では 900〜1,000 nm）で励起する．二光子励起は試料上の集光点（すなわち焦点のあった部分）でしか生じないためボケ光が発生しにくい．また，長波長の光は，短波長の光よりもエネルギーが少ない．そのため二光子励起観察では，試料の熱損傷や蛍光タンパク質や蛍光物質の褪色などの問題が生じにくい．また長波長の励起光は，散乱が少なく試料の深いところまで減衰せずに到達できることから，生物試料の深いところまで観察できるという利点がある（**図 11-Ⅳ-4**）．

5. 三次元イメージング

共焦点レーザー顕微鏡や多光子励起顕微鏡で撮像した 1 枚の画像は，**光学切片** optical slice とよばれる，焦点の位置を，試料の表面から一定間隔で深部方向へ変えていきながら連続撮影をすれば，光学切片の集合としての三次元情報が取得できる．このようにして撮影した連続光学切片の集合から，コンピュータ上で三次元画像の構築が可能であり，組織構造の三次元観察や，特定の細胞や分子の三次元分布を観察することが可能である（三次元イメージング）（**図 11-Ⅳ-5**）．

6. タイムラプス撮影（ライブイメージング）

特定の細胞，オルガネラ，分子を蛍光標識し，組織や細胞あるいは臓器を生きたまま顕微鏡下で観察することで組織の形態変化や細胞の動き，さらには分子の動きも観察可能である．**タイムラプス撮影（ライブイメージング）**は，一定の時間間隔で生きた試料を連続撮影する方法である．これによって観察対象の時間的，空間的な動

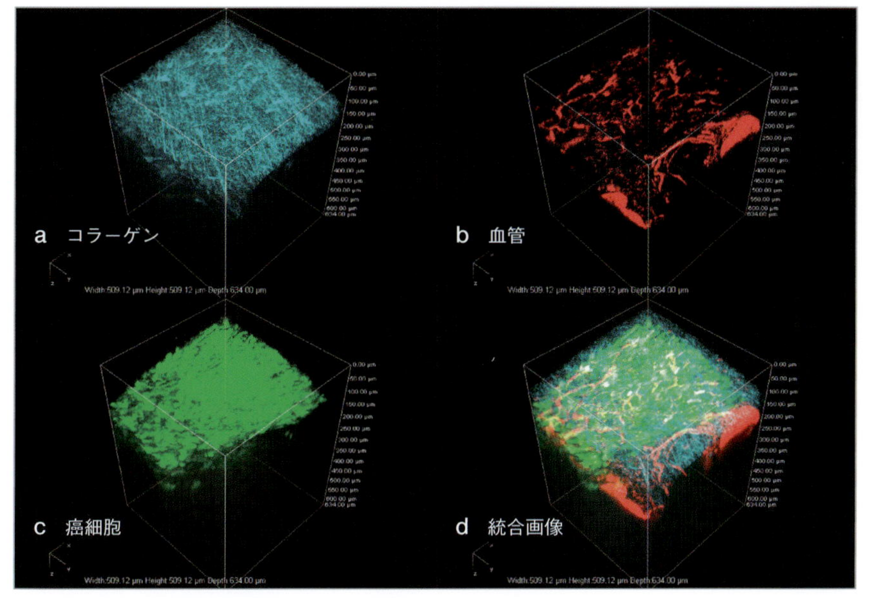

図 11-Ⅳ-4 多光子励起顕微鏡による深部イメージング
多光子励起顕微鏡を用いた，実験的癌組織の三次元イメージング．癌組織を包む線維性組織（コラーゲン，a），癌組織に侵入した血管（b），癌細胞（c）をそれぞれ異なる蛍光色で観察することで，これらの組織の相互的空間配置が観察できる（d）．共焦点レーザー顕微鏡では 10 μm 程度までしか深部観察ができないが，この画像では 600 μm 以上の深さまで観察できている．（撮影協力：東京大学医科学研究所顕微鏡コアラボ）

態を把握することができる．上記の三次元イメージングと組み合わせれば，まさに多次元イメージングが可能である．こうしたタイムラプス撮影(ライブイメージング)では顕微鏡下で細胞や組織を培養し，同時に顕微鏡観察を行う．また，実験動物の臓器を直接観察する（生体蛍光イメージング）も行われるようになっている．

7. 蛍光バイオイメージングと顕微鏡の選択

蛍光バイオイメージングによる観察で，どの蛍光顕微鏡システムを選ぶかは，観察したい現象や対象，実験の内容による．全視野蛍光顕微鏡は，比較的弱い励起光で十分な明るさの画像得られるので，励起光による資料のダメージや蛍光タンパク質や蛍光分子の褪色の問題が少ない．細胞の蛍光ライブイメージングを行う際には最も有効である．しかしながら全視野蛍光顕微鏡では，ボケ光を検出してしまうので，より高い解像度の撮影が必要ならば，共焦点レーザー顕微鏡が有用である．共焦点レーザー顕微鏡では，三次元画像取得も可能である．また組織のより深いところからの情報を得たい場合には，多光子励起顕微鏡（二光子励起顕微鏡）が有用で，生きたままの臓器を直接観察する「生体蛍光イメージング」には最も適している．

8. 超解像（蛍光）顕微鏡とノーベル化学賞

蛍光イメージングの進展は 2008 年にノーベル化学賞受賞した**下村脩**によるオワンクラゲ由来の**緑色蛍光タンパク質**（GFP）の発見によるところが大きい．また 2014 年のノーベル化学賞を受賞した 3 人は，超解像蛍光顕微鏡技術の開発がその受賞理由である．**超解像蛍光顕微鏡**は，さまざまな技術革新によって，分解能を 100〜数十 nm まで高めた蛍光顕微鏡の総称であり，1 オルガネラおよび 1 分子レベルの蛍光イメージングが可能になった（図 11-Ⅳ-6）．

9. 蛍光バイオイメージングと定量解析および今後の展開

顕微鏡を用いた形態学的な観察，すなわち解剖・組織学的手法は，生物医学研究および医学・歯学臨床においてきわめて有効な手法であるが，数値化および定量比較がむずかしい．一方で生化学・分子生物学的手法は，定量性や統計解析の点で優れており，先進の研究や臨床診断には不可欠な手法である．しかしながらこのような定量法は，細胞や組織を潰して分子を抽出するという手法をとるため，形態や生命の時空間情報が失われてしまう．そこで，細胞や組織をありのままに観察しながら定量比較が可能な蛍光バイオイメージングの手法への期待は大きい．

蛍光バイオイメージングで得られる画像は，デジタル画像であり，小さな正方形のピクセル（三次元画像の場合は，立方型のボクセル）の集合である．各のピクセル

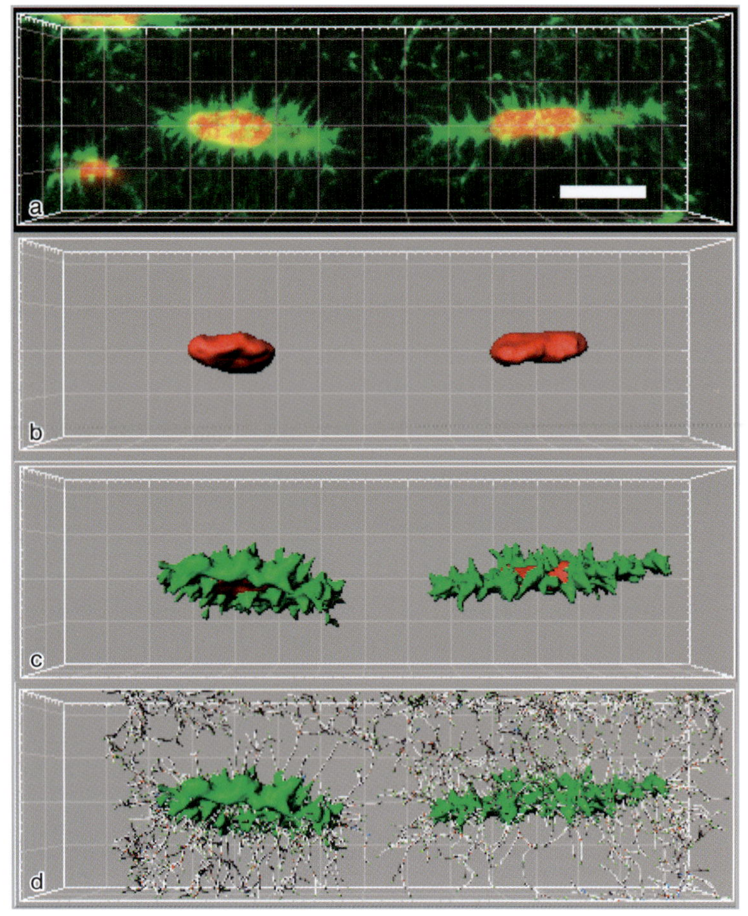

図 11-Ⅳ-5　三次元イメージングによる骨細胞ネットワークの計測
蛍光染色した骨細胞の連続光学切片を取得し（a），コンピュータ上で三次元再構築することで，細胞核（b）や細胞体（c）の体積や表面積などが計測可能である．また，細胞突起（d）によるネットワーク構造の計測も可能である．スケールバーは 10 μm.

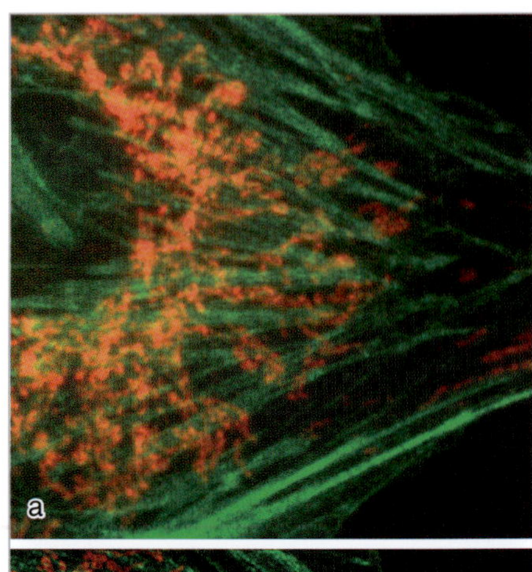

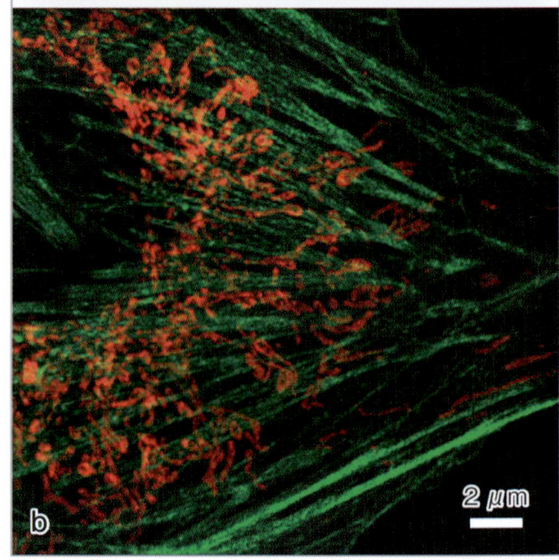

図 11-Ⅳ-6　超解像顕微鏡によるミトコンドリアと細胞骨格アクチンの微細構造イメージング
培養した血管内皮細胞の全視野（通常の）蛍光画像（a）と超解像顕微鏡（構造化照明法）(b) による比較観察．ミトコンドリアと，アクチンを異なる蛍光色で観察している．超解像画像では，ミトコンドリアの１本１本が鮮明に観察され，アクチン線維の微細な枝分かれやネットワーク構造が観察される．

（ボクセル）には，輝度値（光の強さ），光の波長（色）および空間情報が込められている．これらの情報を統合処理することで，定量解析が可能となる．たとえば，三次元画像からは，分子の分布体積表面積さらには細胞突起の太さや長さの計測（すなわち形態の定量）が可能である（**図 11-Ⅳ-5**）．またライブイメージング画像からは，細胞や分子の速度や方向性（すなわち時空間情報）の定量ができる．また，近年では細胞内の分子の量や細胞機能の変化を蛍光の色の変化で定量することが可能な機能的蛍光プローブがさまざまに開発されてきており，蛍光バイオイメージングを用いた定量解析はますます広がりをみせている．

また，蛍光イメージングによって提供された情報を元に，**数理生物学的手法**で新たな生命現象を明らかにする研究も進んでいる．たとえば，組織の構築過程は，個々の細胞の動きや機能変化が総体となったものである．どのようにして組織の形成や組織の機能分化が生じるのかは，多因子性で非線形の現象であるため，人の頭で考えるのはむずかしい．しかしながら，コンピュータ上でシミュレーション実験を行い，バイオイメージングで得られた定量データとの統計学的比較から，新たな調節機能を明らかにできることがある．こういった方法は，個体発生における組織構築の理解のみならず，癌のような病的組織形成の解明，新規薬理作用の解明，薬物スクリーニングなど，分子・細胞・組織個体といった生物学的階層を超えた解析法としてさまざまに応用されている．

さらに，近年では，**人工知能** artificial intelligence（**AI**）を搭載した画像解析用コンピュータソフトが開発され，画像の機械学習を繰り返すことで，特定の構造や形態を自動認識させ定量解析をすることが可能になっている．蛍光イメージングを応用した解析は，定量解析および形態学的な時空間情報をあわせもつ次世代の解析法としてますます発展している．

（飯村忠浩）

●参考図書，参考文献

Ⅰ 概説～Ⅲ 電子顕微鏡

●参考図書

1. 伊藤明美，池田恭治：図解 わかる骨形態計測～骨のなかをのぞいてみよう～．医薬ジャーナル，大阪，2010．
2. Burstone MS：Histochemical demonstration of acid phosphatases with naphthol AS-phosphates. *J Natl Cancer Inst*, **21**：523～539，1958.
3. Warshawsky H and Moore G：A technique for the fixation and decalcification of rat incisors for electron microscopy. *J Histochem Cytochem*，**15**：542～549，1967.
4. 下村淳子，網塚憲生：骨の形態と機能．新しい透析骨症（黒川清監，深川雅史編）．日本メディカルセンター，東京，2003，107～115．
5. Hasegawa T et al.: Three-dimensional ultrastructure of osteocytes assessed by focused ion beam-scanning electron microscopy（FIB-SEM）. *Histochem Cell Biol*. **149**：423～432，2018. doi: 10.1007/s00418-018-1645-1.

Ⅳ 蛍光顕微鏡と蛍光バイオイメージング

●参考図書

1. Iimura T et al.：A fluorescence spotlight on the clockwork development and metabolism of bone. *J Bone Miner Metab*, **30**：254～269，2012.
2. Iimura T and Pourquie O：Collinear activation of Hoxb genes during gastrulation is linked to mesoderm cell ingression．*Nature*，**442**：568～571，2006.
3. Iimura T et al.：Dual mode of paraxial mesoderm formation during chick gastrulation．*Proc Natl Acad Sci USA*，**104**：2744～2749，2007.
4. Sugiyama M et al.：Illuminating cell-cycle progression in the developing zebrafish embryo. *Proc Natl Acad Sci USA*, **106**：20812～20817，2009.
5. Denans N et al.：Hox genes control vertebrate body elongation by collinear Wnt repression．Elife 2015 Feb 26;4: e04379. doi: 10.7554/eLife.04379.
6. Shimozono S et al.：Visualization of an endogenous retinoic acid gradient across embryonic development．*Nature*，**496**：363～366，2013.
7. Sugiyama M et al.：Live Imaging-Based Model Selection Reveals Periodic Regulation of the Stochastic G1/S Phase Transition in Vertebrate Axial Development．*PLoS Comput Biol*，**10**：e1003957，2014.
8. Lee JW et al.：The HIV co-receptor CCR5 regulates osteoclast function．*Nat Commun*，**8**：2226，2017.
9. Takakura A et al.：Expansion of the osteocytic lacunar-canalicular system involved in pharmacological action of PTH revealed by AI-driven fluorescence morphometry in female rabbits．*Sci Rep*，**12**：16799，2022.
10. 飯村忠浩，李　智媛：骨組織の顕微鏡研究．顕微鏡，**53**：24～28，2018．
11. 飯村忠浩：骨細胞の３次元解析．*THE BONE*，**28**：165～172，2014．
12. 飯村忠浩：骨細胞の形態と機能ダイナミズムの可視化・定量化．実験医学，**32**：1067～1073，2014．

第11章

硬組織の形態学的研究法

歯学教育モデル・コア・カリキュラム令和４年度改訂版との対応

歯学教育モデル・コア・カリキュラム			本書
A 生命科学	A-2 人体各器官の発生，成長，老化と死		
	A-2-1 個体の発生		
		A-2-1-1 出生までにみられる胚形成の全体像を理解している. A-2-1-2 鰓弓の形成過程を理解している. A-2-1-5 多能性幹細胞と基本的な発生学的技術を理解している.	第２章 第４章Ⅳ
	A-2-4 口腔，顎顔面領域の発生と加齢変化		
		A-2-4-1 口腔と顎顔面領域の発生を理解している. A-2-4-2 鰓弓由来の構造と器官を理解している. A-2-4-3 顔面の発生に関与する突起と形成する部位を理解している. A-2-4-4 頭頸部の形成異常の発生機構を理解している.	第２章
	A-3 人体各器官の正常構造と機能		
	A-3-1-2 支持組織と骨格系		
		A-3-1-2-2 結合（支持）組織の分類，構成する細胞と細胞間質を理解している. A-3-1-2-3 骨と軟骨の組織構造と構成する細胞を理解している. A-3-1-2-4 骨発生（軟骨内骨化と膜内骨化），骨成長及びリモデリングの機序と調節機構を理解している.	第 10 章
		A-3-1-2-5 硬組織の成分と石灰化の機序を理解している.	第１章，第 10 章
	A-3-2 頭頸部の基本構造と機能		
		A-3-2-8 顎関節の構造と機能を理解している.	第８章
	A-3-3 口腔領域の構造と機能		
		A-3-3-2 口唇と口腔粘膜の分類と特徴を理解している. A-3-3-3 舌の構造と機能を理解している. A-3-3-4 軟口蓋の構造と機能を理解している. A-3-3-7 唾液腺の構造，機能及び分泌調節機序を理解している.	第９章
	A-3-4 歯と歯周組織の構造と機能		
		A-3-4-1 歯の発育及び交換の過程と変化を理解している.	第２章，第７章
		A-3-4-3 遺伝的な歯の形成異常を理解している.	第２章
		A-3-4-4 永久歯，乳歯，根未完成歯，幼若永久歯の硬組織の構成成分，構造及び機能を理解している.	第１章，第３章， 第４章
		A-3-4-5 歯髄の構造と機能を理解している.	第４章
		A-3-4-7 歯周組織の構造と機能を理解している.	第５章
D 臨床歯学	D-3 頭頸部領域の疾患の特徴と病因		
	D-3-2 歯と歯周組織の疾患の特徴と病因		
		D-3-2-5 歯痛の機序を理解している.	第６章

和文索引

欧文索引

A

B

【編者略歴】

前田健康（まえだ たけやす）

1959年　福井県に生まれる
1984年　新潟大学歯学部卒業
1988年　新潟大学大学院歯学研究科修了
1988年　新潟大学歯学部助手
1991年　新潟大学歯学部講師
1992年　新潟大学歯学部助教授
1996年　新潟大学歯学部教授
2001年　新潟大学大学院医歯学総合研究科教授，現在に至る

網塚憲生（あみづか のりお）

1961年　北海道に生まれる
1988年　新潟大学歯学部卒業
1992年　新潟大学大学院歯学研究科修了
1992年　新潟大学歯学部助手
2002年　新潟大学大学院医歯学総合研究科助教授
2005年　新潟大学超域研究機構教授
2009年　北海道大学大学院歯学研究科教授
2017年　北海道大学大学院歯学研究院教授，現在に至る

中村浩彰（なかむら ひろあき）

1962年　新潟県に生まれる
1986年　新潟大学歯学部卒業
1990年　新潟大学大学院歯学研究科修了
1990年　新潟大学歯学部助手
1999年　岡山大学歯学部助教授
2004年　松本歯科大学歯学部教授，現在に至る

本書の内容に訂正等があった場合には，弊社ホームページに掲載いたします．下記URL，またはQRコードをご利用ください．
https://www.ishiyaku.co.jp/corrigenda/details.aspx?bookcode=456760

口腔組織・発生学　第3版　ISBN978-4-263-45676-7

2006年 8月20日　第1版第 1 刷発行
2013年12月20日　第1版第 7 刷発行
2015年 2月10日　第2版第 1 刷発行
2023年 1月20日　第2版第10刷発行
2024年 1月10日　第3版第 1 刷発行
2025年 2月20日　第3版第 2 刷発行

編集　前田健康
　　　網塚憲生
　　　中村浩彰
発行者　白石泰夫

発行所　**医歯薬出版株式会社**
〒113-8612　東京都文京区本駒込1-7-10
TEL.(03)5395—7638(編集)・7630(販売)
FAX.(03)5395—7639(編集)・7633(販売)
https://www.ishiyaku.co.jp/
郵便振替番号 00190-5-13816

乱丁，落丁の際はお取り替えいたします　印刷・あづま堂印刷／製本・明光社